東京国立博物館所蔵

板碑集成

東京国立博物館［編］

はじめに

東京国立博物館は明治五年（一八七二）に「文部省博物館」として創設されて以来、様々な分野にわたる多くの美術品や文化財を収集してきた。その中には多数の考古資料が含まれており、この方面における日本最大のコレクションとして重要な位置を占めている。これらの中で中世の遺物は必ずしも多くないが、ここでとりあげる板碑はある程度まとまった資料として貴重な存在である。

当館の板碑コレクションは、明治十二年（一八七九）に三枚収蔵したのを皮切りに、その後少しずつ数を増やして現在は一七八枚を数える。これらの板碑は表慶館入口脇に立てられているもののほかは、展示する機会がほとんどなく、一般の人の目に触れる機会はなかった。そこで今回、当館所蔵の板碑全点の写真、拓影、実測図を掲げて解説を付した研究図録を刊行することとした。これらの資料は、まだまだ不明な点の多い板碑研究の基礎資料として、また中世社会の研究等に大いに寄与するものと信じる。

最後に、本書の作成に当たり、多大なご協力をいただいた関係各位に厚く御礼申し上げる次第である。

平成十六年三月

東京国立博物館

『東京国立博物館所蔵　板碑集成』目次

凡　例

1　本書は、東京国立博物館が収蔵する板碑を写真図版、拓影、実測図で示したものである。

2　配列は『東京国立博物館収蔵品目録（先史・原史・有史）』（一九七九）に従い、出土地別とし、出土地不詳のものは最後においた。出土地名は現行地名で、各個解説ではその後に旧地名を括弧書で示した。

3　板碑の写真図版、拓影、実測図に付した番号は右の配列によって定めた本書における作品番号で、写真図版、拓影、実測図、各個解説に共通する。

4　各個解説の記載は、都道府県別に出土地で分け、出土地の概要、作品番号、列品番号、（写真図版番号、拓影番号、実測図番号）、作品解説の順とし、参考文献を付した。出土地の位置は国土地理院発行の二万五千分の一地形図を用いて示した。

5　法量の単位はセンチメートルである。

6　拓影と実測図の縮尺は基本的に四分の一とし、一部八分の一とした。縮尺は柱の下に明示した。

7　図版の作成には松下伸子・望月里子・片岡正子・浜崎美代子氏の協力を得た。

8　写真撮影は東京国立博物館映像作製室長村松徹がおこない、鈴木真名美・三木麻里氏の協力を得た。

9　本書の作製に関わる作品調査・執筆は東京国立博物館文化財部上席研究員望月幹夫、列品室員時枝務がおこなった。但し石材調査および報告は考古石材研究所柴田徹氏による。

10　本書の編集は東京国立博物館出版企画室がおこない、松下伸子・望月里子氏の協力を得た。

146　板碑　東京都あきる野市高尾出土

147　板碑　神奈川県横浜市保土ヶ谷区峰岡町出土

1　板碑　宮城県名取市高館熊野堂字大門山出土

4　板碑　茨城県古河市大字立崎頼政廓跡出土

5　板碑　茨城県古河市大字立崎頼政廓跡出土

6　板碑　茨城県古河市大字立崎頼政廓跡出土

21　板碑　栃木県小山市上石塚字愛宕東
愛宕神社境内出土

7　板碑　茨城県古河市大字立崎頼政廓跡出土

24　板碑　栃木県小山市上石塚字愛宕東
愛宕神社境内出土

22　板碑　栃木県小山市上石塚字愛宕東
愛宕神社境内出土

42　板碑　栃木県野木町野渡字仲沖出土

41　板碑　栃木県野木町野渡字仲沖出土

44　板碑　栃木県野木町野渡字仲沖出土

43　板碑　栃木県野木町野渡字仲沖出土

45　板碑　群馬県前橋市苋井町八日市出土

46　板碑　群馬県太田市矢場町出土

47　板碑　群馬県太田市矢場町出土

48　板碑　群馬県太田市矢場町出土

52　板碑　群馬県太田市矢場町出土

51　板碑　群馬県太田市矢場町出土

75　板碑　埼玉県さいたま市西区佐知川出土

74　板碑　埼玉県岩槻市尾ヶ崎新田字新河岸地先
綾瀬川底出土

78　板碑　埼玉県川越市古谷上出土

77　板碑　埼玉県川口市戸塚下台出土

83　板碑　埼玉県川越市的場出土

81　板碑　埼玉県川越市古谷上出土

90　板碑　埼玉県戸田市下戸田出土

84　板碑　埼玉県川越市的場出土

109　板碑　埼玉県東松山市上唐子字大欠出土

104　板碑　埼玉県東松山市上唐子字大欠出土

113　台石　埼玉県東松山市上唐子字大欠出土

114　台石　埼玉県東松山市上唐子字大欠出土

111　板碑　埼玉県東松山市上唐子字大欠出土

121　板碑　東京都北区田端　JR東日本
田端駅構内松平頼平邸跡出土

119　板碑　東京都北区田端　JR東日本
田端駅構内松平頼平邸跡出土

127　板碑　東京都北区田端　JR東日本
田端駅構内松平頼平邸跡出十

124　板碑　東京都北区田端　JR東日本
田端駅構内松平頼平邸跡出土

134　板碑　東京都北区田端　JR東日本
田端駅構内松平頼平邸跡出土

130　板碑　東京都北区田端　JR東日本
田端駅構内松平頼平邸跡出土

138　板碑　東京都北区田端　ＪＲ東日本
田端駅構内松平頼平邸跡出土

139　板碑　東京都北区田端出土

142　板碑　東京都千代田区霞ヶ関３丁目出土

143　板碑　東京都千代田区霞ヶ関３丁目出土

151　板碑　神奈川県横浜市緑区長津田町字道正出土

148　板碑　神奈川県横浜市保土ヶ谷区峰岡町出土

153　板碑　神奈川県横浜市緑区長津田町字道正出土

152　板碑　神奈川県横浜市緑区長津田町字道正出土

158　板碑　神奈川県大和市深見坊ヶ窪出土

155　板碑　神奈川県綾瀬市深谷落合出土

163　板碑　出土地不詳

162　板碑　出土地不詳

165　板碑　出土地不詳

166　板碑　出土地不詳

168　板碑　出土地不詳

170　板碑　出土地不詳

173　板碑　出土地不詳

172　板碑　出土地不詳

178　板碑　出土地不詳

177　板碑　出土地不詳

1　板碑（表面）宮城県名取市高館熊野堂字大門山出土

1　板碑（裏面）宮城県名取市高館熊野堂字大門山出土

2　板碑（表面）宮城県松島町雄島出土

2　板碑（裏面）宮城県松島町雄島出土

3　板碑（表面）宮城県出土

3　板碑（裏面）宮城県出土

4　板碑（表面）茨城県古河市大字立崎頼政廓跡出土

4　板碑（裏面）茨城県古河市大字立崎頼政廓跡出土

5　板碑（表面）茨城県古河市大字立崎頼政廓跡出土

5　板碑（裏面）茨城県古河市大字立崎頼政廓跡出土

6　板碑（表面）茨城県古河市大字立崎頼政廓跡出土

6　板碑（裏面）茨城県古河市大字立崎頼政廓跡出土

7　板碑（表面）茨城県古河市大字立崎頼政廓跡出土

7　板碑（裏面）茨城県古河市大字立崎頼政廓跡出土

8　板碑（表面）茨城県古河市大字立崎頼政廓跡出土

8　板碑（裏面）茨城県古河市大字立崎頼政廓跡出土

9　板碑（表面）茨城県古河市大字立崎頼政廓跡出土

9　板碑（裏面）茨城県古河市大字立崎頼政廓跡出土

10 板碑（表面）茨城県古河市大字立崎頼政廓跡出土

10 板碑（裏面）茨城県古河市大字立崎頼政廓跡出土

11 板碑（表面）茨城県古河市大字立崎頼政廓跡出土

11 板碑（裏面）茨城県古河市大字立崎頼政廓跡出土

12 板碑（表面）茨城県古河市大字立崎頼政廓跡出土

12 板碑（裏面）茨城県古河市大字立崎頼政廓跡出土

13　台石（表面）茨城県古河市大字立崎頼政廓跡出土

13　台石（裏面）茨城県古河市大字立崎頼政廓跡出土

14　板碑（表面）茨城県取手市白山六丁目大鹿城跡出土

14　板碑（裏面）茨城県取手市白山六丁目大鹿城跡出土

15　板碑（表面）茨城県境町百戸字マイゴオ出土

15　板碑（裏面）茨城県境町百戸字マイゴオ出土

16　板碑（表面）茨城県境町百戸字マイゴオ出土

16　板碑（裏面）茨城県境町百戸字マイゴオ出土

17　板碑（表面）茨城県境町百戸字マイゴオ出土

17　板碑（裏面）茨城県境町百戸字マイゴオ出土

18　板碑（表面）茨城県境町百戸字マイゴオ出土

18　板碑（裏面）茨城県境町百戸字マイゴオ出土

19 板碑（表面）茨城県境町百戸字マイゴオ出土

19 板碑（裏面）茨城県境町百戸字マイゴオ出土

20 板碑（表面）茨城県境町百戸字マイゴオ出土

20 板碑（裏面）茨城県境町百戸字マイゴオ出土

21　板碑（表面）栃木県小山市上石塚字愛宕東
愛宕神社境内出土

21　板碑（裏面）栃木県小山市上石塚字愛宕東
愛宕神社境内出土

22　板碑（表面）栃木県小山市上石塚字愛宕東
愛宕神社境内出土

22　板碑（裏面）栃木県小山市上石塚字愛宕東
愛宕神社境内出土

23　板碑（表面）栃木県小山市上石塚字愛宕東
愛宕神社境内出土

23　板碑（裏面）栃木県小山市上石塚字愛宕東
愛宕神社境内出土

24　板碑（表面）栃木県小山市上石塚字愛宕東
愛宕神社境内出土

24　板碑（裏面）栃木県小山市上石塚字愛宕東
愛宕神社境内出土

25　板碑（表面）栃木県小山市上石塚字愛宕東
愛宕神社境内出土

25　板碑（裏面）栃木県小山市上石塚字愛宕東
愛宕神社境内出土

26　板碑（表面）栃木県小山市上石塚字愛宕東
愛宕神社境内出土

26　板碑（裏面）栃木県小山市上石塚字愛宕東
愛宕神社境内出土

27　板碑（表面）栃木県小山市上石塚字愛宕東
愛宕神社境内出土

27　板碑（裏面）栃木県小山市上石塚字愛宕東
愛宕神社境内出土

28　板碑（表面）栃木県小山市上石塚字愛宕東
愛宕神社境内出土

28　板碑（裏面）栃木県小山市上石塚字愛宕東
愛宕神社境内出土

29 板碑（表面）栃木県小山市上石塚字愛宕東
愛宕神社境内出土

29 板碑（裏面）栃木県小山市上石塚字愛宕東
愛宕神社境内出土

30 板碑（表面）栃木県小山市上石塚字愛宕東
愛宕神社境内出土

30 板碑（裏面）栃木県小山市上石塚字愛宕東
愛宕神社境内出土

31　板碑（表面）栃木県小山市上石塚字愛宕東
愛宕神社境内出土

31　板碑（裏面）栃木県小山市上石塚字愛宕東
愛宕神社境内出土

32　板碑（表面）栃木県小山市上石塚字愛宕東
愛宕神社境内出土

32　板碑（裏面）栃木県小山市上石塚字愛宕東
愛宕神社境内出土

33　板碑（表面）栃木県小山市上石塚字愛宕東
愛宕神社境内出土

33　板碑（裏面）栃木県小山市上石塚字愛宕東
愛宕神社境内出土

34　板碑（表面）栃木県小山市上石塚字愛宕東
愛宕神社境内出土

34　板碑（裏面）栃木県小山市上石塚字愛宕東
愛宕神社境内出土

35　板碑（表面）栃木県小山市上石塚字愛宕東
愛宕神社境内出土

35　板碑（裏面）栃木県小山市上石塚字愛宕東
愛宕神社境内出土

36　板碑（表面）栃木県小山市上石塚字愛宕東
愛宕神社境内出土

36　板碑（裏面）栃木県小山市上石塚字愛宕東
愛宕神社境内出土

37　板碑（表面）栃木県小山市上石塚字愛宕東
愛宕神社境内出土

37　板碑（裏面）栃木県小山市上石塚字愛宕東
愛宕神社境内出土

38　板碑（表面）栃木県小山市上石塚字愛宕東
愛宕神社境内出土

38　板碑（裏面）栃木県小山市上石塚字愛宕東
愛宕神社境内出土

39　板碑（表面）栃木県小山市上石塚字愛宕東
愛宕神社境内出土

39　板碑（裏面）栃木県小山市上石塚字愛宕東
愛宕神社境内出土

40　板碑（表面）栃木県小山市上石塚字愛宕東
愛宕神社境内出土

40　板碑（裏面）栃木県小山市上石塚字愛宕東
愛宕神社境内出土

41　板碑（表面）栃木県野木町野渡字仲沖出土

41　板碑（裏面）栃木県野木町野渡字仲沖出土

42　板碑（表面）栃木県野木町野渡字仲沖出土

42　板碑（裏面）栃木県野木町野渡字仲沖出土

43　板碑（表面）栃木県野木町野渡字仲沖出土

43　板碑（裏面）栃木県野木町野渡字仲沖出土

44　板碑（表面）栃木県野木町野渡字仲沖出土

44　板碑（裏面）栃木県野町野渡字仲沖出土

45　板碑（表面）群馬県前橋市笂井町八日市出土

45　板碑（裏面）群馬県前橋市笂井町八日市出土

46　板碑（表面）群馬県太田市矢場町出土

46　板碑（裏面）群馬県太田市矢場町出土

47　板碑（表面）群馬県太田市矢場町出土

47　板碑（裏面）群馬県太田市矢場町出土

48　板碑（表面）群馬県太田市矢場町出土

48　板碑（裏面）群馬県太田市矢場町出土

49　板碑（表面）群馬県太田市矢場町出土

49　板碑（裏面）群馬県太田市矢場町出土

50　板碑（表面）群馬県太田市矢場町出土

50　板碑（裏面）群馬県太田市矢場町出土

51　板碑（表面）群馬県太田市矢場町出土

51　板碑（裏面）群馬県太田市矢場町出土

52　板碑（表面）群馬県太田市矢場町出土

52　板碑（裏面）群馬県太田市矢場町出土

53　板碑（表面）群馬県太田市矢場町出土

53　板碑（裏面）群馬県太田市矢場町出土

54　板碑（表面）群馬県太田市矢場町出土

54　板碑（裏面）群馬県太田市矢場町出土

55　板碑（表面）群馬県太田市矢場町出土

55　板碑（裏面）群馬県太田市矢場町出土

56　板碑（表面）群馬県太田市矢場町出土

56　板碑（裏面）群馬県太田市矢場町出土

57　板碑（表面）群馬県太田市矢場町出土

57　板碑（裏面）群馬県太田市矢場町出土

58　板碑（表面）群馬県太田市矢場町出土

58　板碑（裏面）群馬県太田市矢場町出土

59　板碑（表面）群馬県太田市矢場町出土

59　板碑（裏面）群馬県太田市矢場町出土

60　板碑（表面）群馬県太田市矢場町出土

60　板碑（裏面）群馬県太田市矢場町出土

61　板碑（表面）群馬県太田市矢場町出土

61　板碑（裏面）群馬県太田市矢場町出土

62　板碑（表面）群馬県太田市矢場町出土

62　板碑（裏面）群馬県太田市矢場町出土

63　板碑（表面）群馬県太田市矢場町出土

63　板碑（裏面）群馬県太田市矢場町出土

64　板碑（表面）群馬県太田市矢場町出土

64　板碑（裏面）群馬県太田市矢場町出土

65　板碑（表面）群馬県太田市矢場町出土

65　板碑（裏面）群馬県太田市矢場町出土

66　板碑（表面）群馬県太田市矢場町出土

66　板碑（裏面）群馬県太田市矢場町出土

67　板碑（表面）群馬県太田市矢場町出土

67　板碑（裏面）群馬県太田市矢場町出土

68　板碑（表面）群馬県太田市矢場町出土

68　板碑（裏面）群馬県太田市矢場町出土

69　板碑（表面）群馬県太田市矢場町出土

69　板碑（裏面）群馬県太田市矢場町出土

70　板碑（表面）群馬県太田市矢場町出土

70　板碑（裏面）群馬県太田市矢場町出土

71　板碑（表面）群馬県高崎市岩鼻町字久保西出土

71　板碑（裏面）群馬県高崎市岩鼻町字久保西出土

72　板碑（表面）群馬県高崎市岩鼻町字久保西出土

72　板碑（裏面）群馬県高崎市岩鼻町字久保西出土

73　板碑（表面）群馬県高崎市岩鼻町字久保西出土

73　板碑（裏面）群馬県高崎市岩鼻町字久保西出土

74　板碑（表面）埼玉県岩槻市尾ヶ崎新田字新河岸地先綾瀬川底出土

74　板碑（裏面）埼玉県岩槻市尾ヶ崎新田字新河岸地先綾瀬川底出土

75　板碑（表面）埼玉県さいたま市西区佐知川出土

75　板碑（裏面）埼玉県さいたま市西区佐知川出土

76　板碑（表面）埼玉県川口市戸塚下台出土

76　板碑（裏面）埼玉県川口市戸塚下台出土

77　板碑（表面）埼玉県川口市戸塚下台出土

77　板碑（裏面）埼玉県川口市戸塚下台出土

78　板碑（表面）埼玉県川越市古谷上出土

78　板碑（裏面）埼玉県川越市古谷上出土

79　板碑（表面）埼玉県川越市古谷上出土

79　板碑（裏面）埼玉県川越市古谷上出土

80　板碑（表面）埼玉県川越市古谷上出土

80　板碑（裏面）埼玉県川越市古谷上出土

81　板碑（表面）埼玉県川越市古谷上出土

81　板碑（裏面）埼玉県川越市古谷上出土

82　板碑（表面）埼玉県川越市古谷上出土

82　板碑（裏面）埼玉県川越市古谷上出土

83　板碑（表面）埼玉県川越市的場出土

83　板碑（裏面）埼玉県川越市的場出土

84　板碑（表面）埼玉県川越市的場出土

84　板碑（裏面）埼玉県川越市的場出土

85　板碑（表面）埼玉県川越市的場出土

85　板碑（裏面）埼玉県川越市的場出土

86　板碑（表面）埼玉県川越市的場出土

86　板碑（裏面）埼玉県川越市的場出土

87　板碑（表面）埼玉県川越市的場出土

87　板碑（裏面）埼玉県川越市的場出土

88　板碑（表面）埼玉県川越市的場出土

88　板碑（裏面）埼玉県川越市的場出土

89 板碑（表面）埼玉県熊谷市四方寺出土

89 板碑（裏面）埼玉県熊谷市四方寺出土

90 板碑（表面）埼玉県戸田市下戸田出土

90 板碑（裏面）埼玉県戸田市下戸田出土

91　板碑（表面）埼玉県戸田市下戸田出土

91　板碑（裏面）埼玉県戸田市下戸田出土

92　板碑（表面）埼玉県戸田市下戸田出土

92　板碑（裏面）埼玉県戸田市下戸田出土

93　板碑（表面）埼玉県戸田市下戸田出土

93　板碑（裏面）埼玉県戸田市下戸田出土

94　板碑（表面）埼玉県戸田市下戸田出土

94　板碑（裏面）埼玉県戸田市下戸田出土

95　板碑（表面）埼玉県戸田市下戸田出土

95　板碑（裏面）埼玉県戸田市下戸田出土

96　板碑（表面）埼玉県戸田市下戸田出土

96　板碑（裏面）埼玉県戸田市下戸田出土

97　板碑（表面）埼玉県東松山市上唐子字大欠出土

97　板碑（裏面）埼玉県東松山市上唐子字大欠出土

98　板碑（表面）埼玉県東松山市上唐子字大欠出土

98　板碑（裏面）埼玉県東松山市上唐子字大欠出土

99　板碑（表面）埼玉県東松山市上唐子字大欠出土

99　板碑（裏面）埼玉県東松山市上唐子字大欠出土

100　板碑（表面）埼玉県東松山市上唐子字大欠出土

100　板碑（裏面）埼玉県東松山市上唐子字大欠出土

101 板碑（表面）埼玉県東松山市上唐子字大欠出土

101 板碑（裏面）埼玉県東松山市上唐子字大欠出土

102 板碑（表面）埼玉県東松山市上唐子字大欠出土

102 板碑（裏面）埼玉県東松山市上唐子字大欠出土

103 板碑（表面）埼玉県東松山市上唐子字大欠出土

103 板碑（裏面）埼玉県東松山市上唐子字大欠出土

104 板碑（表面）埼玉県東松山市上唐子字大欠出土

104 板碑（裏面）埼玉県東松山市上唐子字大欠出土

105 板碑（表面）埼玉県東松山市上唐子字大欠出土

105 板碑（裏面）埼玉県東松山市上唐子字大欠出土

106 板碑（表面）埼玉県東松山市上唐子字大欠出土

106 板碑（裏面）埼玉県東松山市上唐子字大欠出土

107 板碑（表面）埼玉県東松山市上唐子字大欠出土

107 板碑（裏面）埼玉県東松山市上唐子字大欠出土

108 板碑（表面）埼玉県東松山市上唐子字大欠出土

108 板碑（裏面）埼玉県東松山市上唐子字大欠出土

109 板碑（表面）埼玉県東松山市上唐子字大欠出土

109 板碑（裏面）埼玉県東松山市上唐子字大欠出土

110 板碑（表面）埼玉県東松山市上唐子字大欠出土

110 板碑（裏面）埼玉県東松山市上唐子字大欠出土

111 板碑（表面）埼玉県東松山市上唐子字大欠出土

111 板碑（裏面）埼玉県東松山市上唐子字大欠出土

112 板碑（表面）埼玉県東松山市上唐子字大欠出土

112 板碑（裏面）埼玉県東松山市上唐子字大欠出土

113 台石（表面）埼玉県東松山市上唐子字大欠出土

114 台石（表面）埼玉県東松山市上唐子字大欠出土

113 台石（裏面）埼玉県東松山市上唐子字大欠出土

114 台石（裏面）埼玉県東松山市上唐子字大欠出土

115 板碑（表面）東京都大田区鵜の木　光明寺出土

115 板碑（裏面）東京都大田区鵜の木　光明寺出土

116 板碑（表面）東京都葛飾区小菅　東京拘置所出土

116 板碑（裏面）東京都葛飾区小菅　東京拘置所出土

117 板碑（表面）東京都北区田端　JR東日本田端駅構内松平頼平邸跡出土

117 板碑（裏面）東京都北区田端　JR東日本田端駅構内松平頼平邸跡出土

118 板碑（表面）東京都北区田端　JR東日本
田端駅構内松平頼平邸跡出土

118 板碑（裏面）東京都北区田端　JR東日本
田端駅構内松平頼平邸跡出土

119 板碑（表面）東京都北区田端　JR東日本
田端駅構内松平頼平邸跡出土

119 板碑（裏面）東京都北区田端　JR東日本
田端駅構内松平頼平邸跡出土

120 板碑（表面）東京都北区田端　JR東日本
田端駅構内松平頼平邸跡出土

120 板碑（裏面）東京都北区田端　JR東日本
田端駅構内松平頼平邸跡出土

121 板碑（表面）東京都北区田端　JR東日本
田端駅構内松平頼平邸跡出土

121 板碑（裏面）東京都北区田端　JR東日本
田端駅構内松平頼平邸跡出土

122 板碑（表面）東京都北区田端　JR東日本
田端駅構内松平頼平邸跡出土

122 板碑（裏面）東京都北区田端　JR東日本
田端駅構内松平頼平邸跡出土

123 板碑（表面）東京都北区田端　JR東日本
田端駅構内松平頼平邸跡出土

123 板碑（裏面）東京都北区田端　JR東日本
田端駅構内松平頼平邸跡出土

124 板碑（表面）東京都北区田端　JR東日本
田端駅構内松平頼平邸跡出土

124 板碑（裏面）東京都北区田端　JR東日本
田端駅構内松平頼平邸跡出土

125 板碑（表面）東京都北区田端　JR東日本
田端駅構内松平頼平邸跡出土

125 板碑（裏面）東京都北区田端　JR東日本
田端駅構内松平頼平邸跡出土

126 板碑（表面）東京都北区田端　JR東日本
田端駅構内松平頼平邸跡出土

126 板碑（裏面）東京都北区田端　JR東日本
田端駅構内松平頼平邸跡出土

127 板碑（表面）東京都北区田端　JR東日本
田端駅構内松平頼平邸跡出土

127 板碑（裏面）東京都北区田端　JR東日本
田端駅構内松平頼平邸跡出土

128 板碑（表面）東京都北区田端　JR東日本
田端駅構内松平頼平邸跡出土

128 板碑（裏面）東京都北区田端　JR東日本
田端駅構内松平頼平邸跡出土

129 板碑（表面）東京都北区田端　JR東日本
田端駅構内松平頼平邸跡出土

129 板碑（裏面）東京都北区田端　JR東日本
田端駅構内松平頼平邸跡出土

130 板碑（表面）東京都北区田端　JR東日本
田端駅構内松平頼平邸跡出土

130 板碑（裏面）東京都北区田端　JR東日本
田端駅構内松平頼平邸跡出土

131 板碑（表面）東京都北区田端　JR東日本
田端駅構内松平頼平邸跡出土

131 板碑（裏面）東京都北区田端　JR東日本
田端駅構内松平頼平邸跡出土

132 板碑（表面）東京都北区田端　JR東日本
田端駅構内松平頼平邸跡出土

132 板碑（裏面）東京都北区田端　JR東日本
田端駅構内松平頼平邸跡出土

133 板碑（表面）東京都北区田端　JR東日本
田端駅構内松平頼平邸跡出土

133 板碑（裏面）東京都北区田端　JR東日本
田端駅構内松平頼平邸跡出土

134 板碑（表面）東京都北区田端　JR東日本
田端駅構内松平頼平邸跡出土

134 板碑（裏面）東京都北区田端　JR東日本
田端駅構内松平頼平邸跡出土

135 板碑（表面）東京都北区田端　JR東日本
田端駅構内松平頼平邸跡出土

135 板碑（裏面）東京都北区田端　JR東日本
田端駅構内松平頼平邸跡出土

136 板碑（表面）東京都北区田端　JR東日本
田端駅構内松平頼平邸跡出土

136 板碑（裏面）東京都北区田端　JR東日本
田端駅構内松平頼平邸跡出土

137 板碑（表面）東京都北区田端　JR東日本
田端駅構内松平頼平邸跡出土

137 板碑（裏面）東京都北区田端　JR東日本
田端駅構内松平頼平邸跡出土

138 板碑（表面）東京都北区田端　JR東日本
田端駅構内松平頼平邸跡出土

138 板碑（裏面）東京都北区田端　JR東日本
田端駅構内松平頼平邸跡出土

139 板碑（表面）東京都北区田端出土

139 板碑（裏面）東京都北区田端出土

140 板碑（表面）東京都北区西ヶ原出土

140 板碑（裏面）東京都北区西ヶ原出土

141 板碑（表面）東京都台東区上野公園 東照宮裏山出土

141 板碑（裏面）東京都台東区上野公園 東照宮裏山出土

142 板碑（表面）東京都千代田区霞が関３丁目出土

142 板碑（裏面）東京都千代田区霞が関３丁目出土

143 板碑（表面）東京都千代田区霞が関３丁目出土

143 板碑（裏面）東京都千代田区霞が関３丁目出土

144 板碑（表面）東京都千代田区霞が関３丁目出土

144 板碑（裏面）東京都千代田区霞が関３丁目出土

145 板碑（表面）東京都日野市日野本町出土

145 板碑（裏面）東京都日野市日野本町出土

146 板碑（表面）東京都あきる野市高尾出土

146 板碑（裏面）東京都あきる野市高尾出土

146 板碑（部分）東京都あきる野市高尾出土

146 板碑（部分）東京都あきる野市高尾出土

147 板碑（表面）神奈川県横浜市保土ヶ谷区峰岡町出土

147 板碑（裏面）神奈川県横浜市保土ヶ谷区峰岡町出土

148 板碑（表面）神奈川県横浜市保土ヶ谷区峰岡町出土

148 板碑（裏面）神奈川県横浜市保土ヶ谷区峰岡町出土

149 板碑（表面）神奈川県横浜市保土ヶ谷区峰岡町出土

149 板碑（裏面）神奈川県横浜市保土ヶ谷区峰岡町出土

150 板碑（表面）神奈川県横浜市緑区長津田町字道正出土

150 板碑（裏面）神奈川県横浜市緑区長津田町字道正出土

151　板碑（表面）神奈川県横浜市緑区長津田町字道正出土

151　板碑（裏面）神奈川県横浜市緑区長津田町字道正出土

152　板碑（表面）神奈川県横浜市緑区長津田町字道正出土

152　板碑（裏面）神奈川県横浜市緑区長津田町字道正出土

153 板碑（表面）神奈川県横浜市緑区長津田町字道正出土

153 板碑（裏面）神奈川県横浜市緑区長津田町字道正出土

154 板碑（表面）神奈川県横浜市緑区長津田町字道正出土

154 板碑（裏面）神奈川県横浜市緑区長津田町字道正出土

155 板碑（表面）神奈川県綾瀬市深谷落合出土

155 板碑（裏面）神奈川県綾瀬市深谷落合出土

156 板碑（表面）神奈川県綾瀬市深谷落合出土

156 板碑（裏面）神奈川県綾瀬市深谷落合出土

157 板碑（表面）神奈川県小田原市城山 3 丁目
東海道本線線路敷地出土

158 板碑（表面）神奈川県大和市深見坊ヶ窪出土

158 板碑（裏面）神奈川県大和市深見坊ヶ窪出土

159　板碑（表面）出土地不詳

159 板碑（裏面）出土地不詳

160 板碑（表面）出土地不詳

160 板碑（裏面）出土地不詳

161 板碑（表面）出土地不詳

161 板碑（裏面）出土地不詳

162 板碑（表面）出土地不詳

162 板碑（裏面）出土地不詳

163 板碑（表面）出土地不詳

163 板碑（裏面）出土地不詳

164 板碑（表面）出土地不詳

164 板碑（裏面）出土地不詳

165 板碑（表面）出土地不詳

165 板碑（裏面）出土地不詳

166 板碑（表面）出土地不詳

166 板碑（裏面）出土地不詳

167 板碑（表面）出土地不詳

167 板碑（裏面）出土地不詳

168 板碑（表面）出土地不詳

168 板碑（裏面）出土地不詳

169 板碑（表面）出土地不詳

169 板碑（裏面）出土地不詳

170 板碑（表面）出土地不詳

170 板碑（裏面）出土地不詳

171 板碑（表面）出土地不詳

171 板碑（裏面）出土地不詳

172 板碑（表面）出土地不詳

172 板碑（裏面）出土地不詳

173 板碑（表面）出土地不詳

173 板碑（裏面）出土地不詳

174 板碑（表面）出土地不詳

174 板碑（裏面）出土地不詳

175 板碑（表面）出土地不詳

175 板碑（裏面）出土地不詳

176 板碑（表面）出土地不詳

176 板碑（裏面）出土地不詳

177 板碑（表面）出土地不詳

177 板碑（裏面）出土地不詳

178 （表面）出土地不詳

178 板碑（裏面）出土地不詳

拓影 1（縮尺1/4）

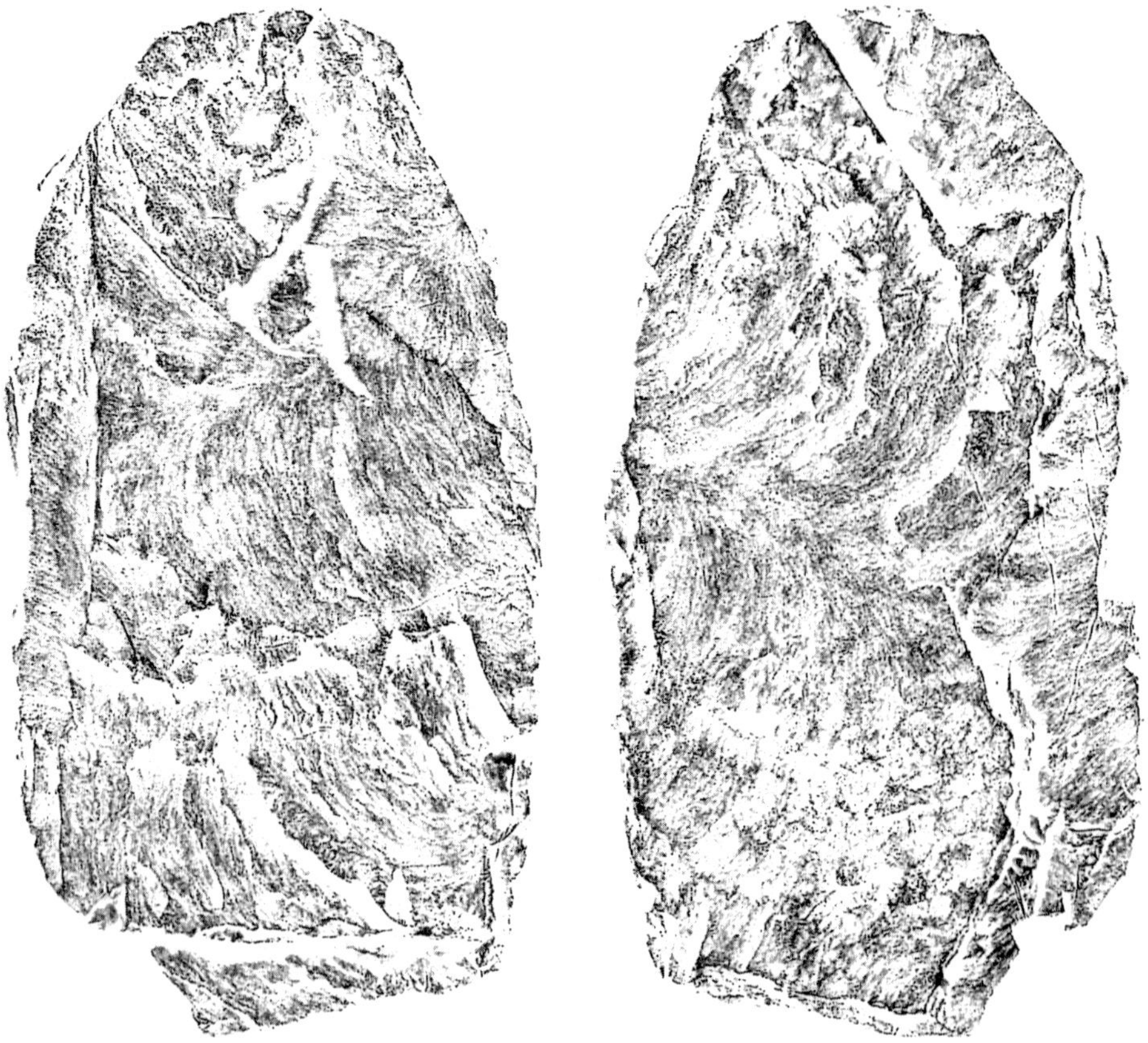

1　板碑　宮城県名取市高館熊野堂字大門山出土

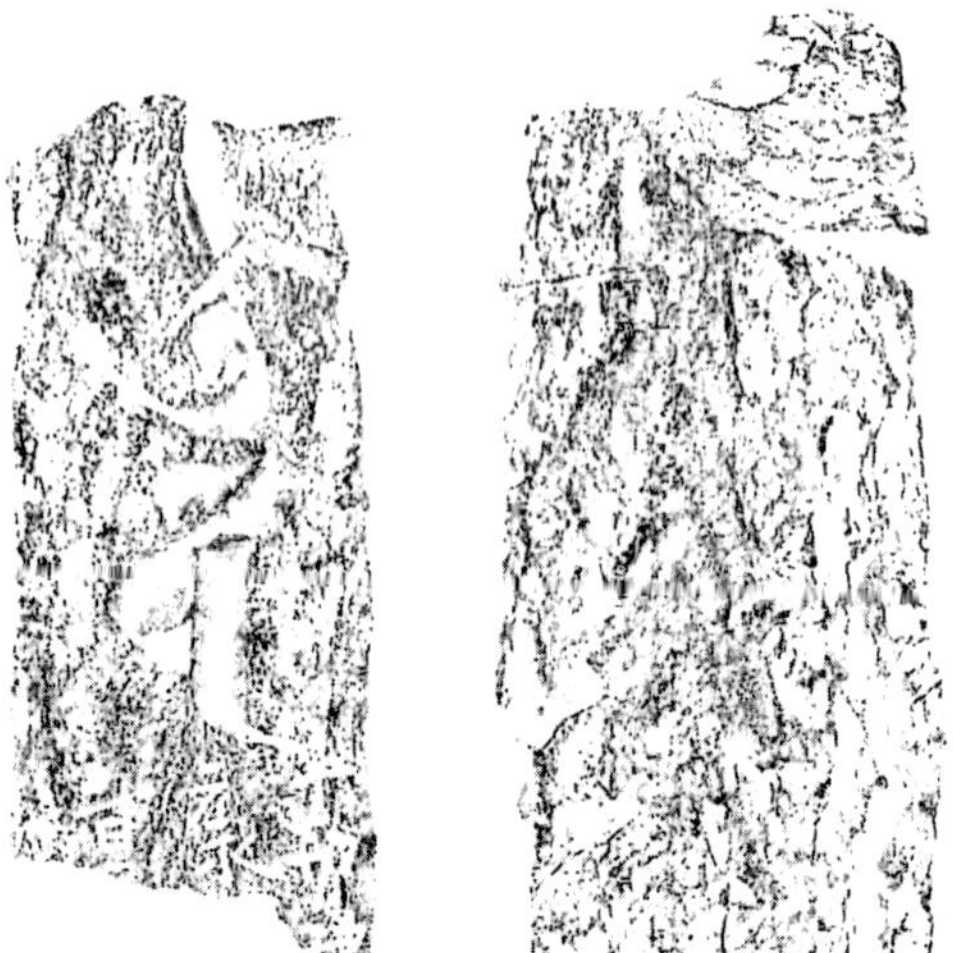

3　板碑　宮城県出土

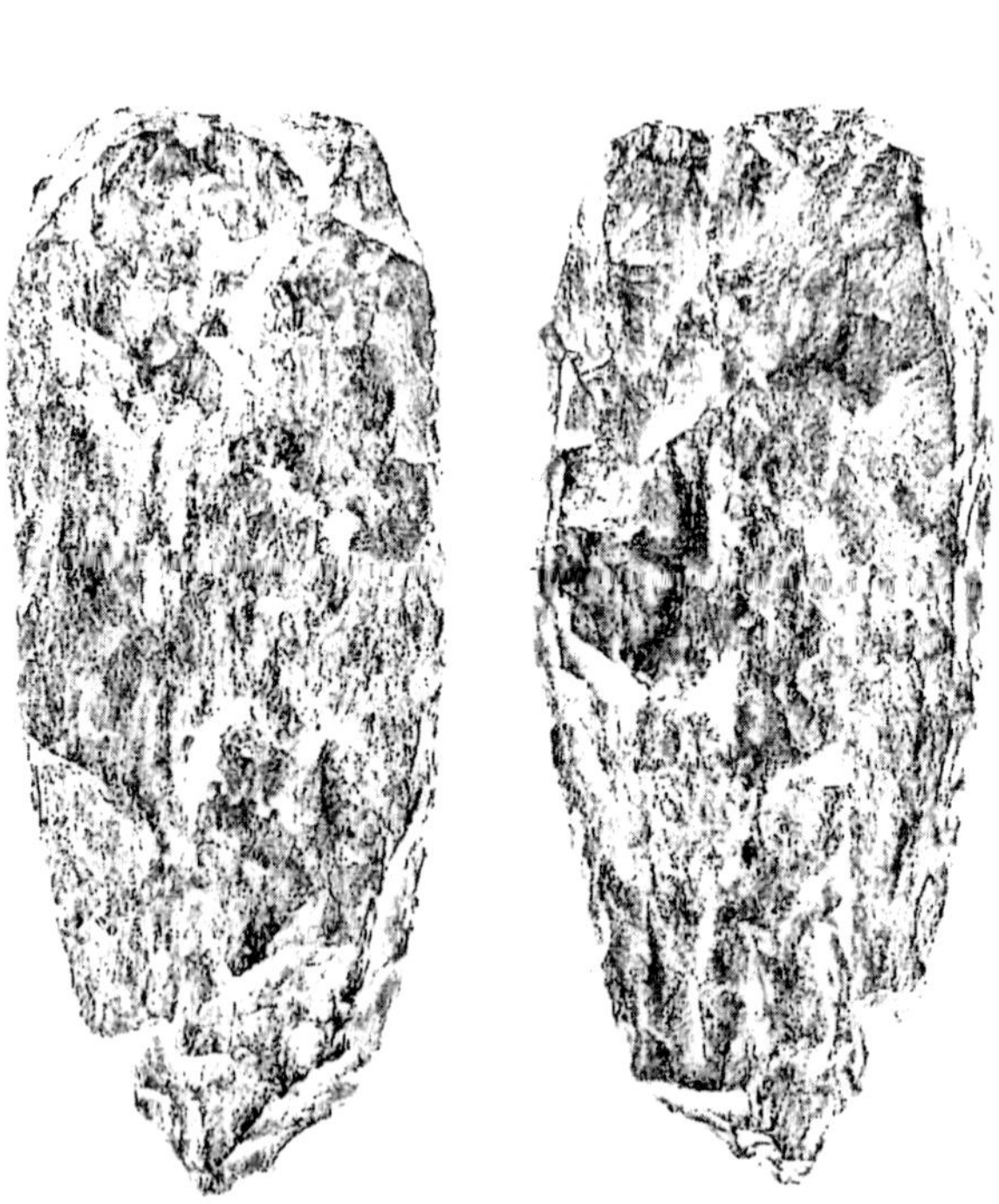

2　板碑　宮城県松島町雄島出土

拓影 2（縮尺1/8）

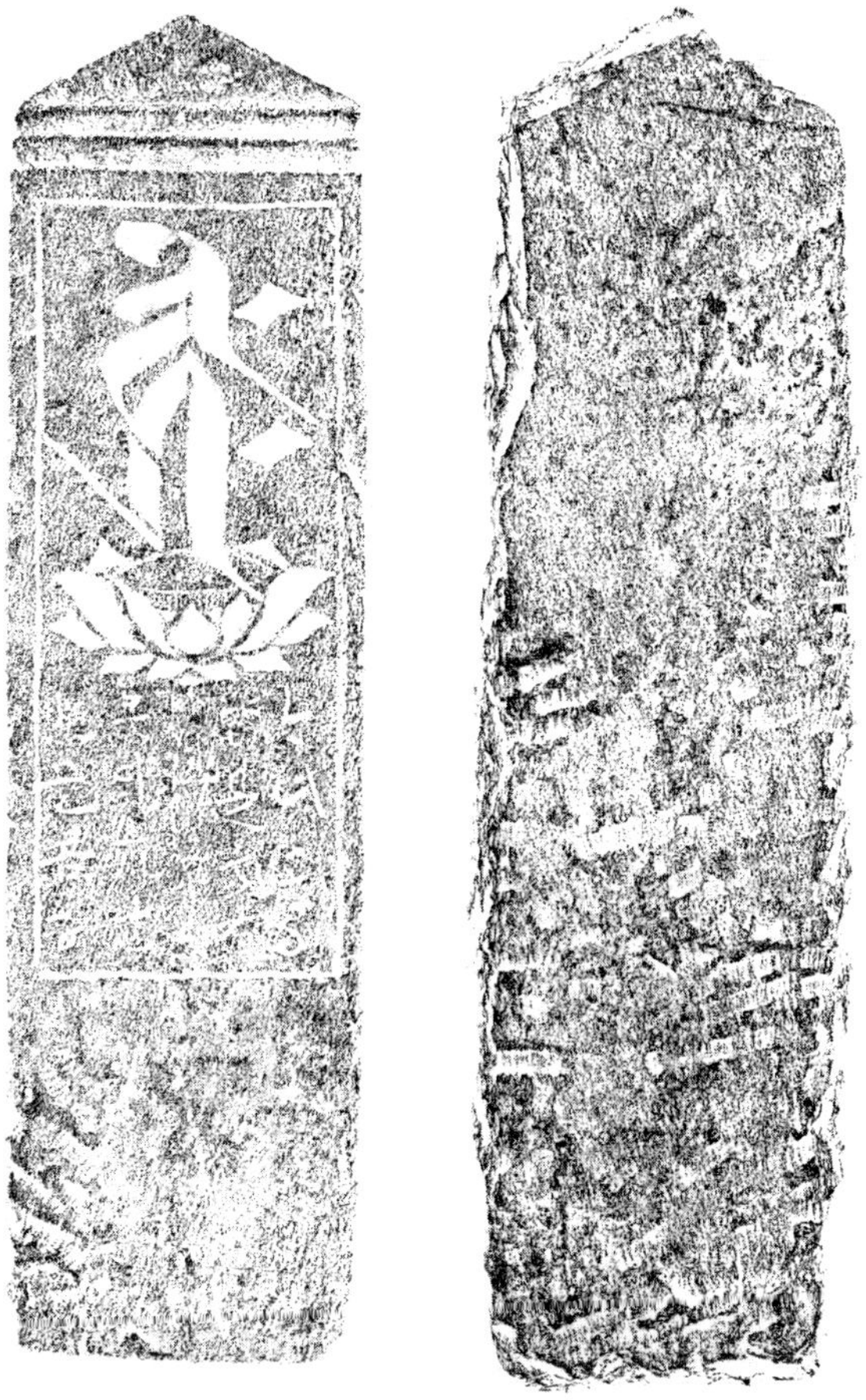

4　板碑　茨城県古河市大字立崎頼政廓跡出土

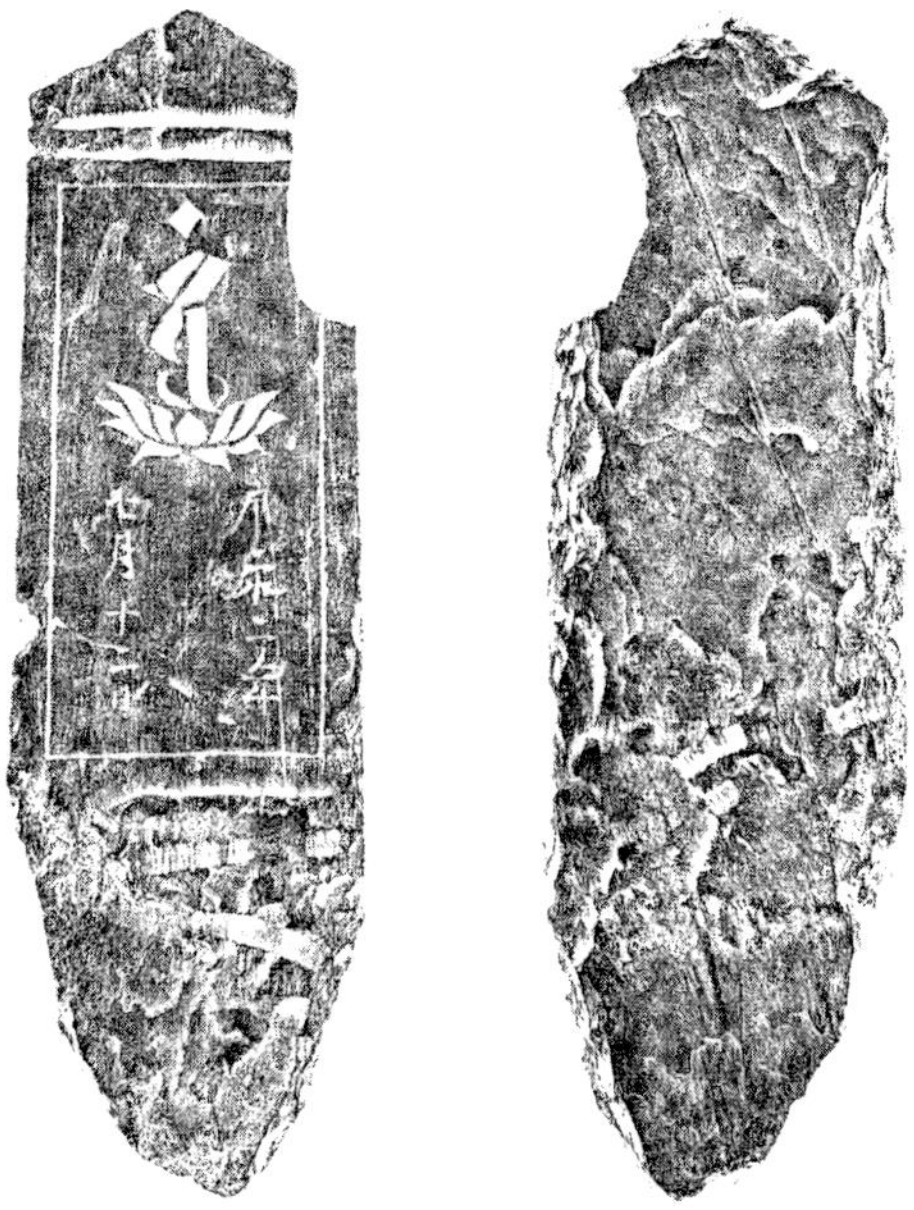

5　板碑　茨城県古河市大字立崎頼政廓跡出土

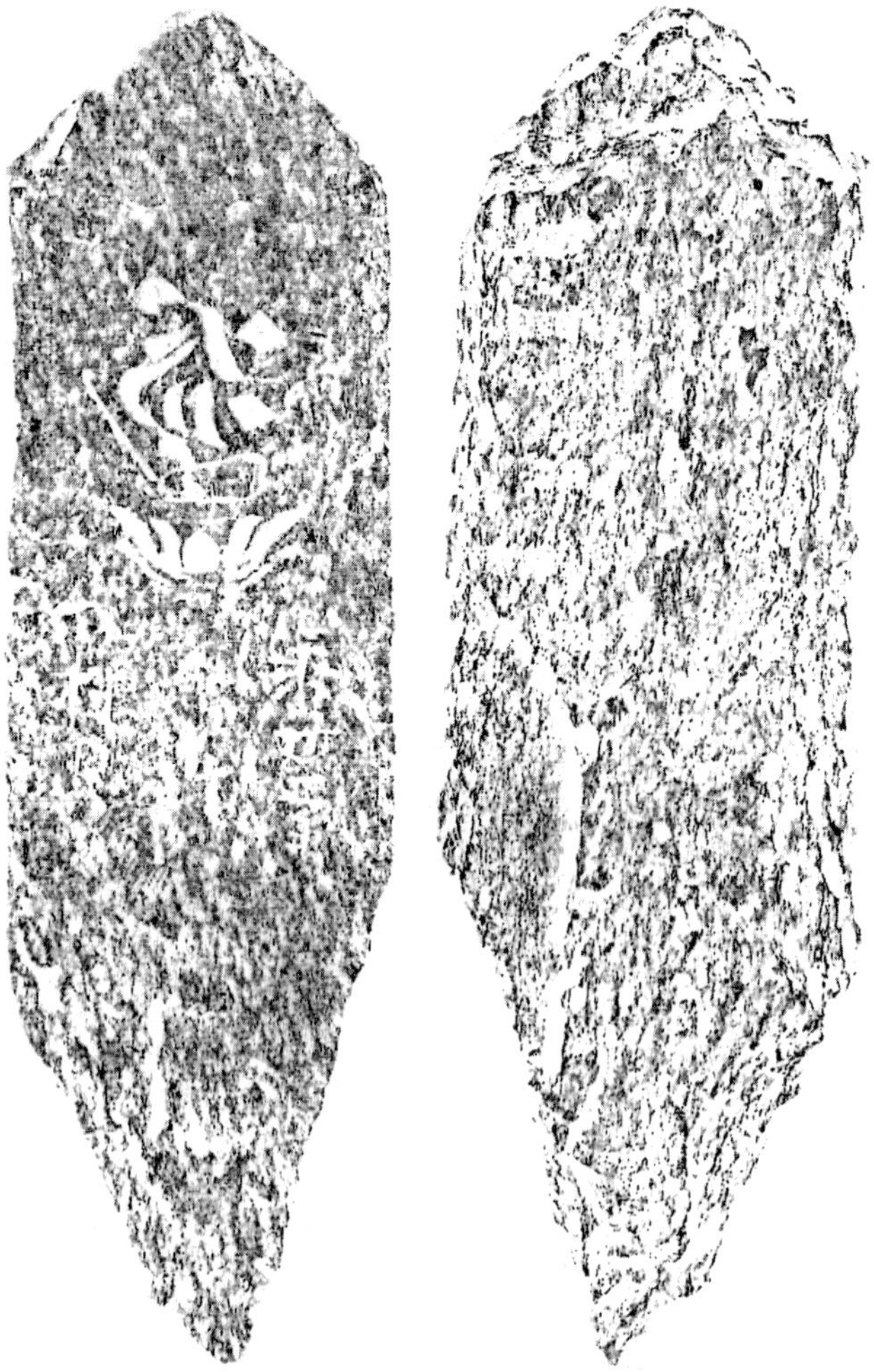

7　板碑　茨城県古河市大字立崎頼政廓跡出土

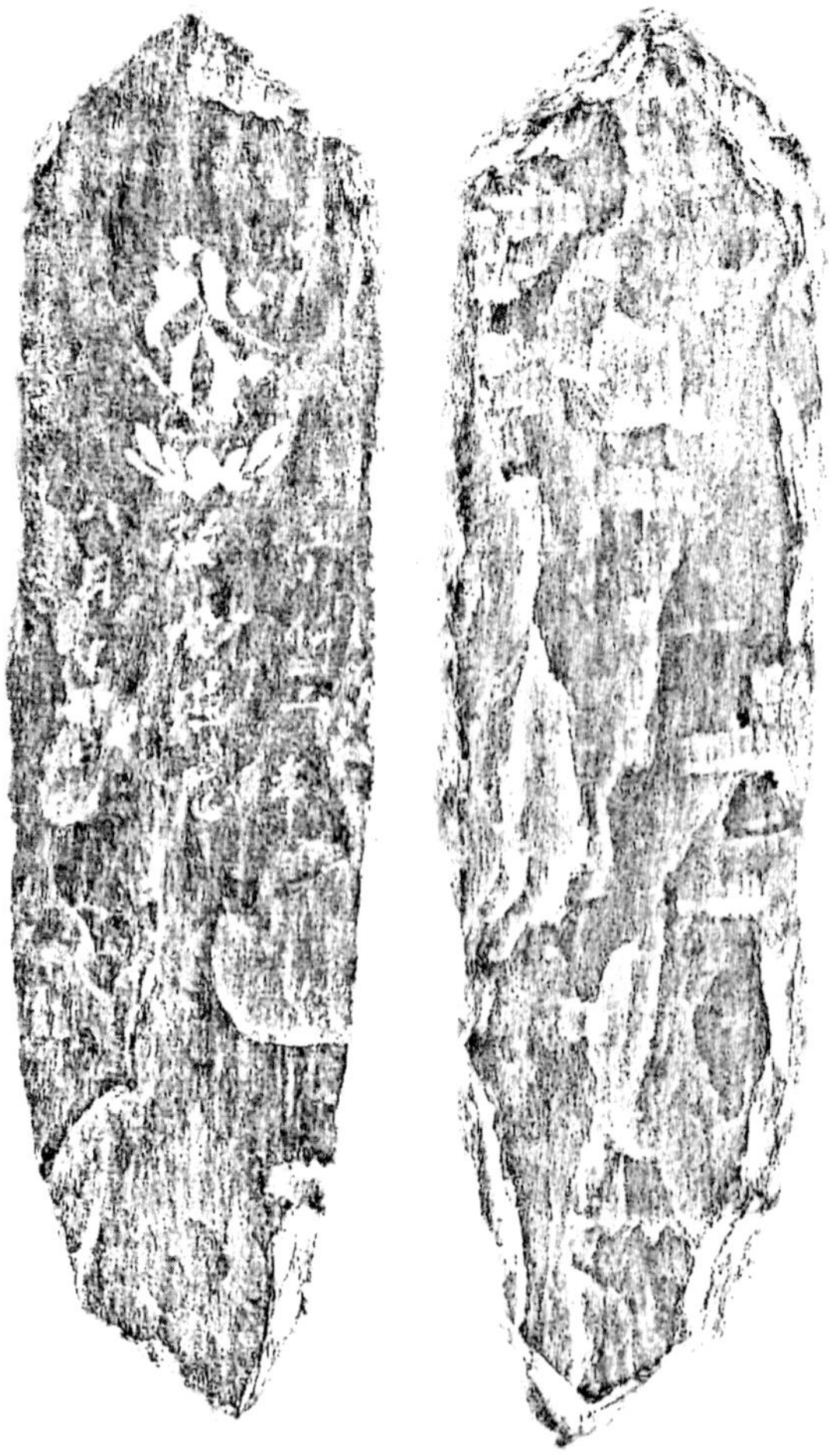

6　板碑　茨城県古河市大字立崎頼政廓跡出土

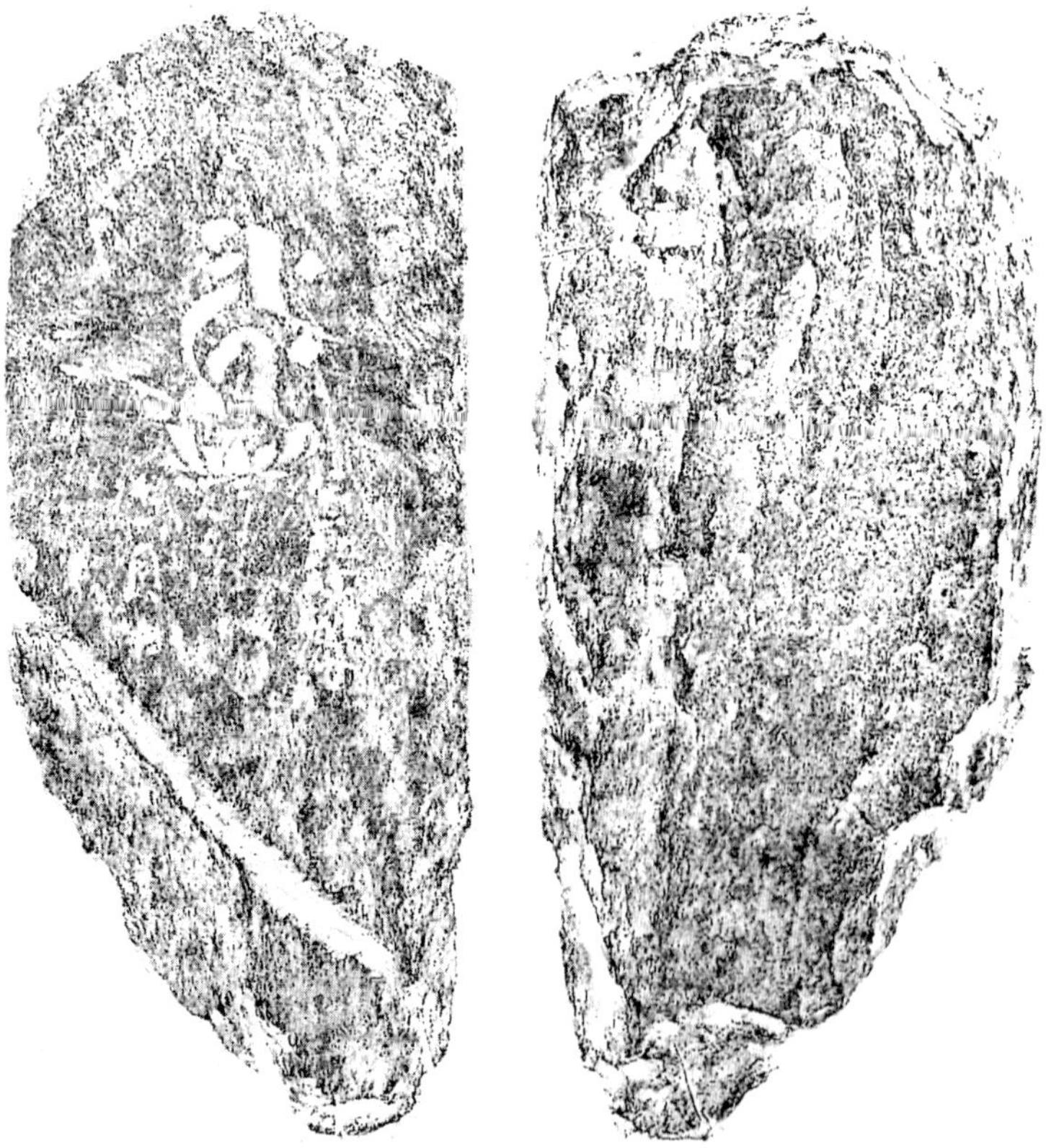

10　板碑　茨城県古河市大字立崎頼政廓跡出土

拓影 4（縮尺1／4）

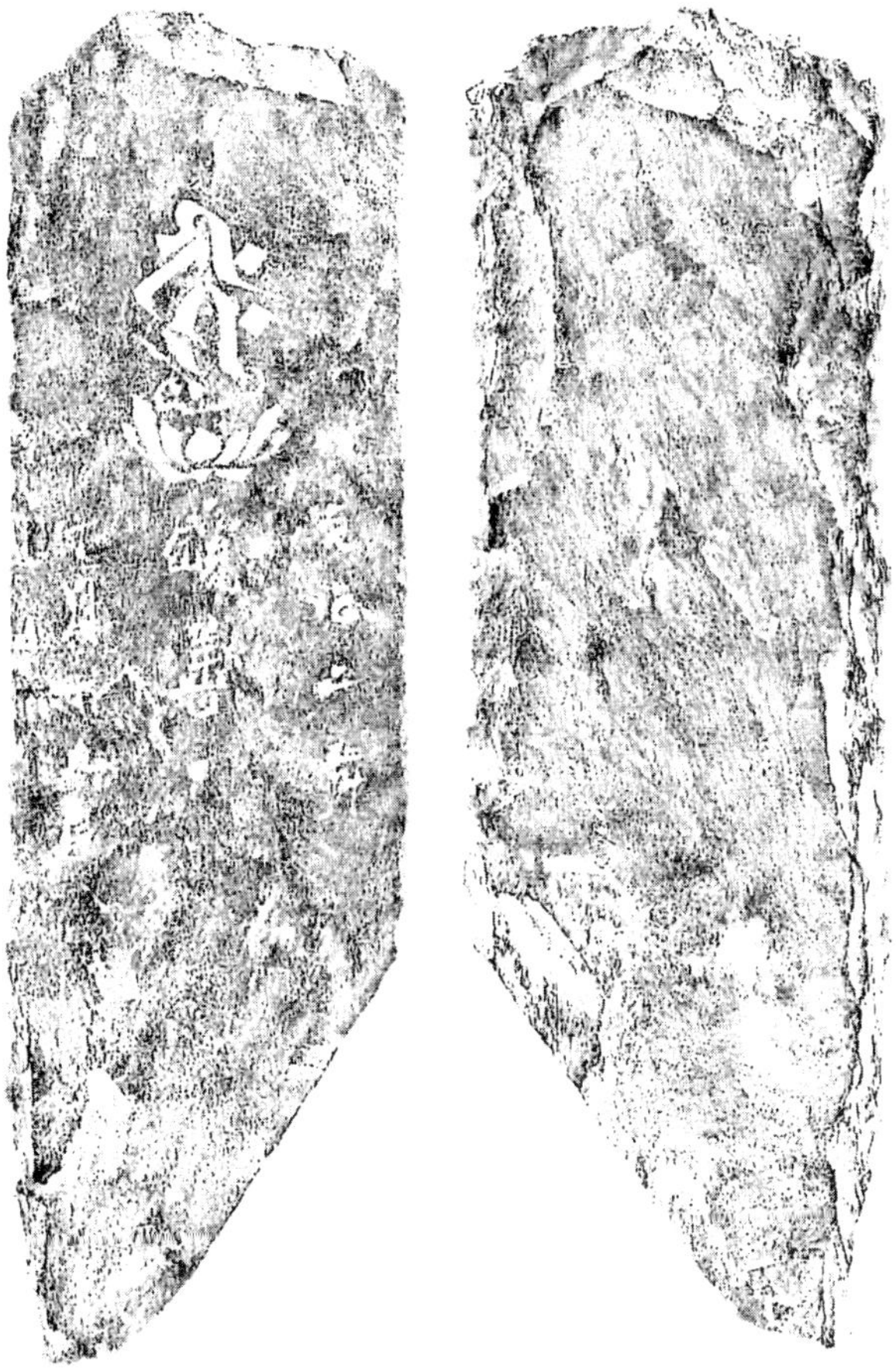

9　板碑　茨城県古河市大字立崎頼政廓跡出土

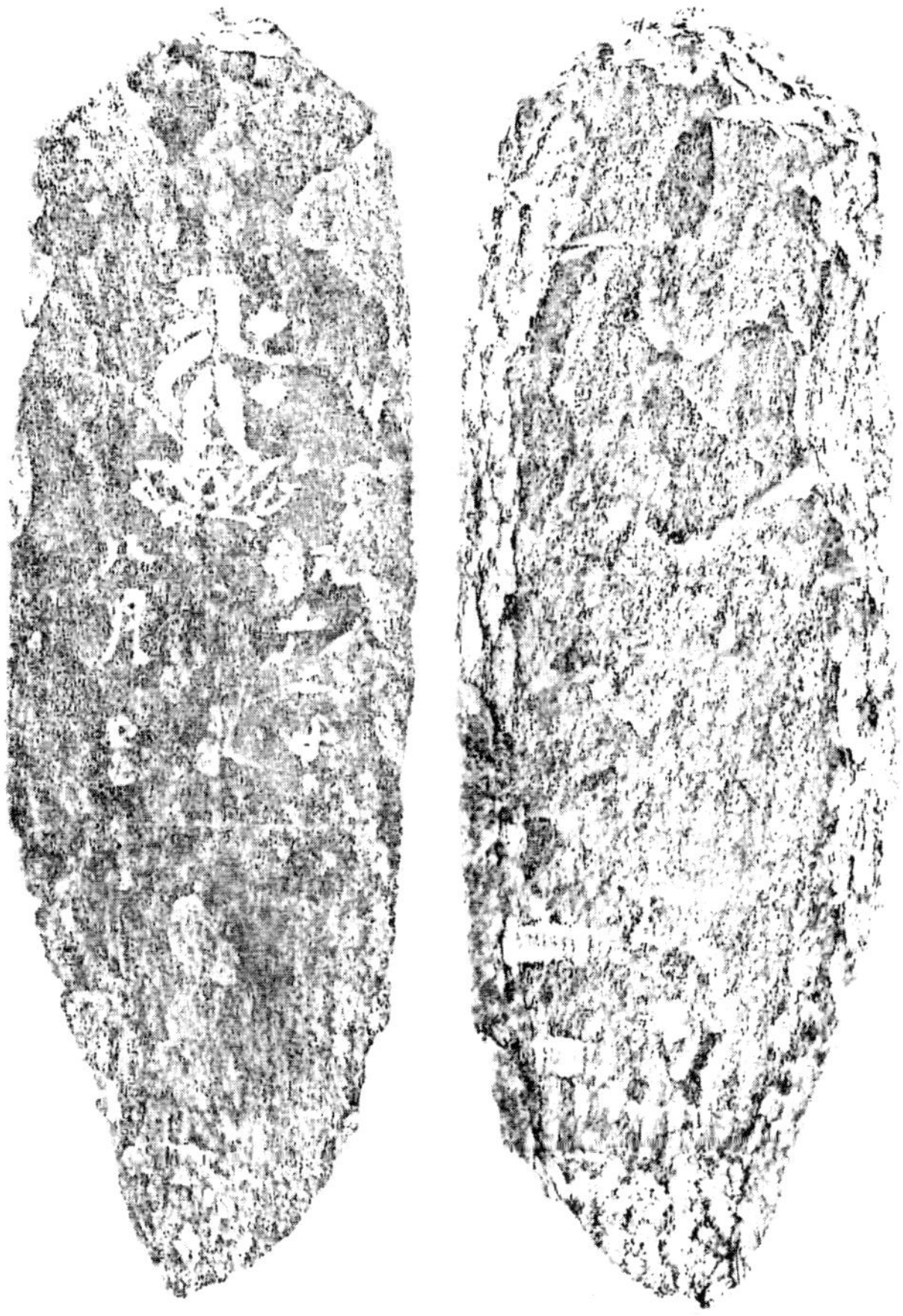

8　板碑　茨城県古河市大字立崎頼政廓跡出土

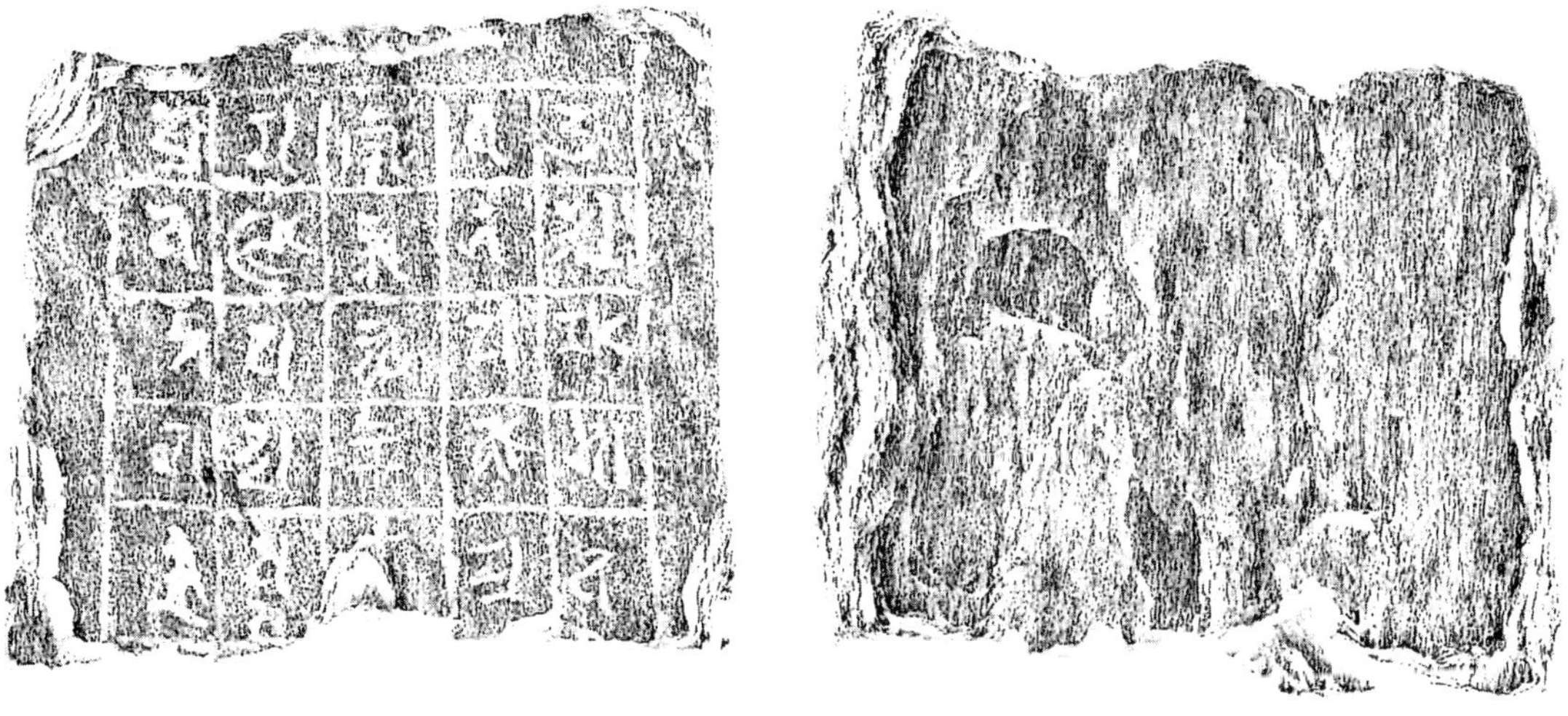

11　板碑　茨城県古河市大字立崎頼政廓跡出土

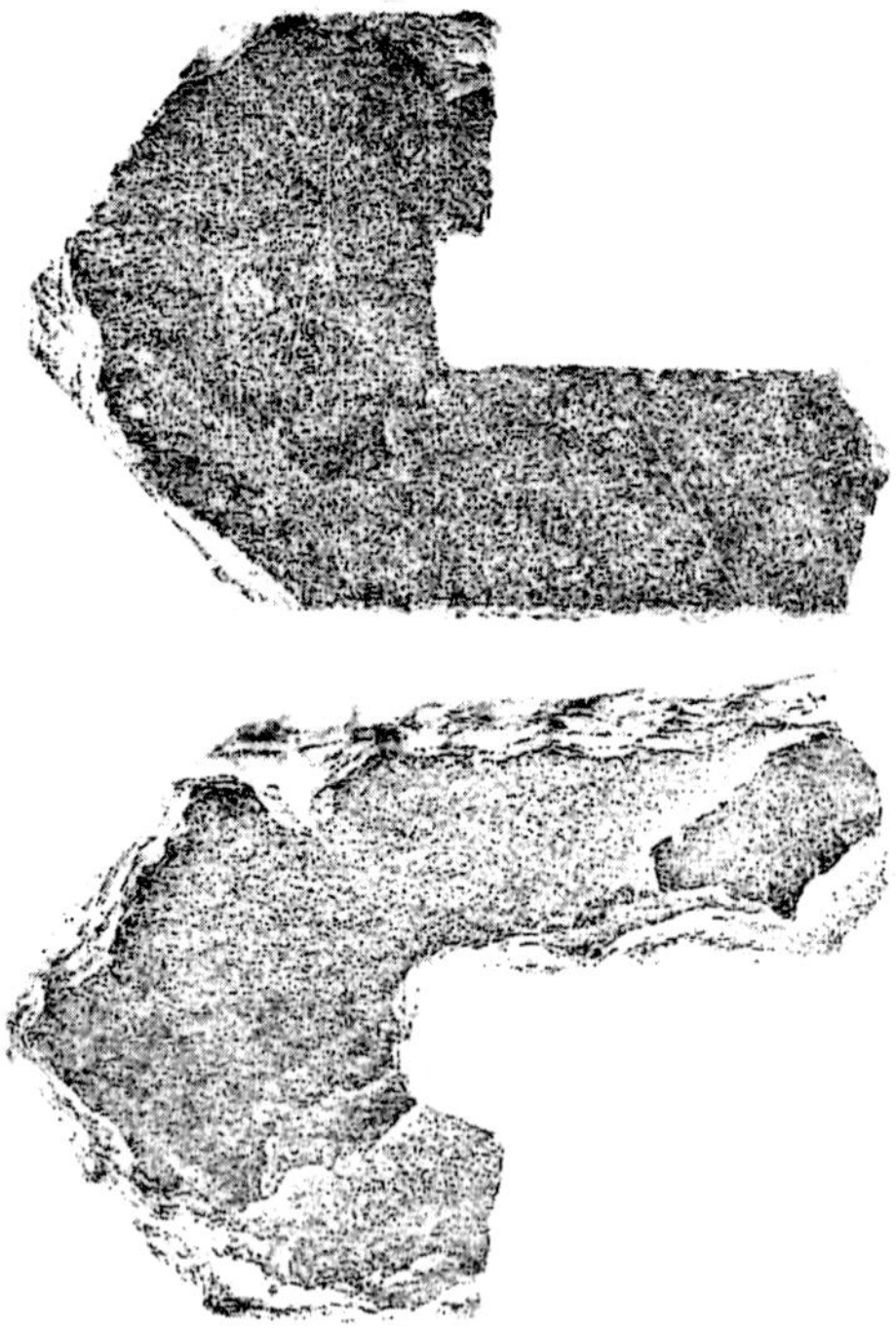

13　台石　茨城県古河市大字立崎頼政廓跡出土

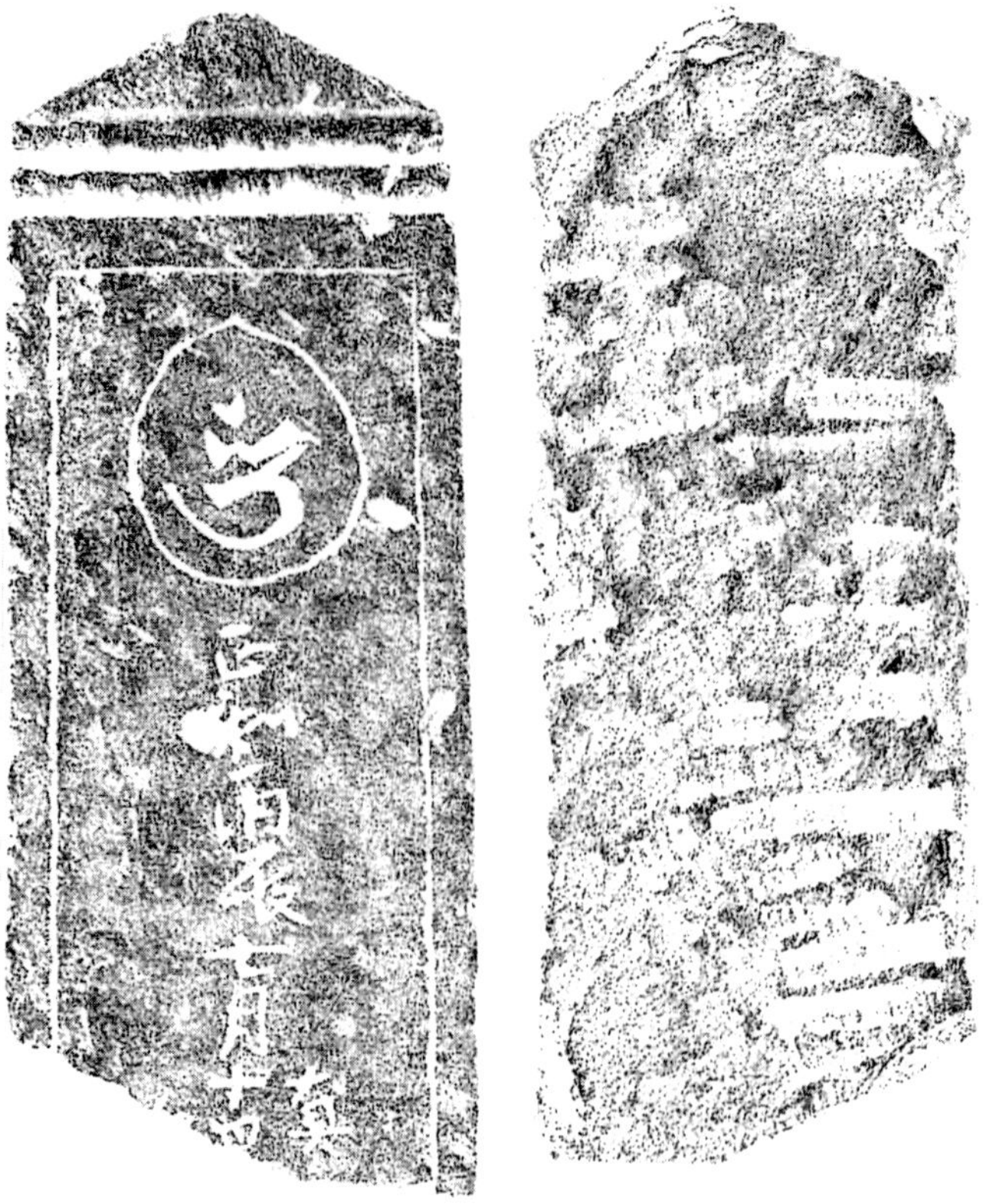

12　板碑　茨城県古河市大字立崎頼政廓跡出土

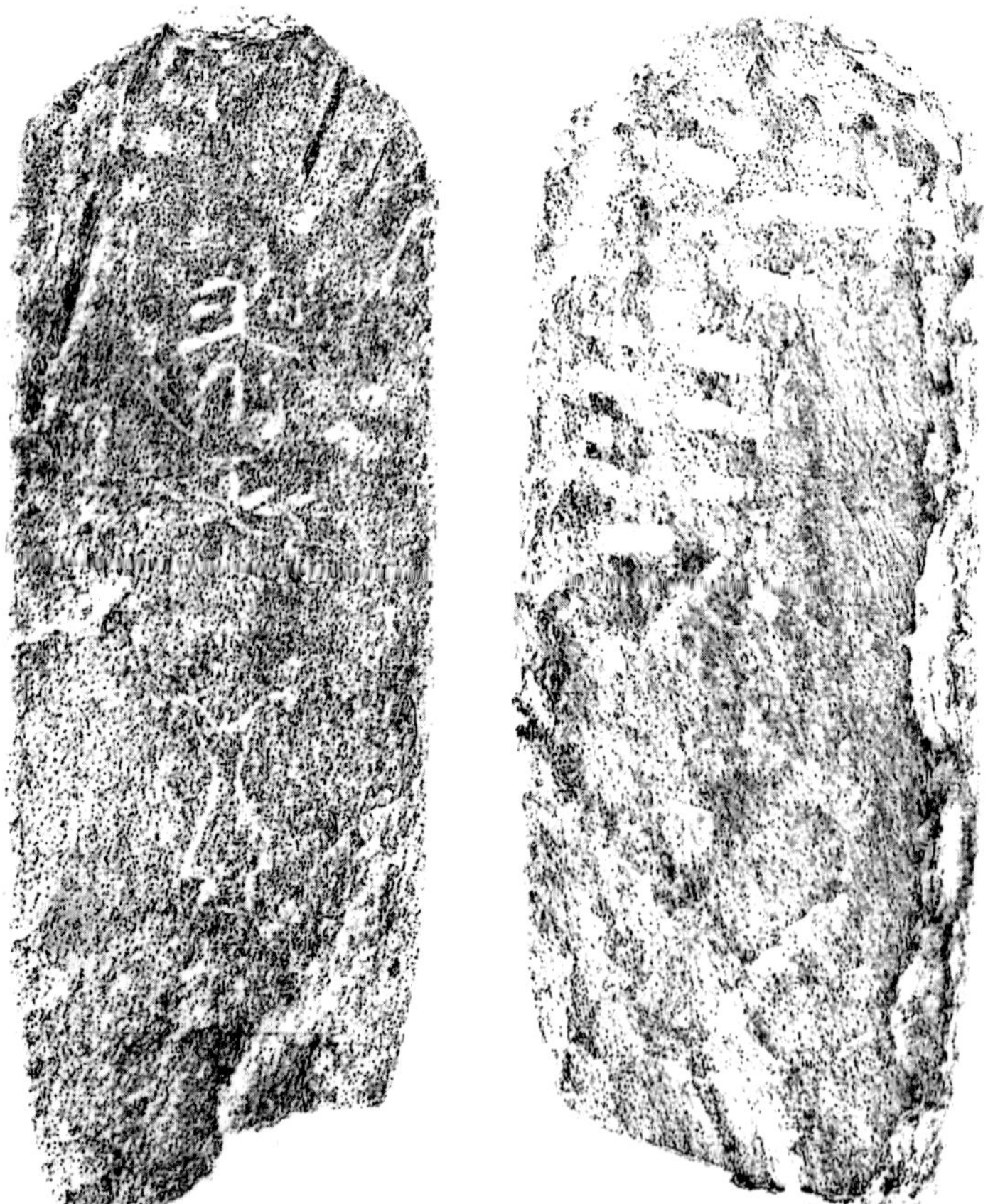

14　板碑　茨城県取手市白山六丁目大鹿城跡出土

拓影 6（縮尺1／4）

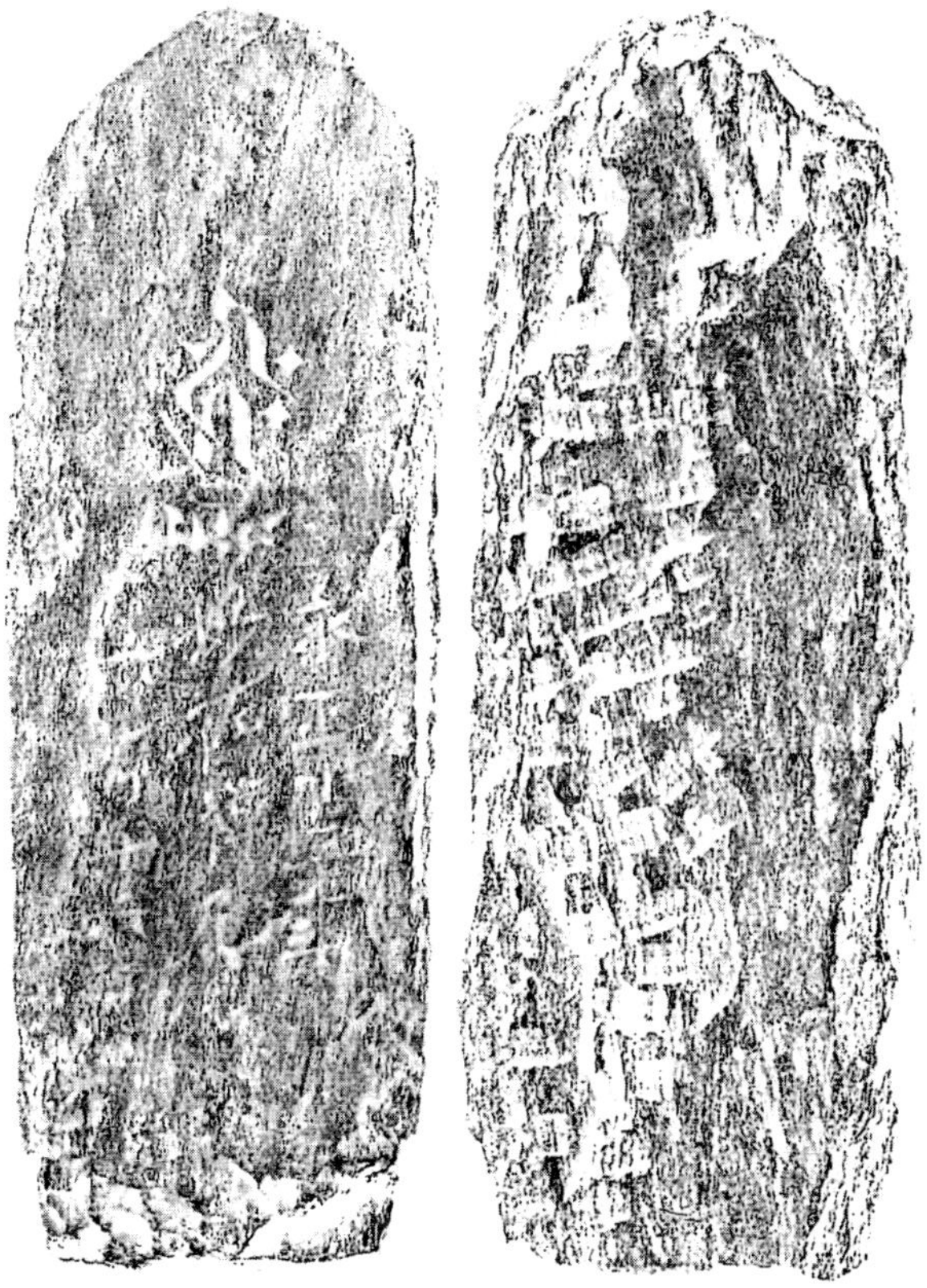

15　板碑　茨城県境町百戸字マイゴオ出土

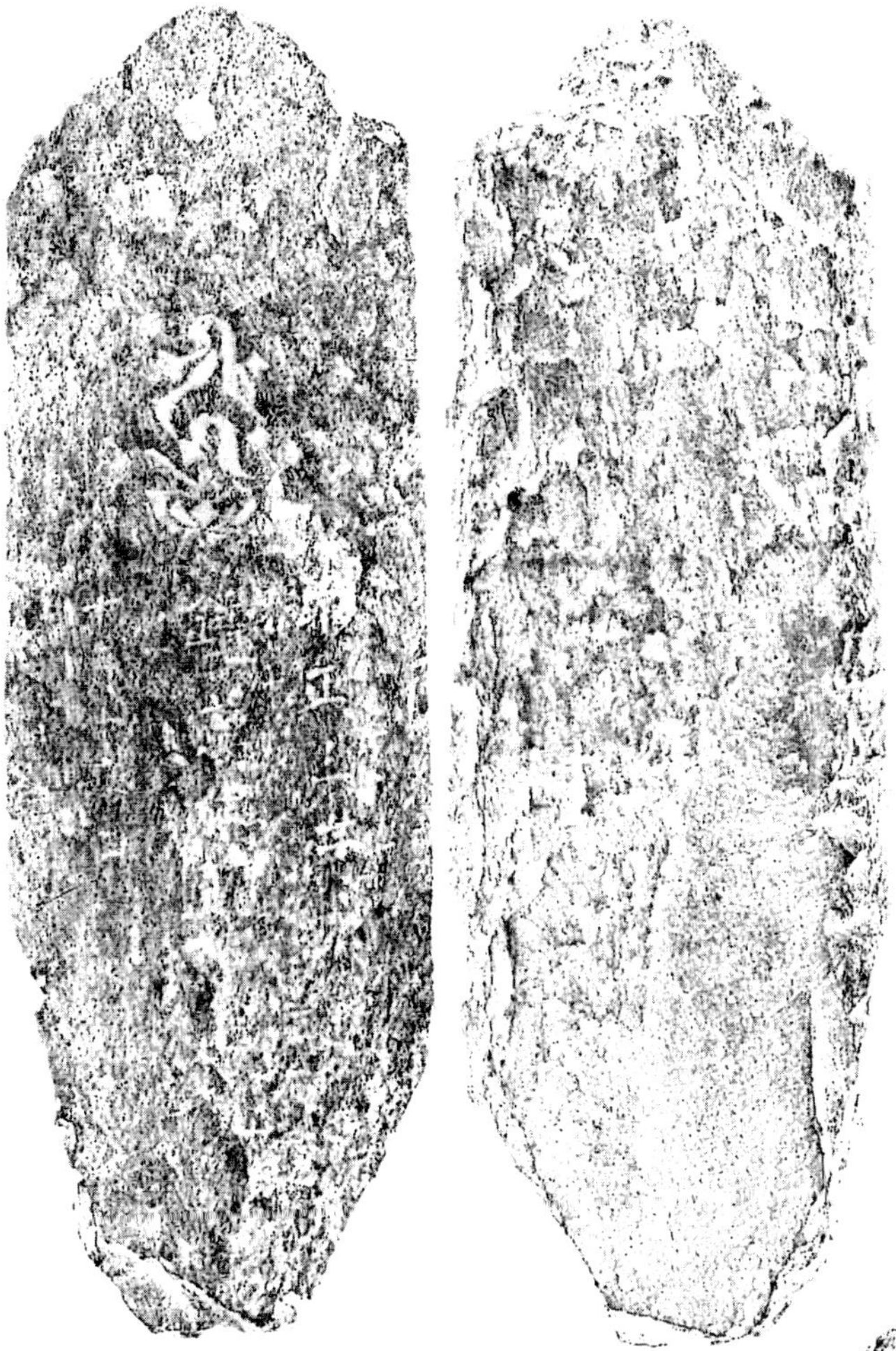

16　板碑　茨城県境町百戸字マイゴオ出土

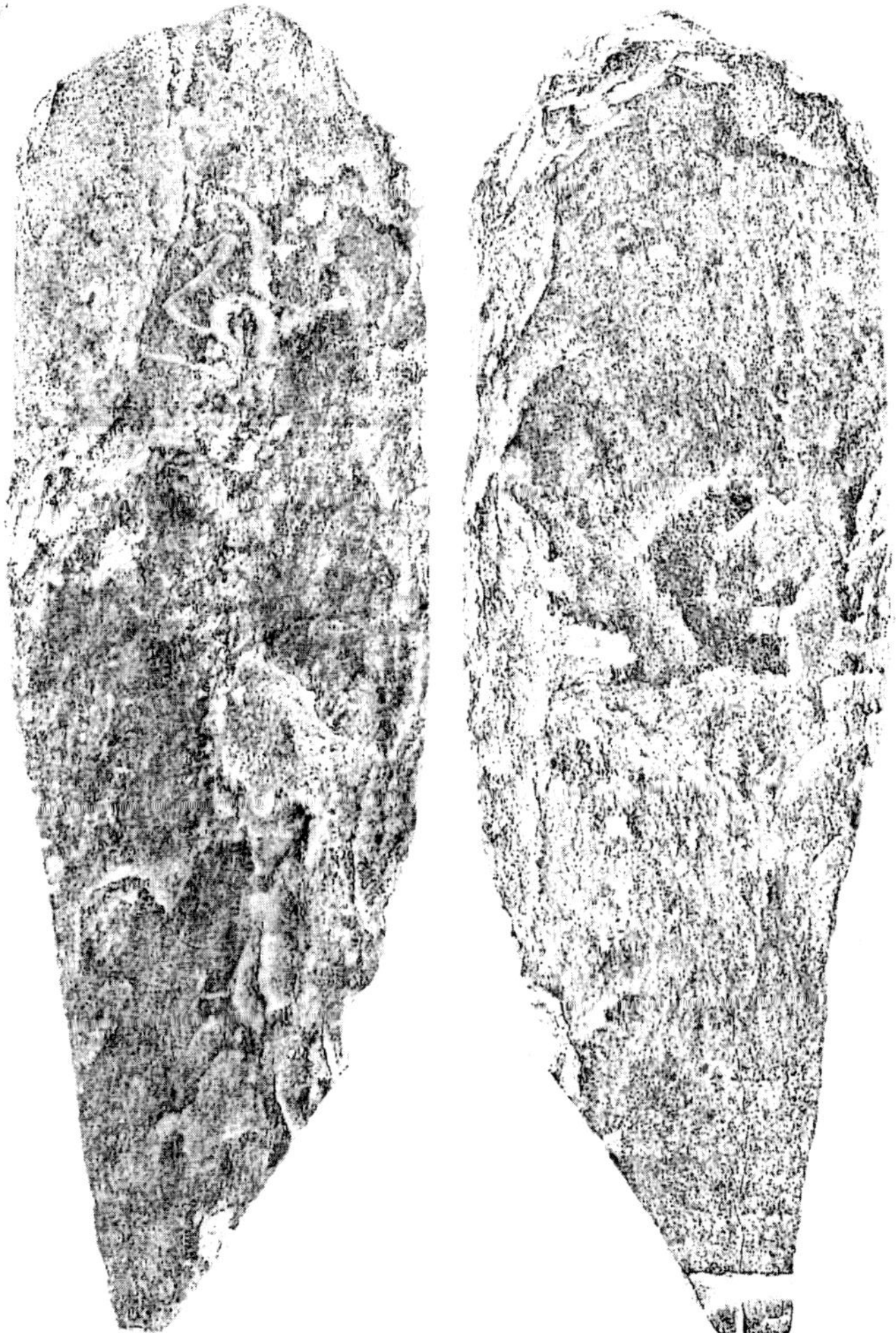

17　板碑　茨城県境町百戸字マイゴオ出土

拓影7（縮尺1/4）

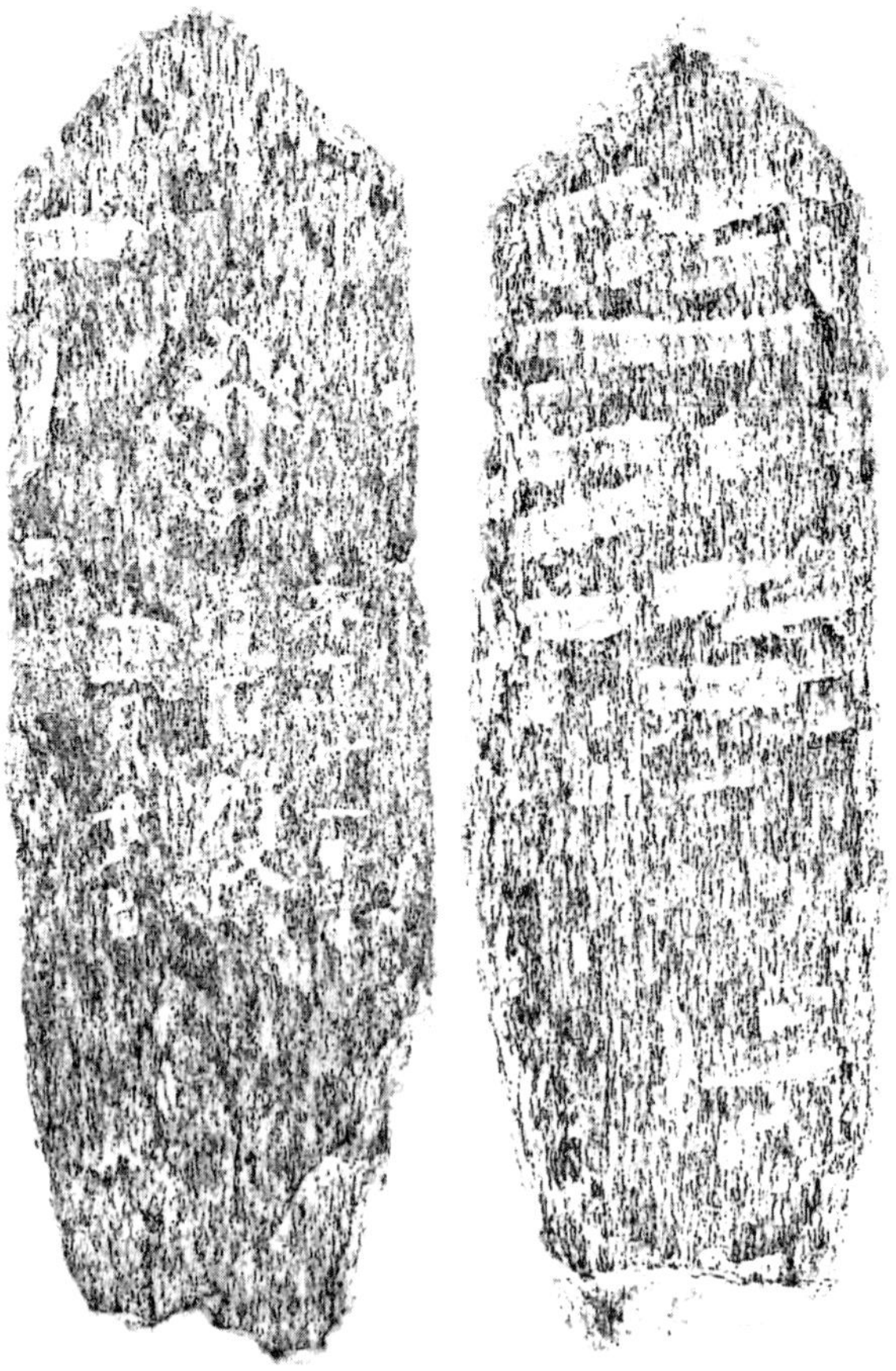

20　板碑　茨城県境町百戸字マイゴオ出土

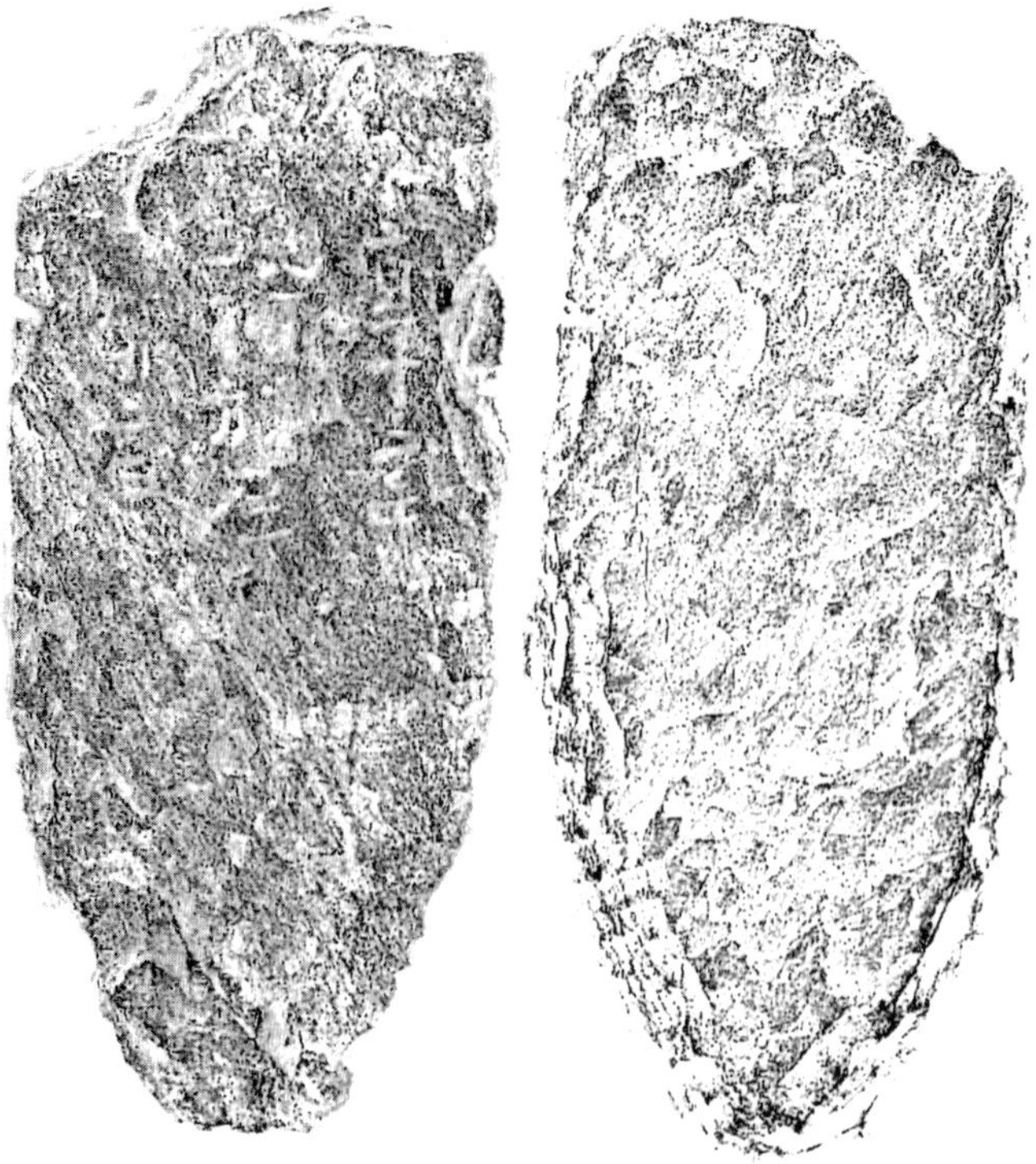

19　板碑　茨城県境町百戸字マイゴオ出土

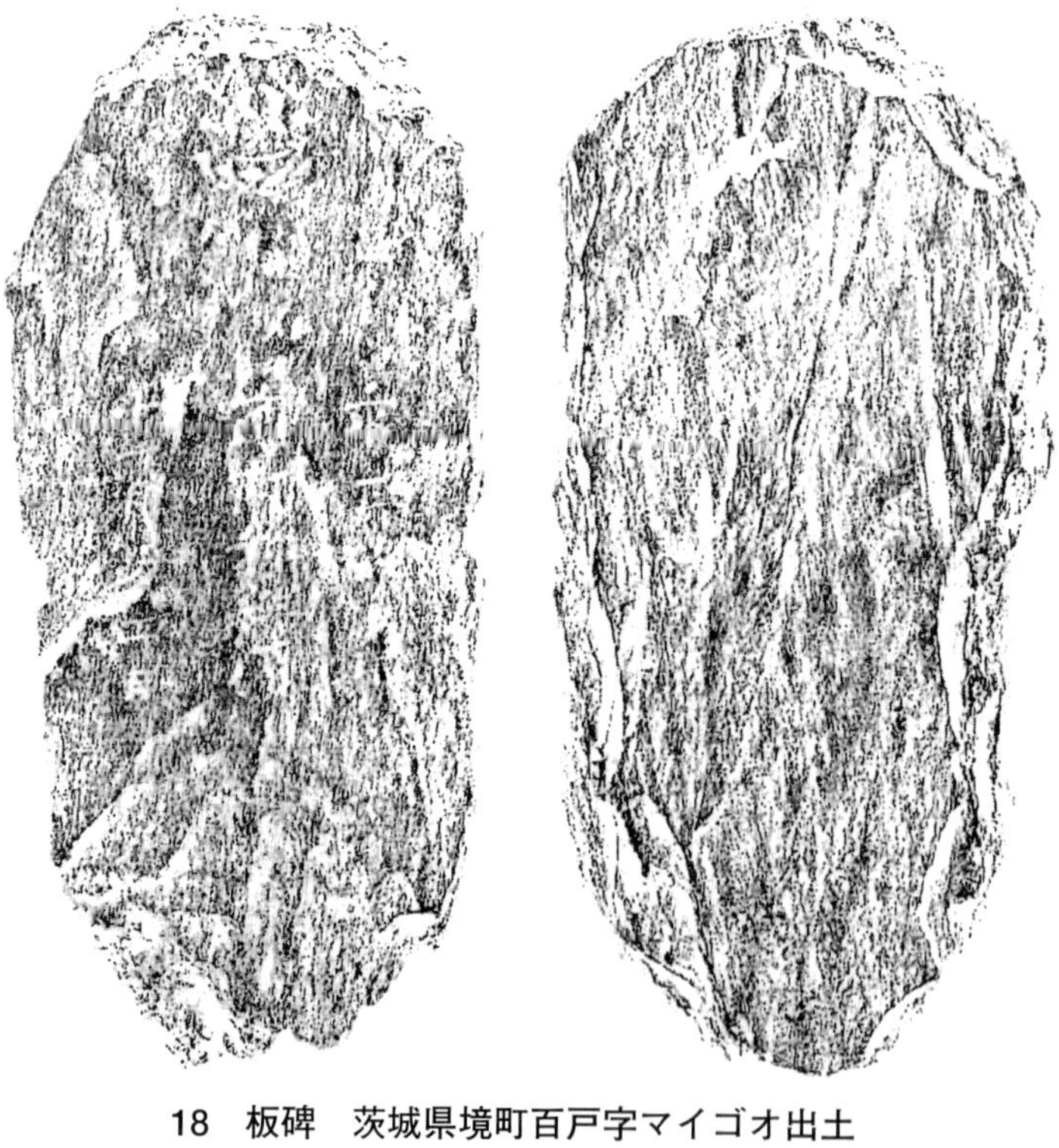

18　板碑　茨城県境町百戸字マイゴオ出土

拓影8（縮尺1/8）

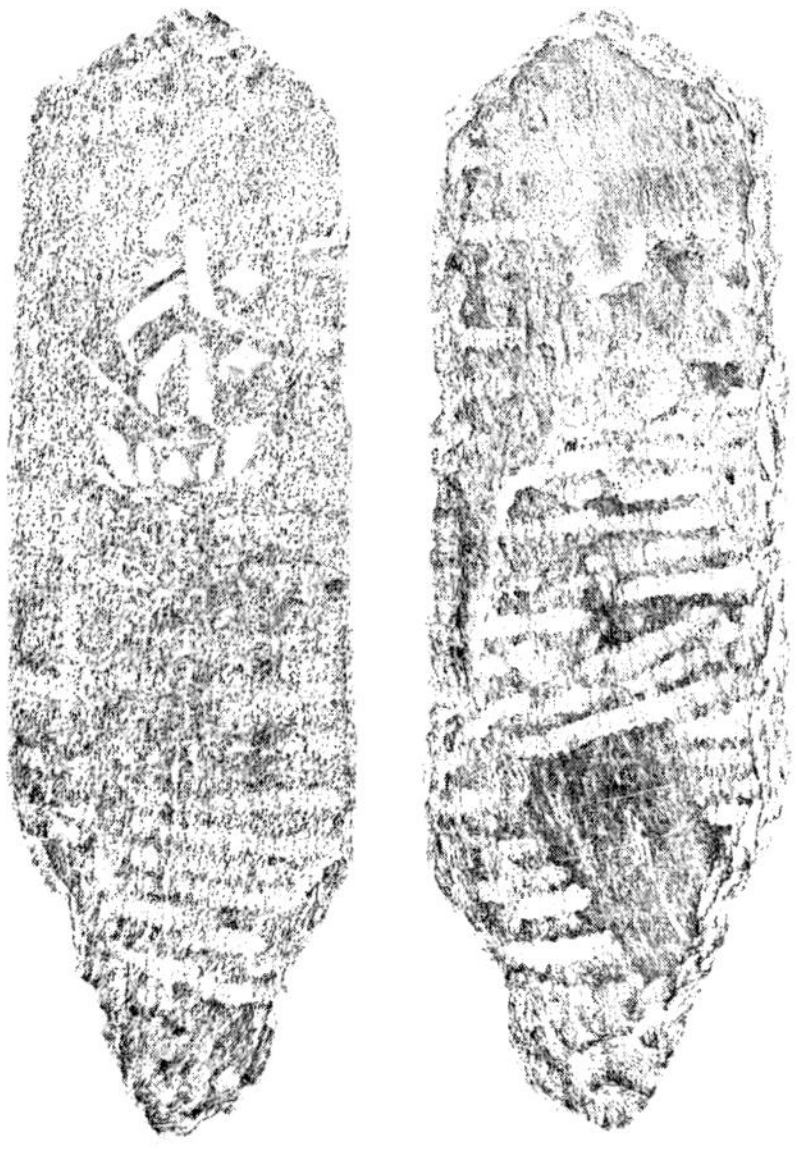

25　板碑　栃木県小山市上石塚字愛宕東　愛宕神社境内出土

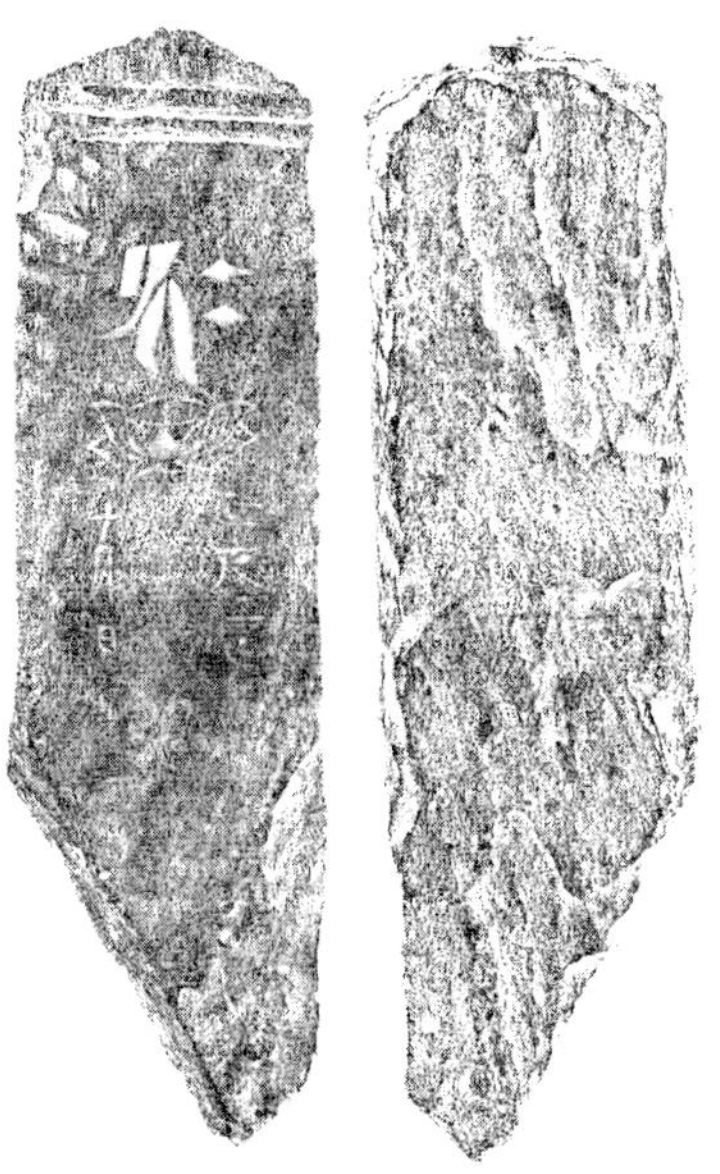

22　板碑　栃木県小山市上石塚字愛宕東　愛宕神社境内出土

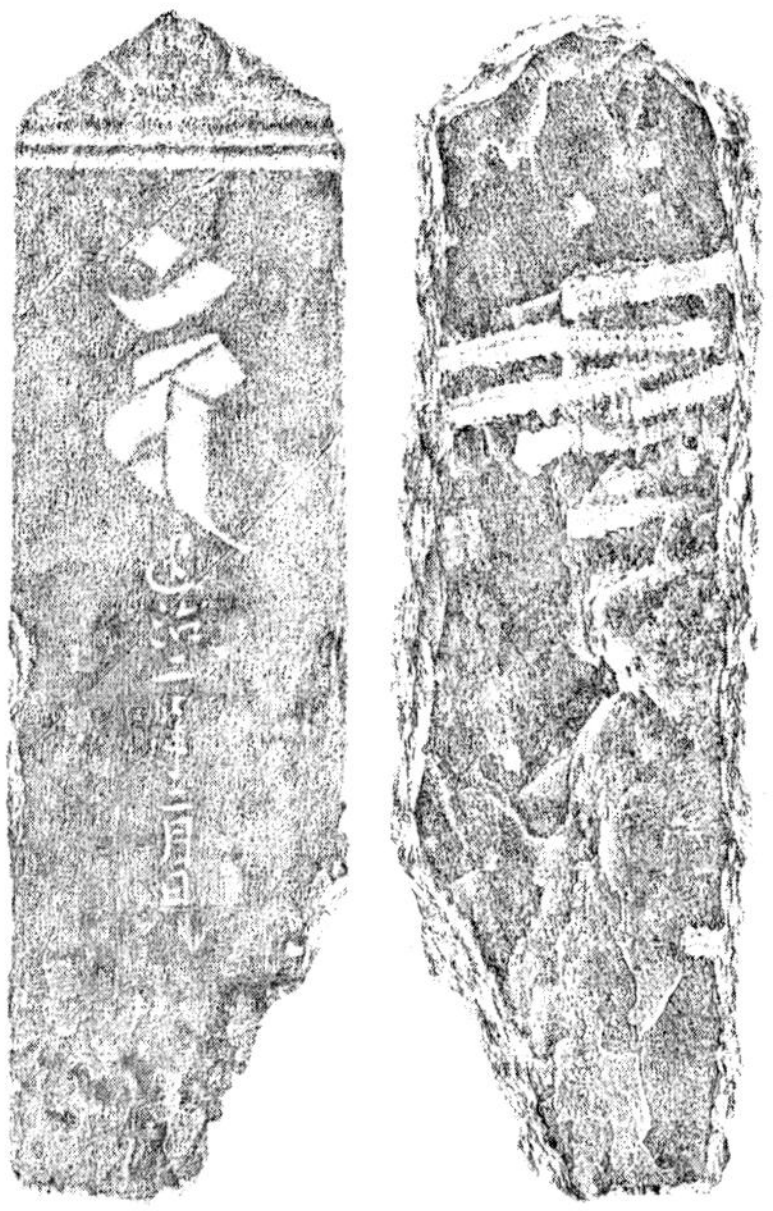

21　板碑　栃木県小山市上石塚字愛宕東　愛宕神社境内出土

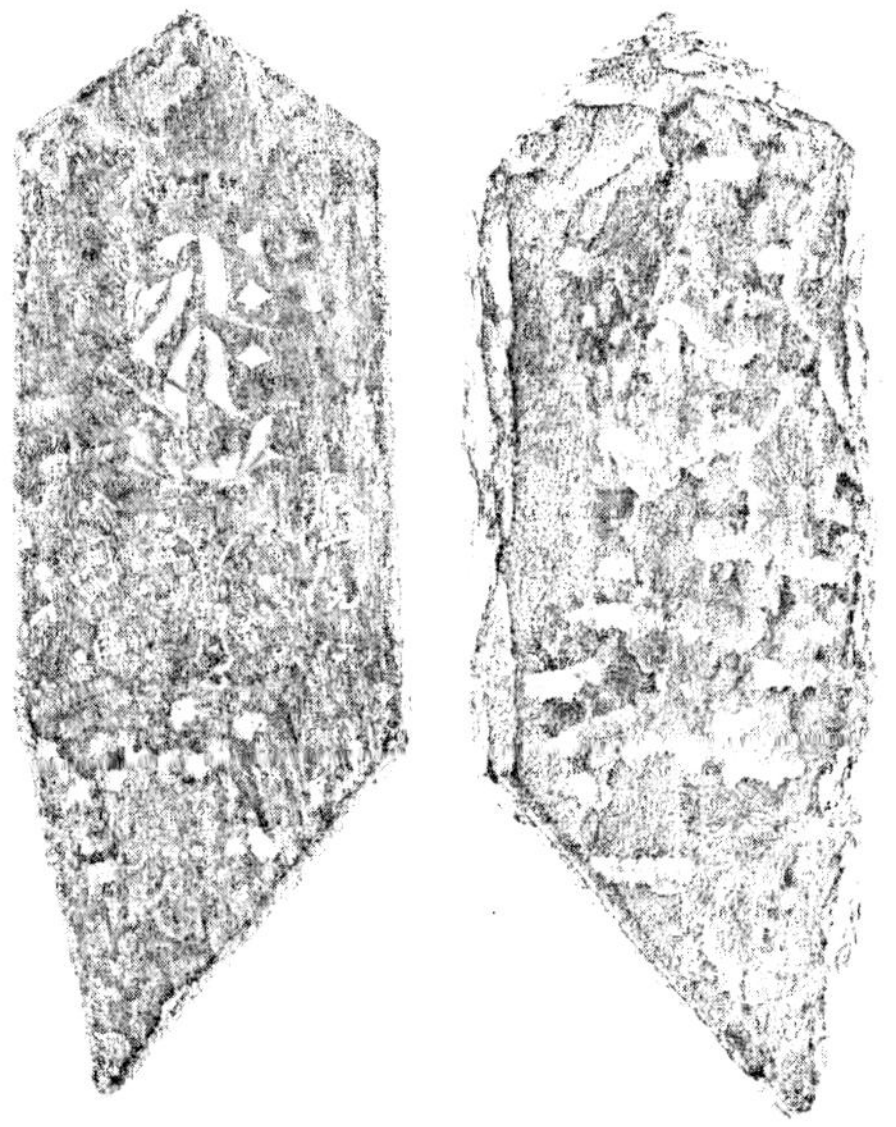

23　板碑　栃木県小山市上石塚字愛宕東　愛宕神社境内出土

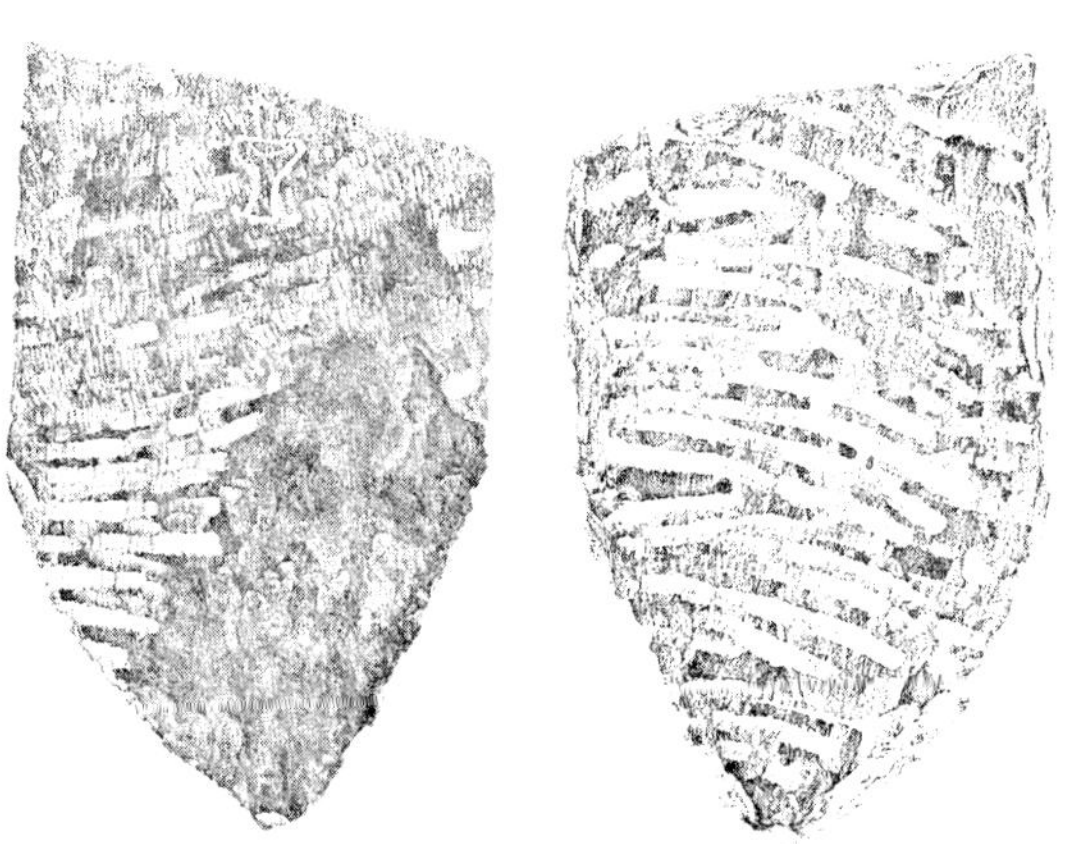

36　板碑　栃木県小山市上石塚字愛宕東　愛宕神社境内出土

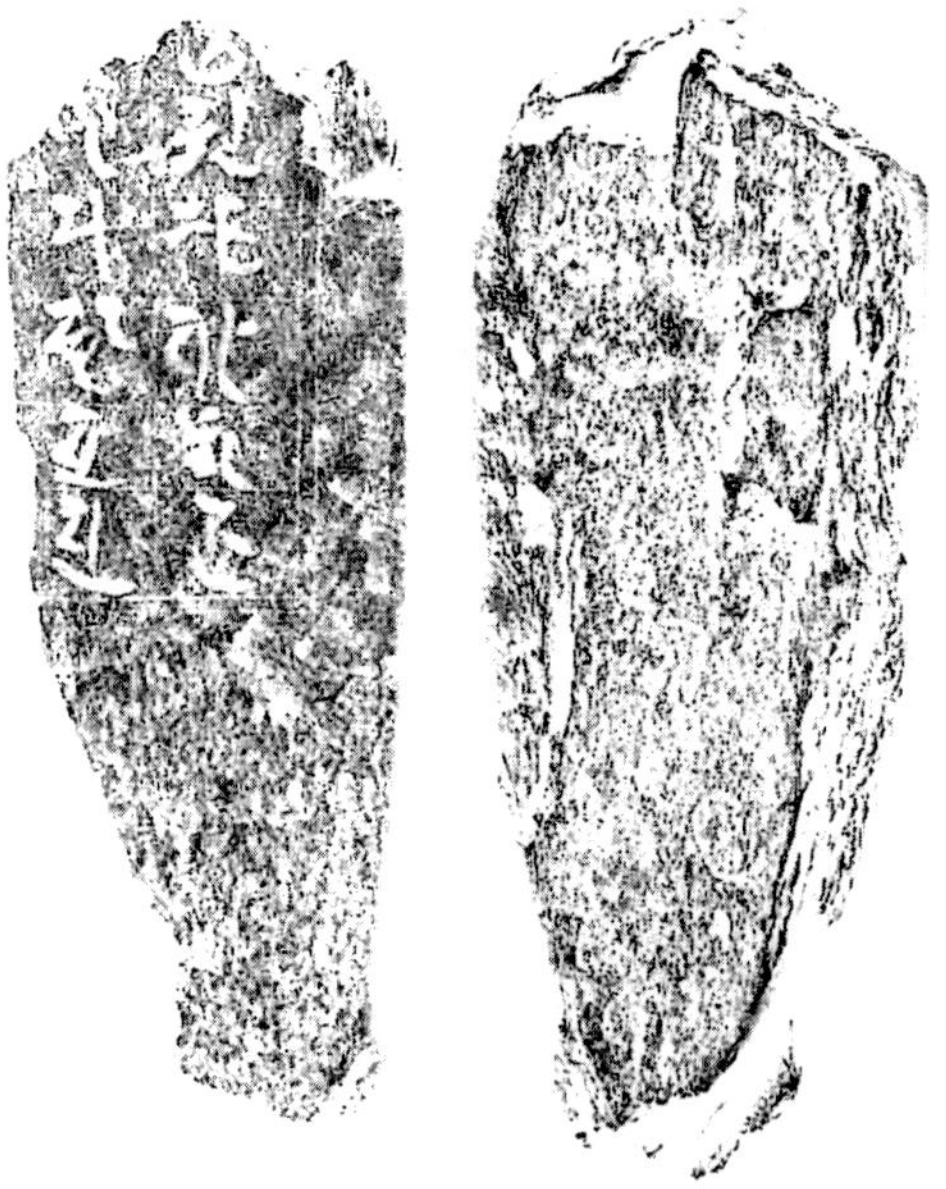

39　板碑　栃木県小山市上石塚字愛宕東
愛宕神社境内出土

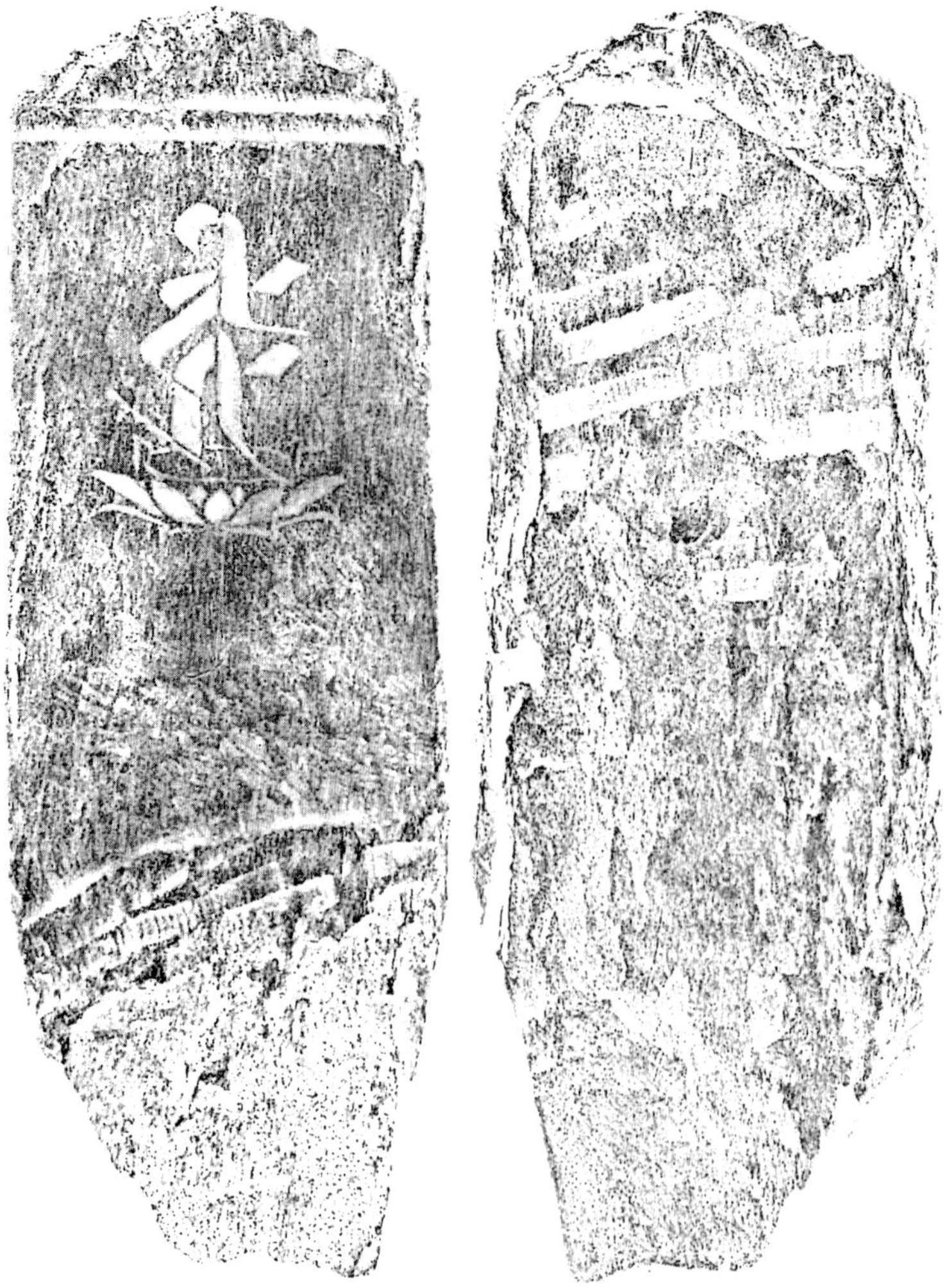

24　板碑　栃木県小山市上石塚字愛宕東　愛宕神社境内出土

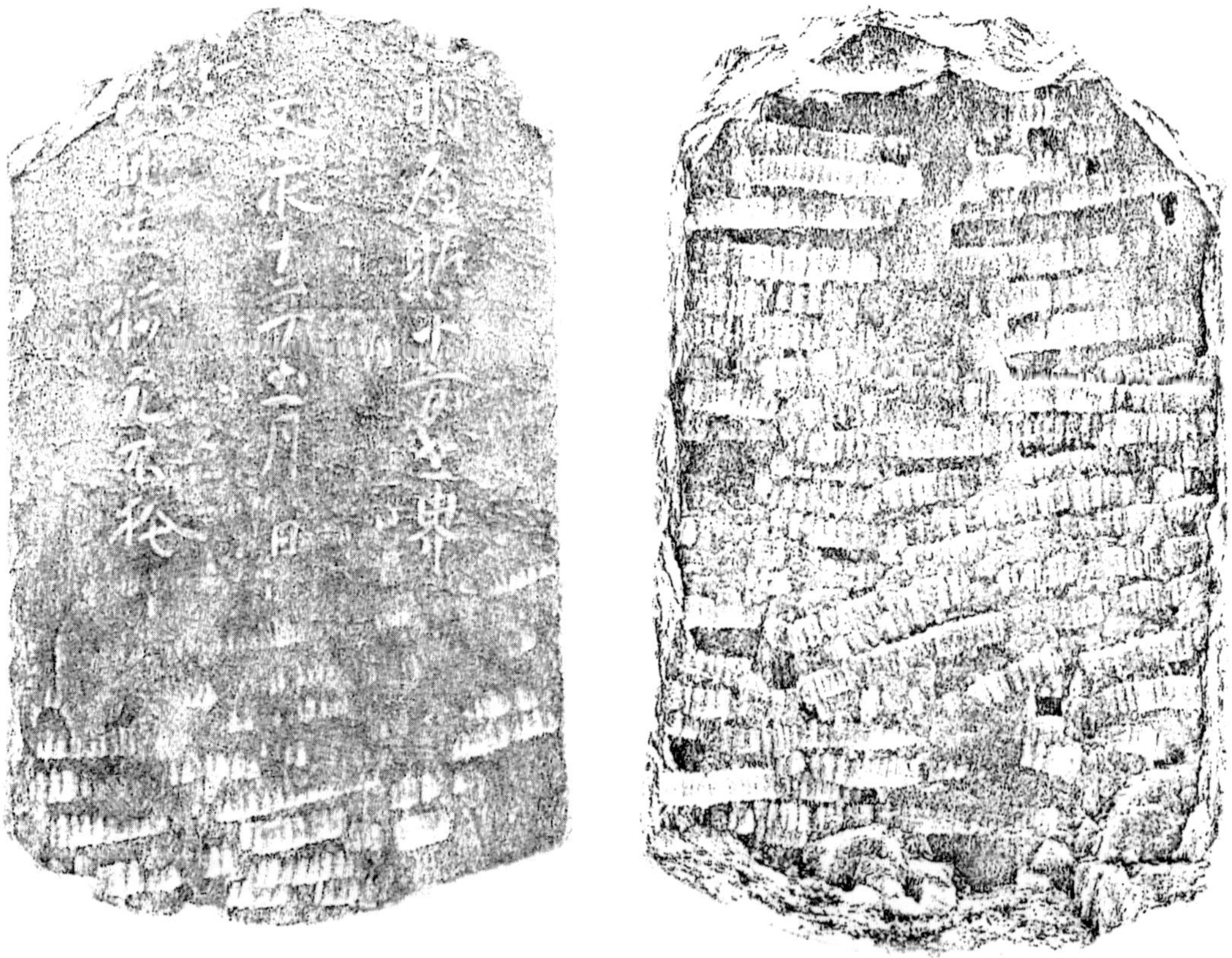

30　板碑　栃木県小山市上石塚字愛宕東　愛宕神社境内出土

拓影10（縮尺1/4）

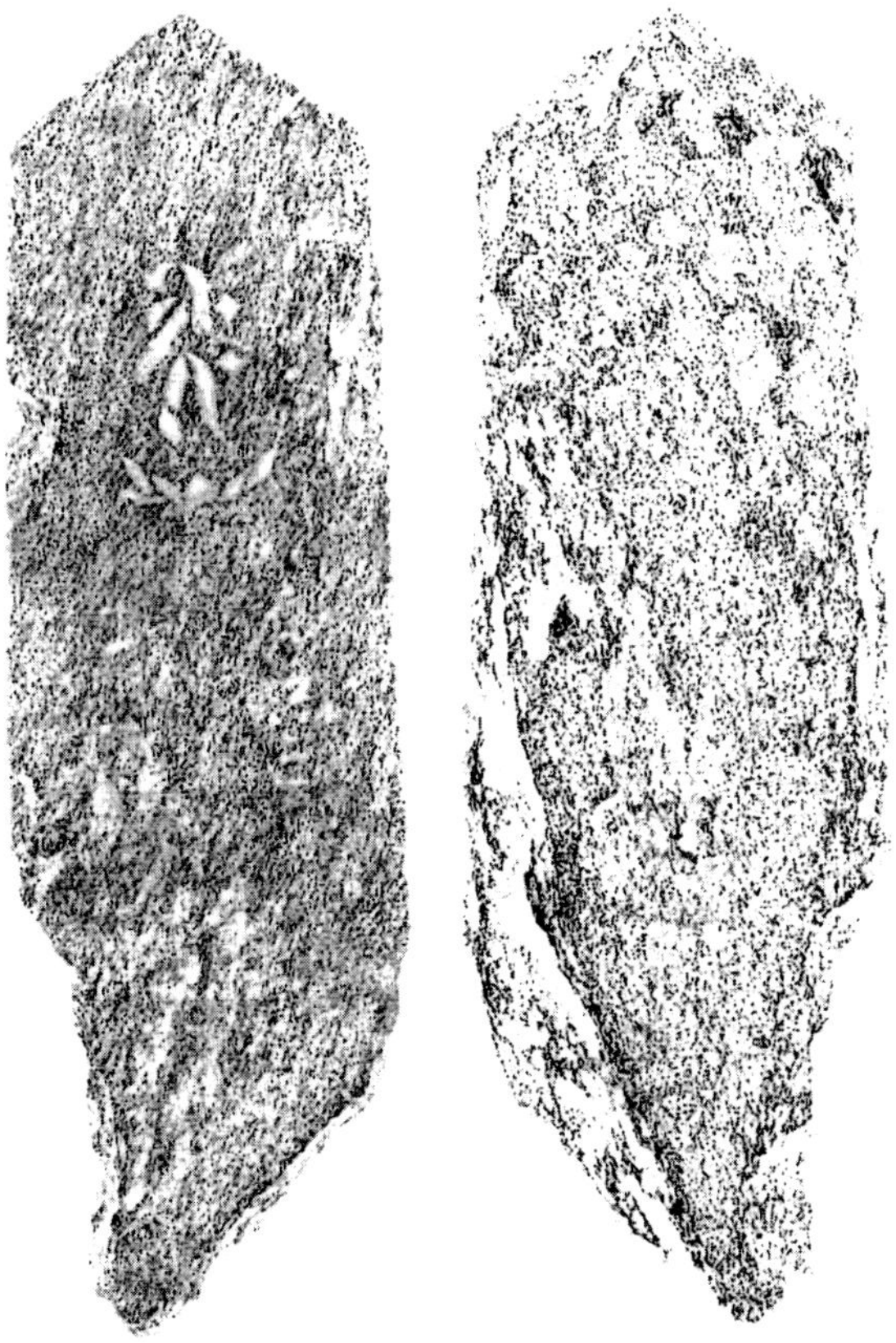

29　板碑　栃木県小山市上石塚字愛宕東
愛宕神社境内出土

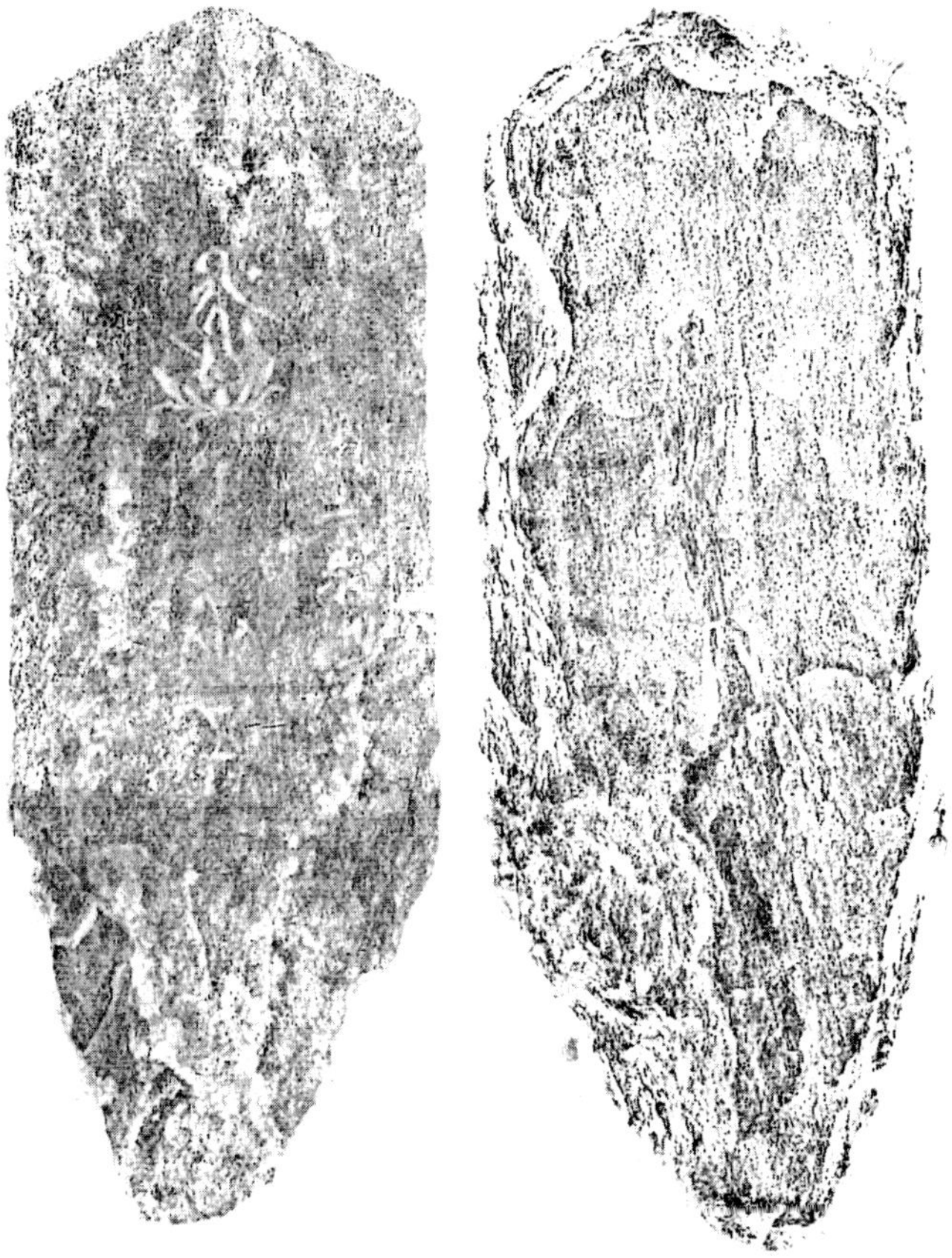

26　板碑　栃木県小山市上石塚字愛宕東　愛宕神社境
内出土

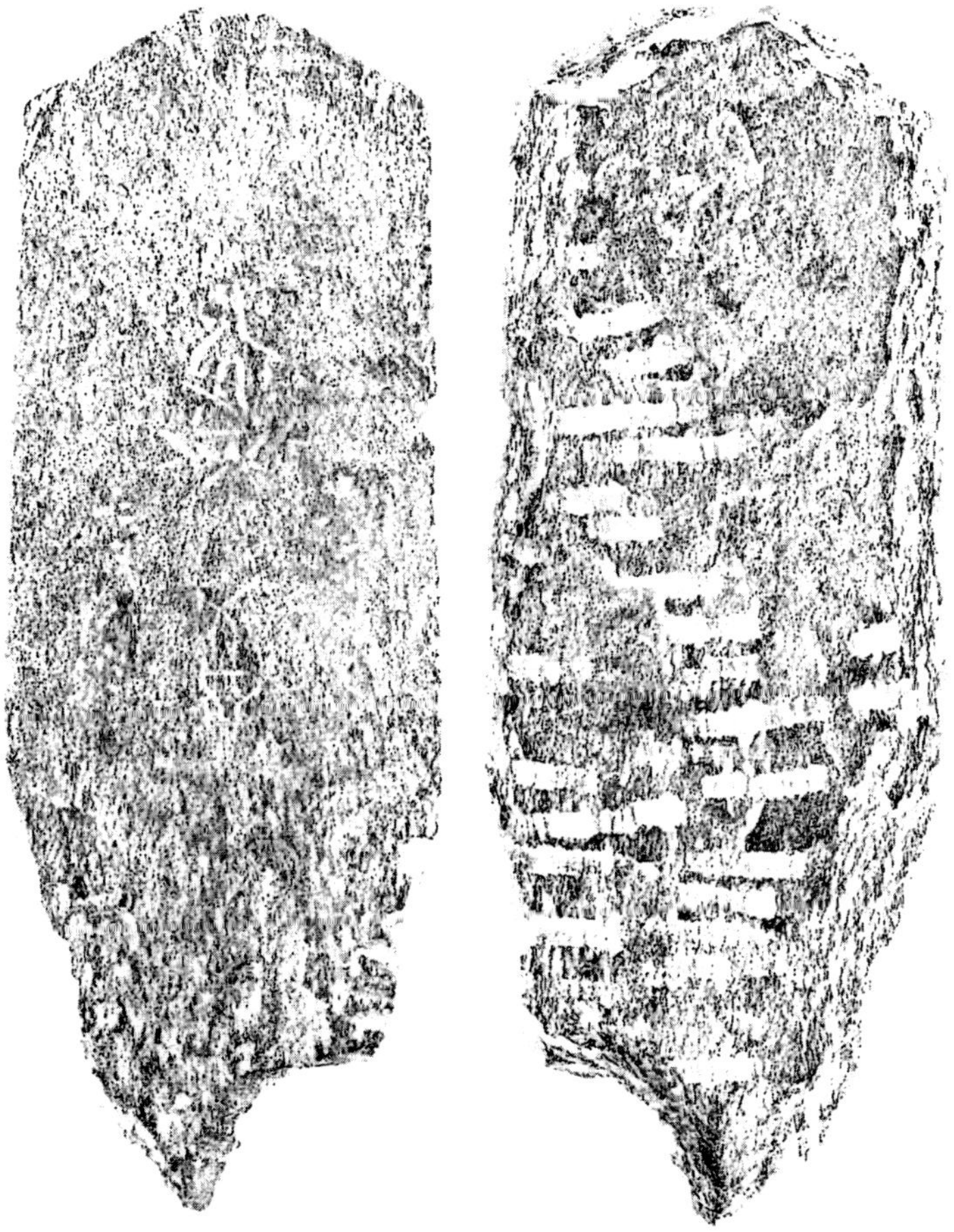

27　板碑　栃木県小山市上石塚字愛宕東　愛宕神社境内出土

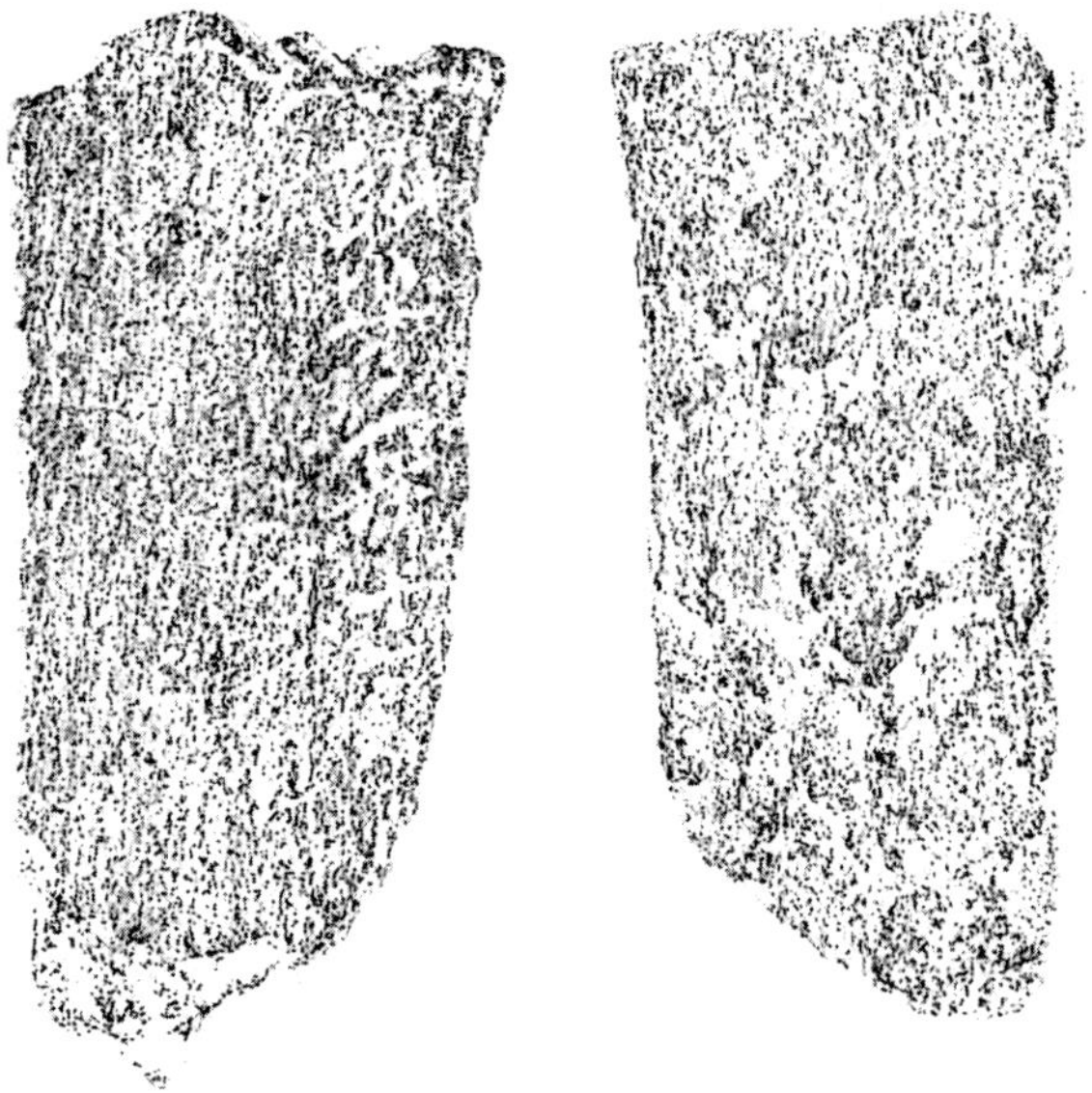

40　板碑　栃木県小山市上石塚字愛宕東
愛宕神社境内出土

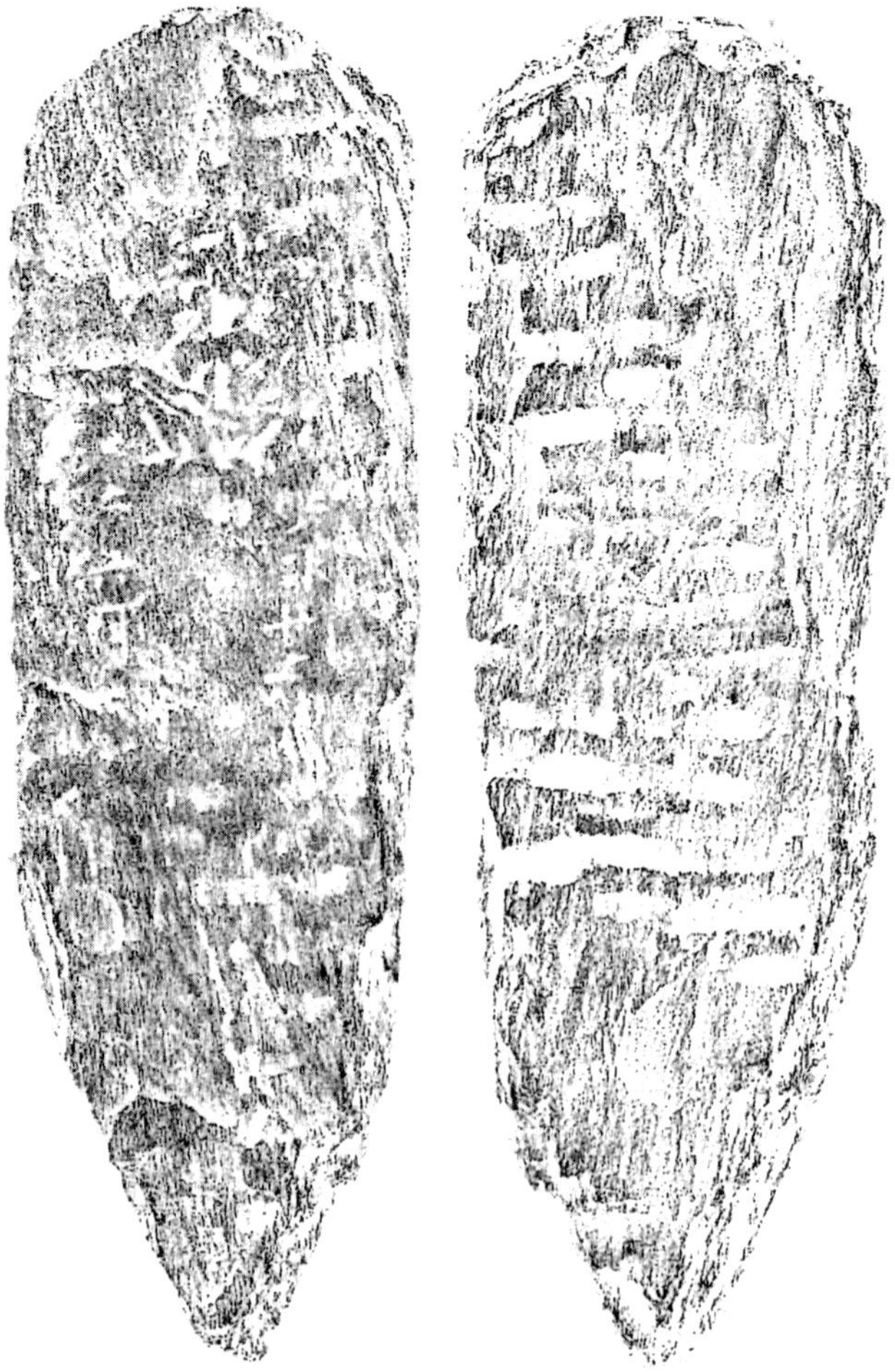

28　板碑　栃木県小山市上石塚字愛宕東　愛宕神
社境内出土

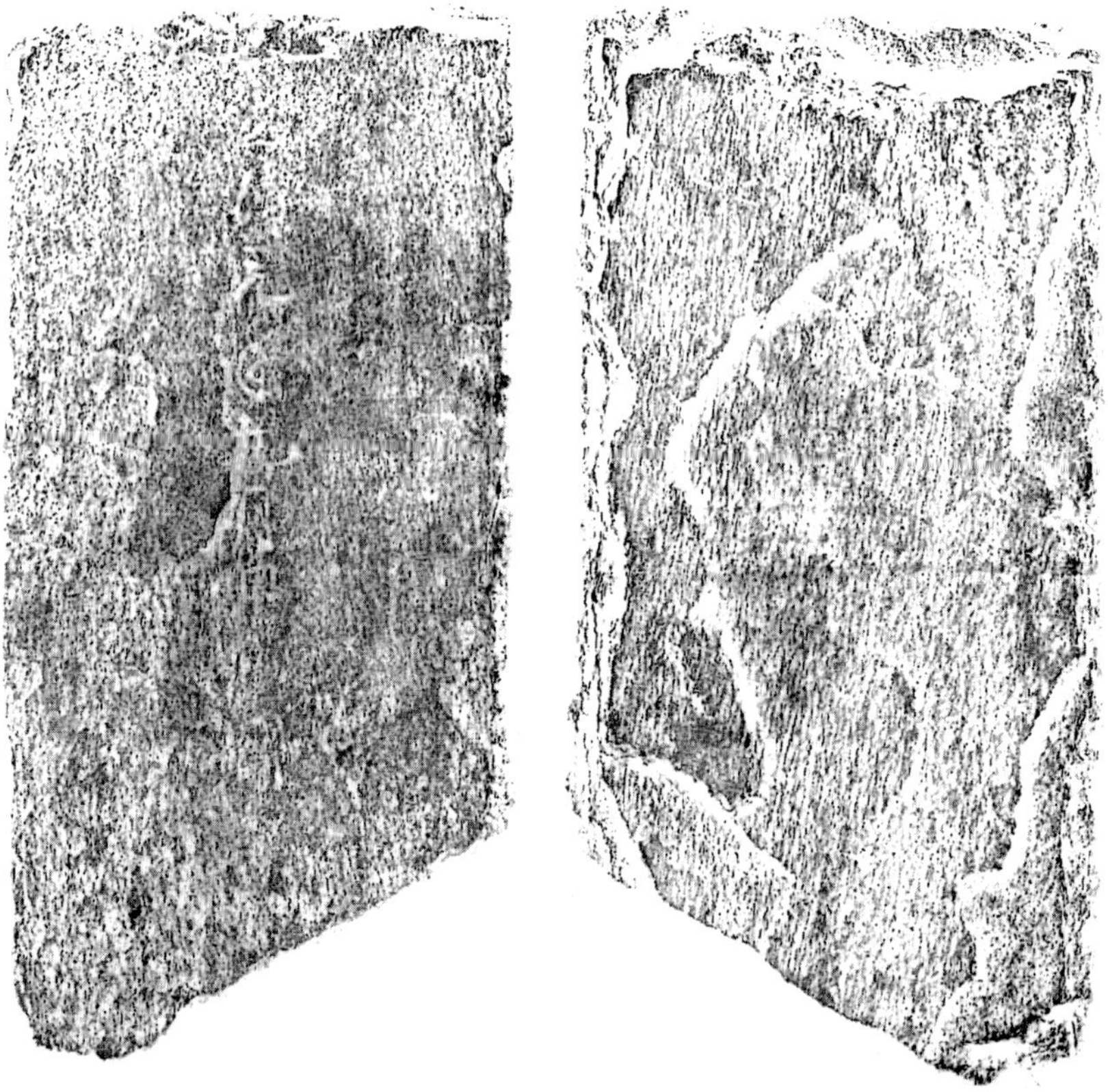

31　板碑　栃木県小山市上石塚字愛宕東　愛宕神社境内出土

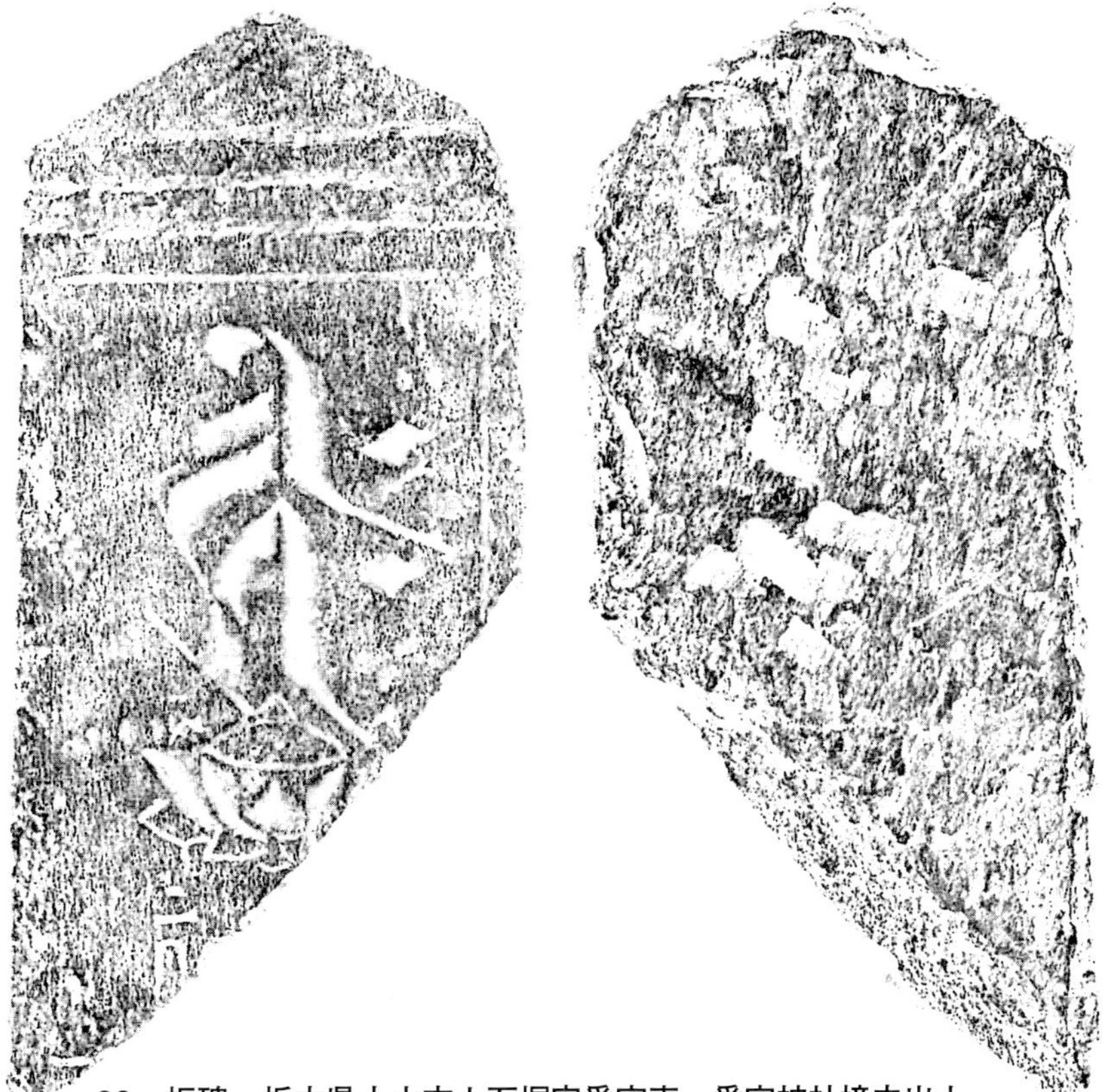

32　板碑　栃木県小山市上石塚字愛宕東　愛宕神社境内出土

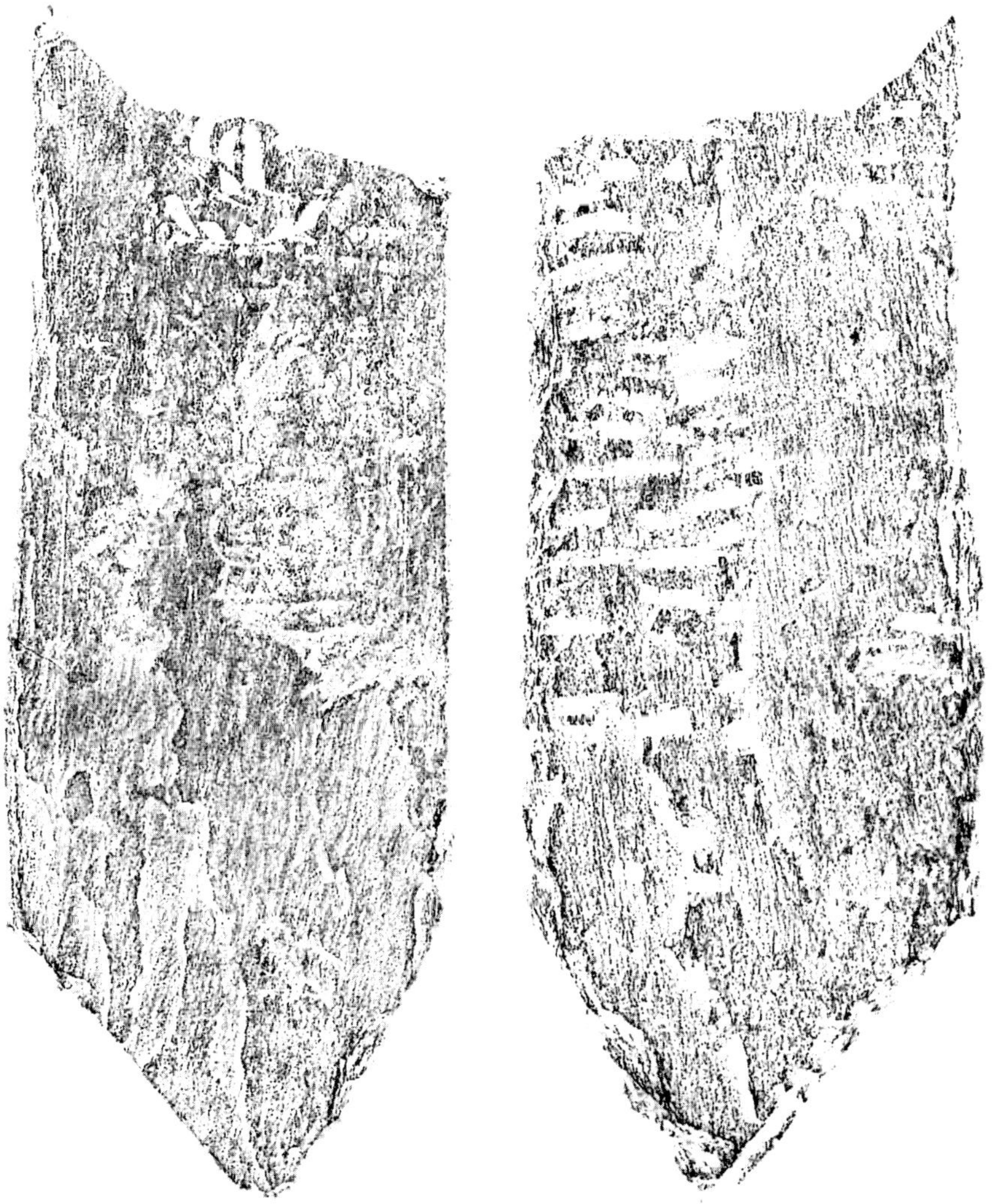

33　板碑　栃木県小山市上石塚字愛宕東　愛宕神社境内出土

34　板碑　栃木県小山市上石塚字愛宕東　愛宕神社境内出土

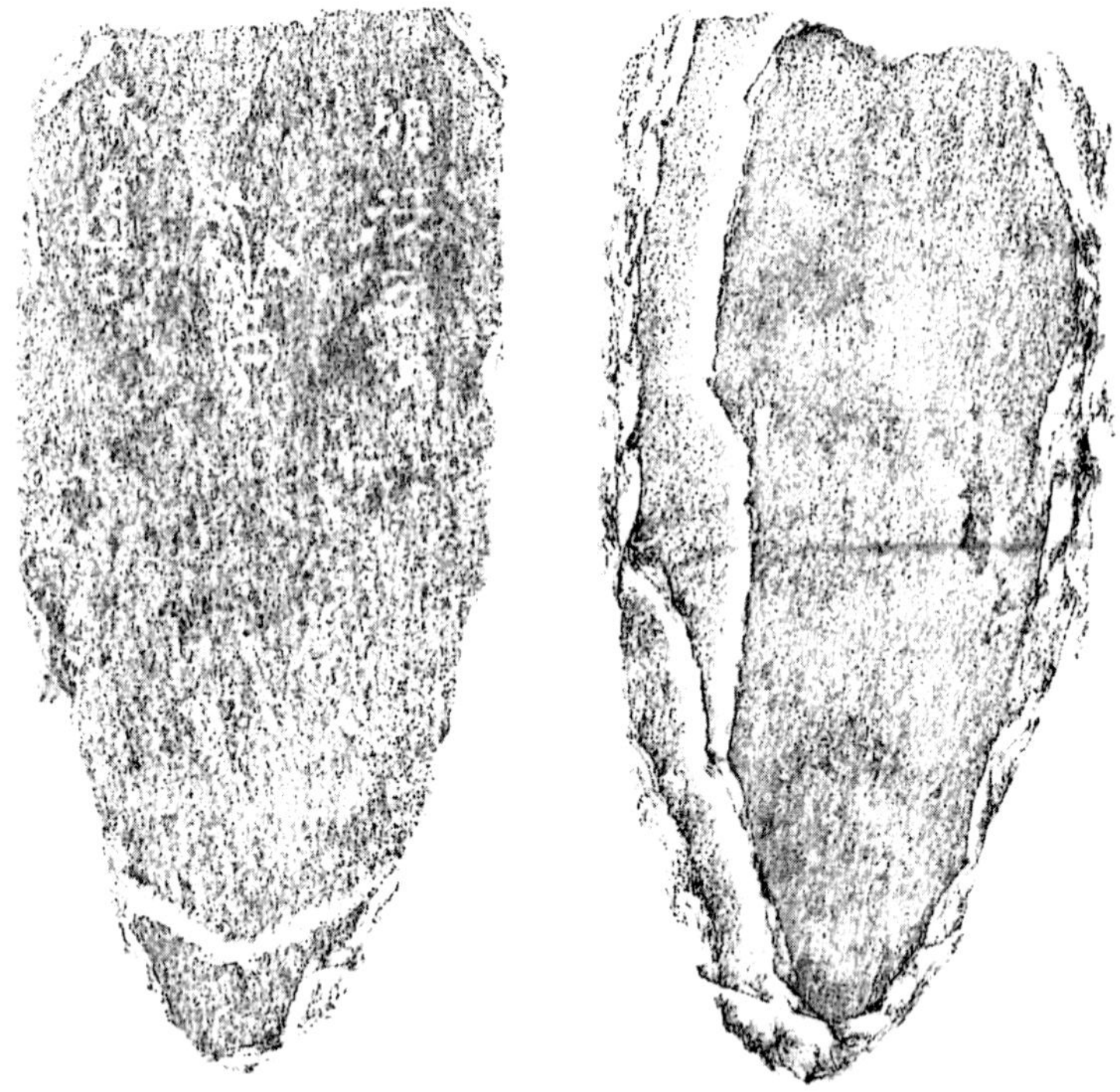

35　板碑　栃木県小山市上石塚字愛宕東　愛宕神社境内出土

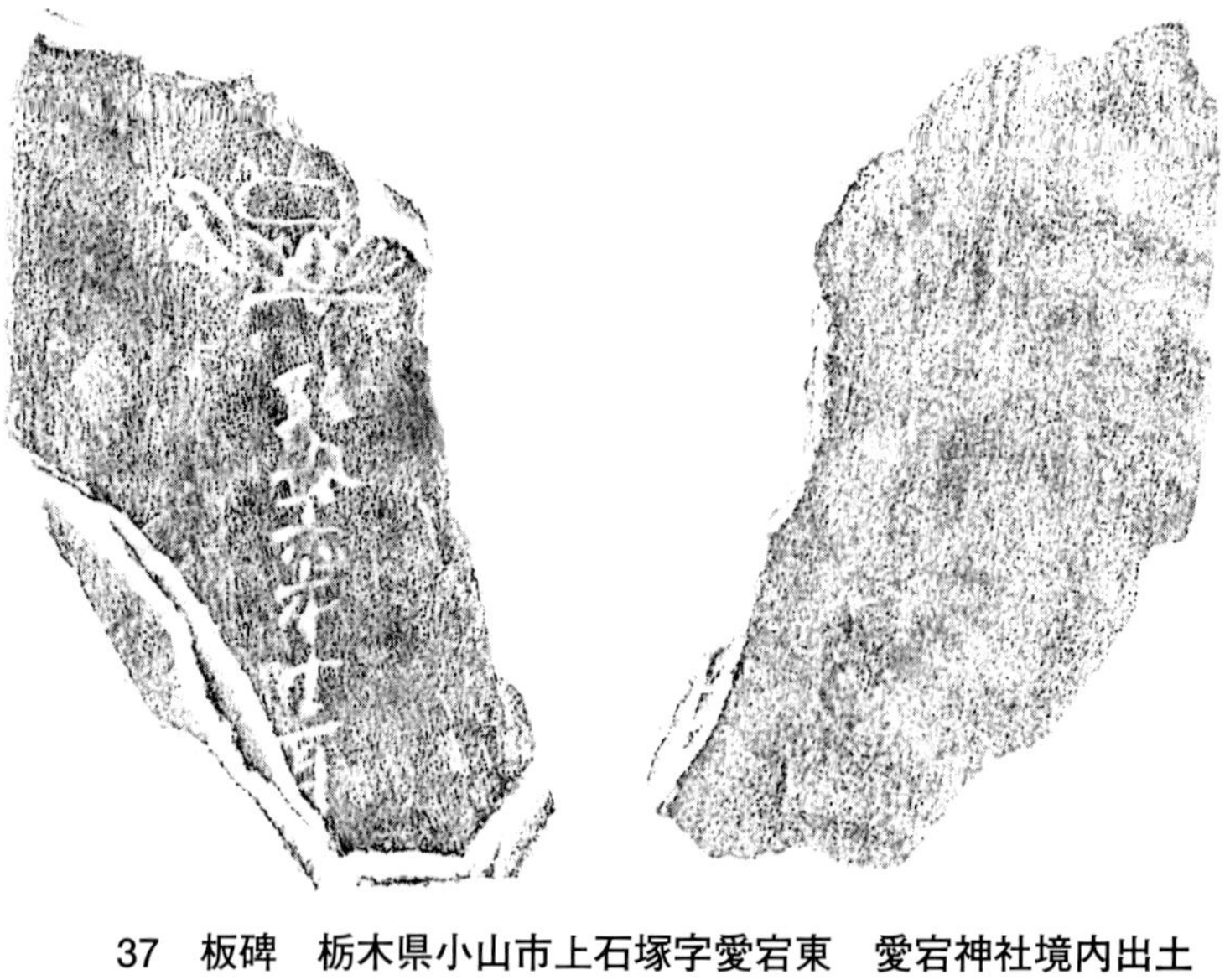

37　板碑　栃木県小山市上石塚字愛宕東　愛宕神社境内出土

拓影14（縮尺1/4）

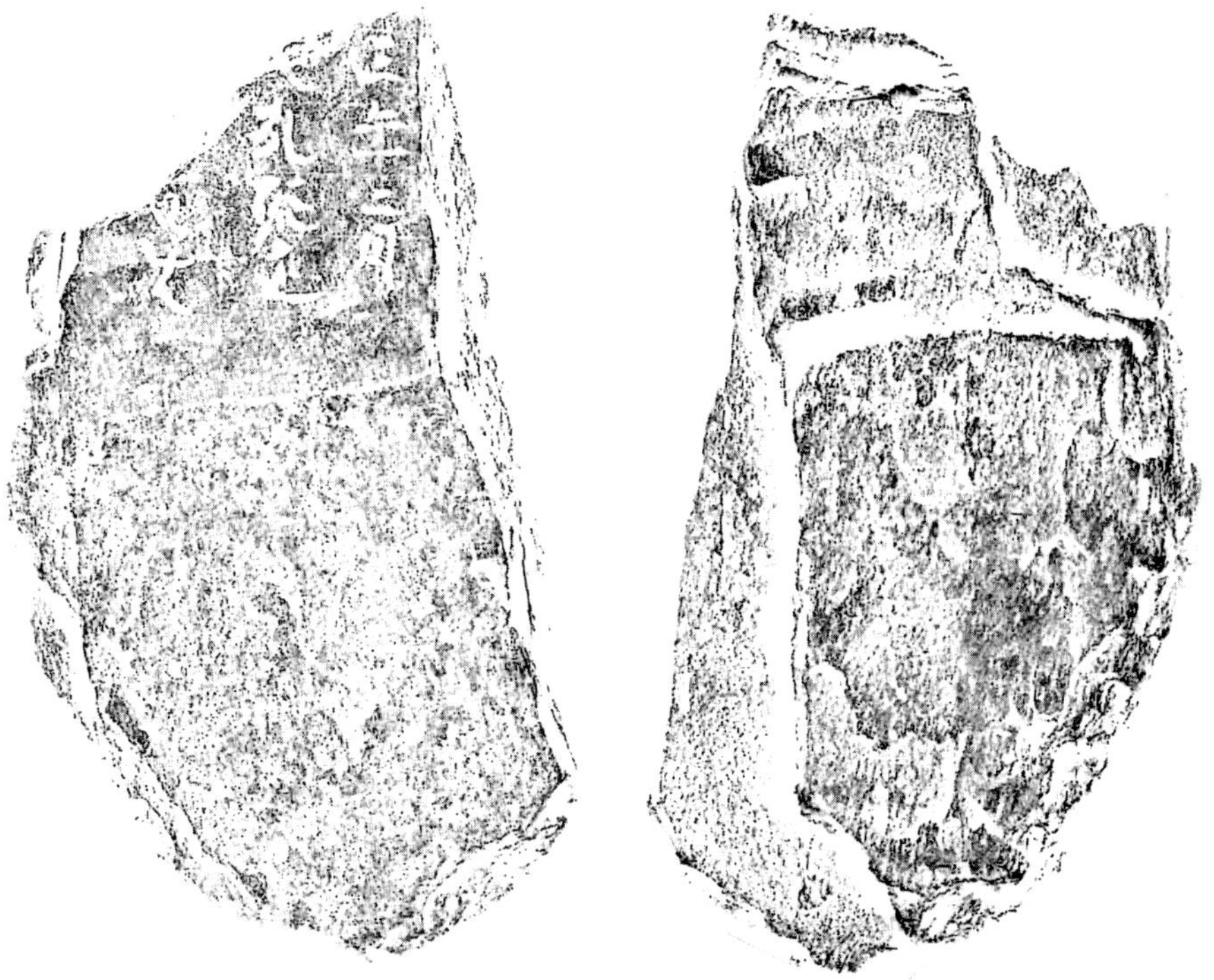

38　板碑　栃木県小山市上石塚字愛宕東　愛宕神社境内出土

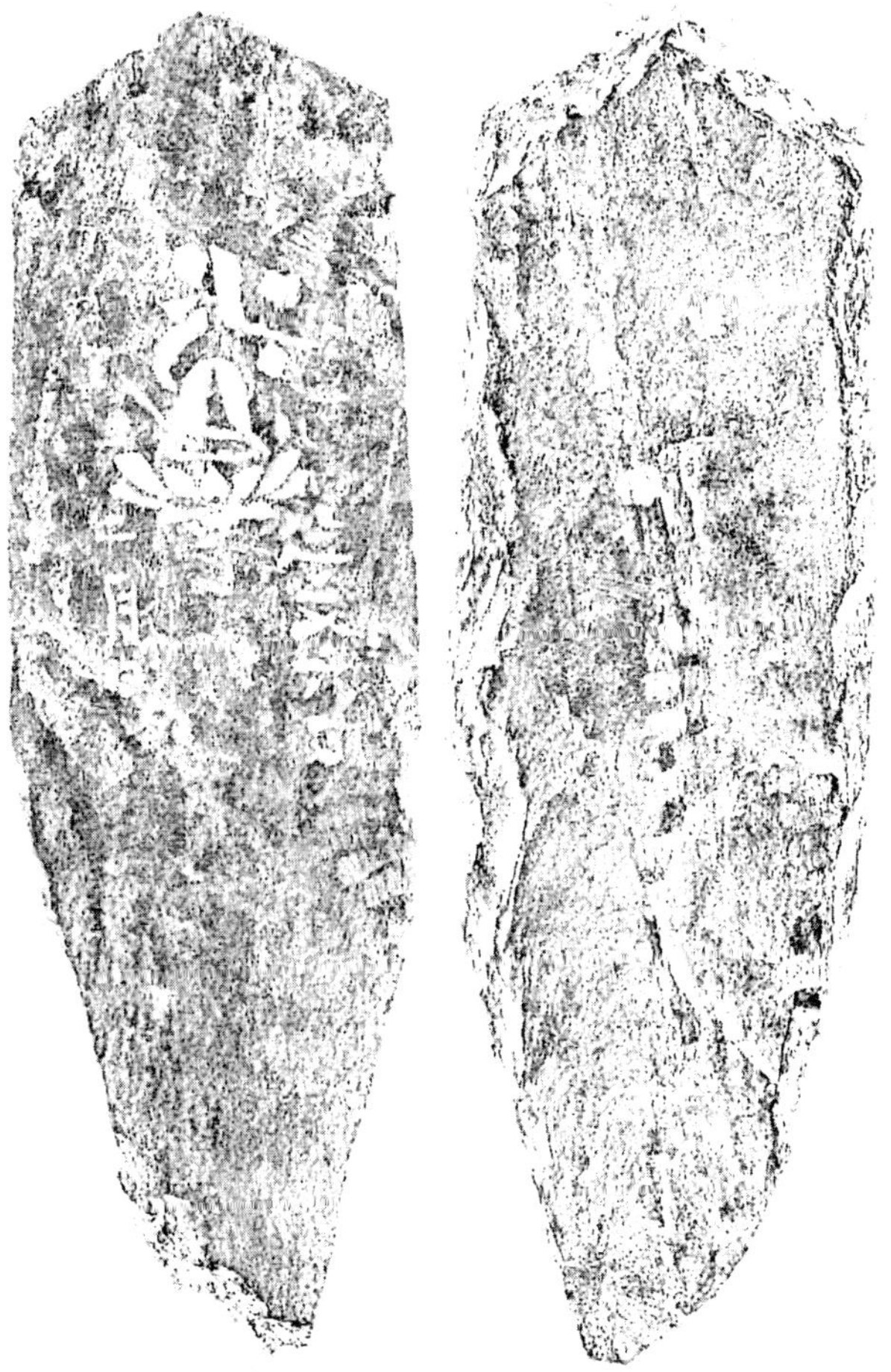

44　板碑　栃木県野木町野渡字仲沖出土

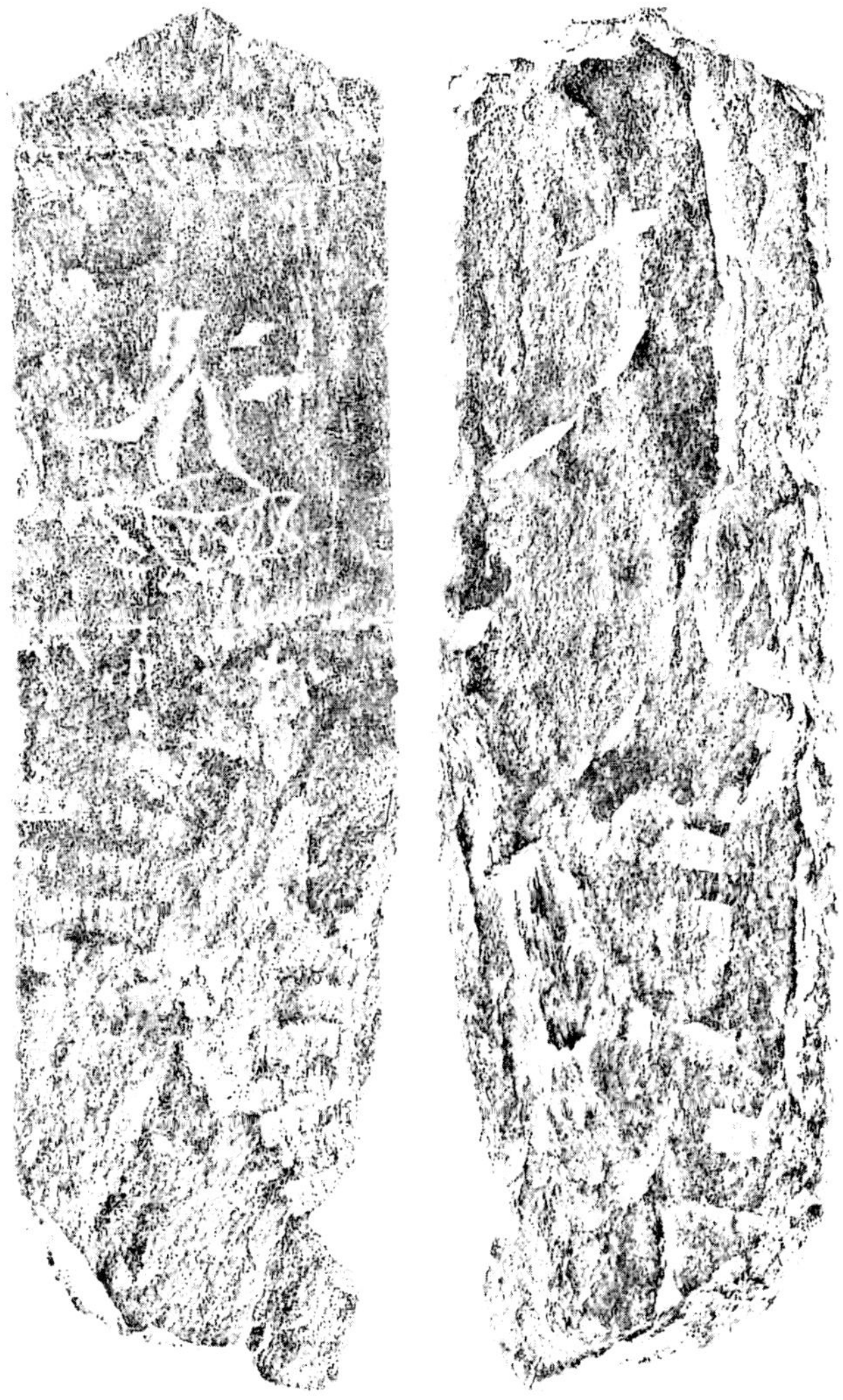

43　板碑　栃木県野木町野渡字仲沖出土

41　板碑　栃木県野木町野渡字仲沖出土

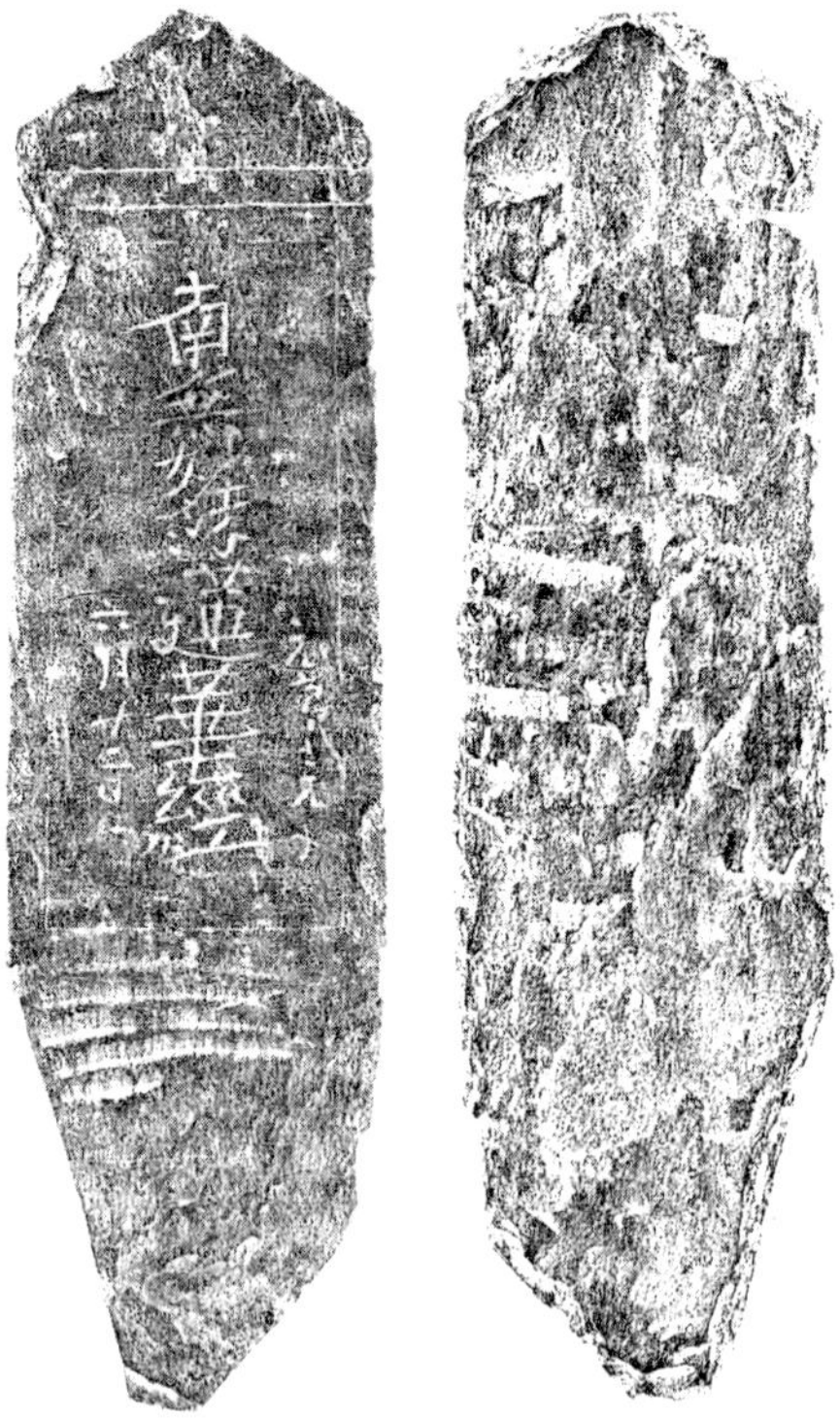
42　板碑　栃木県野木町野渡字仲沖出土

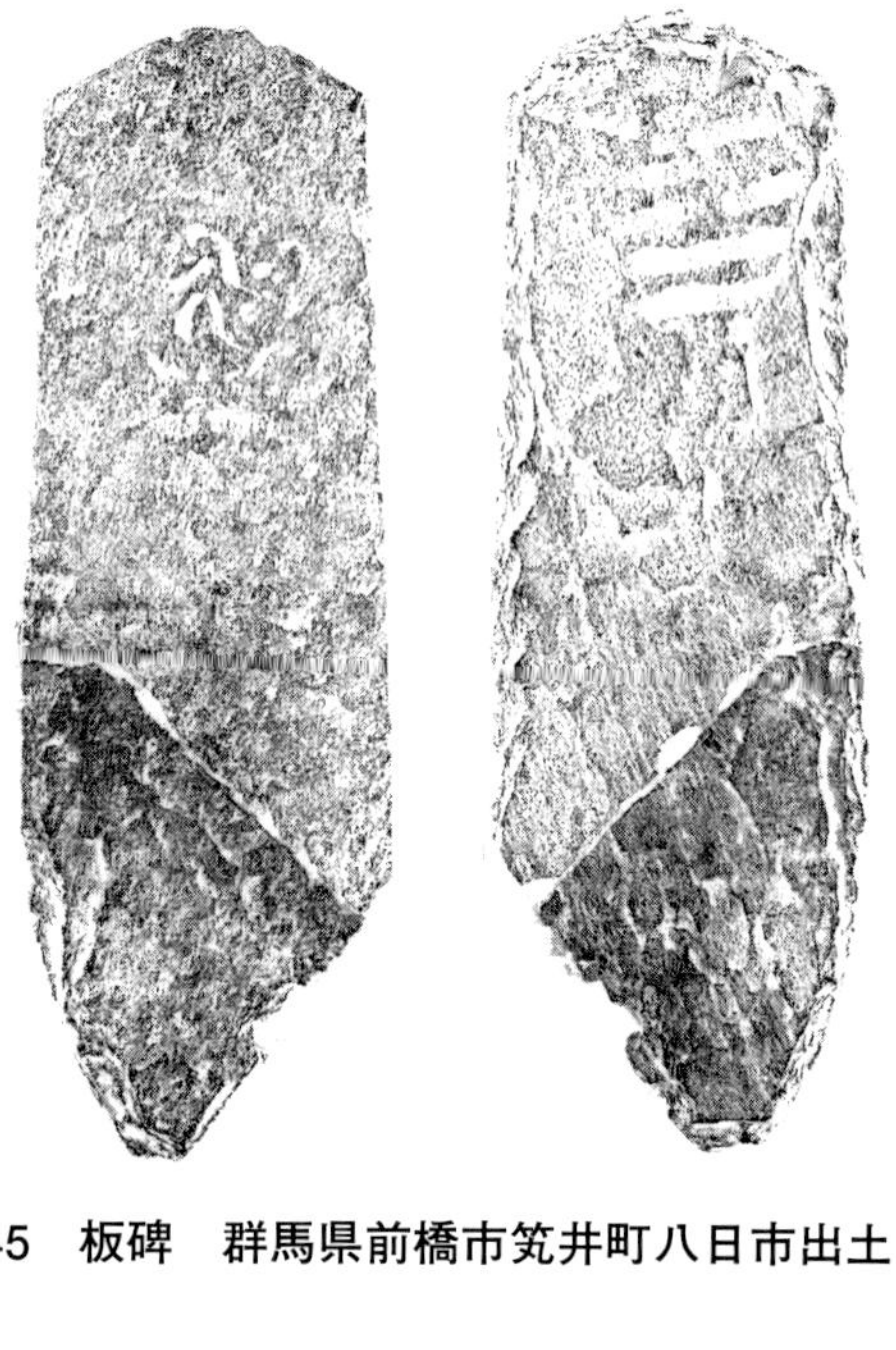
45　板碑　群馬県前橋市笂井町八日市出土

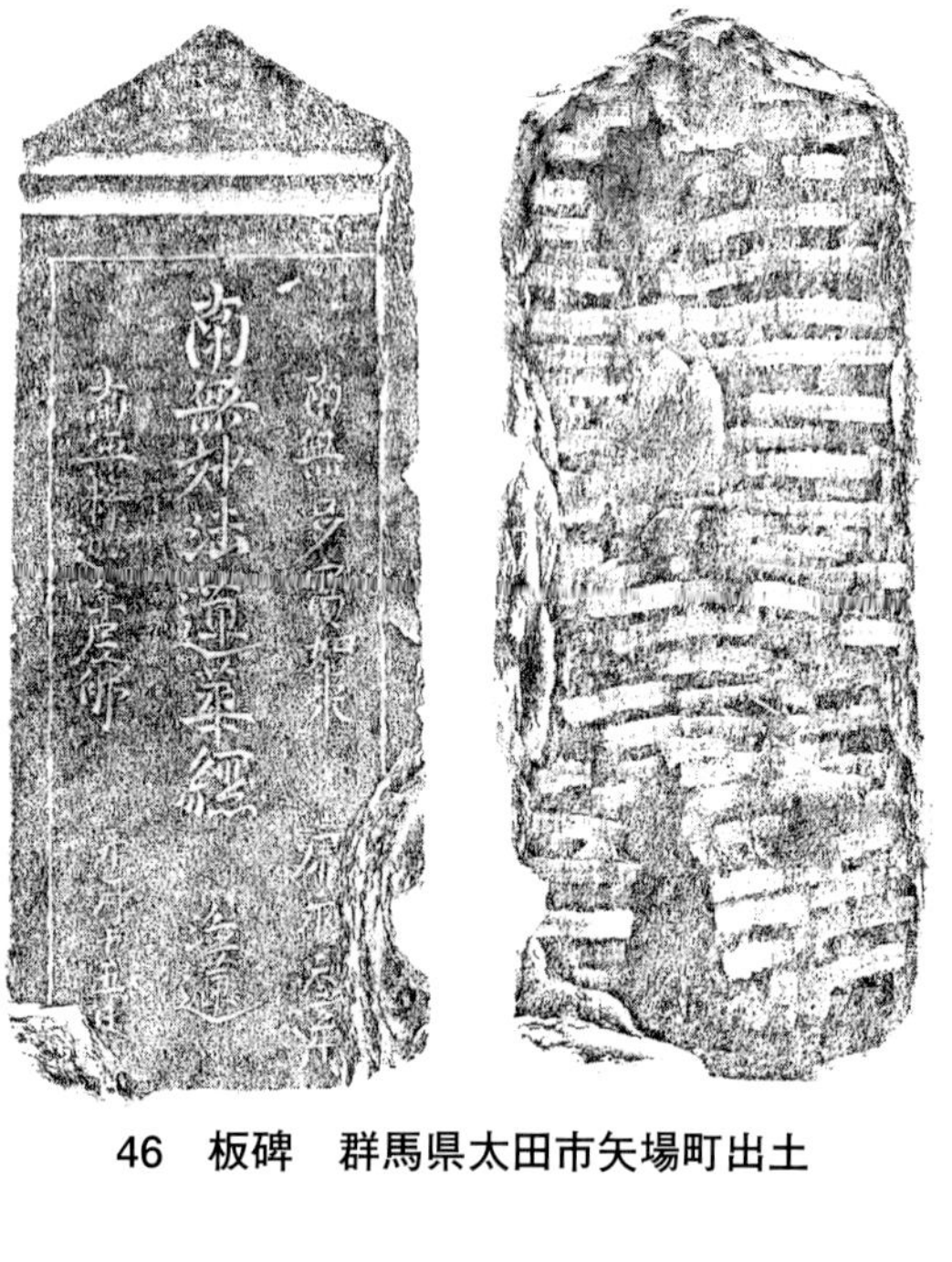
46　板碑　群馬県太田市矢場町出土

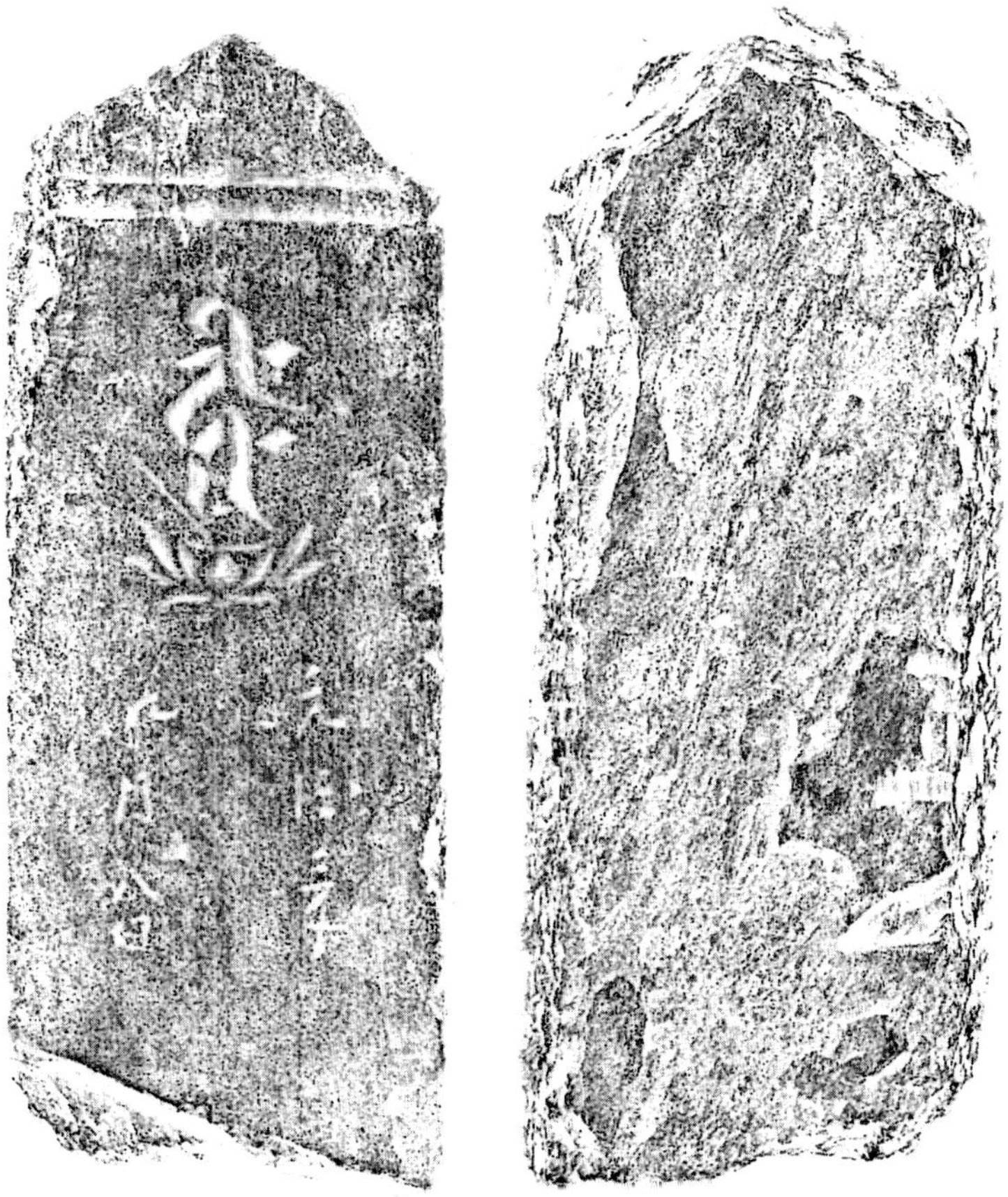

50　板碑　群馬県太田市矢場町出土

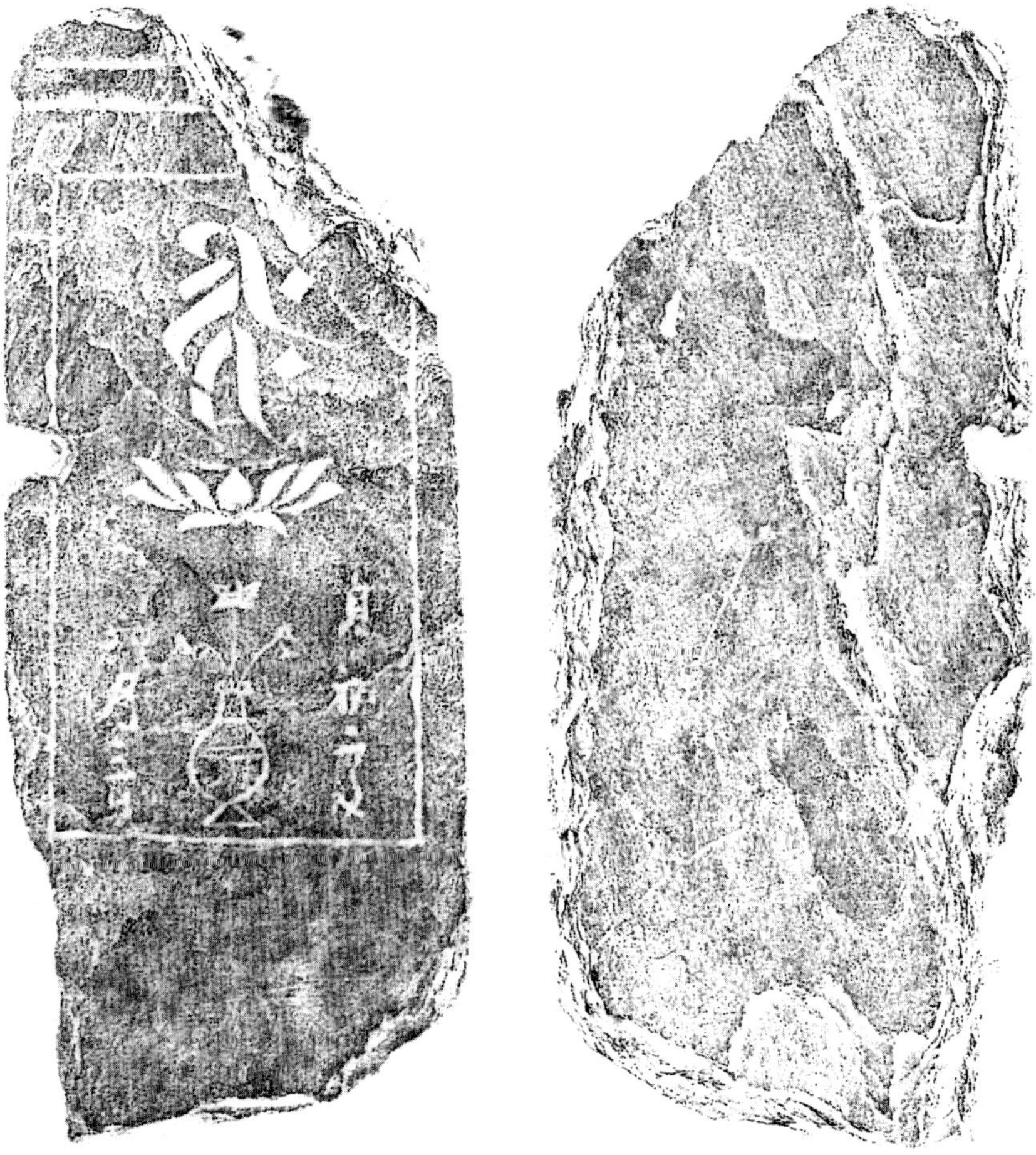

51　板碑　群馬県太田市矢場町出土

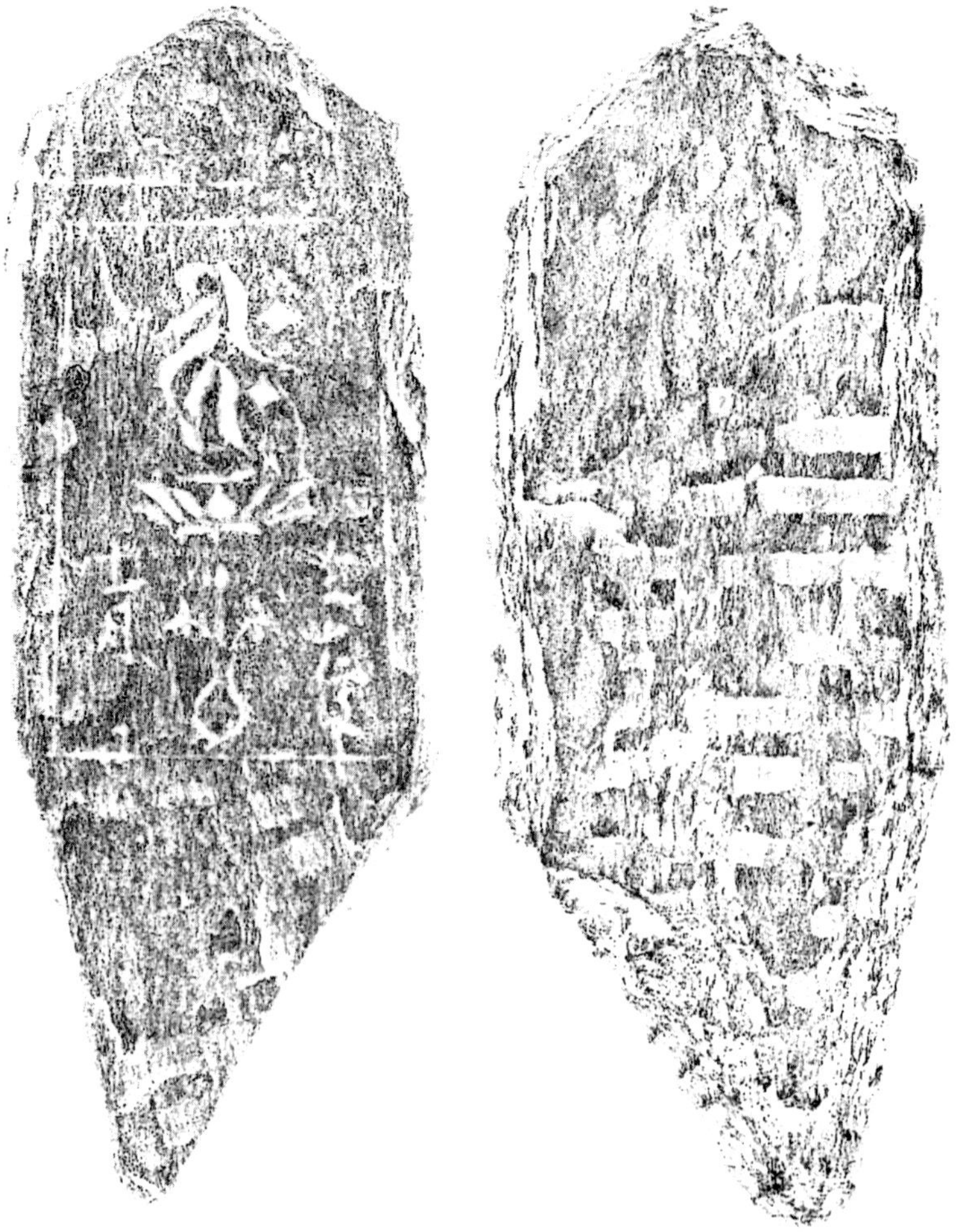

52　板碑　群馬県太田市矢場町出土

53　板碑　群馬県太田市矢場町出土

拓影18（縮尺1／4）

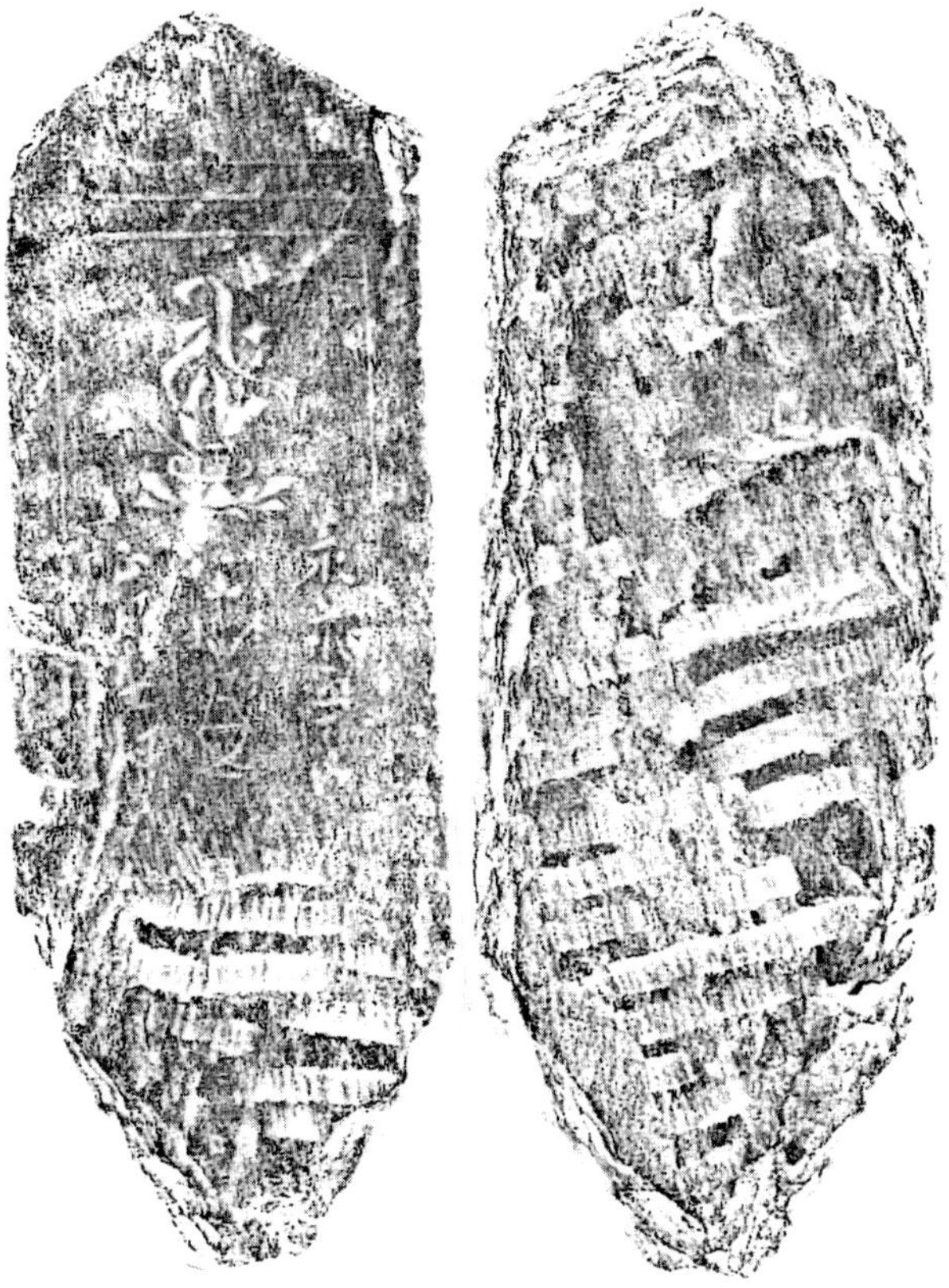

57　板碑　群馬県太田市矢場町出土

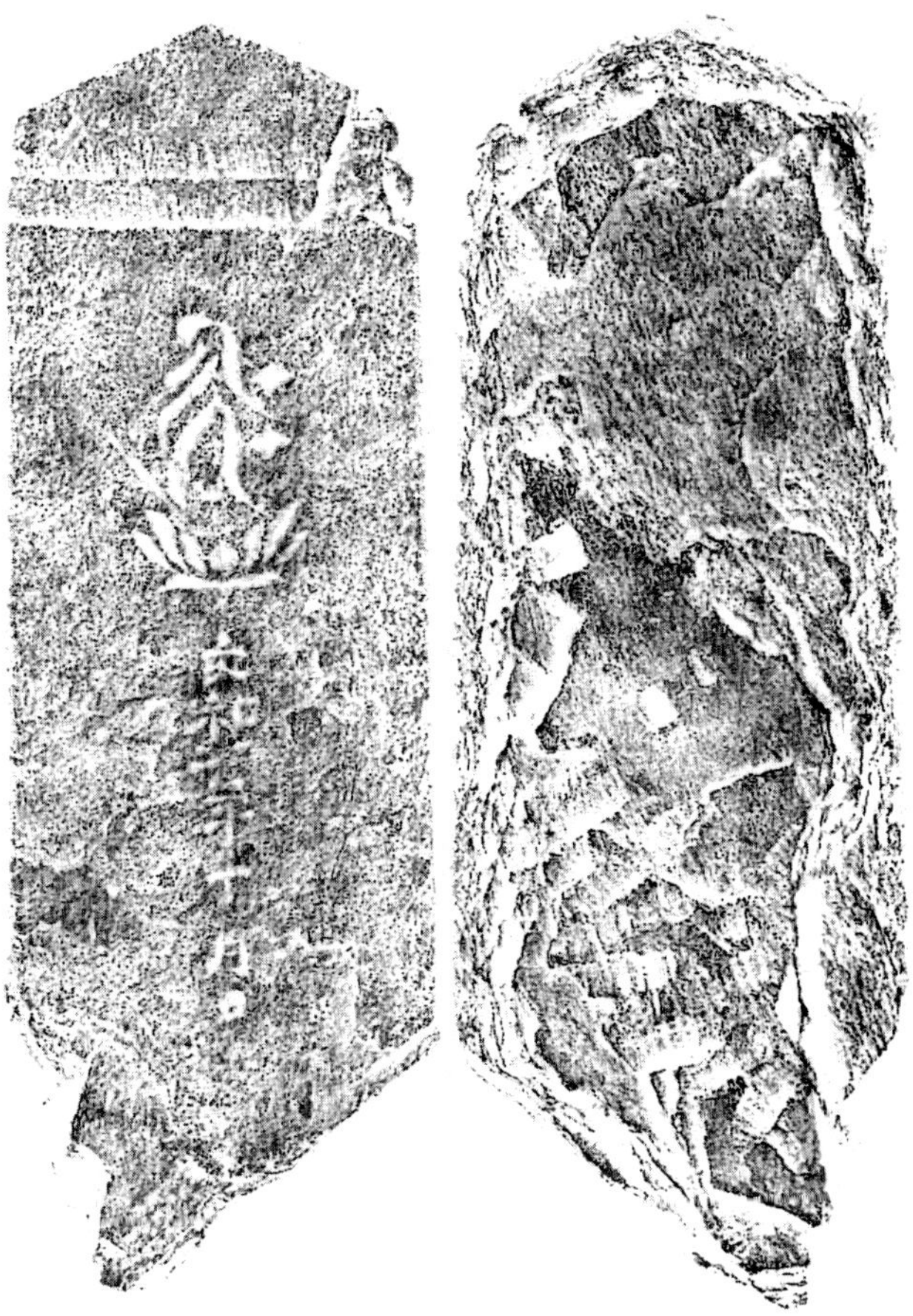

55　板碑　群馬県太田市矢場町出土

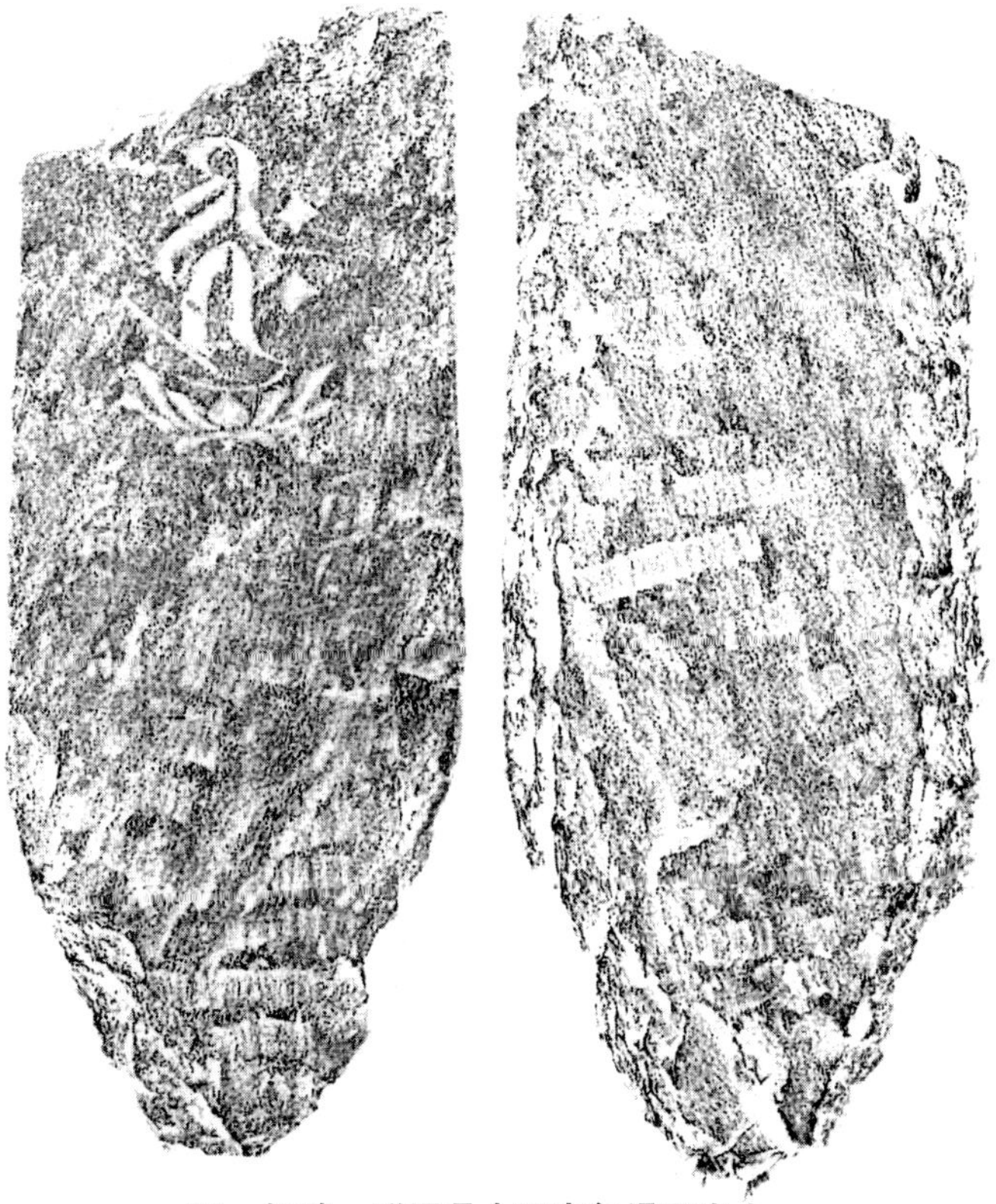

54　板碑　群馬県太田市矢場町出土

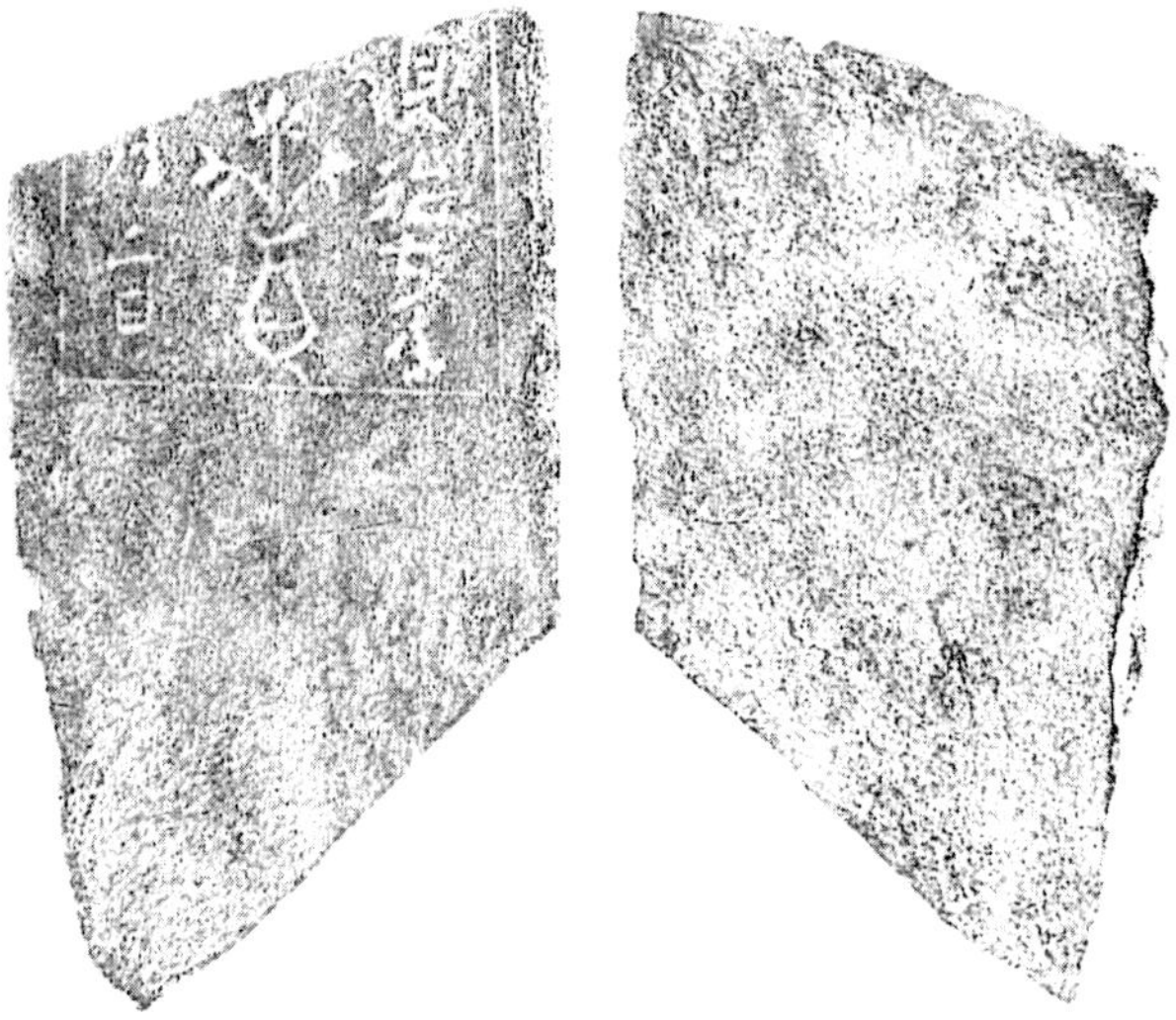

66　板碑　群馬県太田市矢場町出土

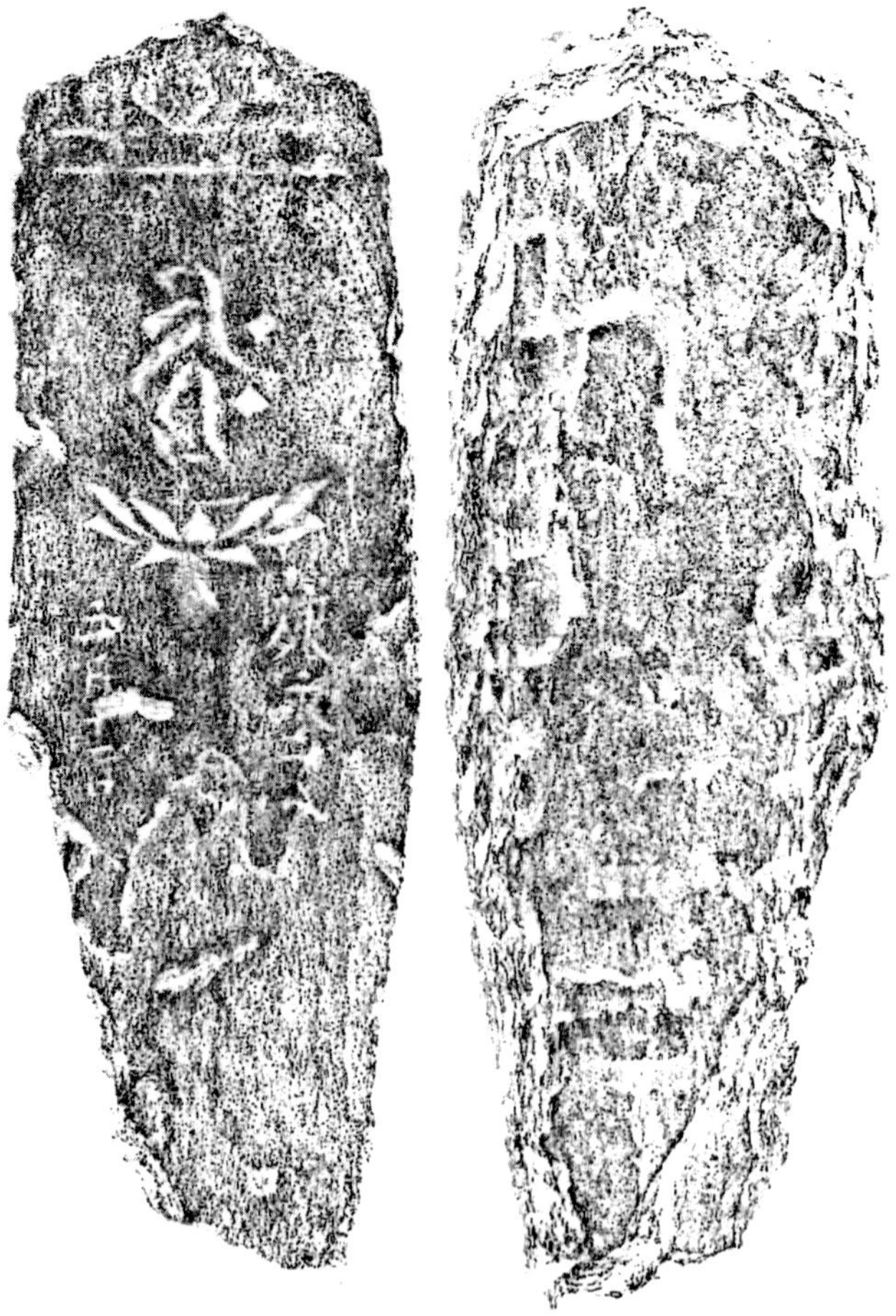

56　板碑　群馬県太田市矢場町出土

67　板碑　群馬県太田市矢場町出土

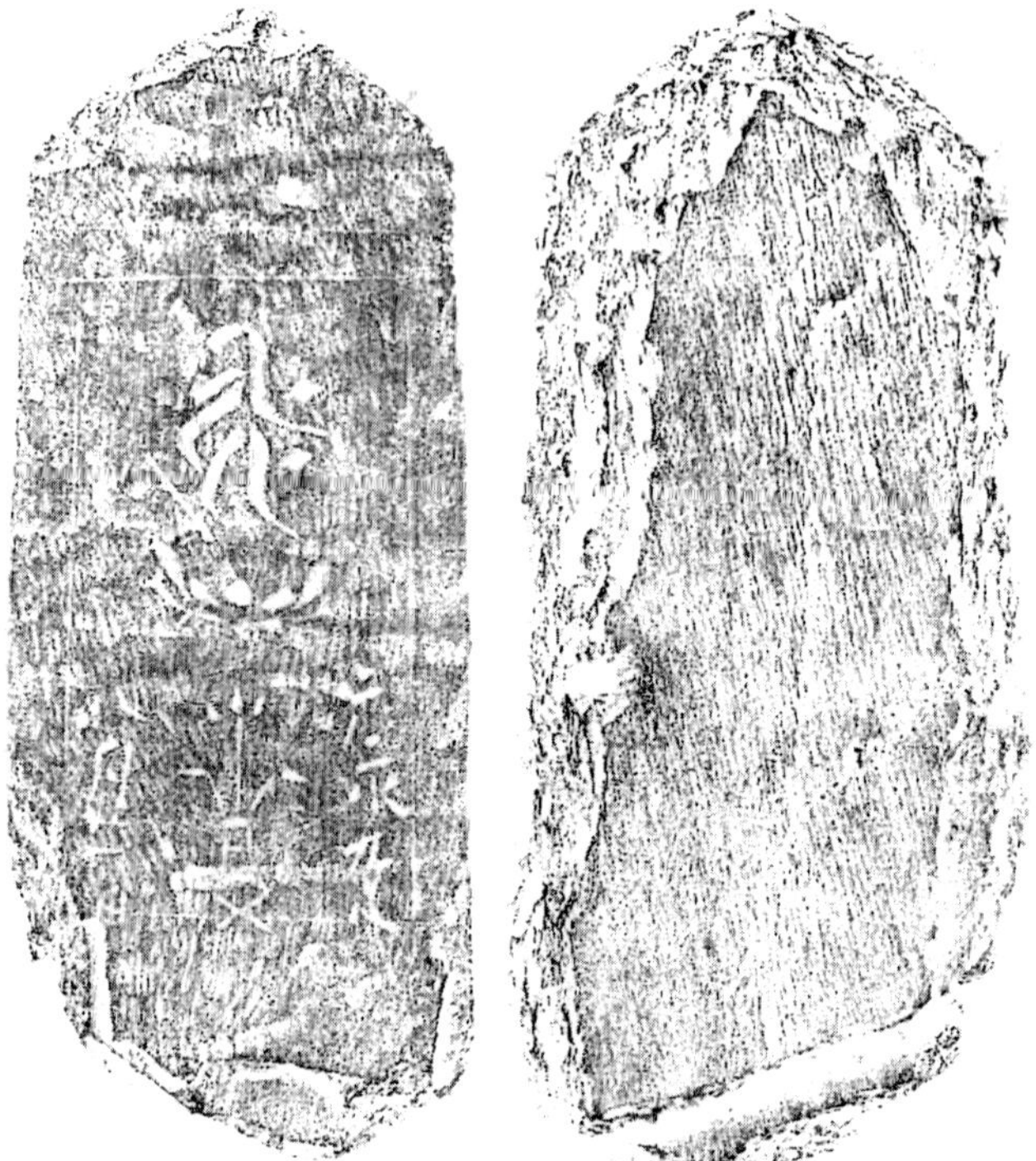

58　板碑　群馬県太田市矢場町出土

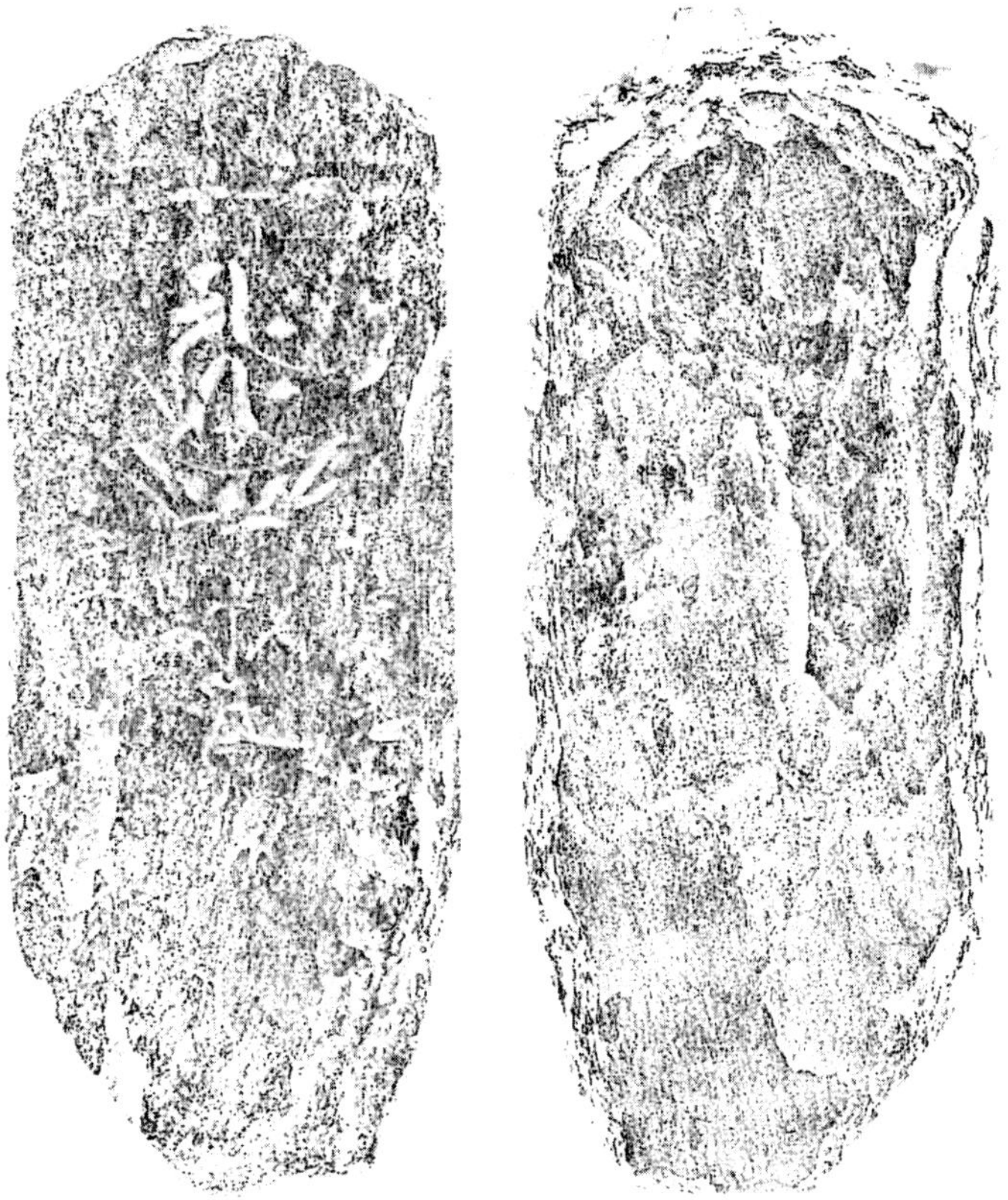

59　板碑　群馬県太田市矢場町出土

61　板碑　群馬県太田市矢場町出土

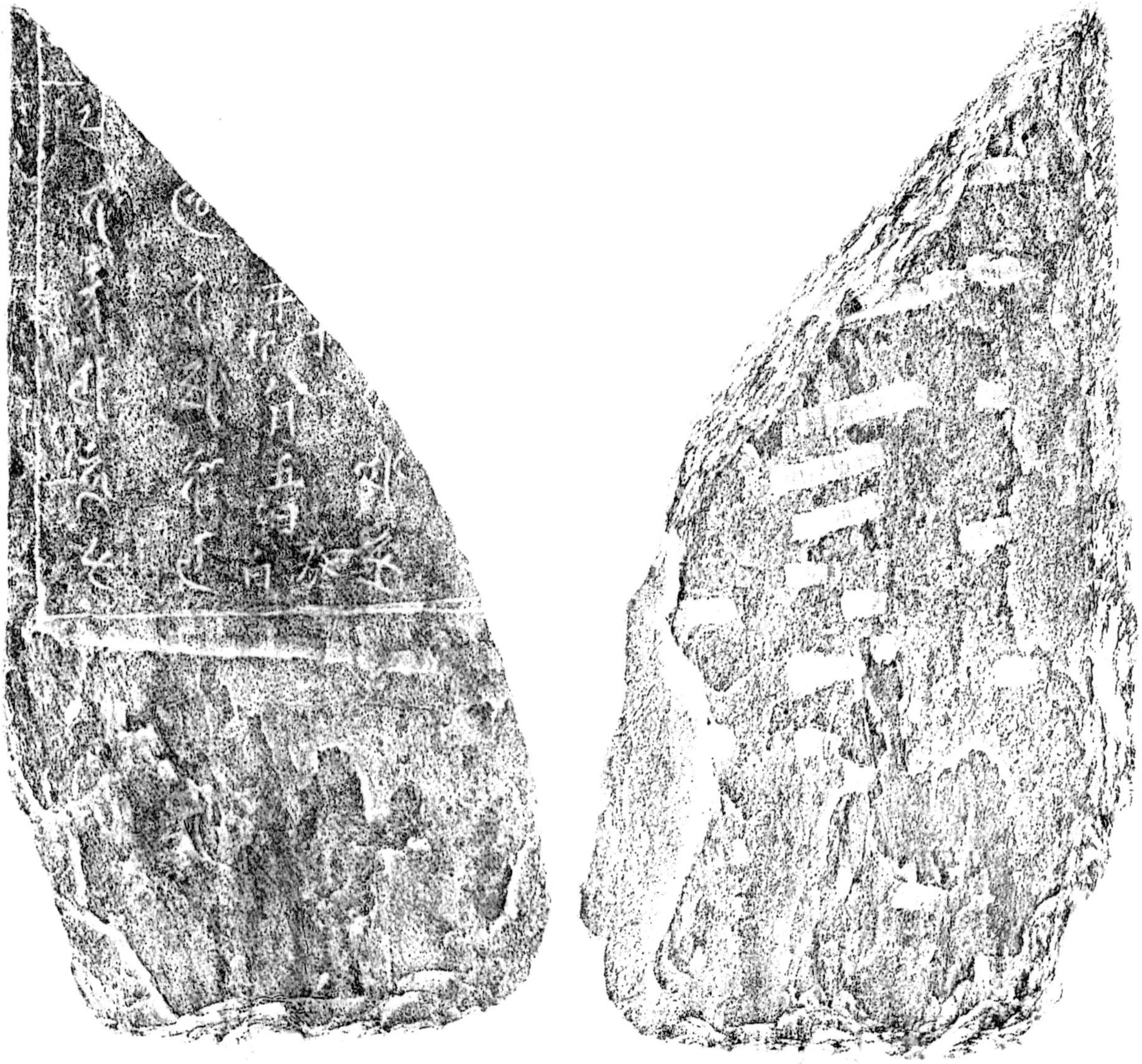

60　板碑　群馬県太田市矢場町出土

62　板碑　群馬県太田市矢場町出土

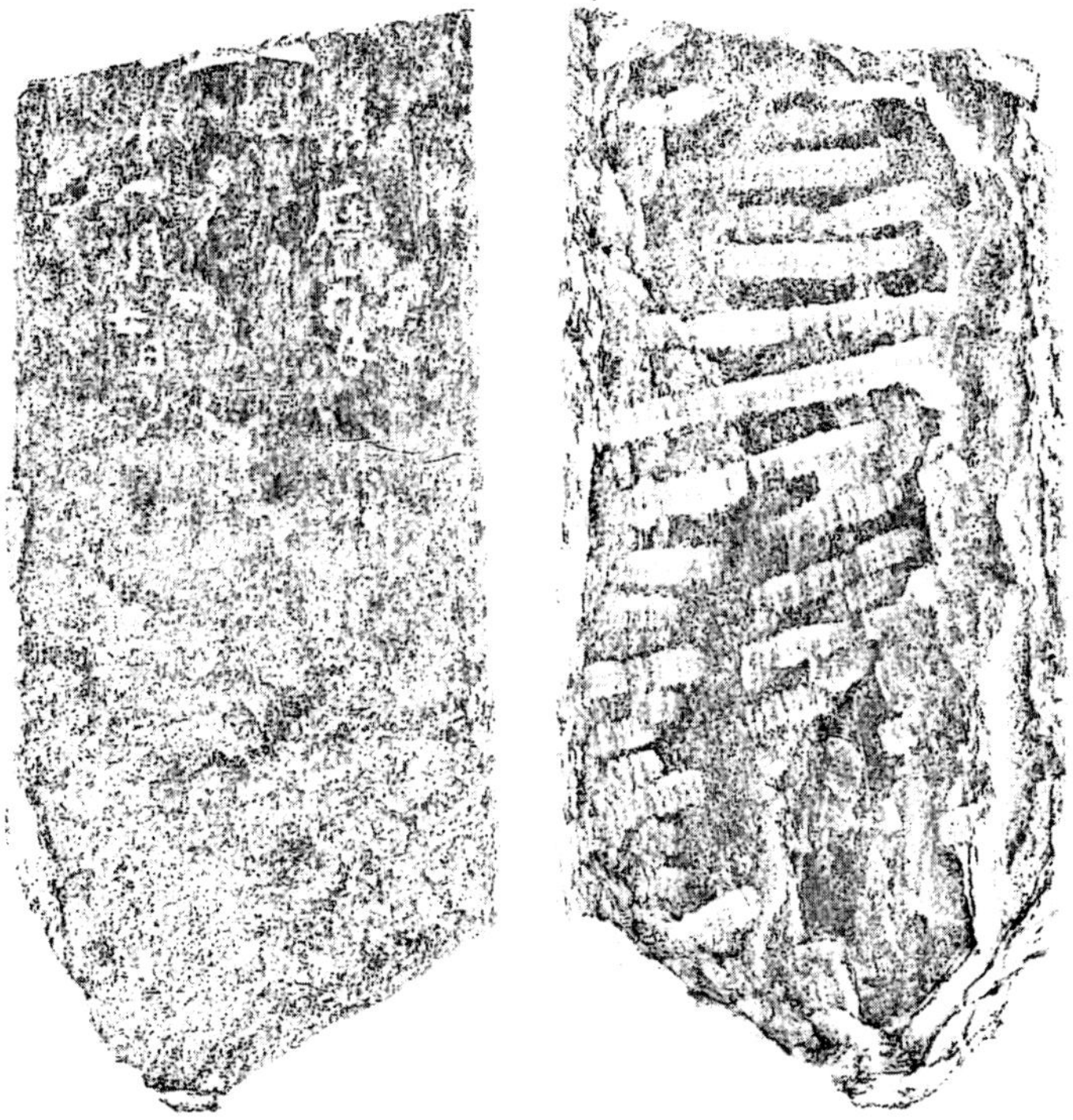

63　板碑　群馬県太田市矢場町出土

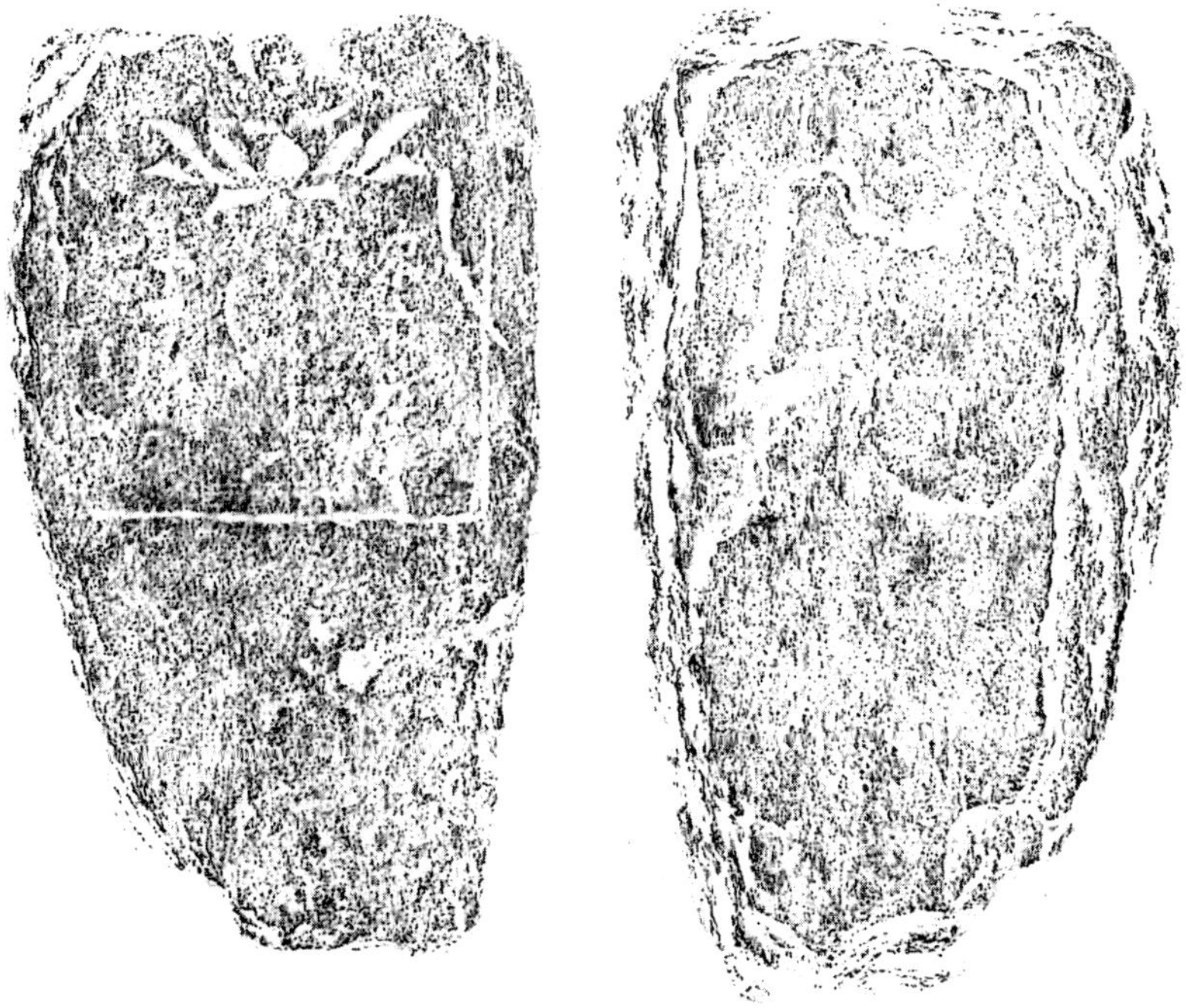

65　板碑　群馬県太田市矢場町出土

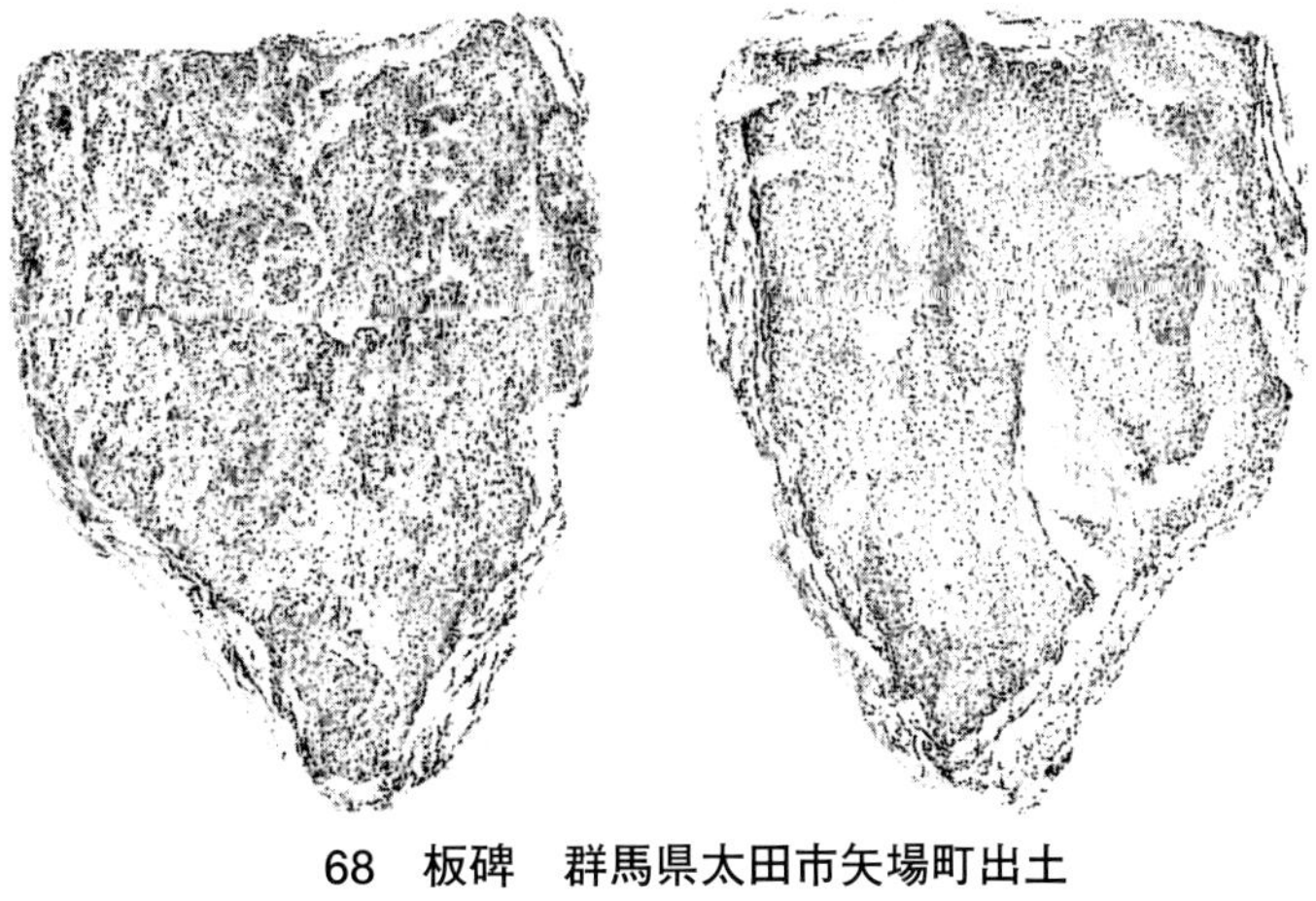

68　板碑　群馬県太田市矢場町出土

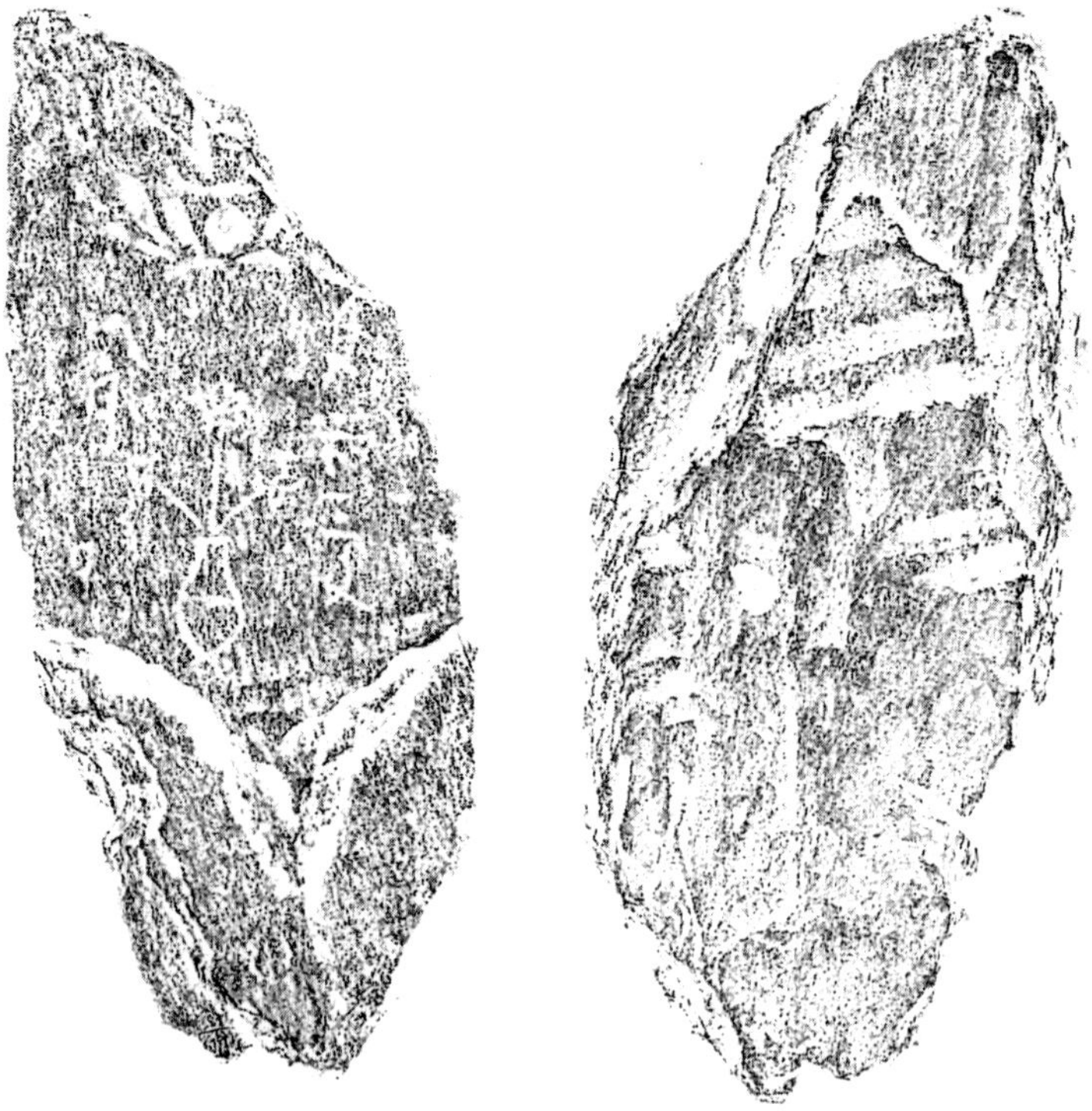

64　板碑　群馬県太田市矢場町出土

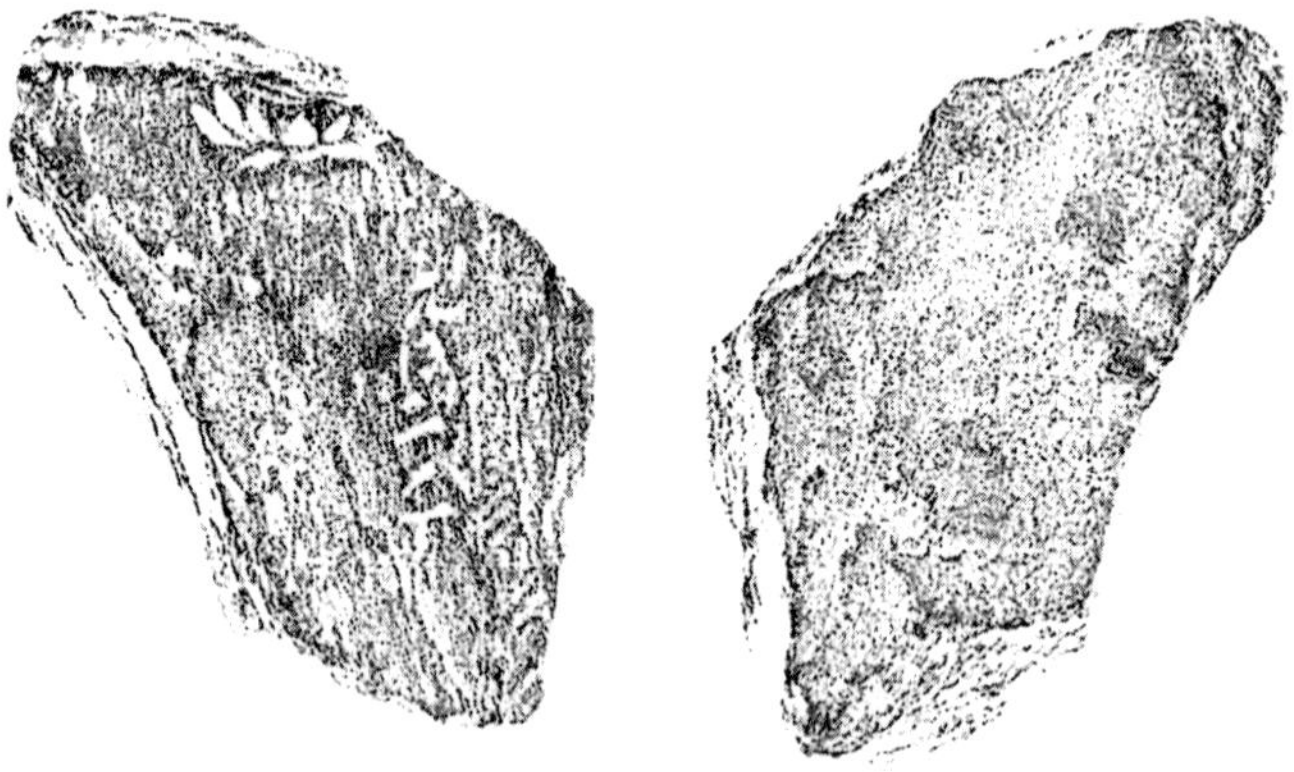

69　板碑　群馬県太田市矢場町出土

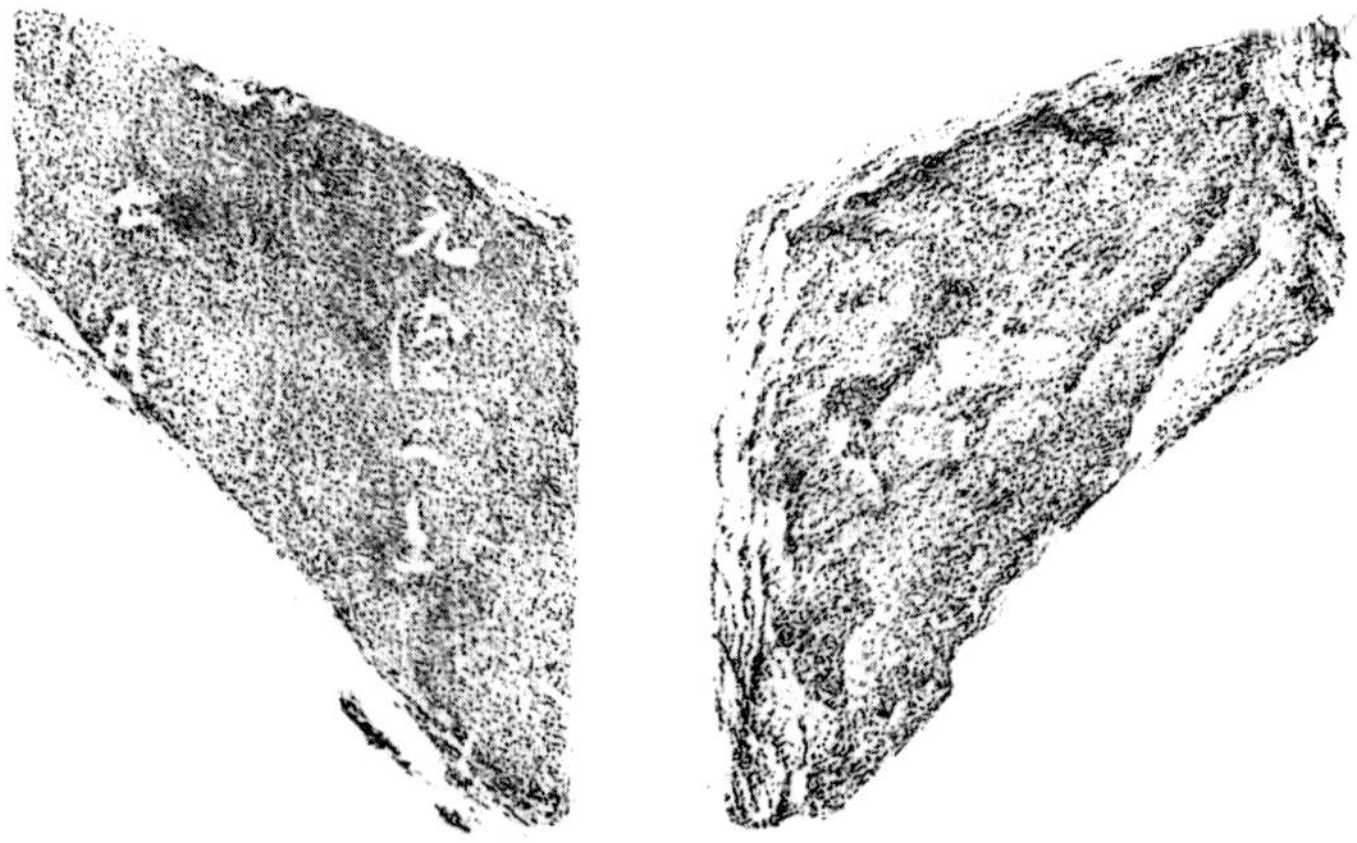

70　板碑　群馬県太田市矢場町出土

拓影24（縮尺1/8）

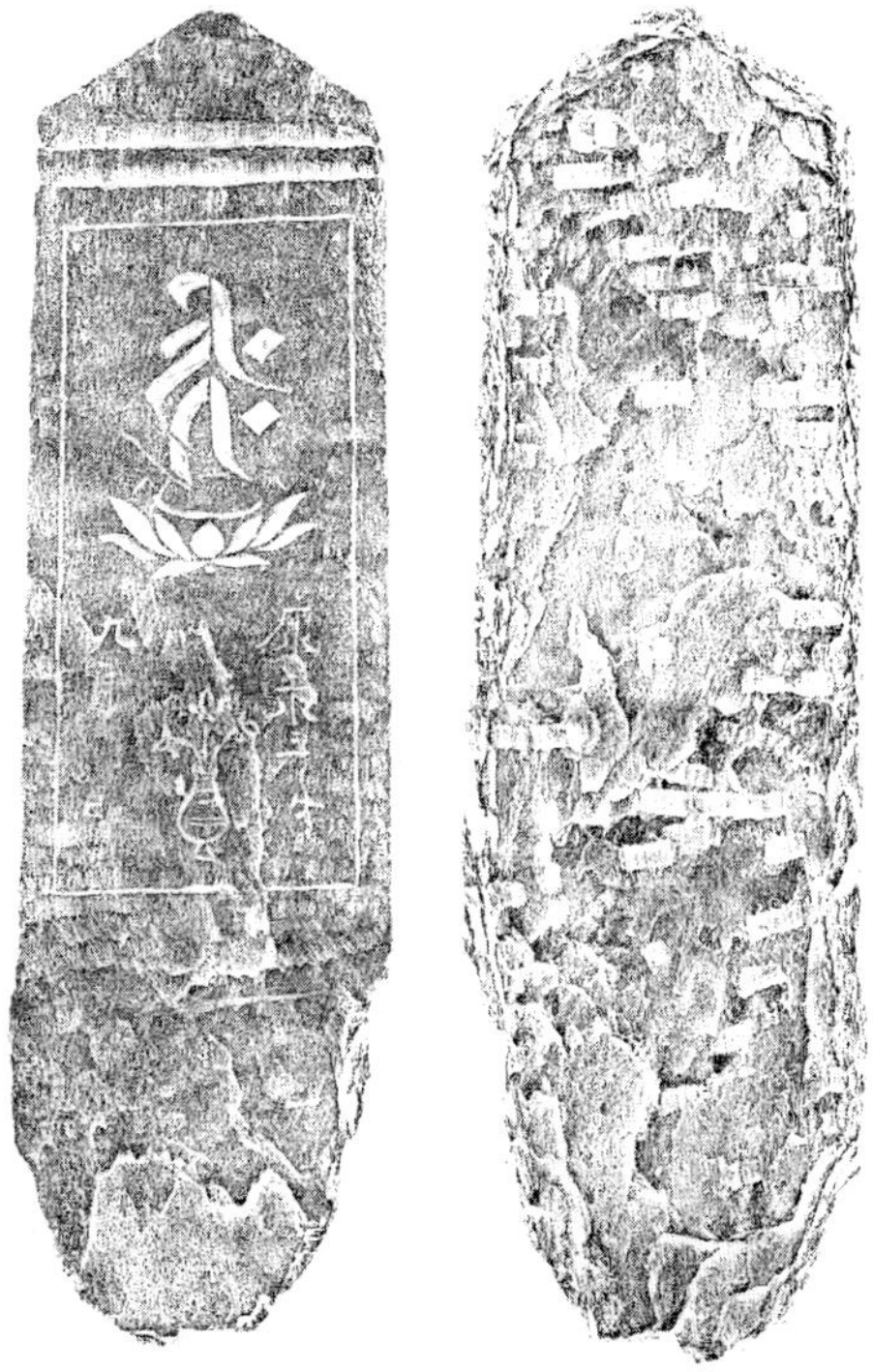

47　板碑　群馬県太田市矢場町出土

48　板碑　群馬県太田市矢場町出土

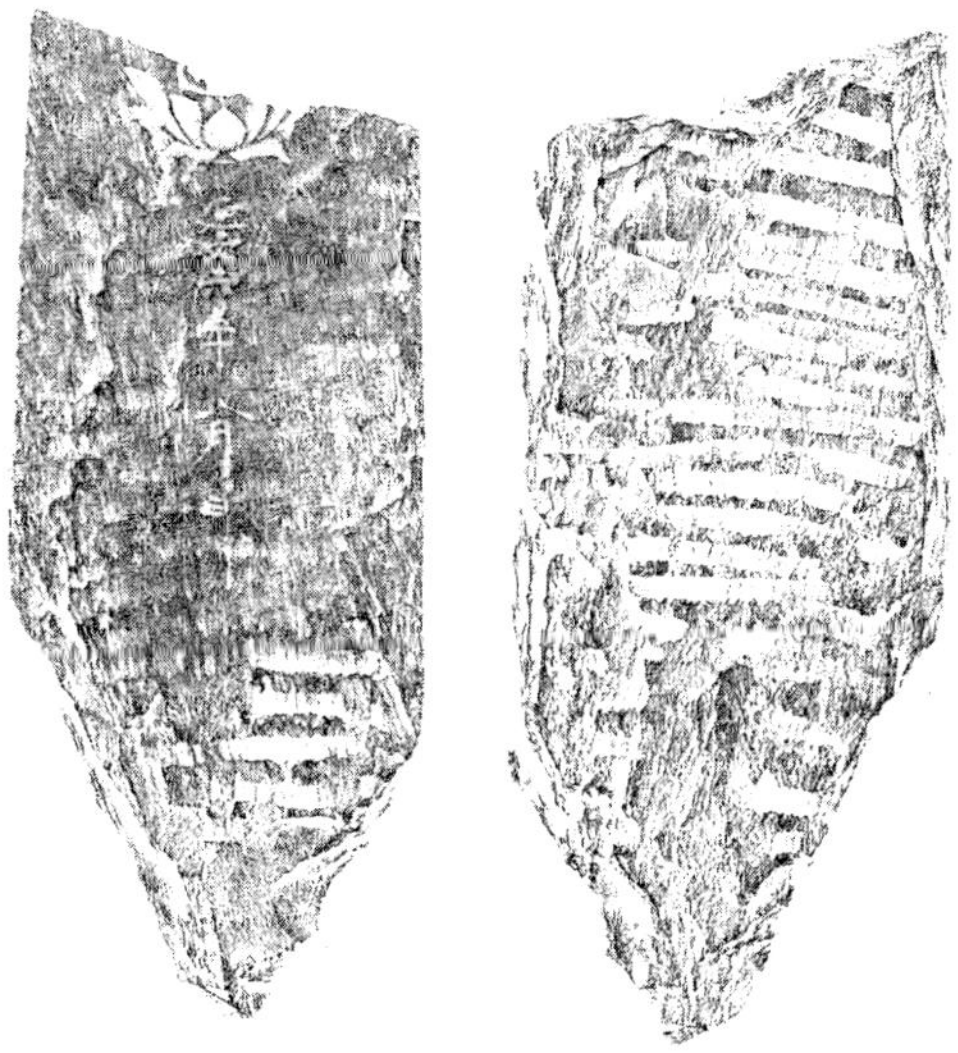

49　板碑　群馬県太田市矢場町出土

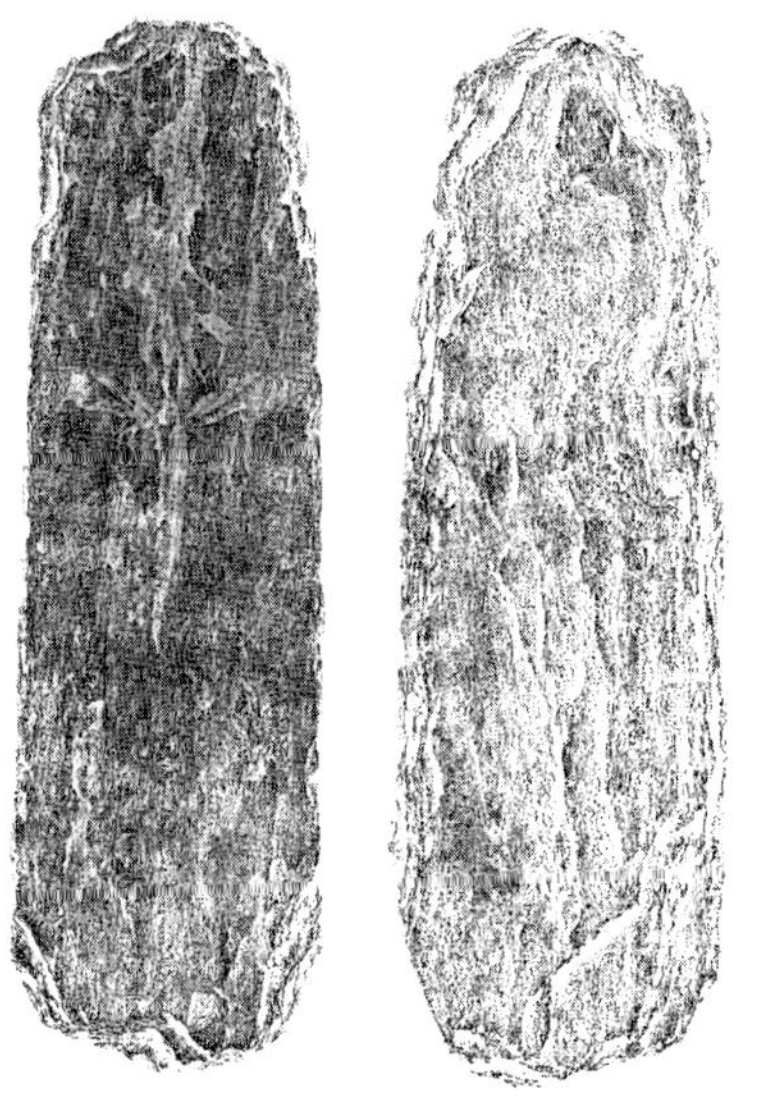

71　板碑　群馬県高崎市岩鼻町字久保西出土

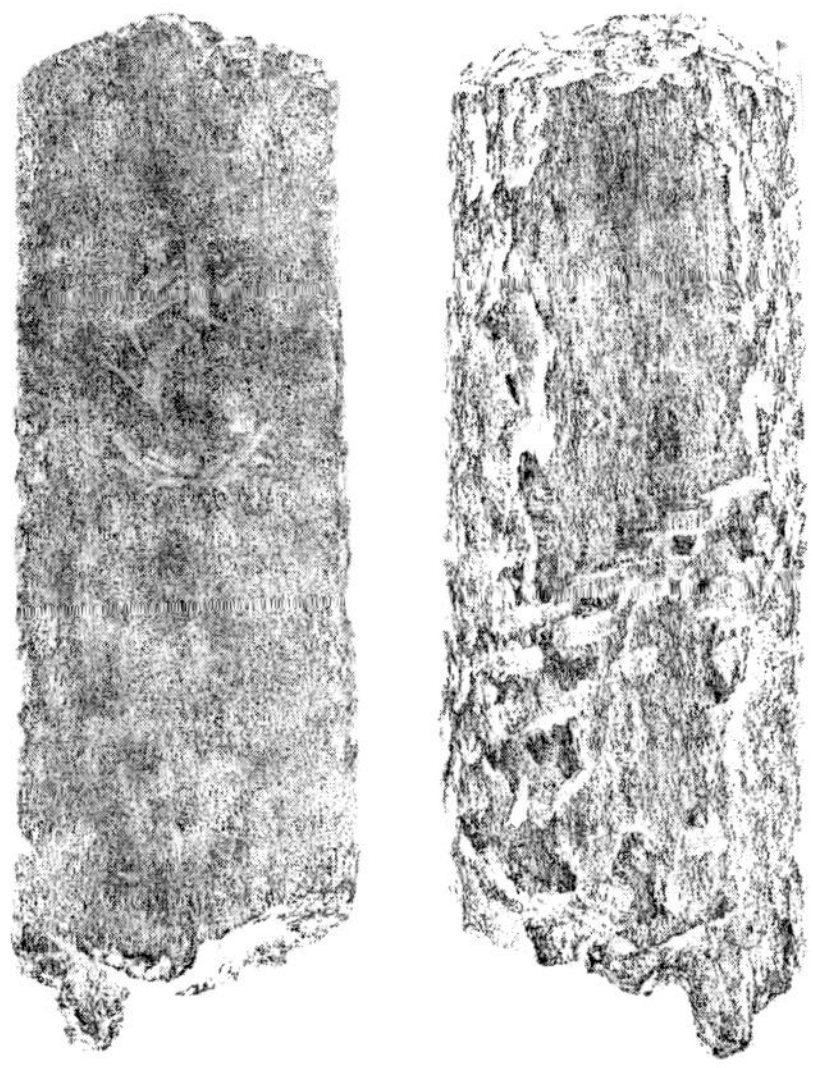

73　板碑　群馬県高崎市岩鼻町字久保西出土

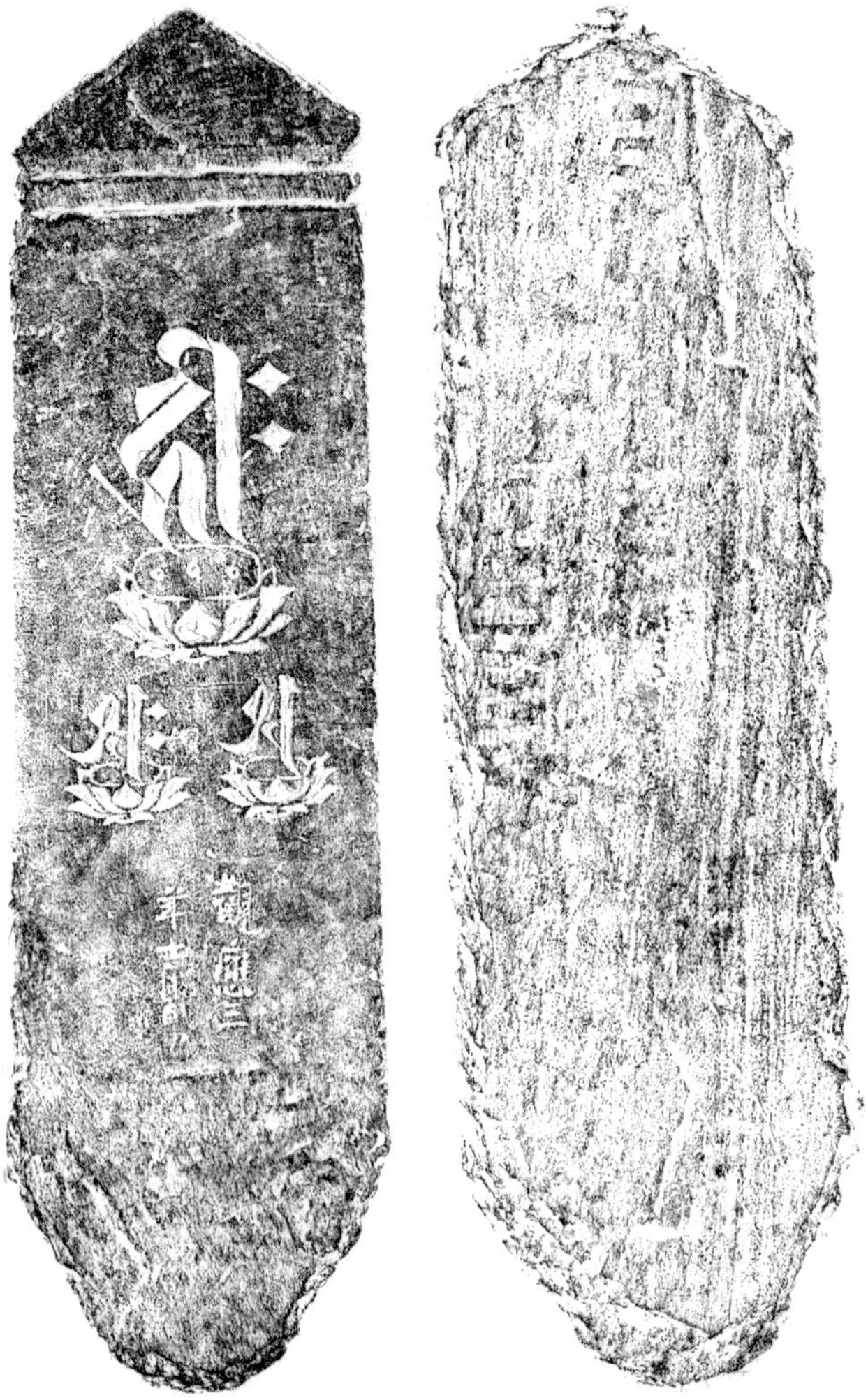

74　板碑　埼玉県岩槻市尾ヶ崎新田字新河岸地先綾瀬川底出土

72　板碑　群馬県高崎市岩鼻町字久保西出土

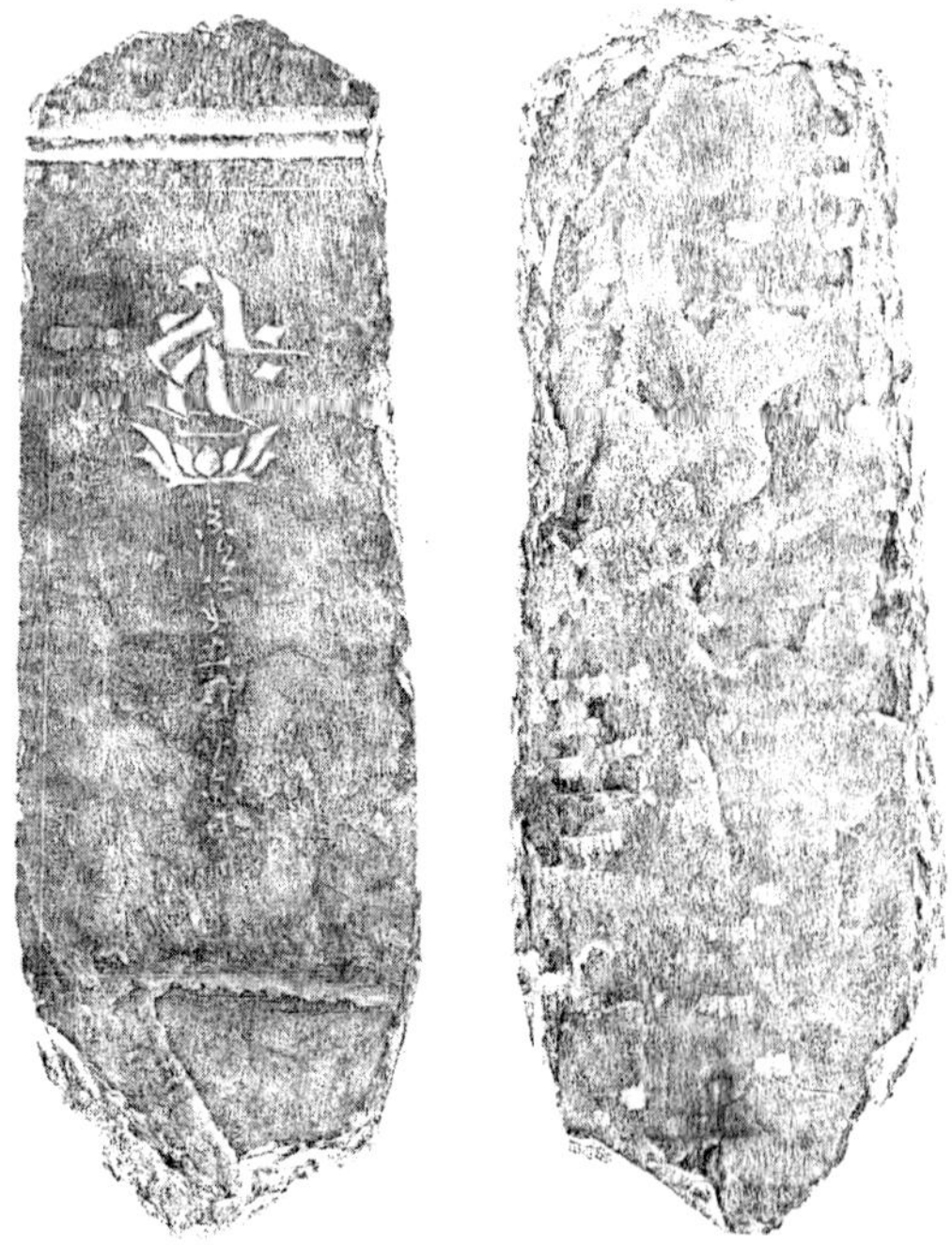

75　板碑　埼玉県さいたま市西区佐知川出土

拓影26（縮尺1/4）

77　板碑　埼玉県川口市戸塚下台出土

76　板碑　埼玉県川口市戸塚下台出土

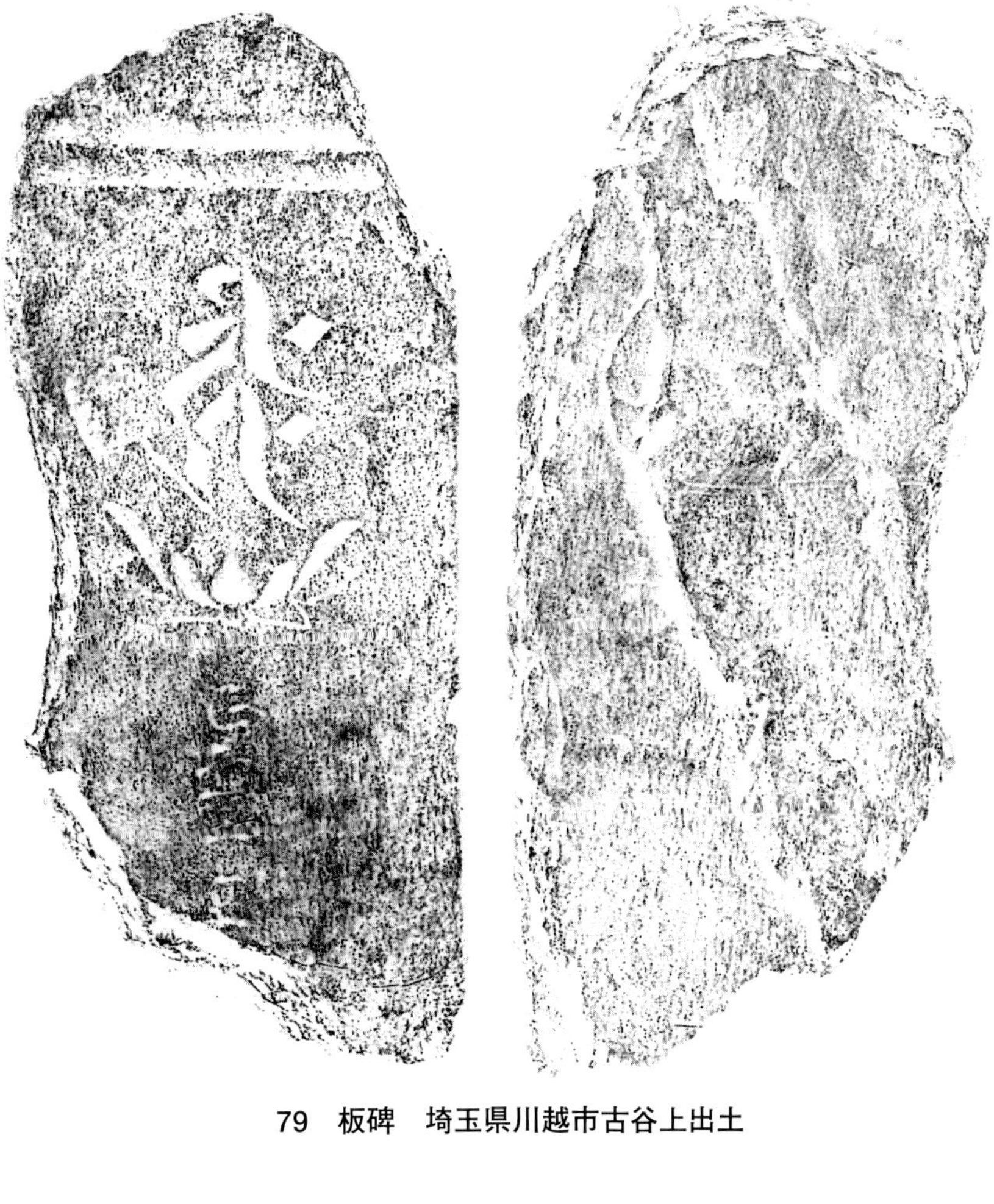

79　板碑　埼玉県川越市古谷上出土

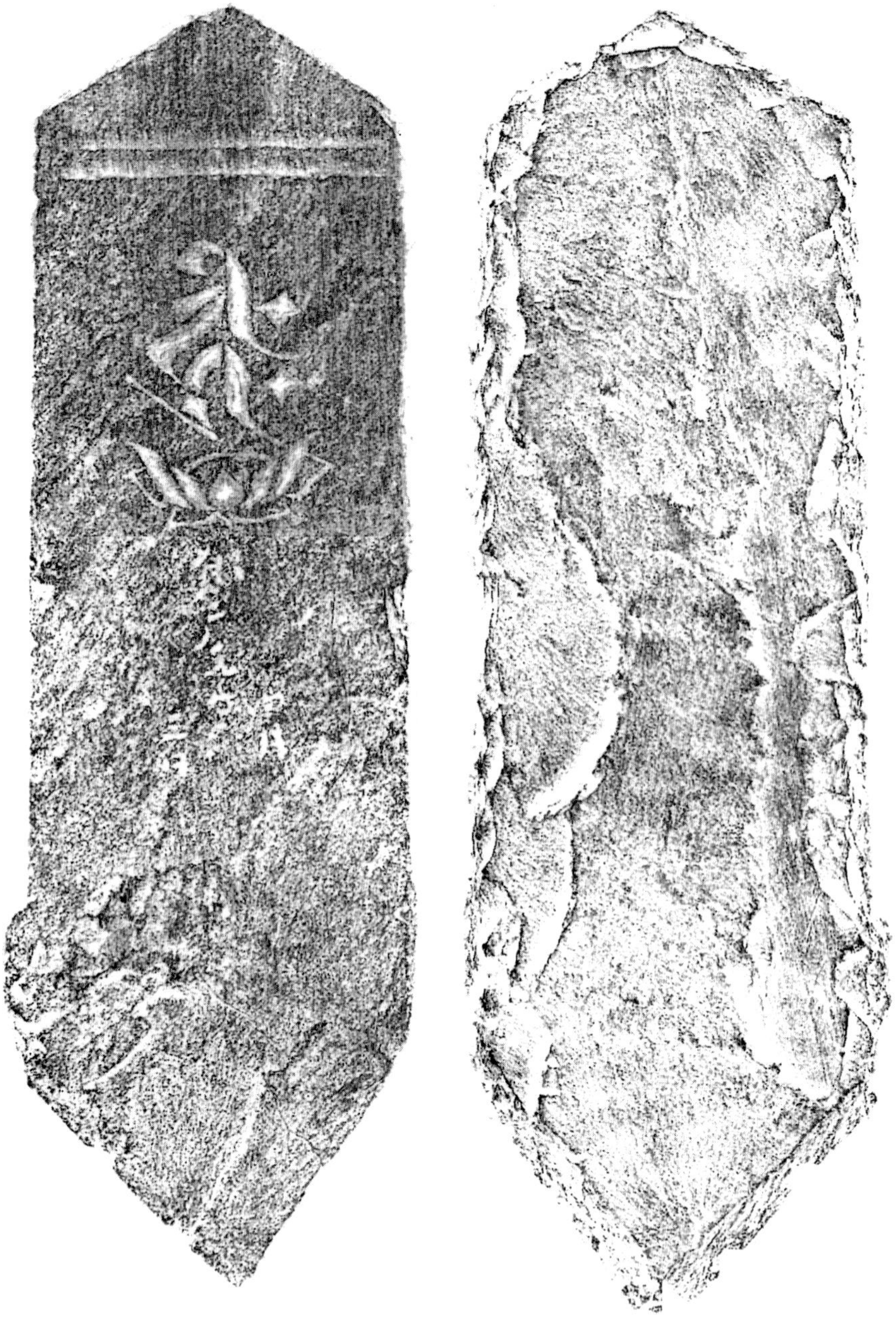

78　板碑　埼玉県川越市古谷上出土

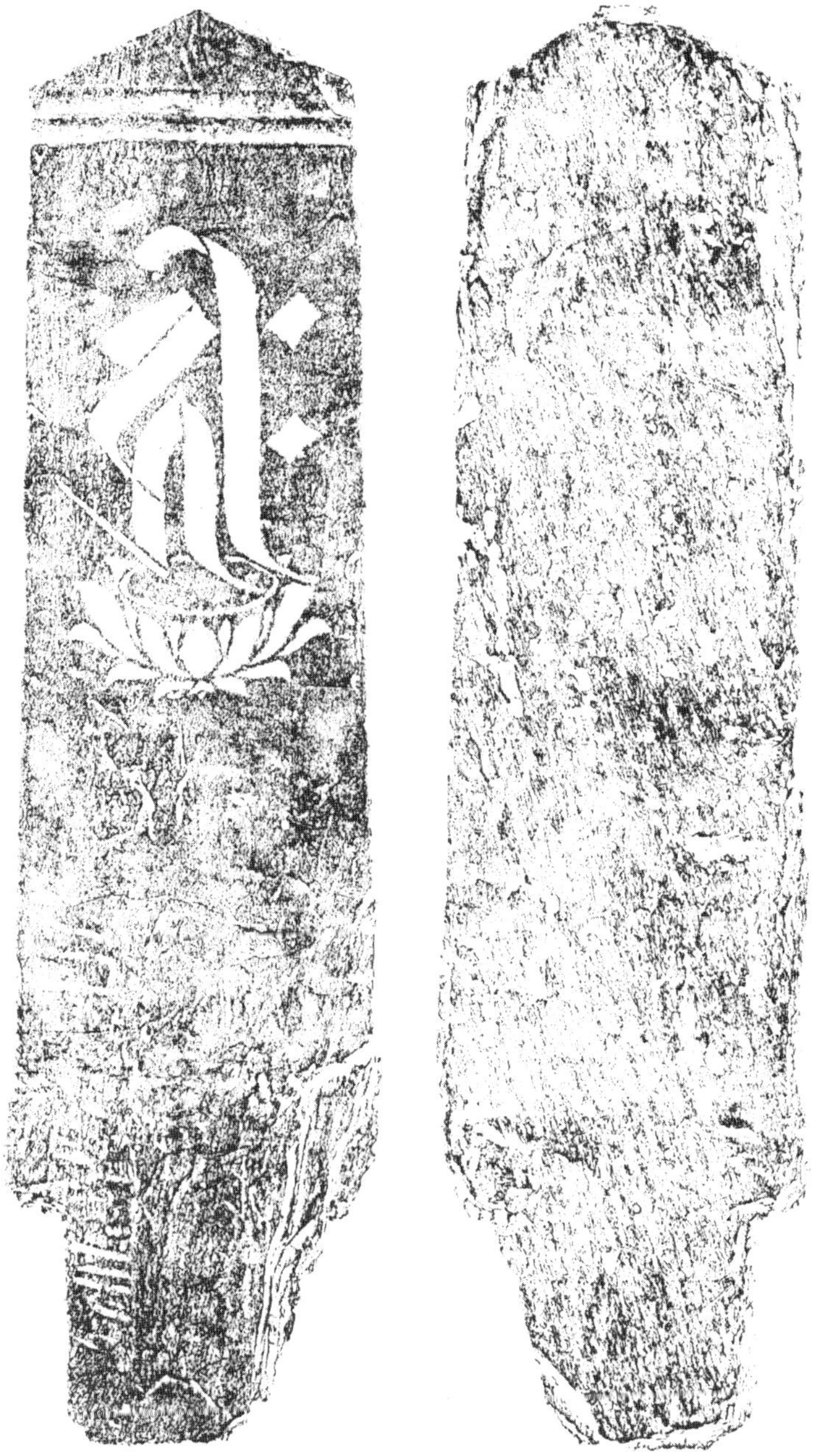

81　板碑　埼玉県川越市古谷上出土

80　板碑　埼玉県川越市古谷上出土

82　板碑　埼玉県川越市古谷上出土

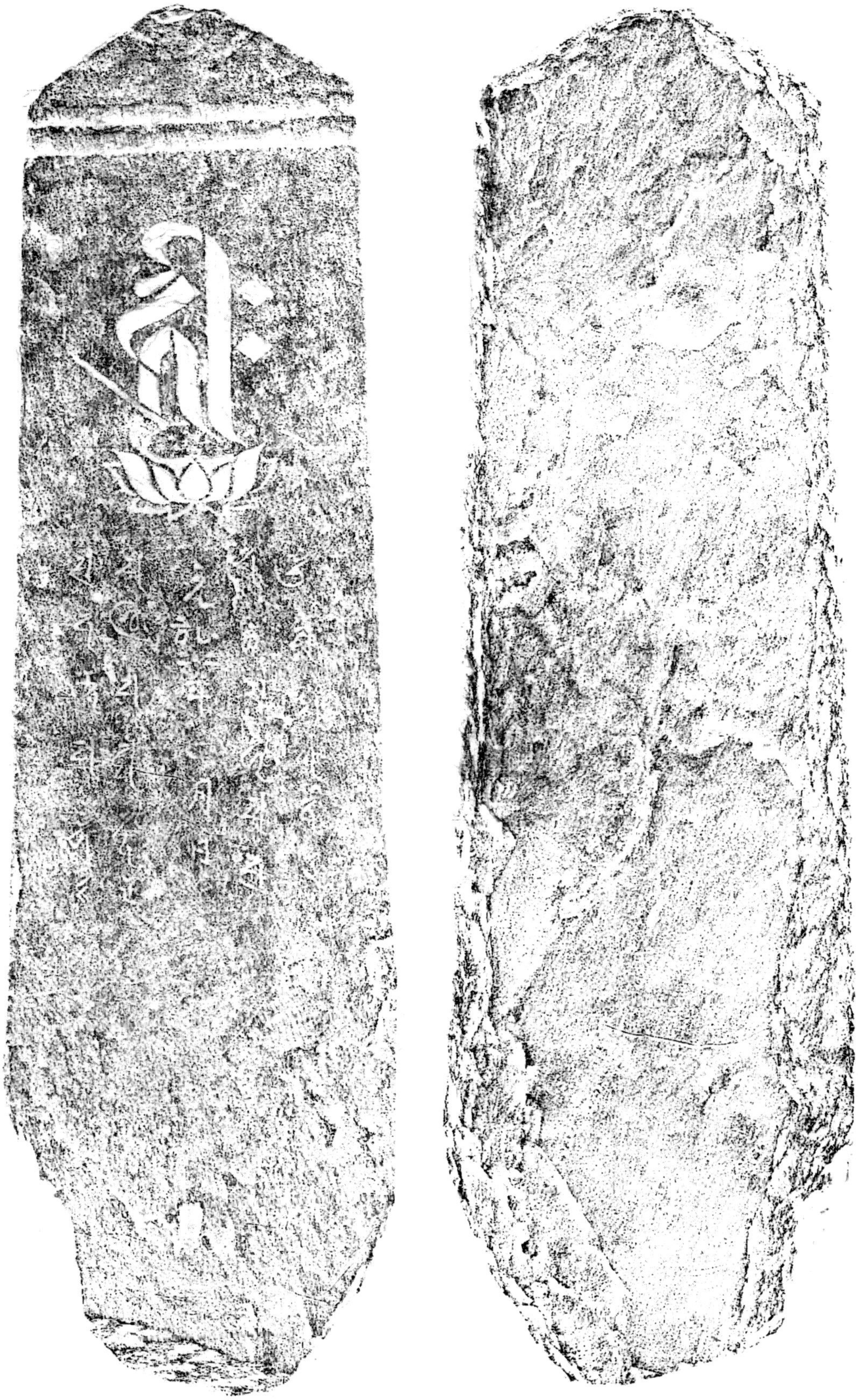

83　板碑　埼玉県川越市的場出土

拓影 31（縮尺 1/4）

84　板碑　埼玉県川越市的場出土

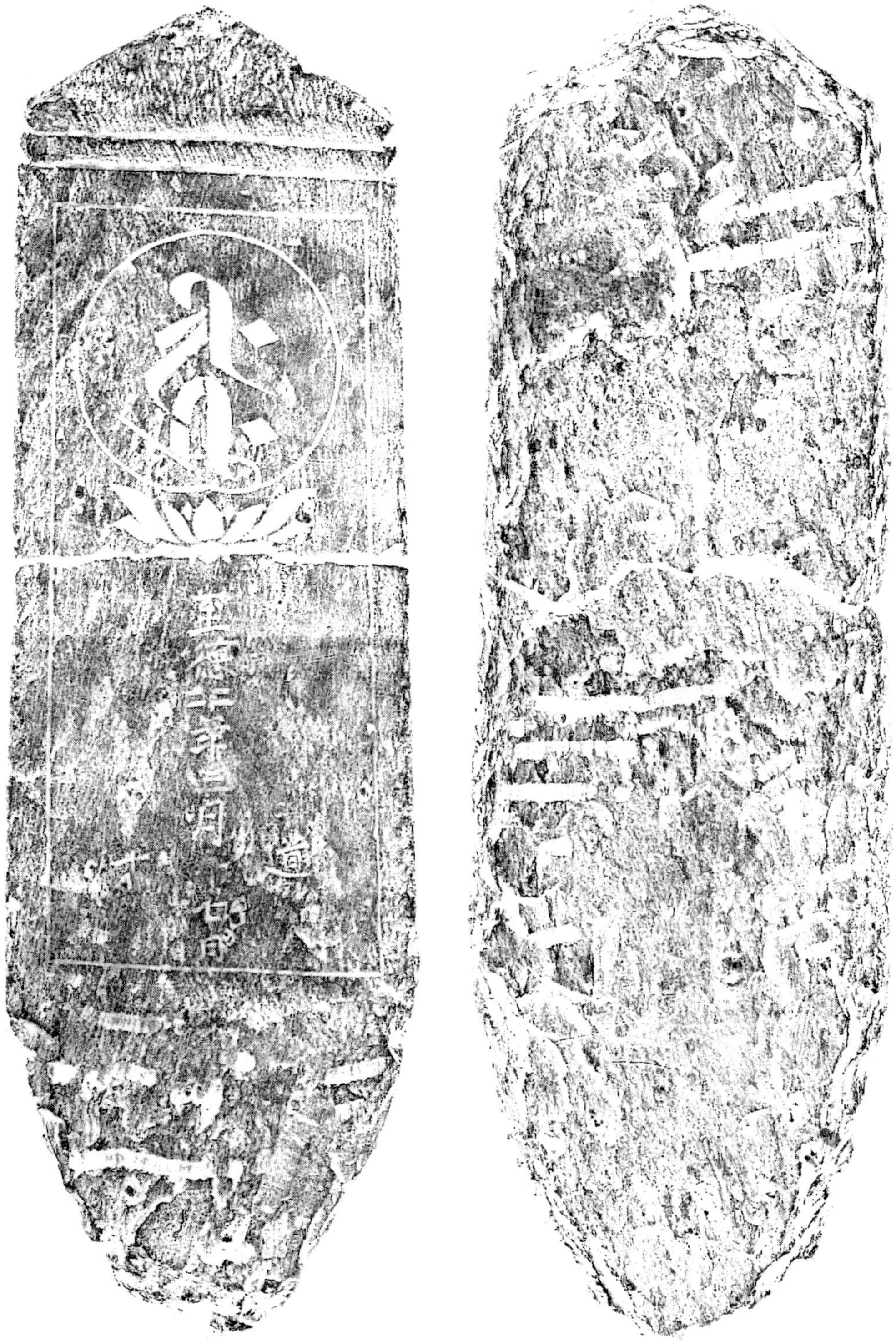

85　板碑　埼玉県川越市的場出土

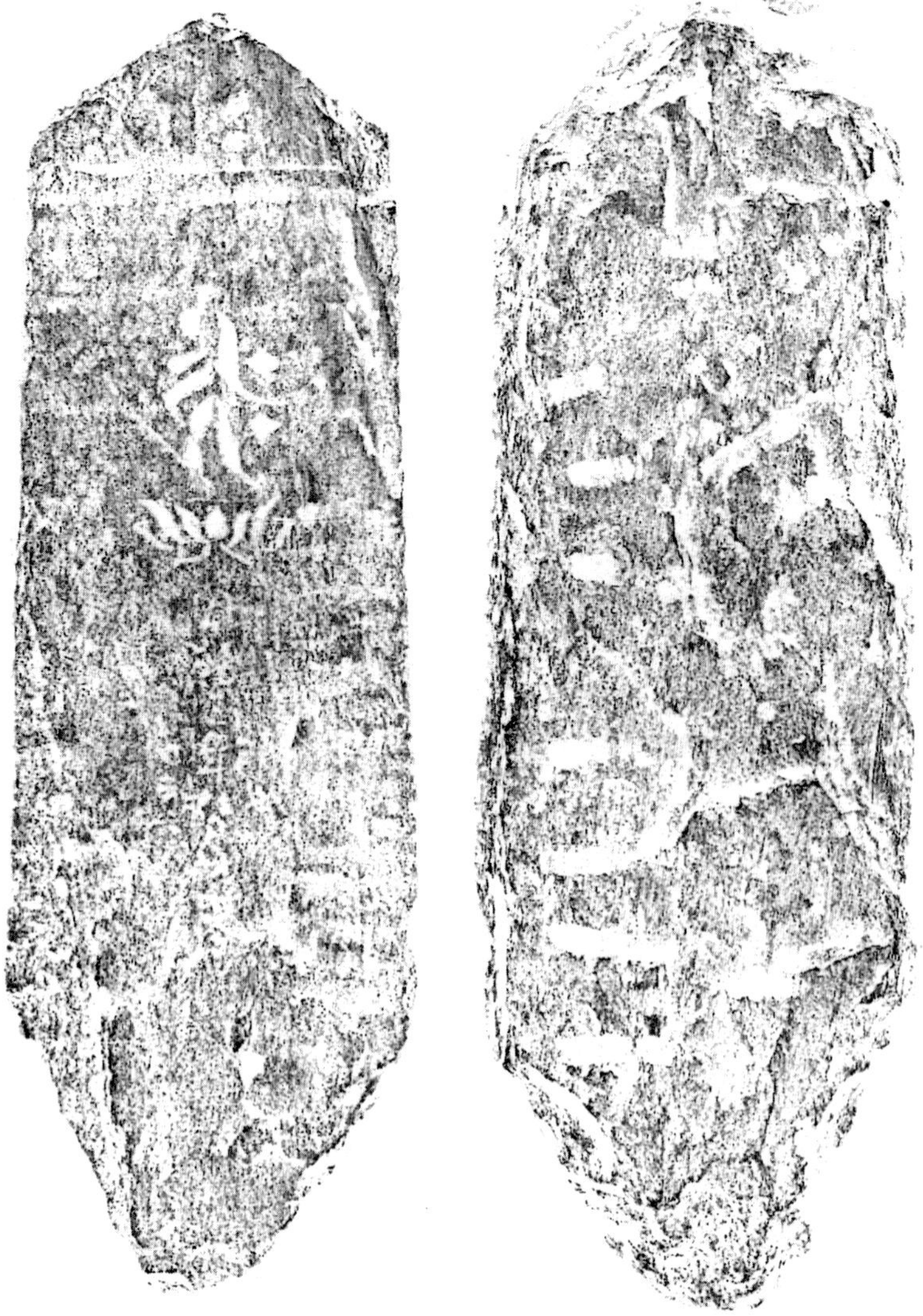

86　板碑　埼玉県川越市的場出土

88　板碑　埼玉県川越市的場出土

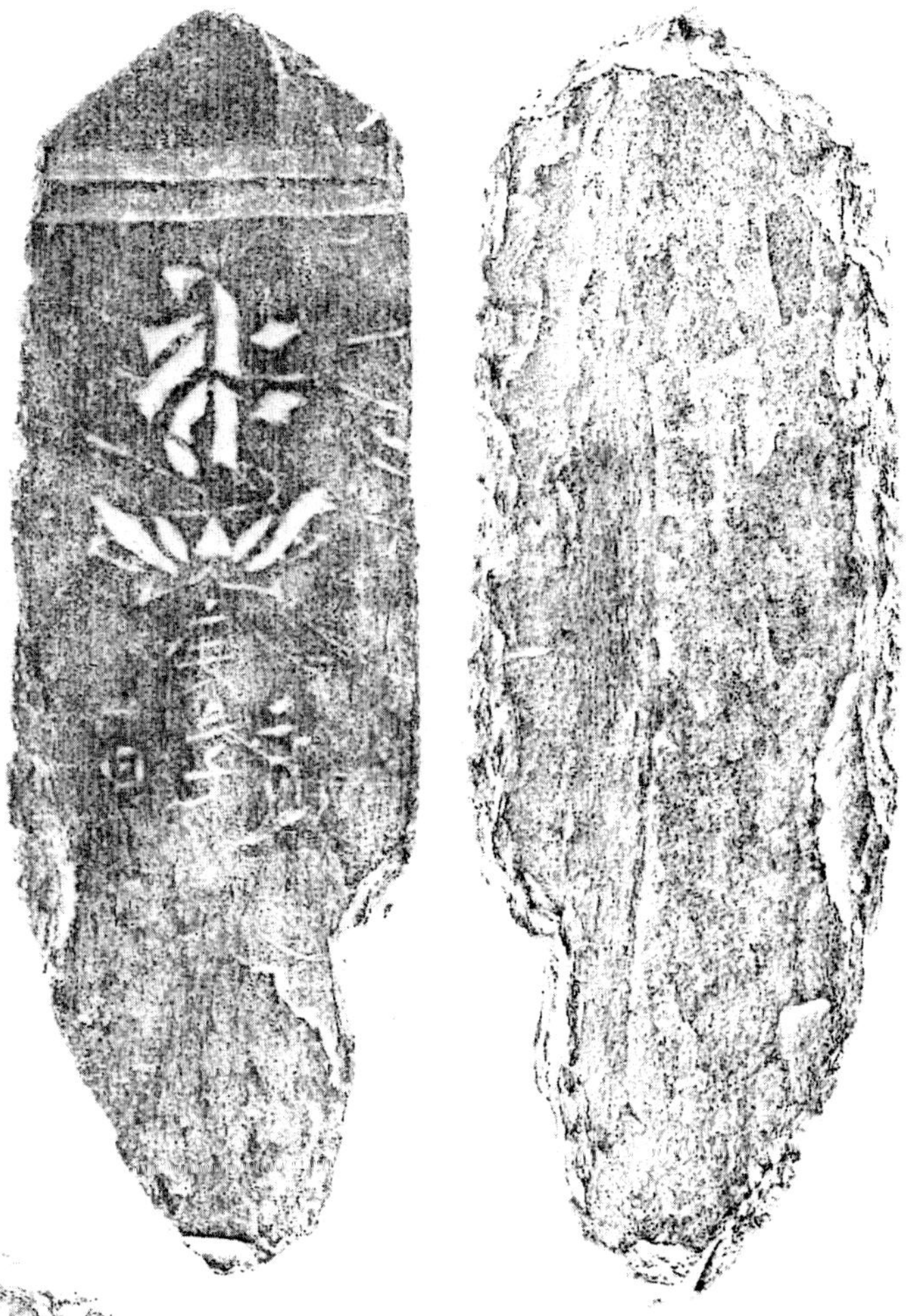

87　板碑　埼玉県川越市的場出土

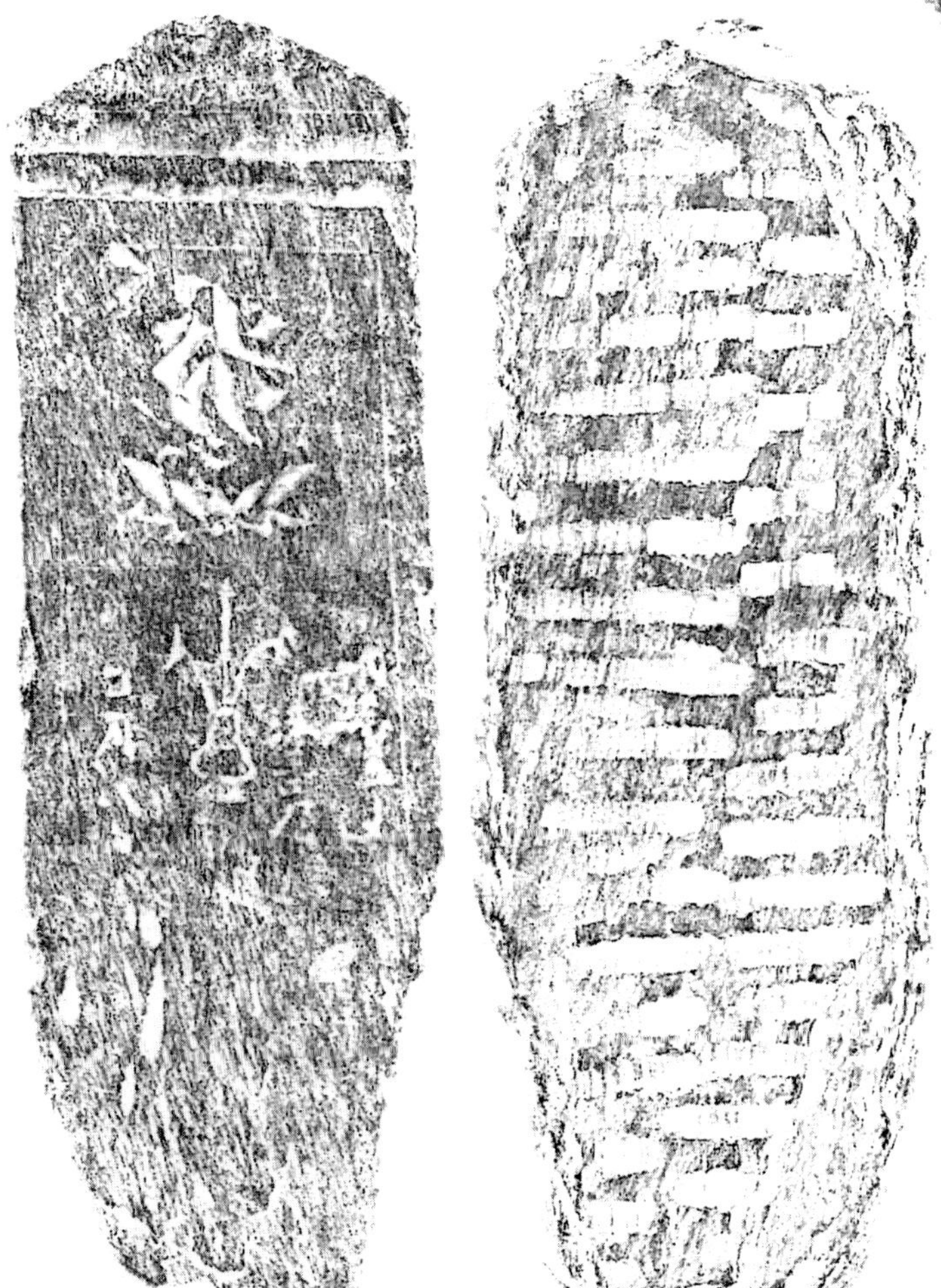

89　板碑　埼玉県熊谷市四方寺出土

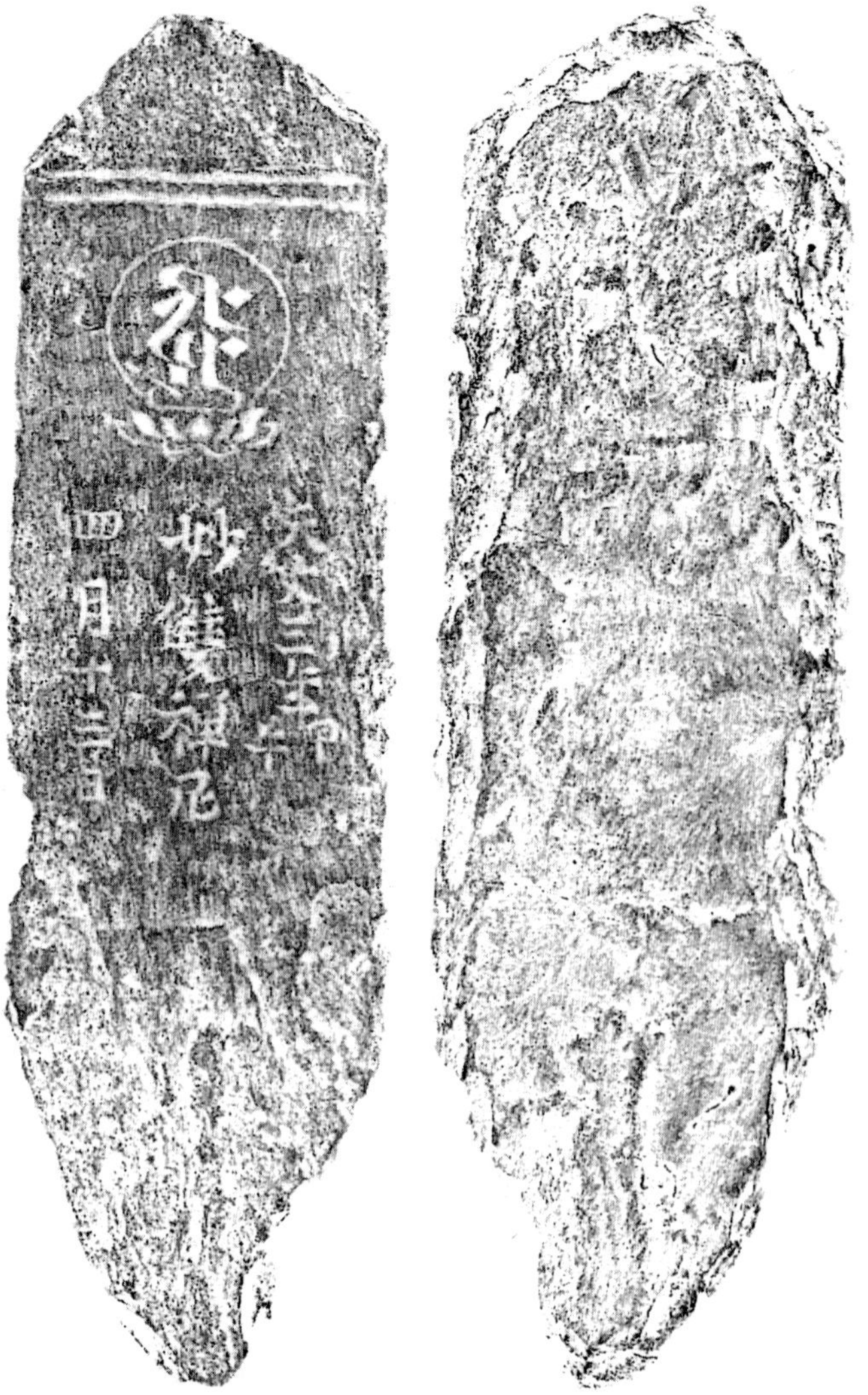

90　板碑　埼玉県戸田市下戸田出土

96　板碑　埼玉県戸田市下戸田出土

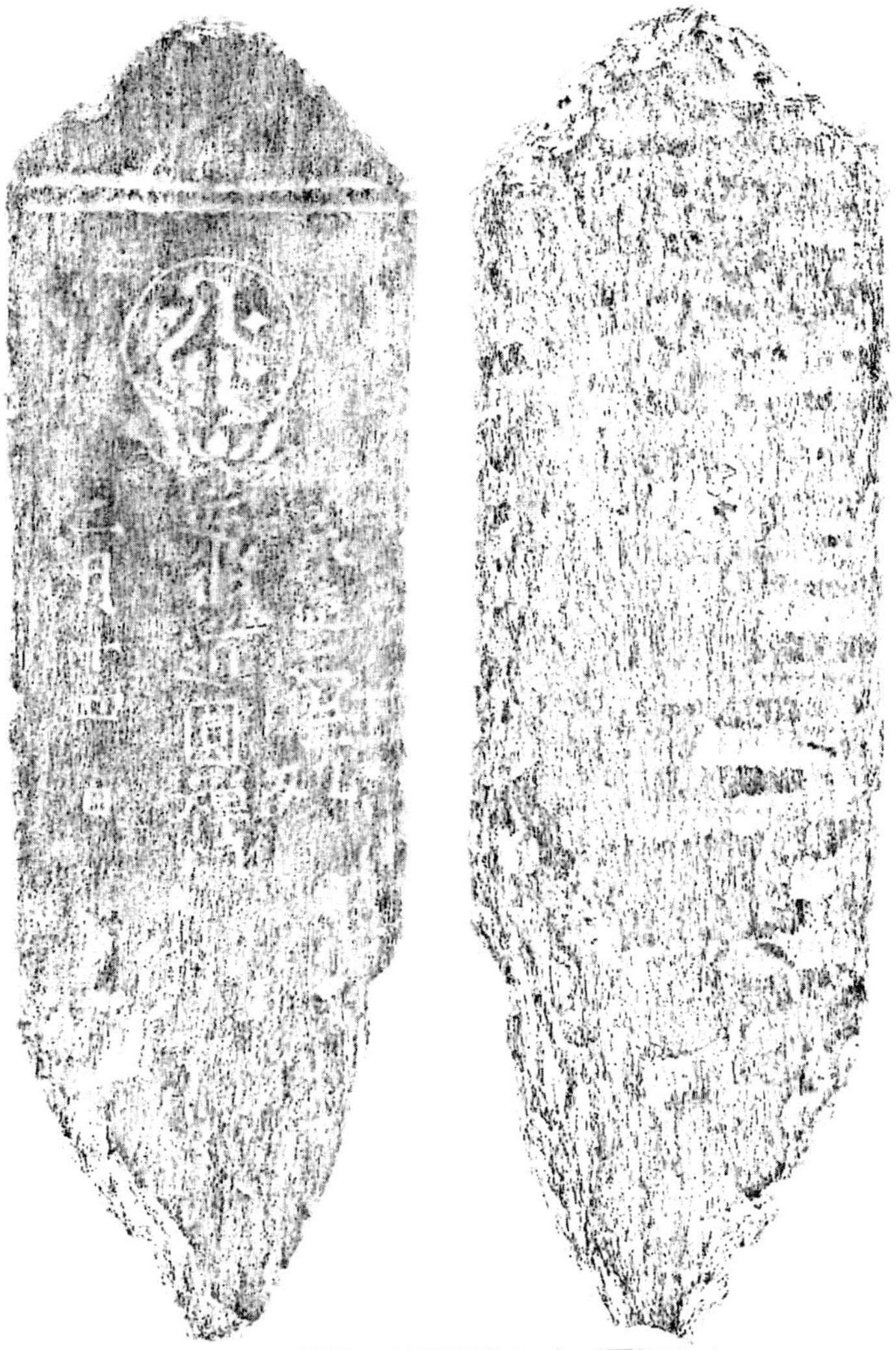

91　板碑　埼玉県戸田市下戸田出土

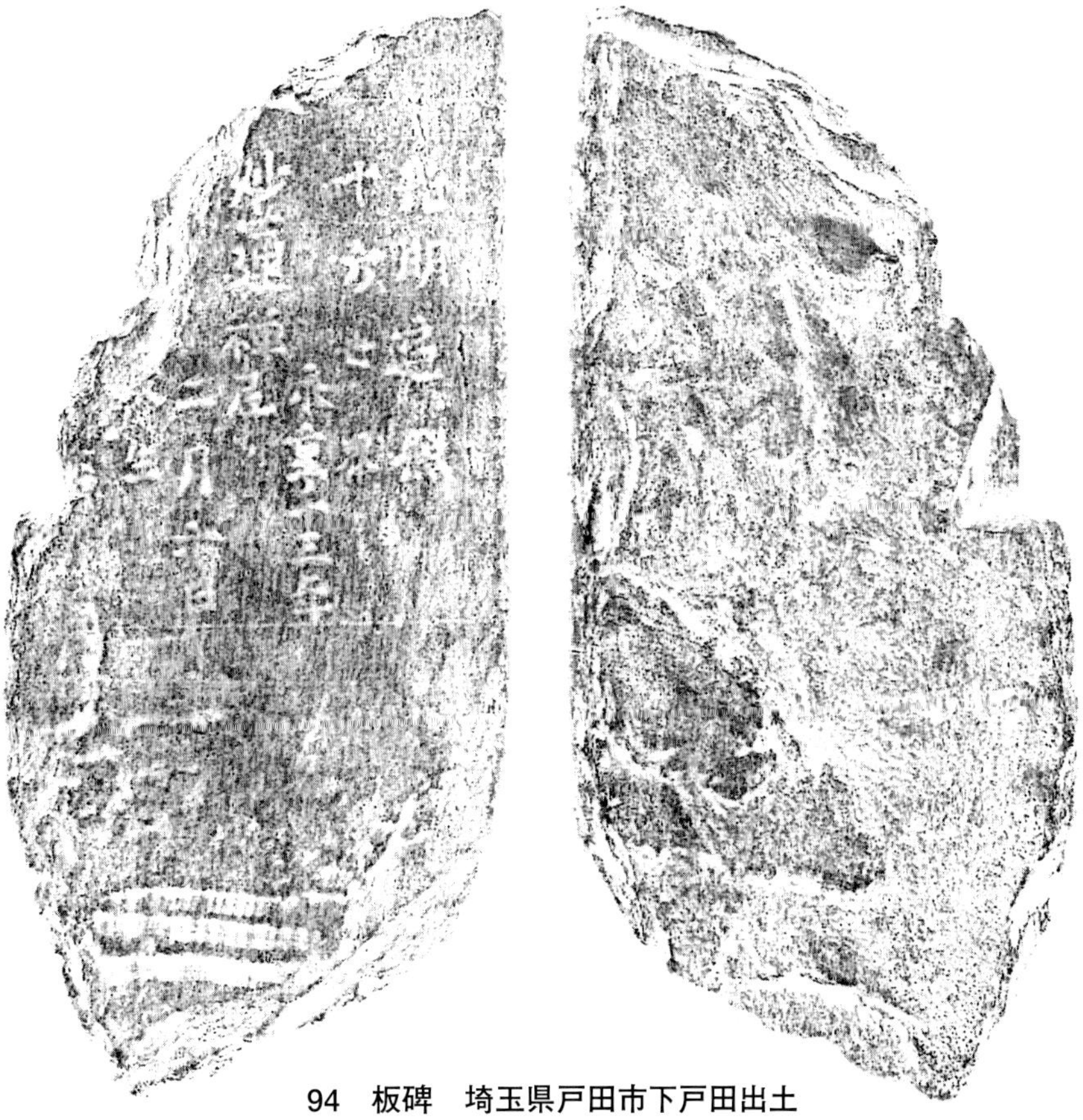

94　板碑　埼玉県戸田市下戸田出土

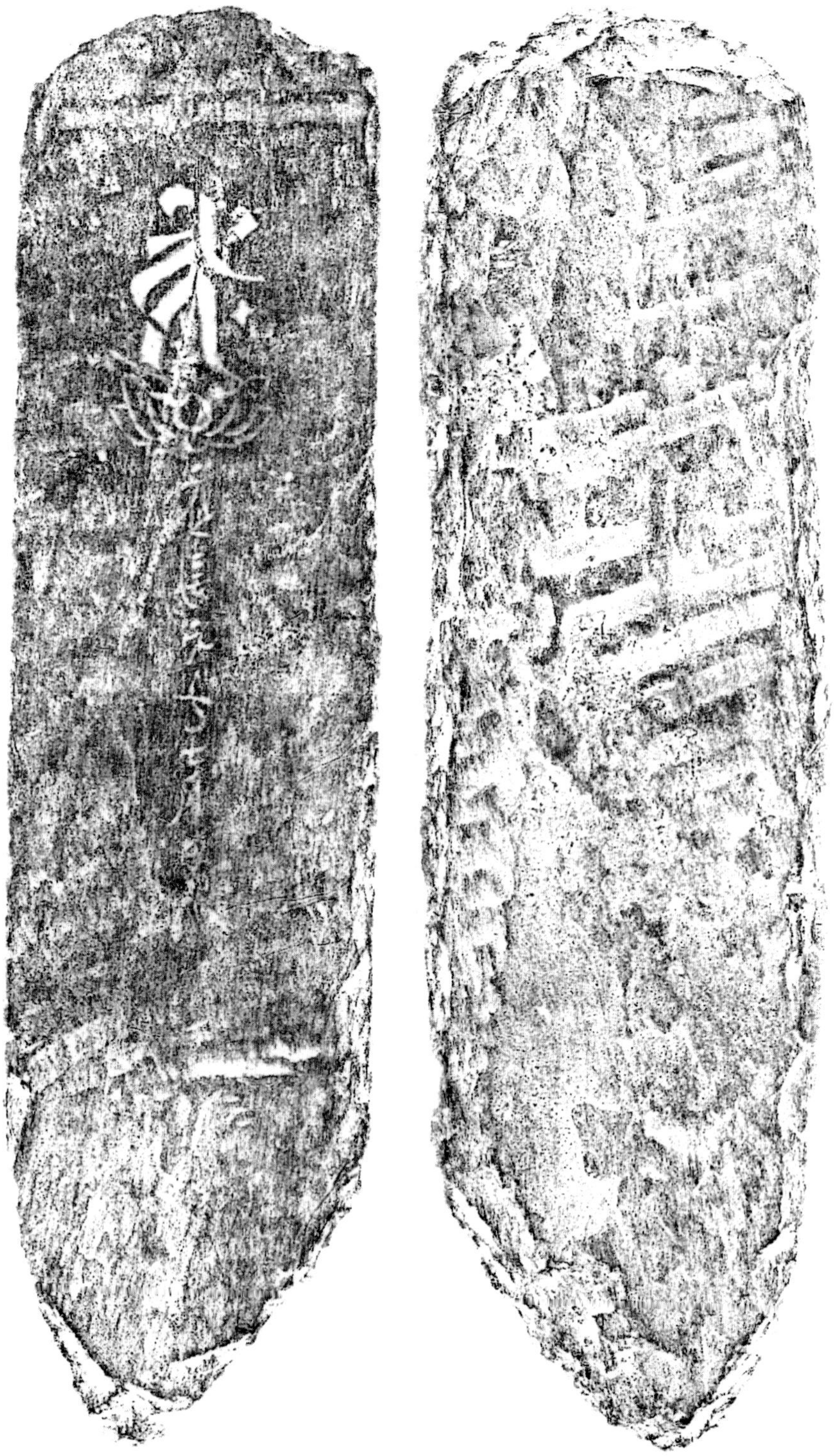

92　板碑　埼玉県戸田市下戸田出土

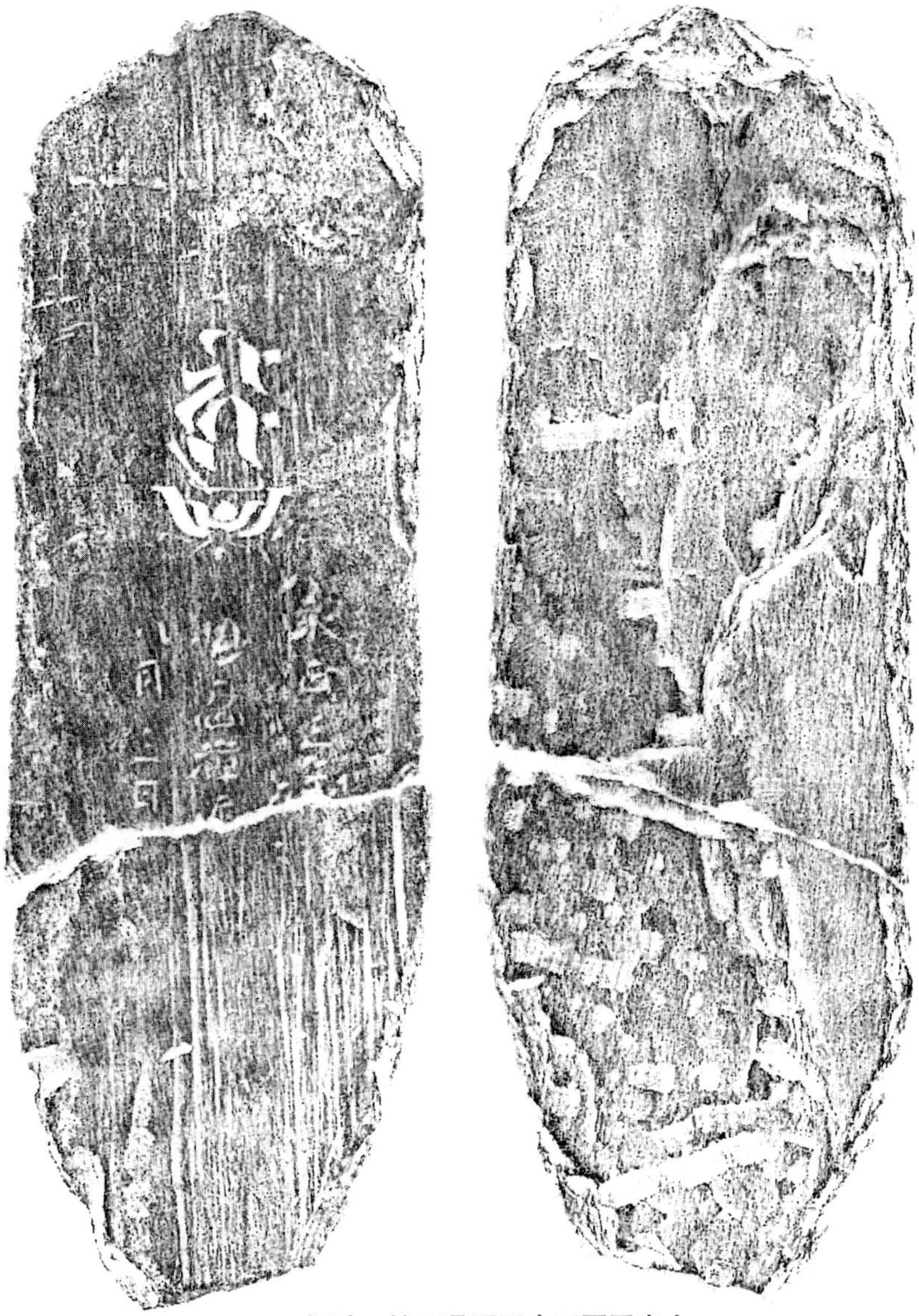

93　板碑　埼玉県戸田市下戸田出土

95　板碑　埼玉県戸田市下戸田出土

97　板碑　埼玉県東松山市上唐子字大欠出土

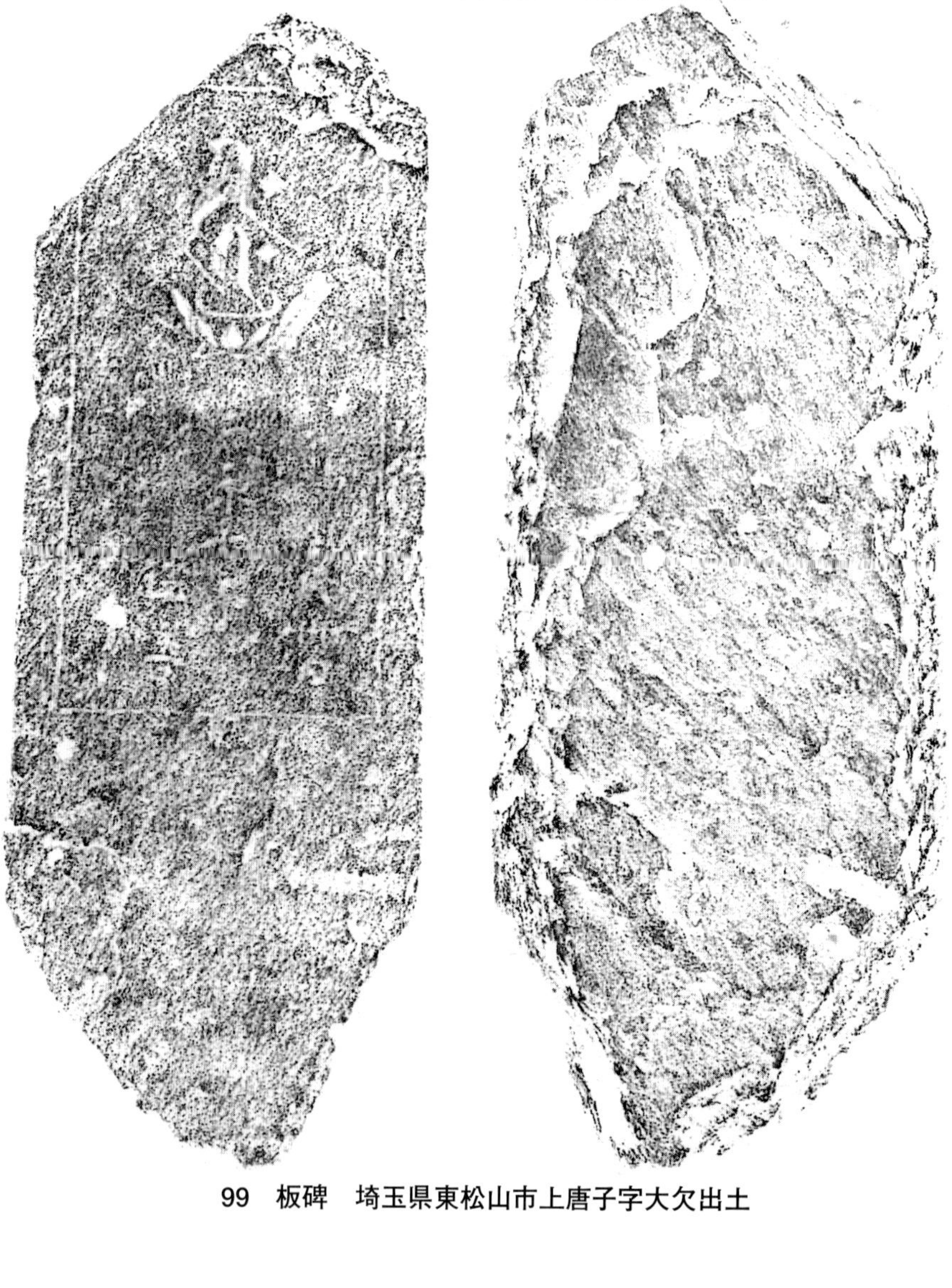

99　板碑　埼玉県東松山市上唐子字大欠出土

98　板碑　埼玉県東松山市上唐子字大欠出土

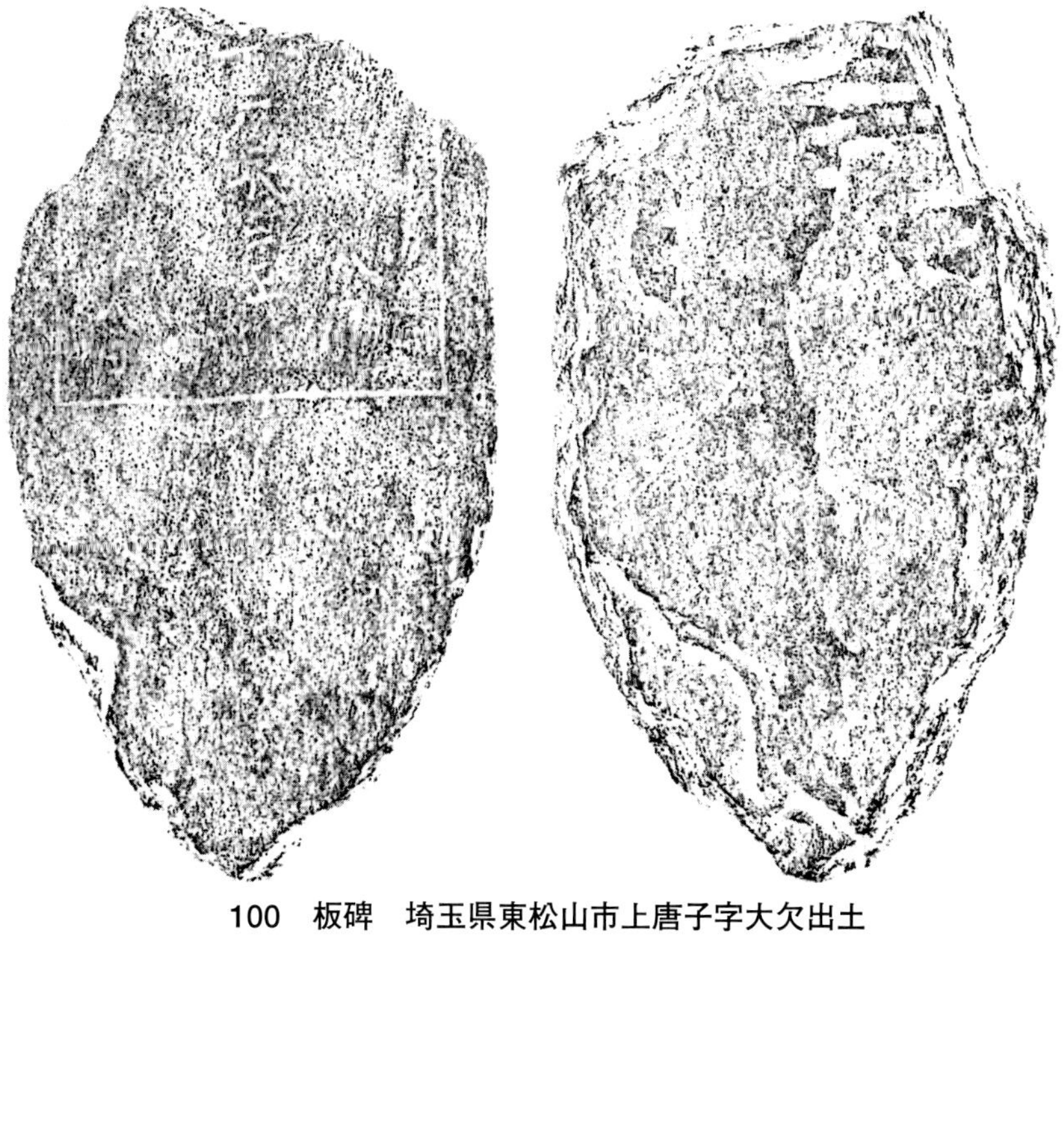

100　板碑　埼玉県東松山市上唐子字大欠出土

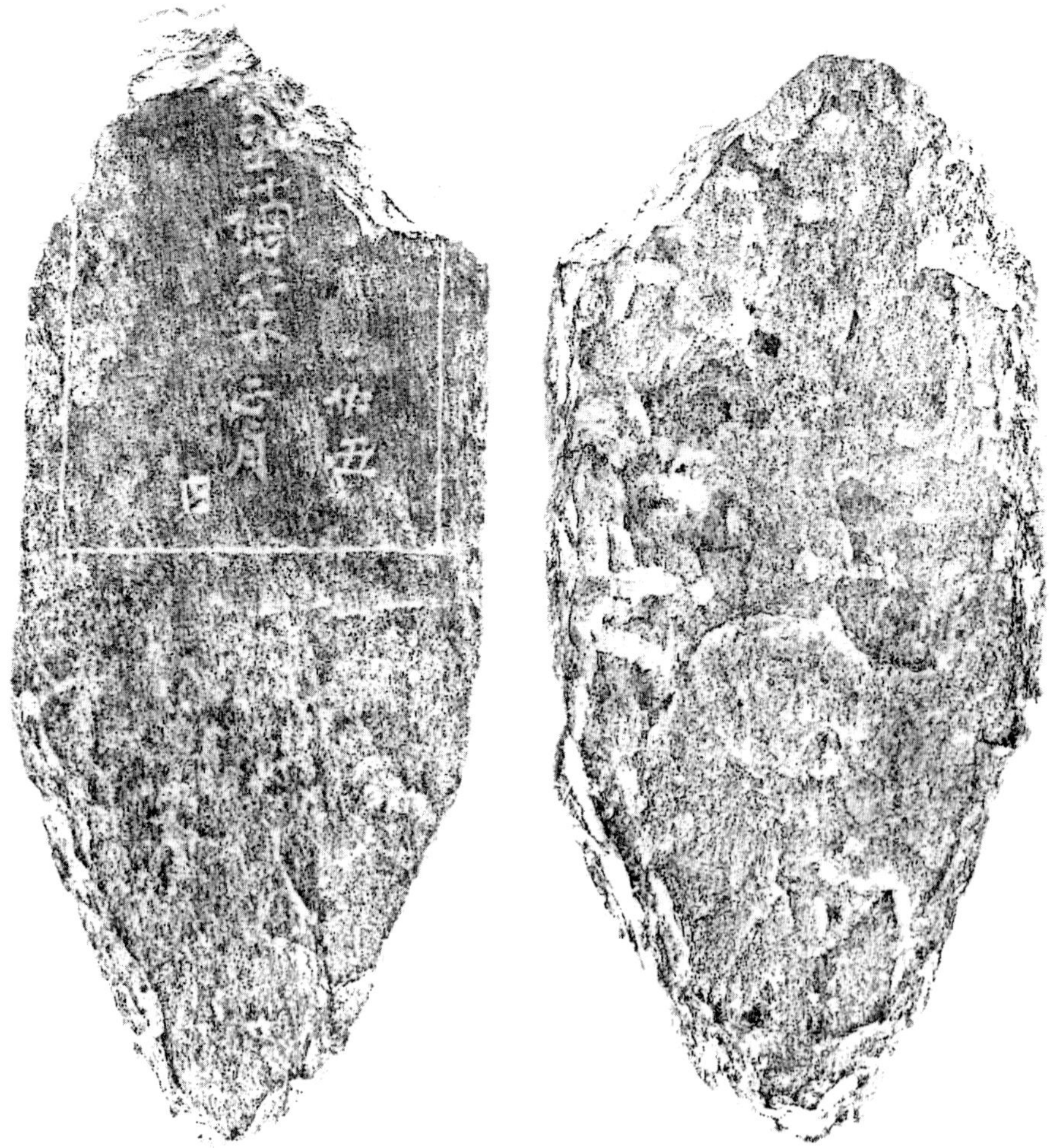

101　板碑　埼玉県東松山市上唐子字大欠出土

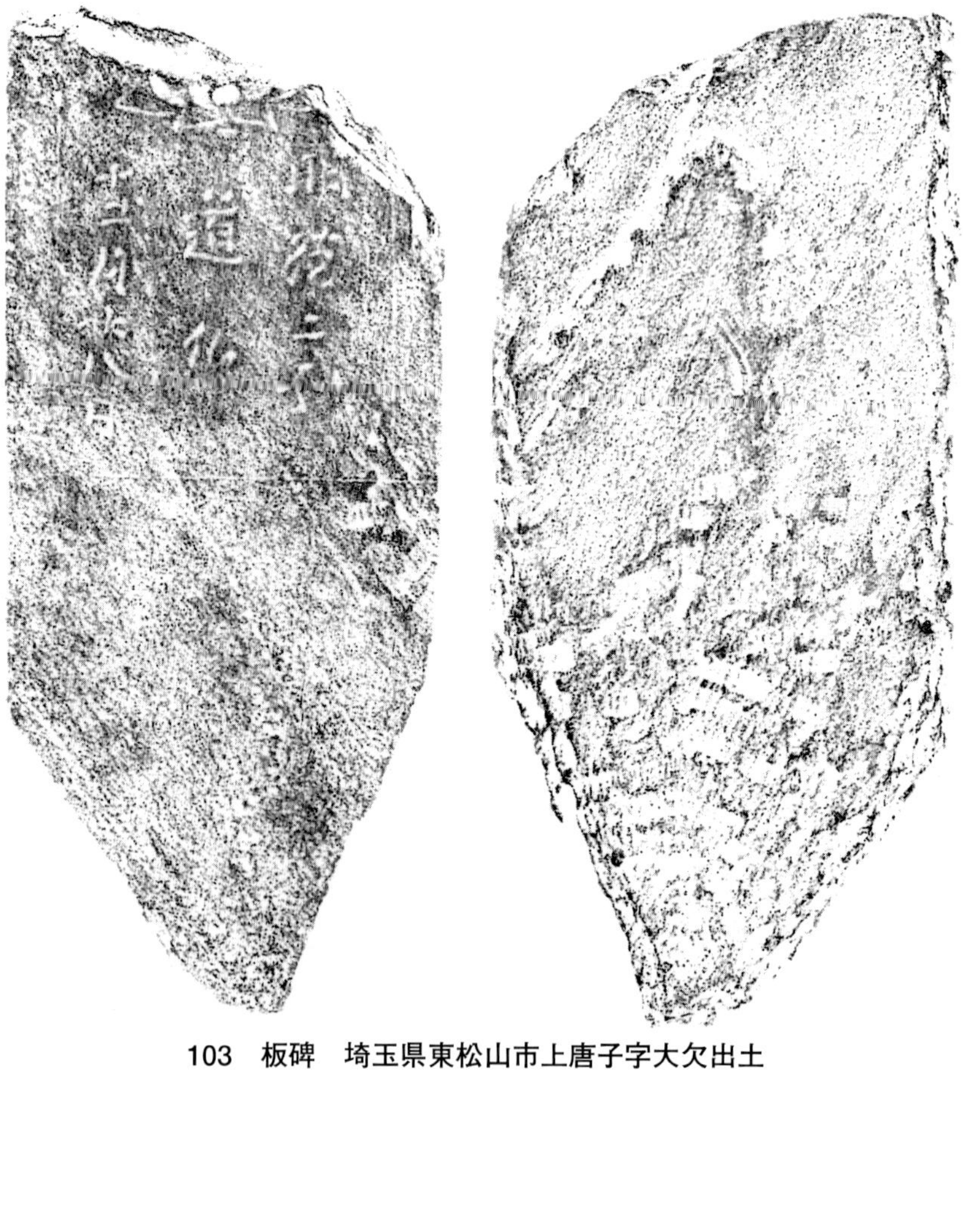

103　板碑　埼玉県東松山市上唐子字大欠出土

102　板碑　埼玉県東松山市上唐子字大欠出土

105　板碑　埼玉県東松山市上唐子字大欠出土

104　板碑　埼玉県東松山市上唐子字大欠出土

106　板碑　埼玉県東松山市上唐子字大欠出土

拓影44（縮尺1/4）

109　板碑　埼玉県東松山市上唐子字大欠出土

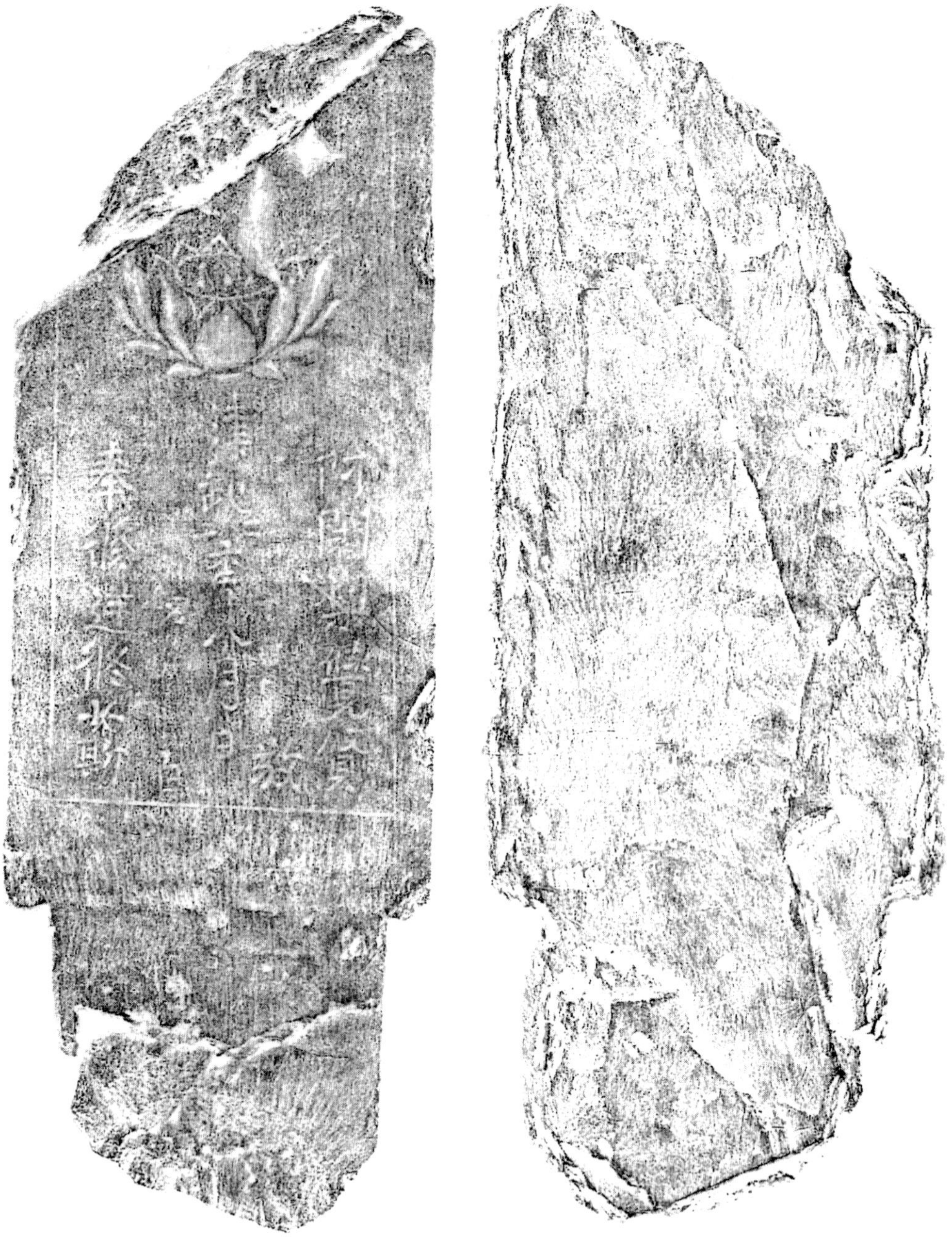

110　板碑　埼玉県東松山市上唐子字大欠出土

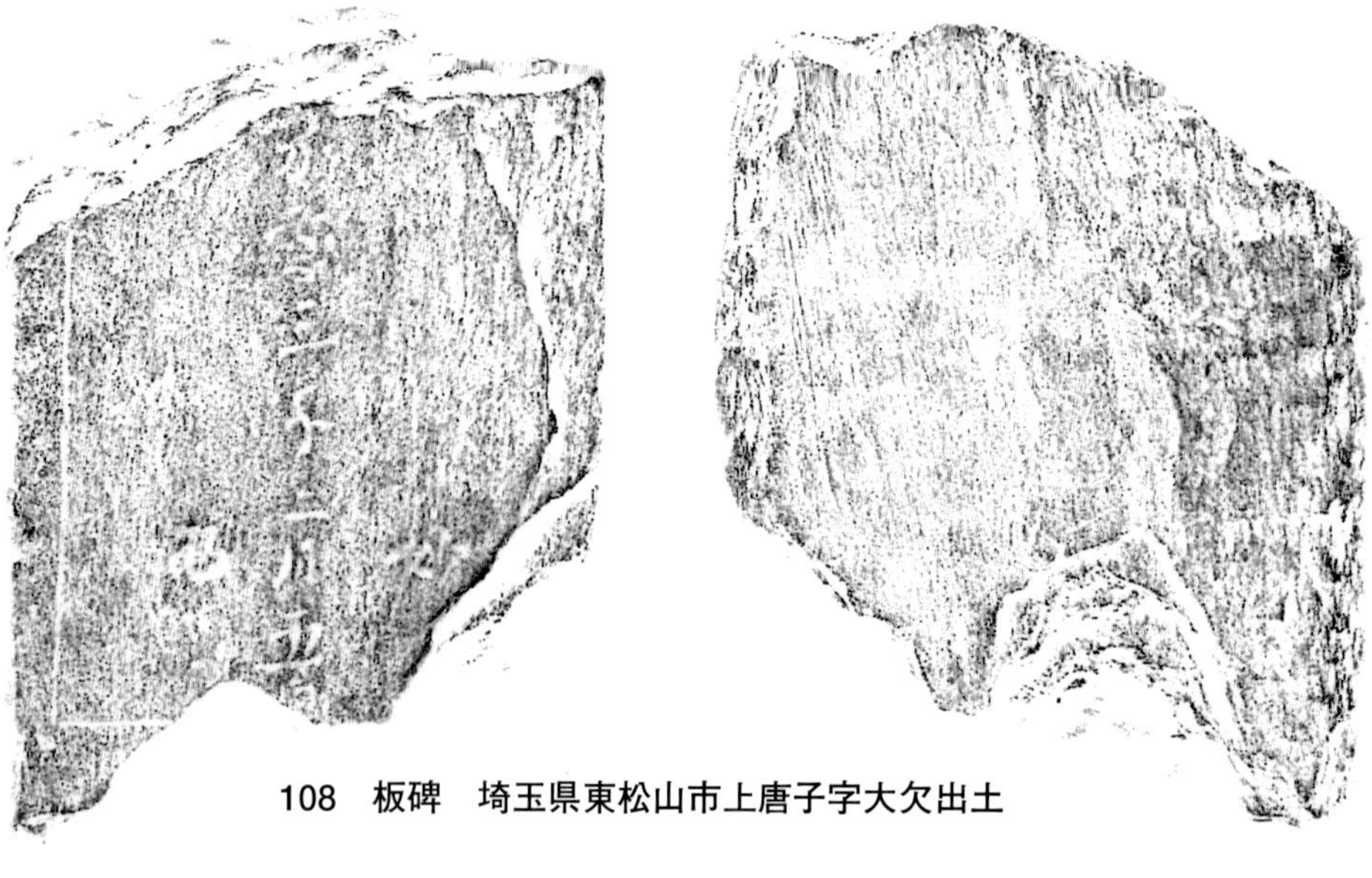

108　板碑　埼玉県東松山市上唐子字大欠出土

拓影46（縮尺1/4）

111　板碑　埼玉県東松山市上唐子字大欠出土

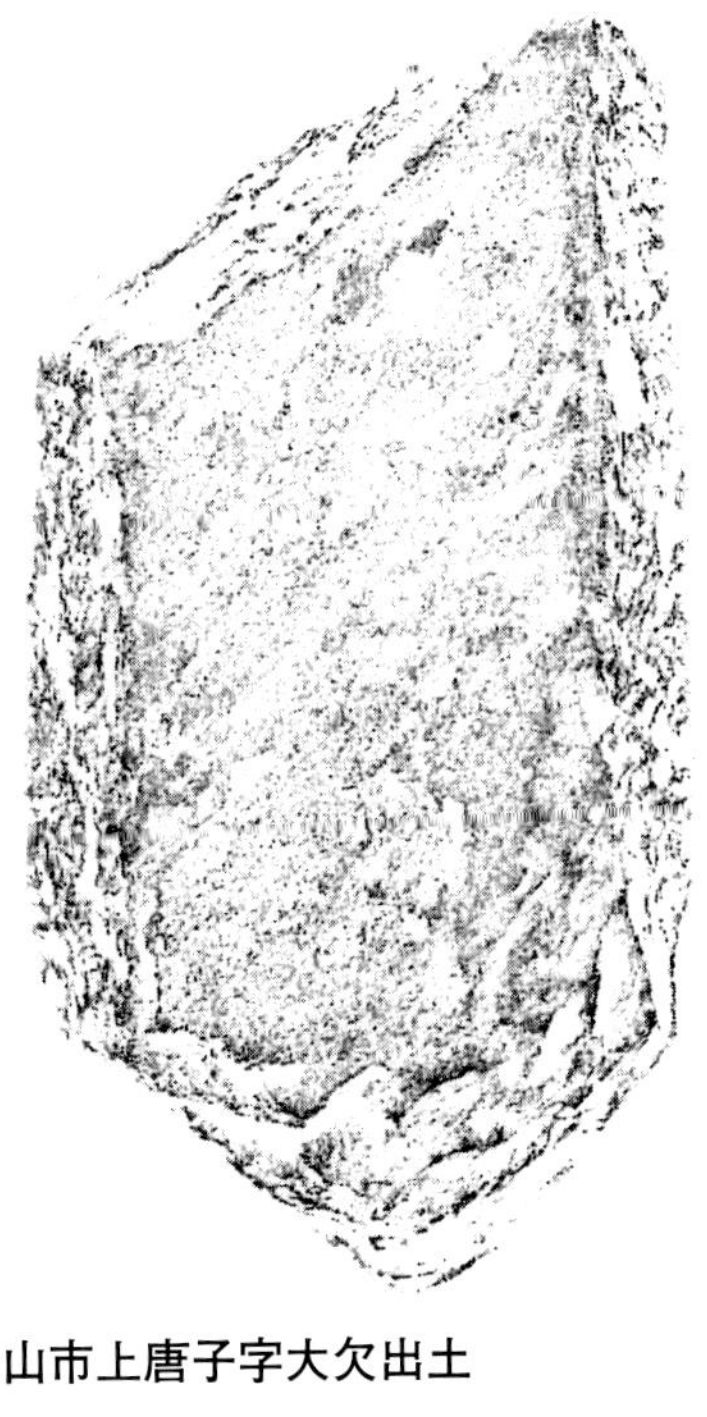

107　板碑　埼玉県東松山市上唐子字大欠出土

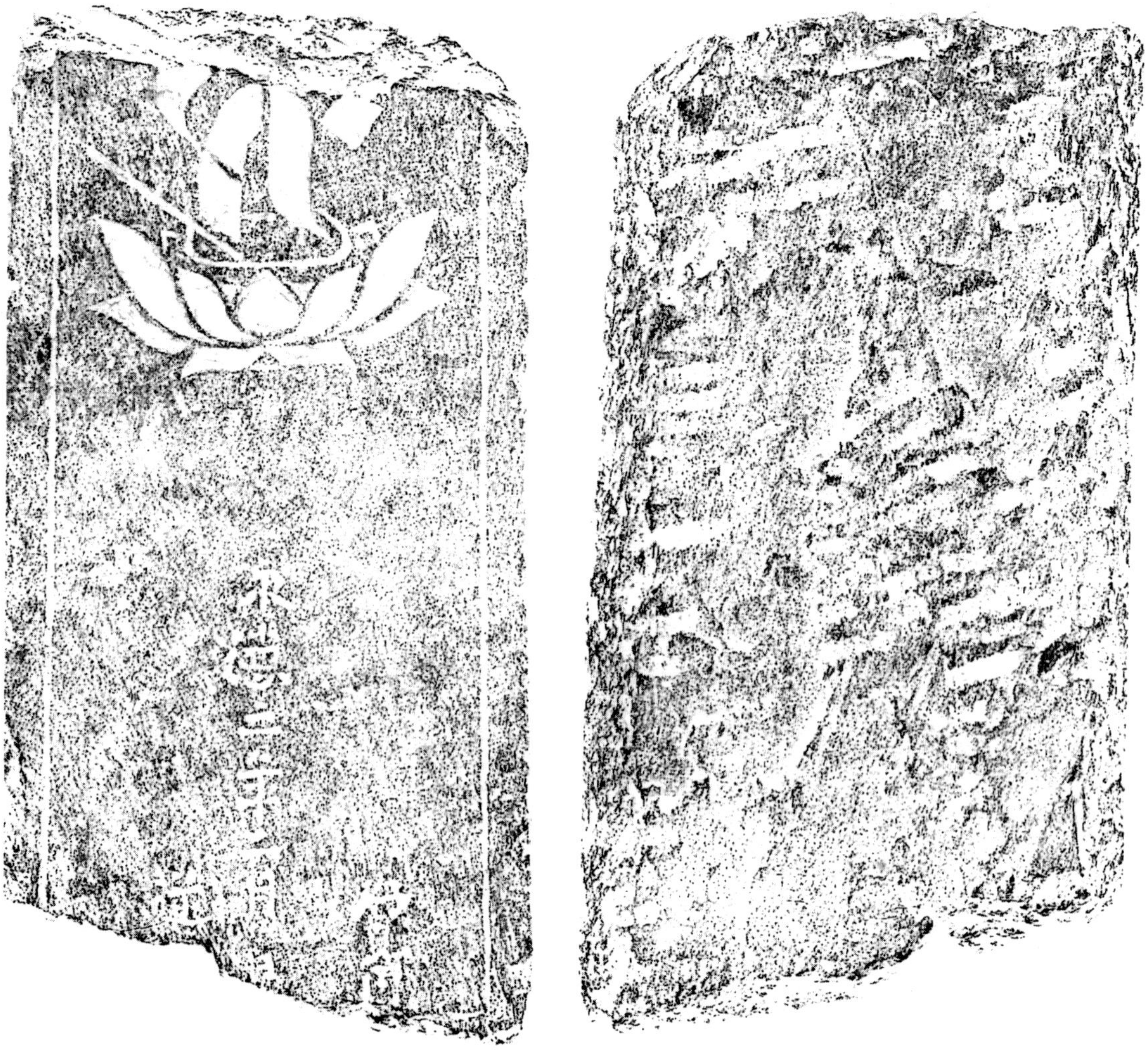

112　板碑　埼玉県東松山市上唐子字大欠出土

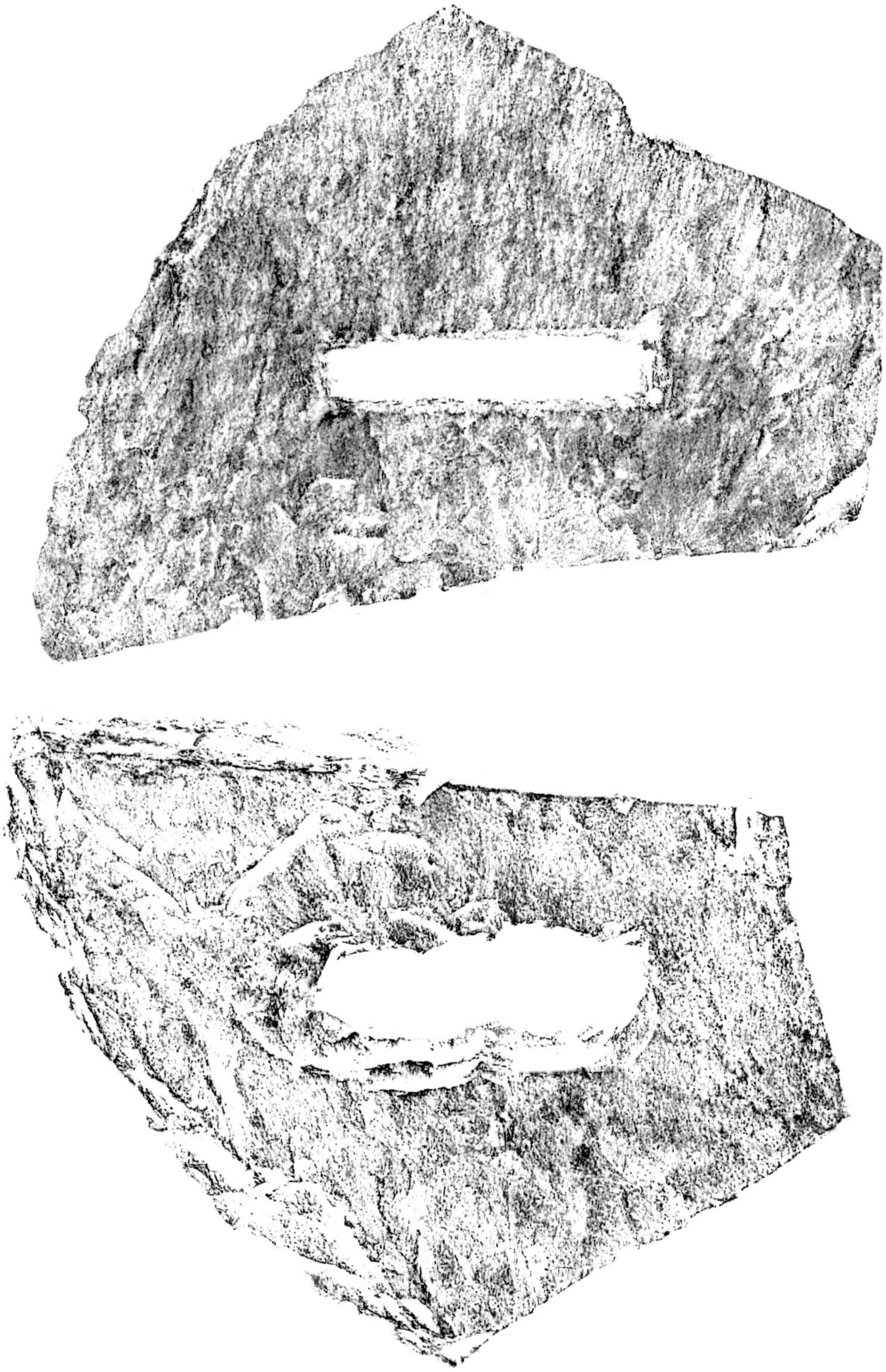

113　台石　埼玉県東松山市上唐子字大欠出土

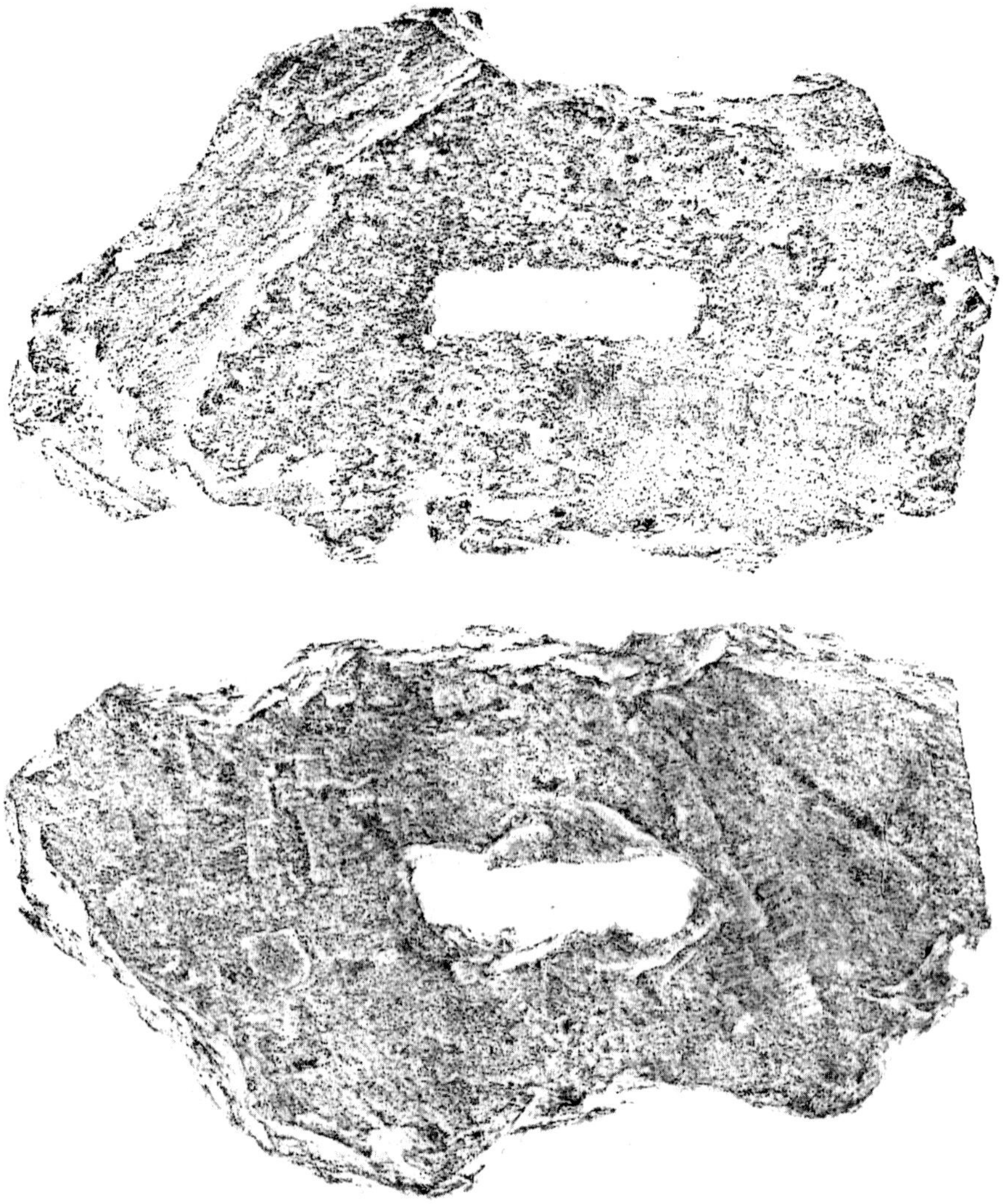

114　台石　埼玉県東松山市上唐子字大欠出土

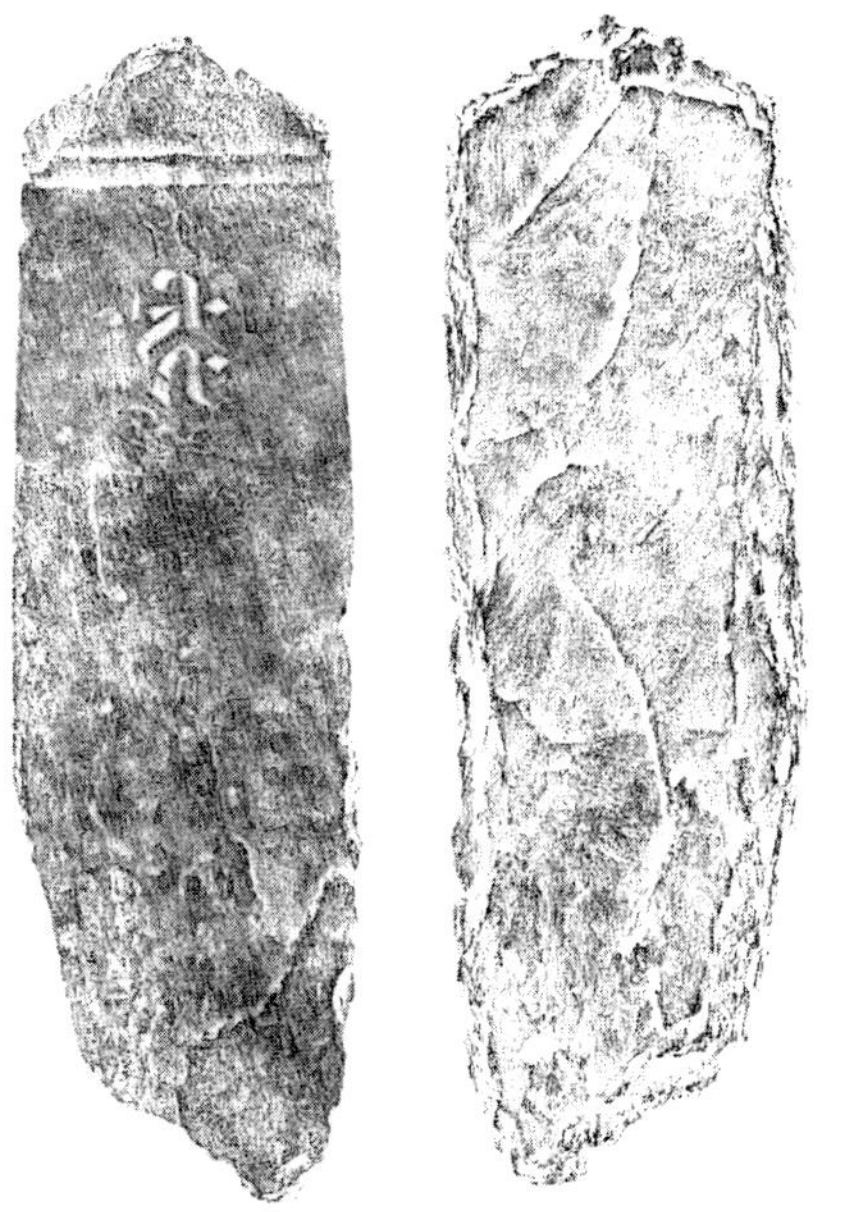

115　板碑　東京都大田区鵜の木　光明寺出土

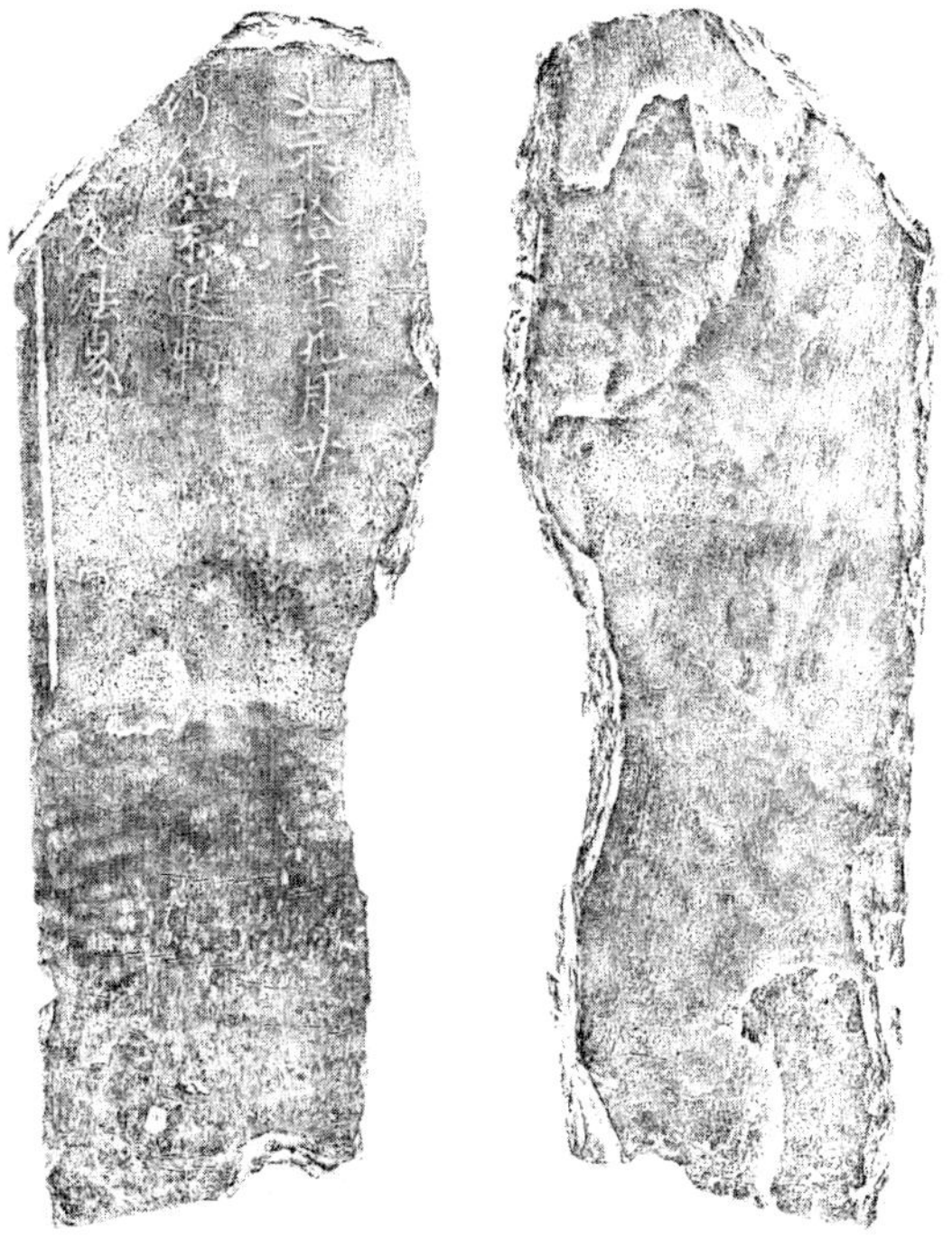

116　板碑　東京都葛飾区小菅　東京拘置所出土

127　板碑　東京都北区田端
JR東日本田端駅構内
松平頼平邸跡出土

124　板碑　東京都北区田端
JR東日本田端駅構内
松平頼平邸跡出土

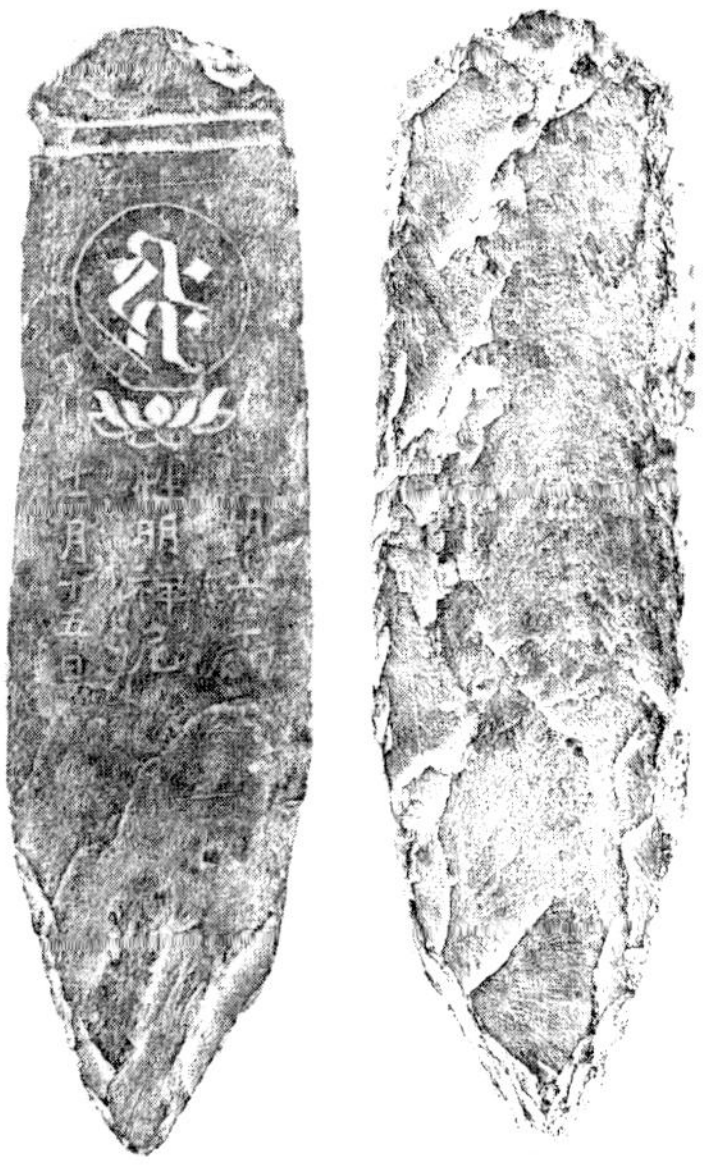

120　板碑　東京都北区田端
JR東日本田端駅構内
松平頼平邸跡出土

117　板碑　東京都北区田端　JR東日本田端駅構内松平頼平邸跡出土

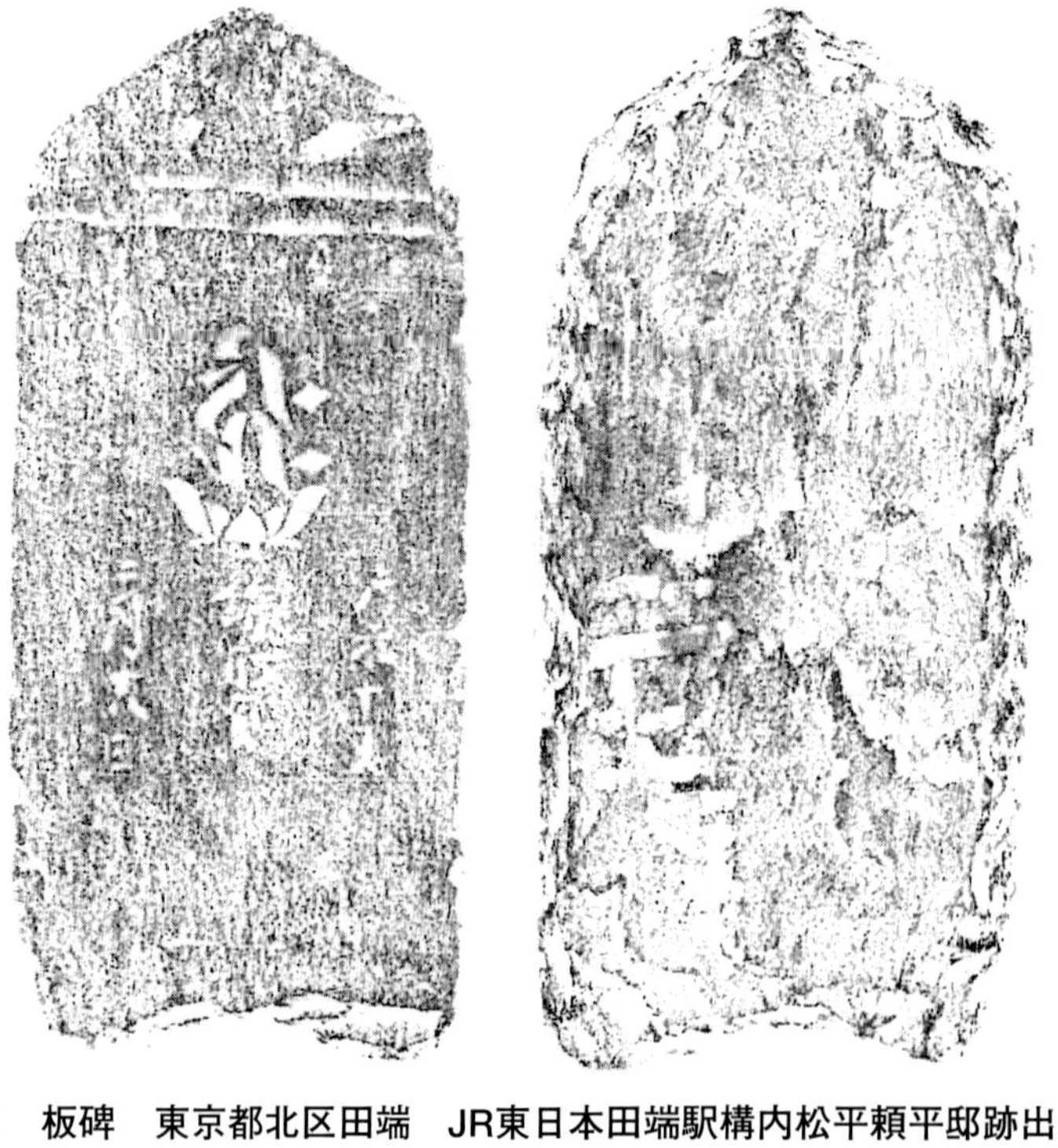

131　板碑　東京都北区田端　JR東日本田端駅構内松平頼平邸跡出土

拓影52（縮尺1/4）

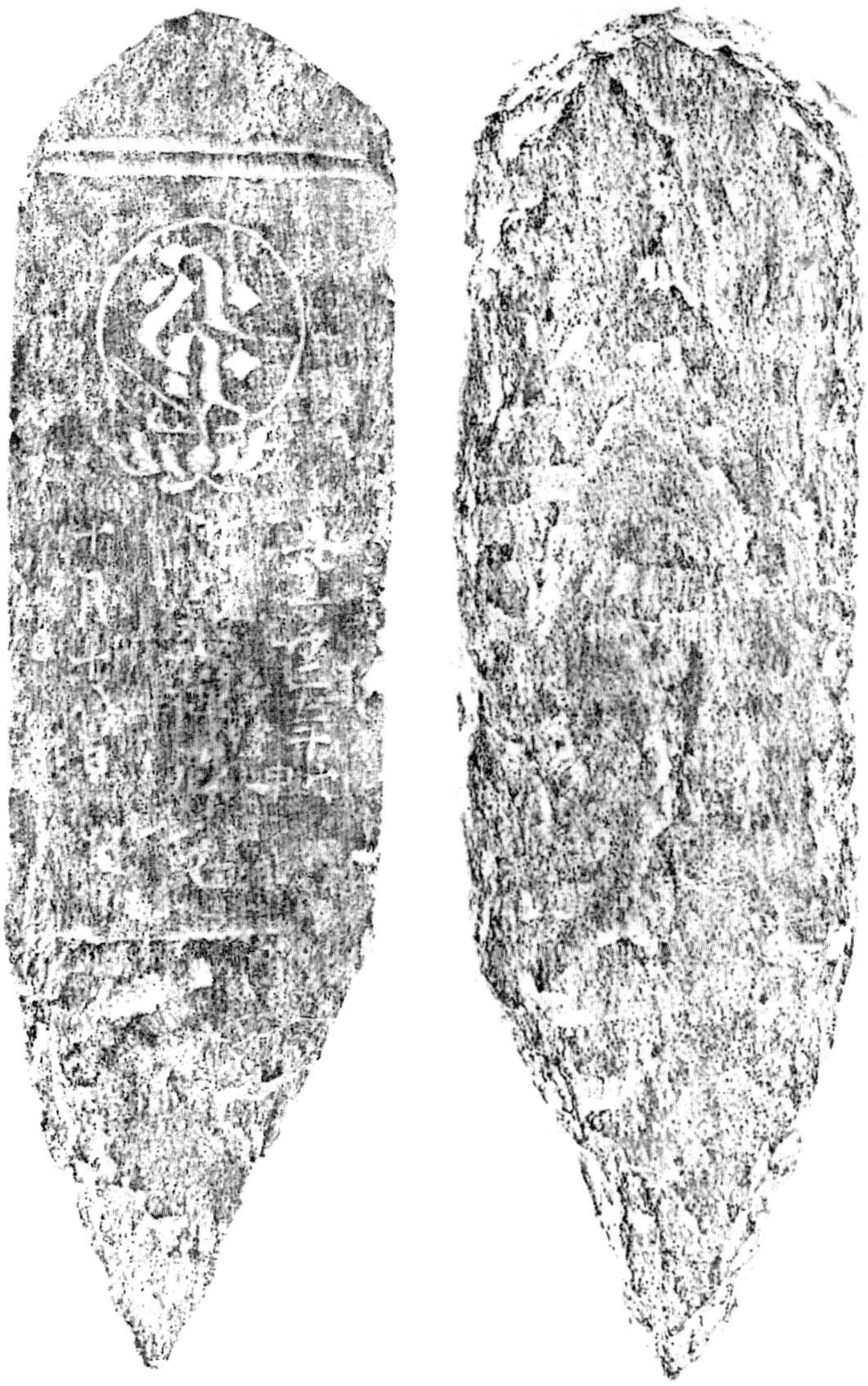

118 板碑　東京都北区田端　JR東日本田端駅構内
松平頼平邸跡出土

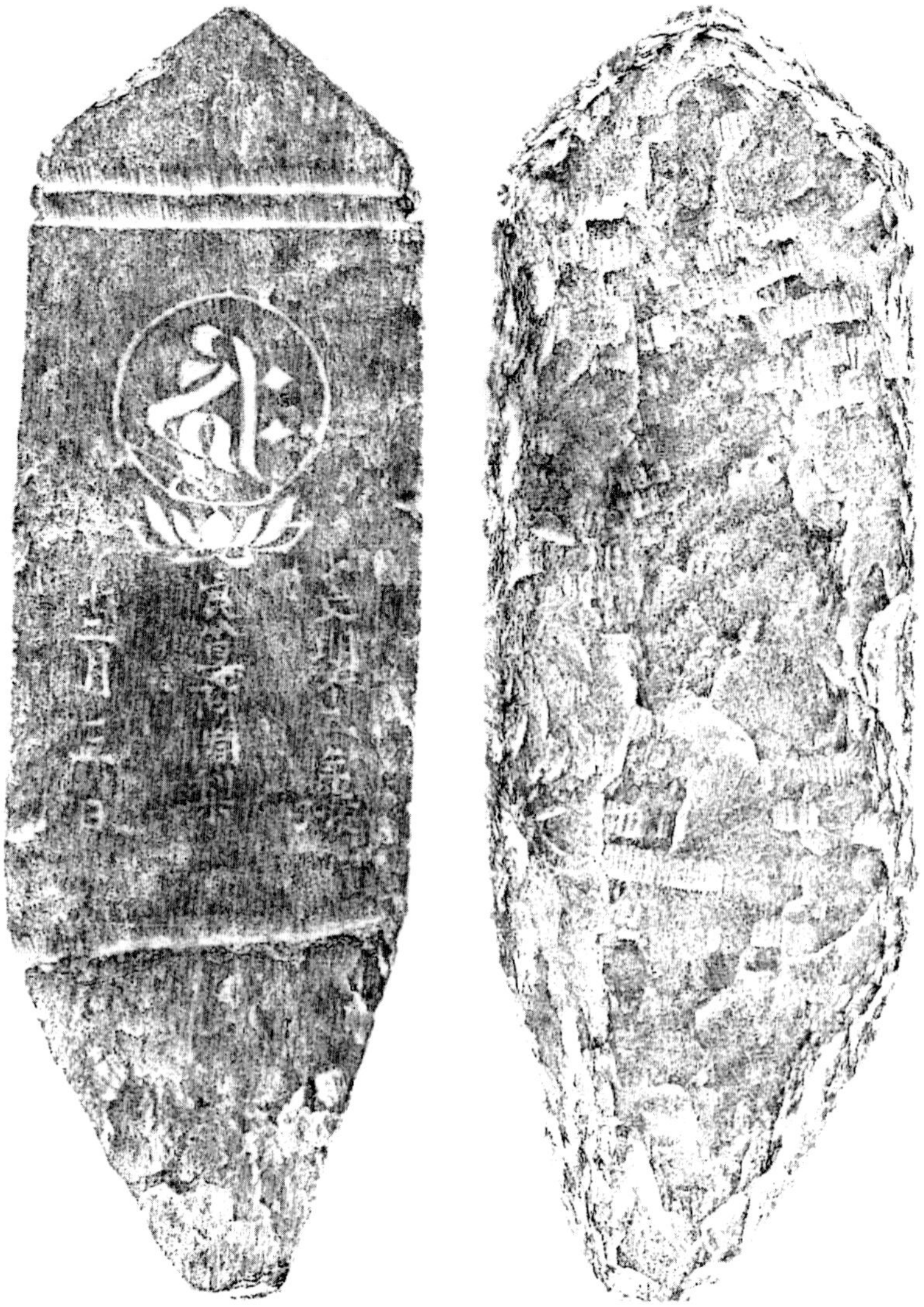

119　板碑　東京都北区田端　JR東日本田端駅構内松平頼平邸跡出土

123　板碑　東京都北区田端　JR東日本田端駅構内松平頼平邸跡出土

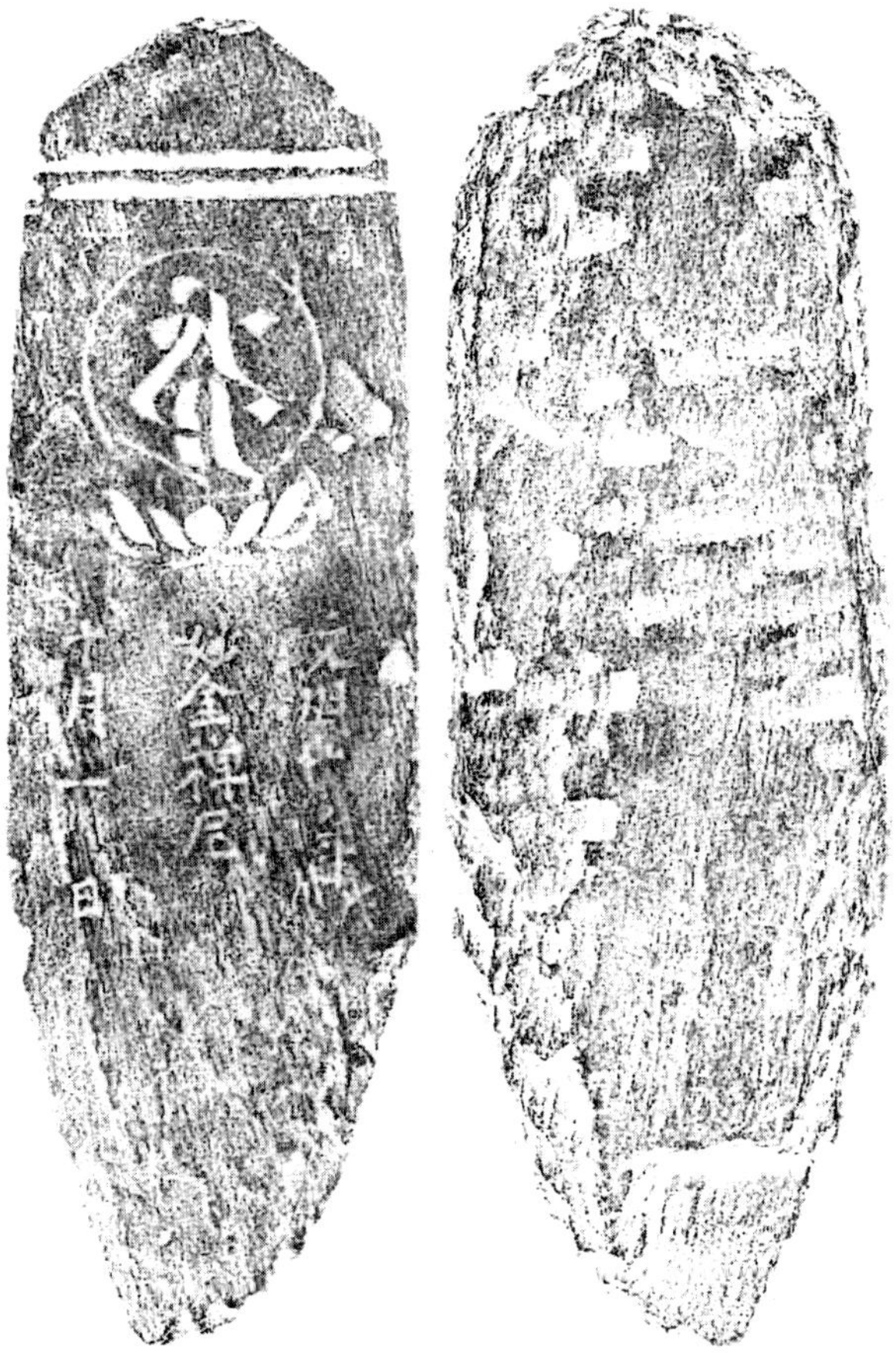

122 板碑　東京都北区田端　JR東日本田端駅構内
松平頼平邸跡出土

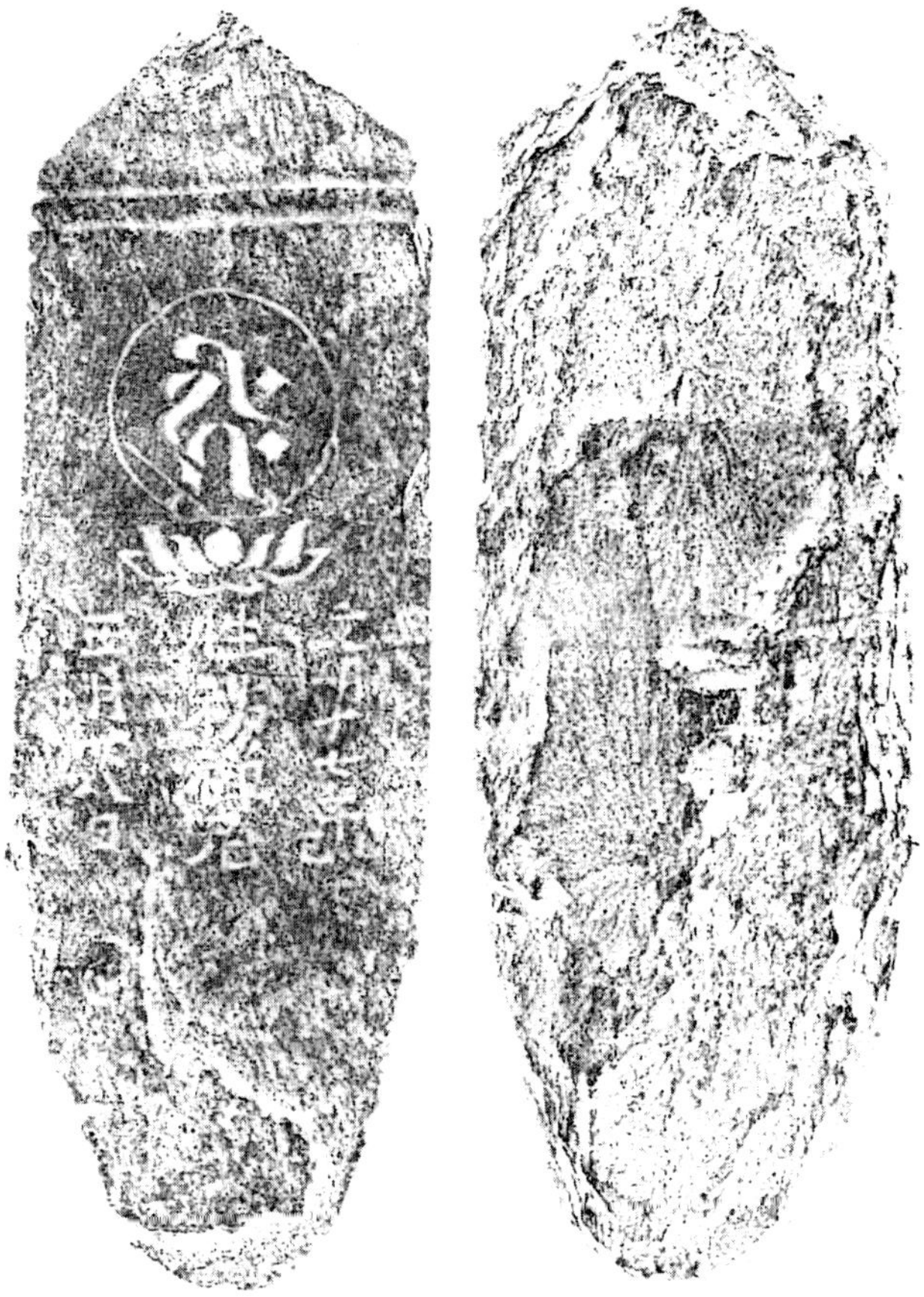

121 板碑　東京都北区田端　JR東日本田端駅構内
松平頼平邸跡出土

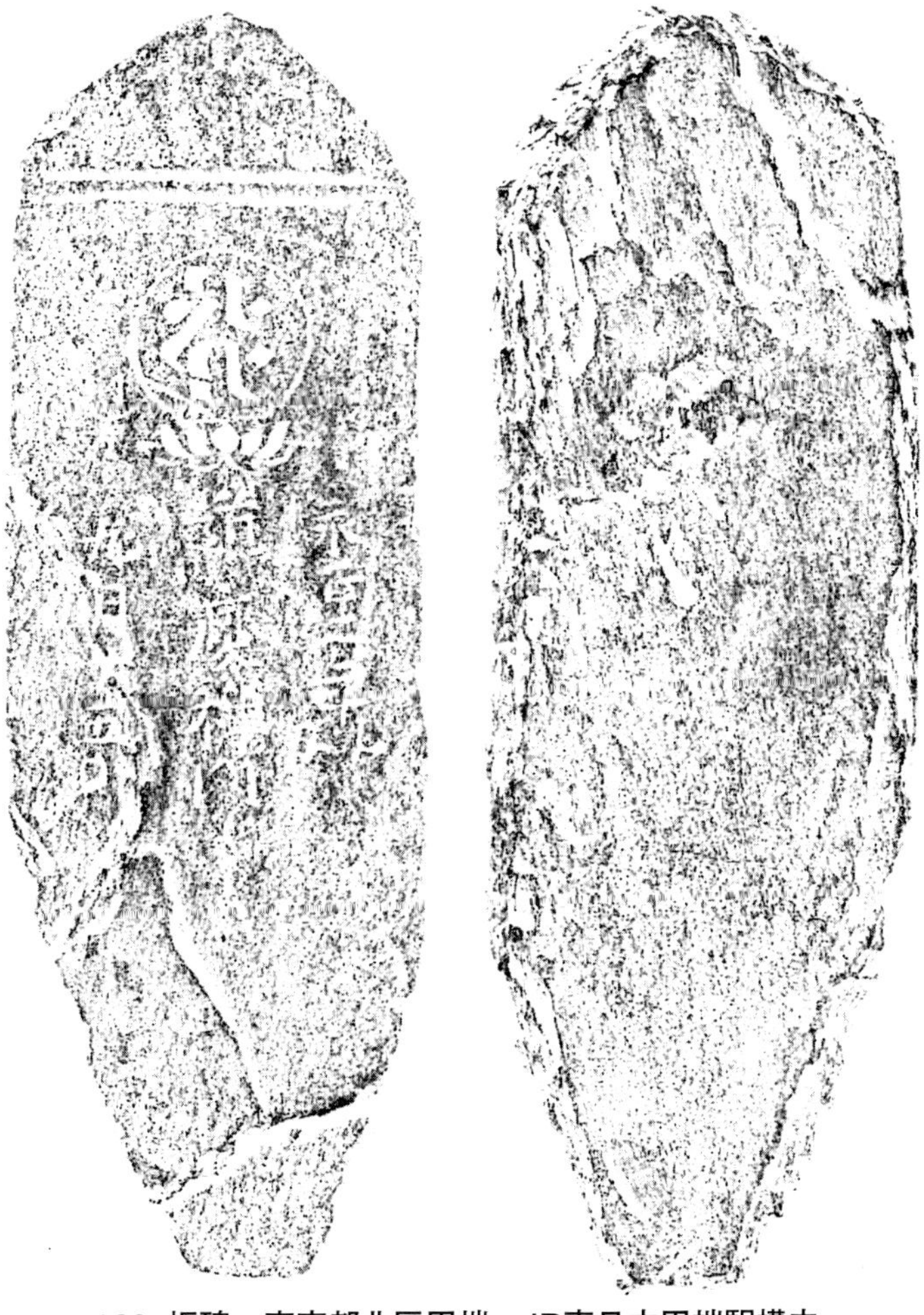

126 板碑　東京都北区田端　JR東日本田端駅構内
松平頼平邸跡出土

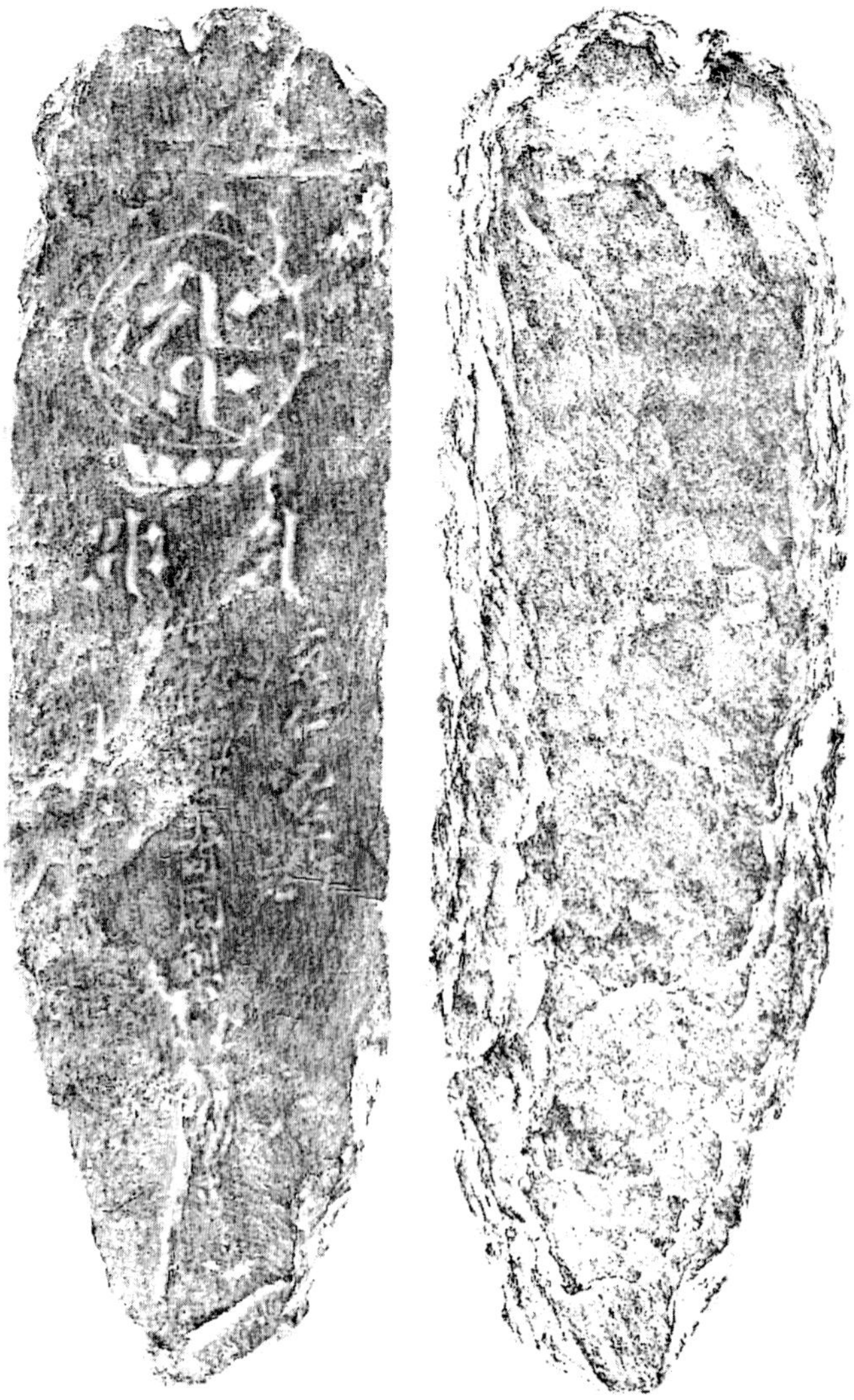

125 板碑　東京都北区田端　JR東日本田端駅構内
松平頼平邸跡出土

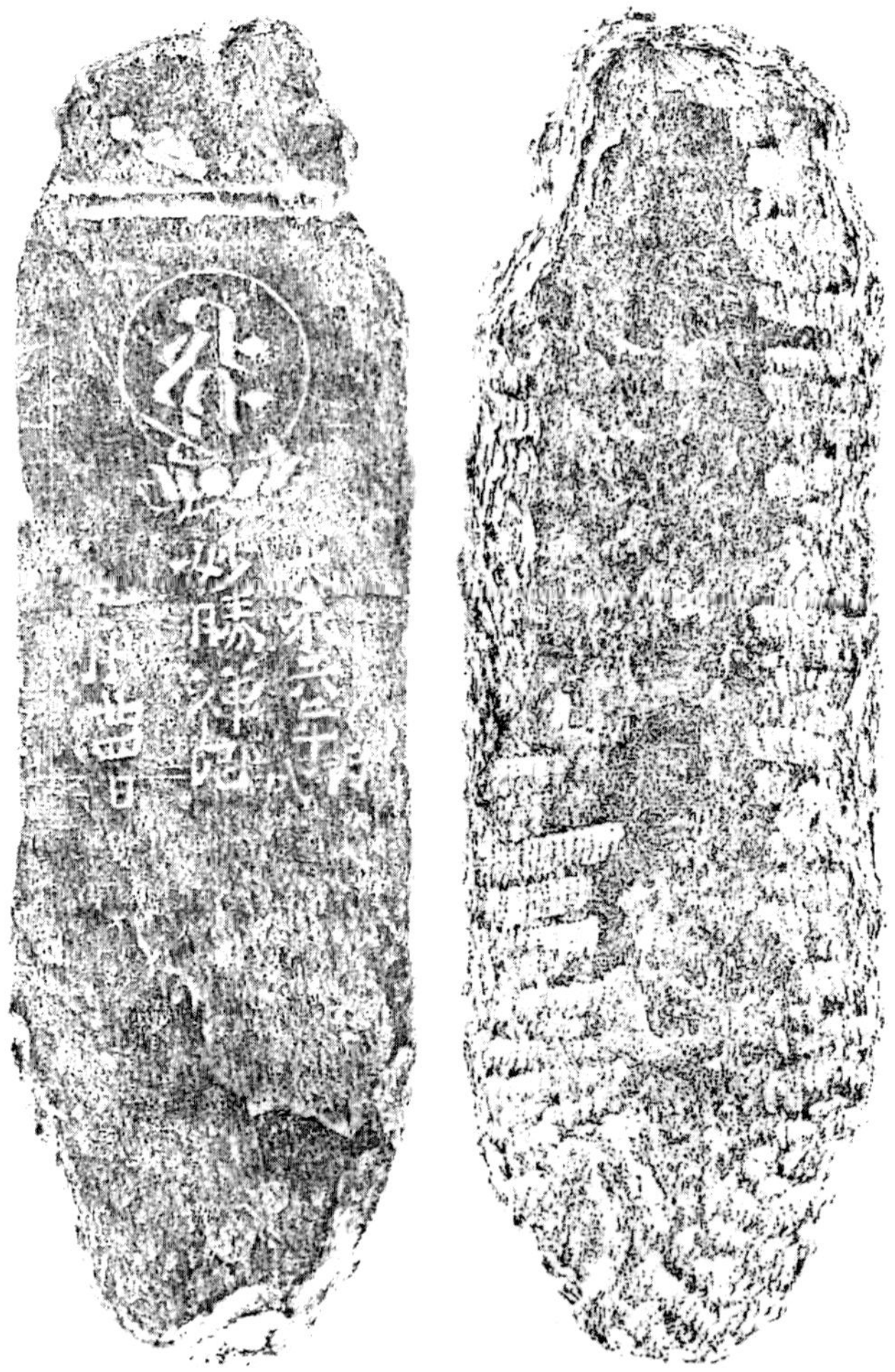

128 板碑　東京都北区田端　JR東日本田端駅構内
松平頼平邸跡出土

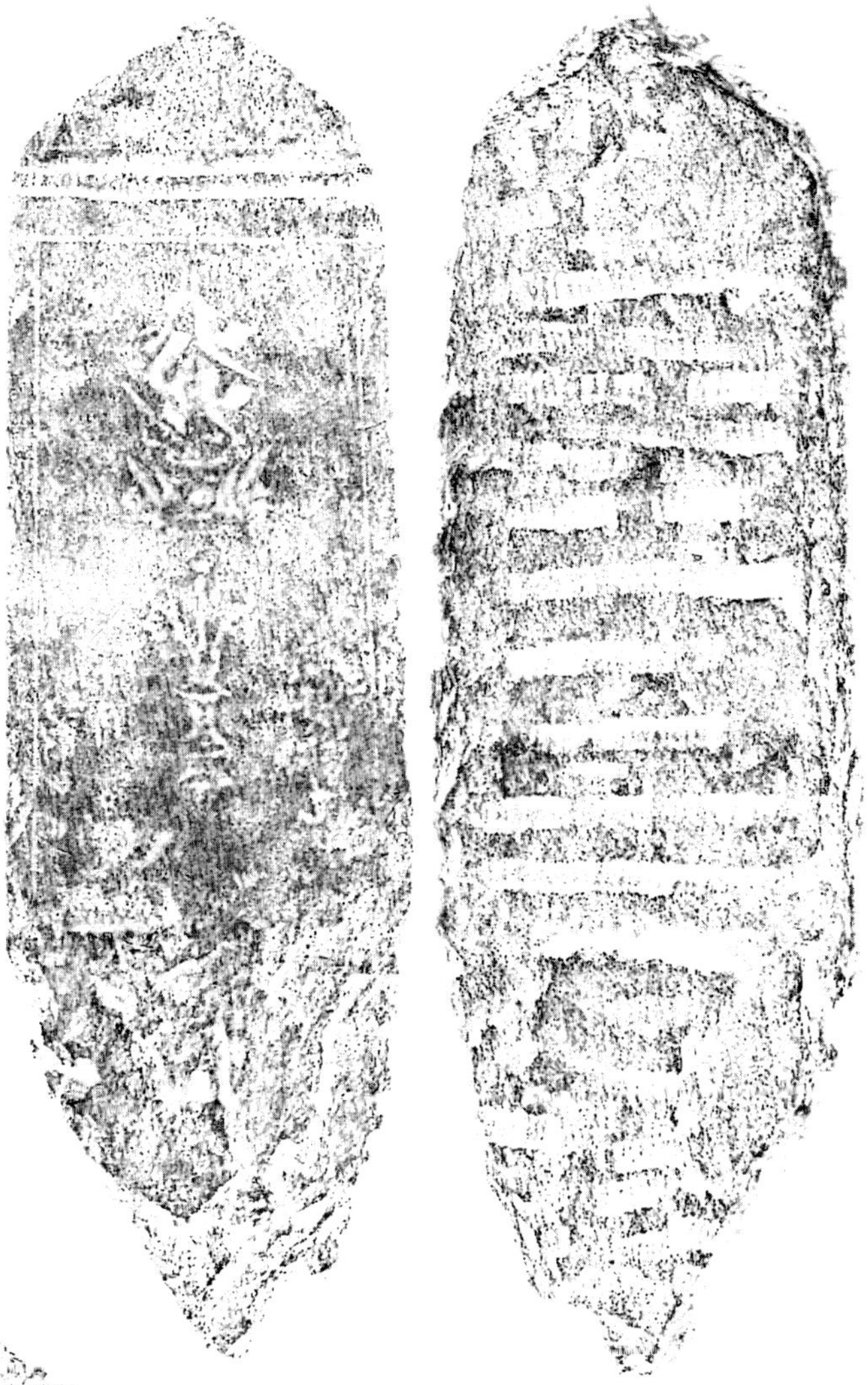

132 板碑　東京都北区田端　JR東日本田端駅構内
松平頼平邸跡出土

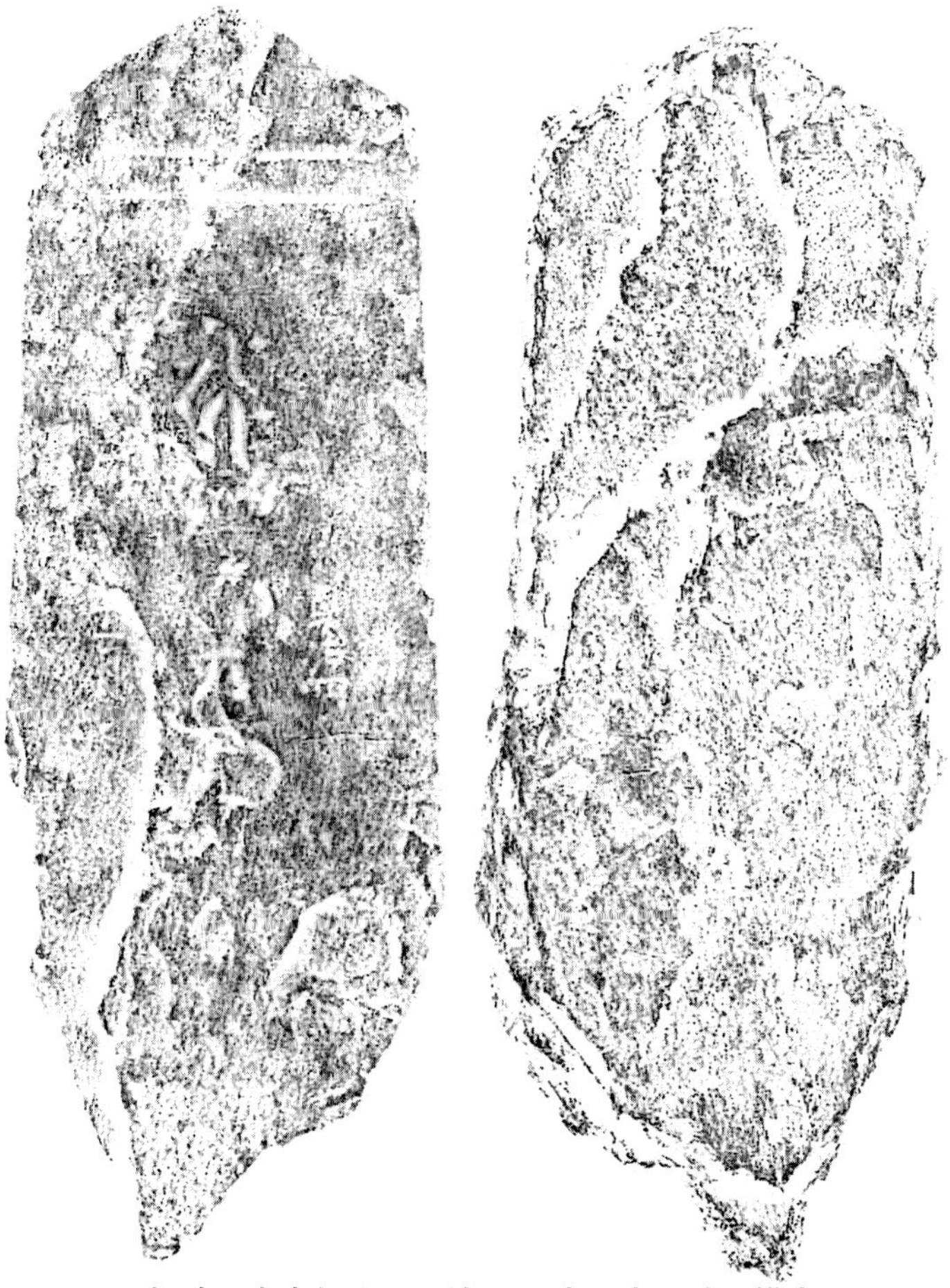

133 板碑　東京都北区田端　JR東日本田端駅構内
松平頼平邸跡出土

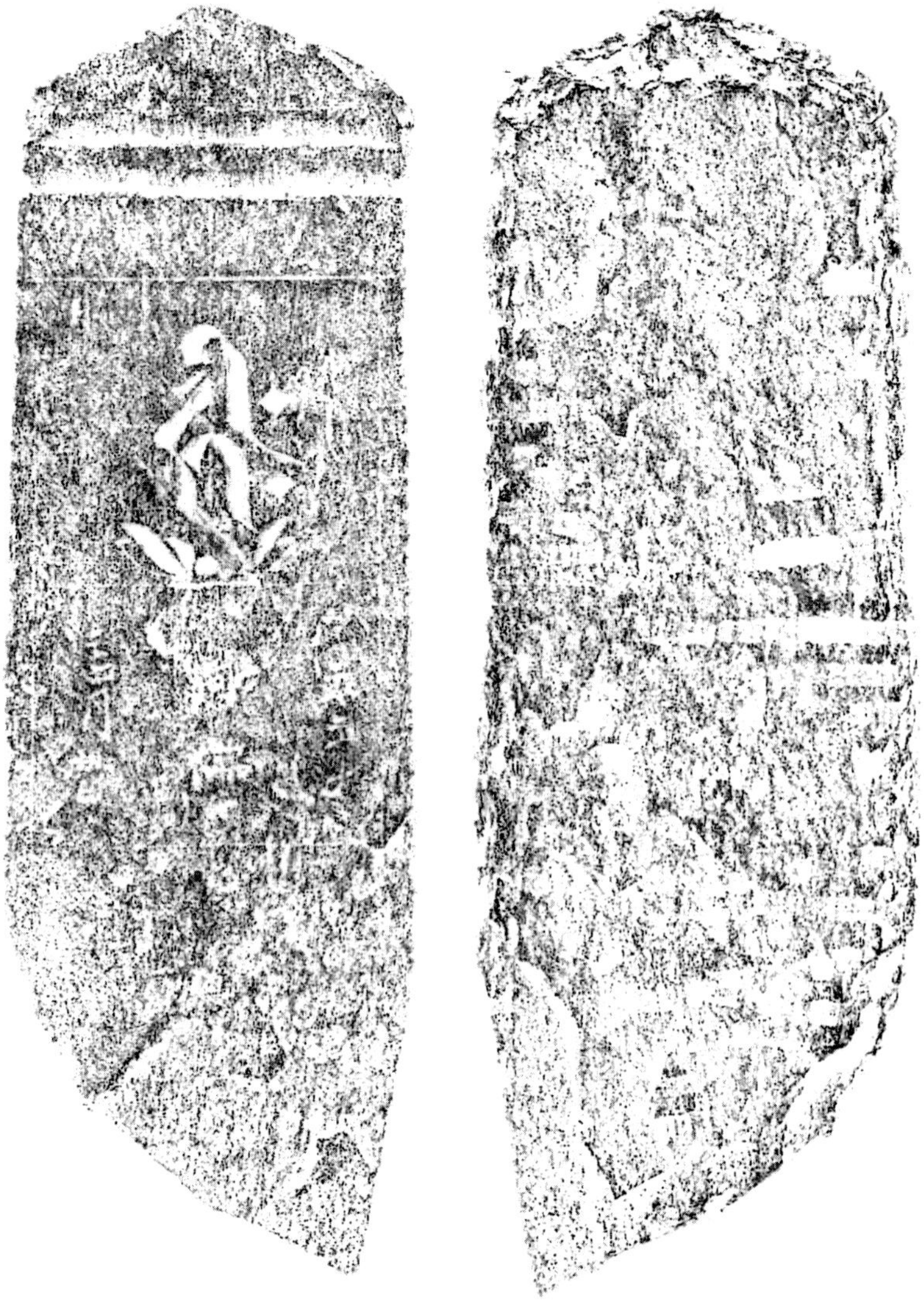

135 板碑　東京都北区田端　JR東日本田端駅構内松平頼平邸跡出土

拓影58（縮尺1/8）

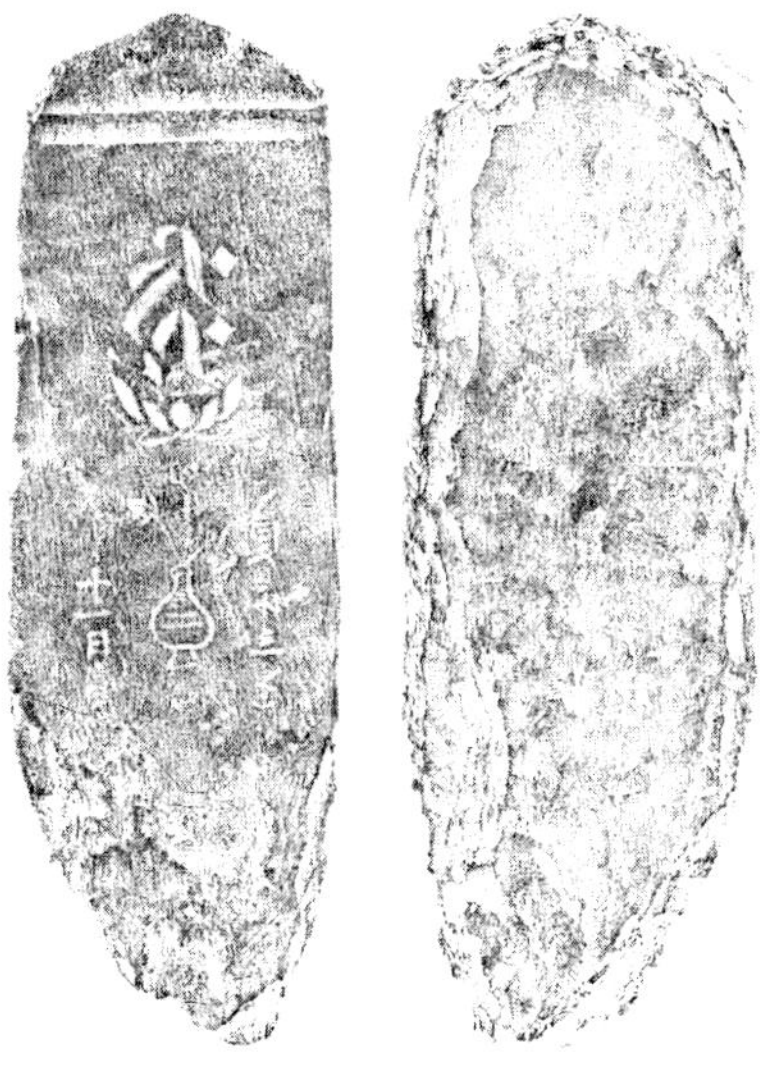

134　板碑　東京都北区田端　JR東日本田端駅構内松平頼平邸跡出土

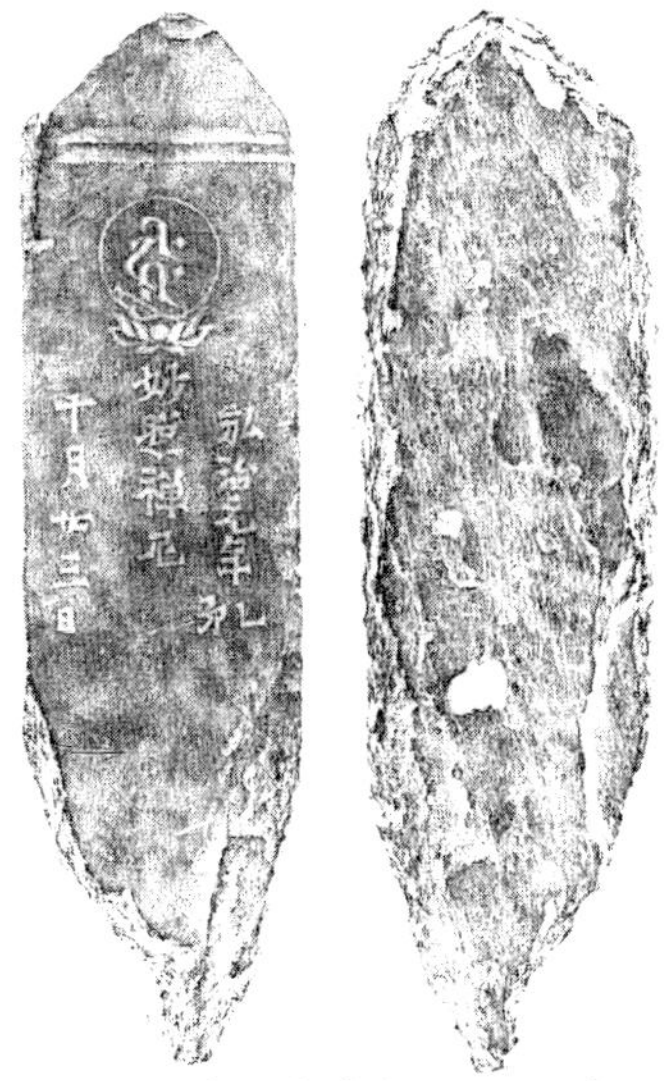

130　板碑　東京都北区田端　JR東日本田端駅構内松平頼平邸跡出土

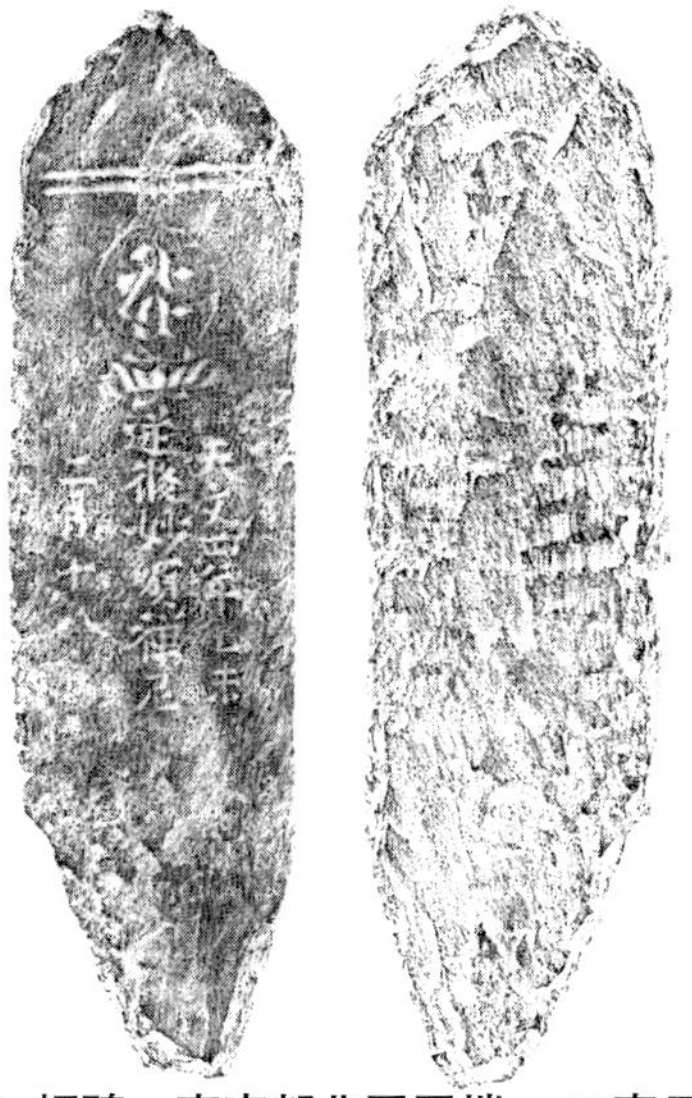

129　板碑　東京都北区田端　JR東日本田端駅構内松平頼平邸跡出土

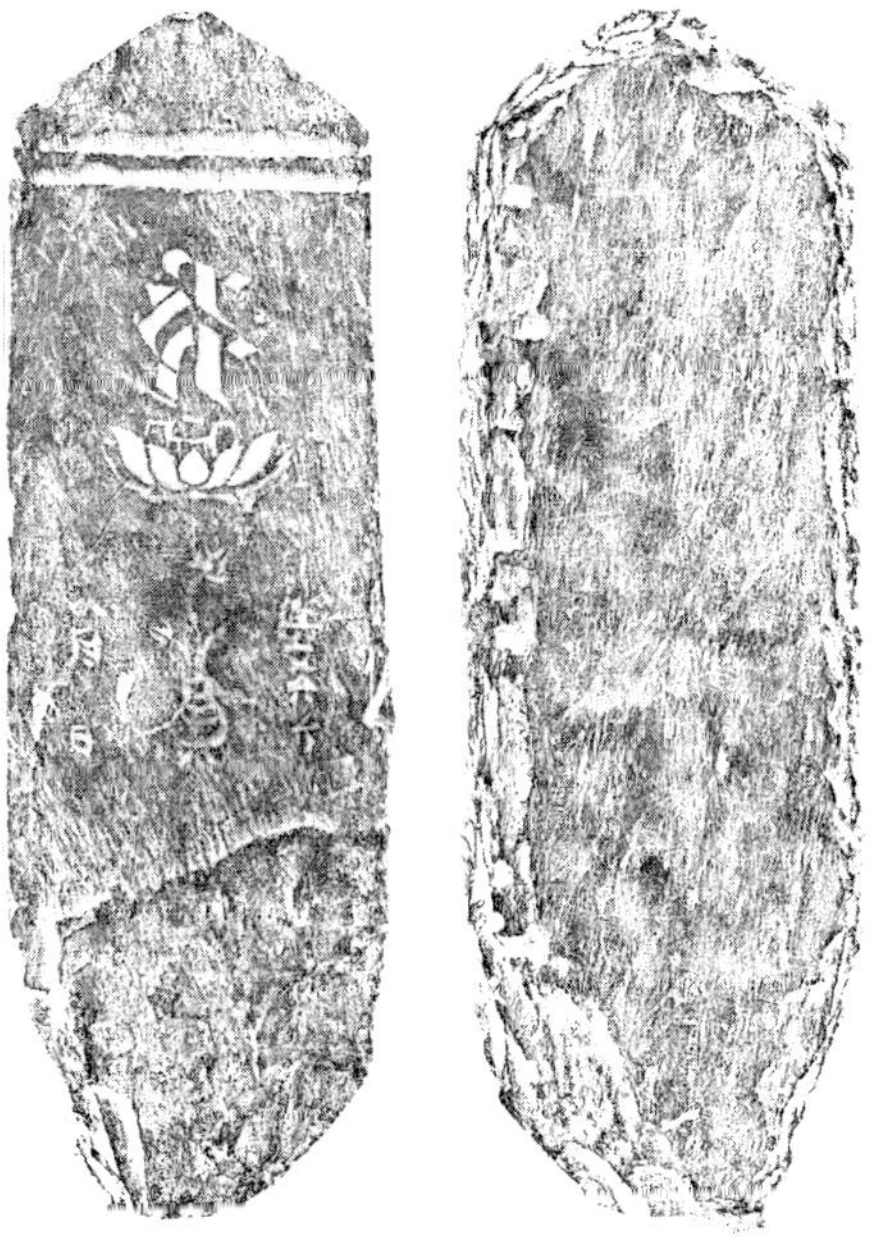

136　板碑　東京都北区田端　JR東日本田端駅構内松平頼平邸跡出土

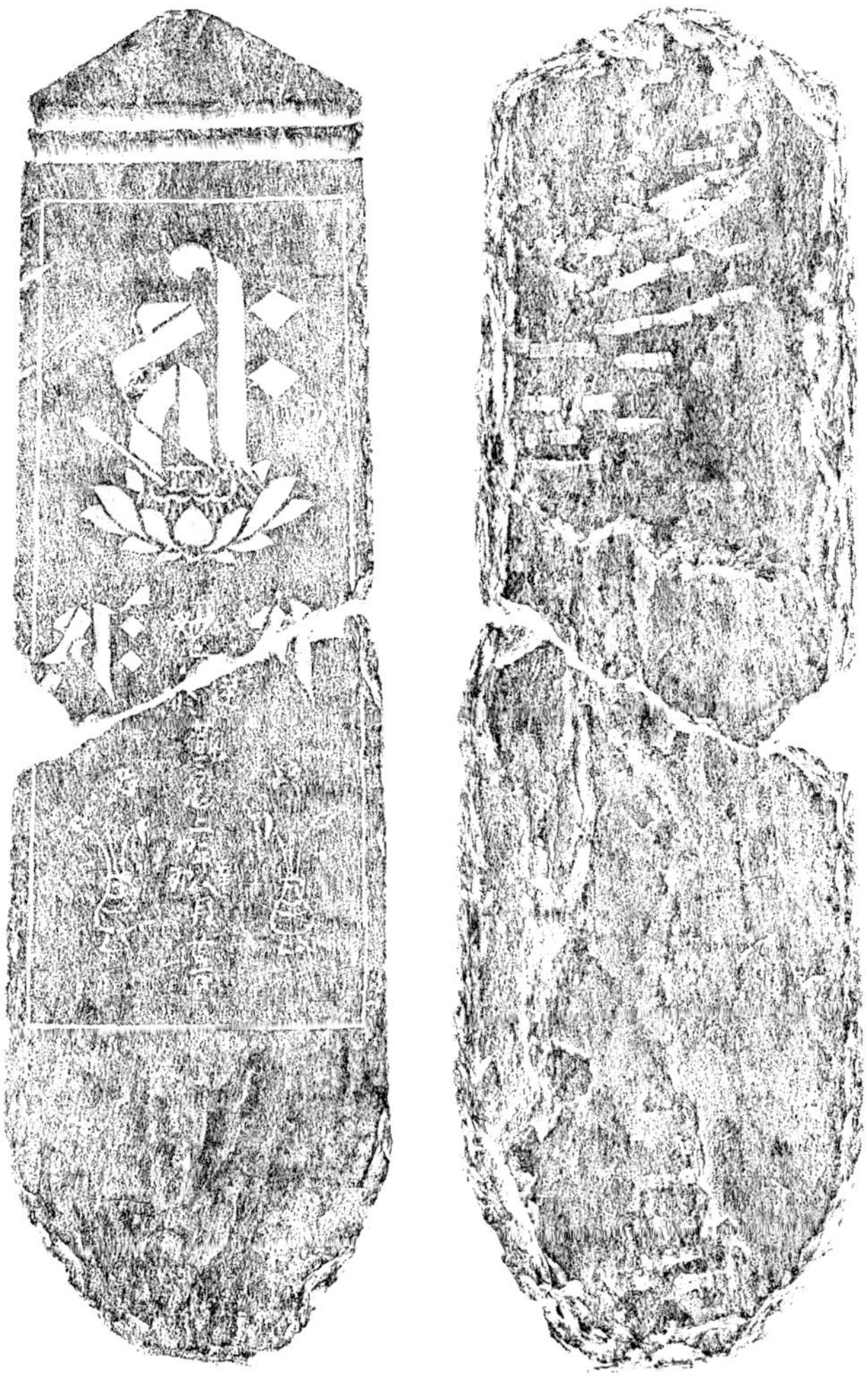

138　板碑　東京都北区田端　JR東日本田端駅構内松平頼平邸跡出土

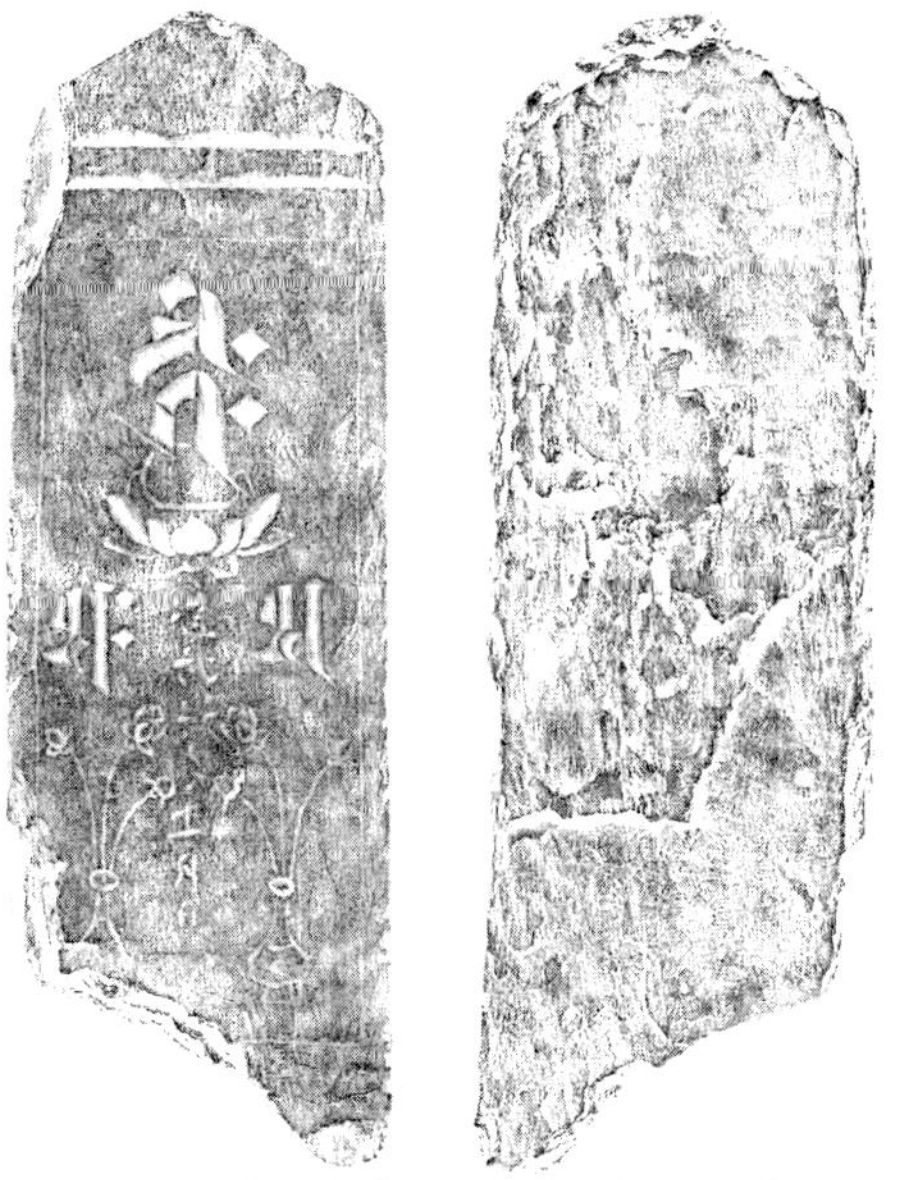

137　板碑　東京都北区田端　JR東日本田端駅構内松平頼平邸跡出土

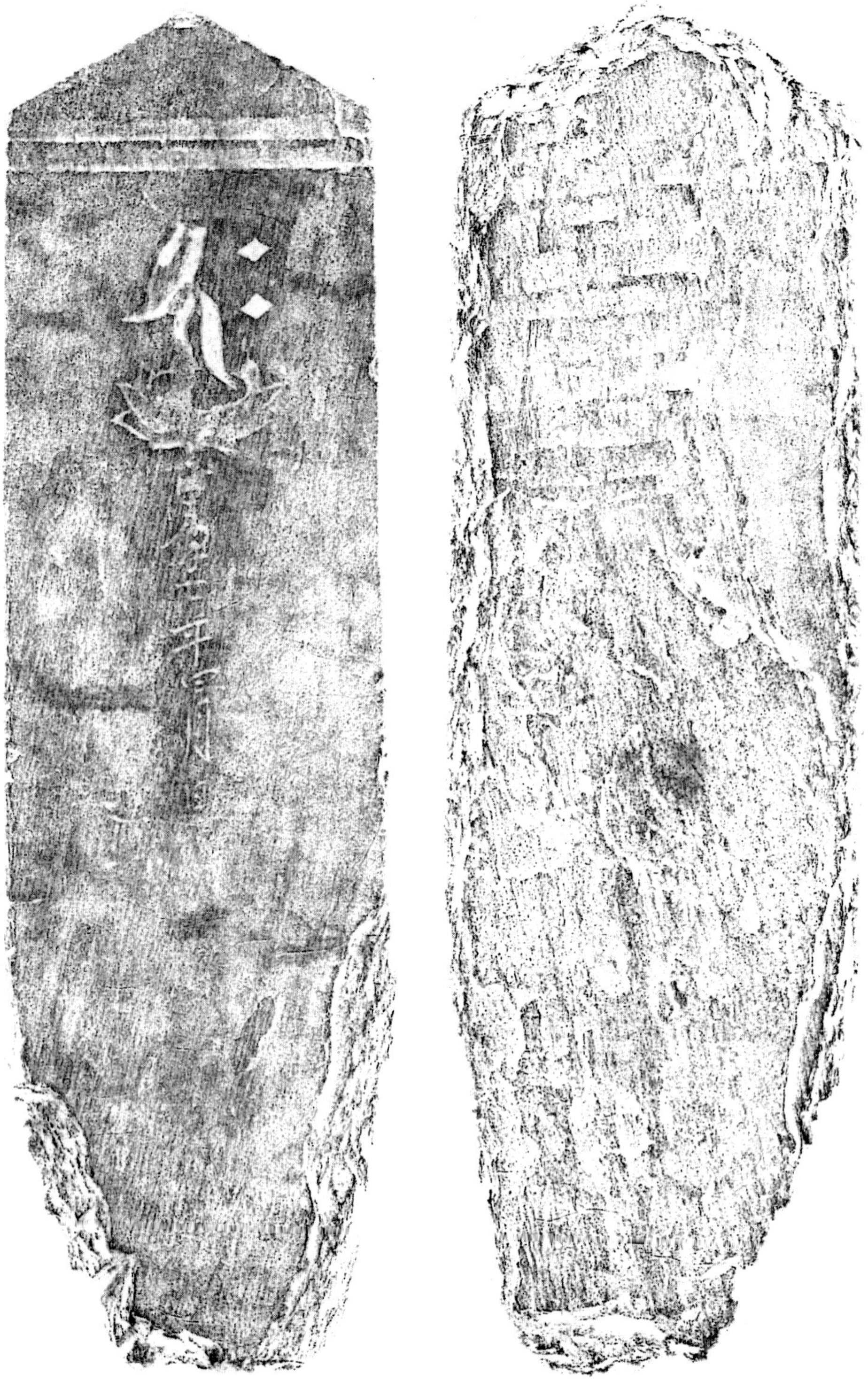

139　板碑　東京都北区田端出土

拓影 60（縮尺1/4）

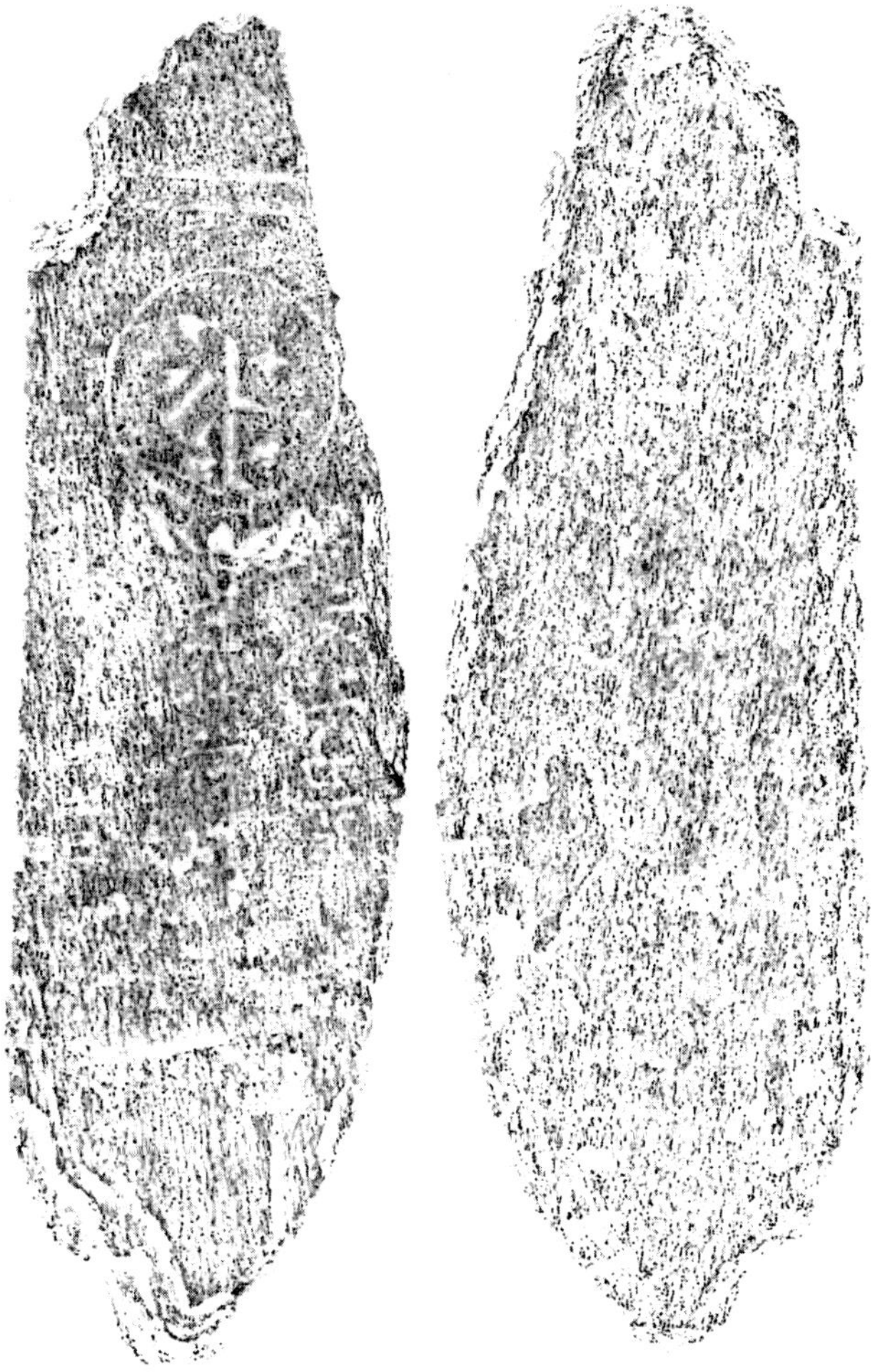

140　東京都北区西ヶ原出土

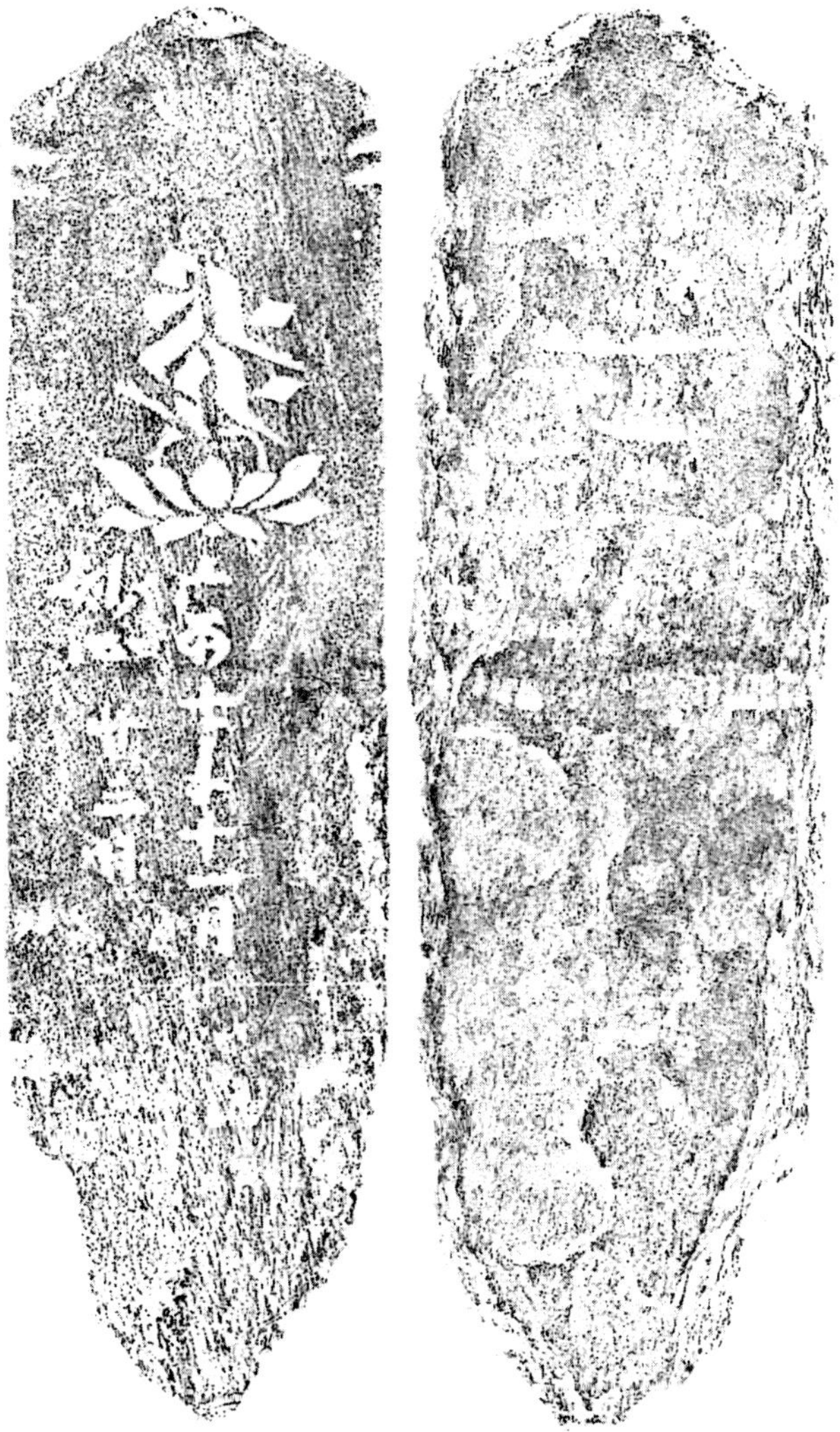

141　板碑　東京都台東区上野公園
東照宮裏山出土

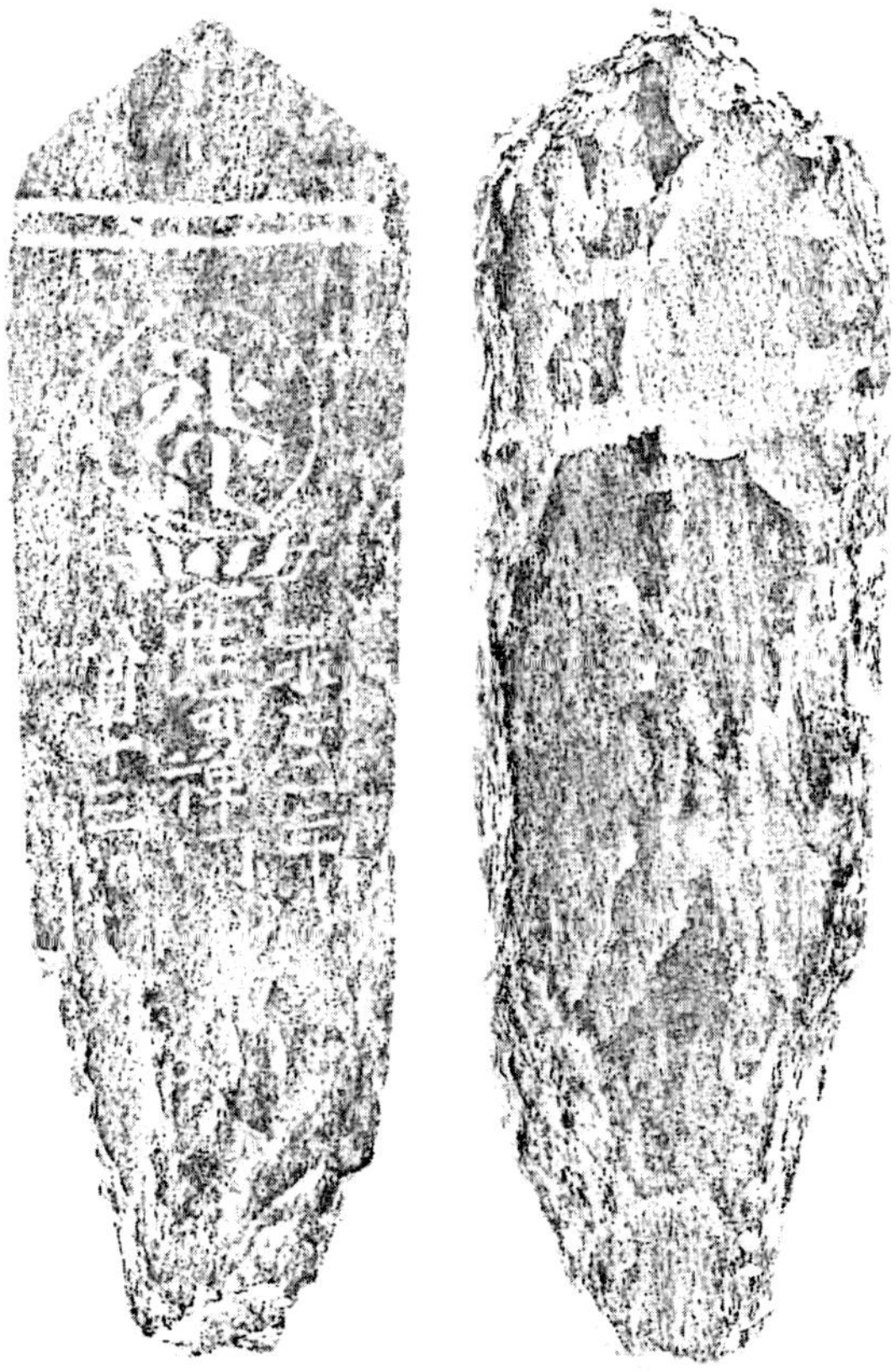

143 板碑　東京都千代田区霞が関3丁目出土

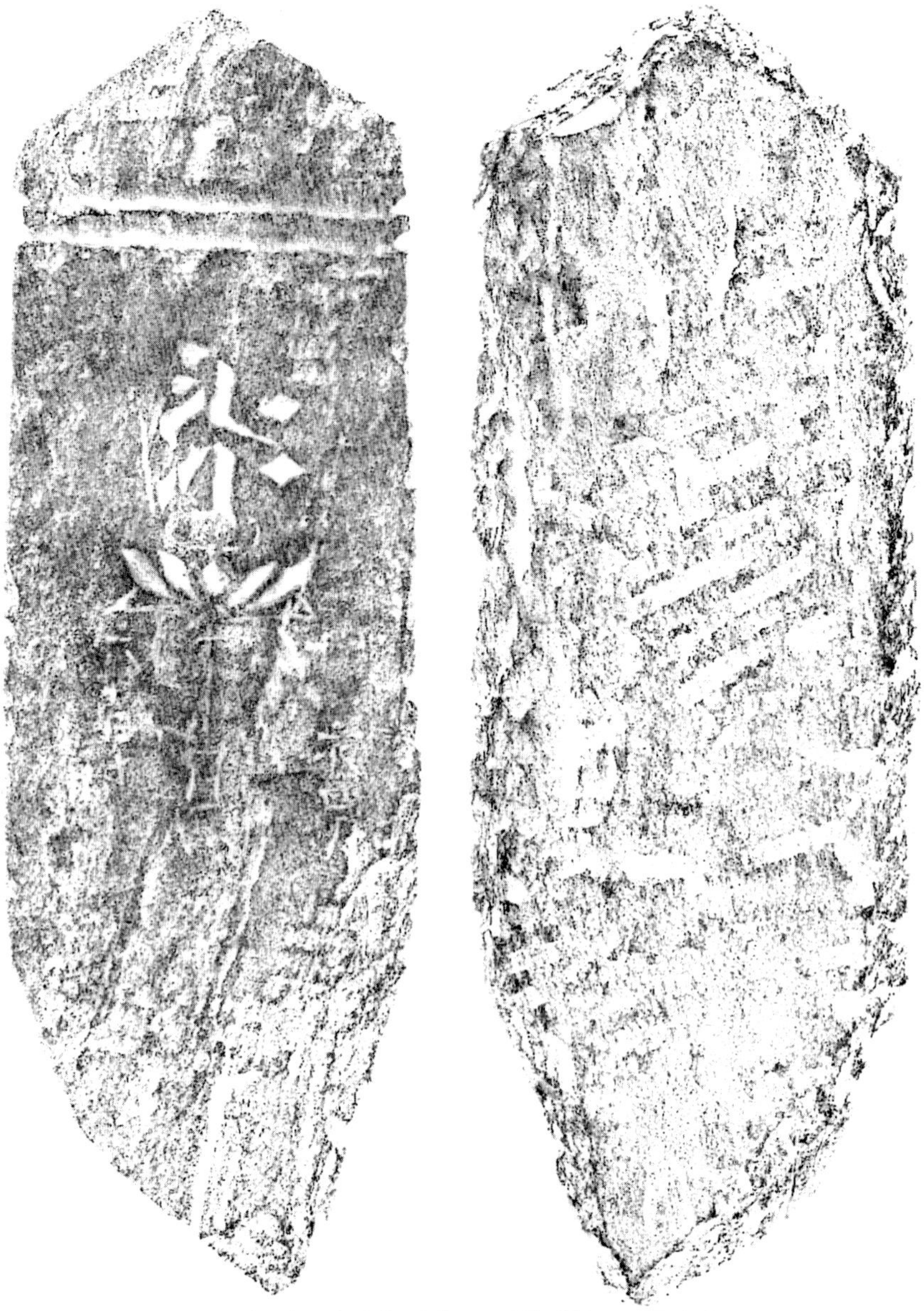

142　板碑　東京都千代田区霞が関3丁目出土

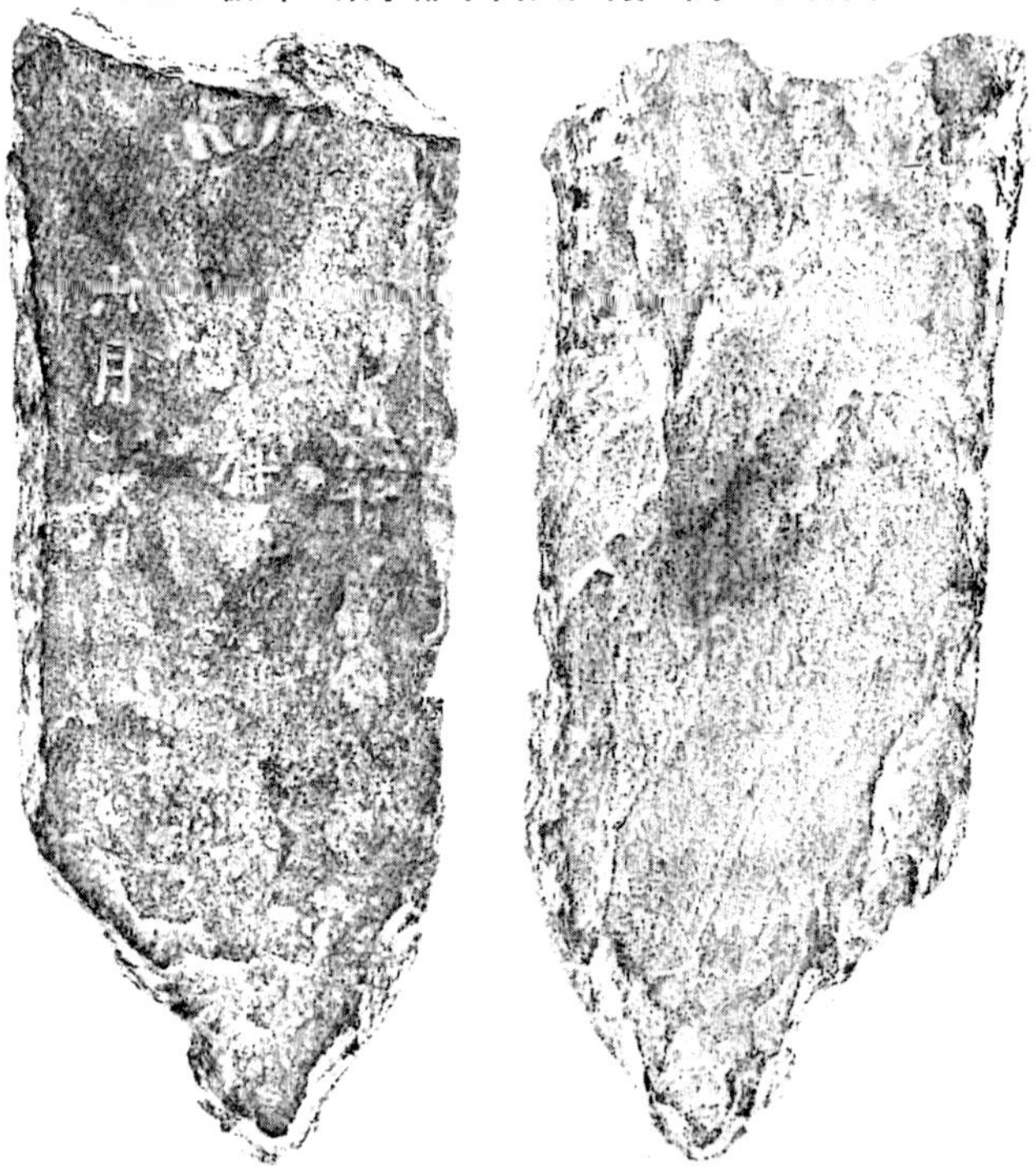

144　板碑　東京都千代田区霞が関3丁目出土

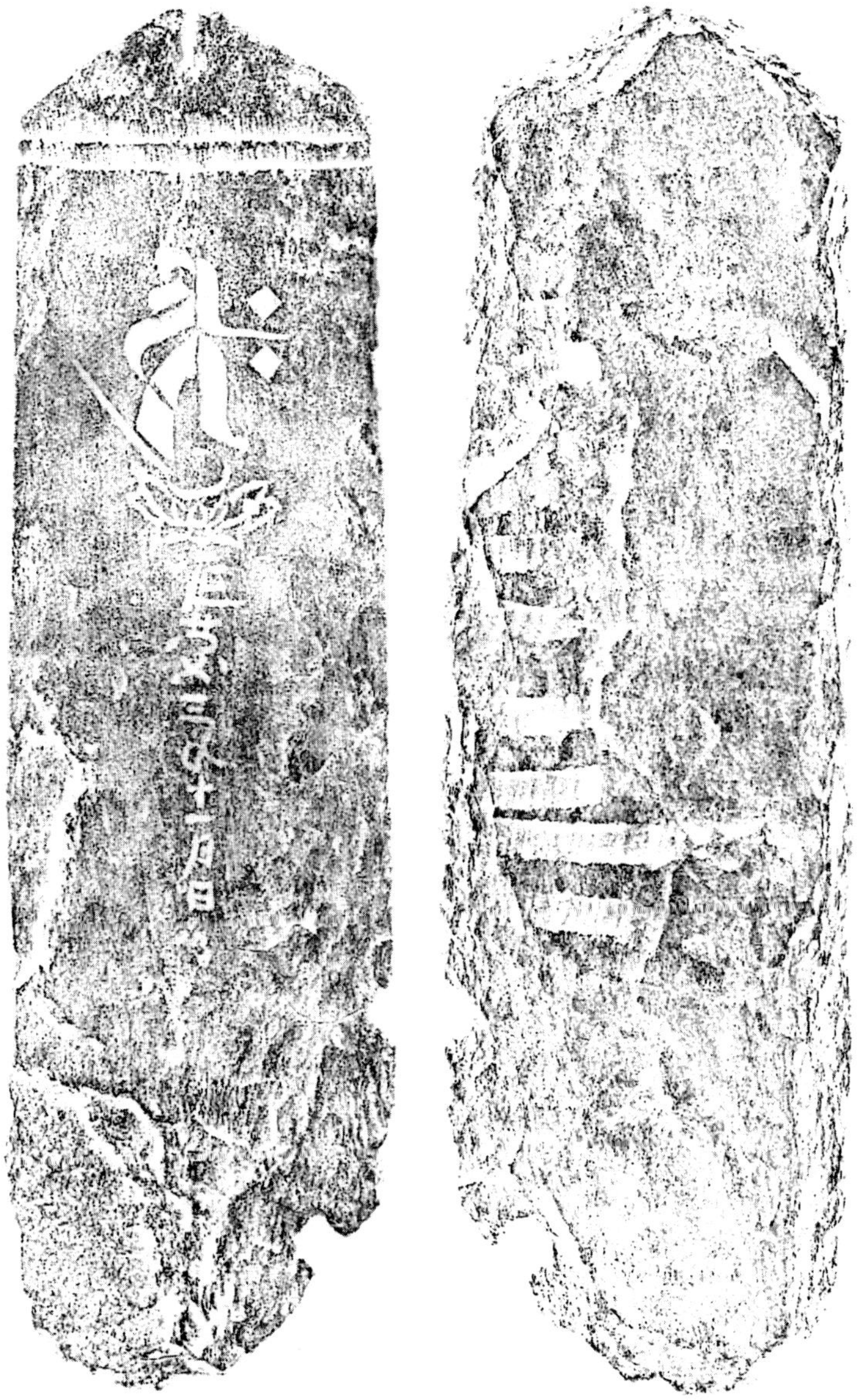

145　板碑　東京都日野市日野本町出土

拓影63（縮尺1/8）

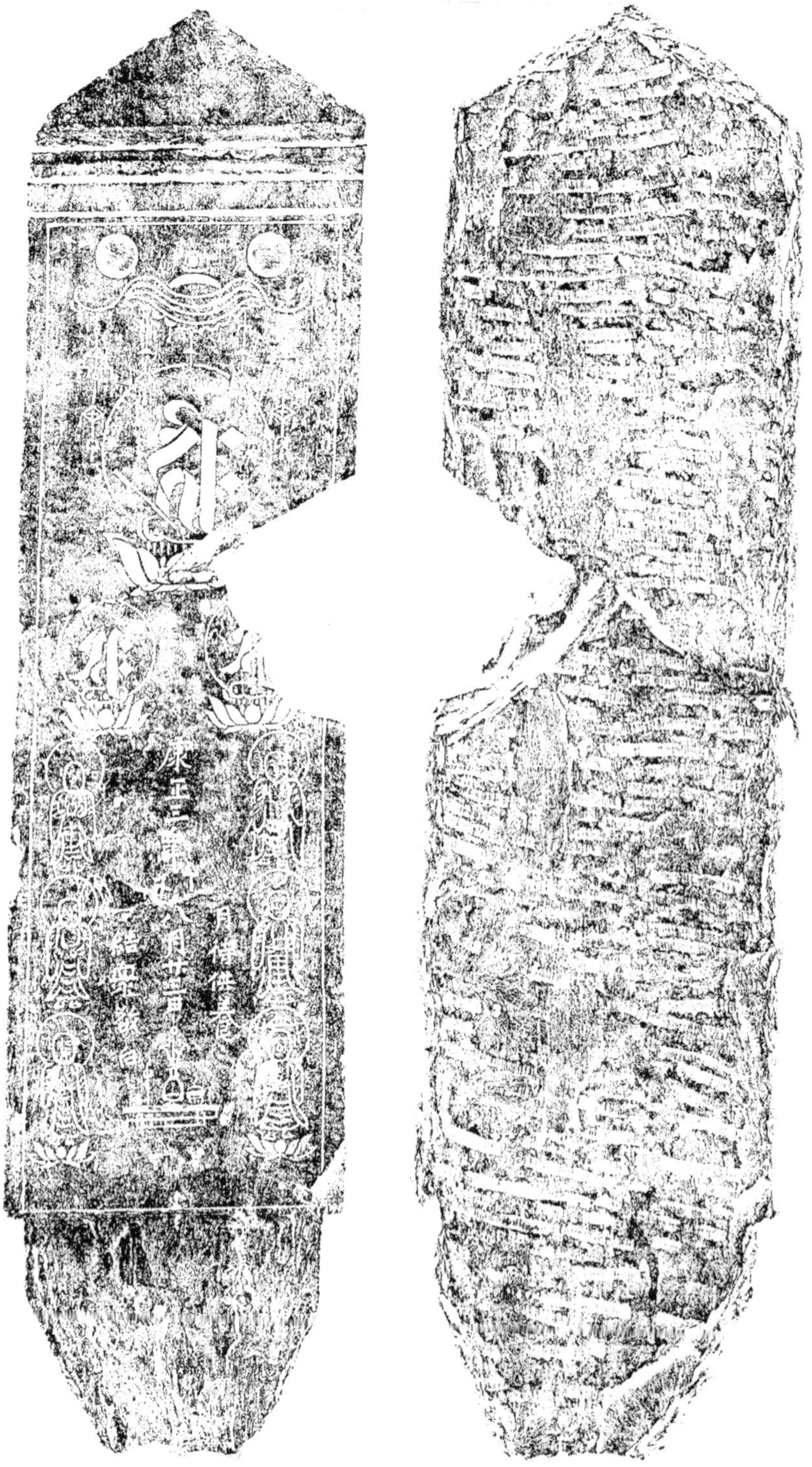

146　板碑　東京都あきる野市高尾出土

148　板碑　神奈川県横浜市保土ヶ谷区峰岡町出土

147　板碑　神奈川県横浜市保土ヶ谷区峰岡町出土

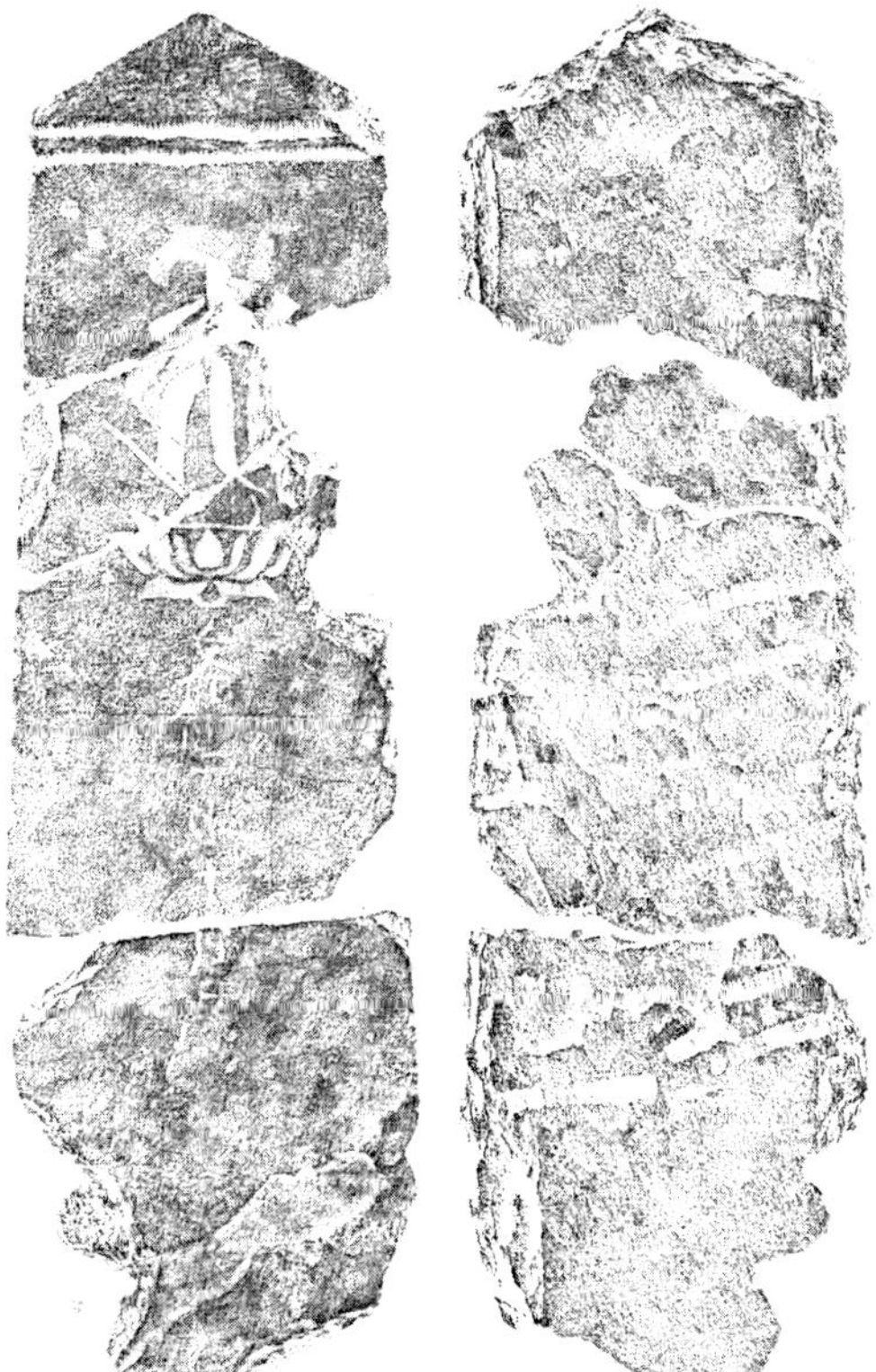

149　板碑　神奈川県横浜市保土ヶ谷区峰岡町出土

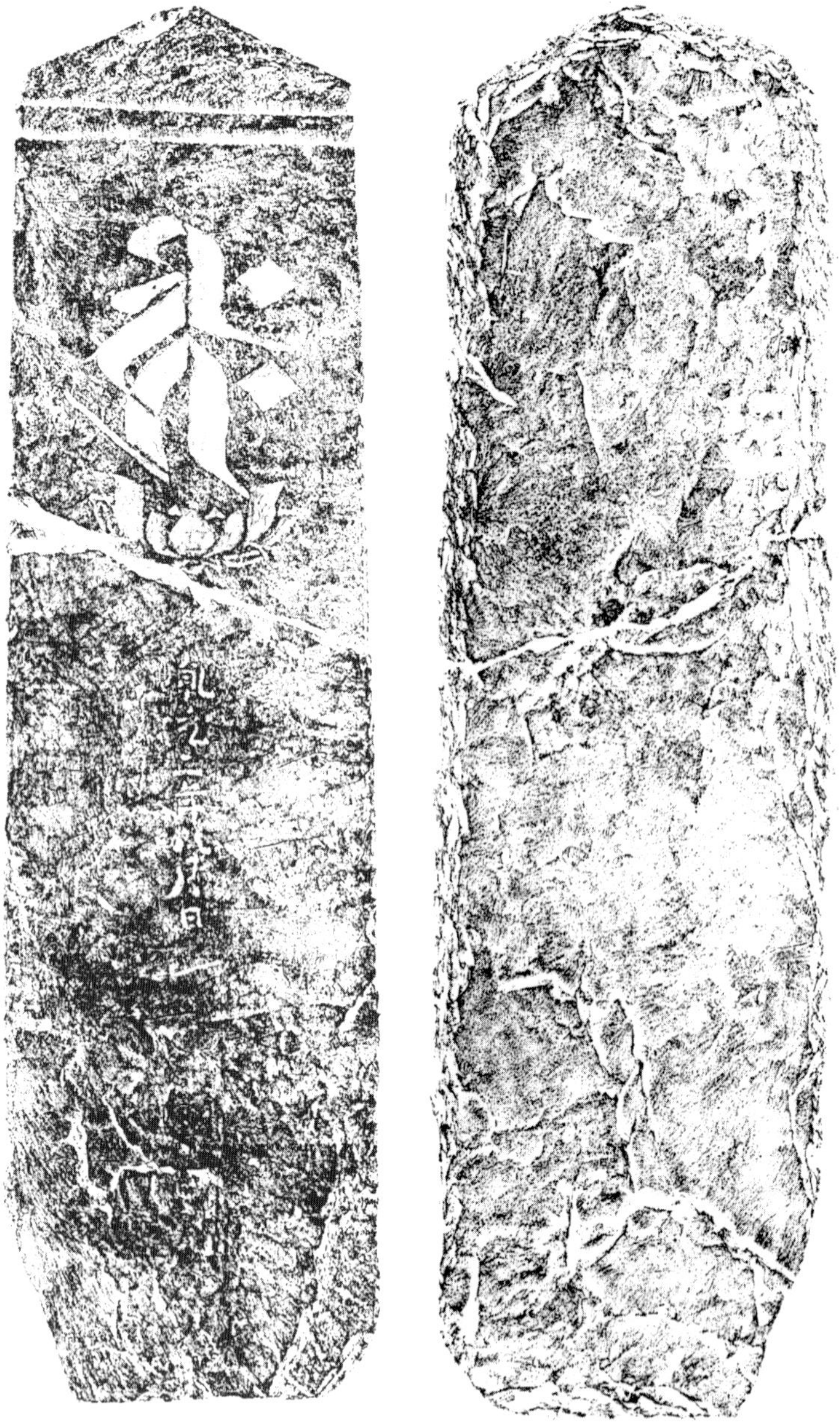

152　板碑　神奈川県横浜市緑区長津田町字道正出土

拓影66（縮尺1/8）

153　板碑　神奈川県横浜市緑区長津田町字道正出土

150　板碑　神奈川県横浜市緑区長津田町字道正出土

151　板碑　神奈川県横浜市緑区長津田町字道正出土

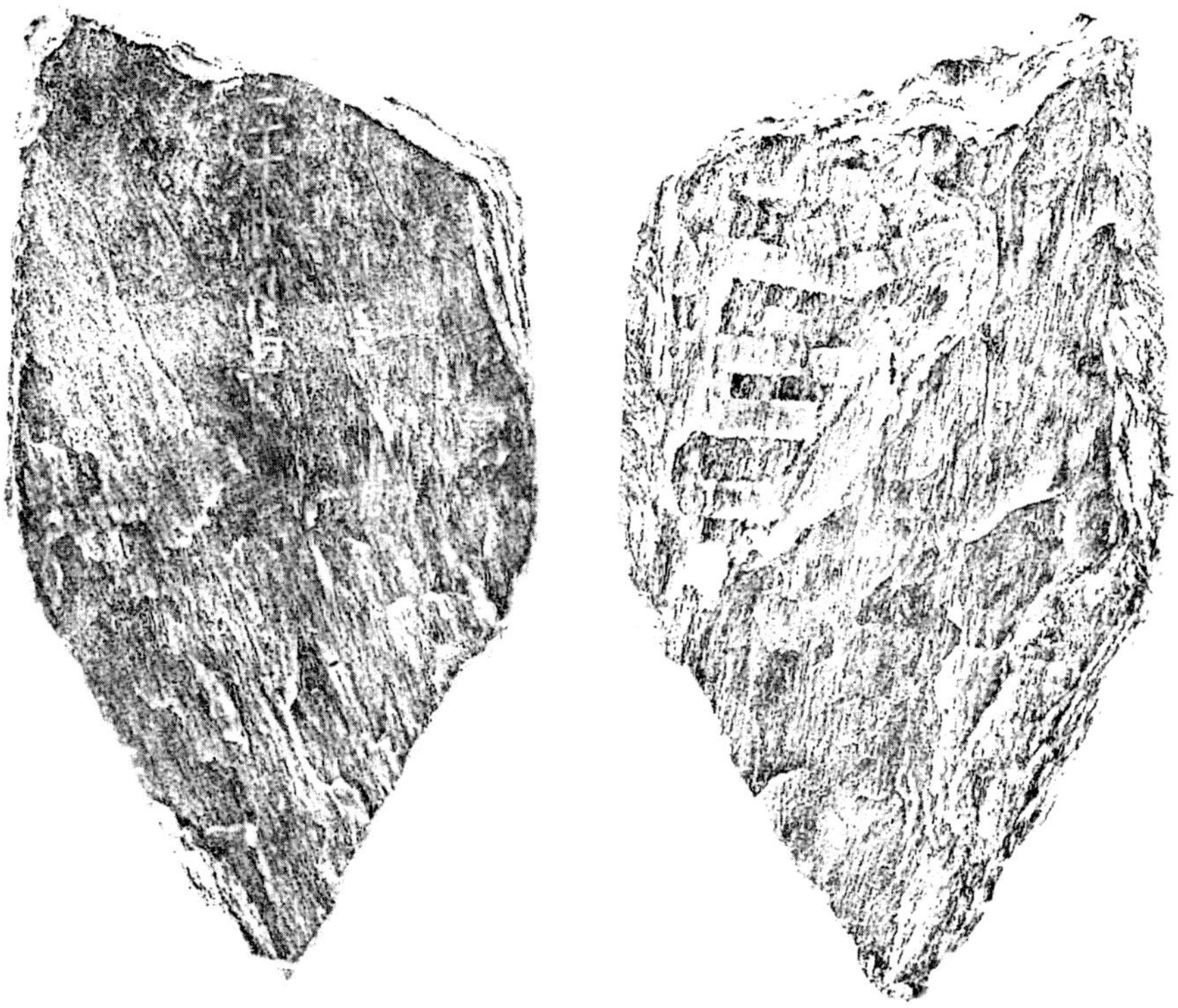

154　板碑　神奈川県横浜市緑区長津田町字道正出土

156　板碑　神奈川県綾瀬市深谷落合出土

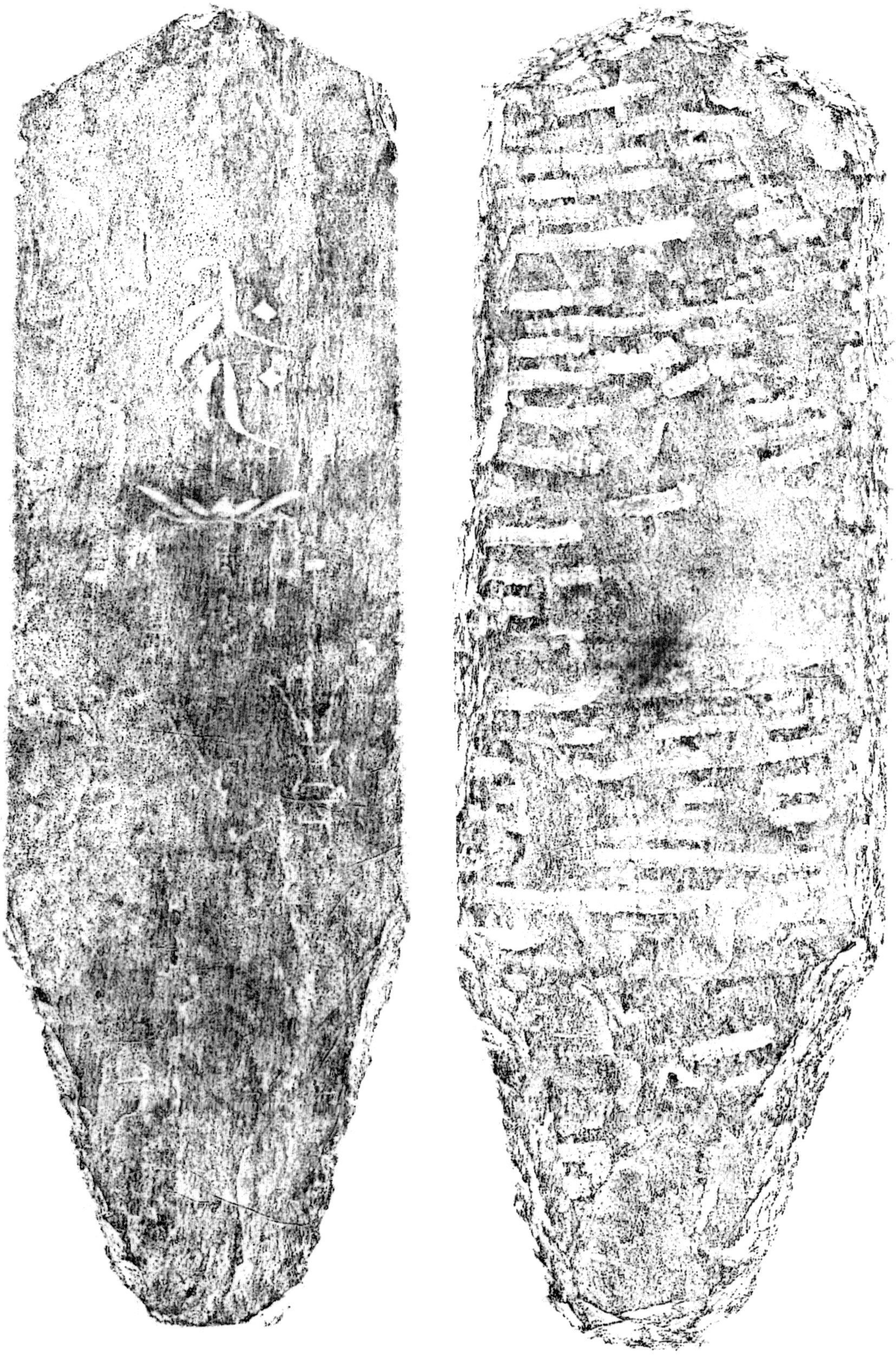

155　板碑　神奈川県綾瀬市深谷落合出土

157　板碑　神奈川県小田原市城山３丁目
東海道本線線路敷地出土

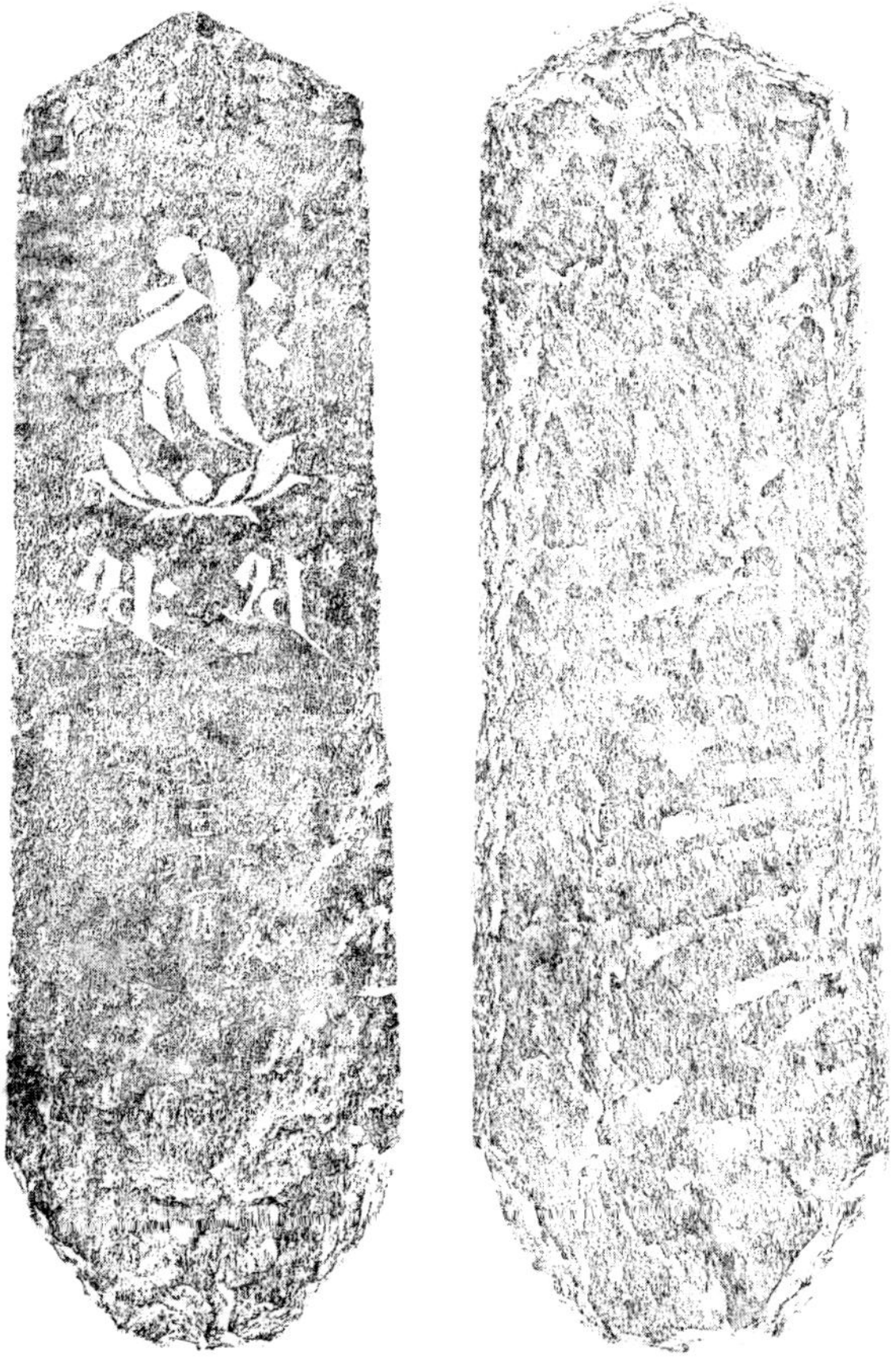

158　板碑　神奈川県大和市深見坊之窪出土

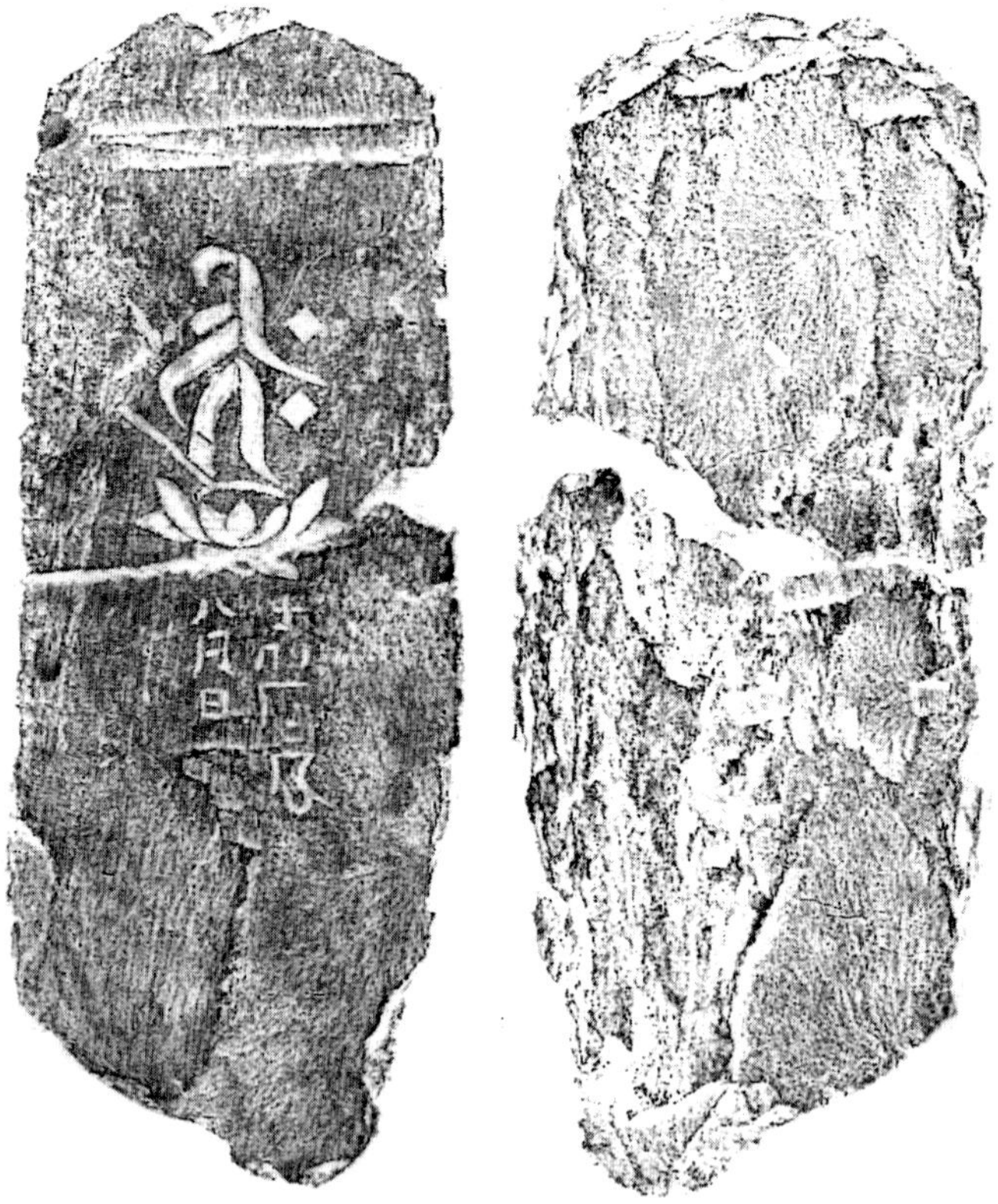

159　板碑　出土地不詳

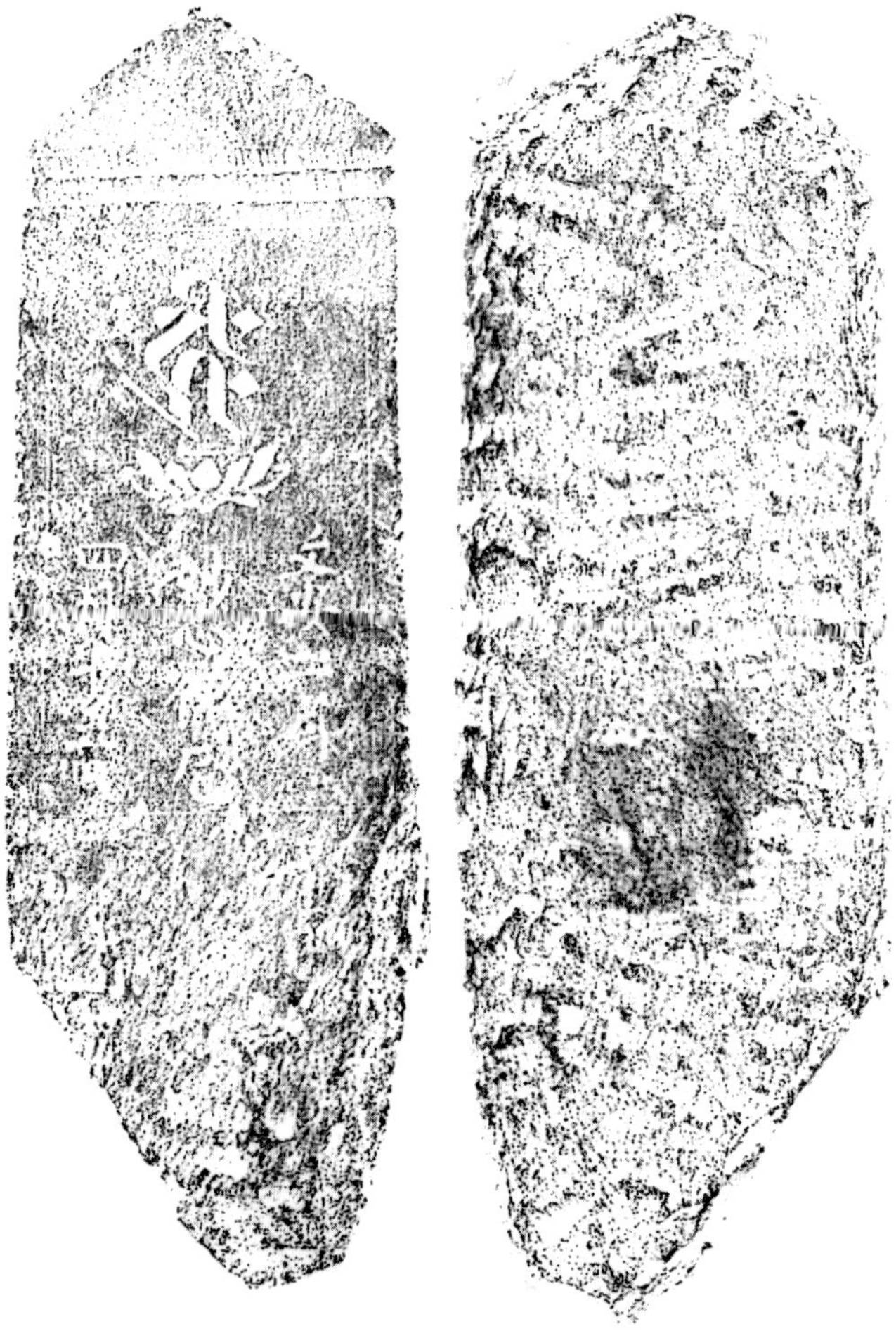

172　板碑　出土地不詳

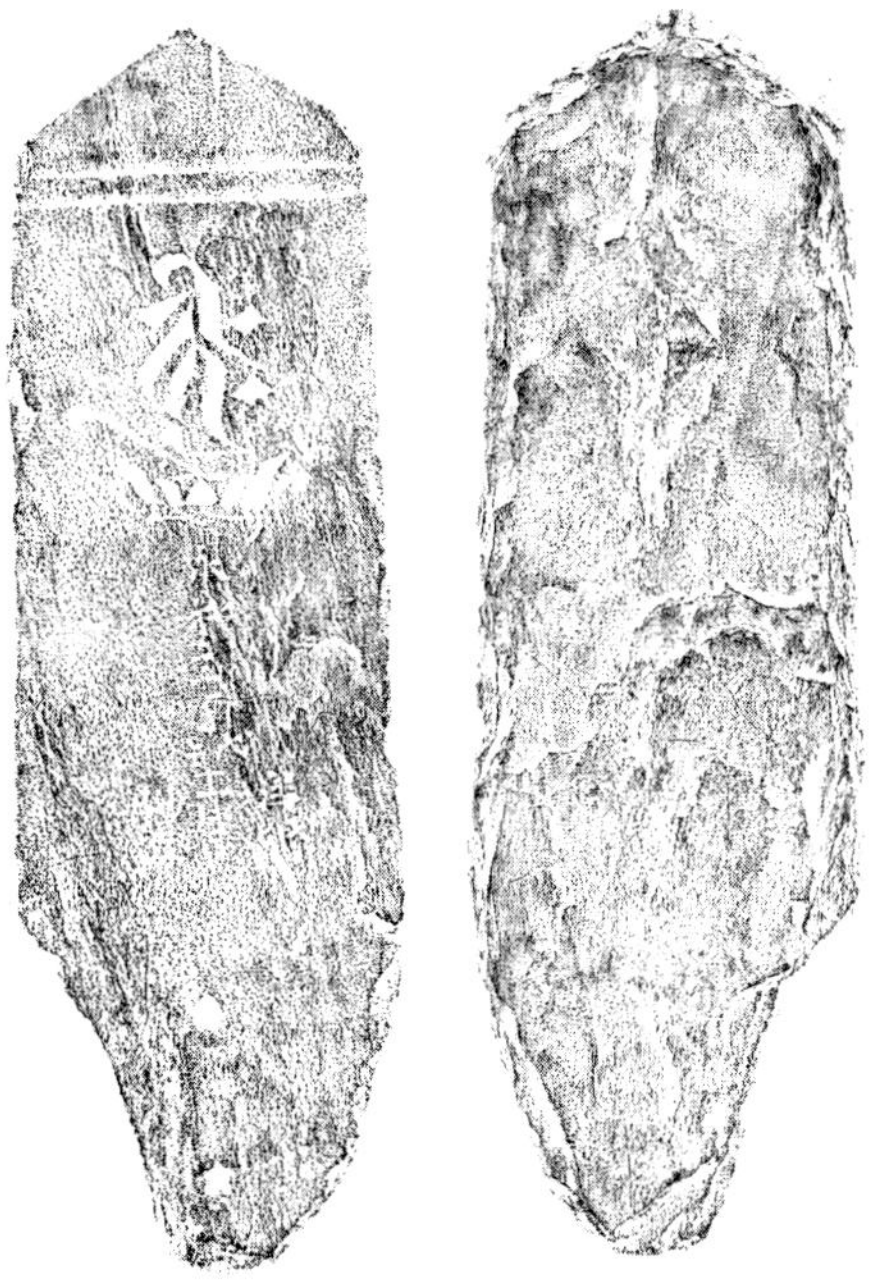

161　板碑　出土地不詳

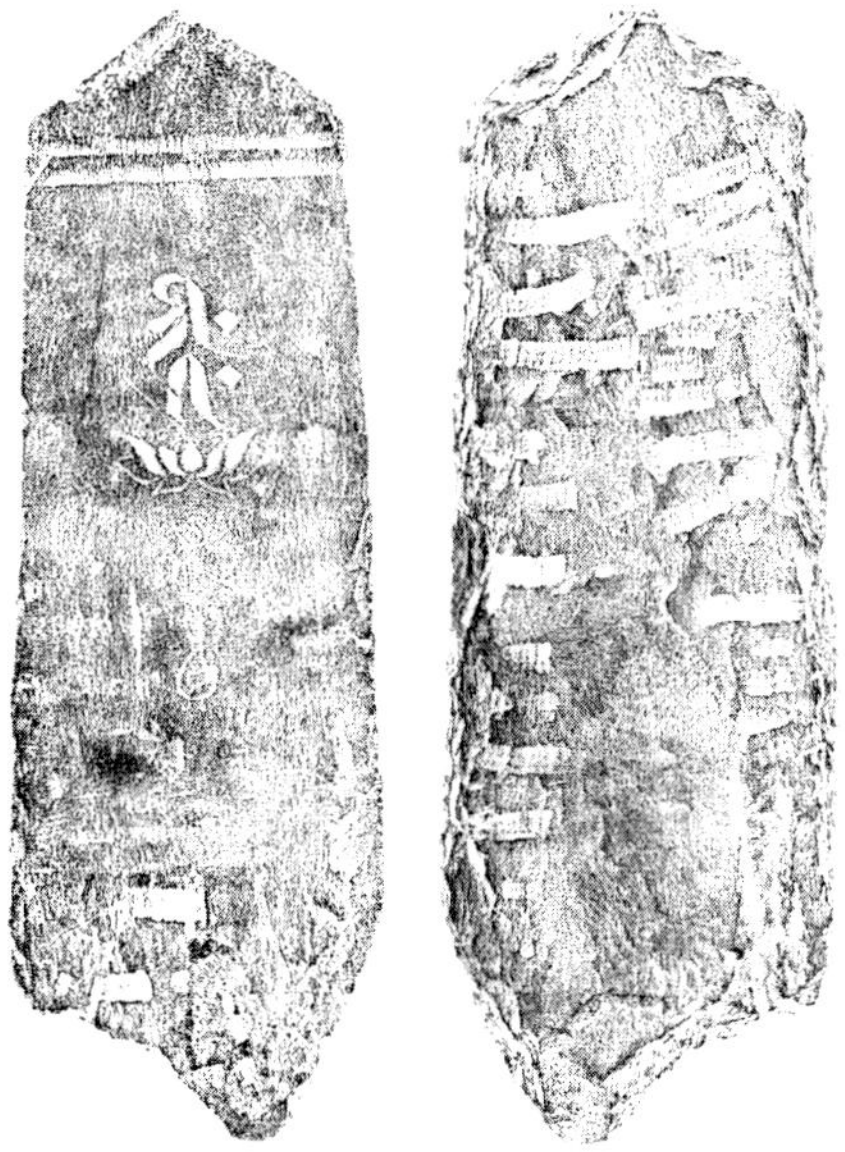

160　板碑　出土地不詳

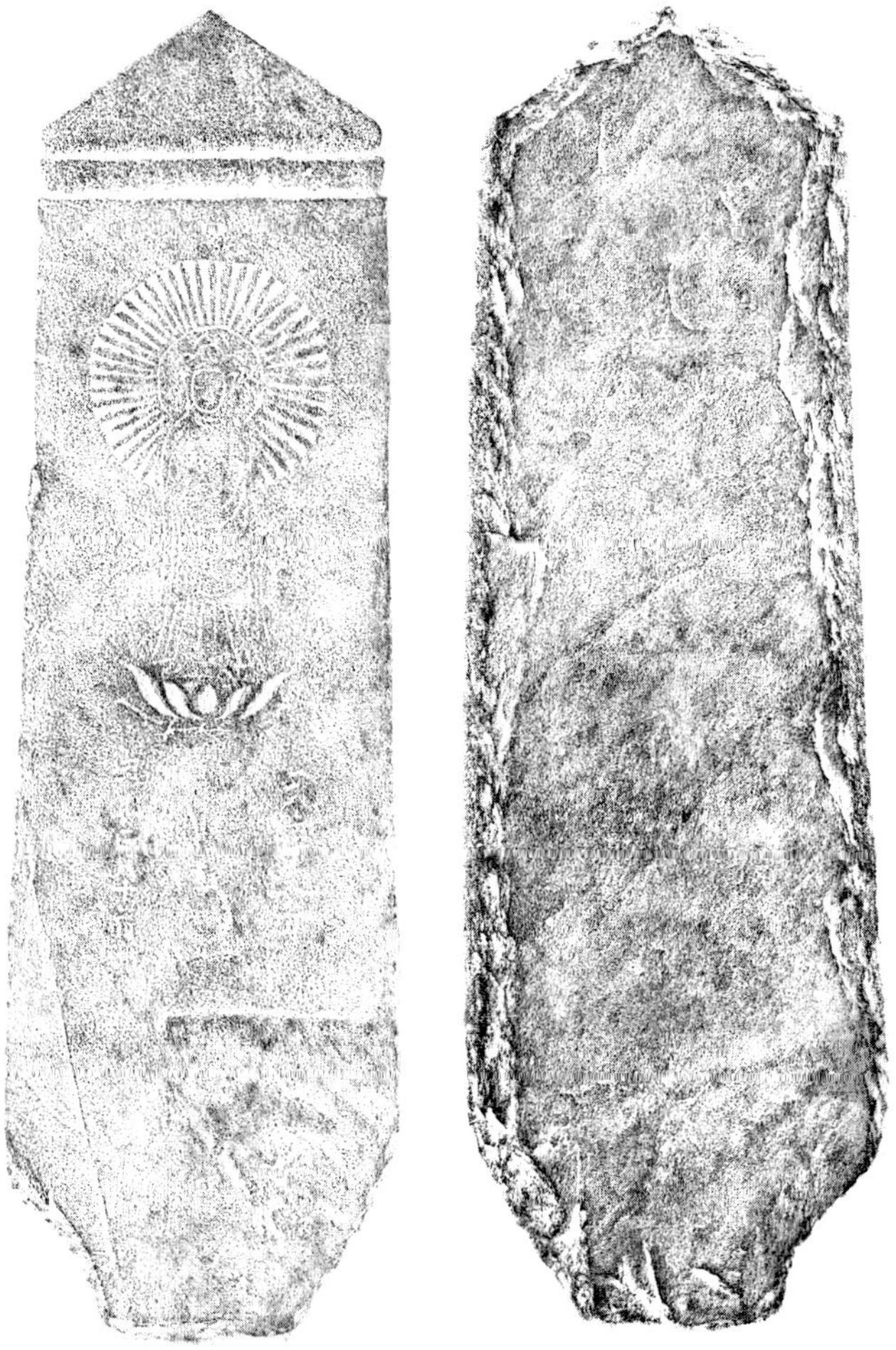

166　板碑　出土地不詳

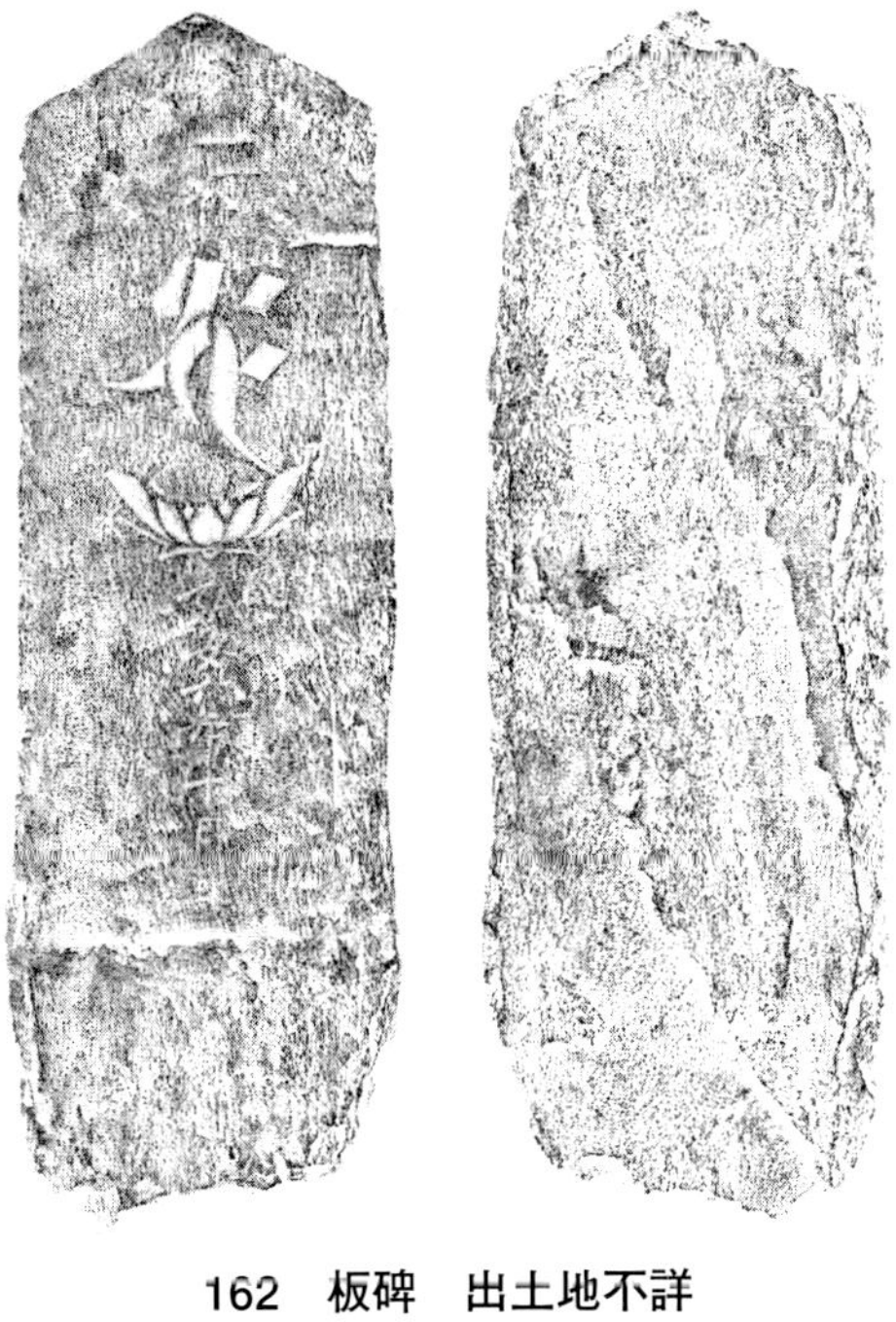

162　板碑　出土地不詳

174　板碑　出土地不詳

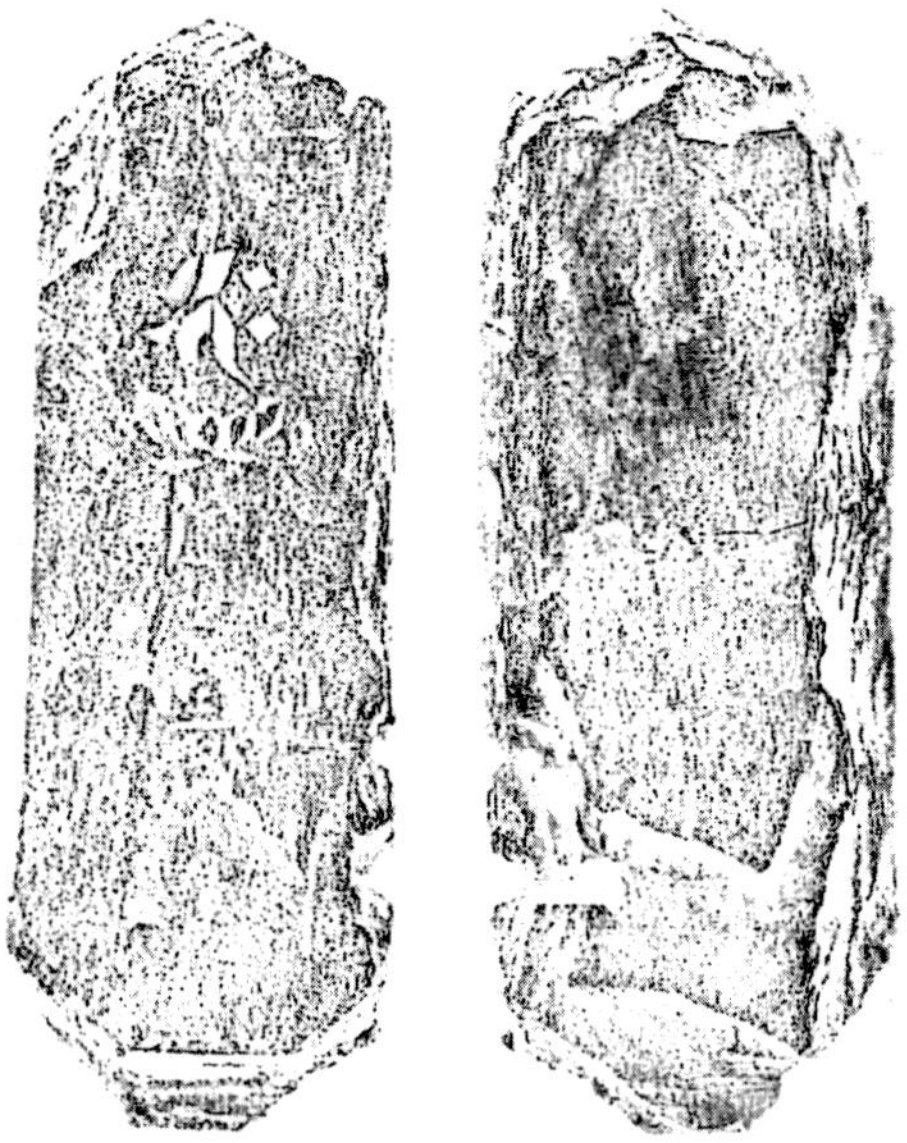
165　板碑　出土地不詳

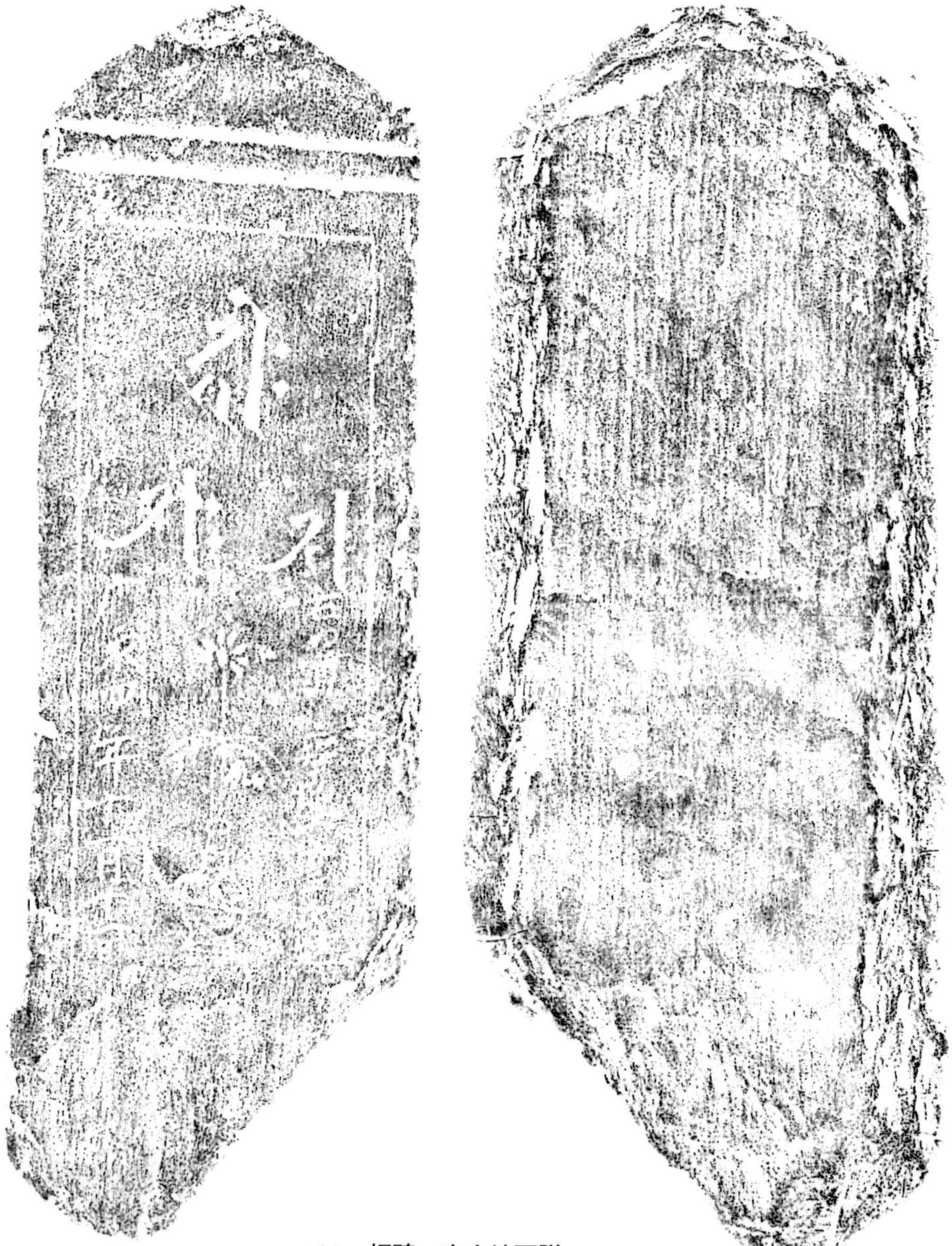
163　板碑　出土地不詳

拓影74（縮尺1/4）

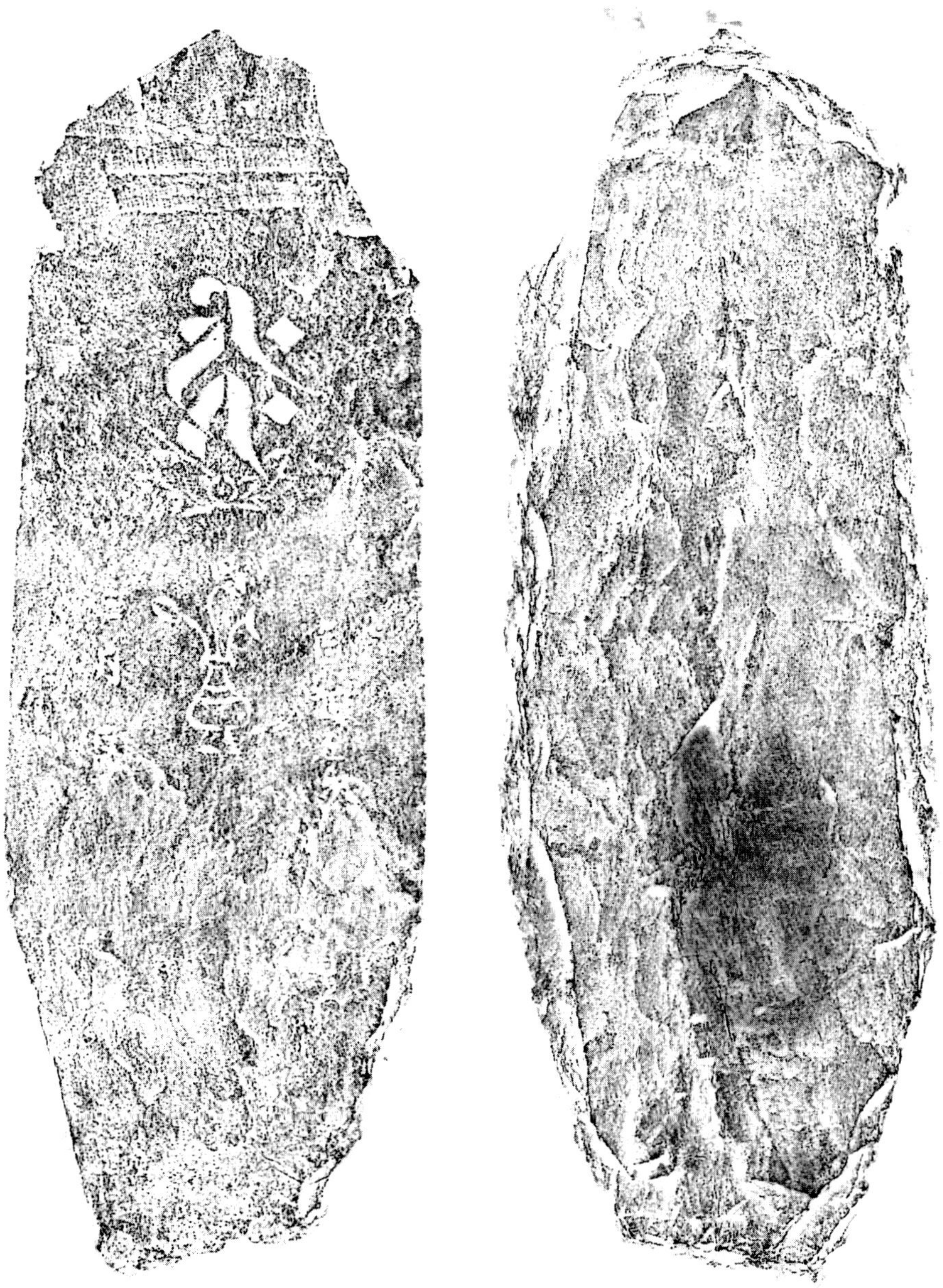

164　板碑　出土地不詳

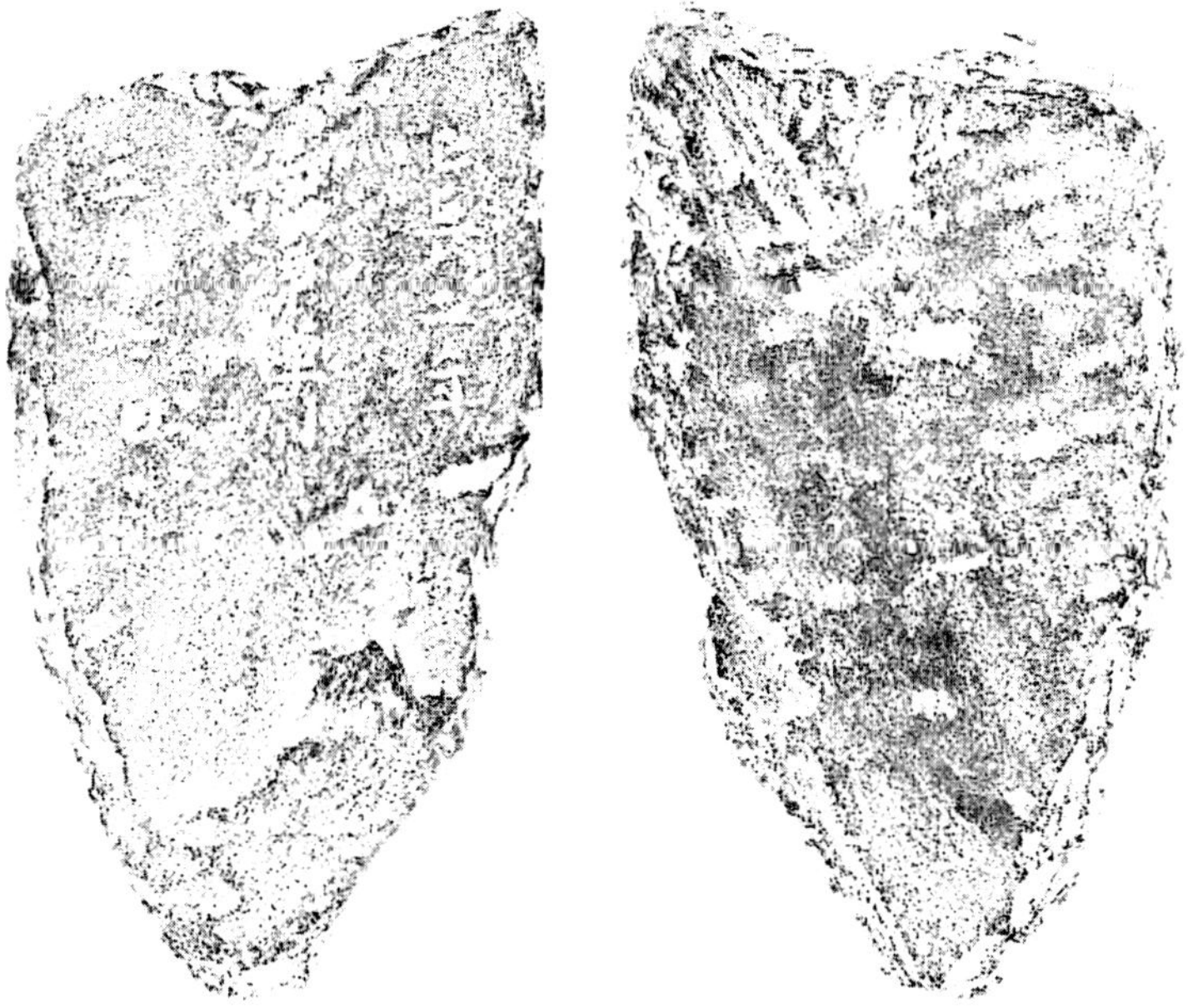

176　板碑　出土地不詳

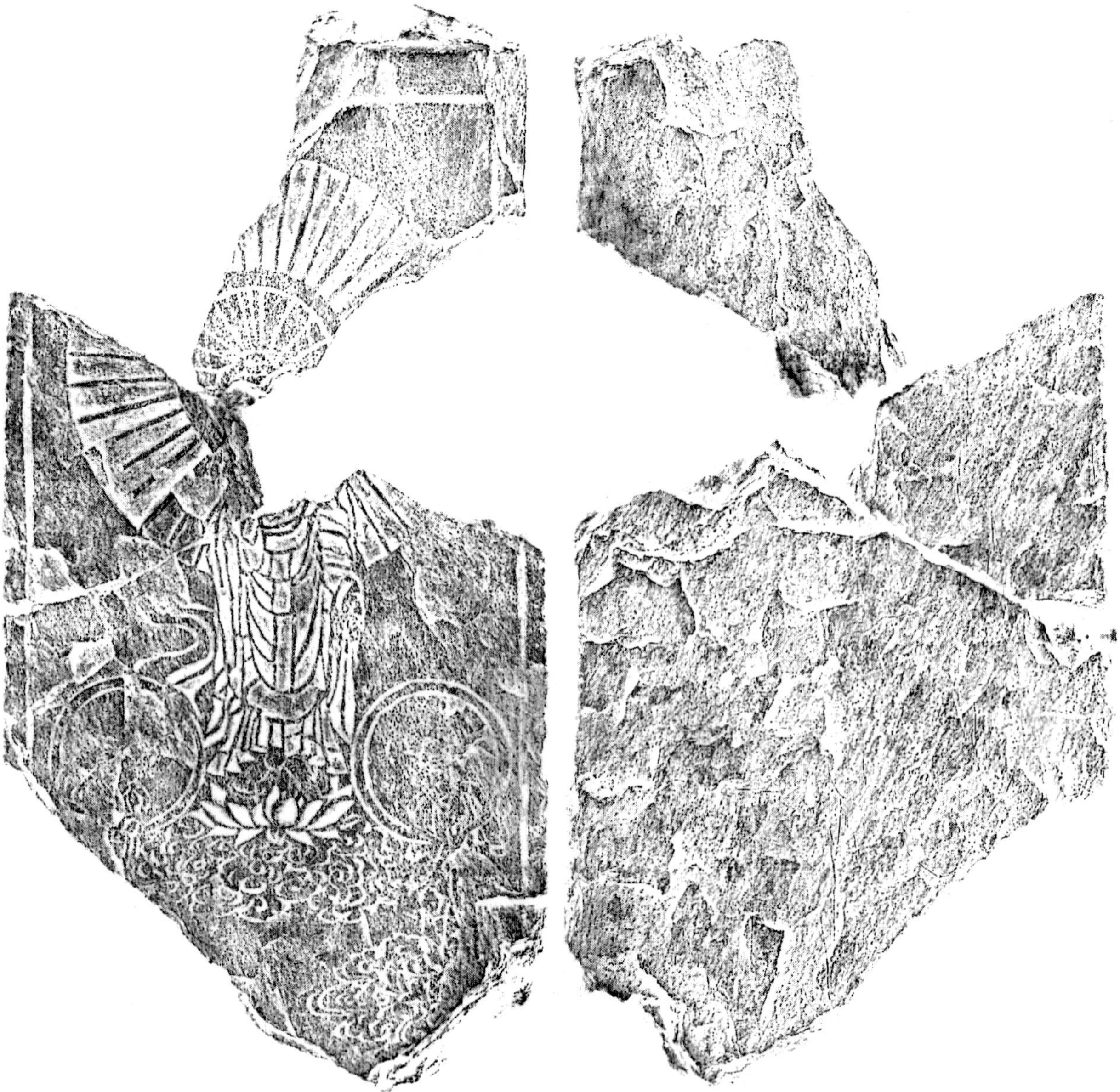

168　板碑　出土地不詳

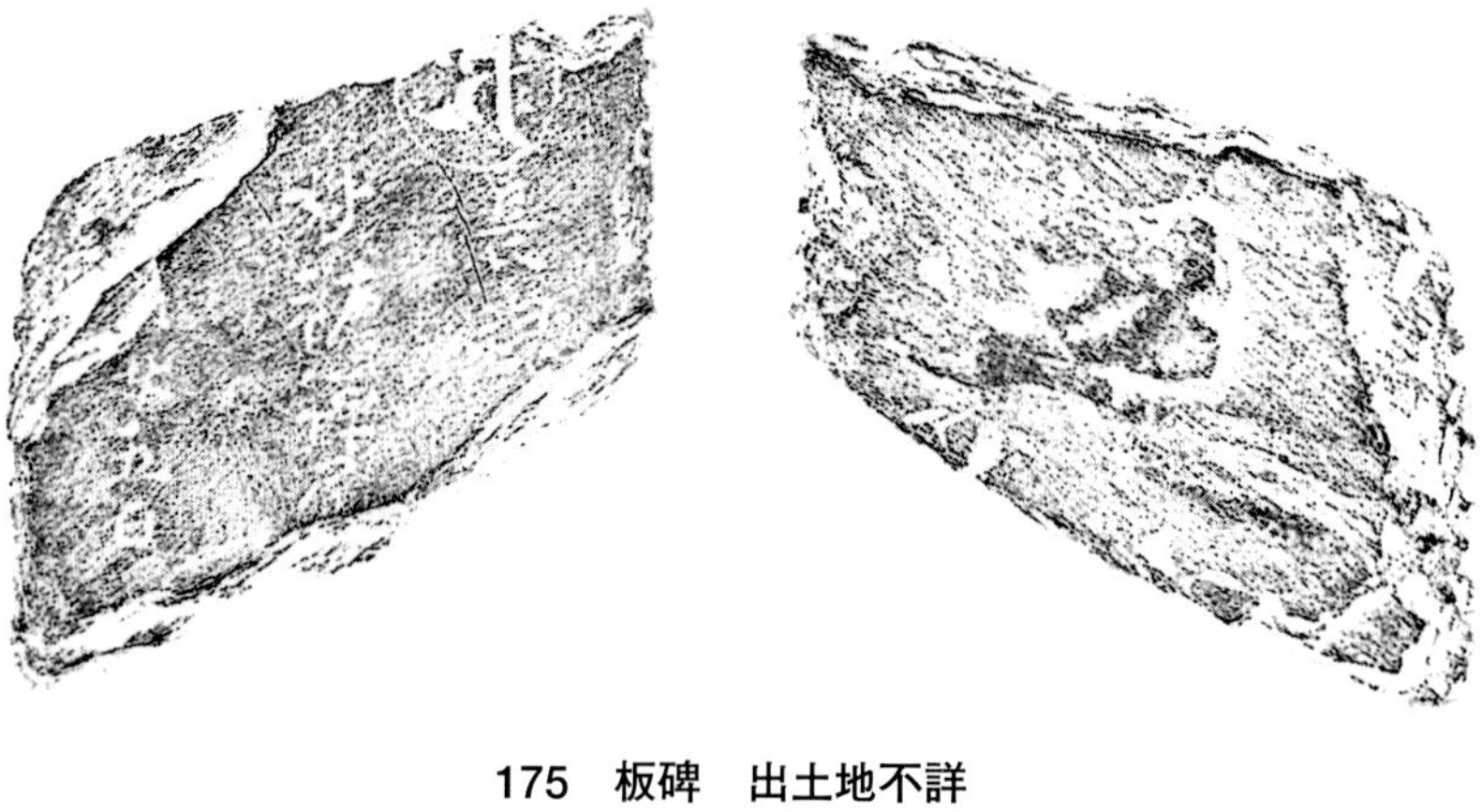

175　板碑　出土地不詳

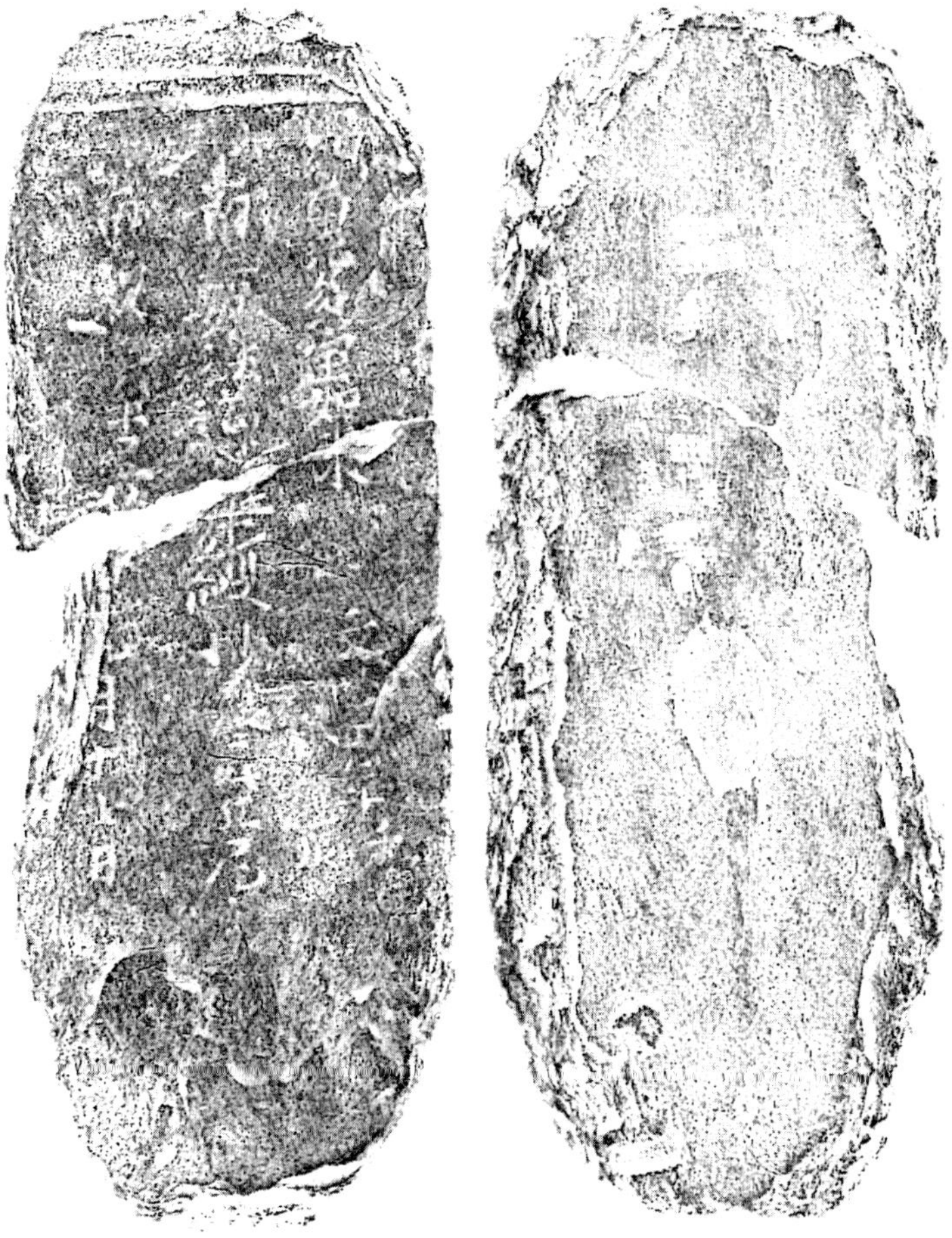

169　板碑　出土地不詳

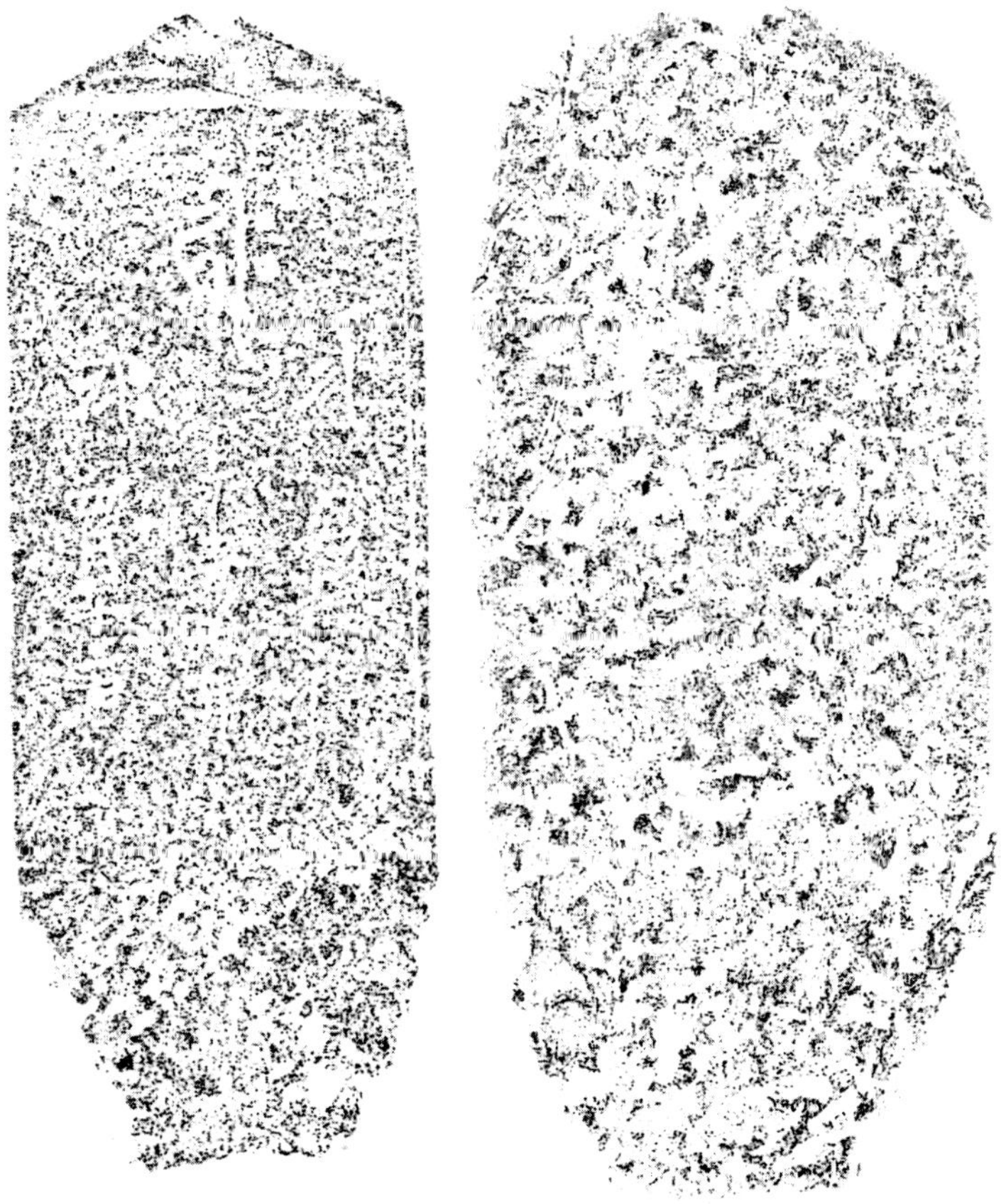

173　板碑　出土地不詳

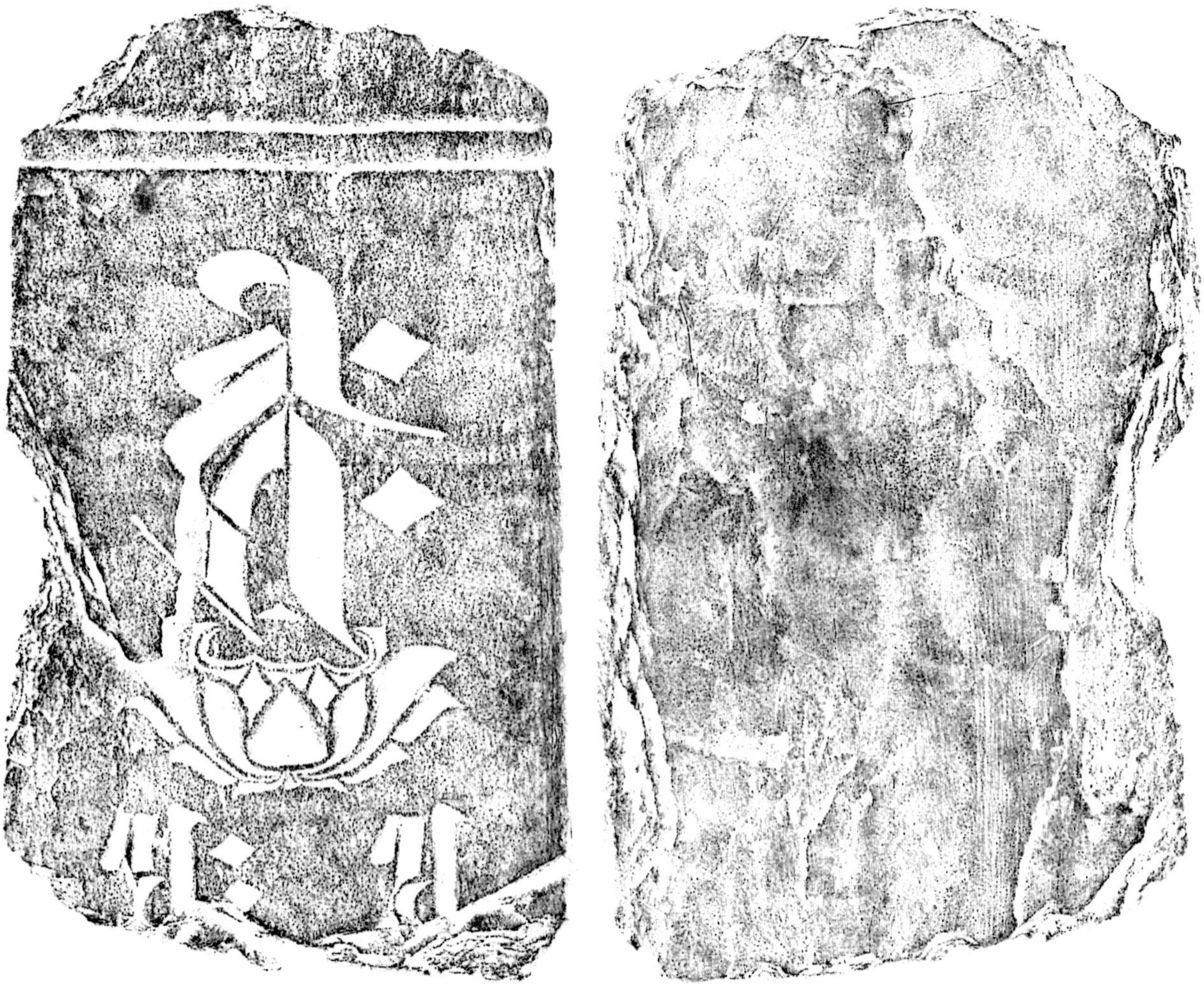

170　板碑　出土地不詳

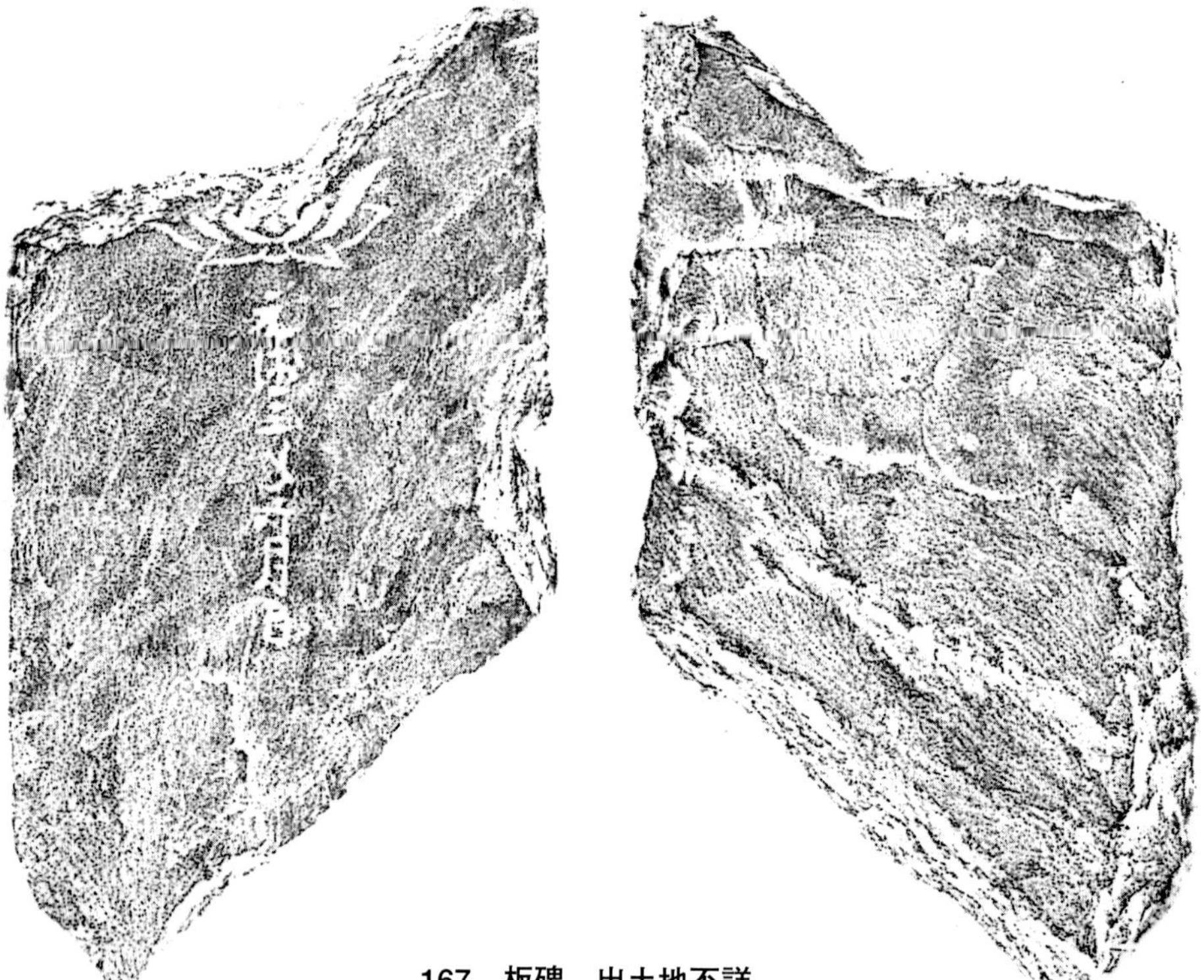

167　板碑　出土地不詳

拓影78（縮尺1/4）

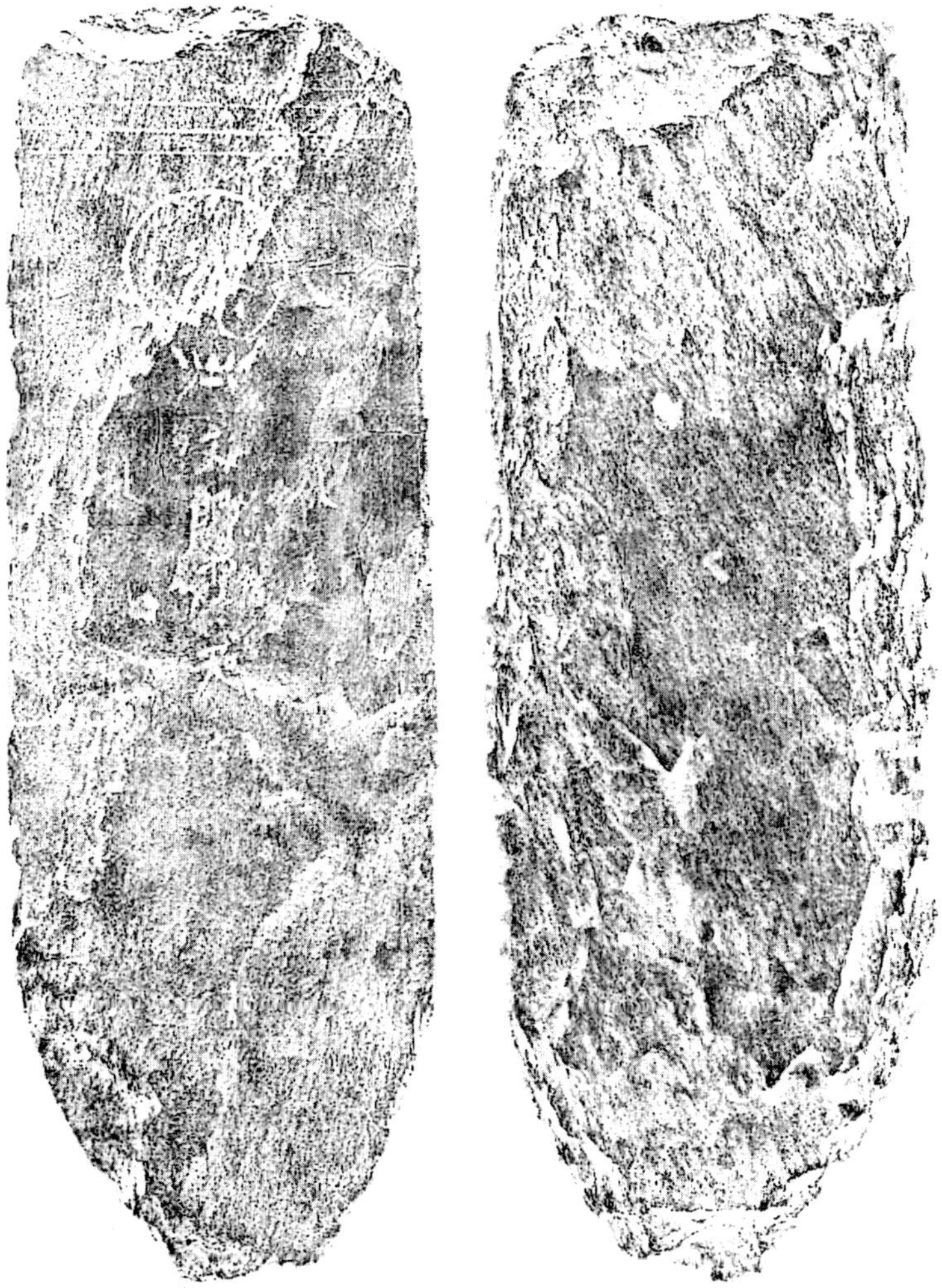

171　板碑　出土地不詳

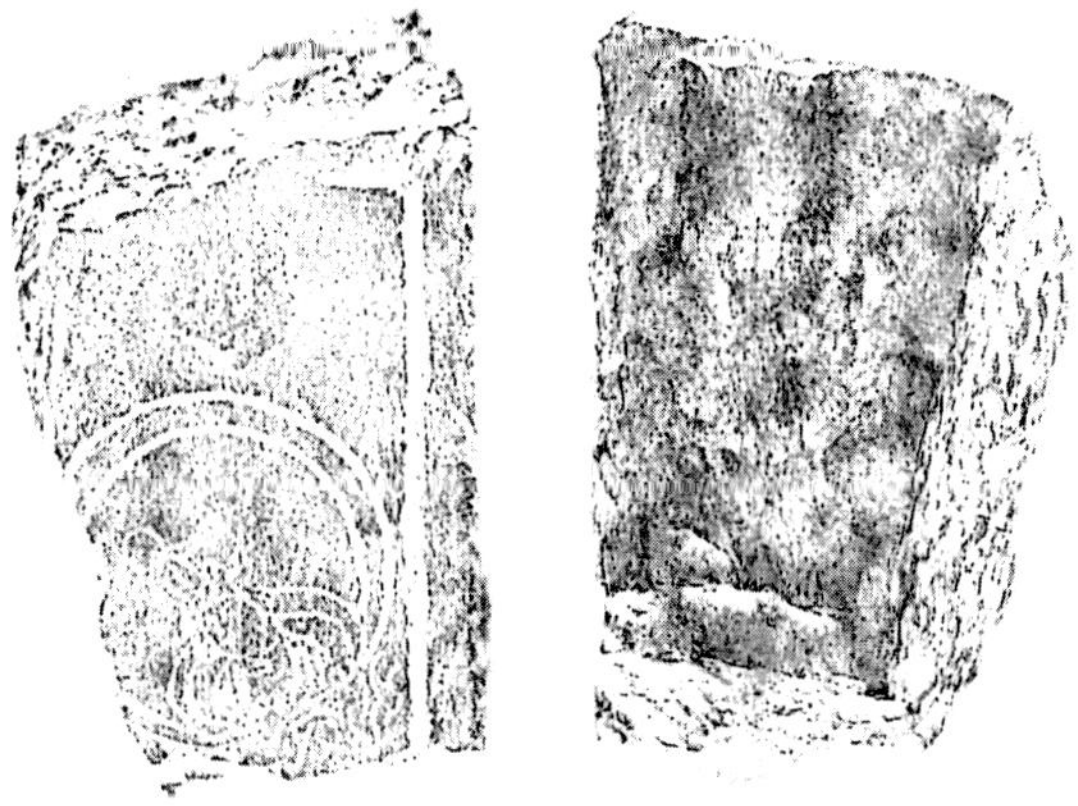

177　板碑　出土地不詳

拓影79（縮尺1/8）

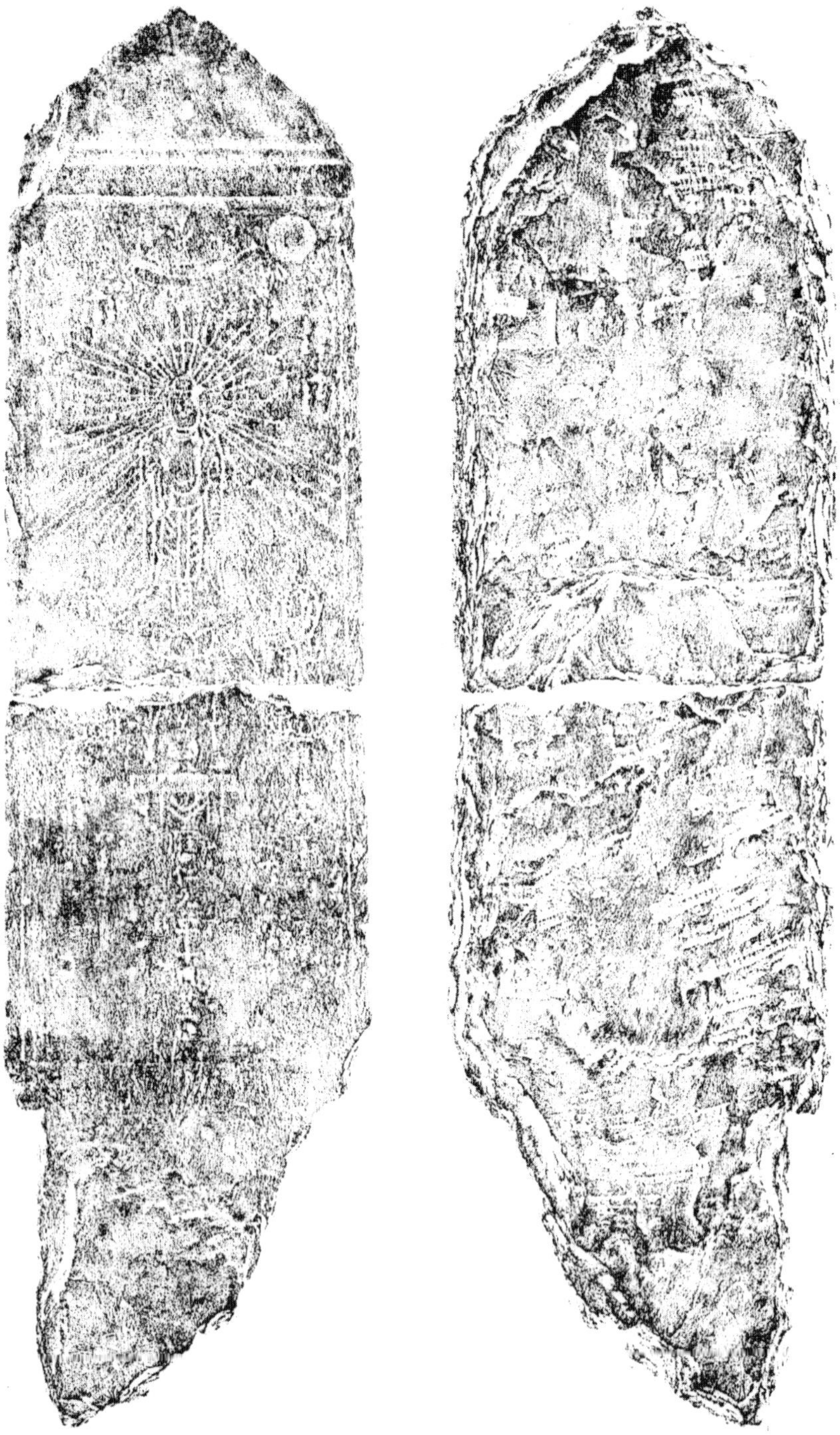

178　板碑　出土地不詳

実測図 1（縮尺1/4）

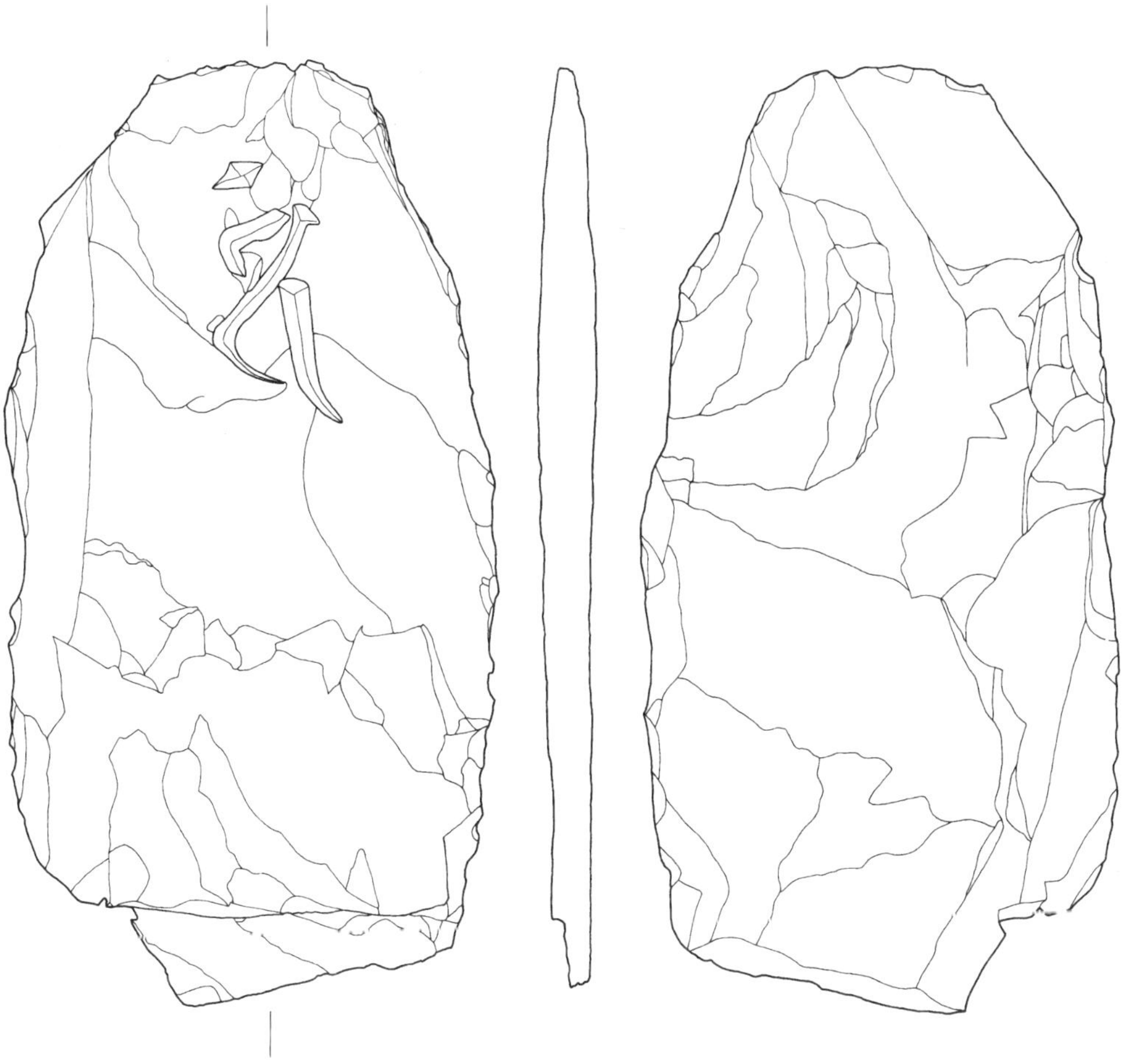

1　板碑　宮城県名取市高館熊野堂大門山出土

3　板碑　宮城県出土

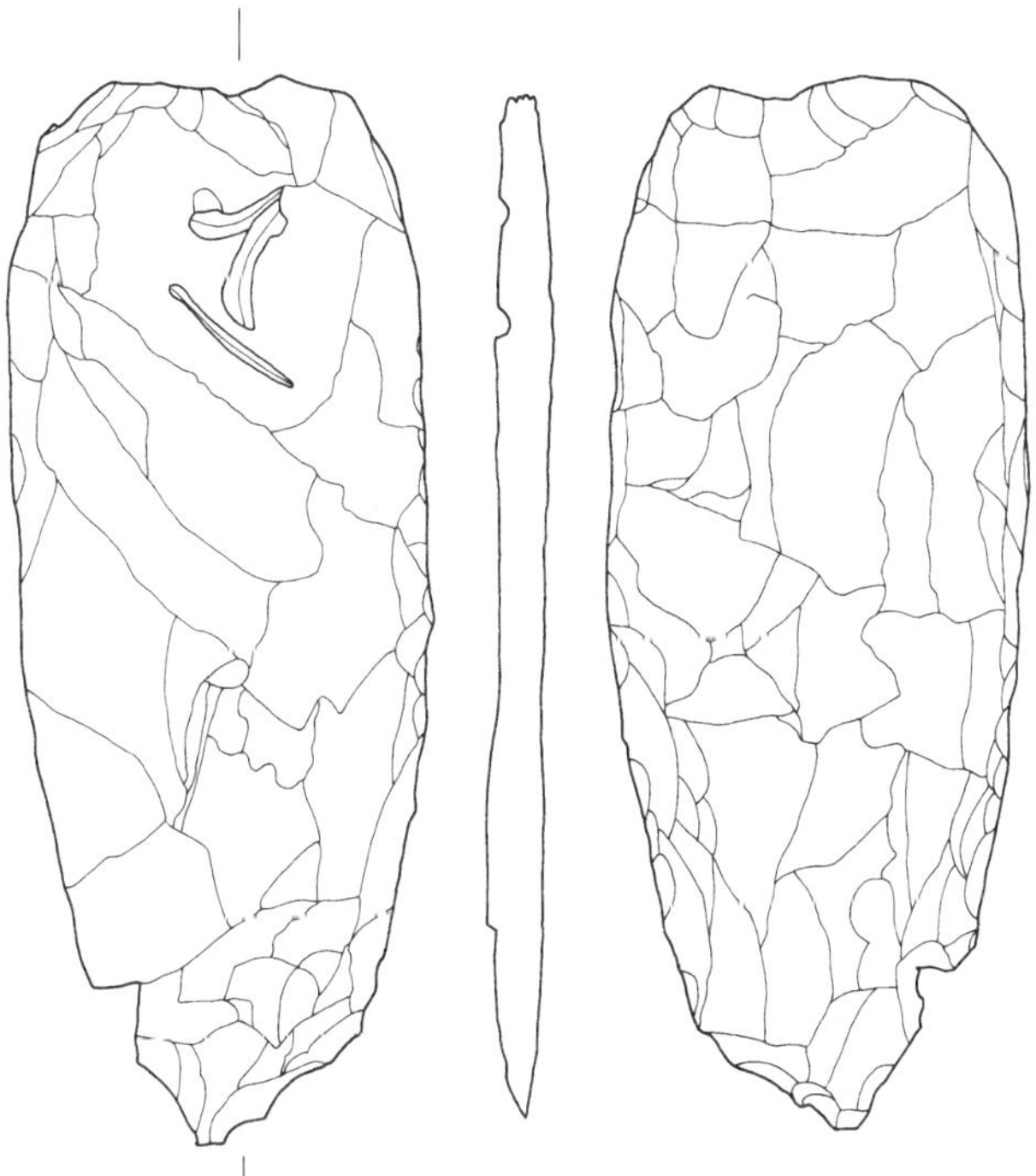

2　板碑　宮城県松島町雄島出土

実測図2（縮尺1/8）

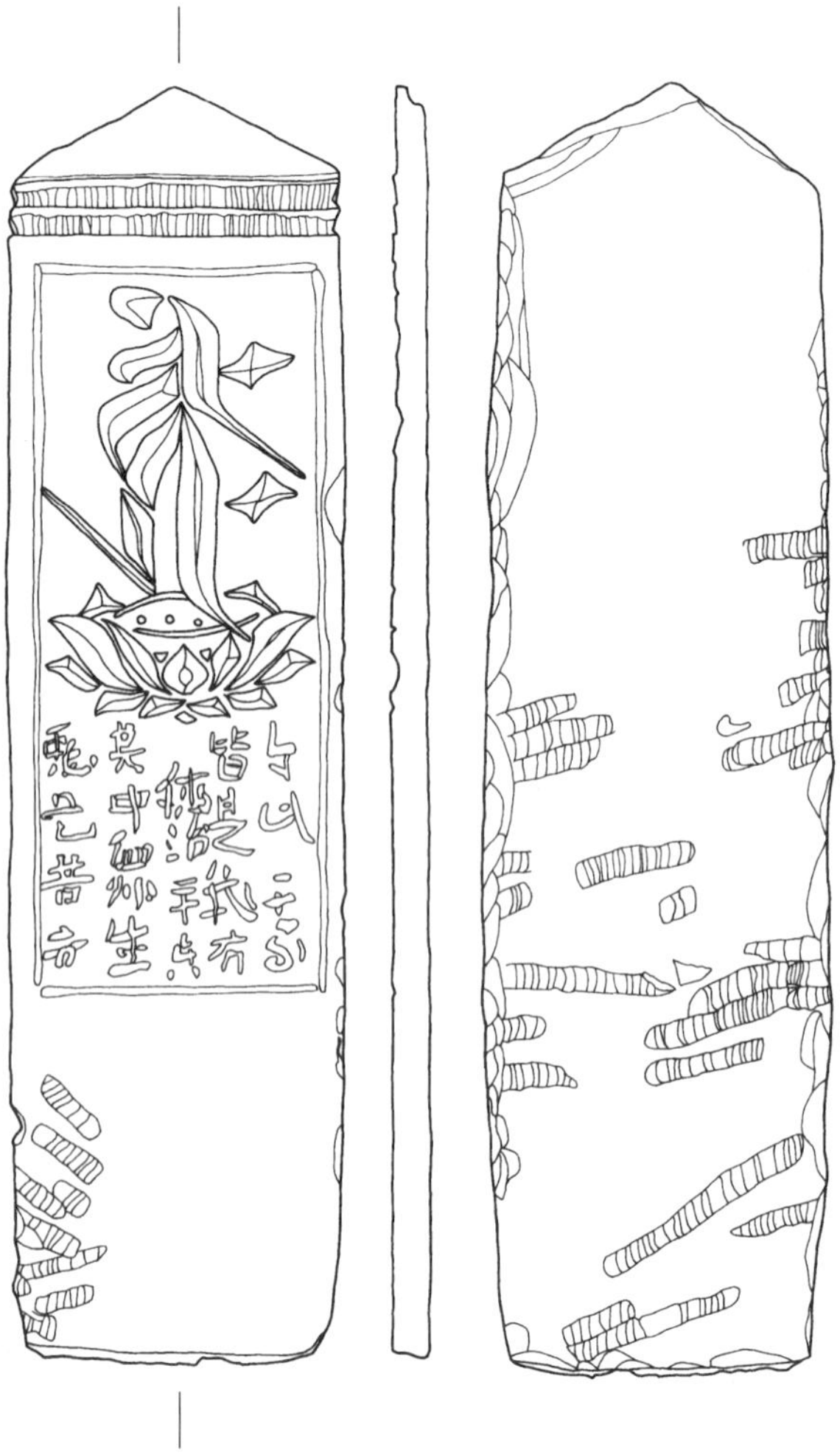

4　板碑　茨城県古河市大字立崎頼政廓跡出土

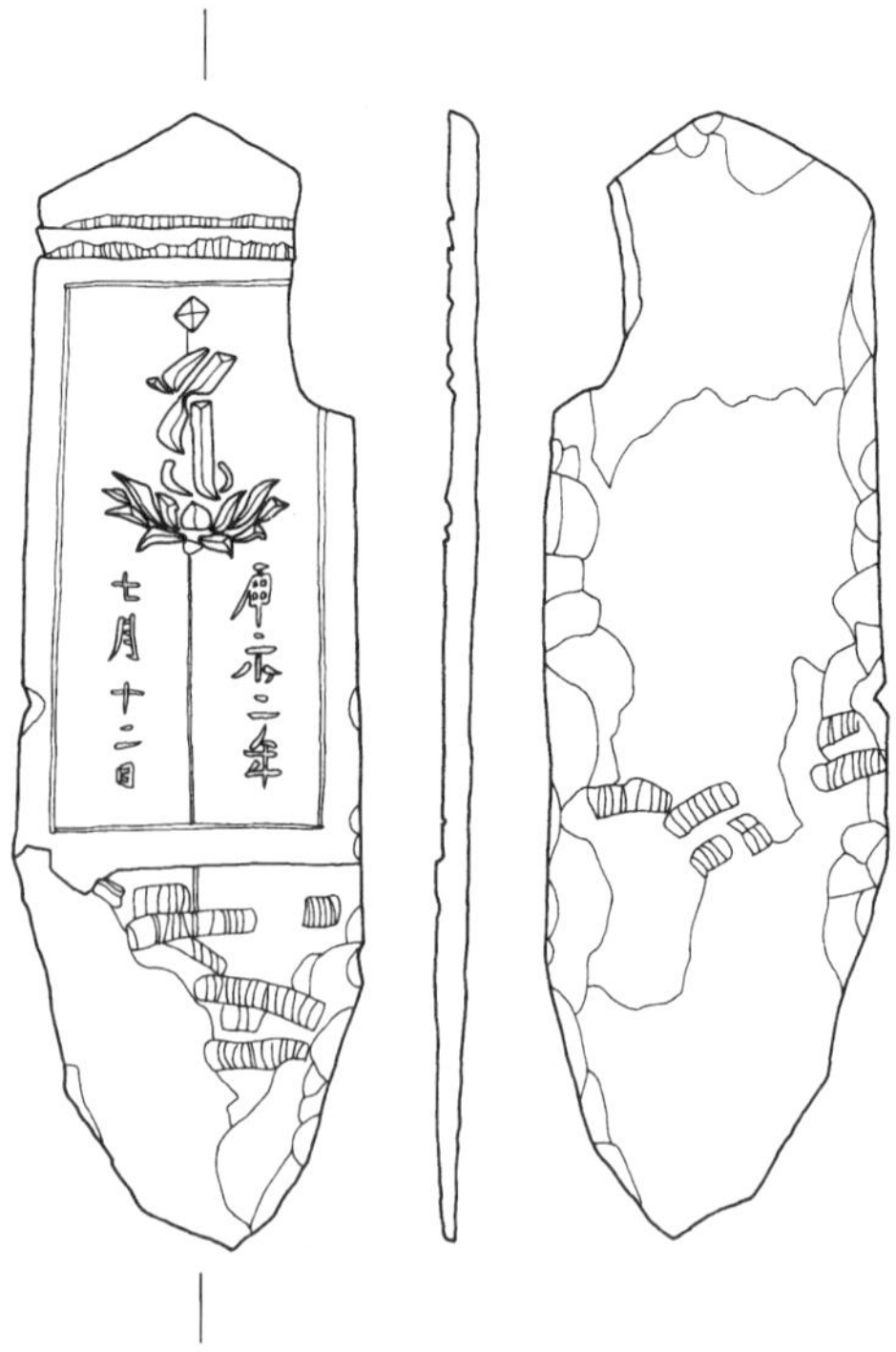

5　板碑　茨城県古河市大字立崎頼政廓跡出土

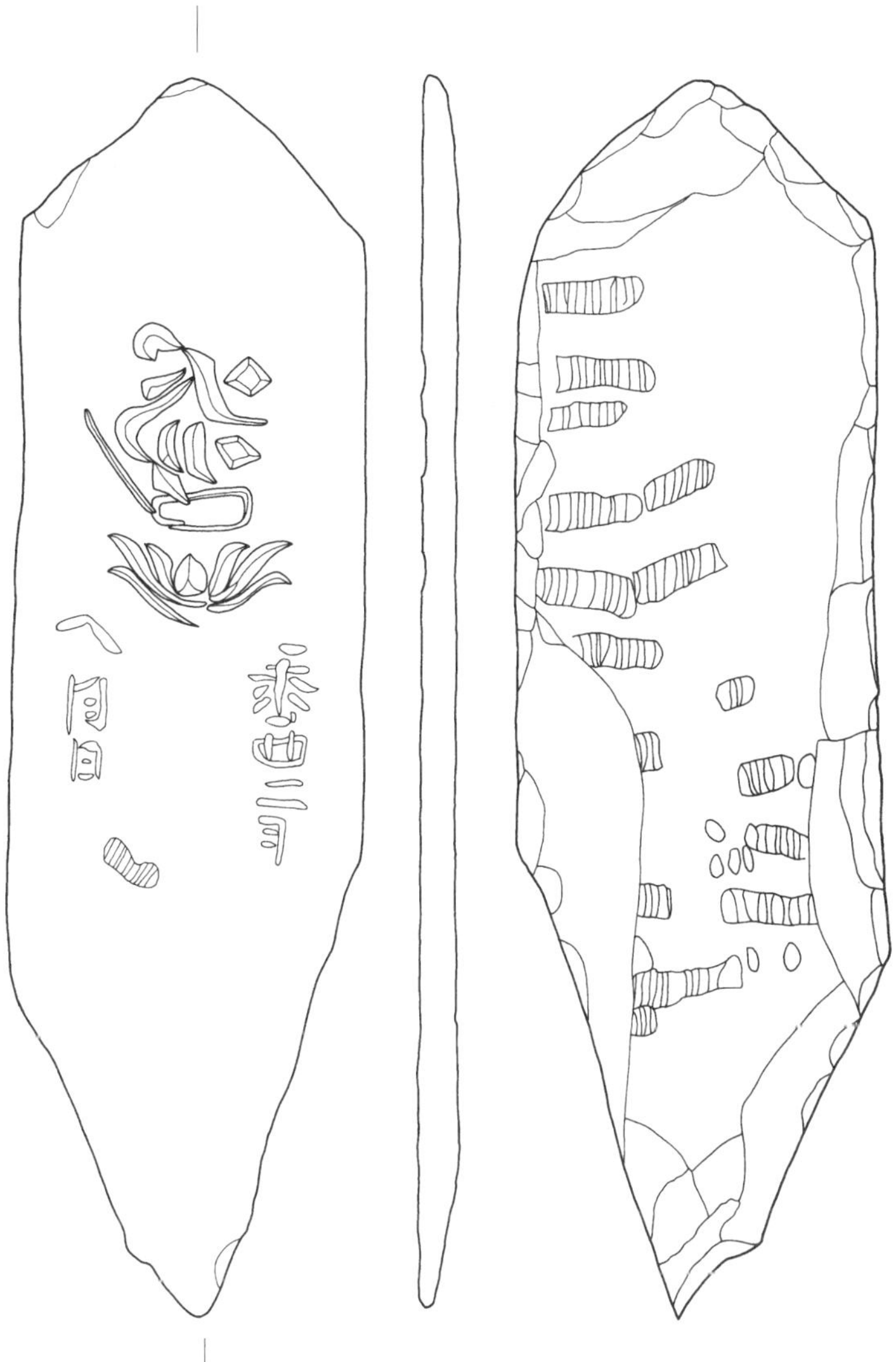

7　板碑　茨城県古河市大字立崎頼政廓跡出土

11　板碑　茨城県古河市大字立崎頼政廓跡出土

8 板碑 茨城県古河市大字立崎頼政廓跡出土

9 板碑 茨城県古河市大字立崎頼政廓跡出土

実測図5（縮尺1/4）

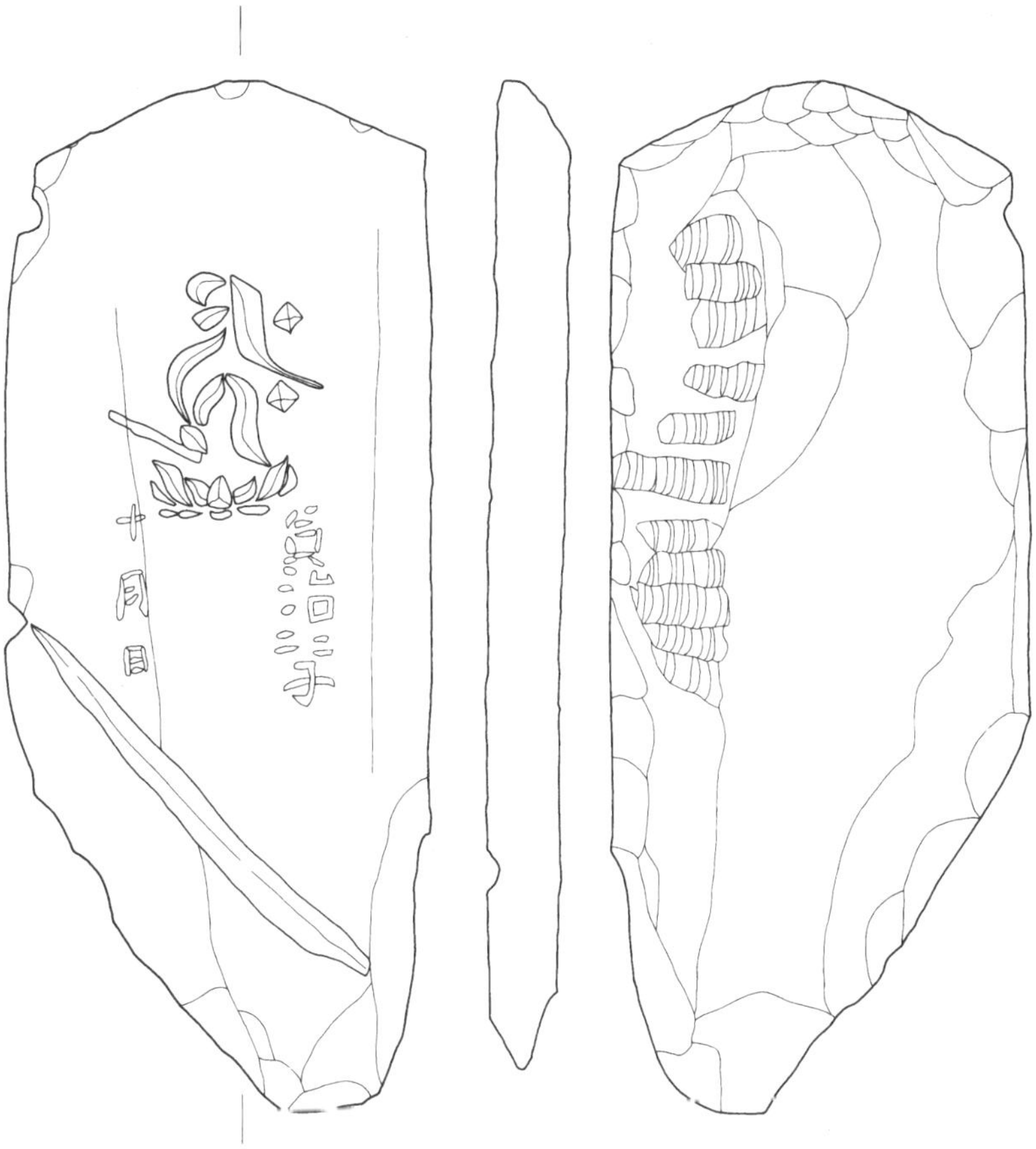

10　板碑　茨城県古河市大字立崎頼政廓跡出土

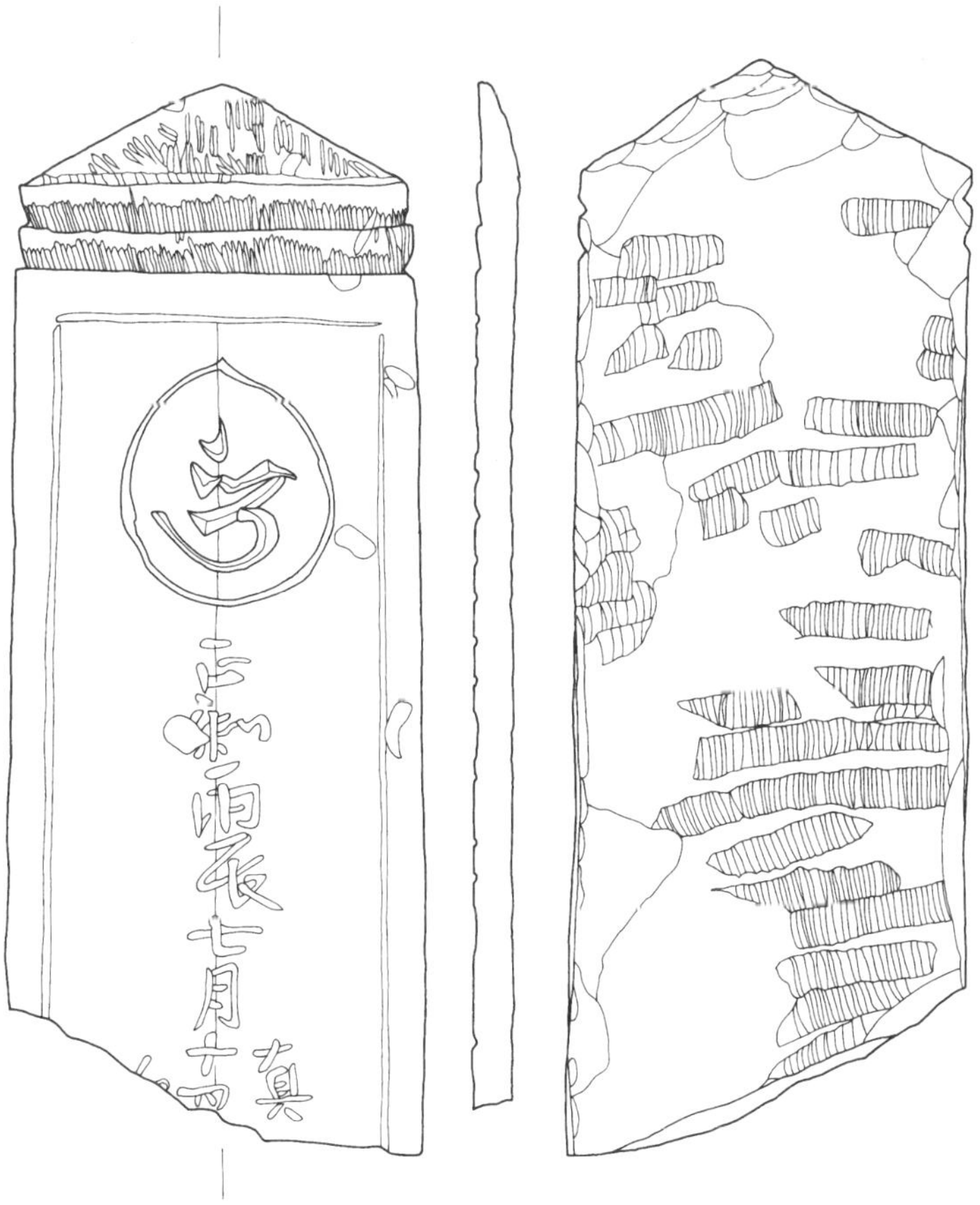

12　板碑　茨城県古河市大字立崎頼政廓跡出土

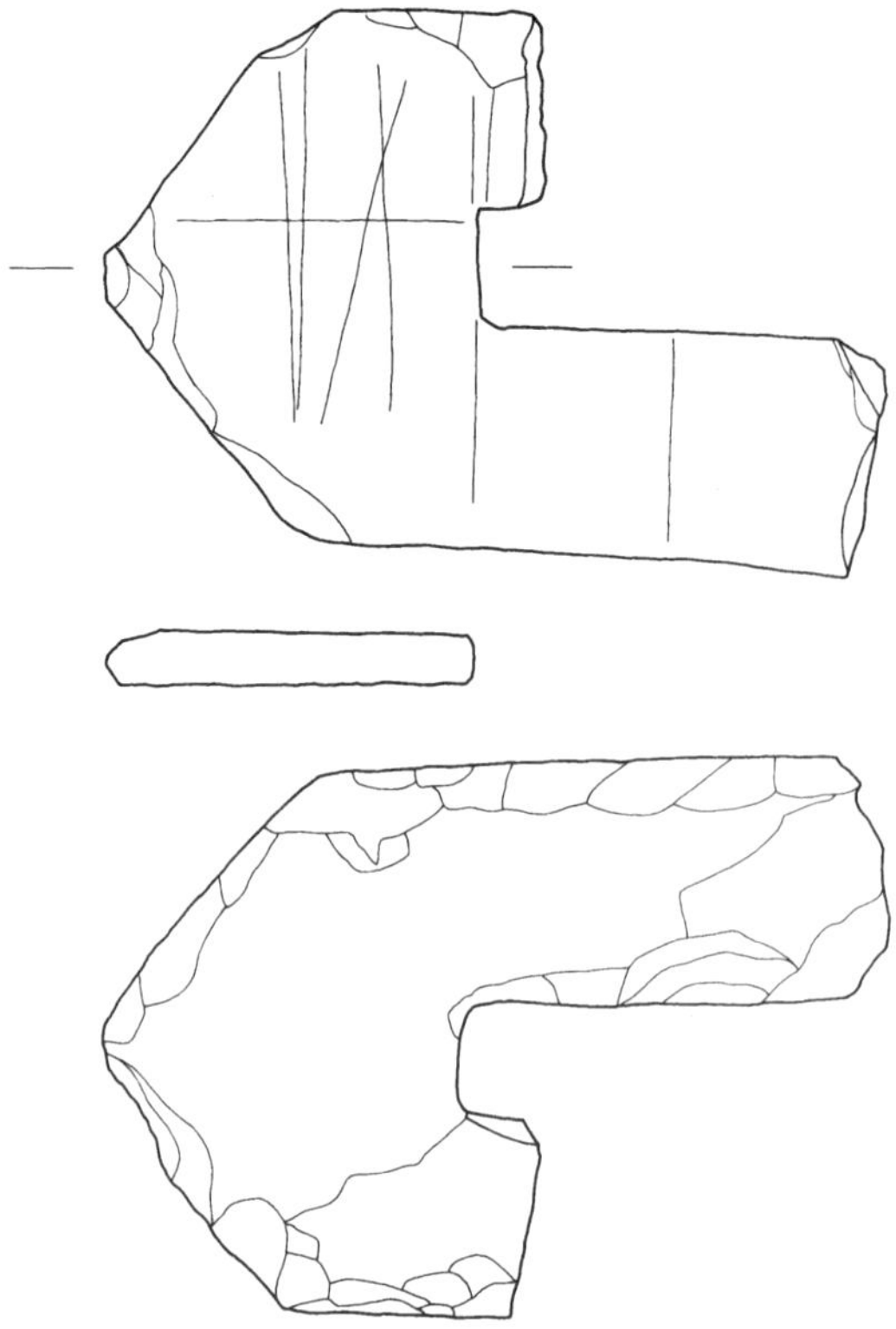

13　台石　茨城県古河市大字立崎頼政廓跡出土

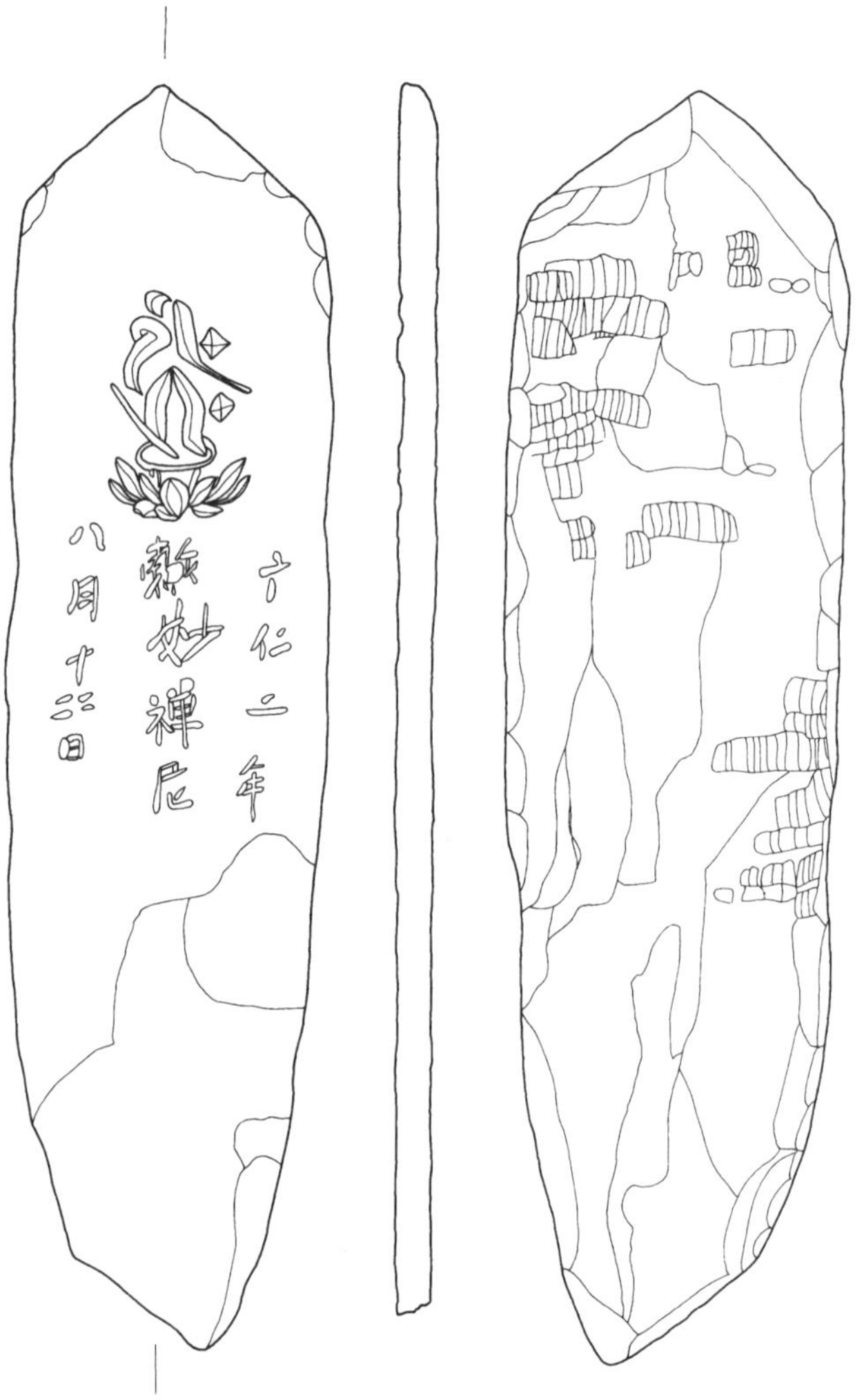

6　板碑　茨城県古河市大字立崎頼政廓跡出土

実測図 7（縮尺1/4）

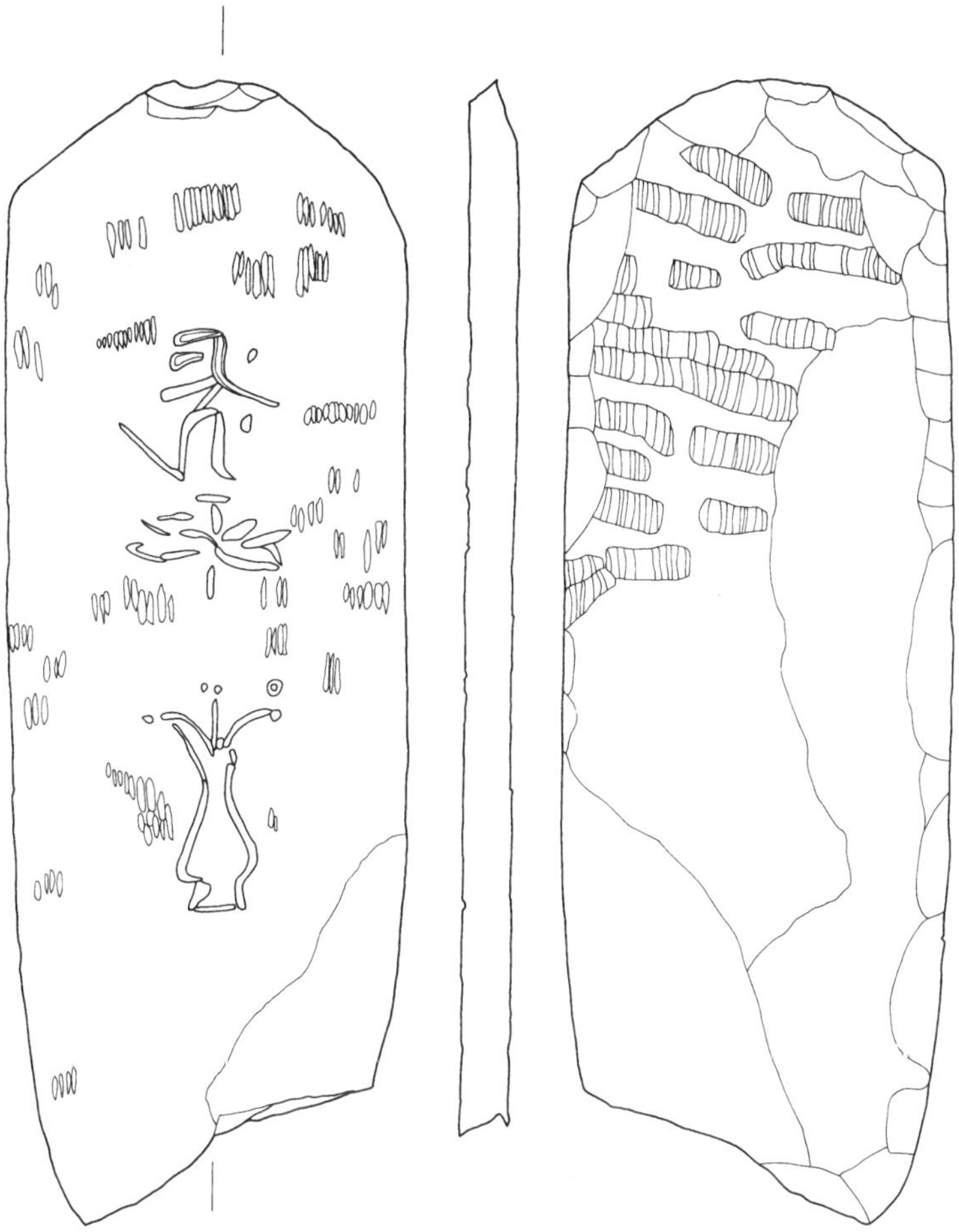

14　板碑　茨城県取手市白山六丁目大鹿城跡出土

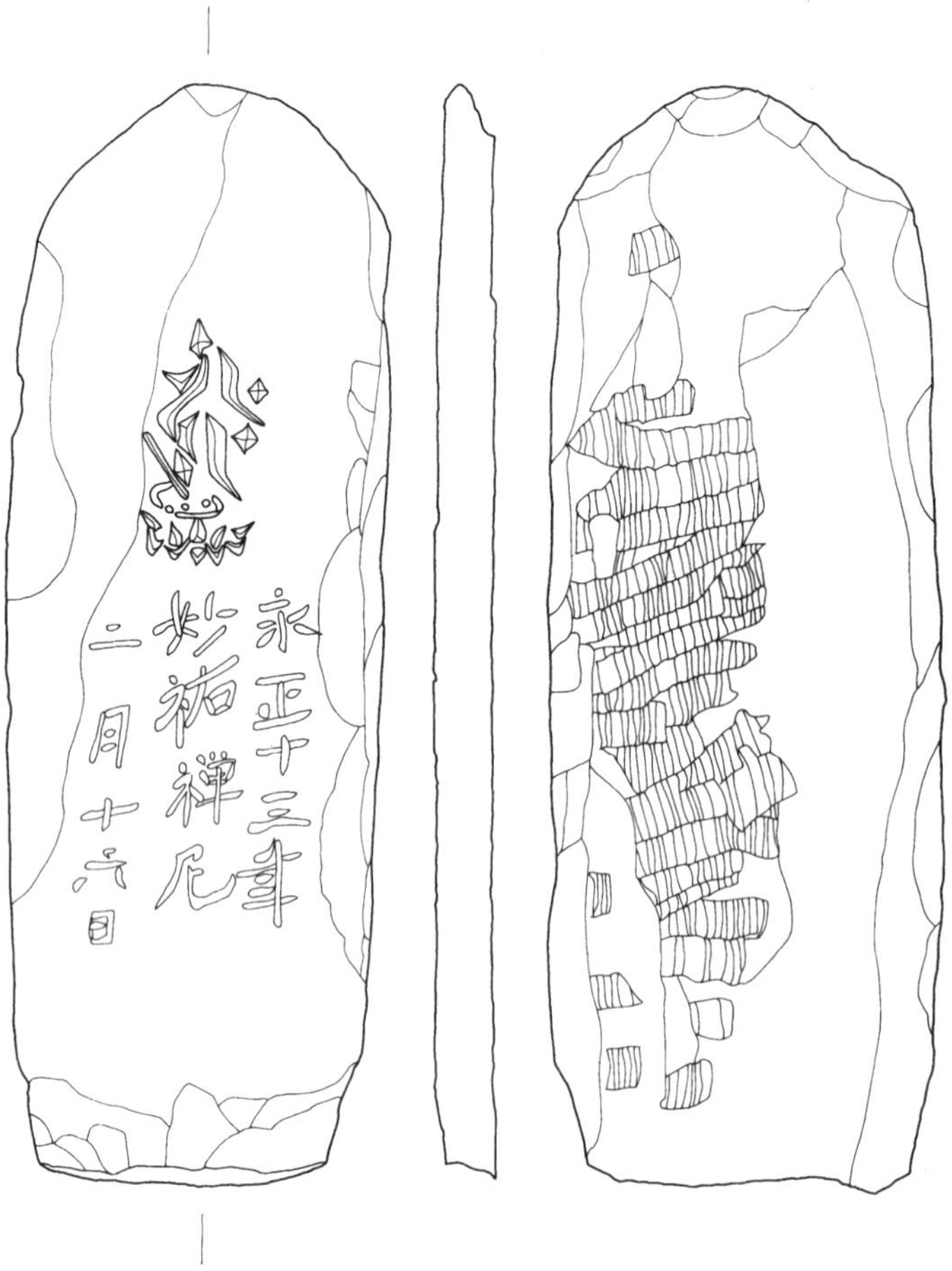

15　板碑　茨城県境町百戸字マイゴオ出土

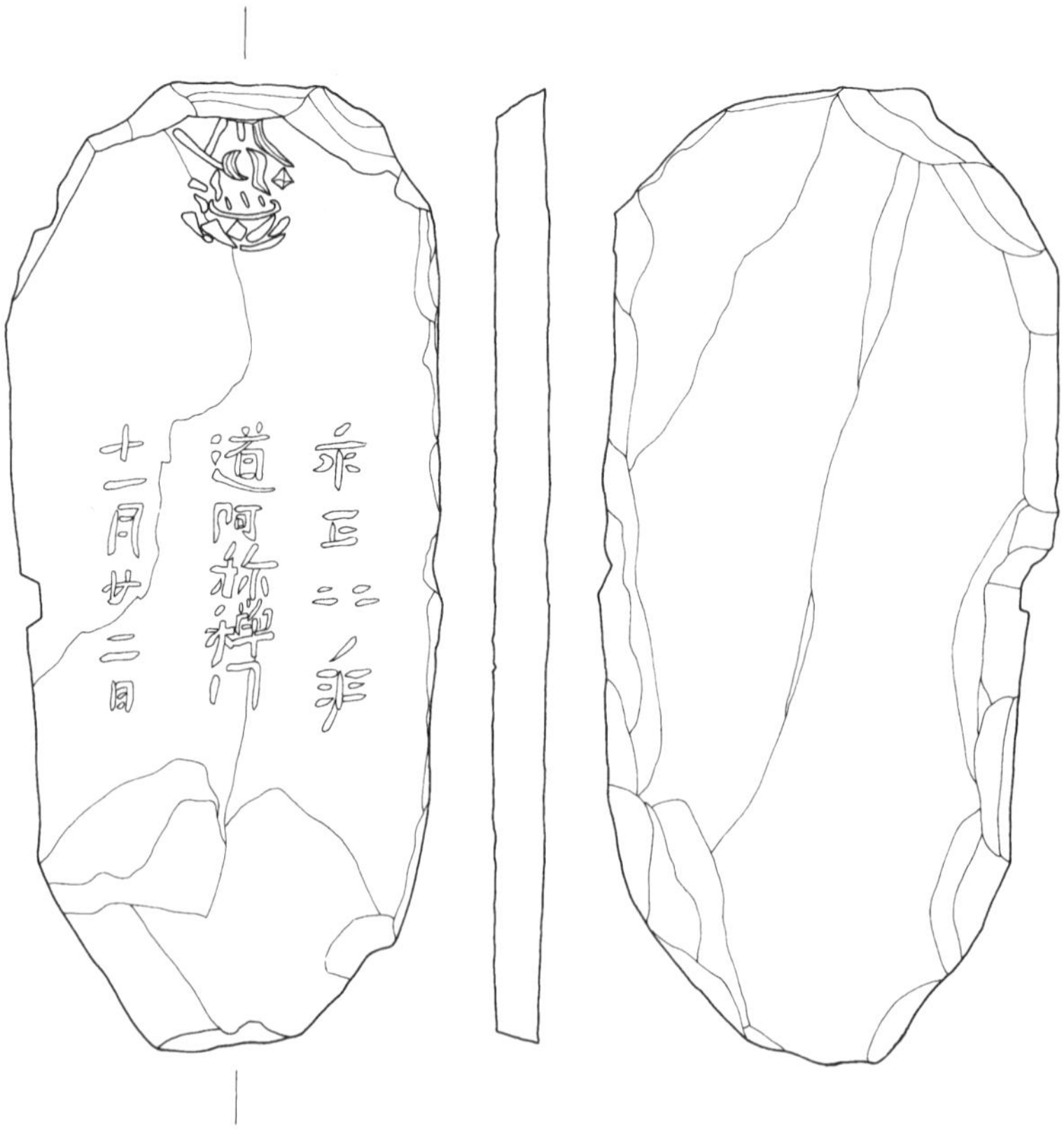

18　板碑　茨城県境町百戸字マイゴオ出土

実測図9（縮尺1/4）

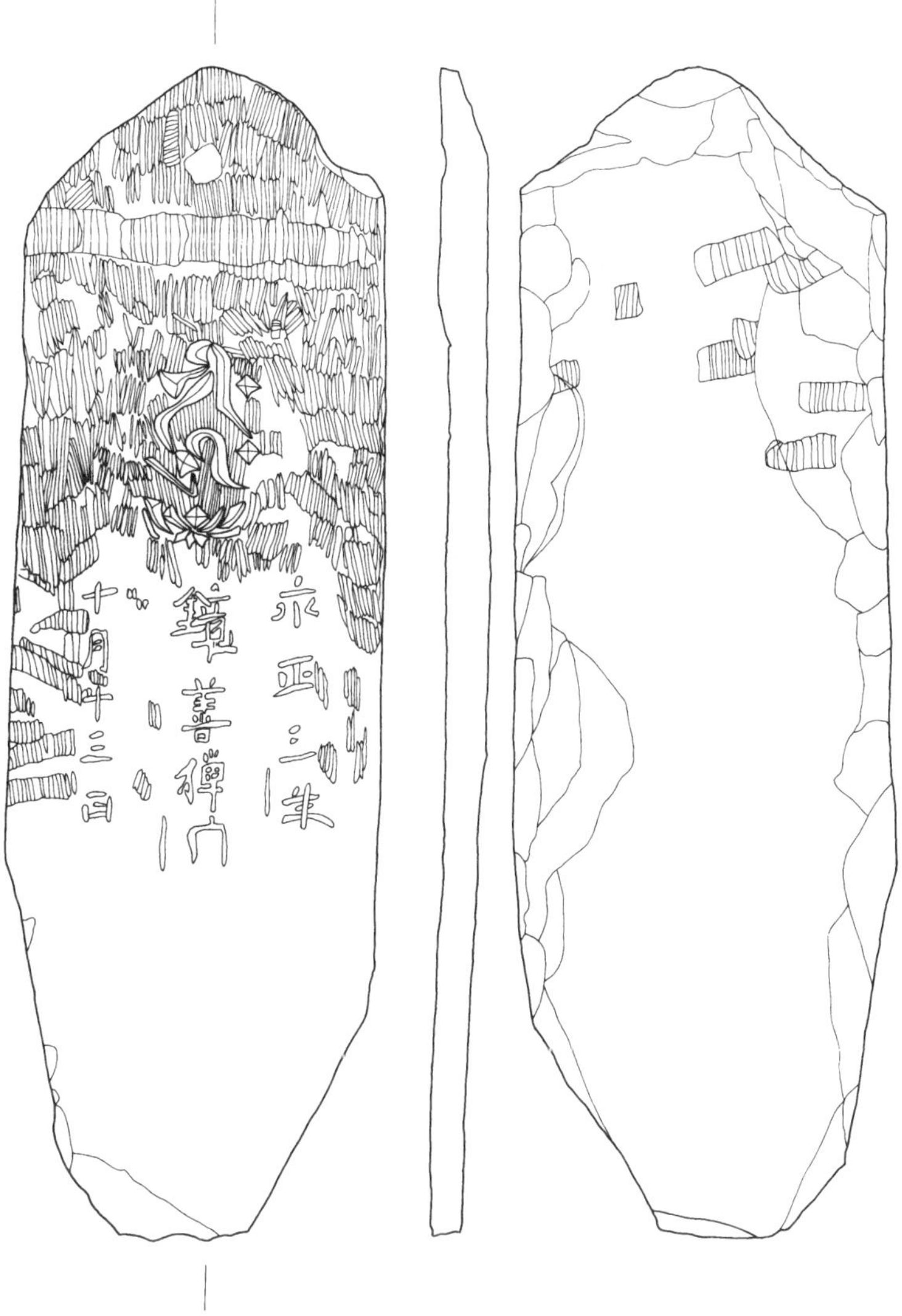

16　板碑　茨城県境町百戸字マイゴオ出土

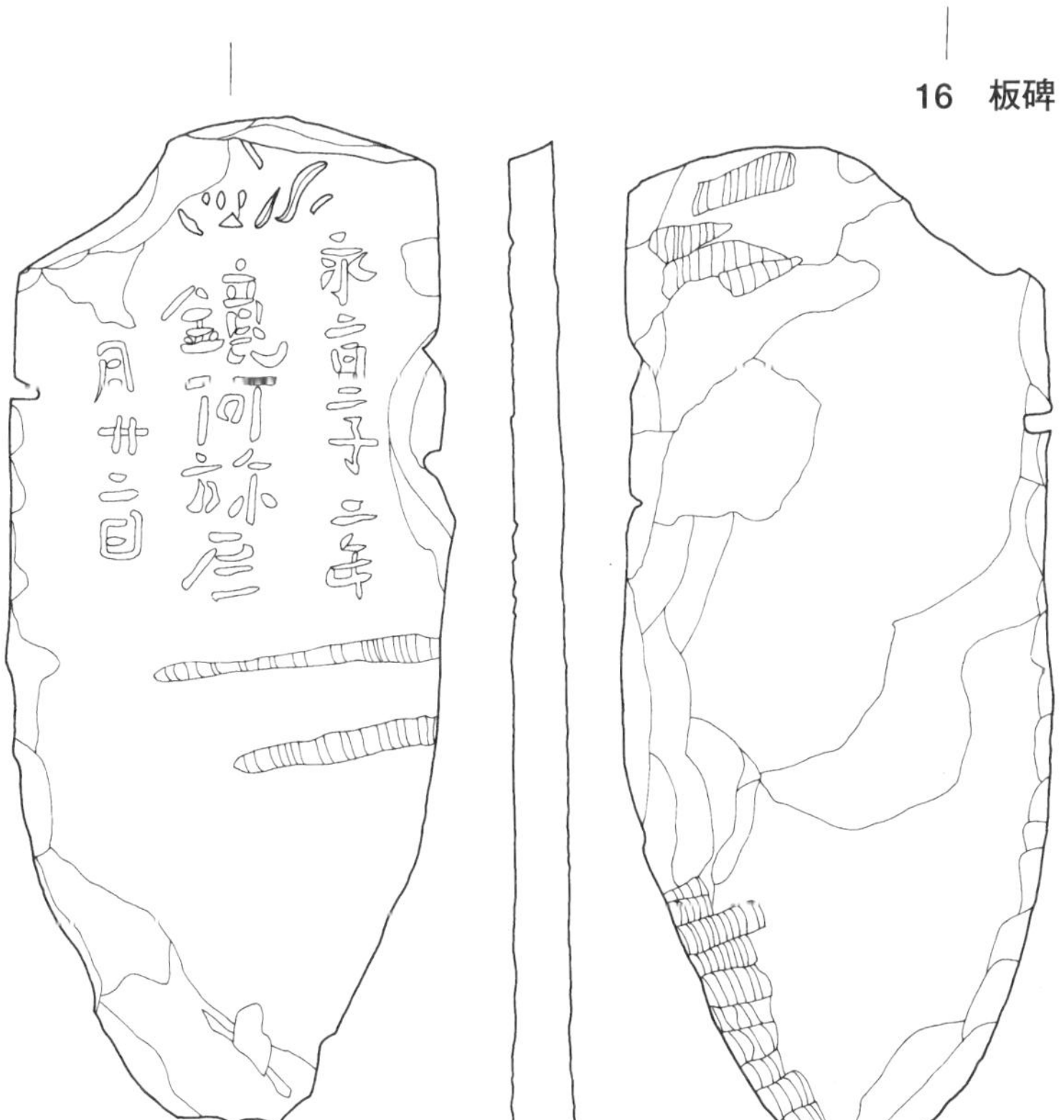

19　板碑　茨城県境町百戸字マイゴオ出土

実測図10（縮尺1/4）

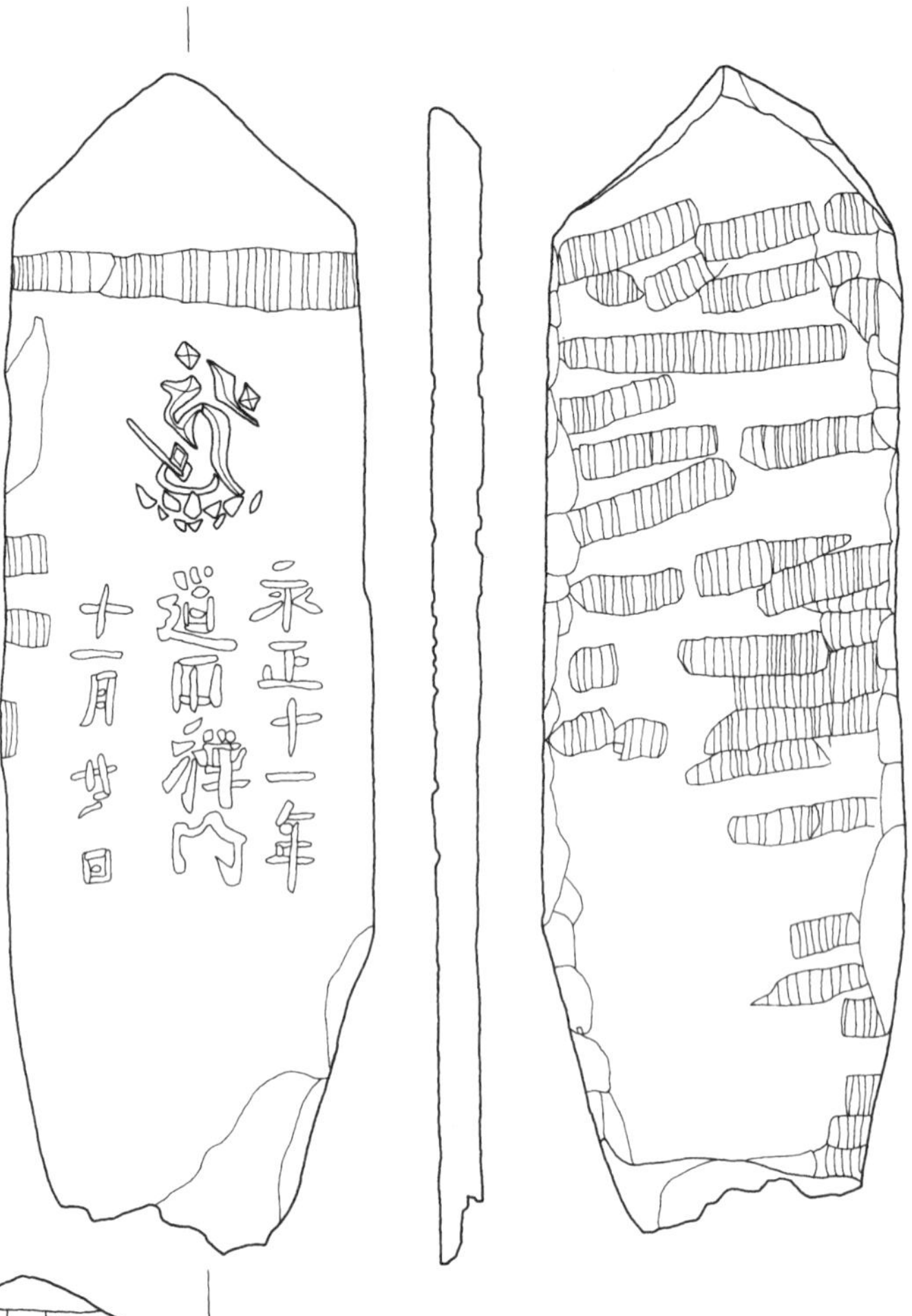

20　板碑　茨城県境町百戸字マイゴオ出土

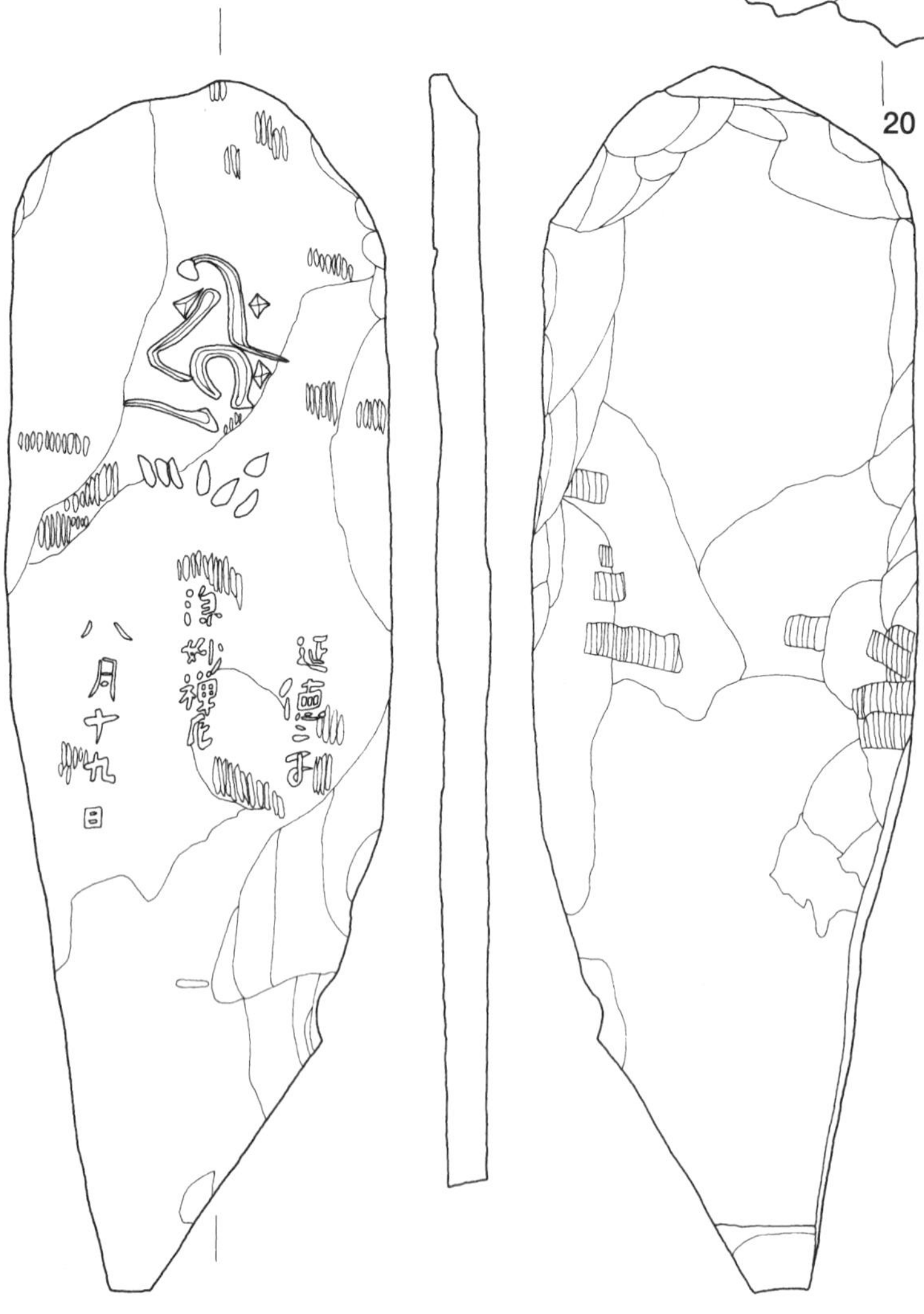

17　板碑　茨城県境町百戸字マイゴオ出土

実測図 11（縮尺 1/8）

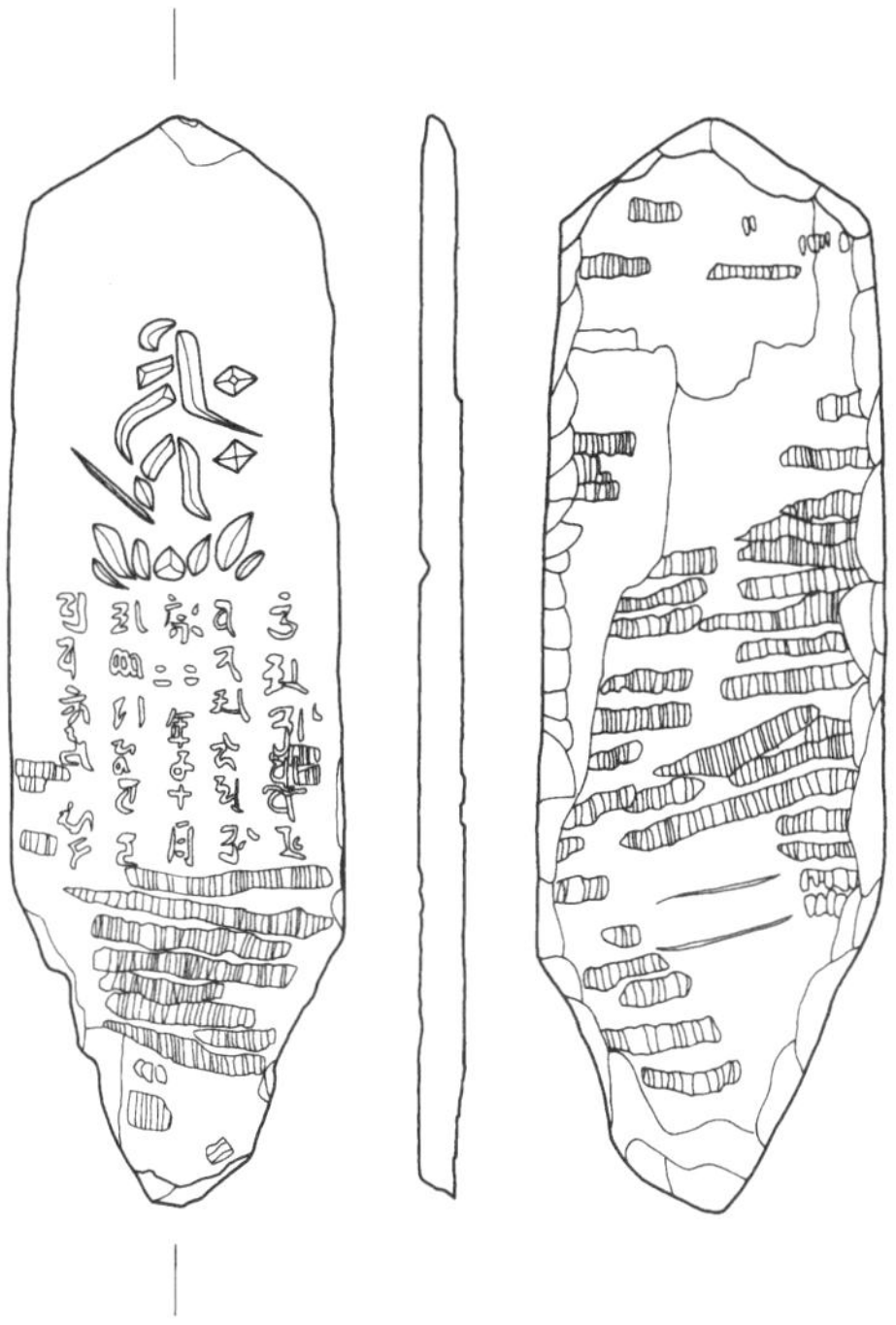

25　板碑　栃木県小山市上石塚字愛宕東　愛宕神社境内出土

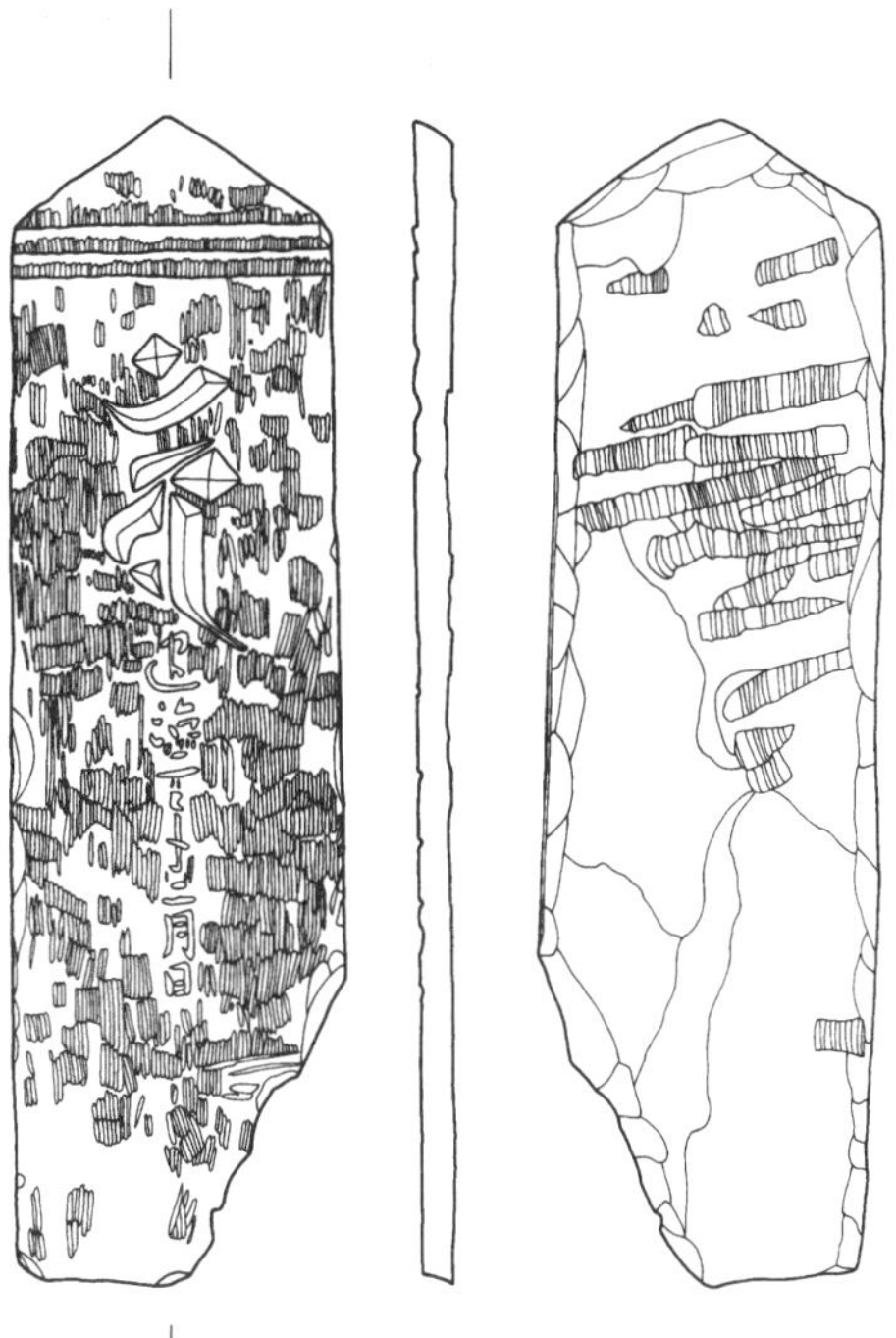

21　板碑　栃木県小山市上石塚字愛宕東　愛宕神社境内出土

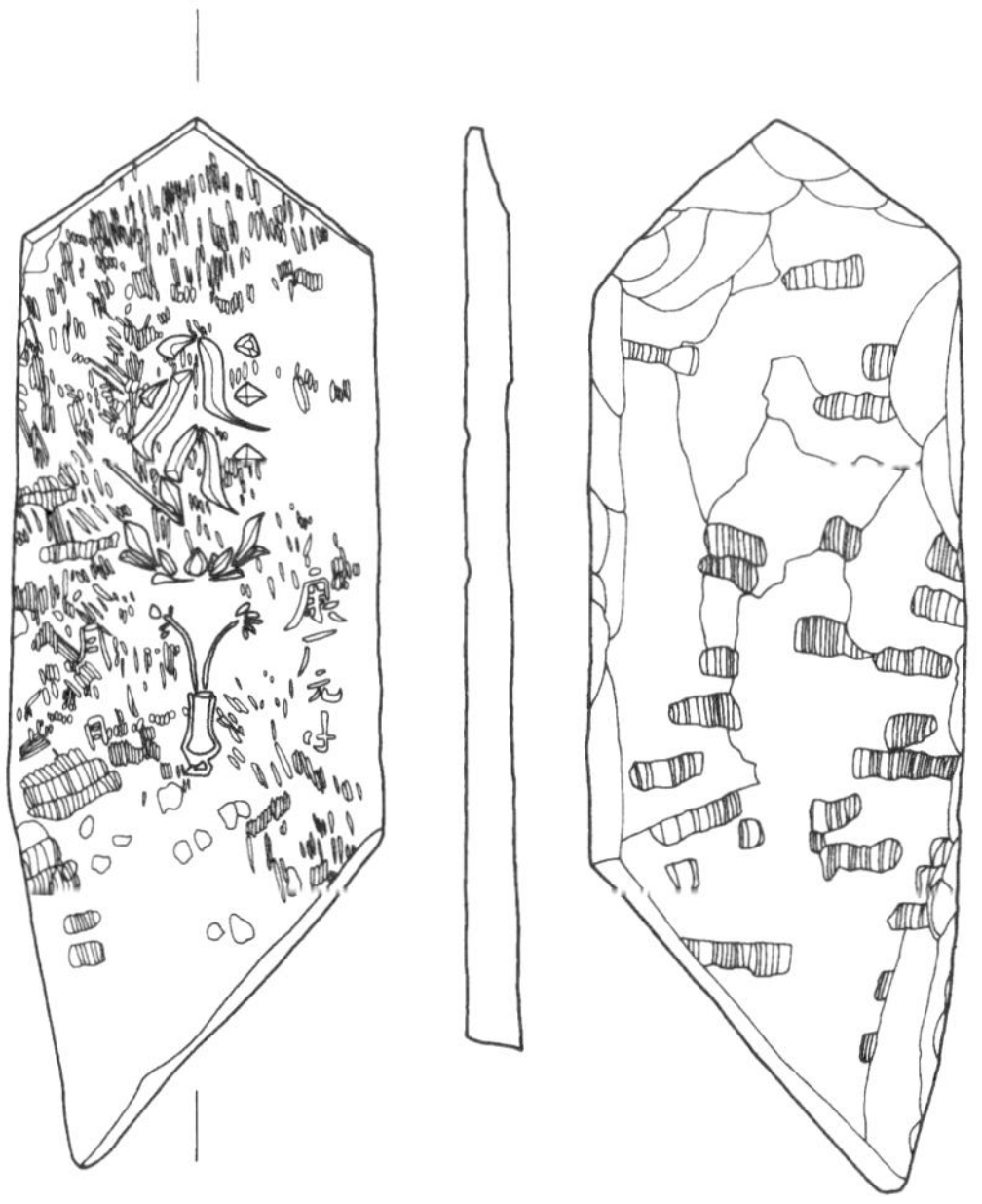

23　板碑　栃木県小山市上石塚字愛宕東　愛宕神社境内出土

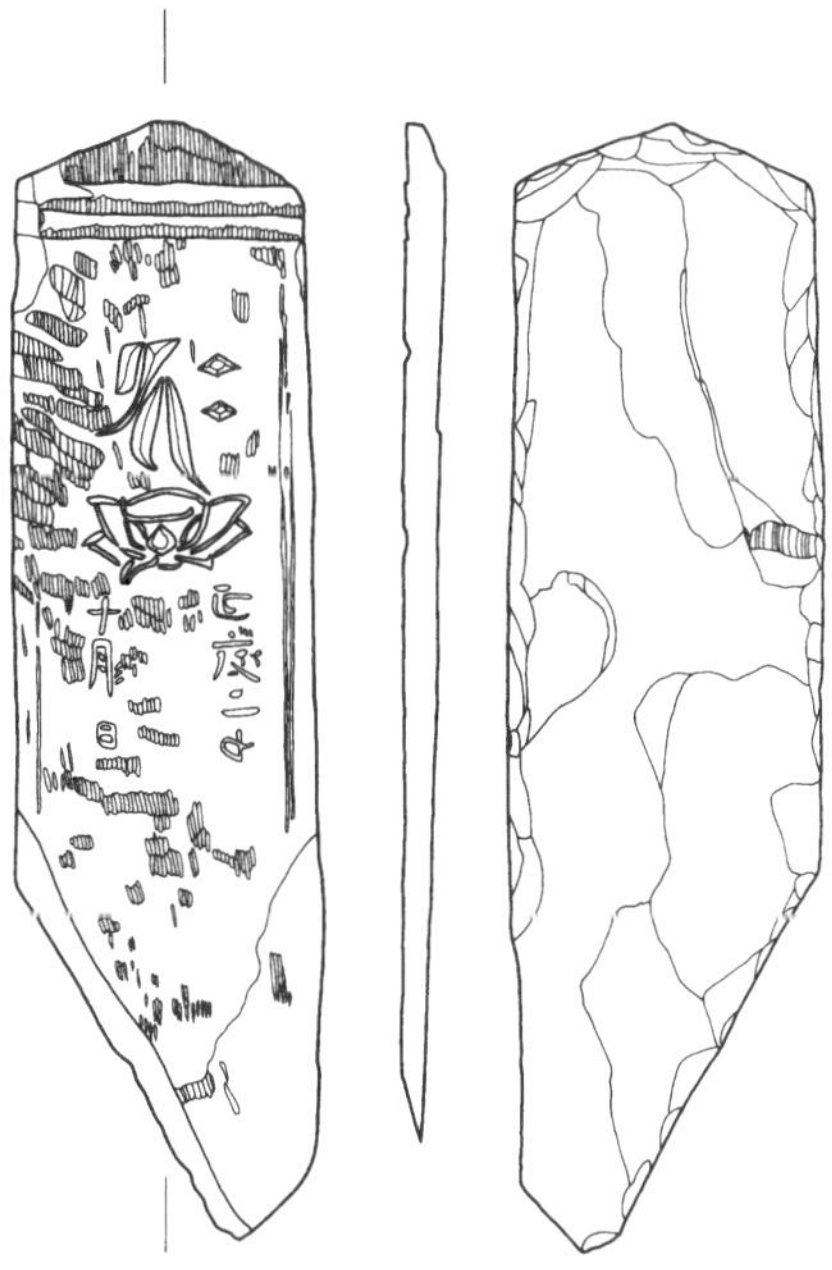

22　板碑　栃木県小山市上石塚字愛宕東　愛宕神社境内出土

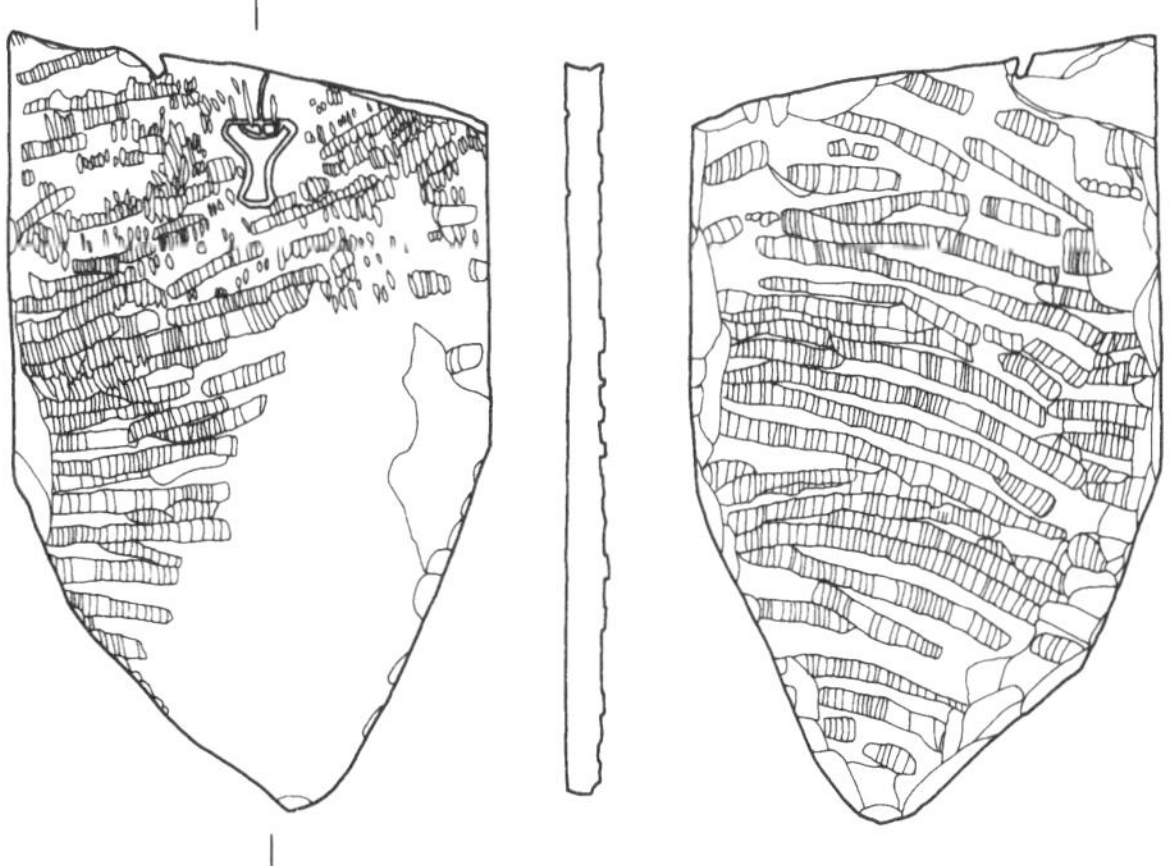

36　板碑　栃木県小山市上石塚字愛宕東　愛宕神社境内出土

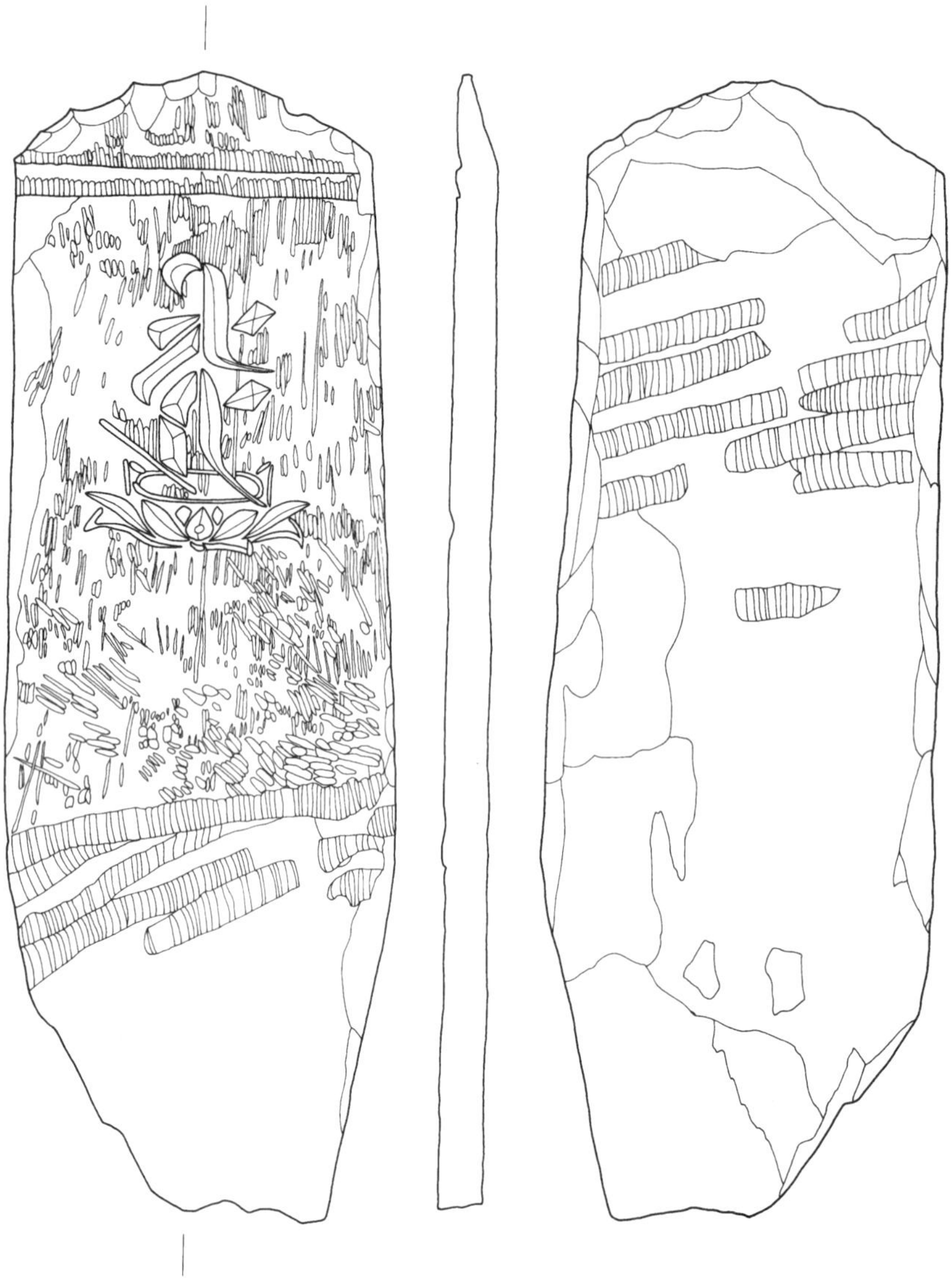

24　板碑　栃木県小山市上石塚字愛宕東　愛宕神社境内出土

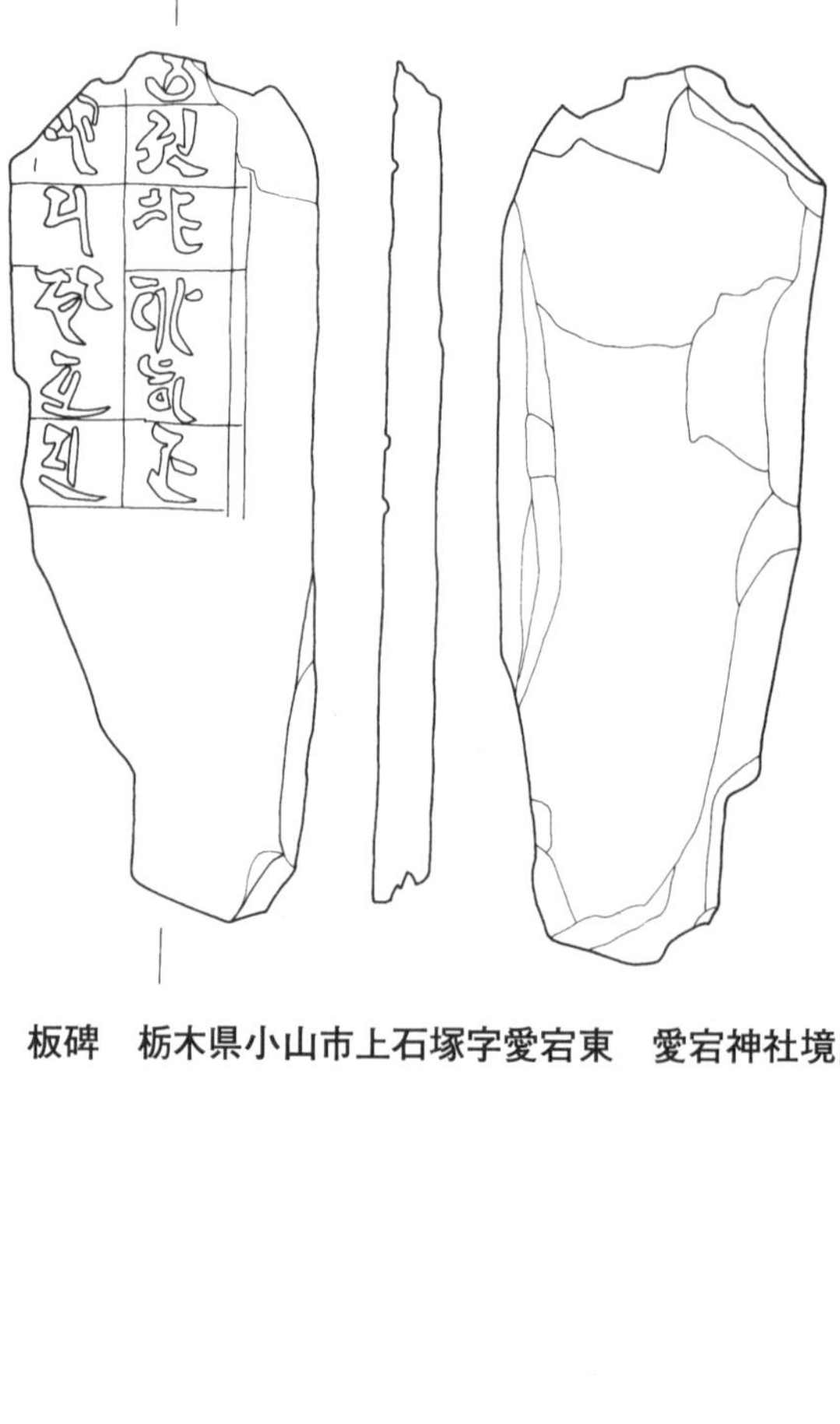

39　板碑　栃木県小山市上石塚字愛宕東　愛宕神社境内出土

実測図13（縮尺1/4）

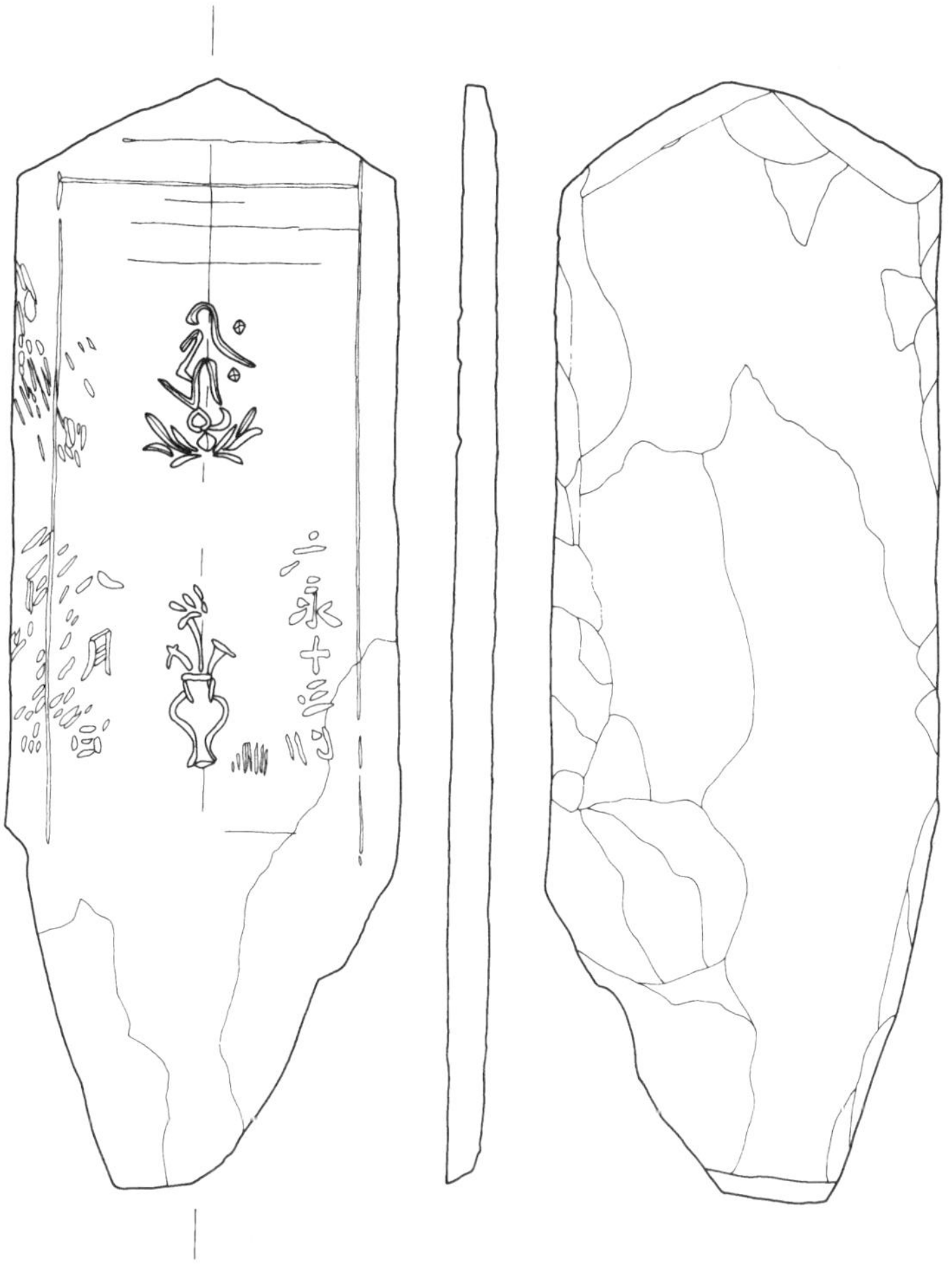

26　板碑　栃木県小山市上石塚字愛宕東　愛宕神社境内出土

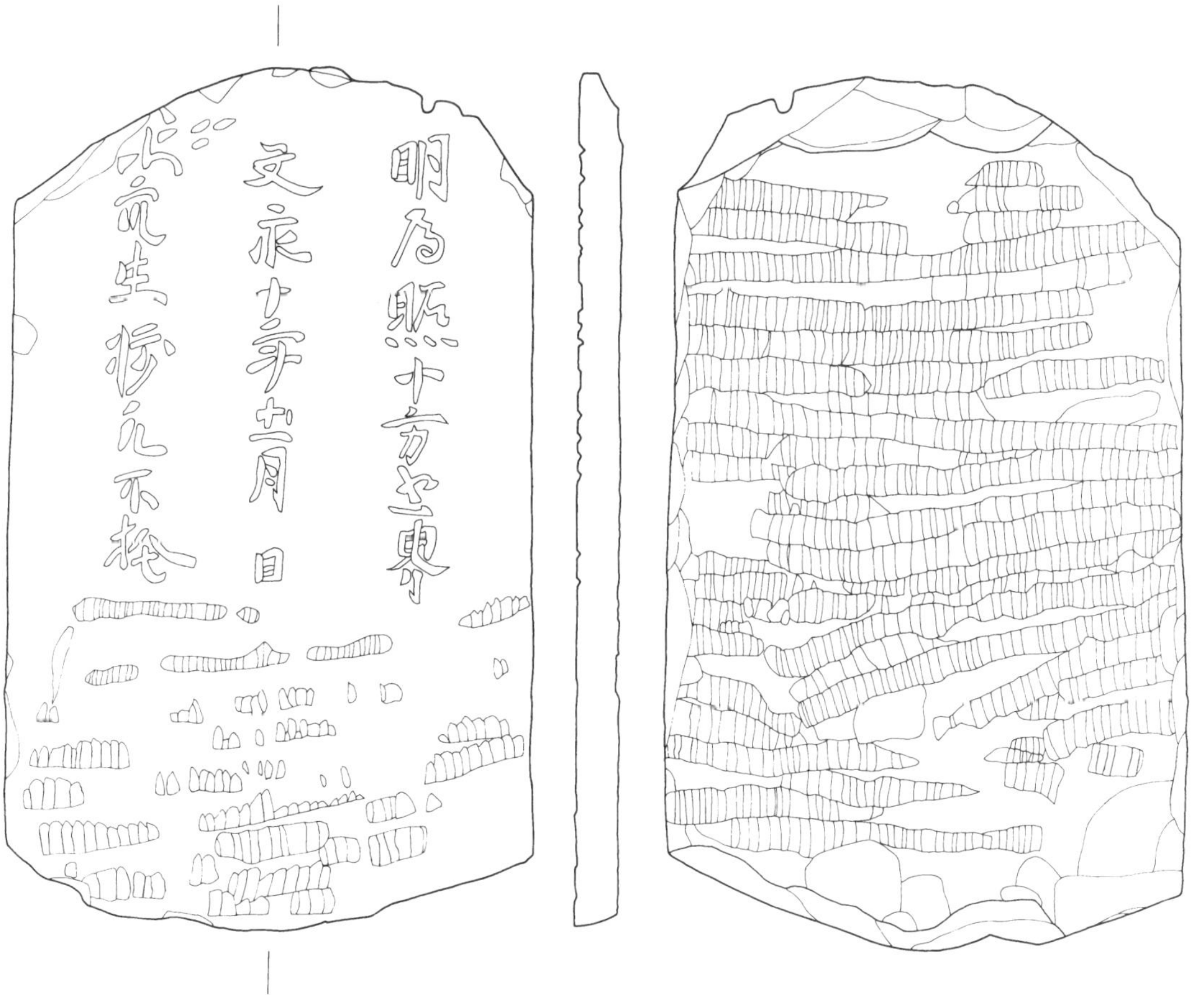

30　板碑　栃木県小山市上石塚字愛宕東　愛宕神社境内出土

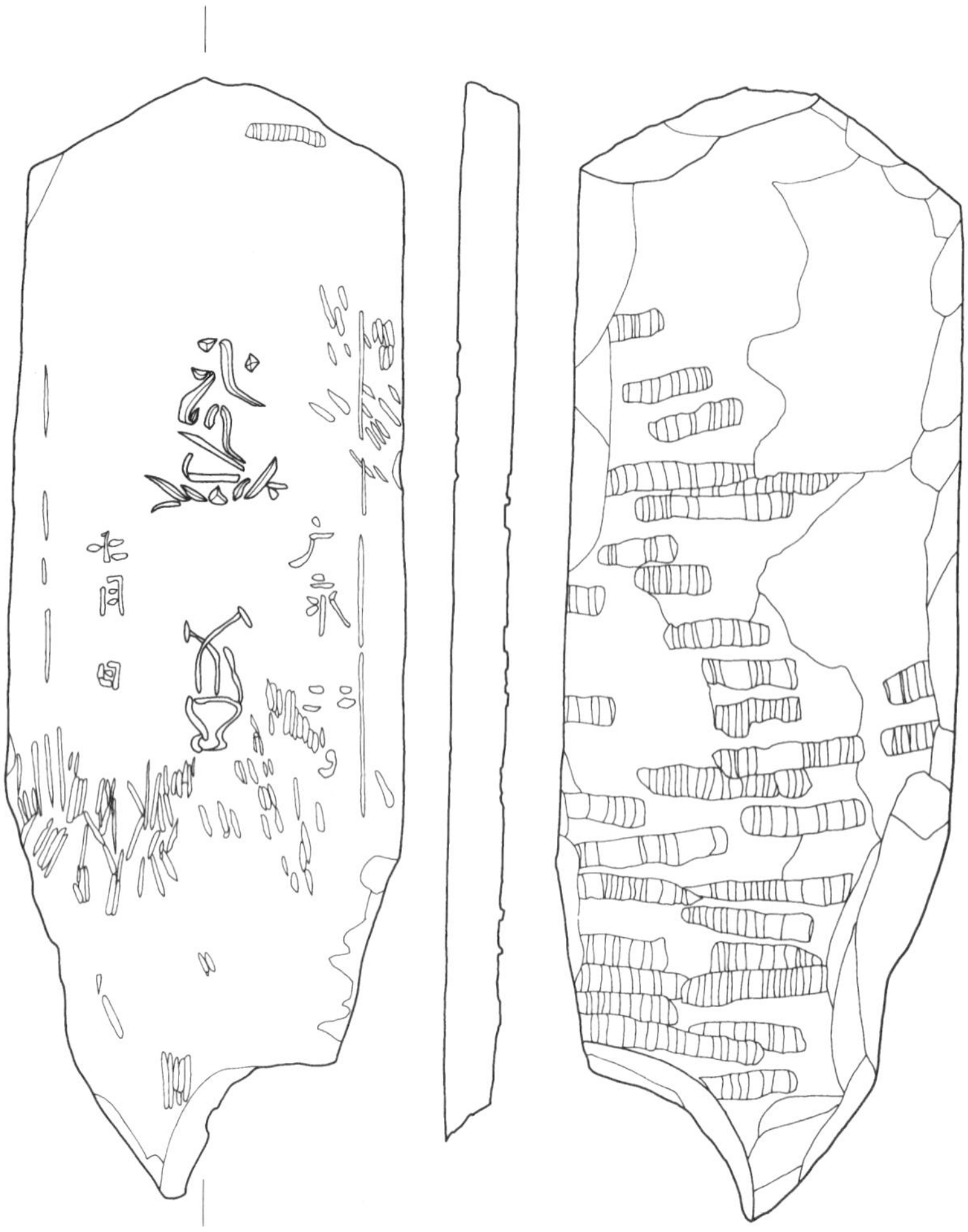

27　板碑　栃木県小山市上石塚字愛宕東　愛宕神社境内出土

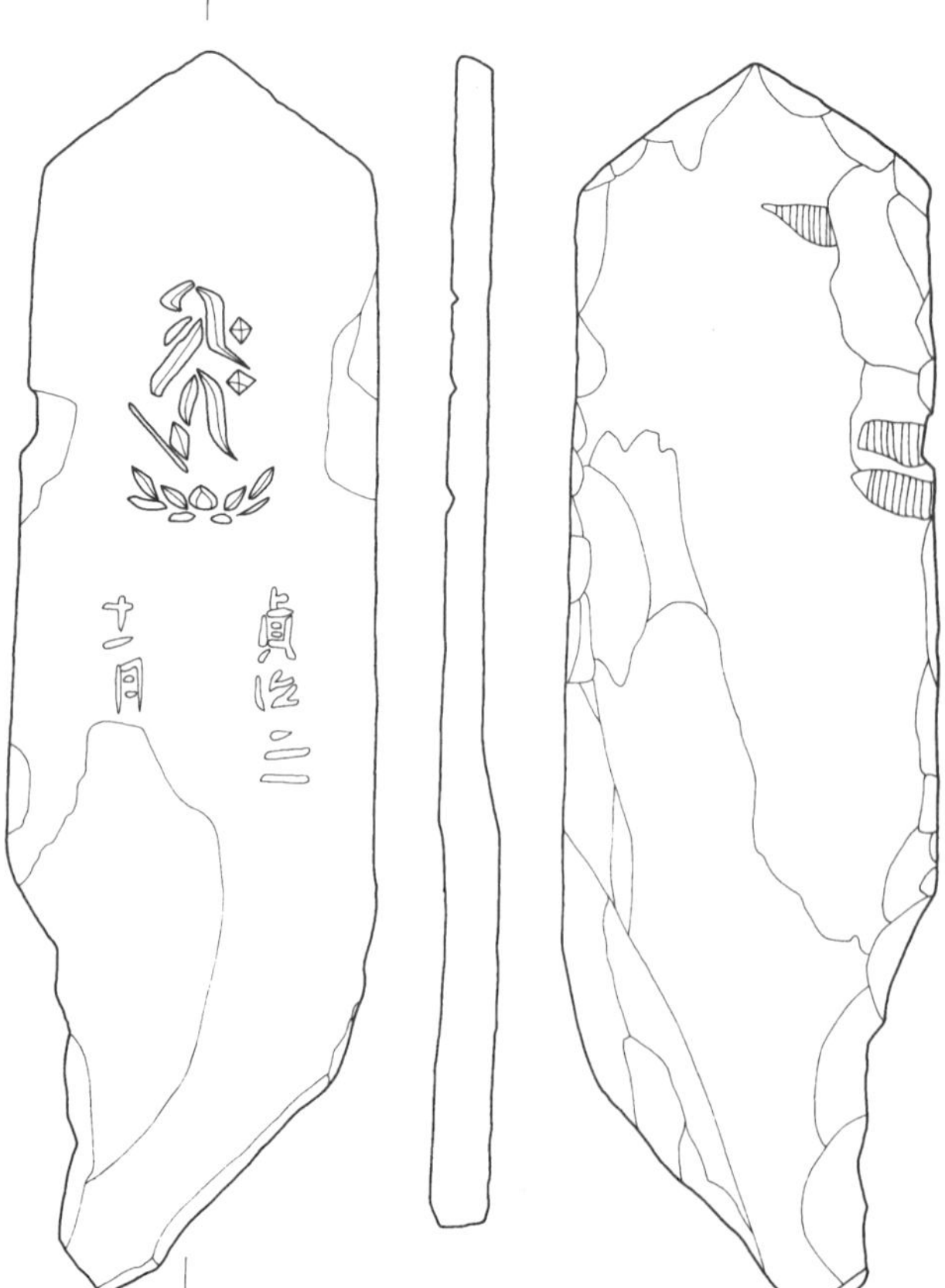

29　板碑　栃木県小山市上石塚字愛宕東　愛宕神社境内出土

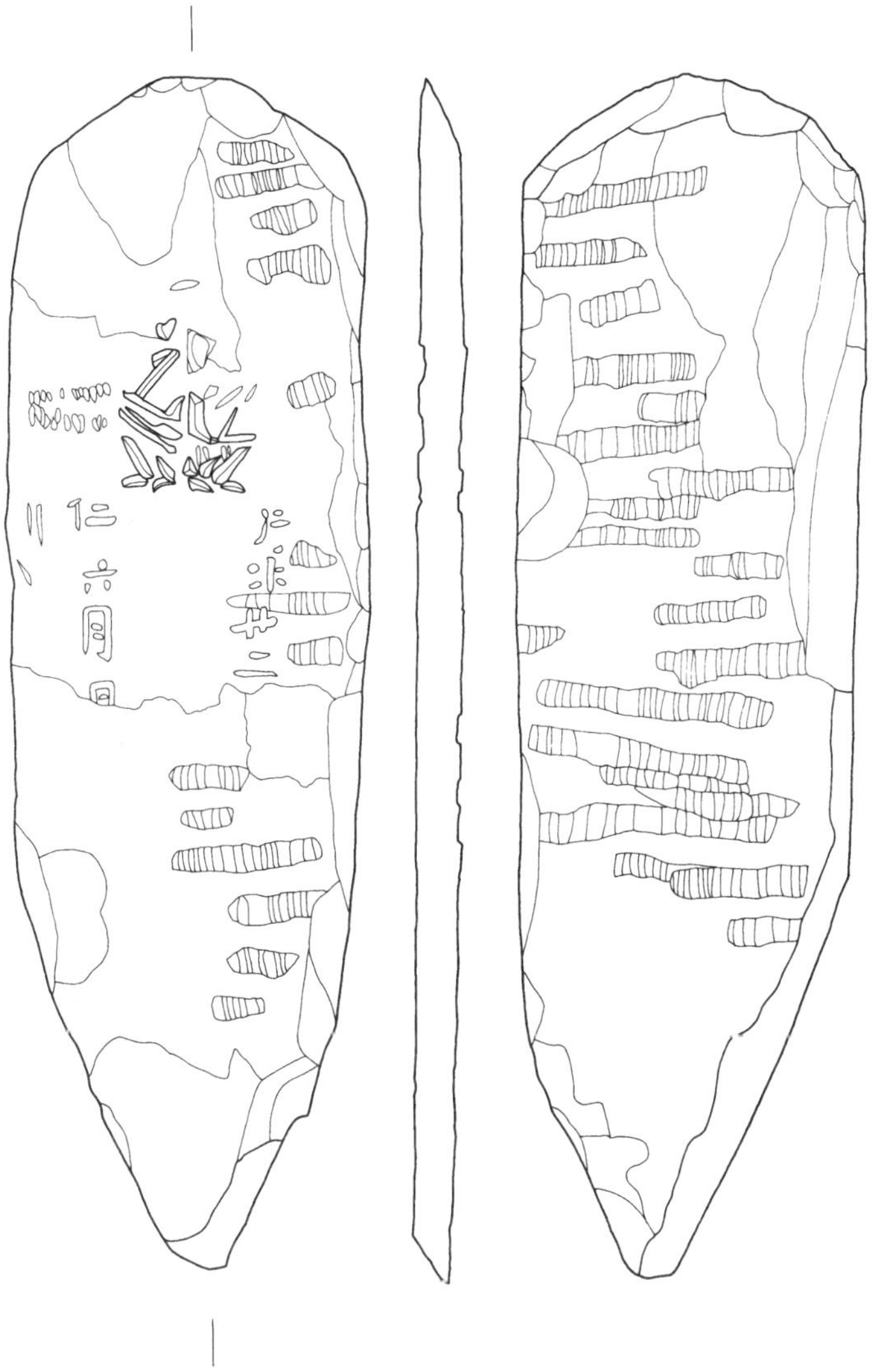

28　板碑　栃木県小山市上石塚字愛宕東　愛宕神社境内出土

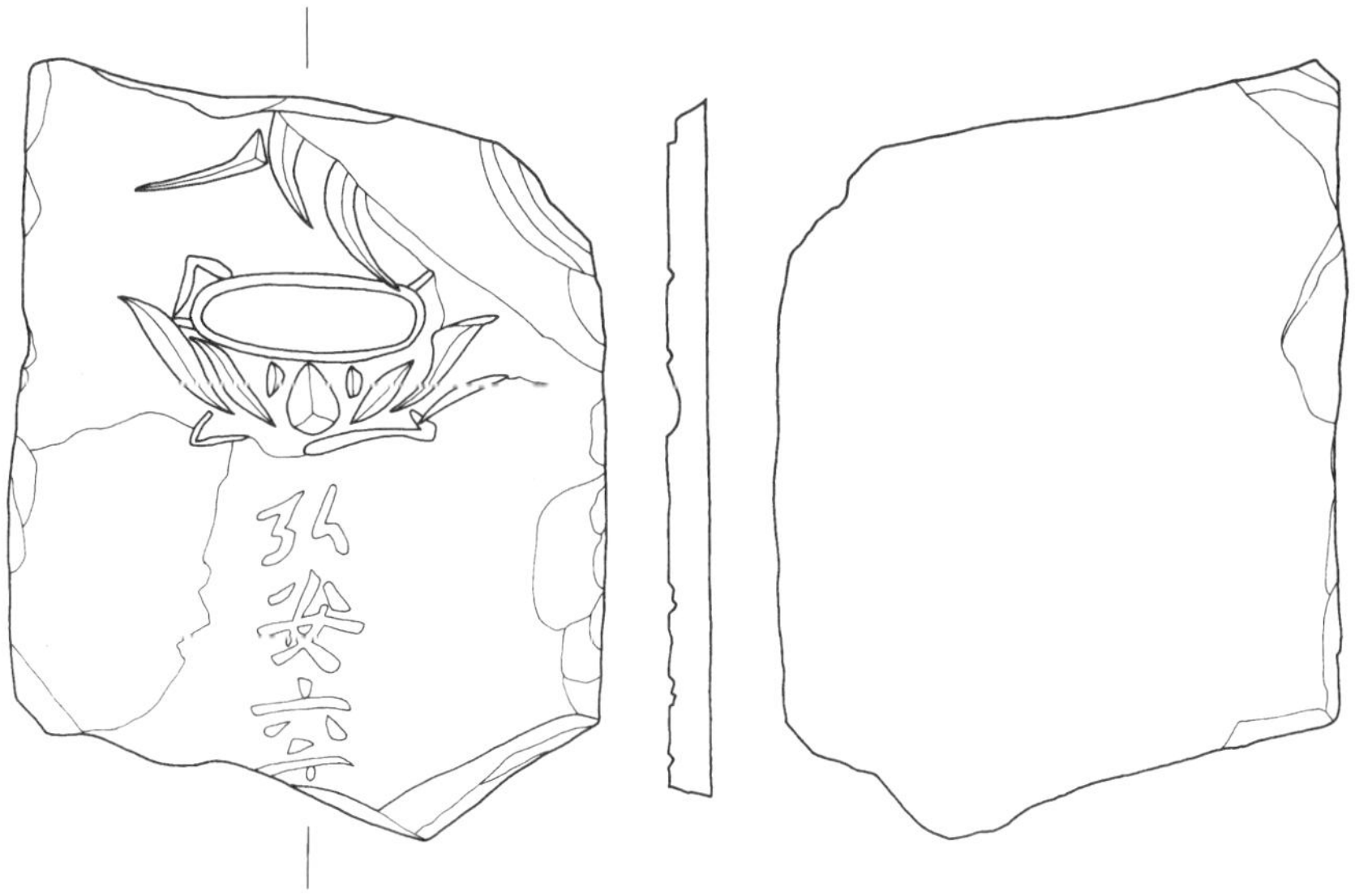

34　板碑　栃木県小山市上石塚字愛宕東　愛宕神社境内出土

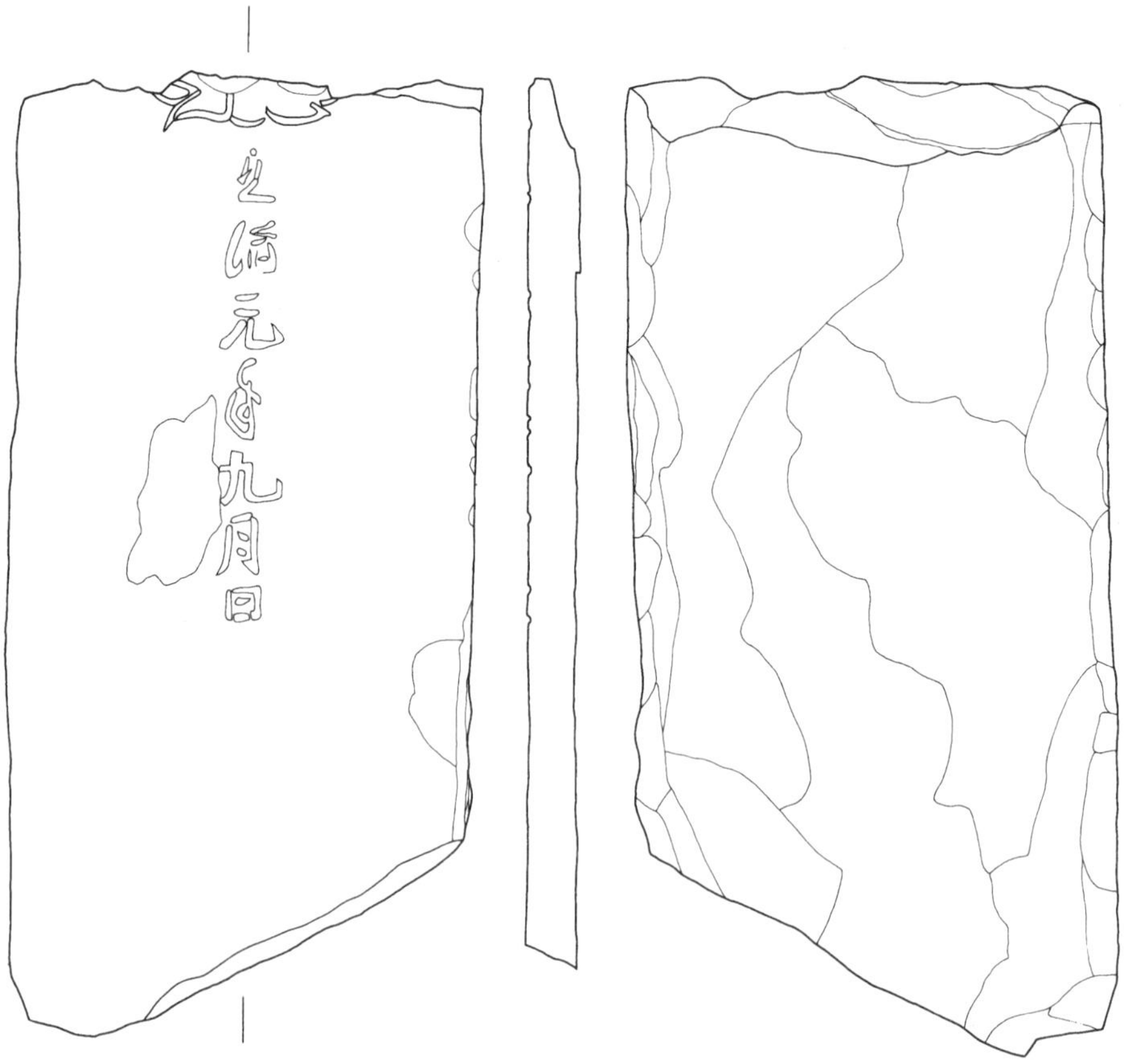

31　板碑　栃木県小山市上石塚字愛宕東　愛宕神社境内出土

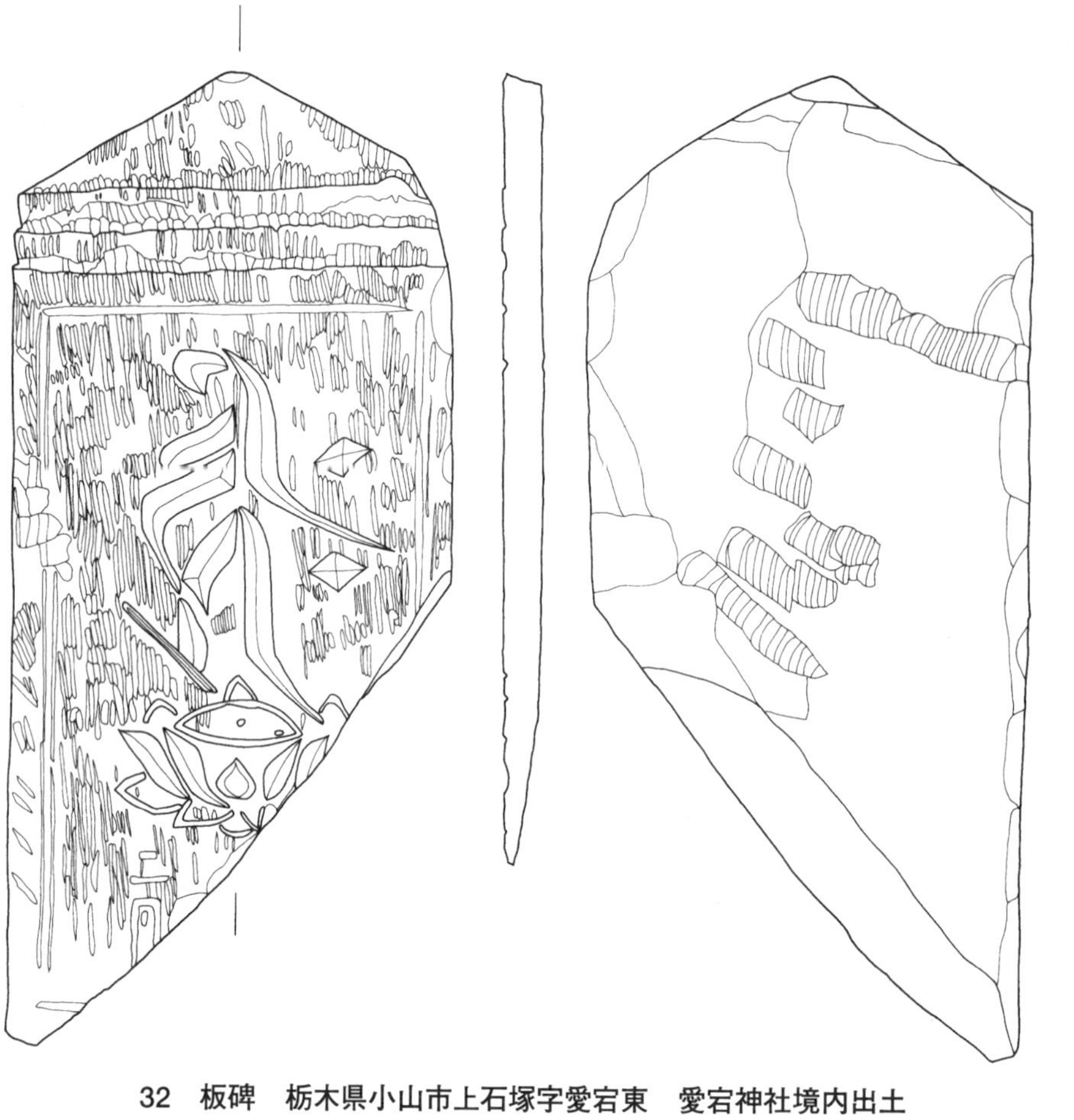

32　板碑　栃木県小山市上石塚字愛宕東　愛宕神社境内出土

実測図17（縮尺1/4）

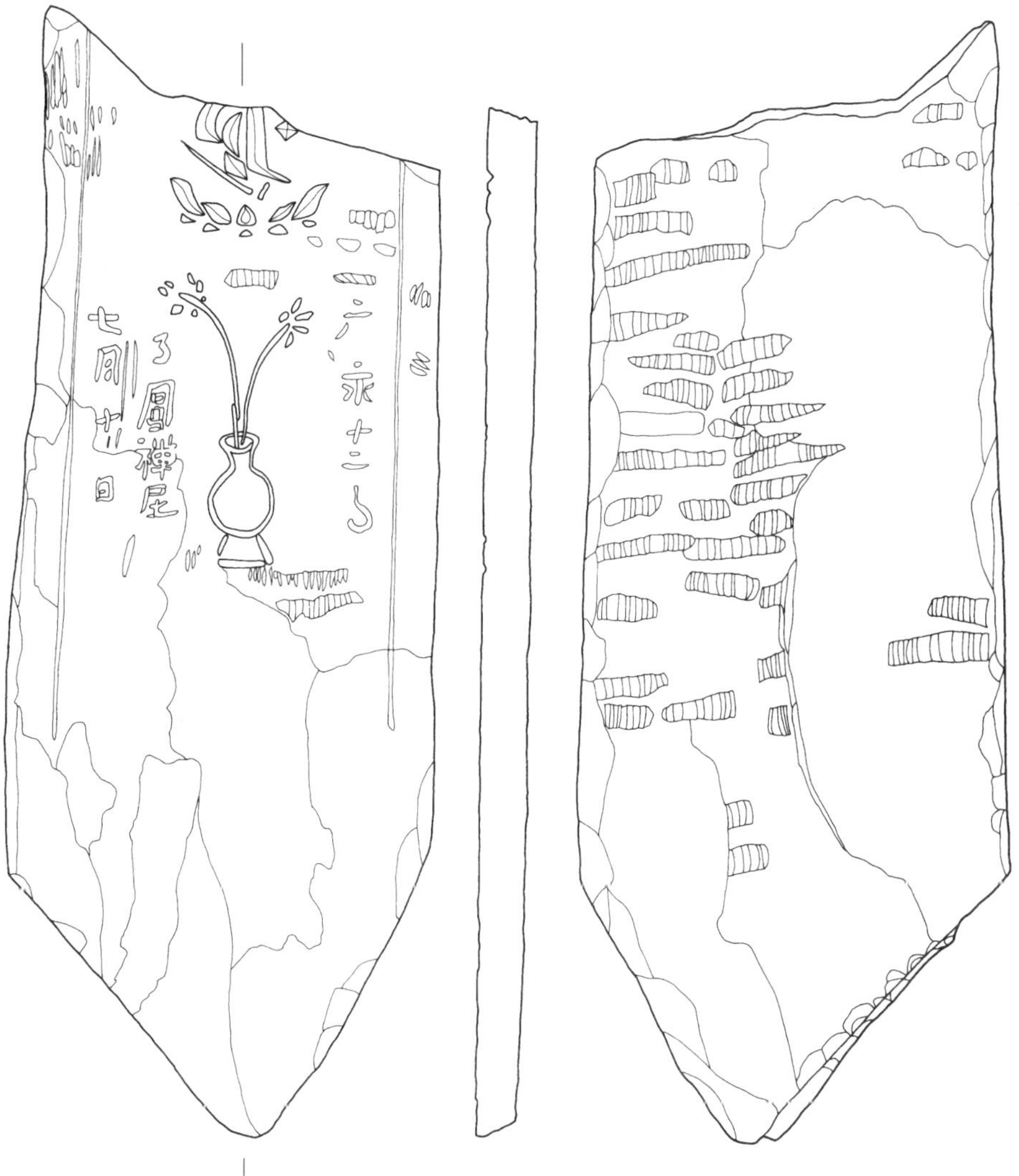

33　板碑　栃木県小山市上石塚字愛宕東　愛宕神社境内出土

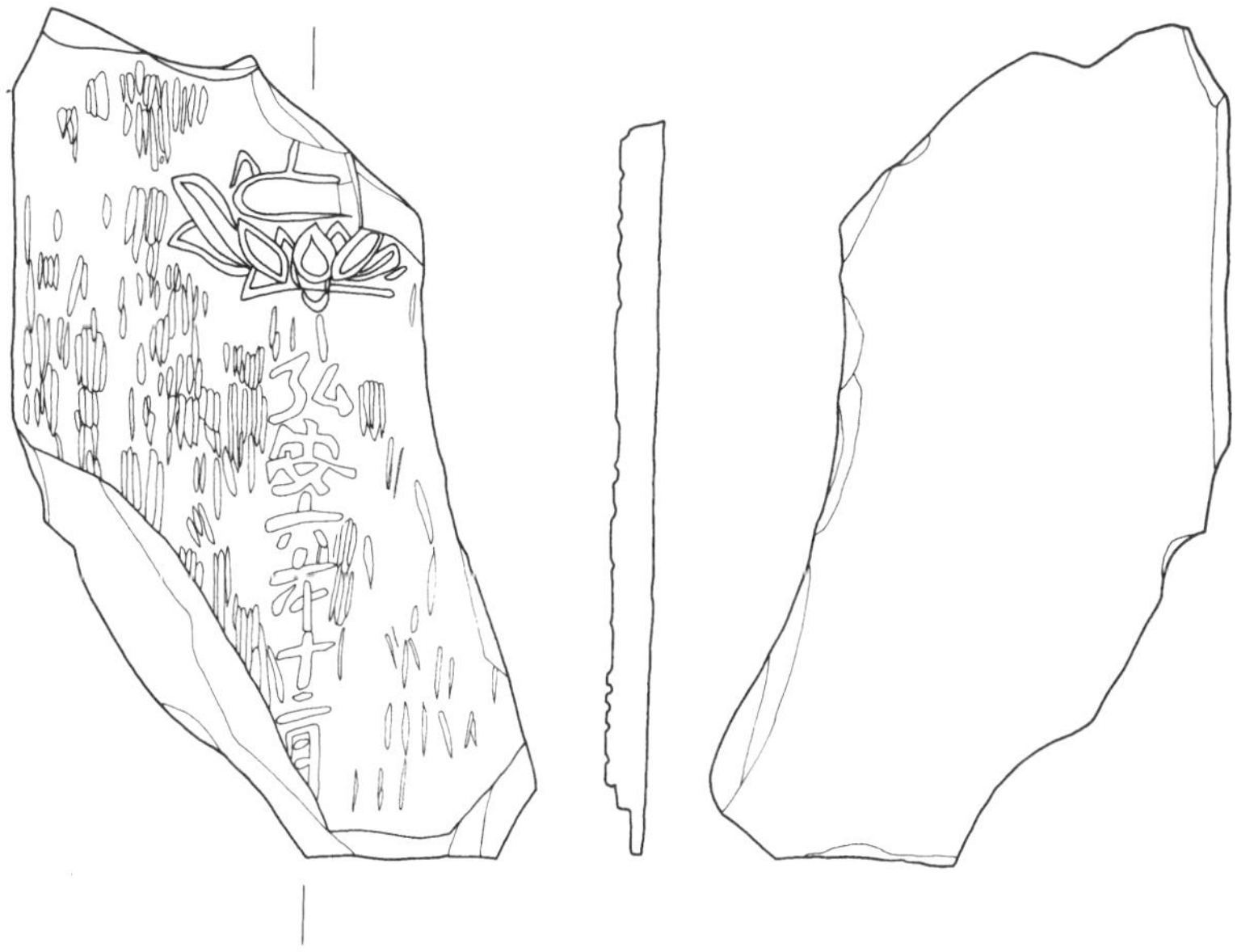

37　板碑　栃木県小山市上石塚字愛宕東　愛宕神社境内出土

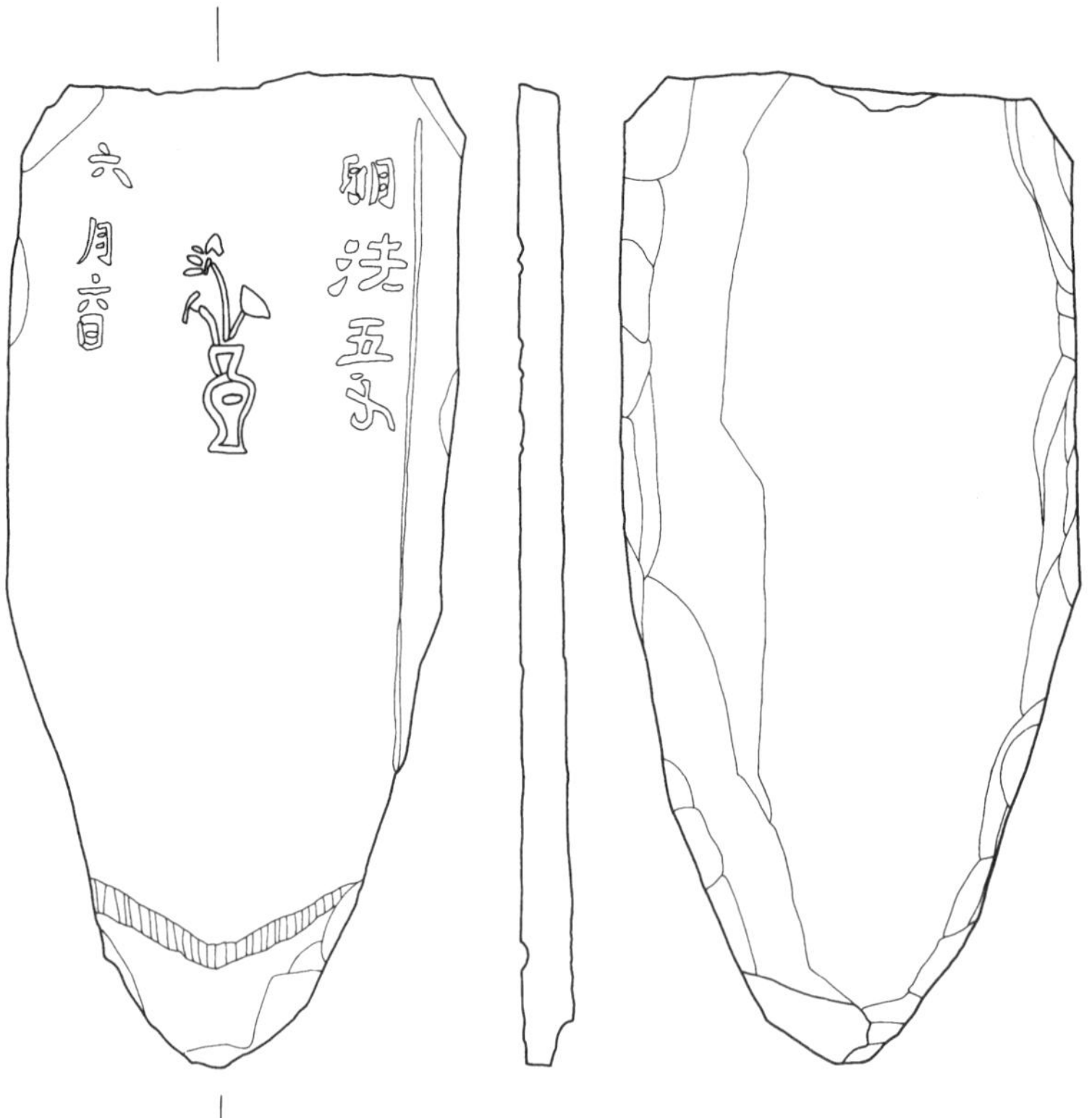

35　板碑　栃木県小山市上石塚字愛宕東　愛宕神社境内出土

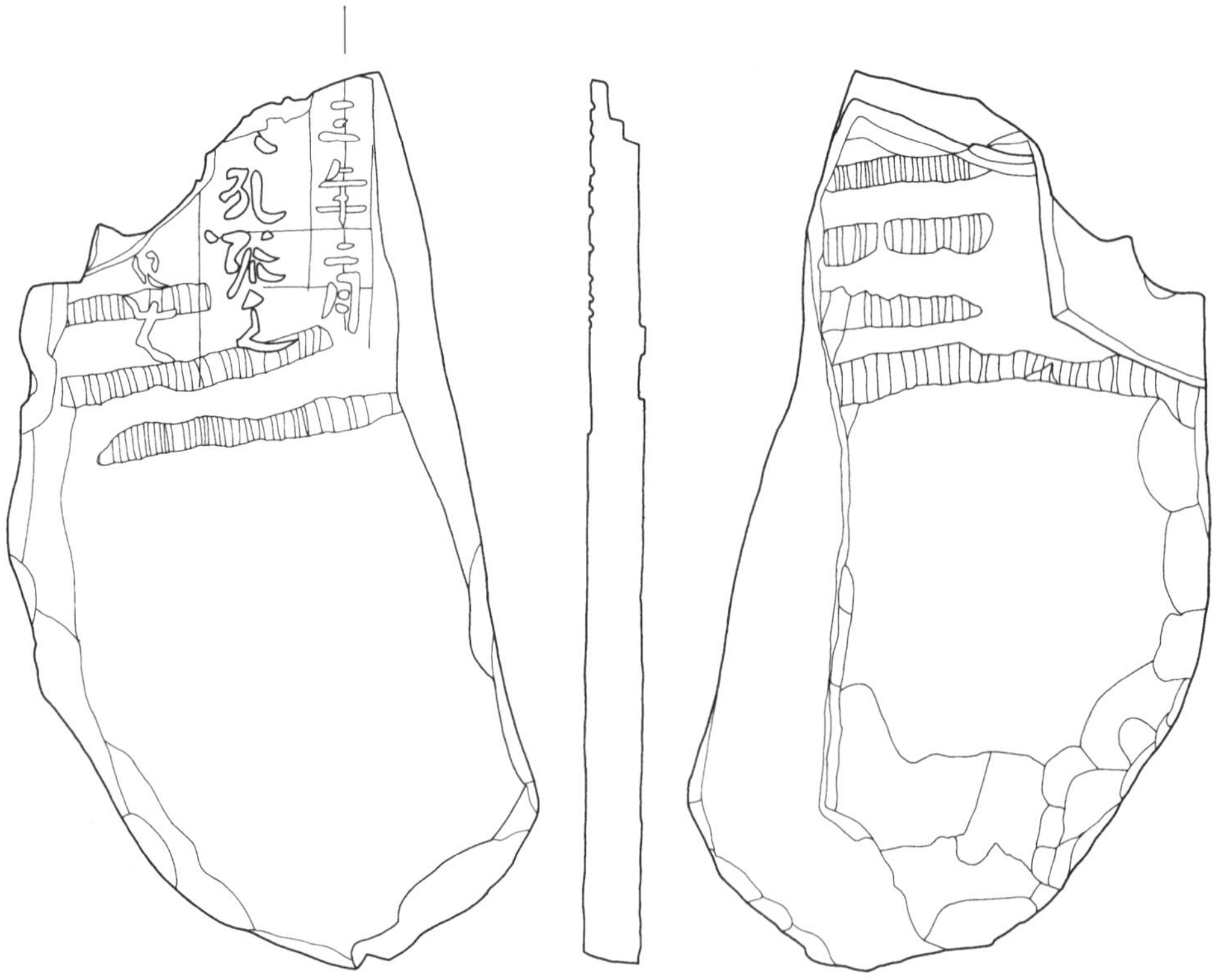

38　板碑　栃木県小山市上石塚字愛宕東　愛宕神社境内出土

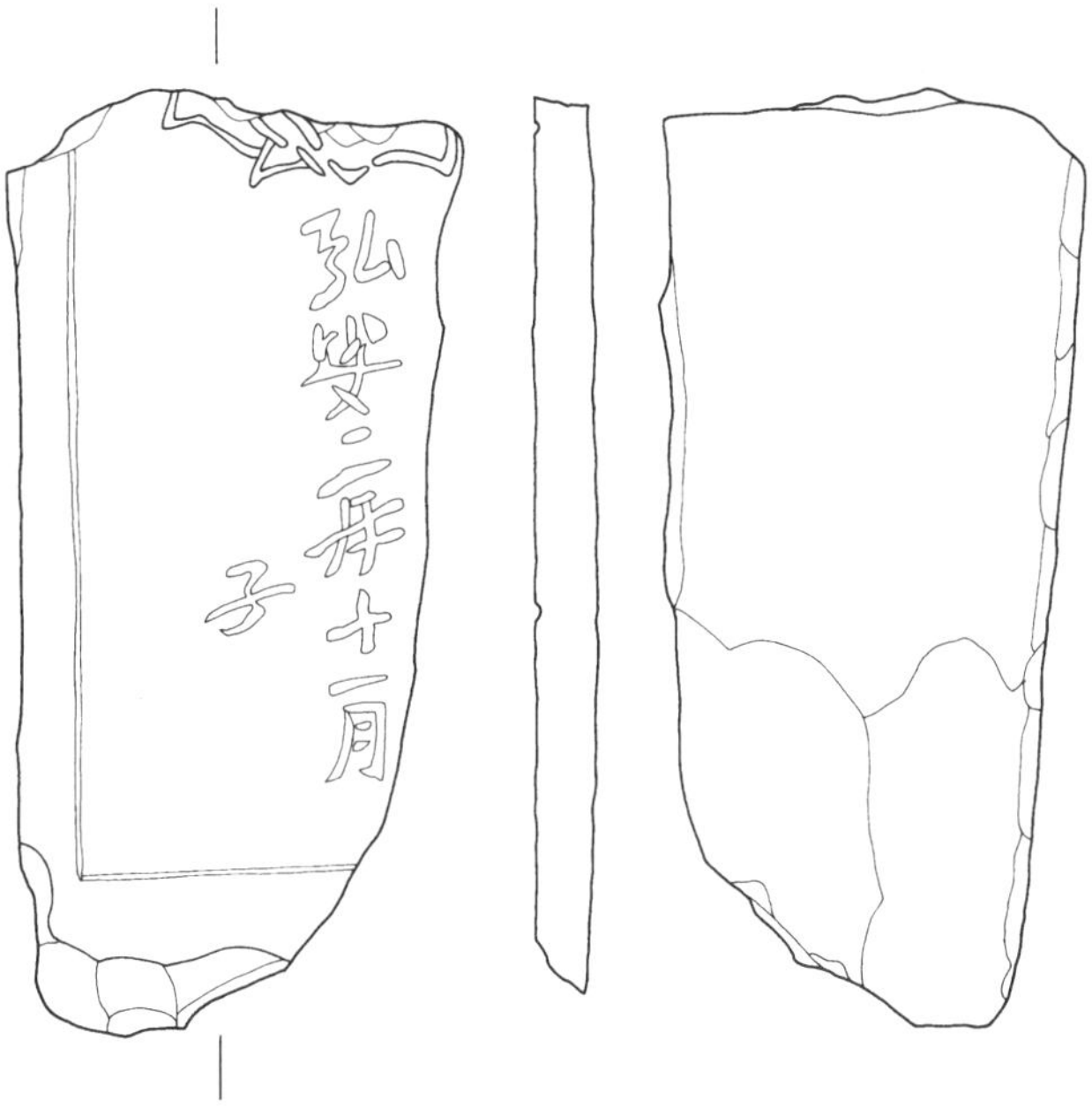

40　板碑　栃木県小山市上石塚字愛宕東　愛宕神社境内出土

44　板碑　栃木県野木町野渡字仲沖出土

43　板碑　栃木県野木町野渡字仲沖出土

実測図21（縮尺1/8）

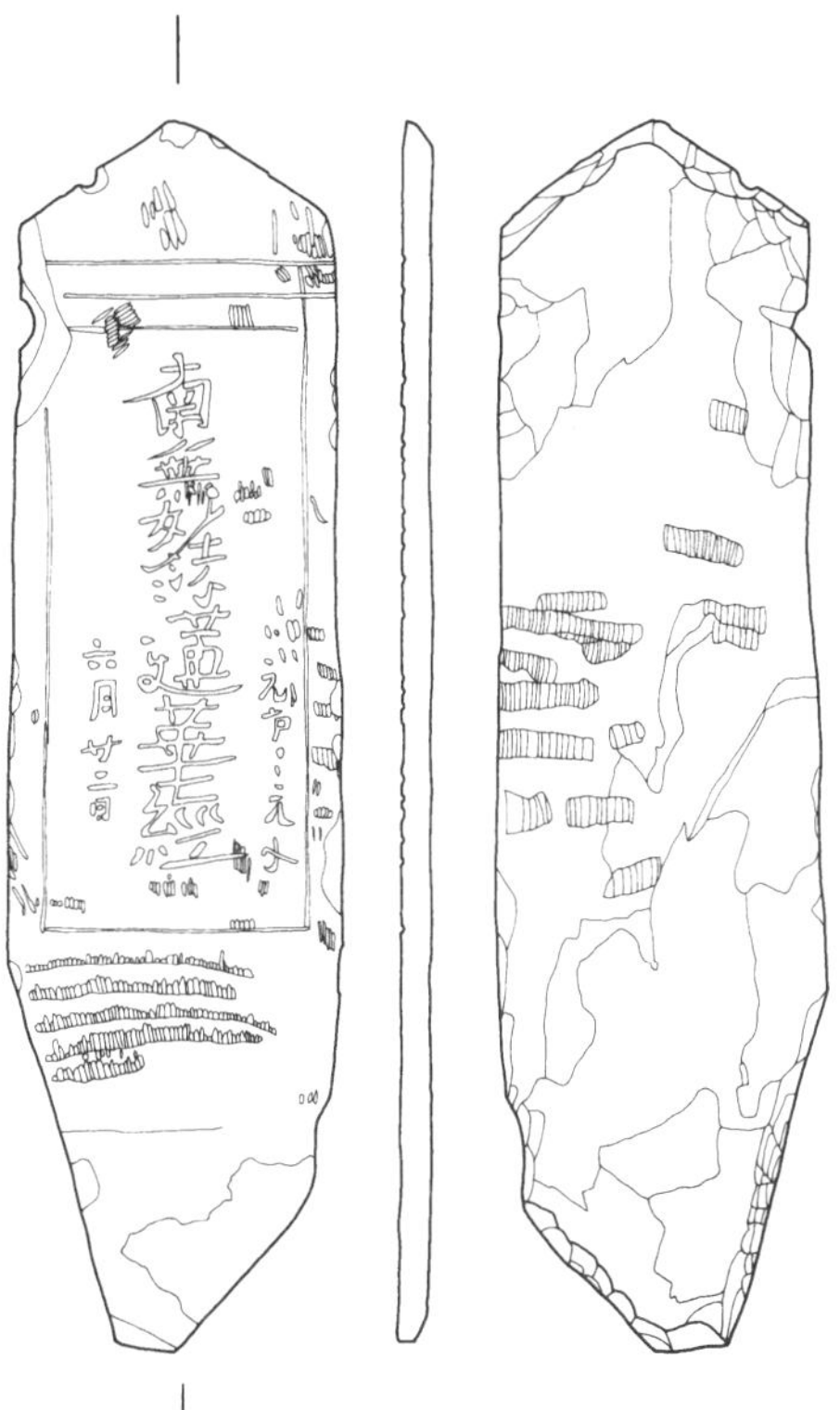

42　板碑　栃木県野木町野渡字仲沖出土

41　板碑　栃木県野木町野渡字仲沖出土

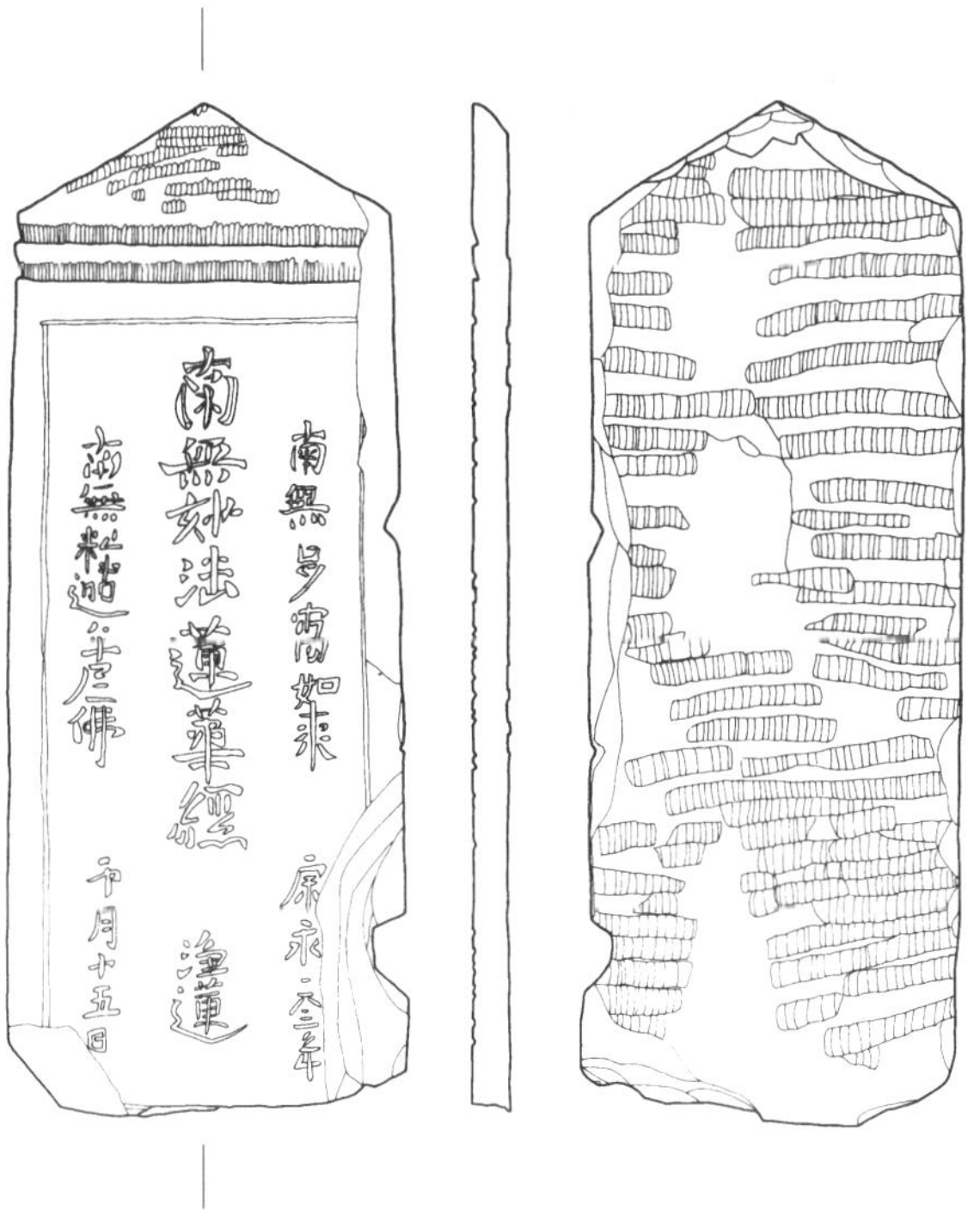

46　板碑　群馬県太田市矢場町出土

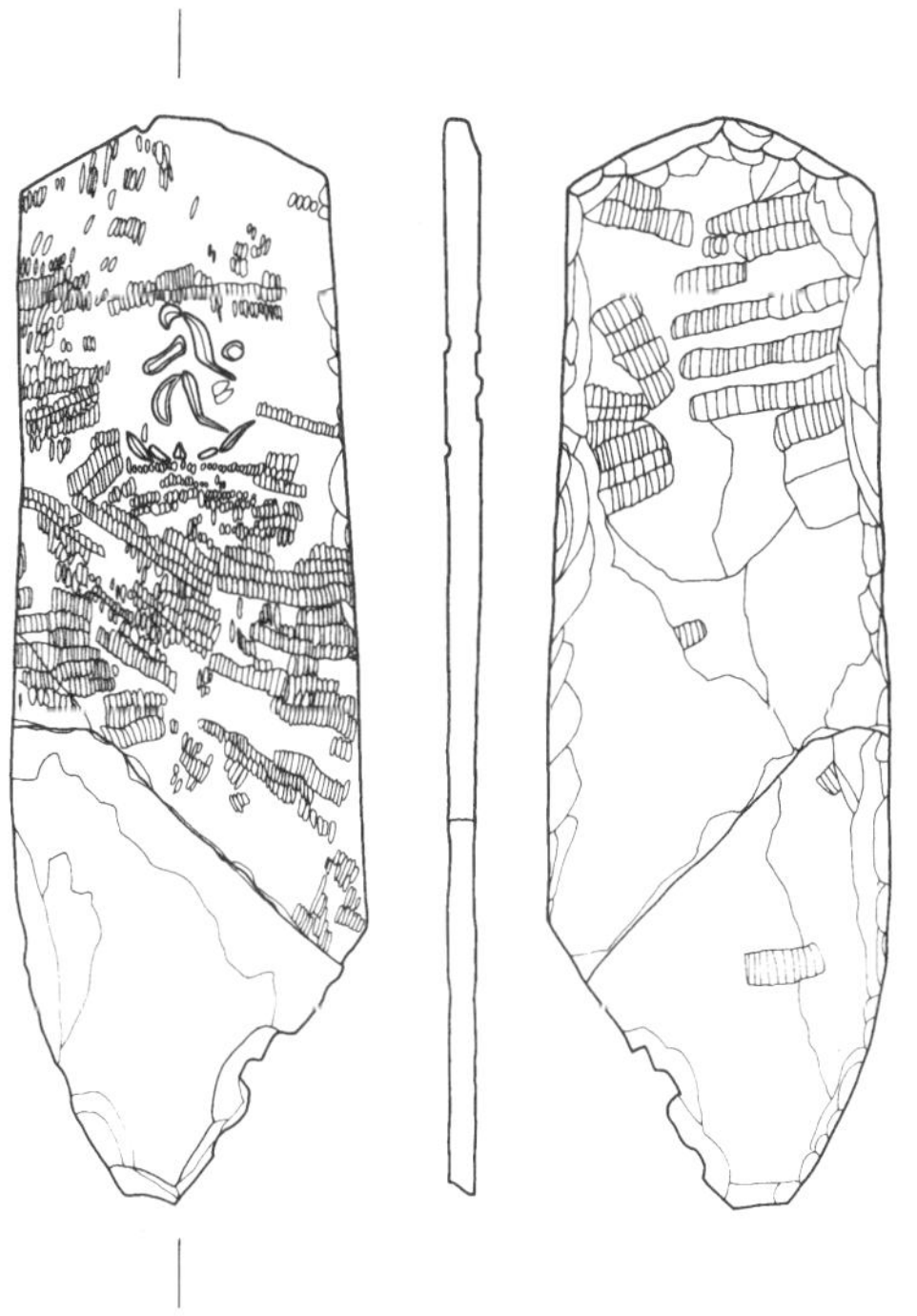

45　板碑　群馬県前橋市笂井町八日市出土

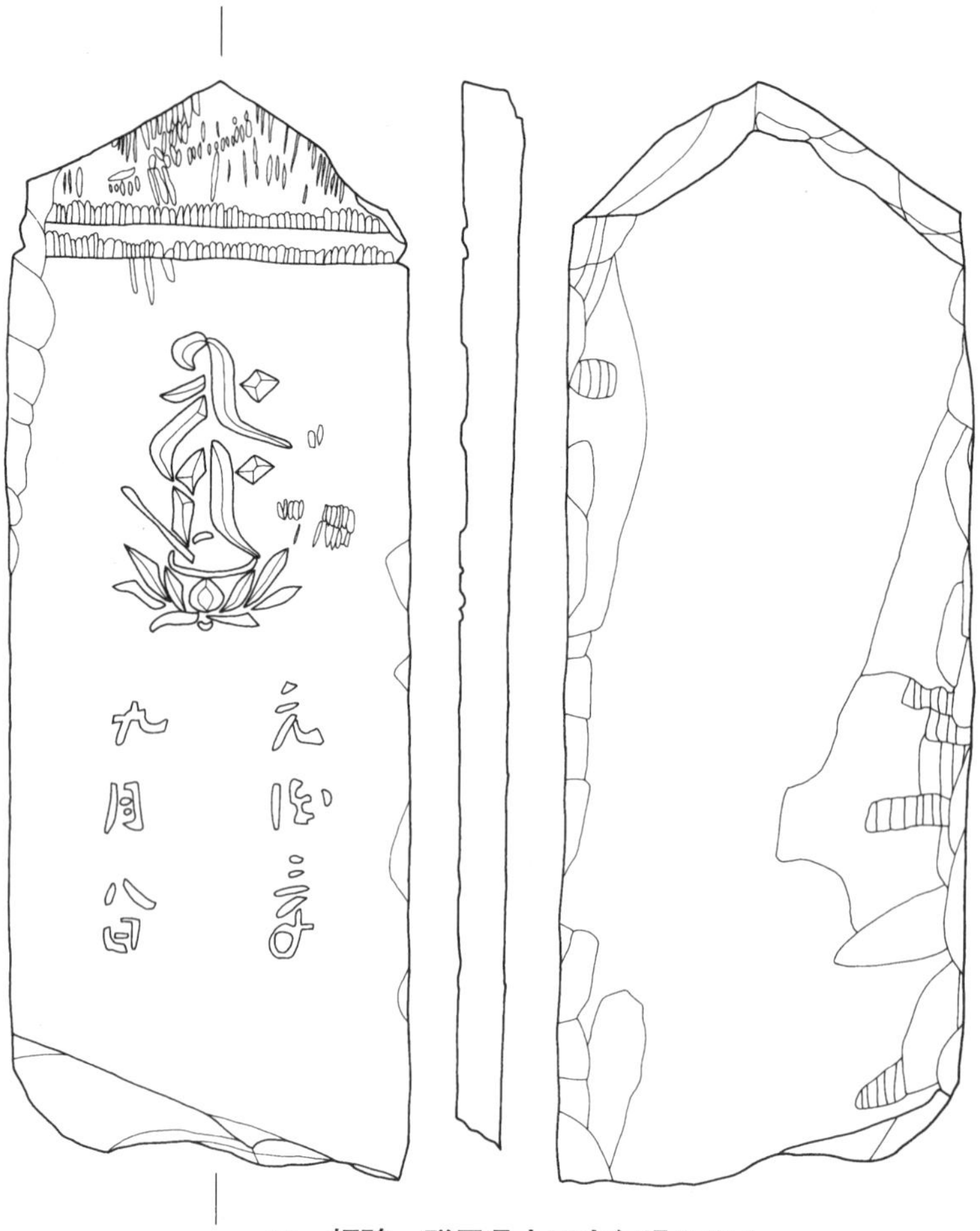

50　板碑　群馬県太田市矢場町出土

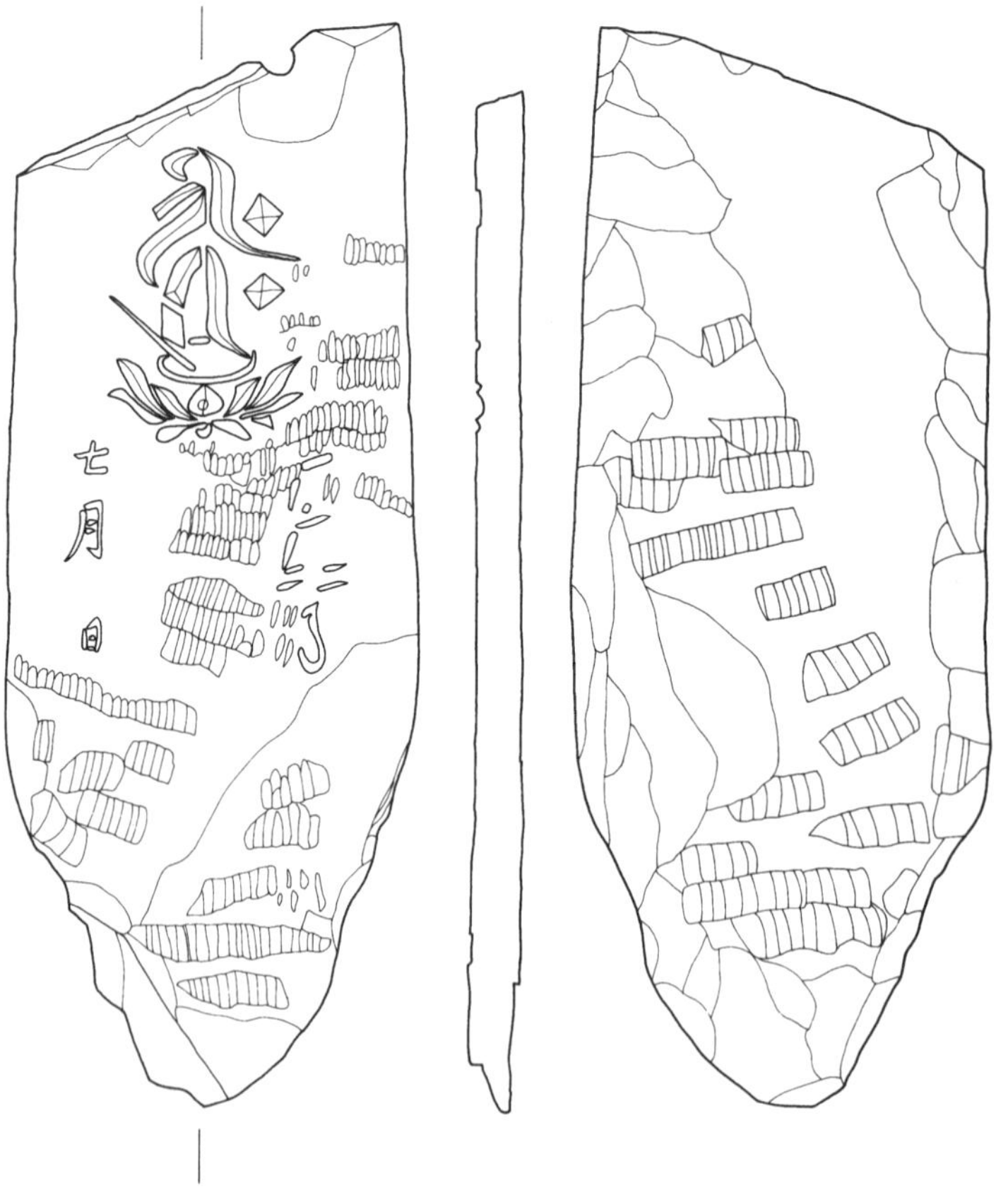

54　板碑　群馬県太田市矢場町出土

実測図23（縮尺1/4）

51　板碑　群馬県太田市矢場町出土

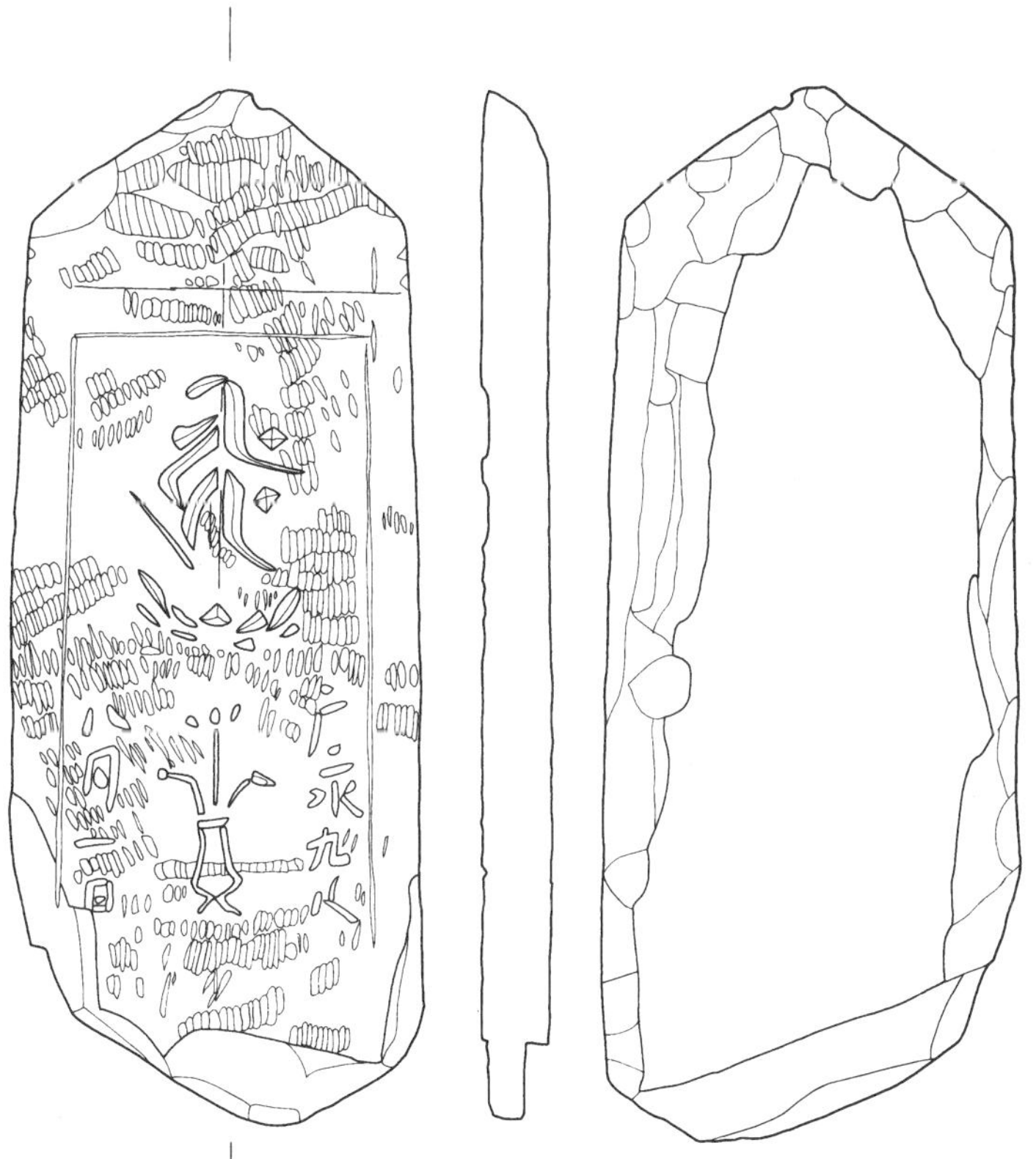

58　板碑　群馬県太田市矢場町出土

52　板碑　群馬県太田市矢場町出土

62　板碑　群馬県太田市矢場町出土

実測図25（縮尺1/4）

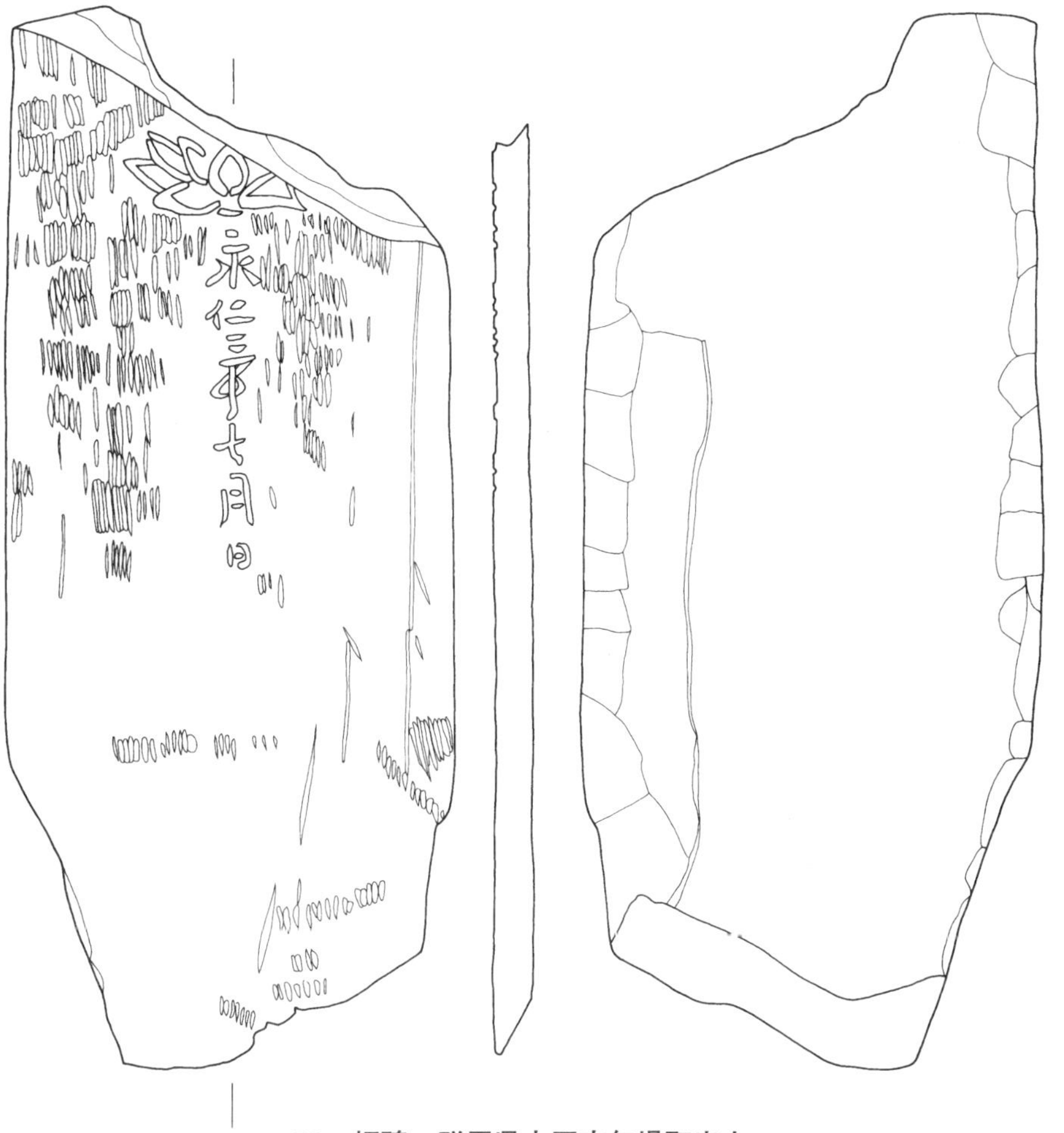

53　板碑　群馬県太田市矢場町出土

59　板碑　群馬県太田市矢場町出土

実測図26（縮尺1/4）

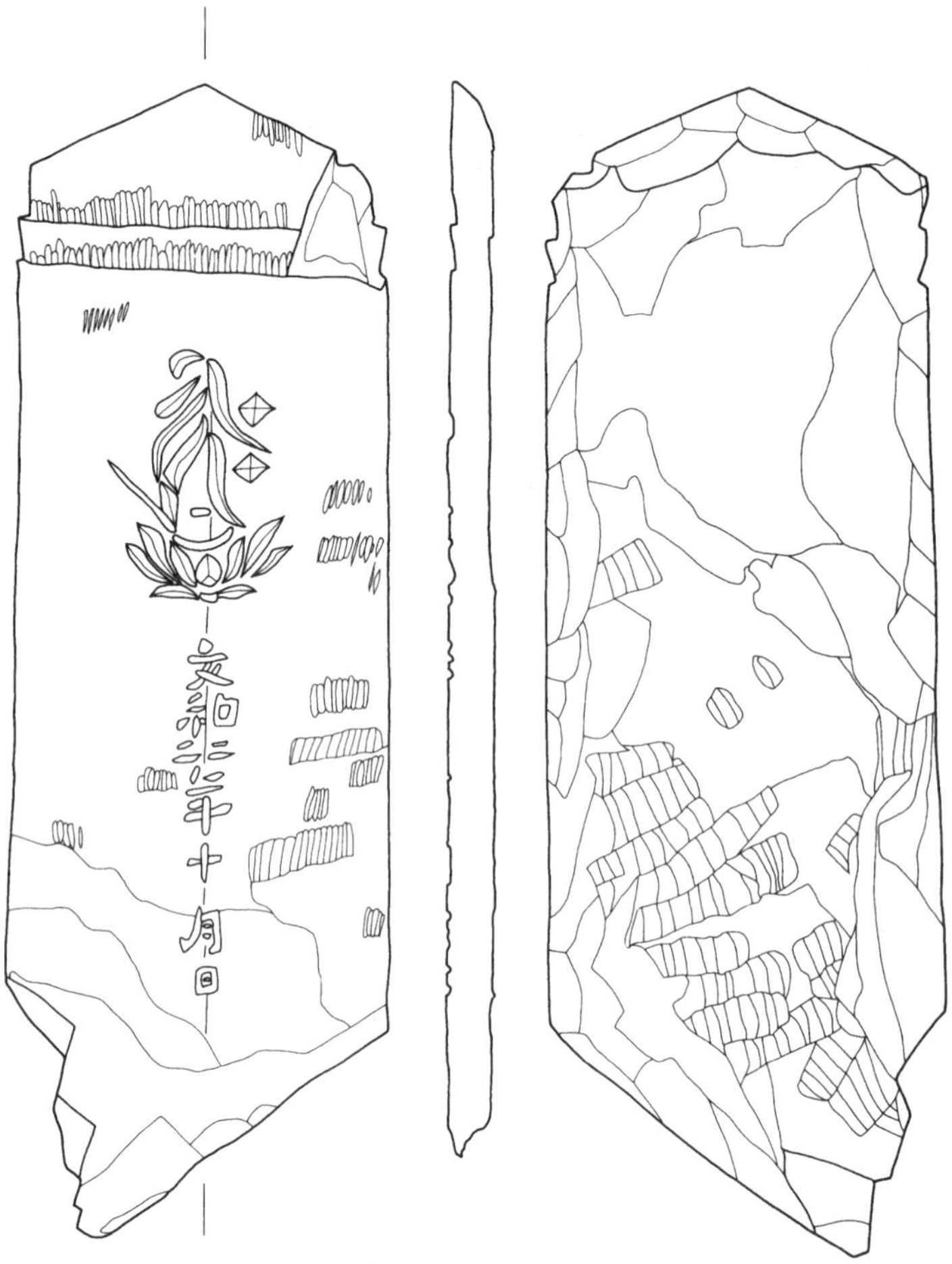

55　板碑　群馬県太田市矢場町出土

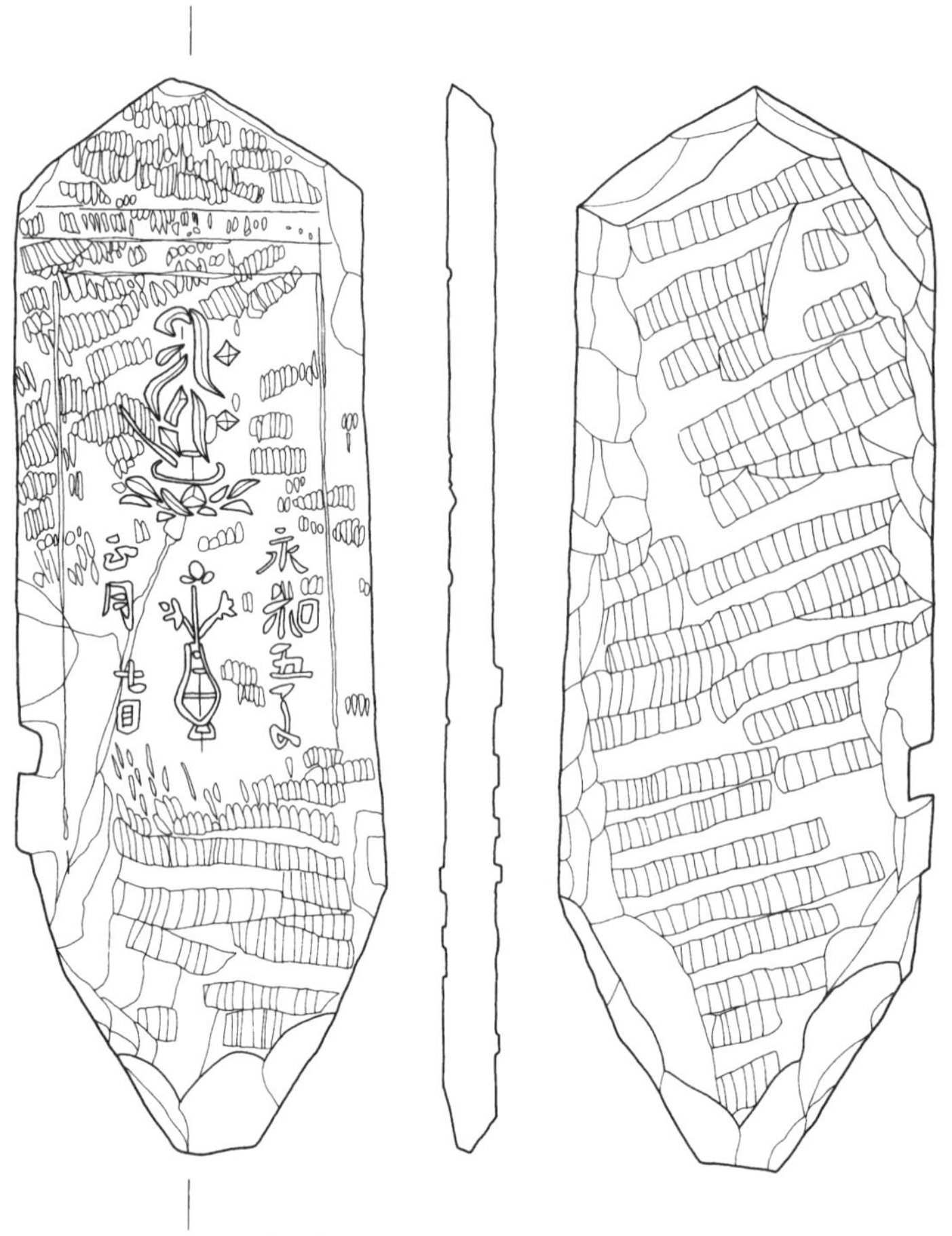

57　板碑　群馬県太田市矢場町出土

実測図27（縮尺1/4）

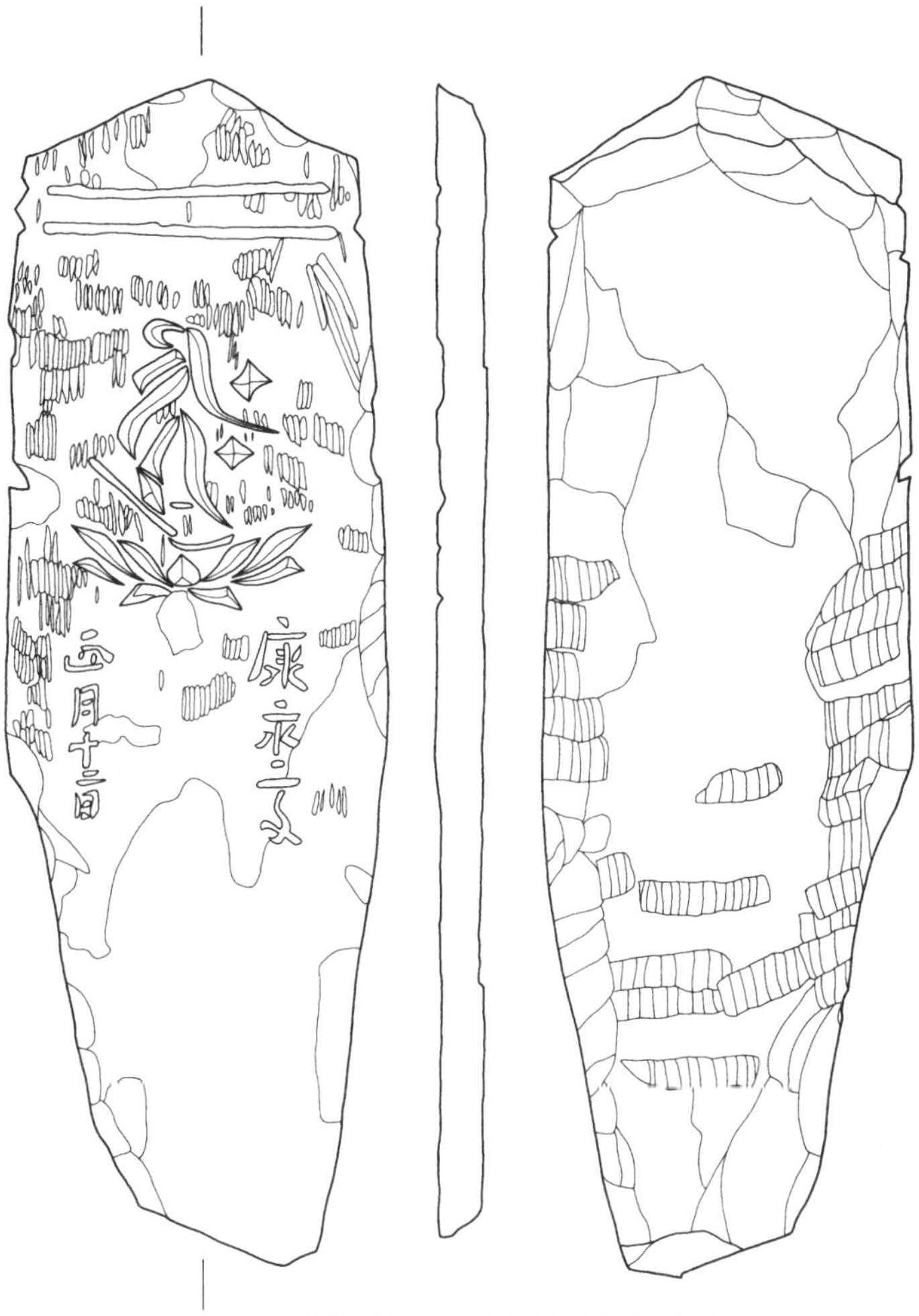

56　板碑　群馬県太田市矢場町出土

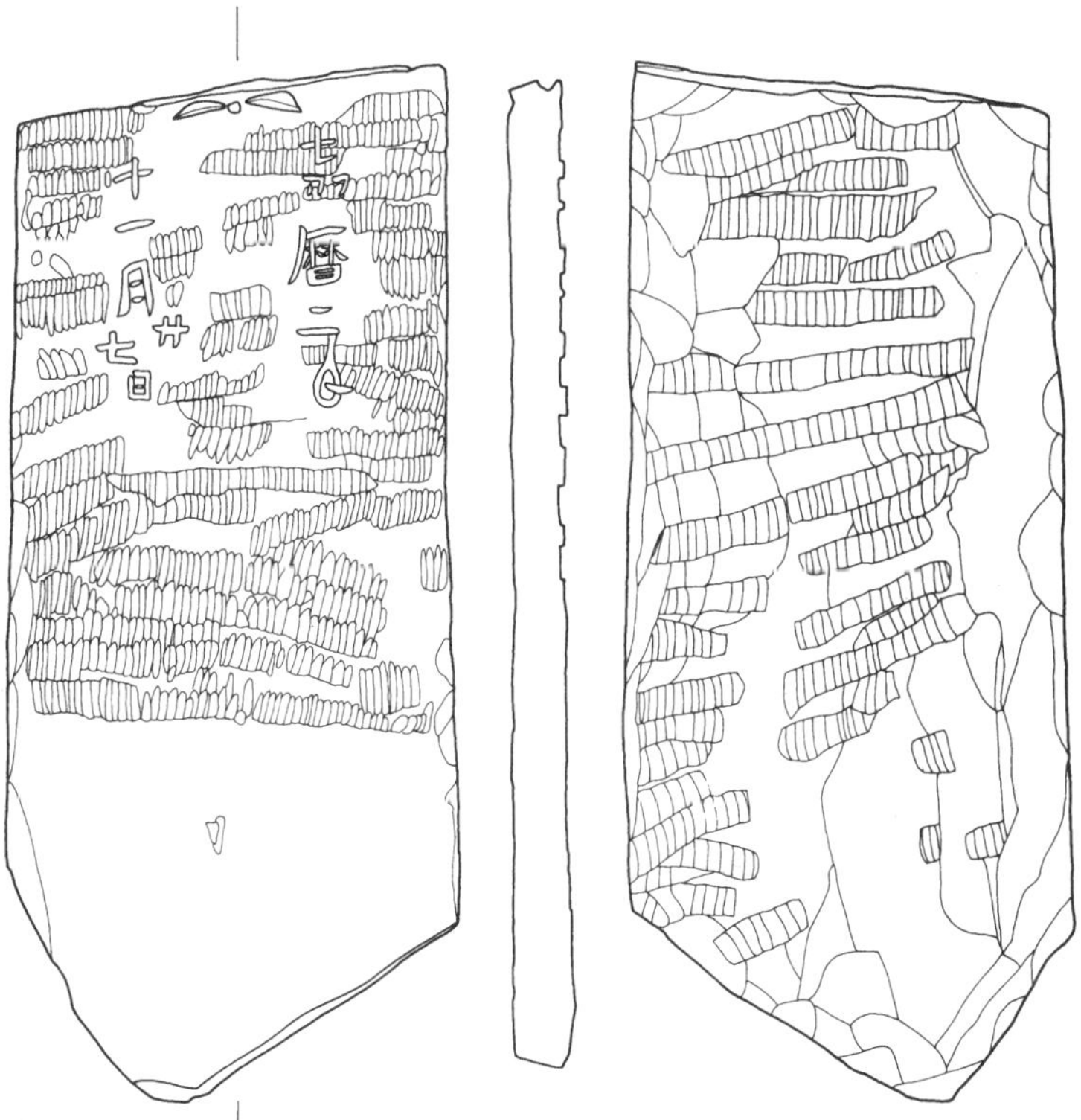

63　板碑　群馬県太田市矢場町出土

実測図28（縮尺1/4）

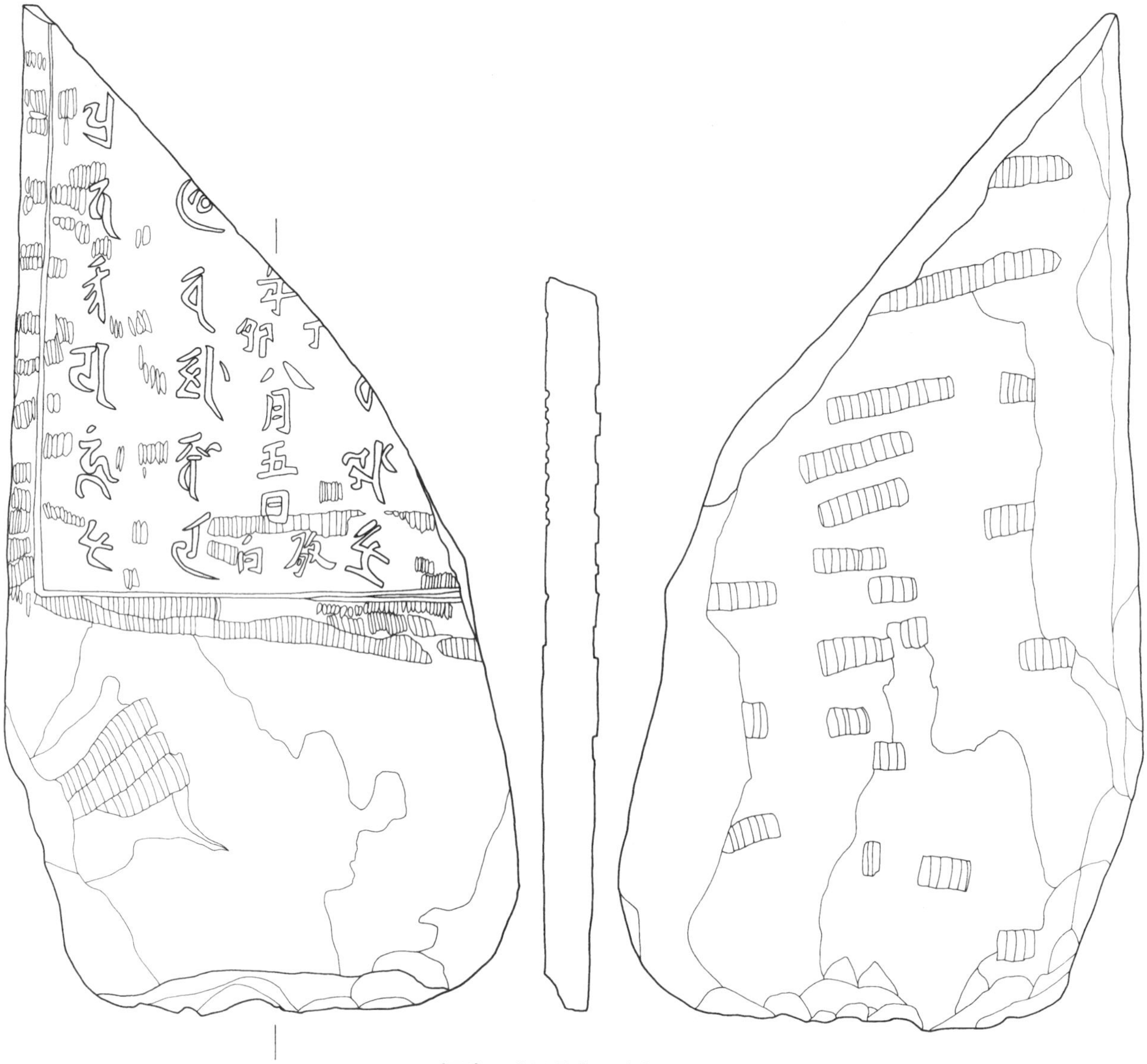

60　板碑　群馬県太田市矢場町出土

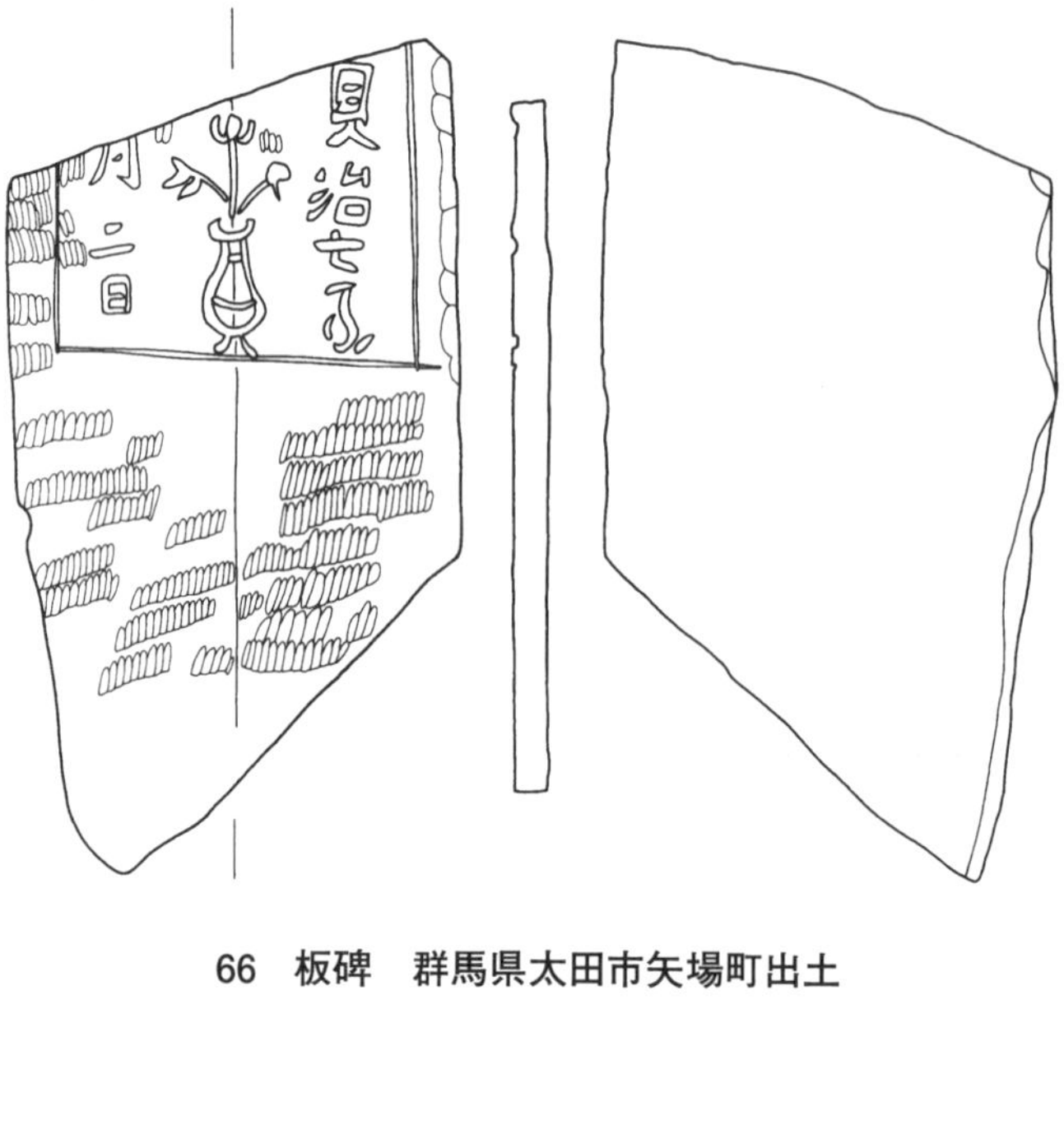

66　板碑　群馬県太田市矢場町出土

実測図29（縮尺1/4）

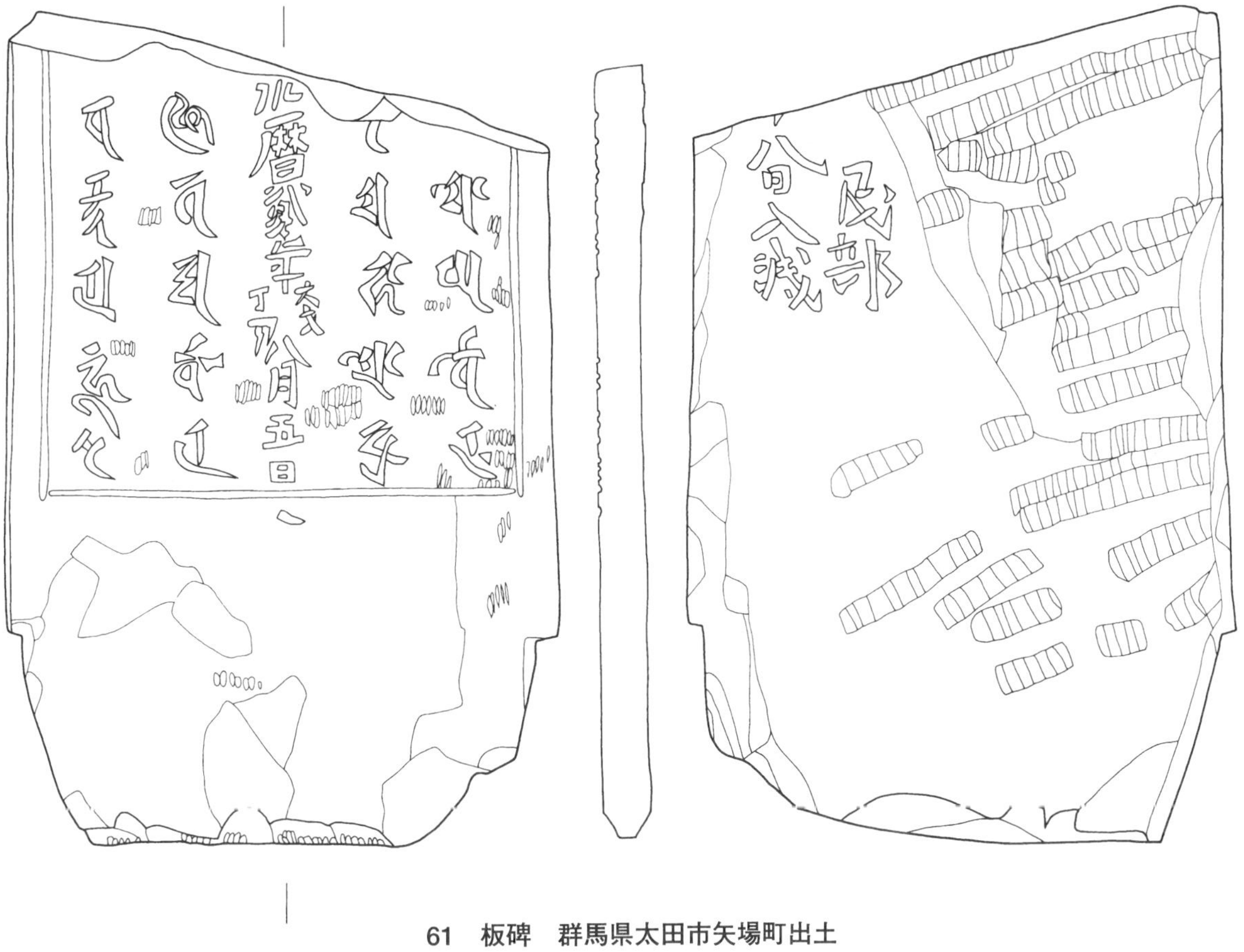

61　板碑　群馬県太田市矢場町出土

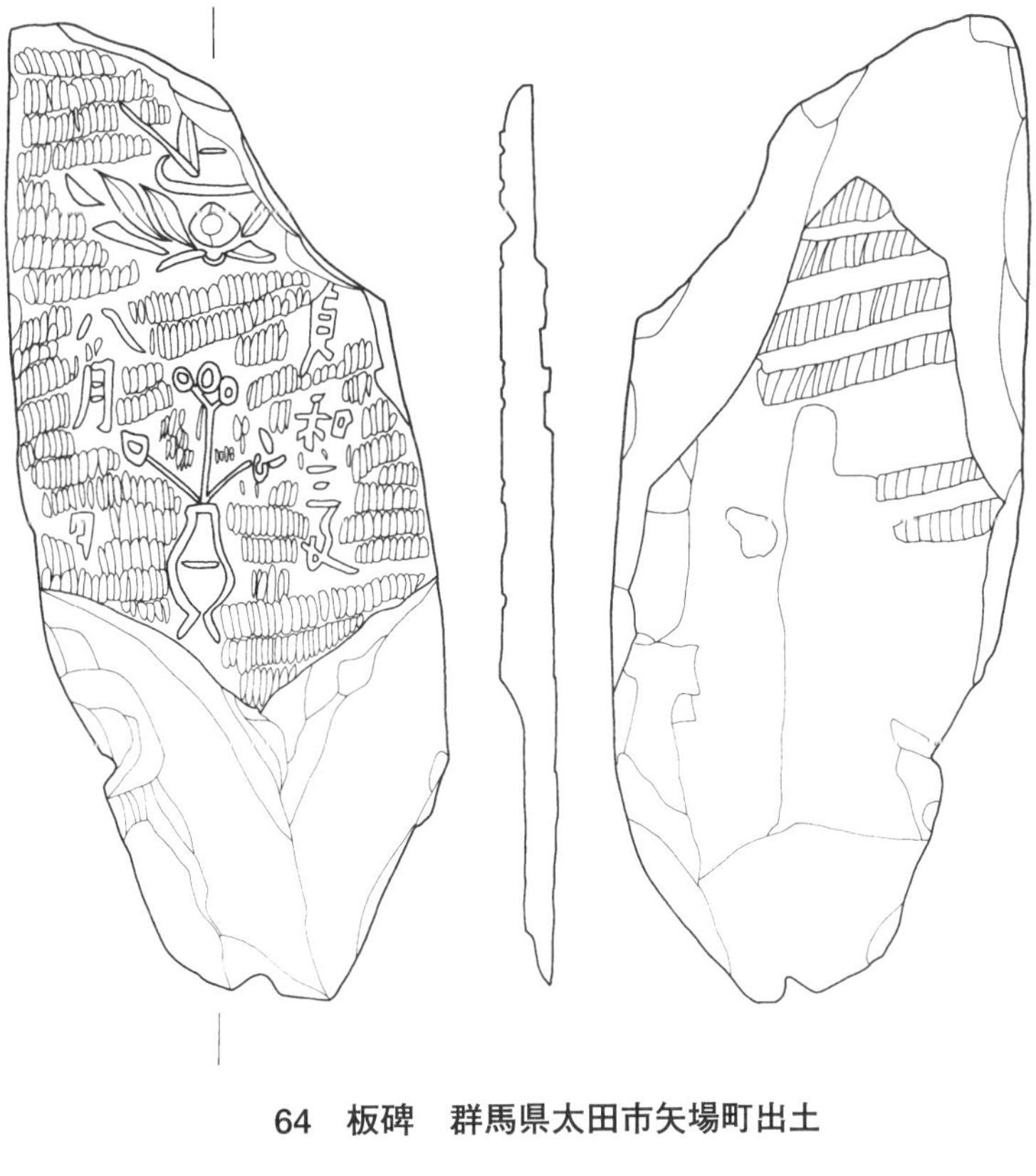

64　板碑　群馬県太田市矢場町出土

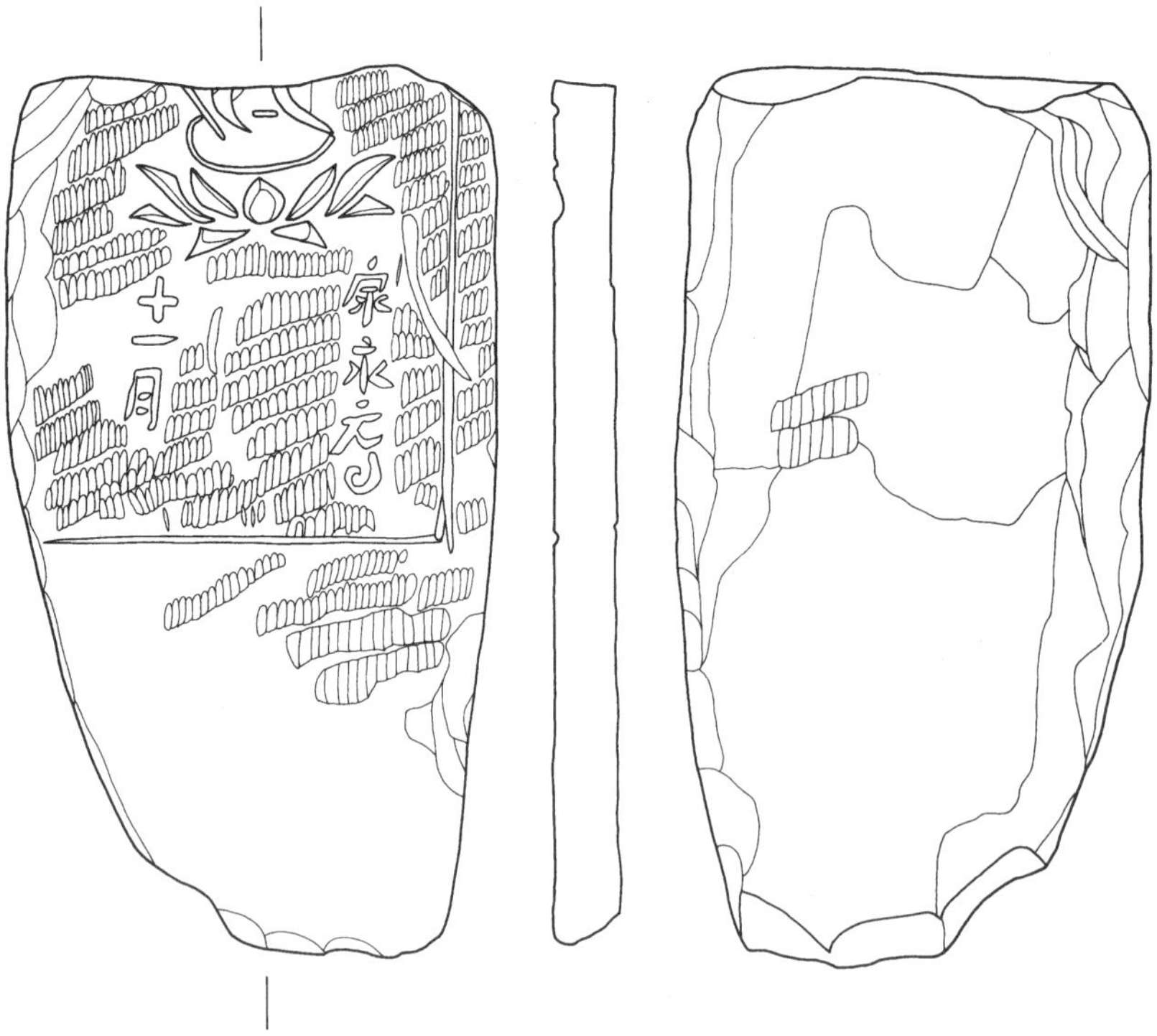

65　板碑　群馬県太田市矢場町出土

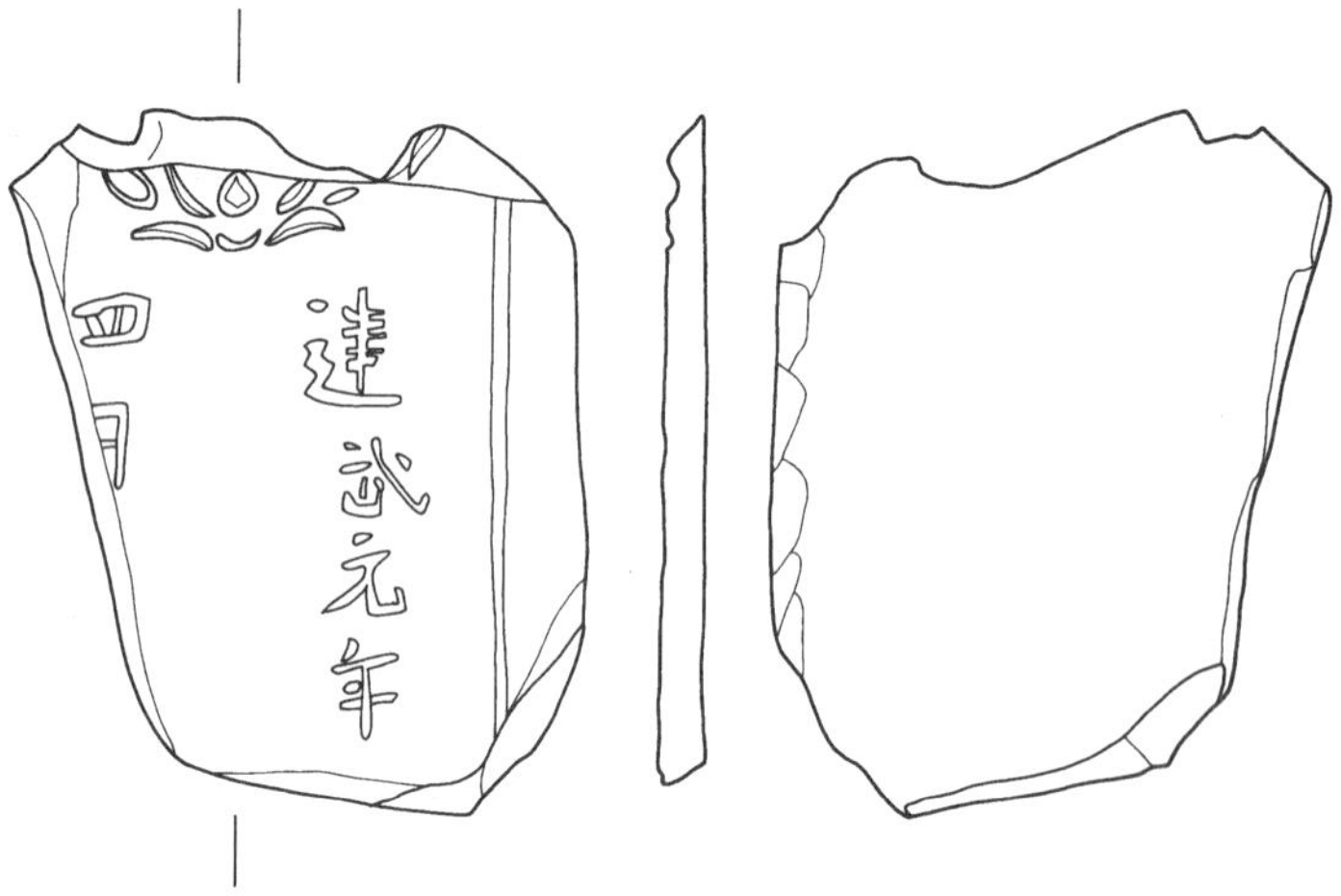

67　板碑　群馬県太田市矢場町出土

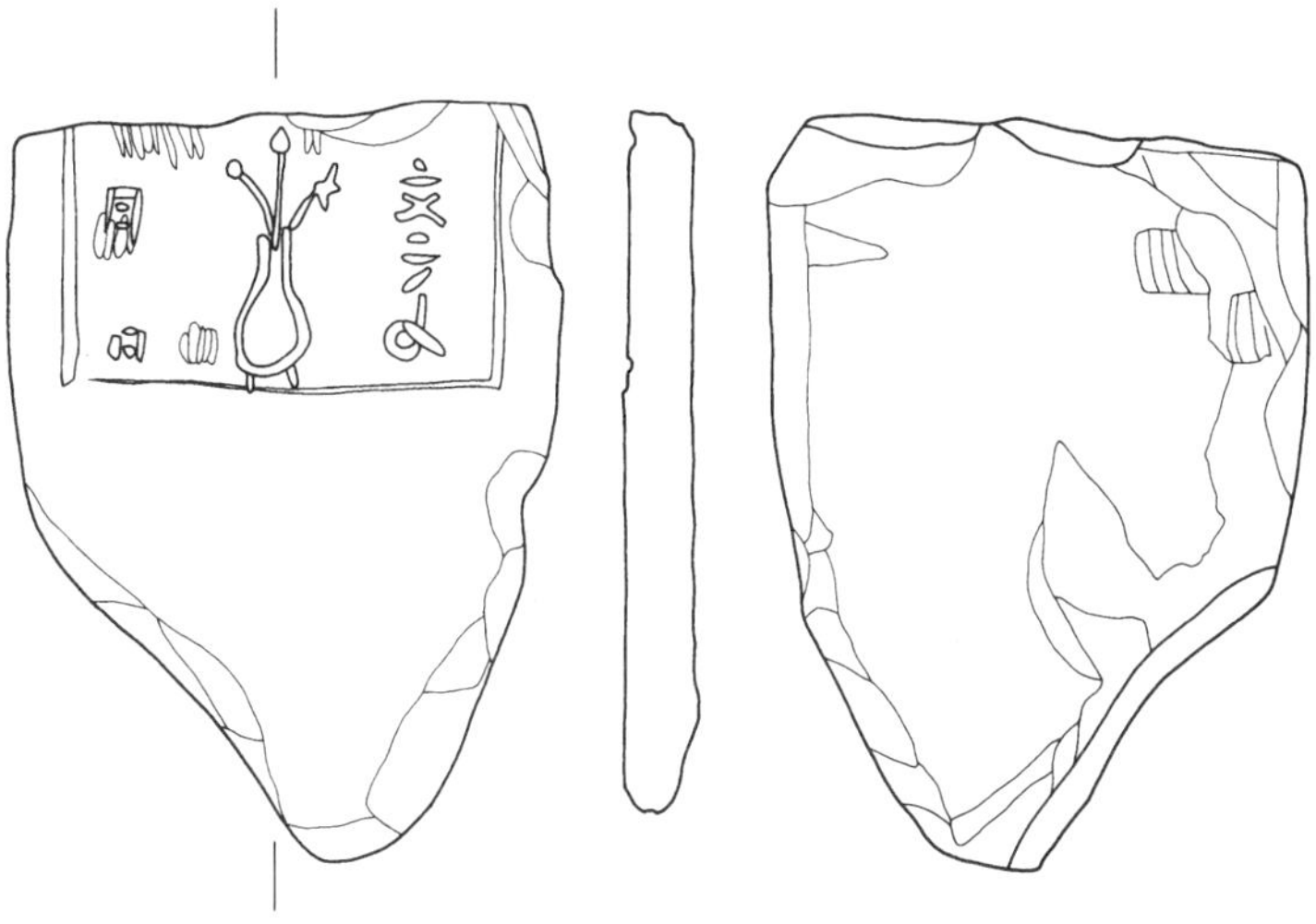

68　板碑　群馬県太田市矢場町出土

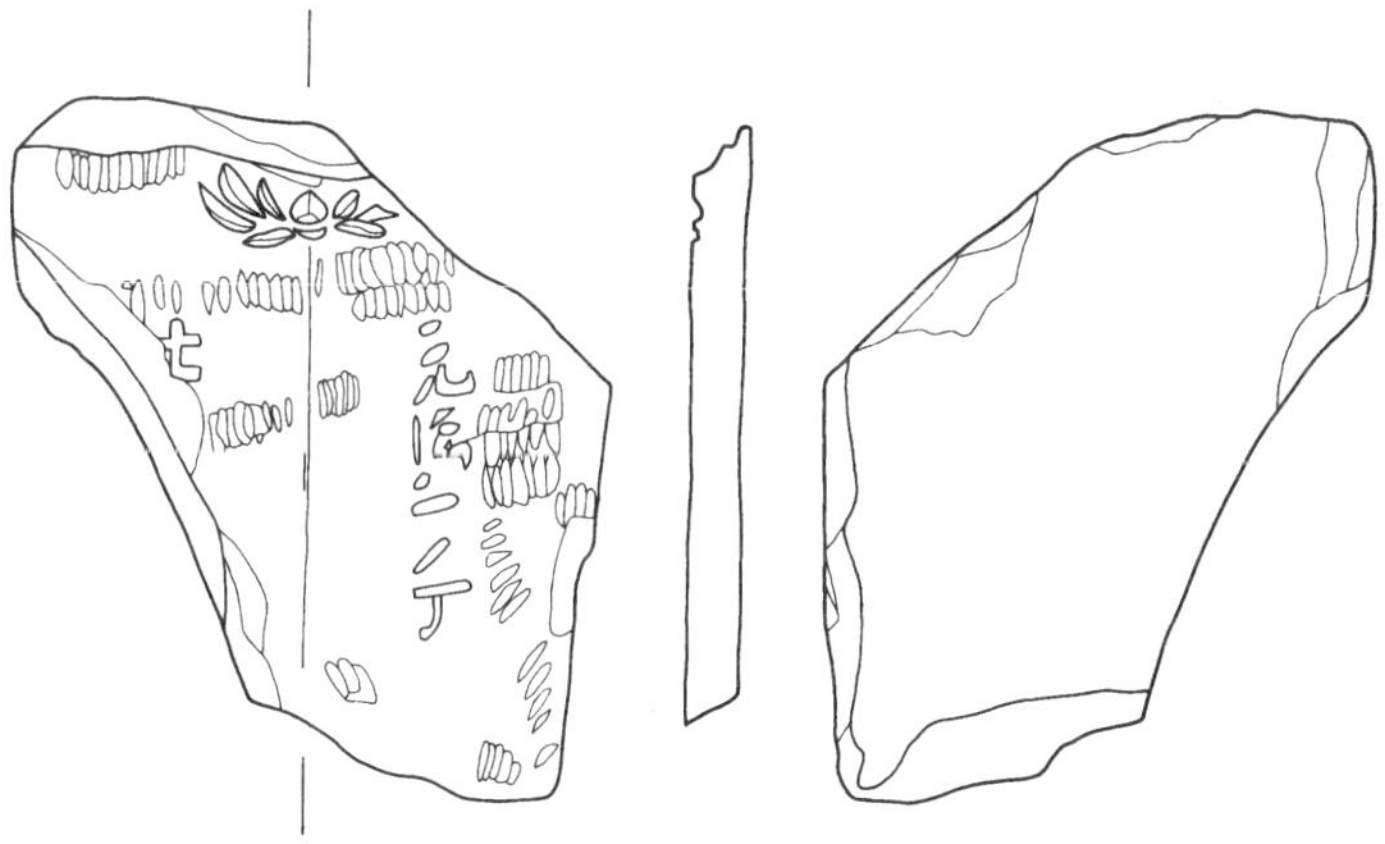

69　板碑　群馬県太田市矢場町出土

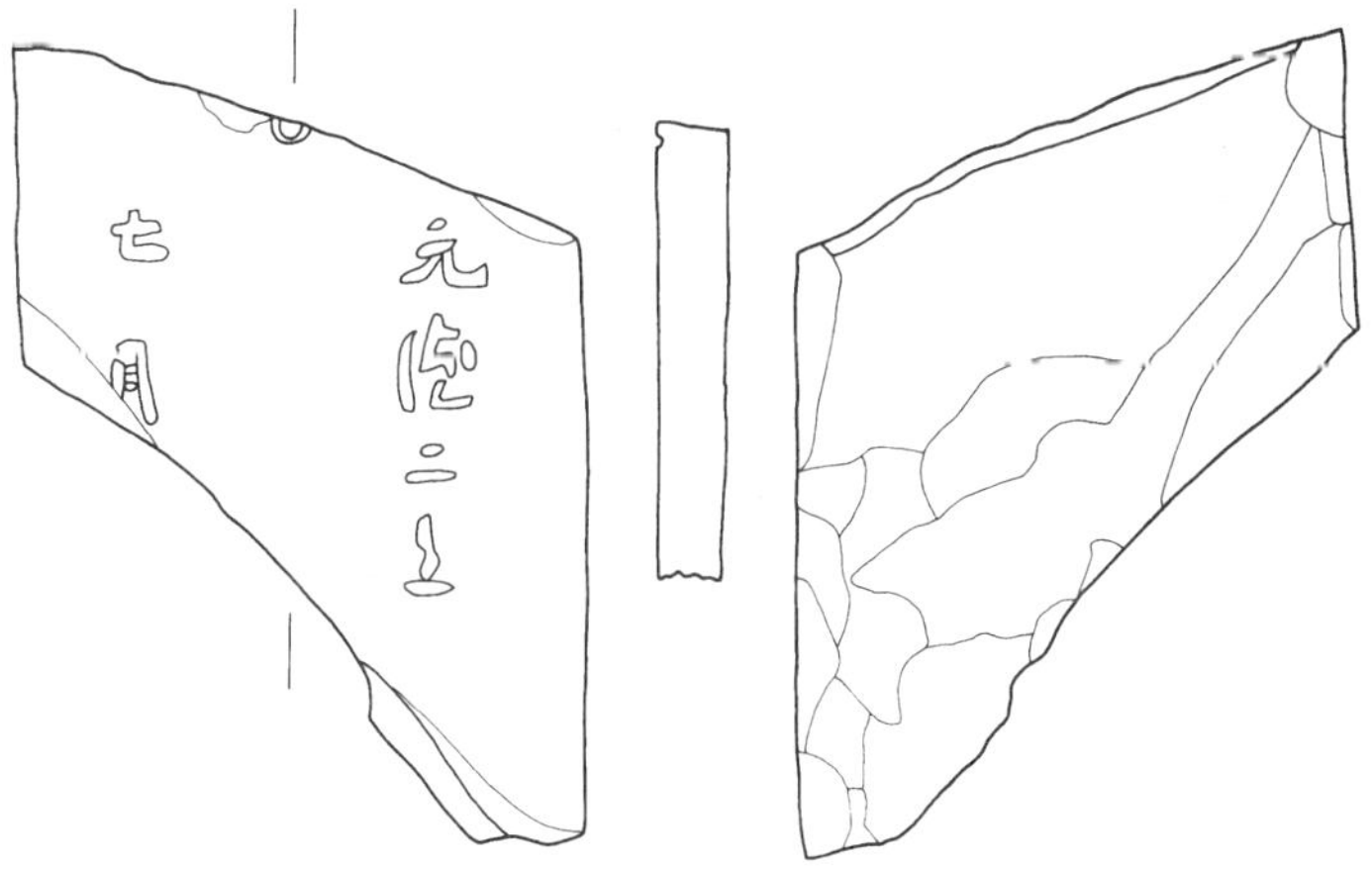

70　板碑　群馬県太田市矢場町出土

実測図32（縮尺1/8）

48　板碑　群馬県太田市矢場町出土

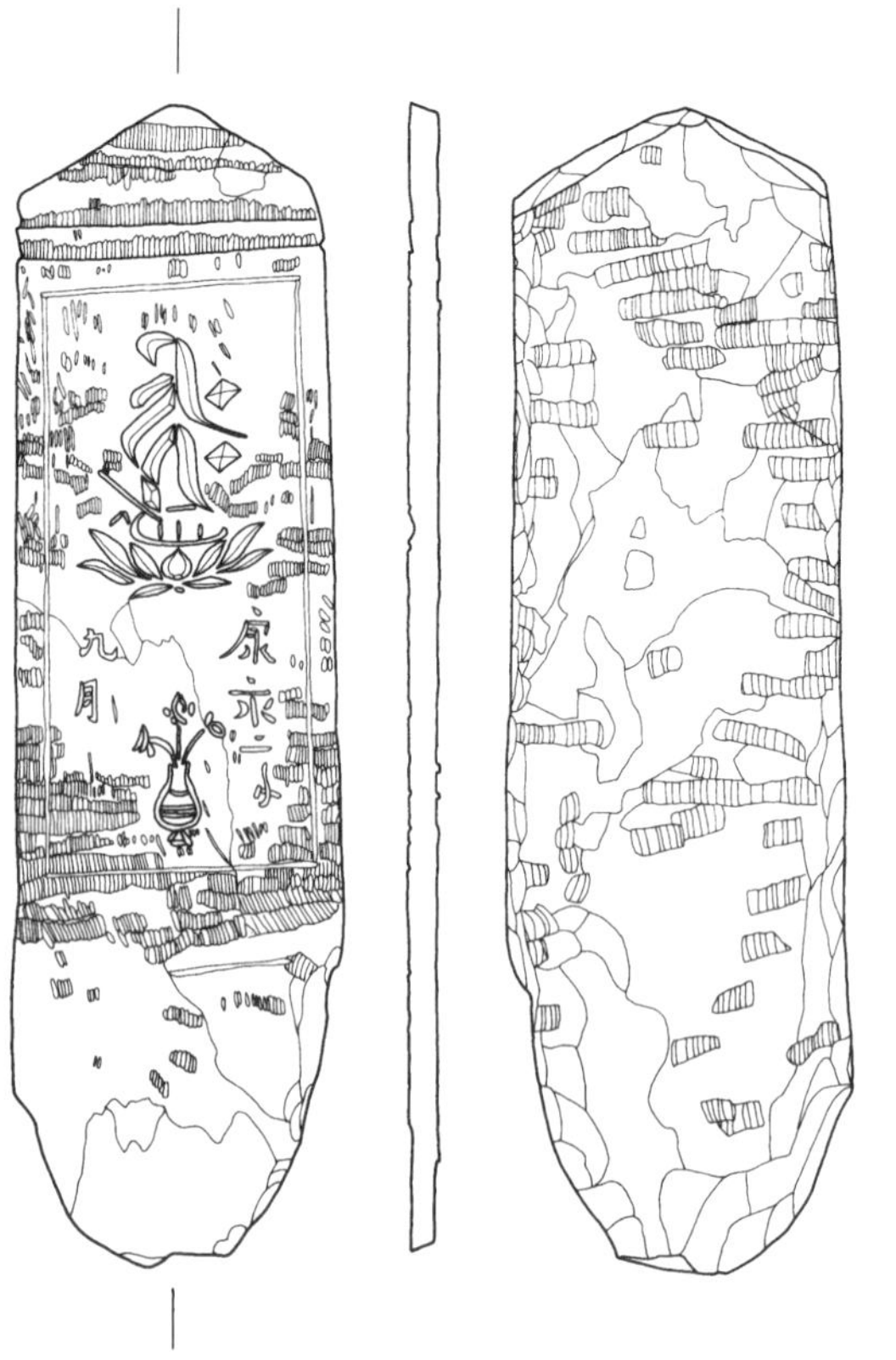

47　板碑　群馬県太田市矢場町出土

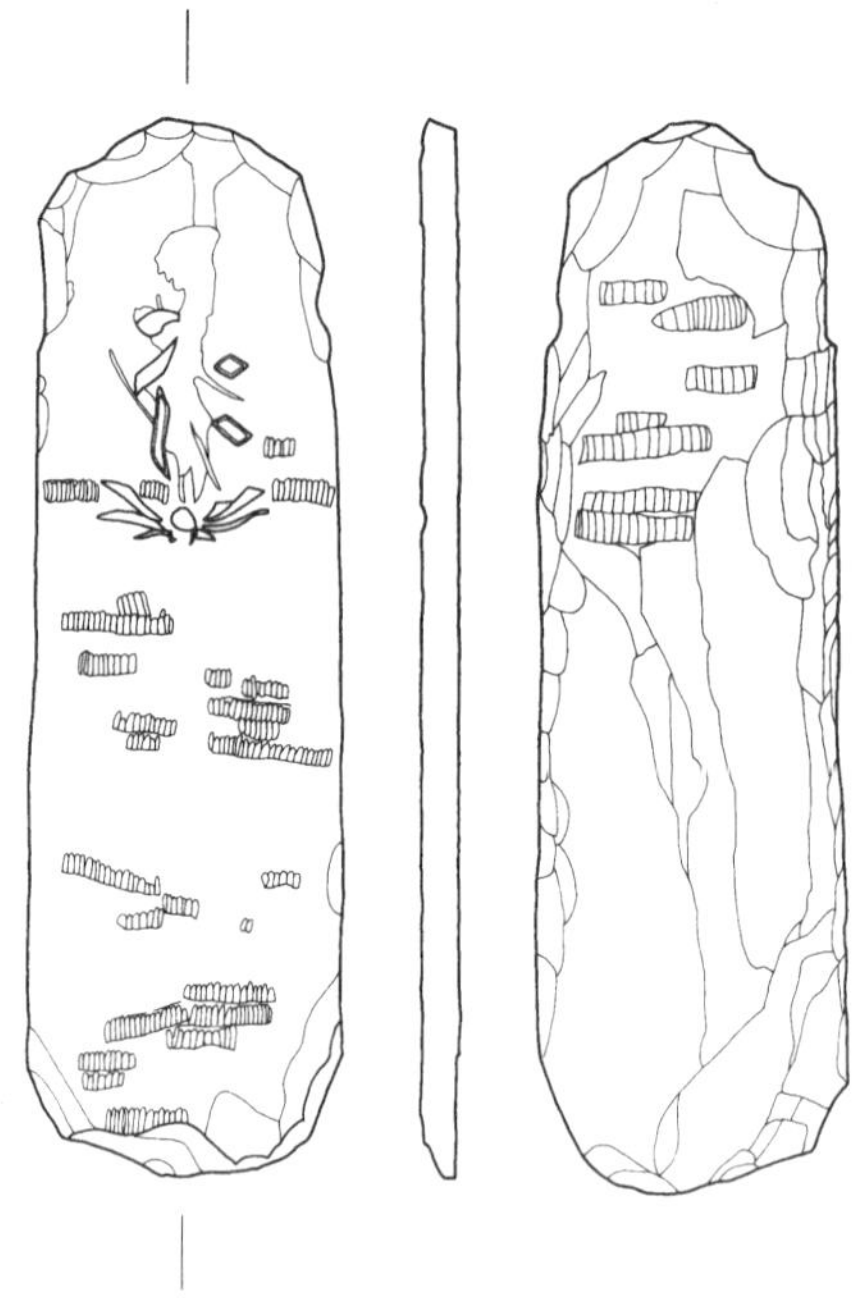

71　板碑　群馬県高崎市岩鼻町字久保西出土

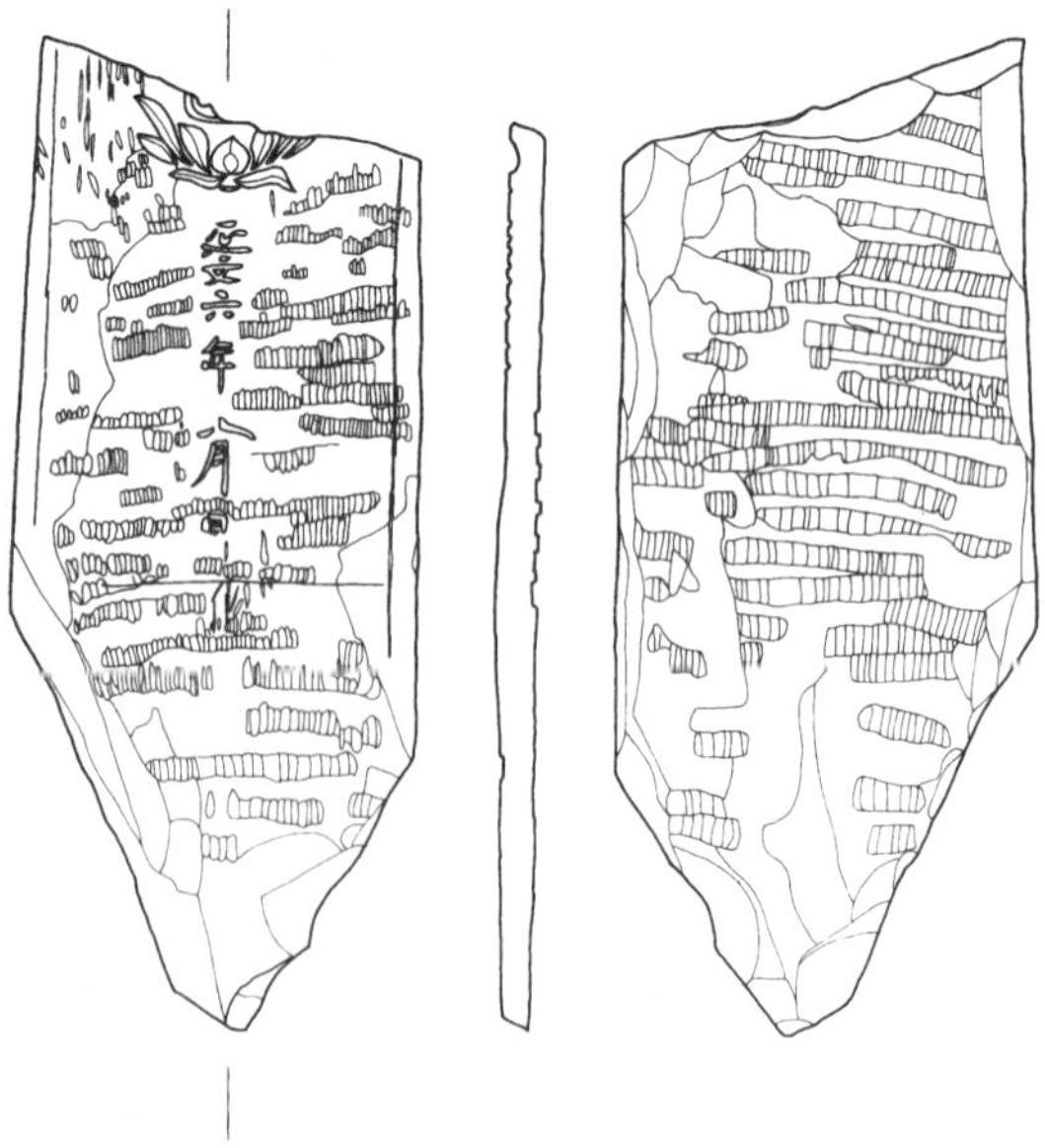

49　板碑　群馬県太田市矢場町出土

実測図33（縮尺1/8）

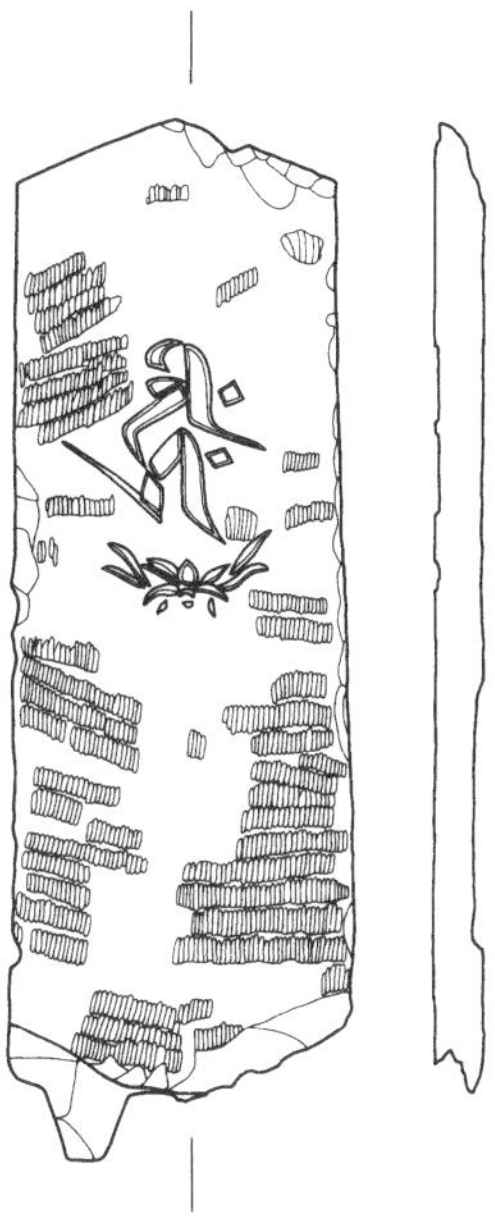

73　板碑　群馬県高崎市岩鼻町字久保西出土

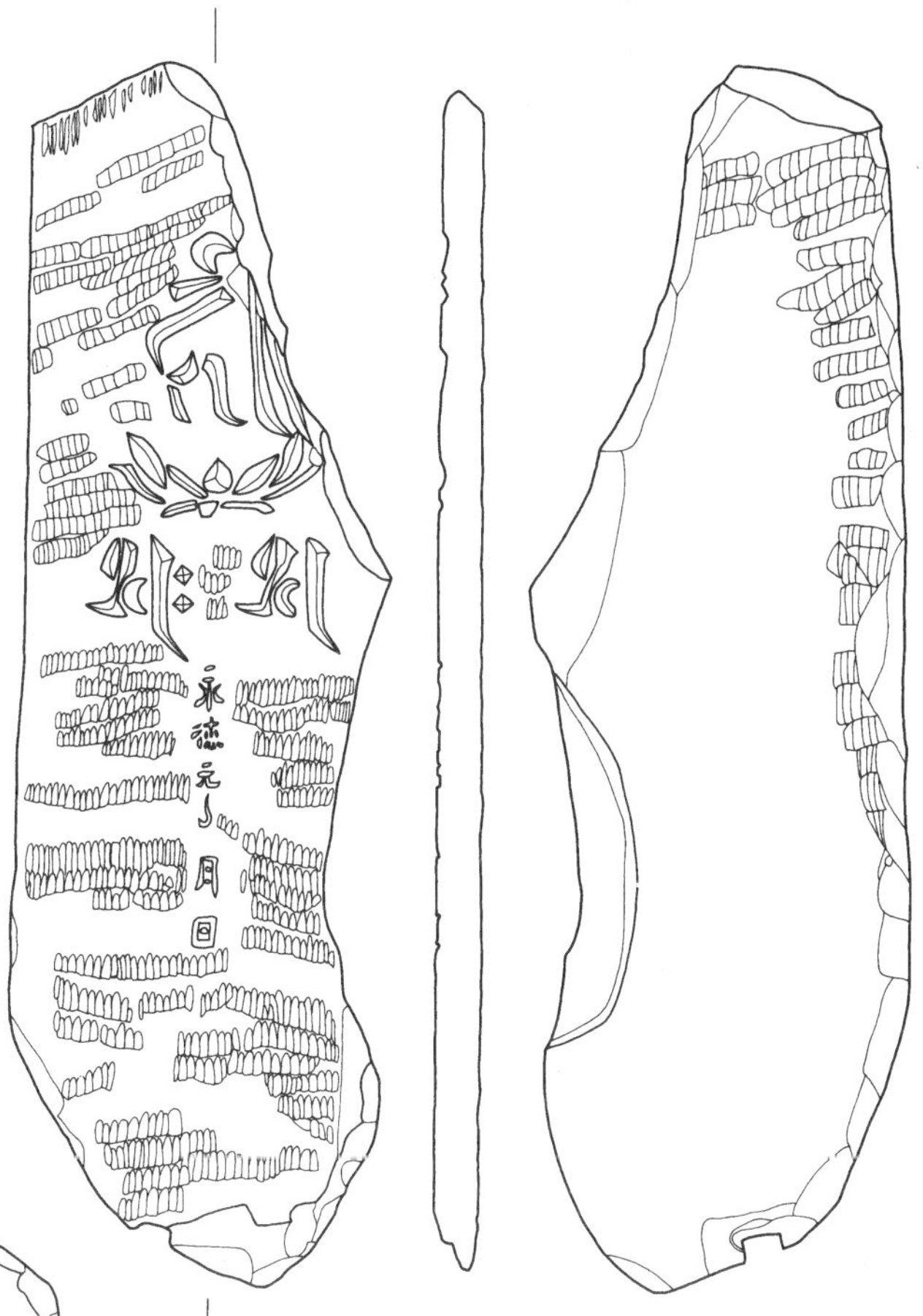

72　板碑　群馬県高崎市岩鼻町字久保西出土

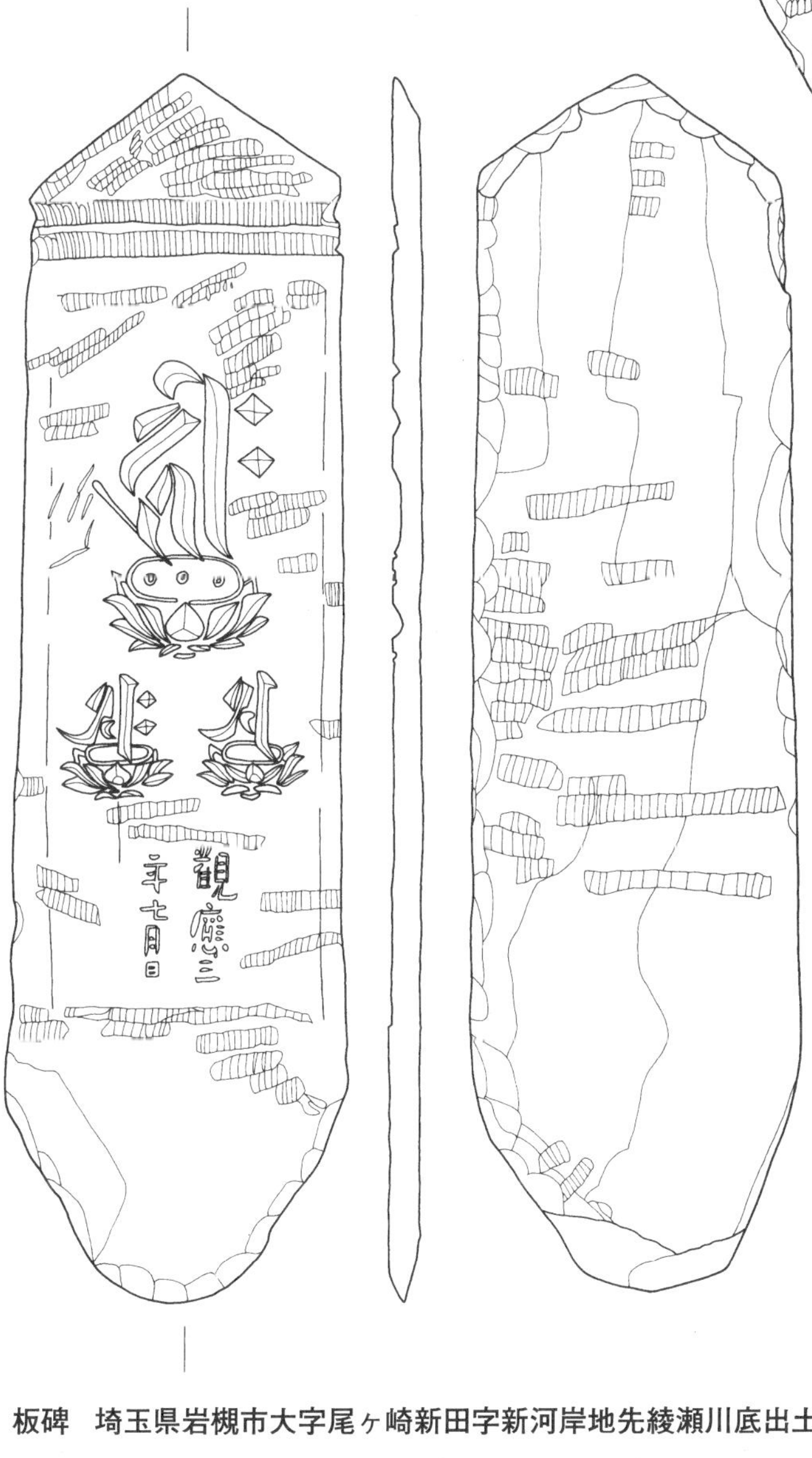

74　板碑　埼玉県岩槻市大字尾ヶ崎新田字新河岸地先綾瀬川底出土

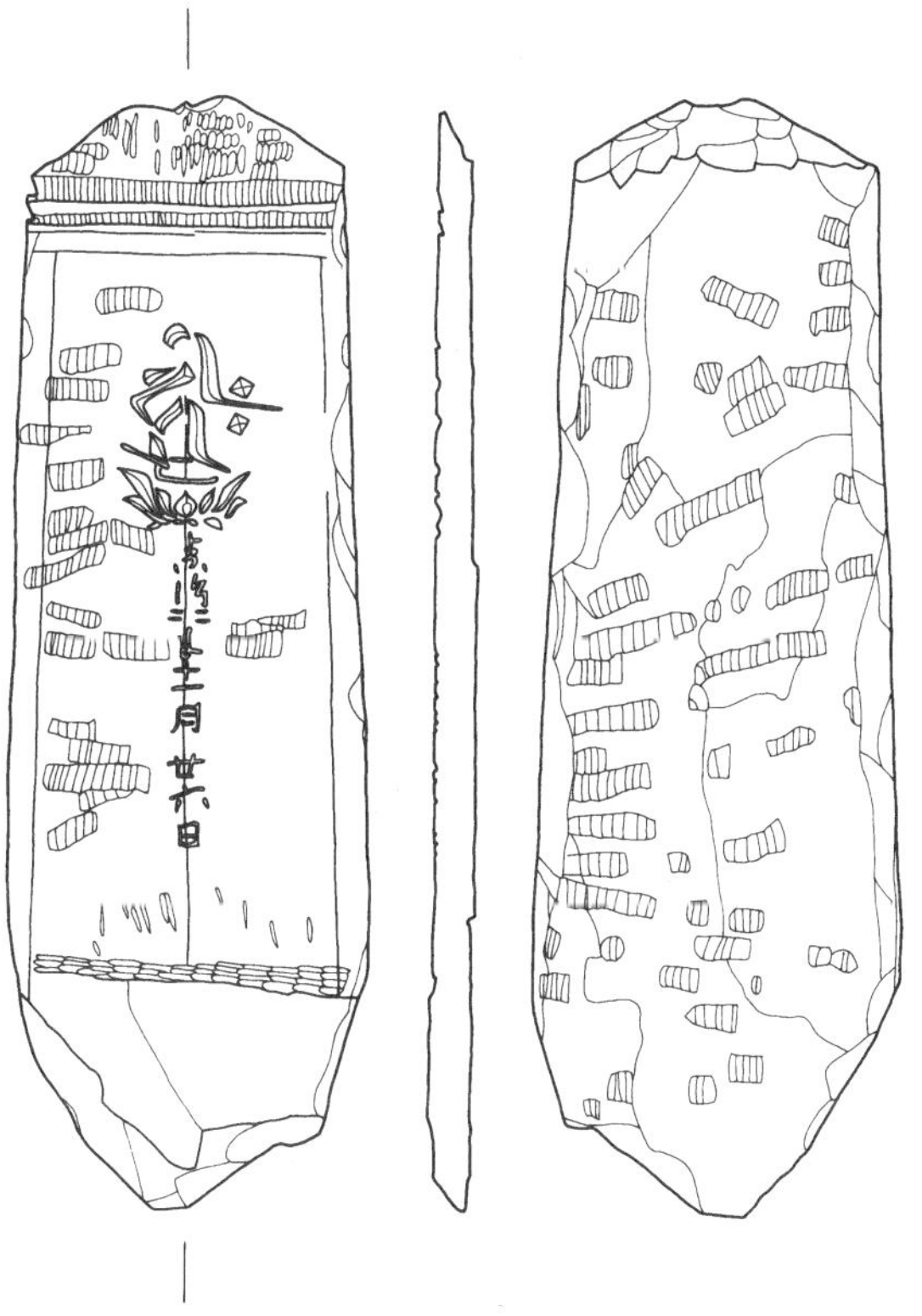

75　板碑　埼玉県さいたま市西区佐知川出土

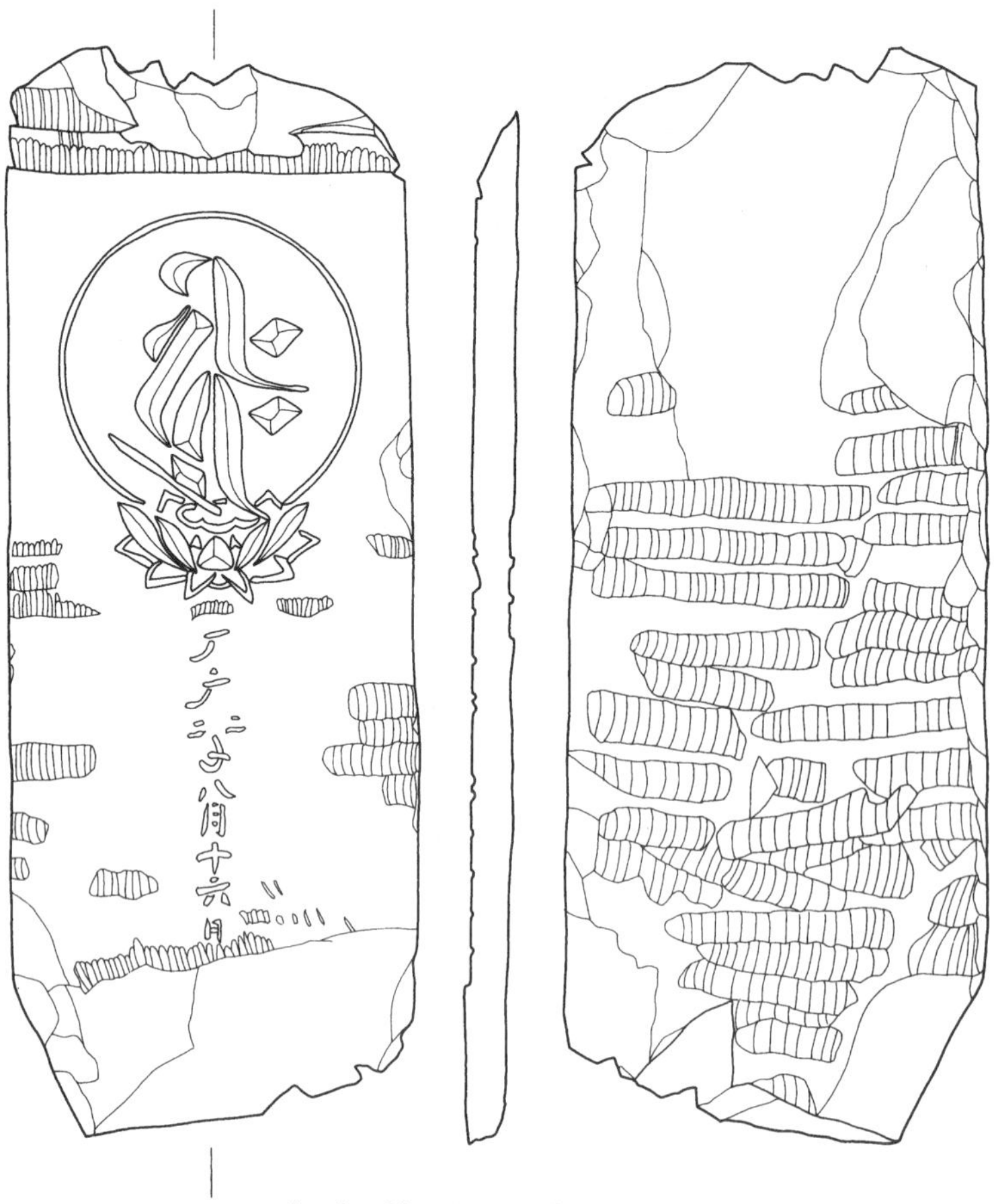

76　板碑　埼玉県川口市戸塚下台出土

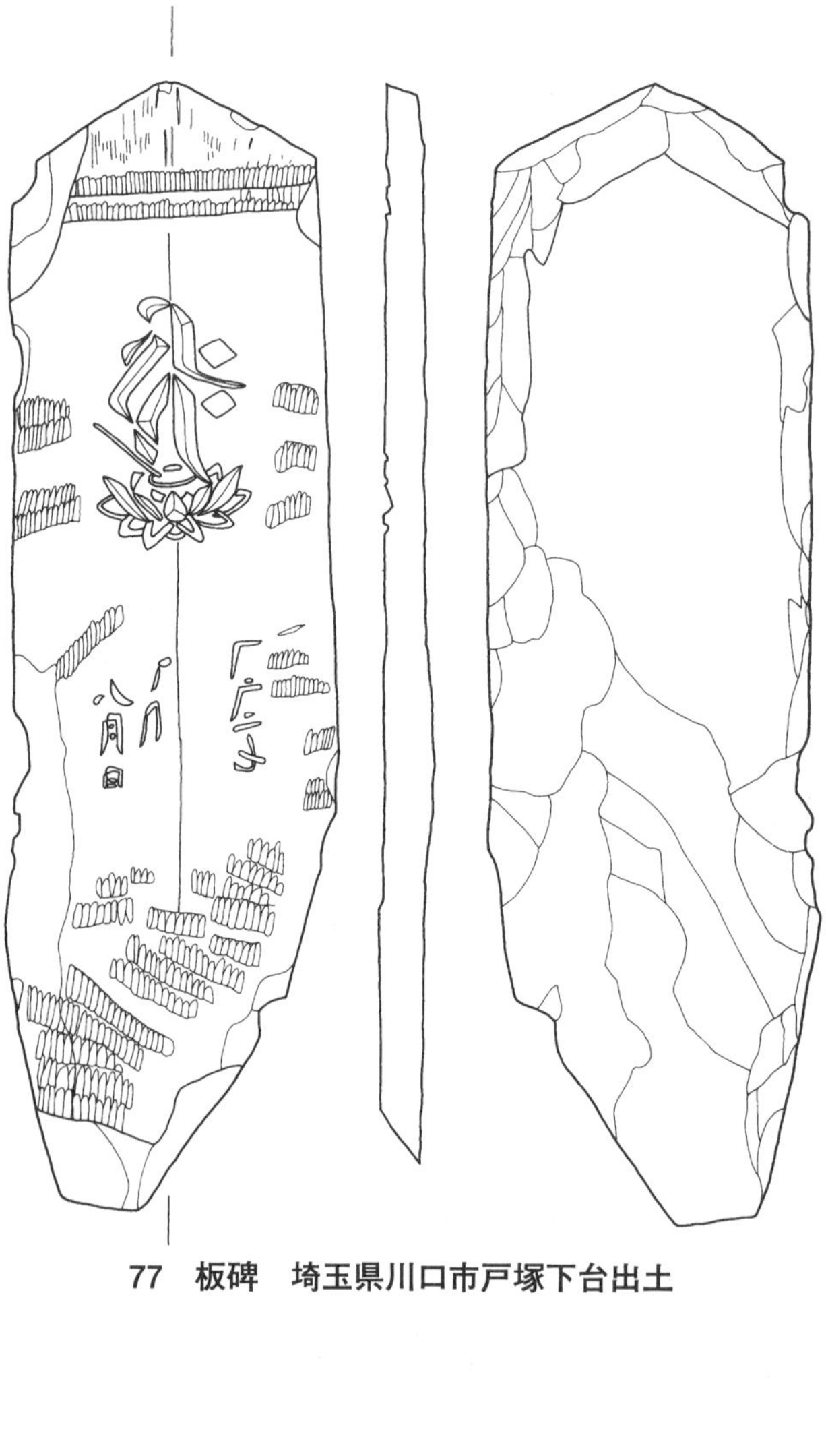

77　板碑　埼玉県川口市戸塚下台出土

実測図35（縮尺1/4）

78　板碑　埼玉県川越市古谷上出土

実測図36（縮尺1/4）

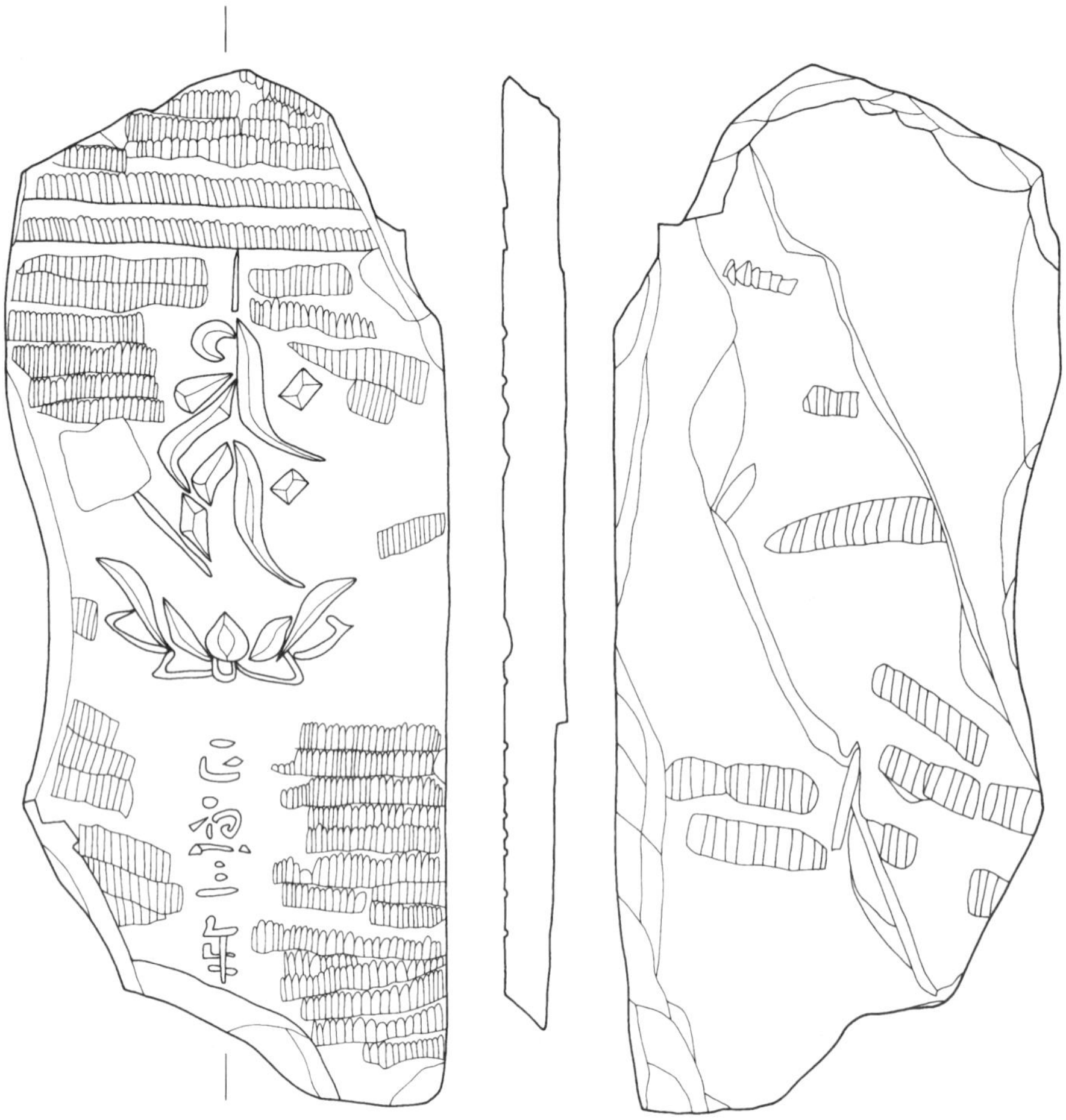

79　板碑　埼玉県川越市古谷上出土

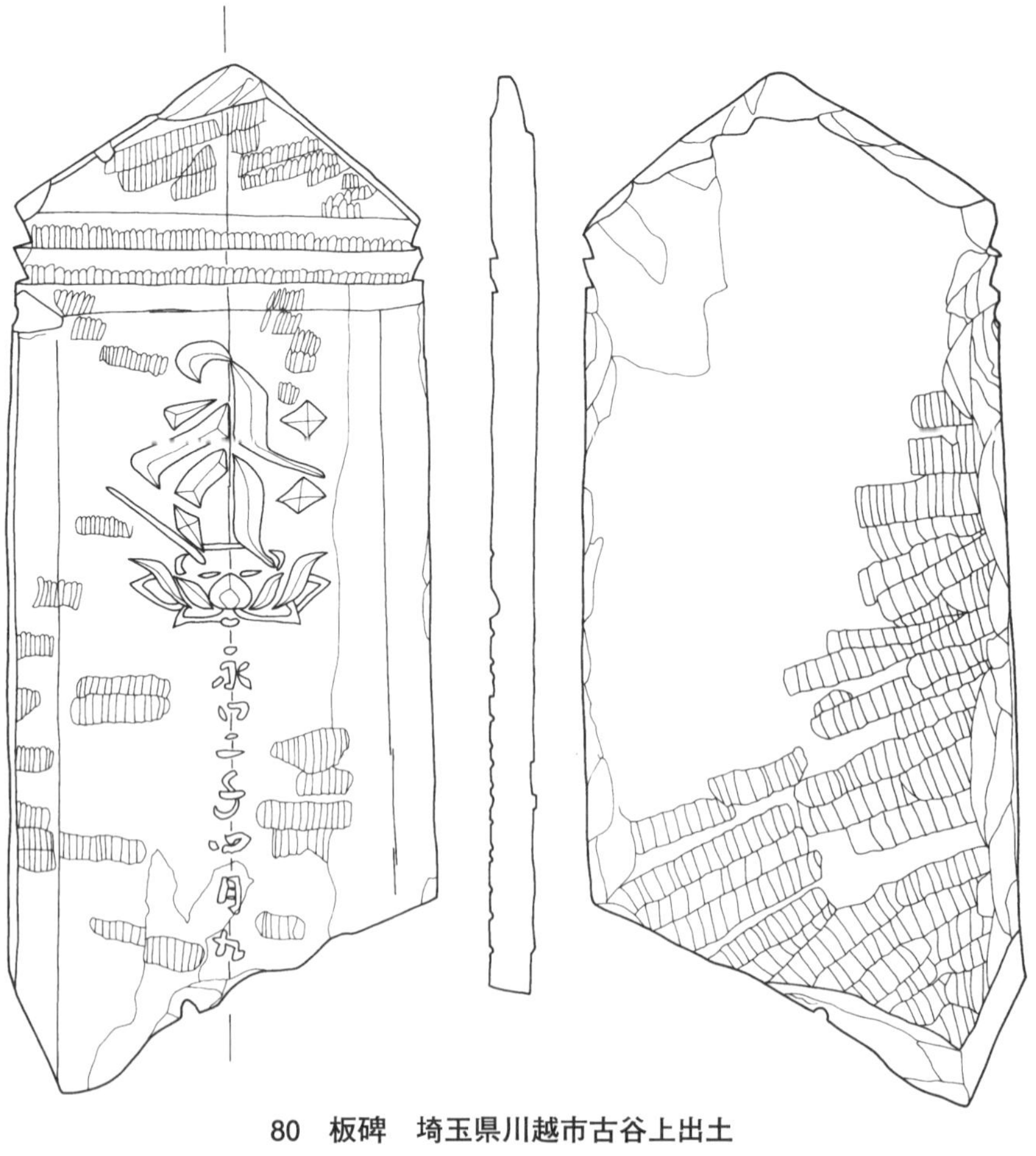

80　板碑　埼玉県川越市古谷上出土

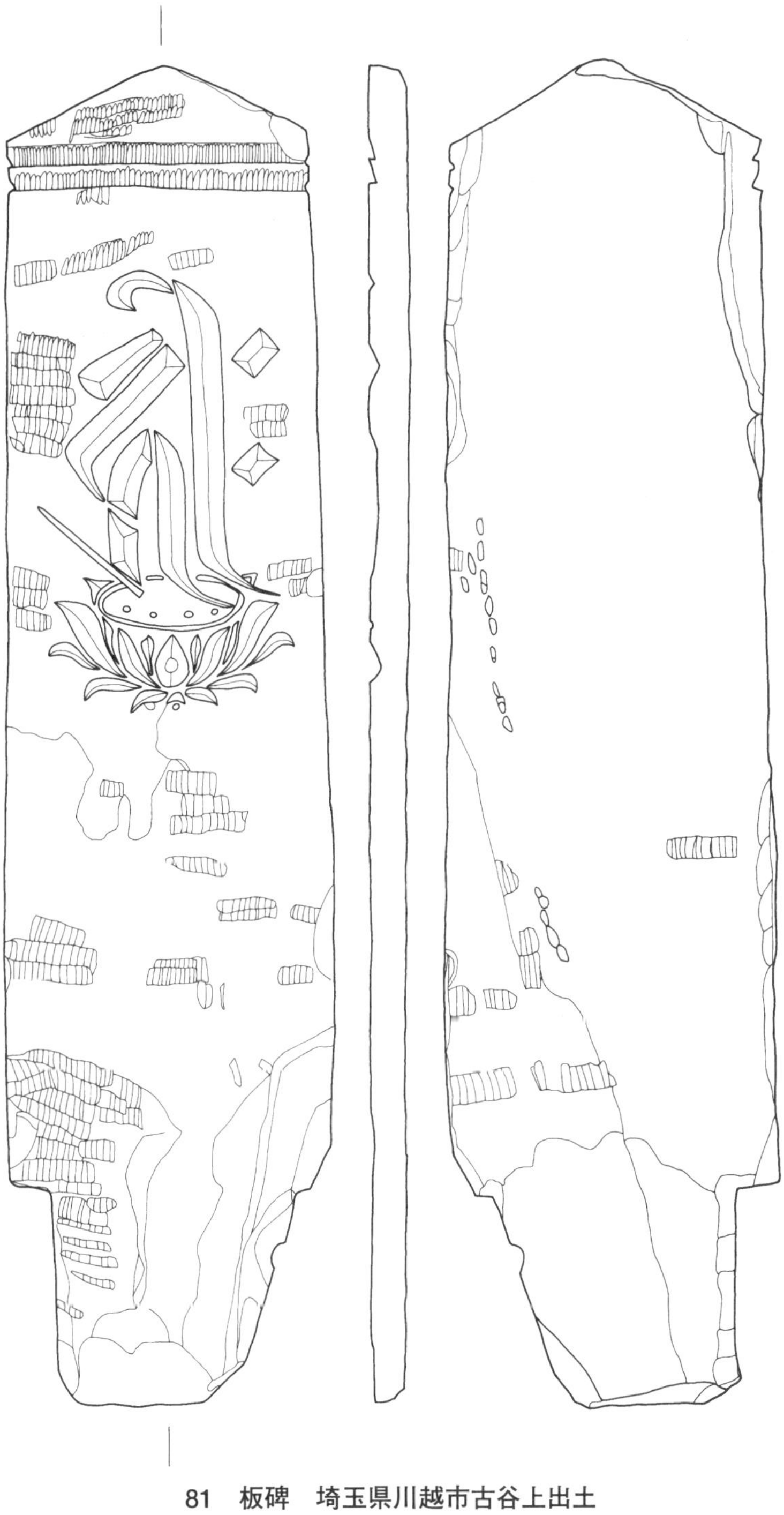

81　板碑　埼玉県川越市古谷上出土

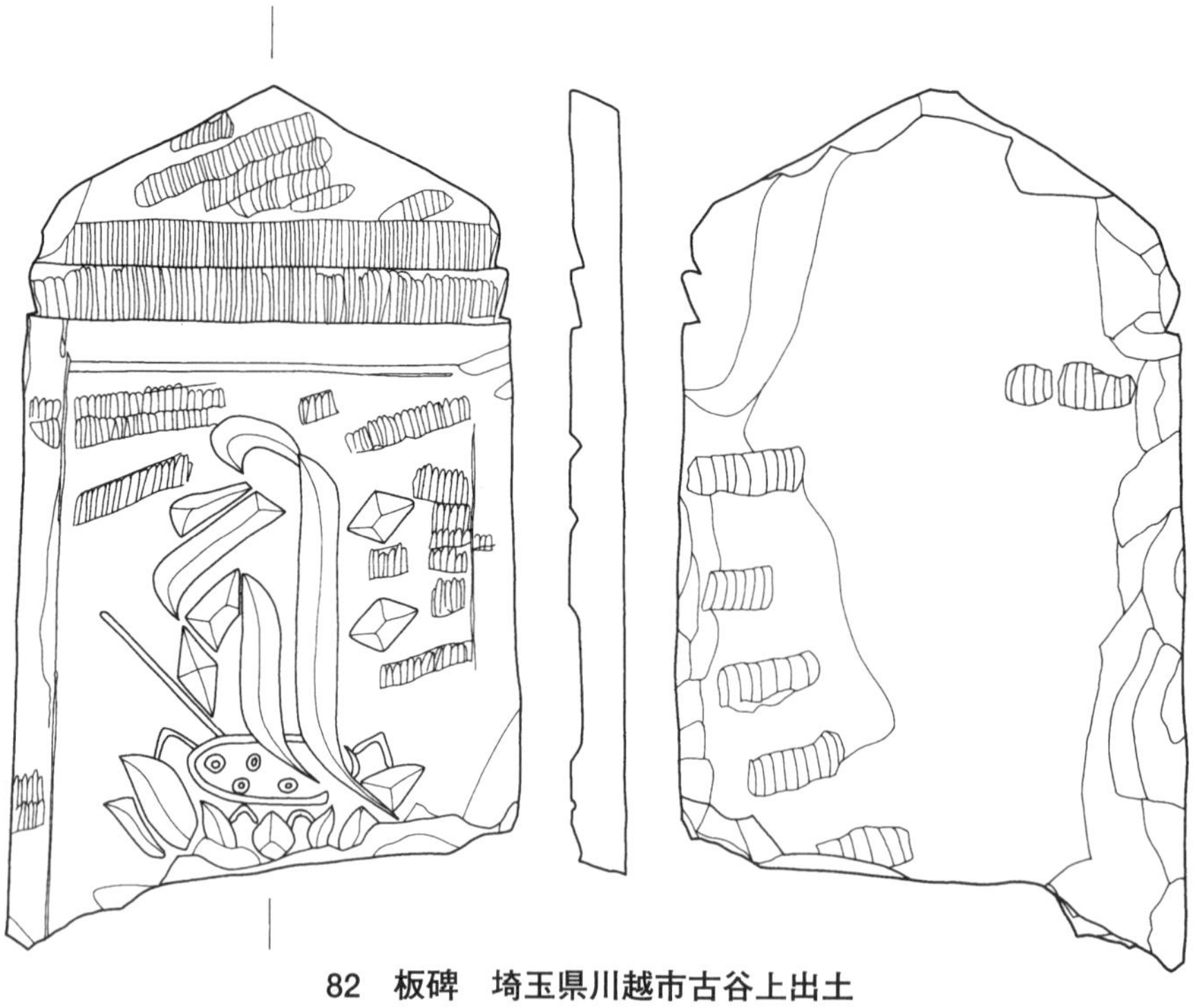

82　板碑　埼玉県川越市古谷上出土

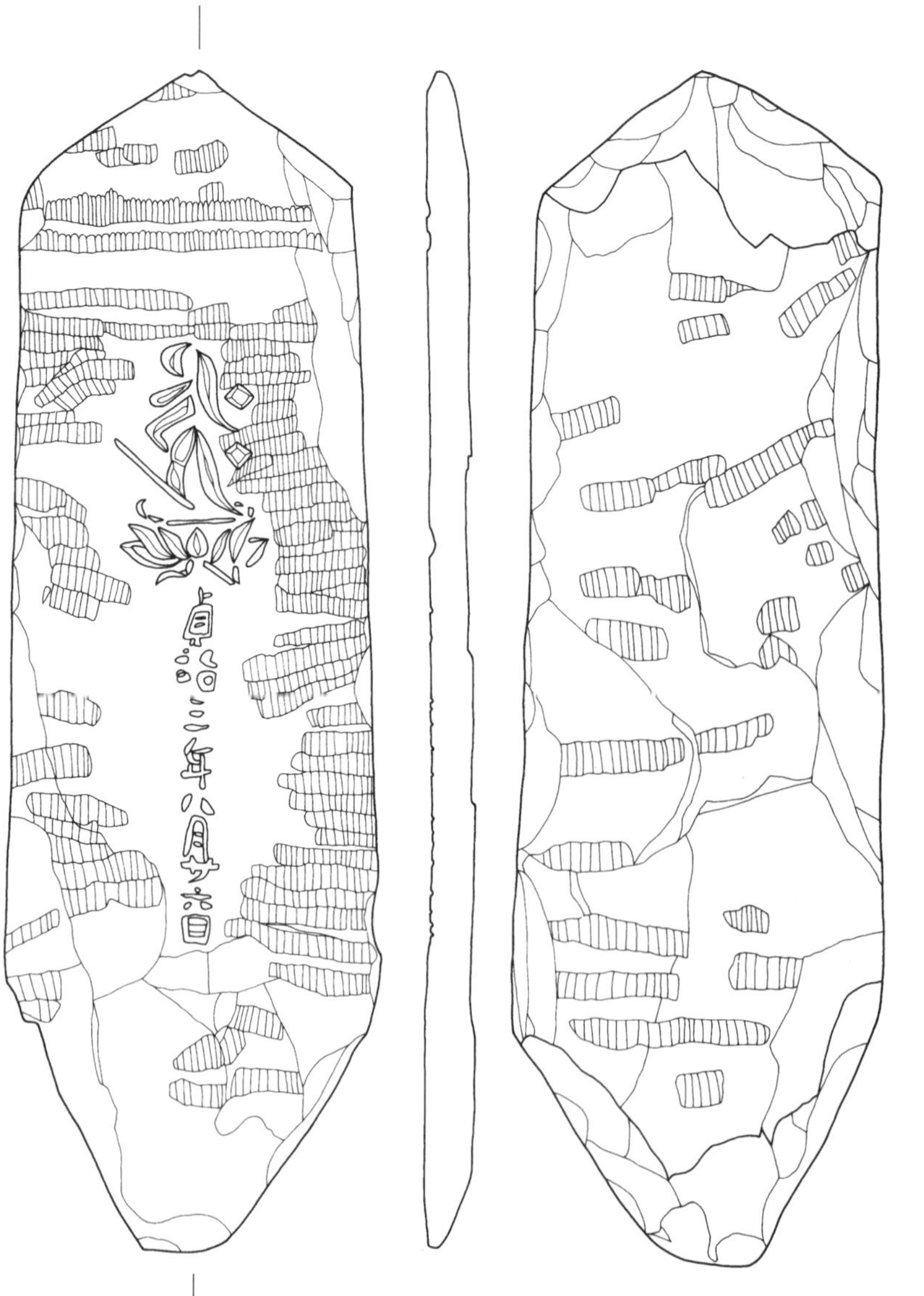

86　板碑　埼玉県川越市的場出土

実測図39（縮尺1/4）

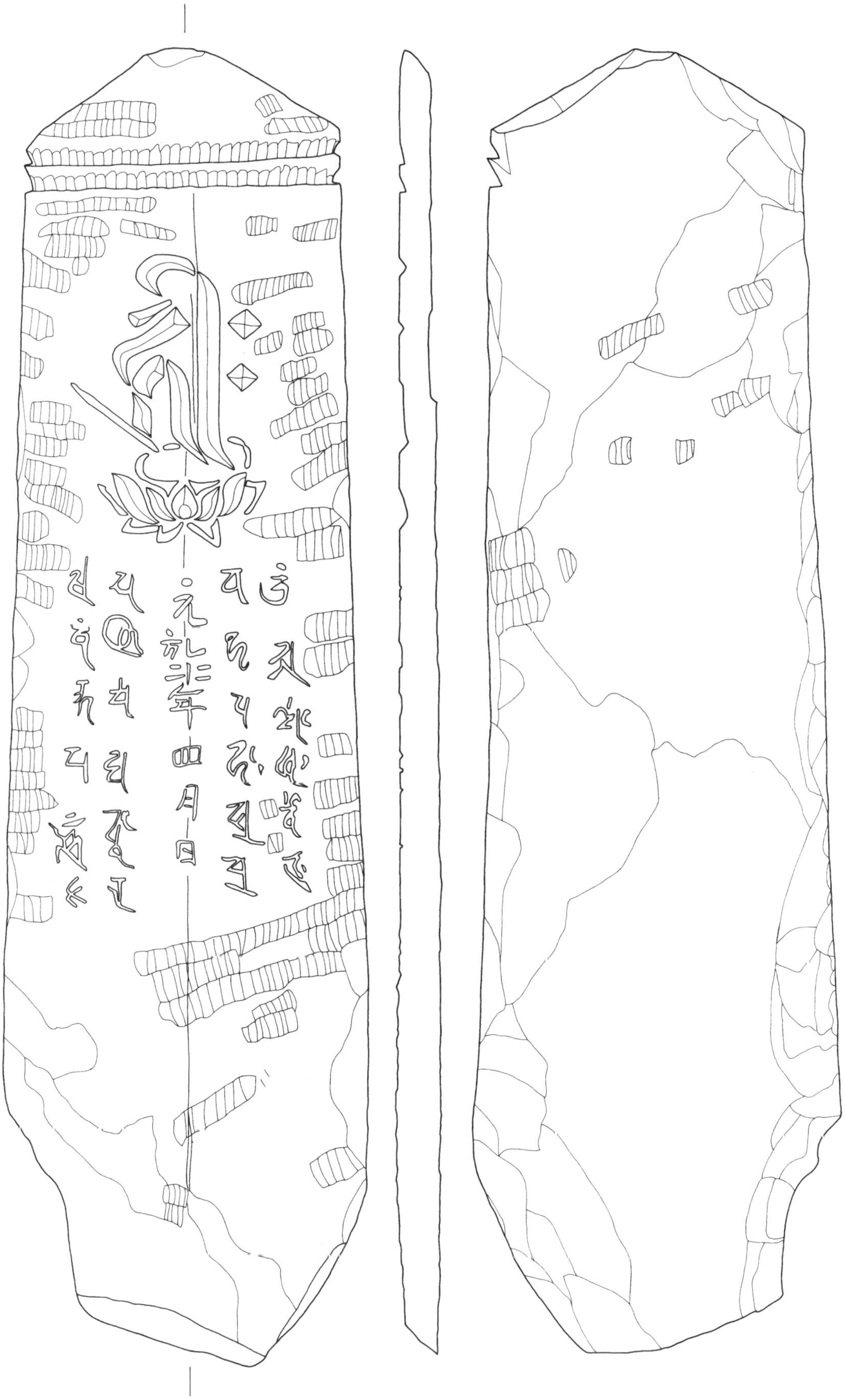

83　板碑　埼玉県川越市的場出土

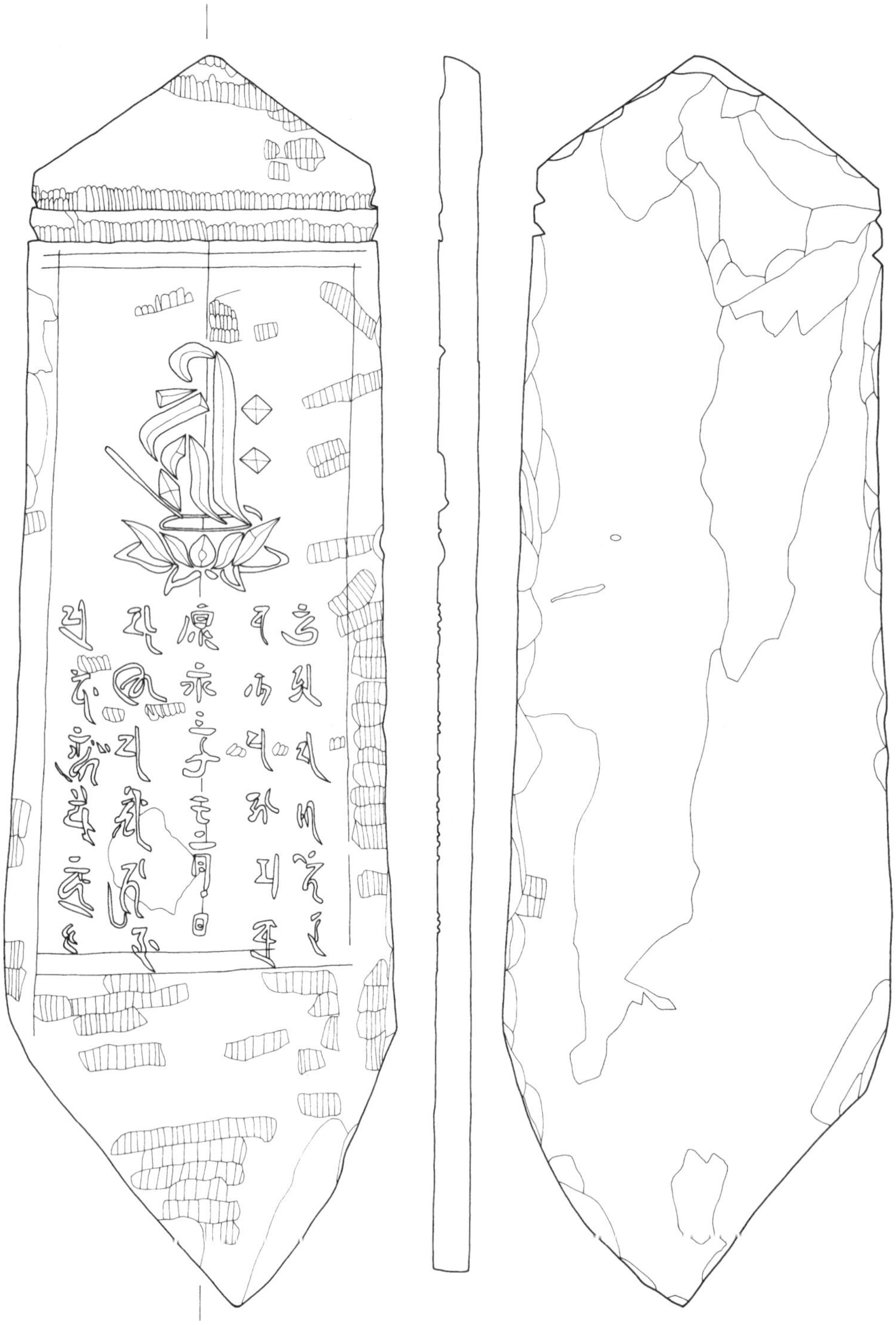

84　板碑　埼玉県川越市的場出土

実測図41（縮尺1/4）

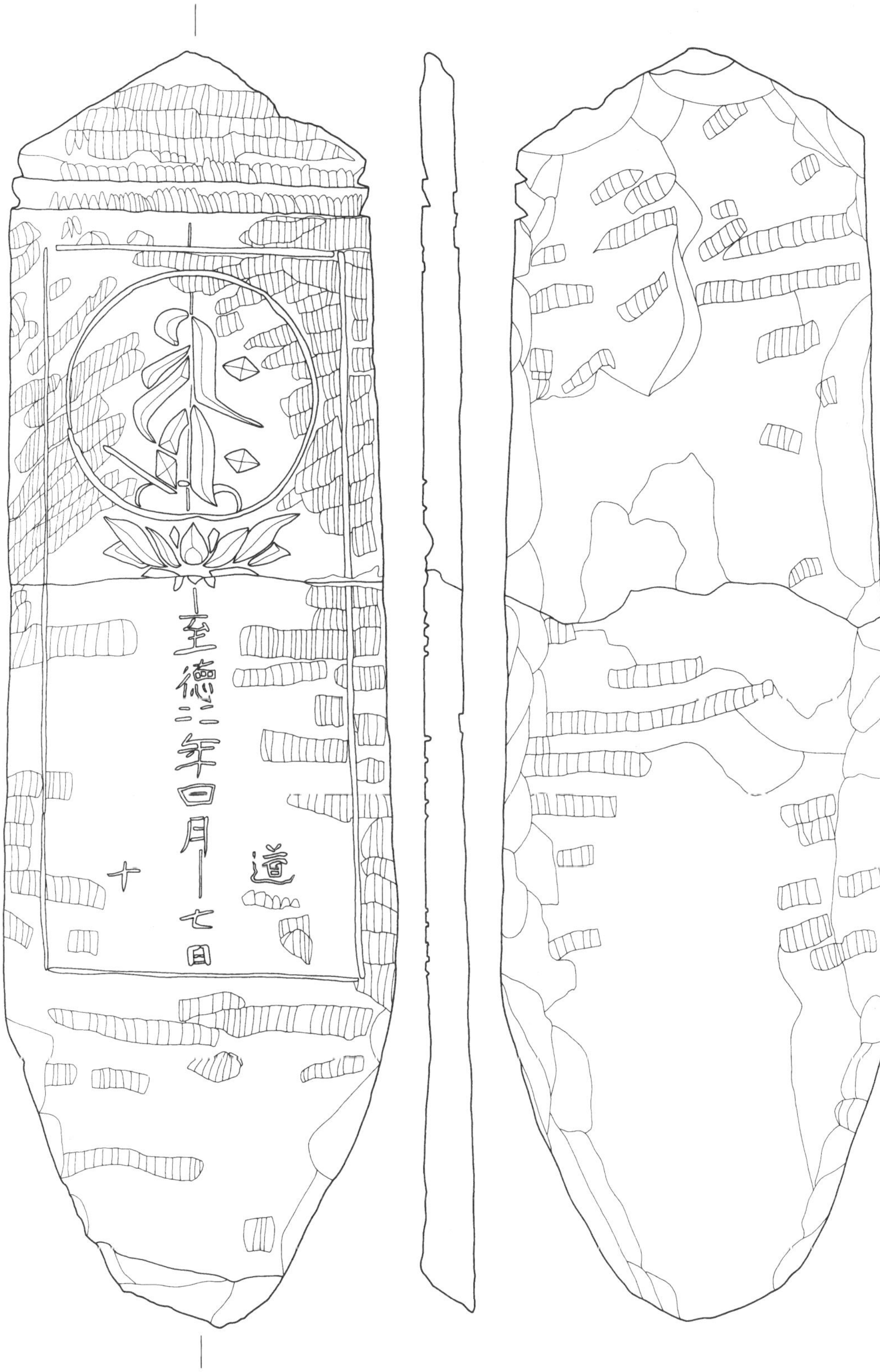

85　板碑　埼玉県川越市的場出土

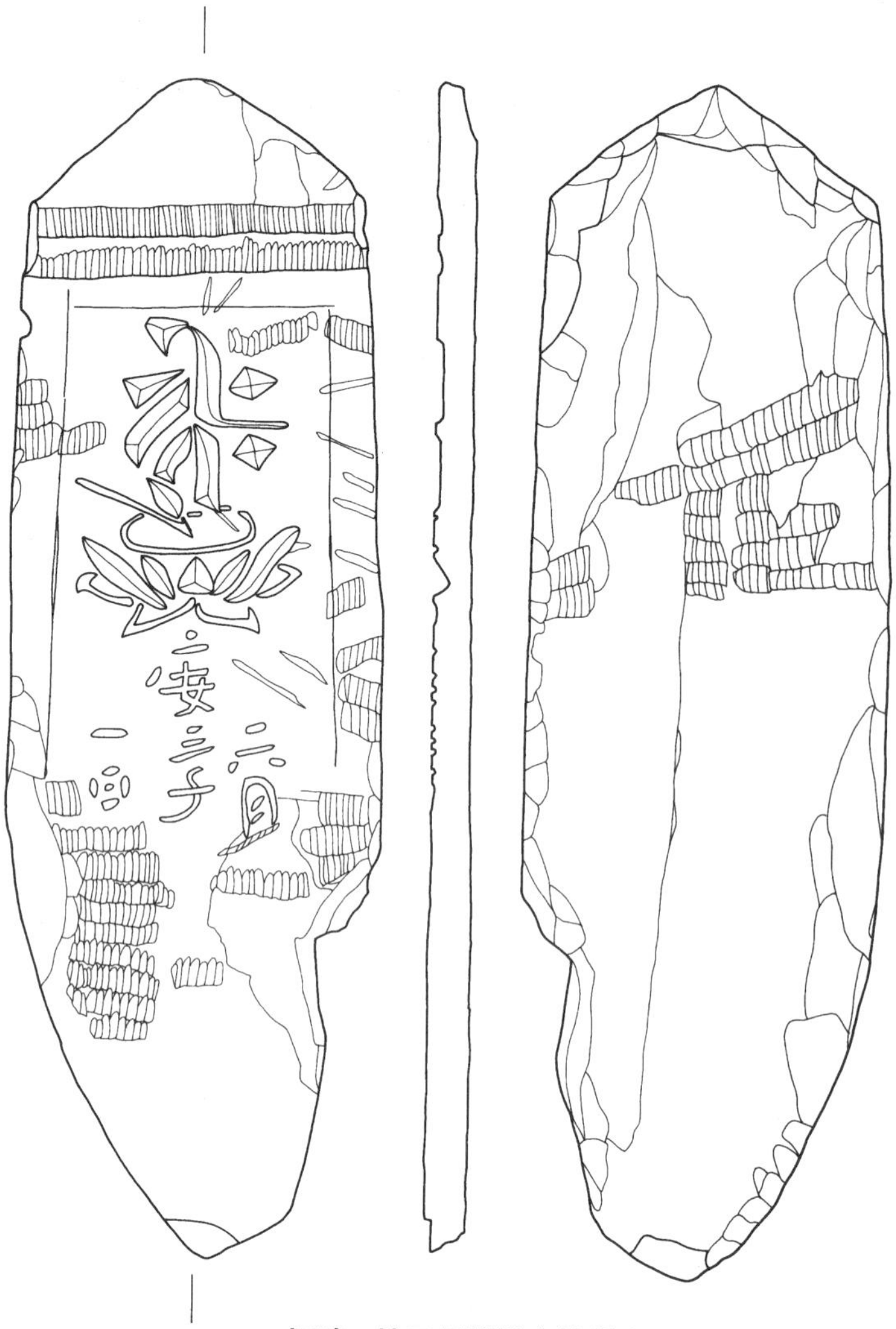

87　板碑　埼玉県川越市的場出土

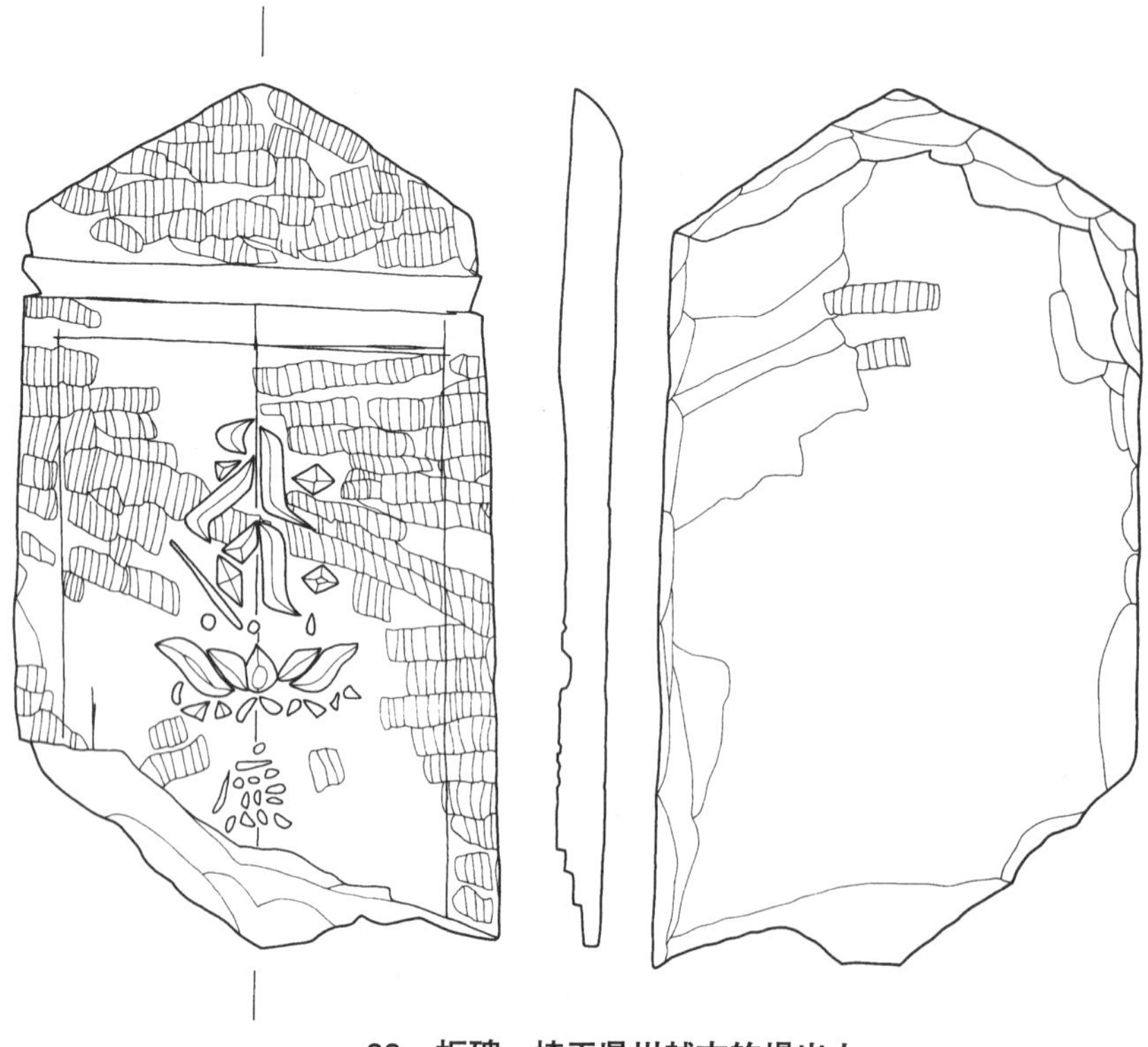

88　板碑　埼玉県川越市的場出土

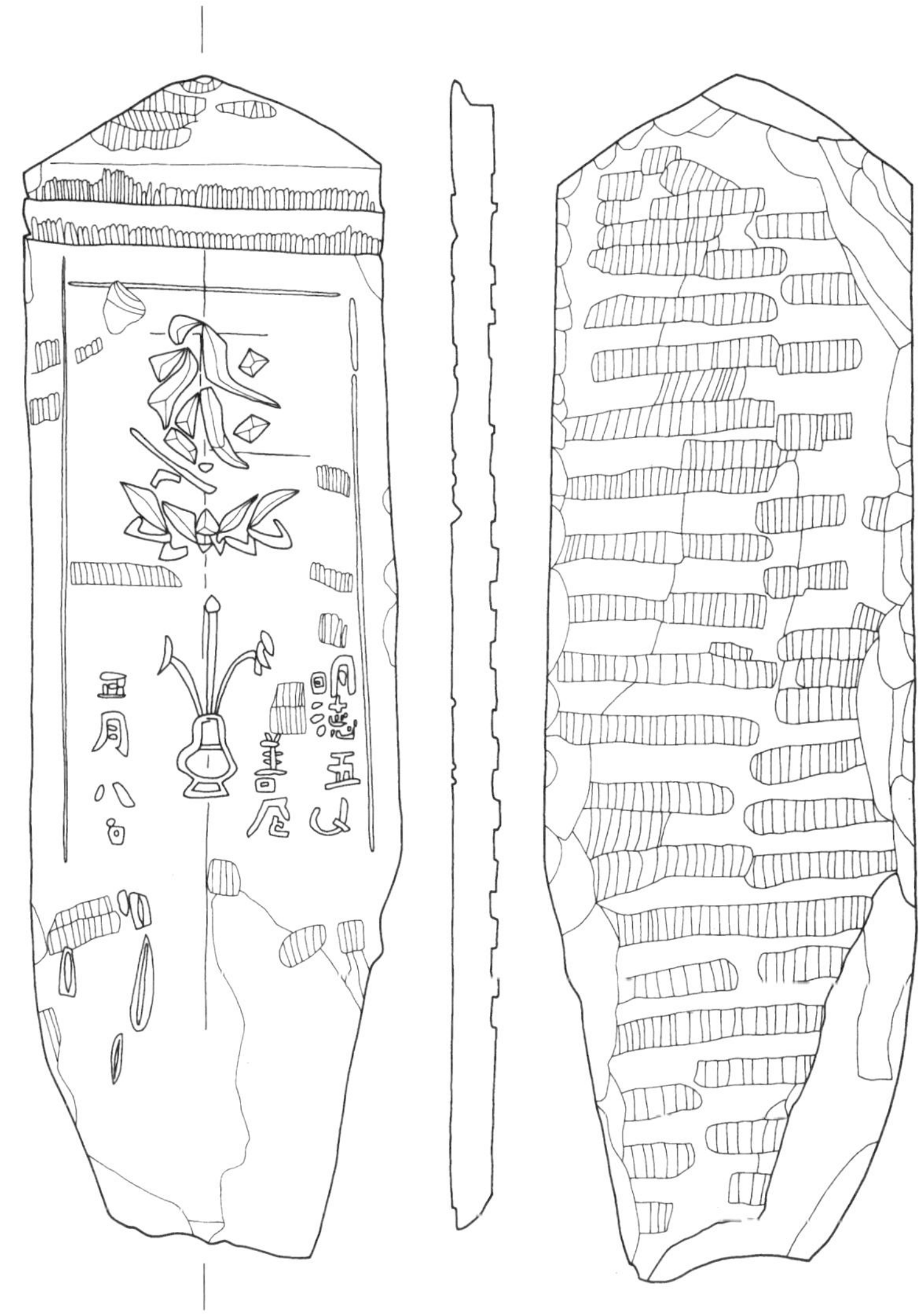

89　板碑　埼玉県熊谷市四方寺出土

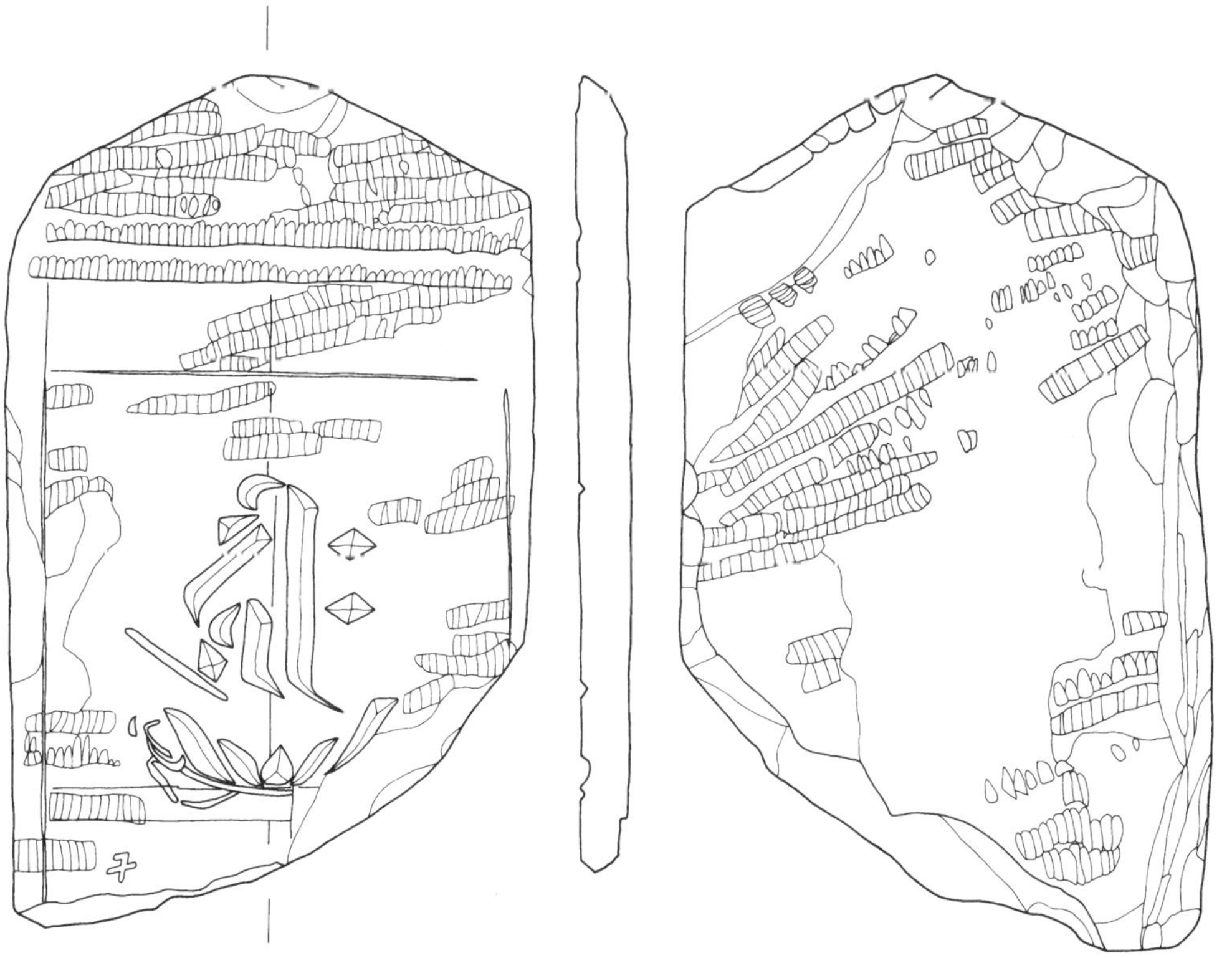

96　板碑　埼玉県戸田市下戸田出土

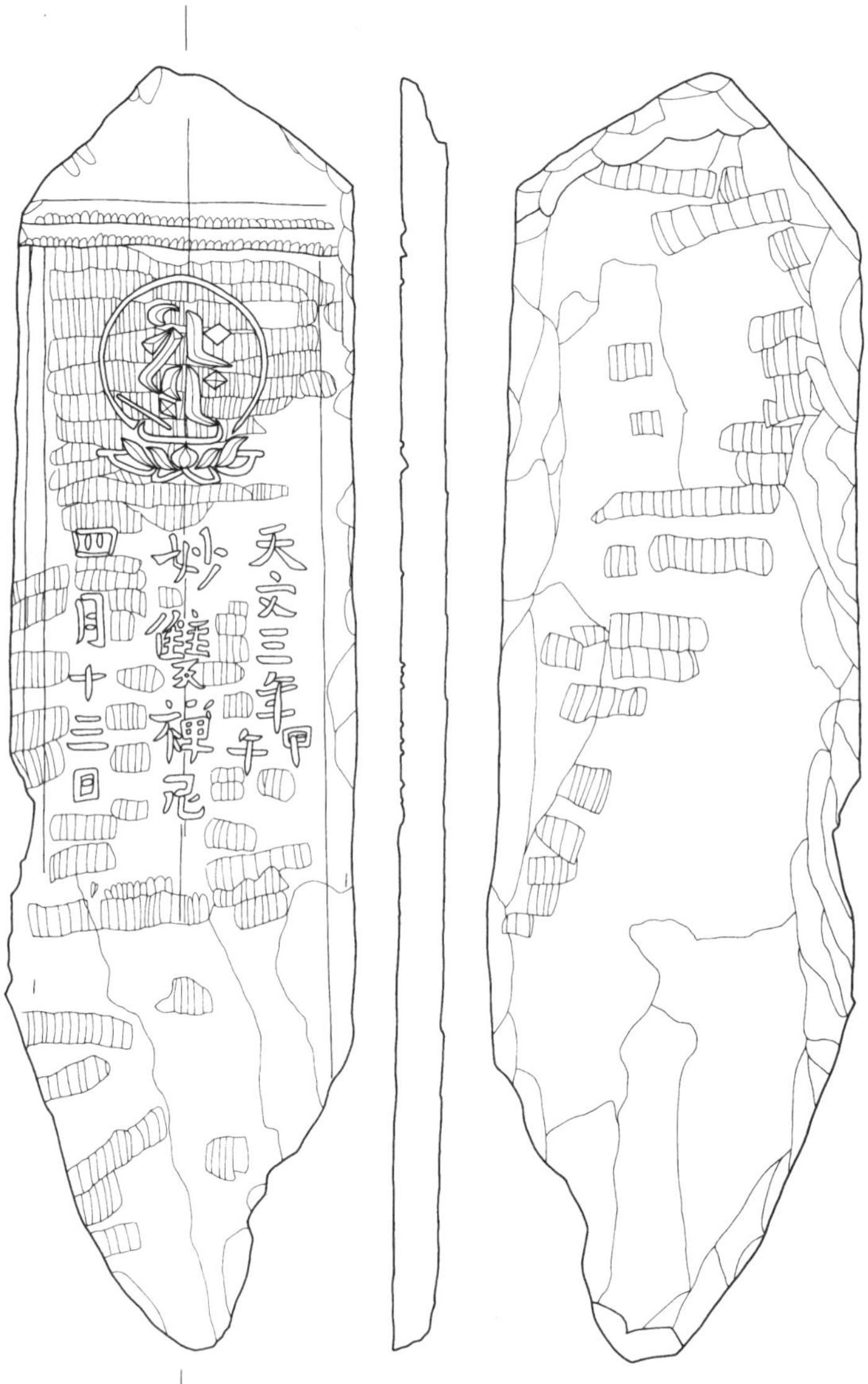

90　板碑　埼玉県戸田市下戸田出土

実測図45（縮尺1/4）

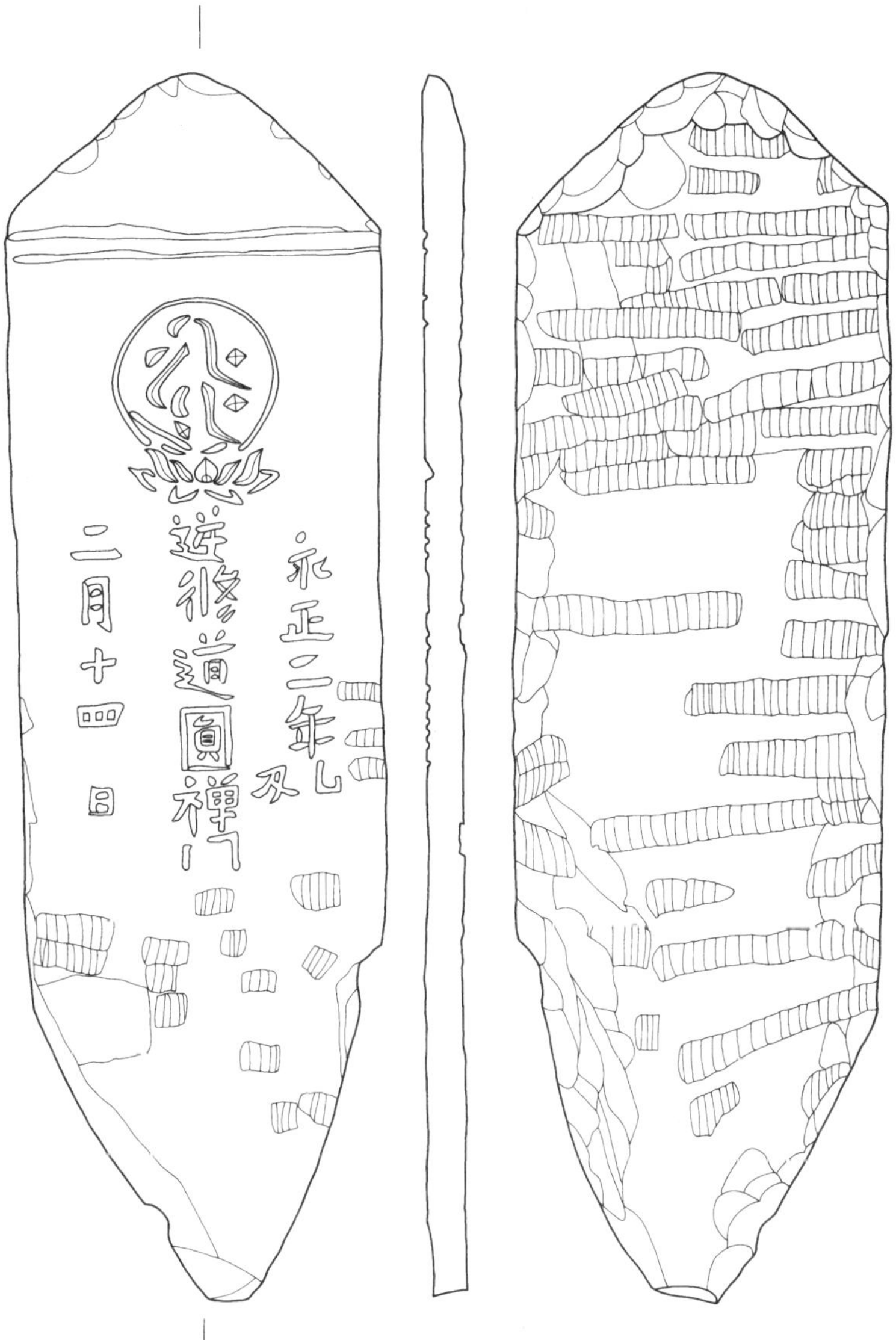

91　板碑　埼玉県戸田市下戸田出土

実測図46（縮尺1/4）

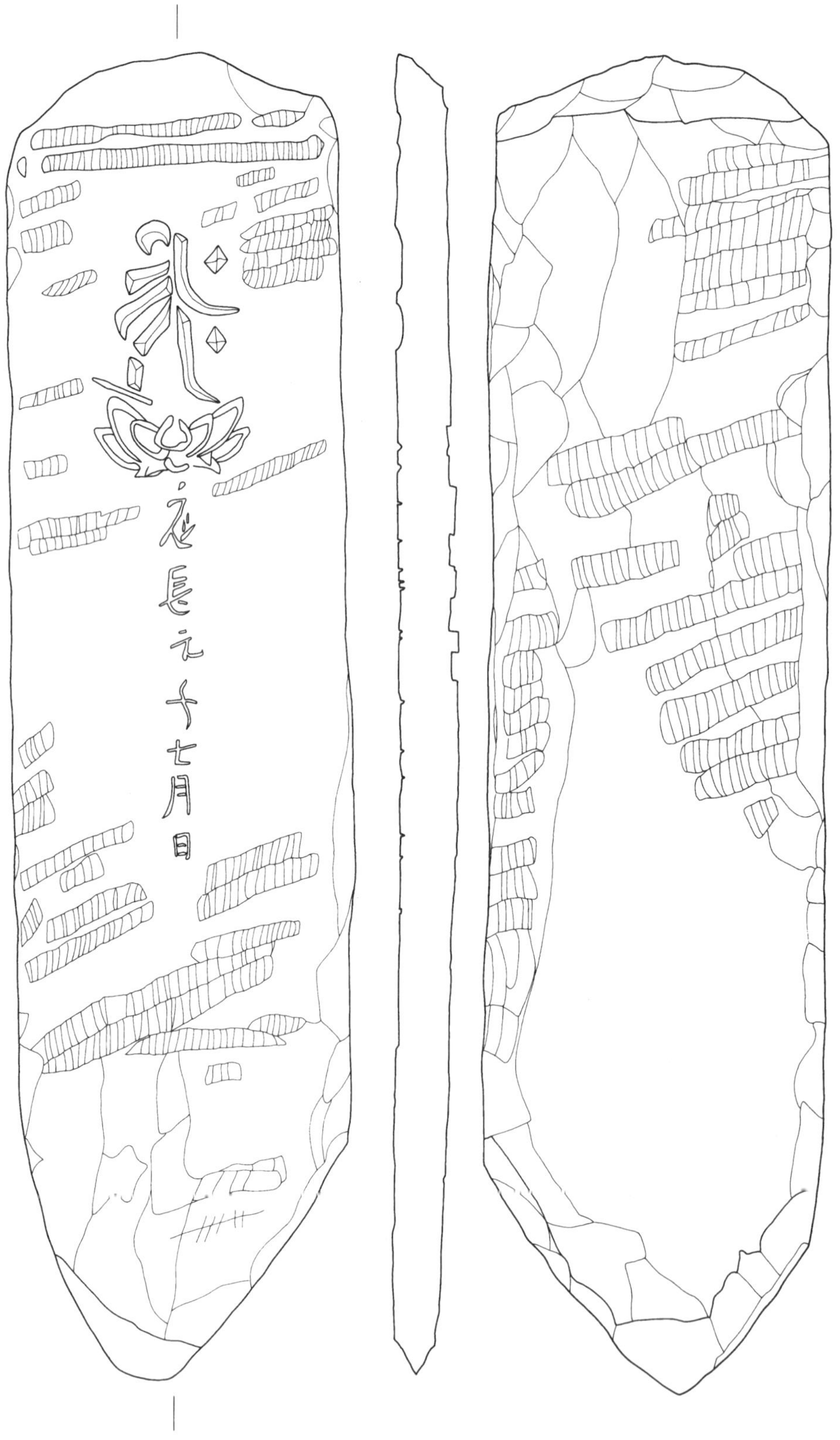

92　板碑　埼玉県戸田市下戸田出土

実測図47（縮尺1/4）

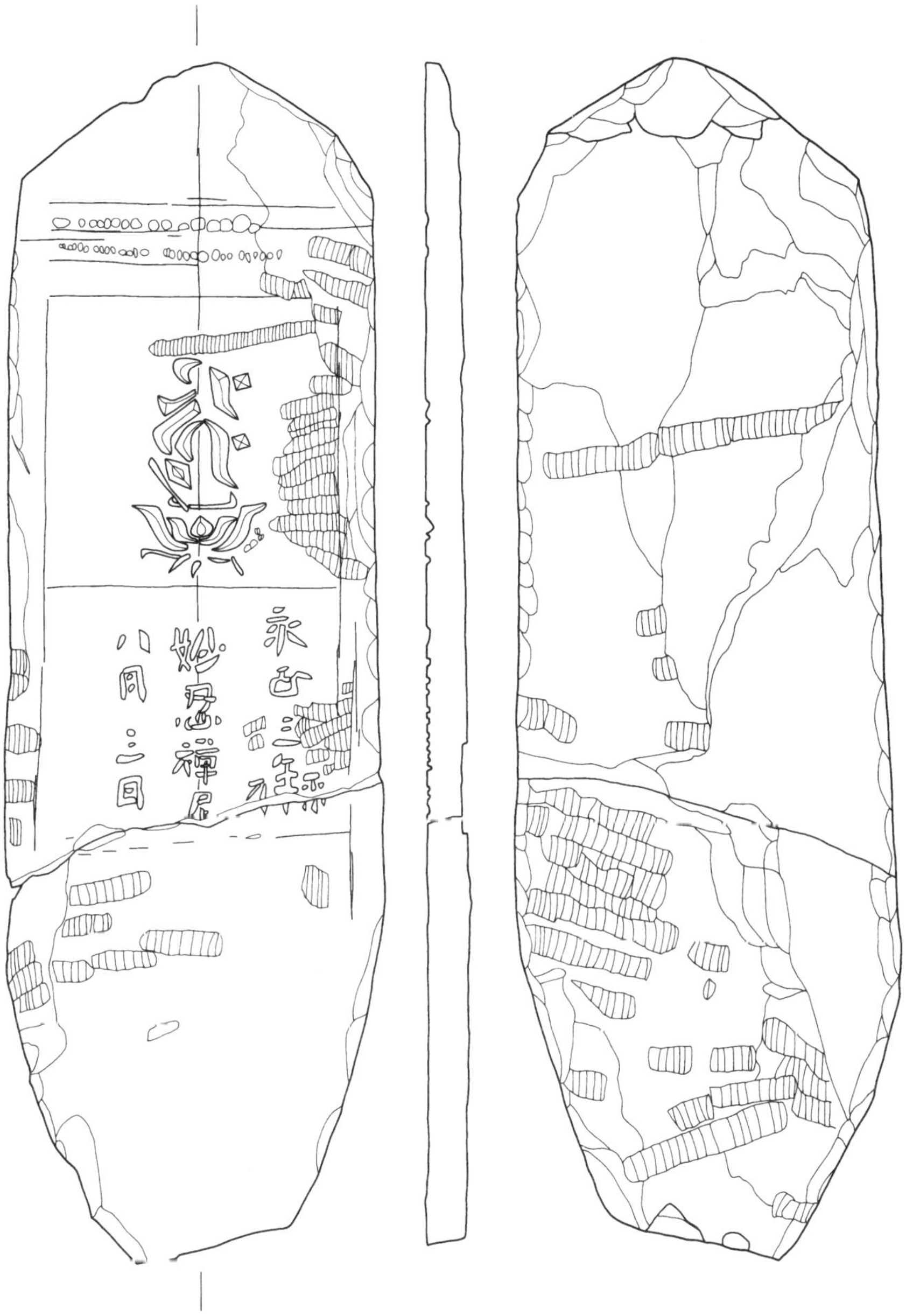

93　板碑　埼玉県戸田市下戸田出土

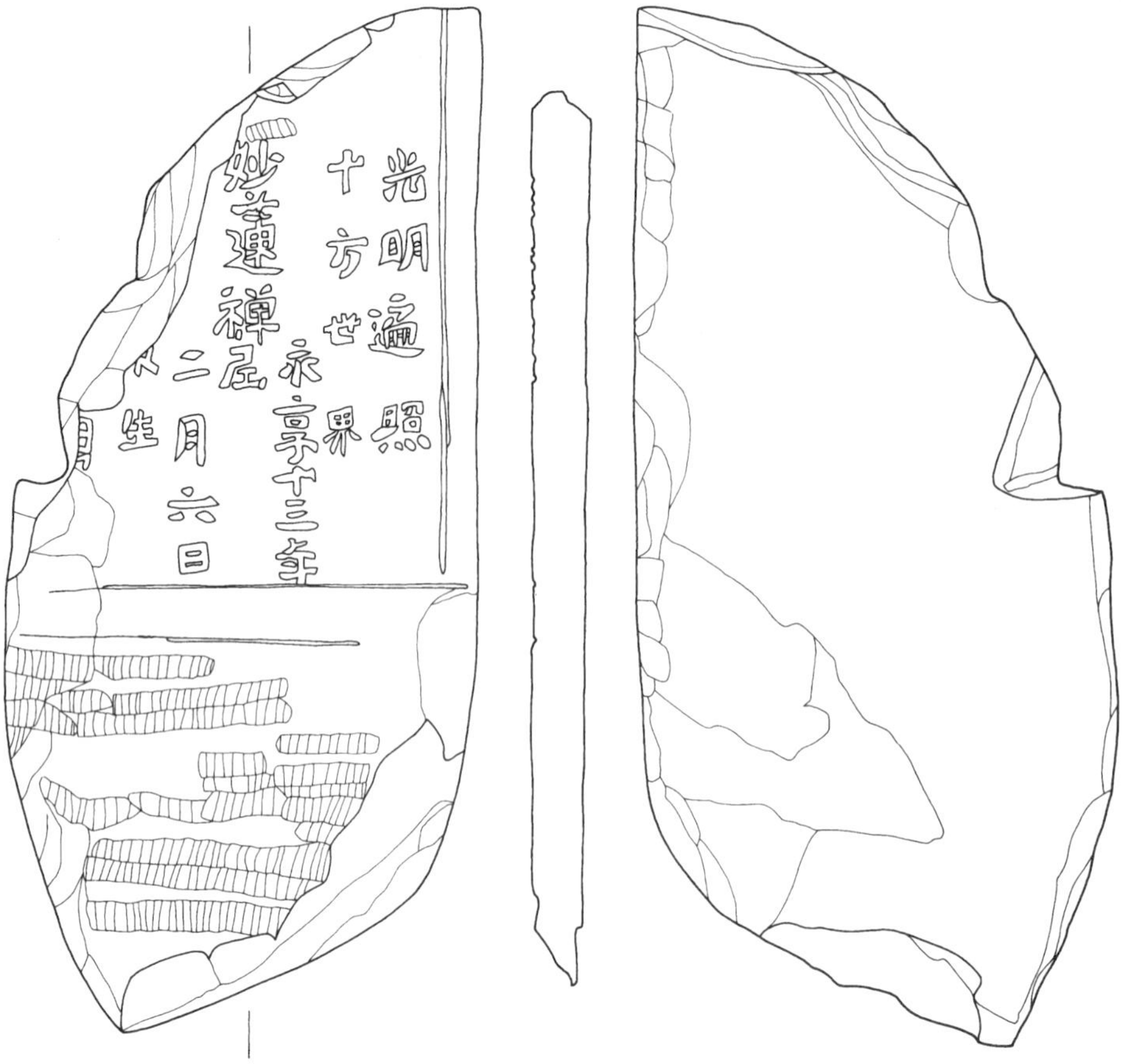

94 板碑 埼玉県戸田市下戸田出土

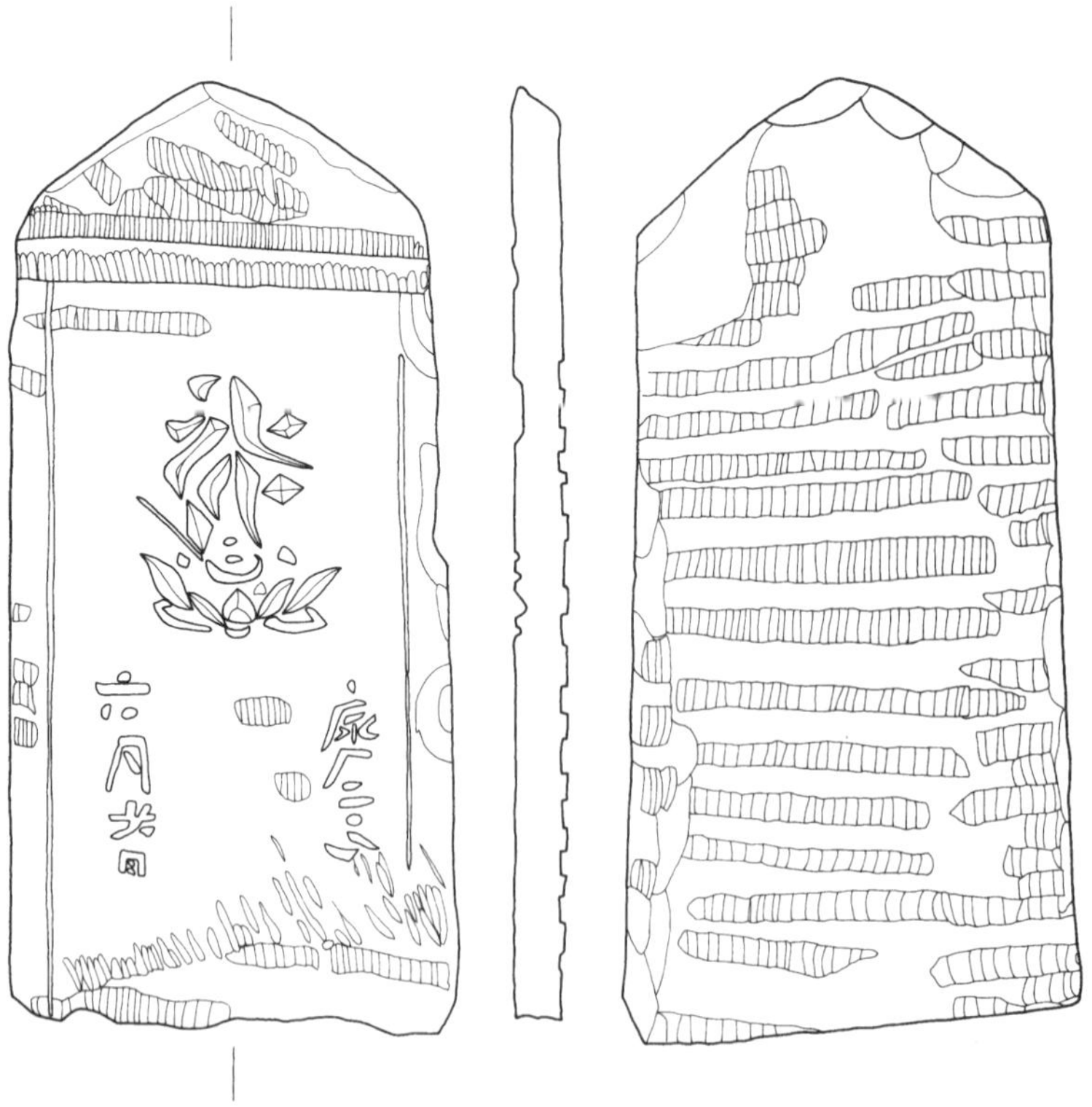

95 板碑 埼玉県戸田市下戸田出土

実測図49（縮尺1/4）

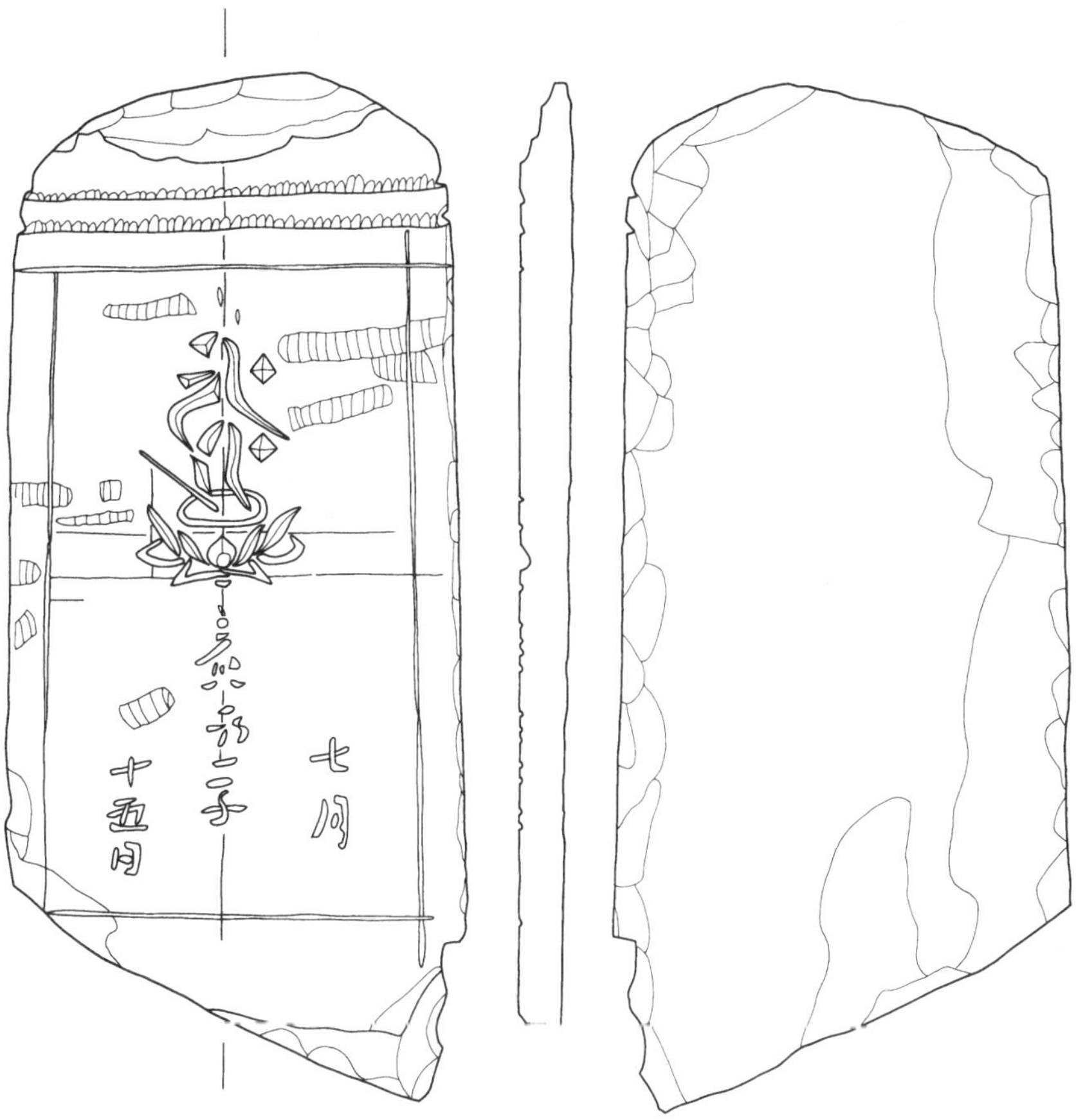

97　板碑　埼玉県東松山市上唐子字大欠出土

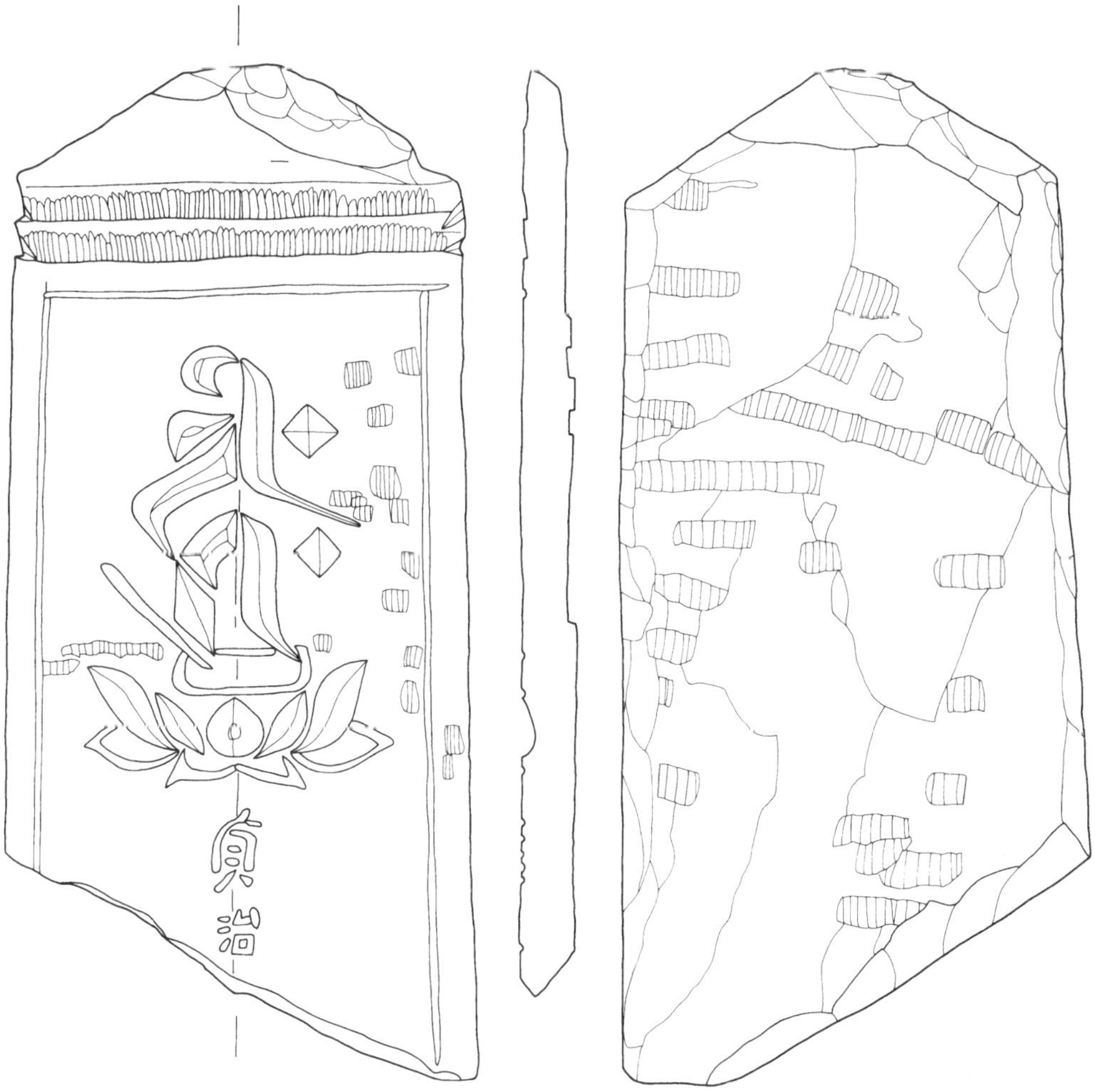

102　板碑　埼玉県東松山市上唐子字大欠出土

実測図50（縮尺1/4）

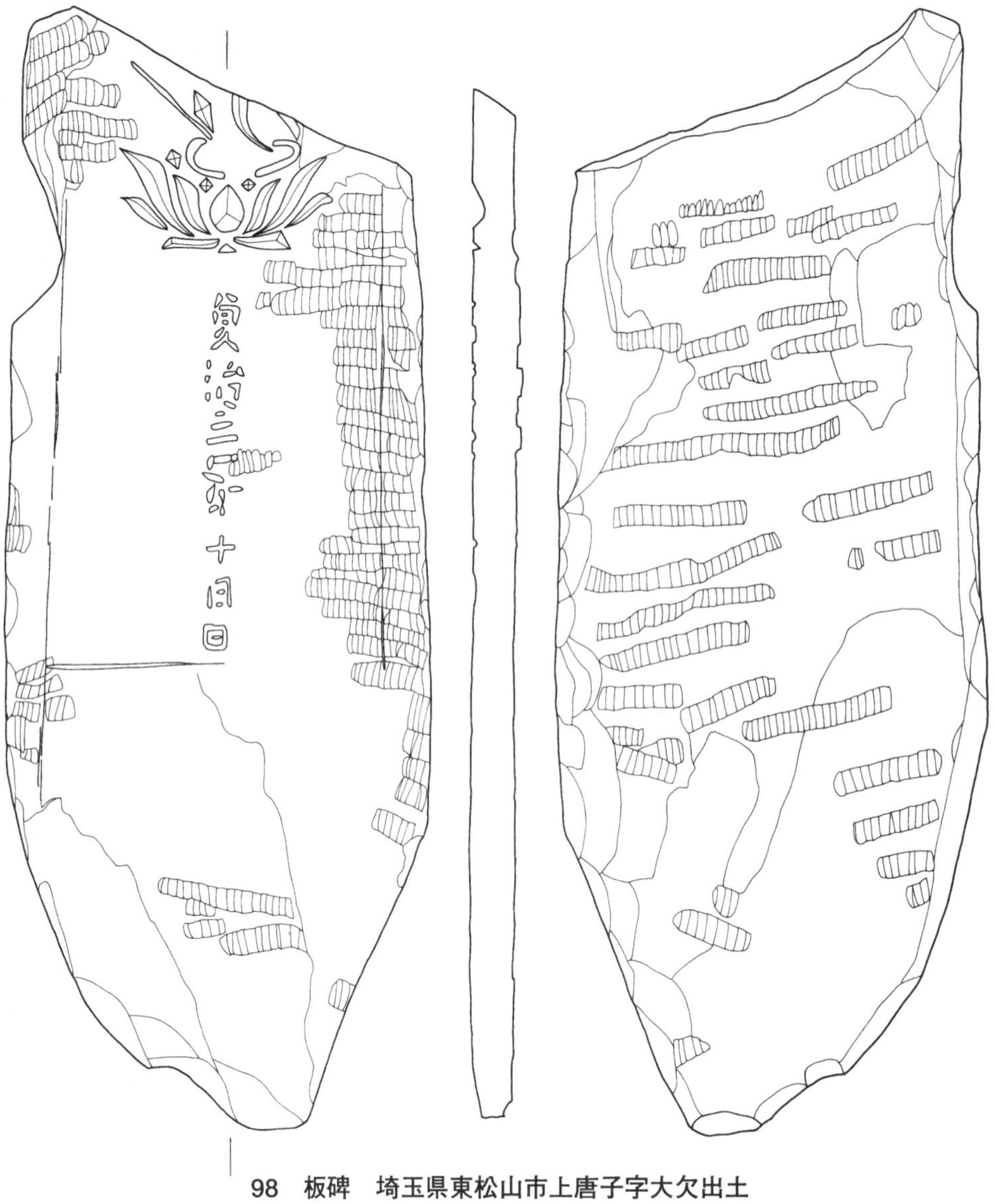

98　板碑　埼玉県東松山市上唐子字大欠出土

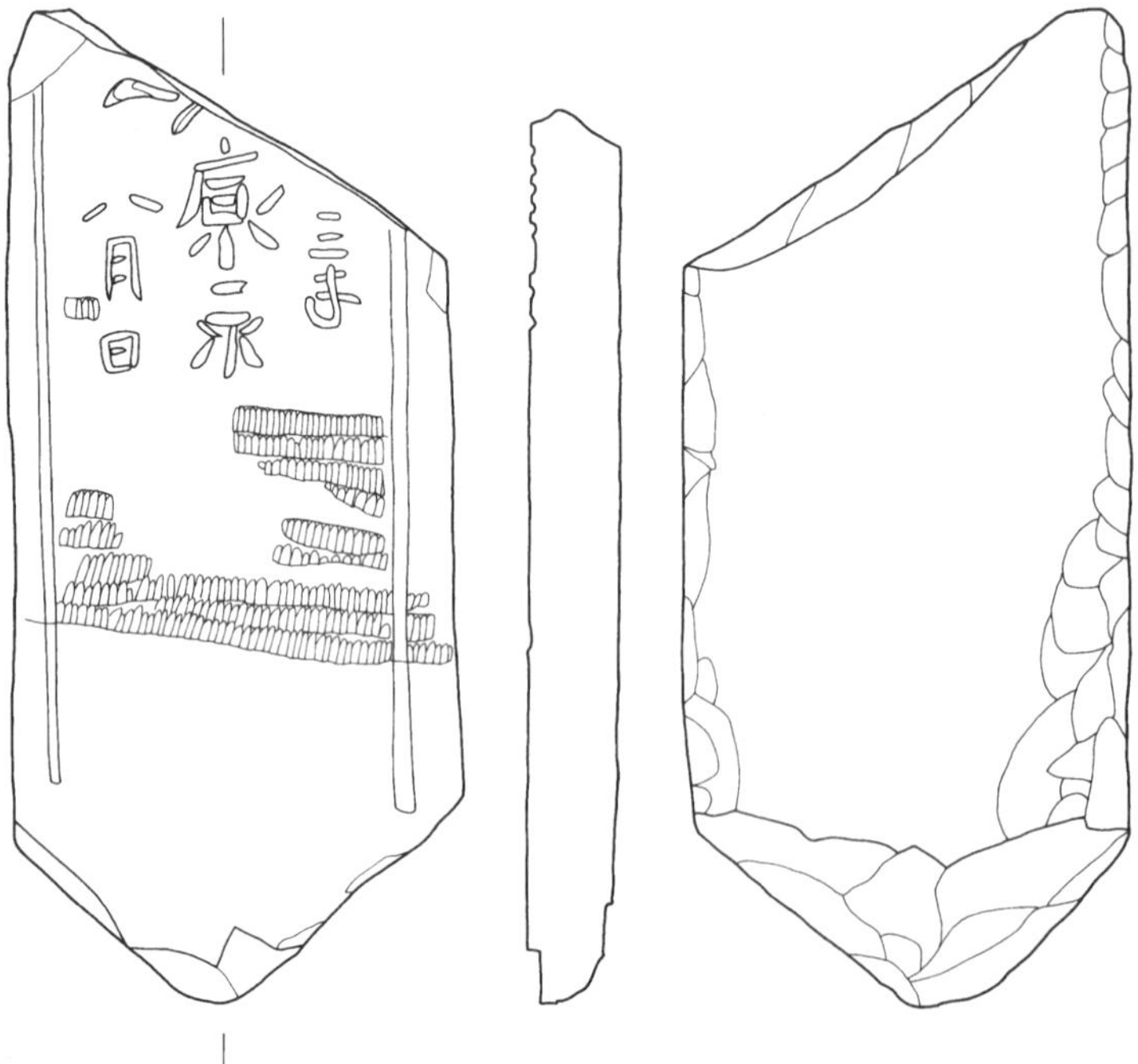

107　板碑　埼玉県東松山市上唐子字大欠出土

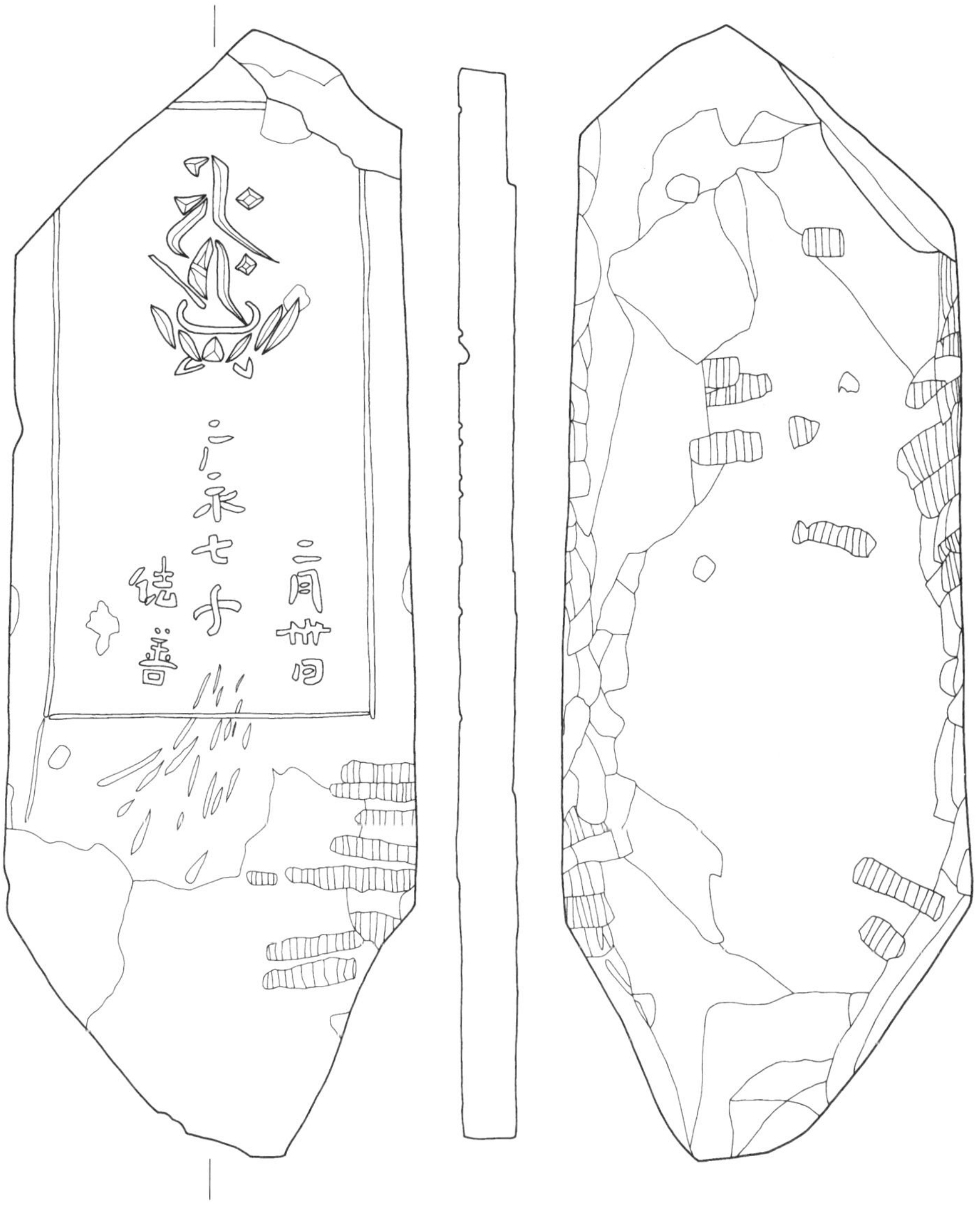

99　板碑　埼玉県東松山市上唐子字大欠出土

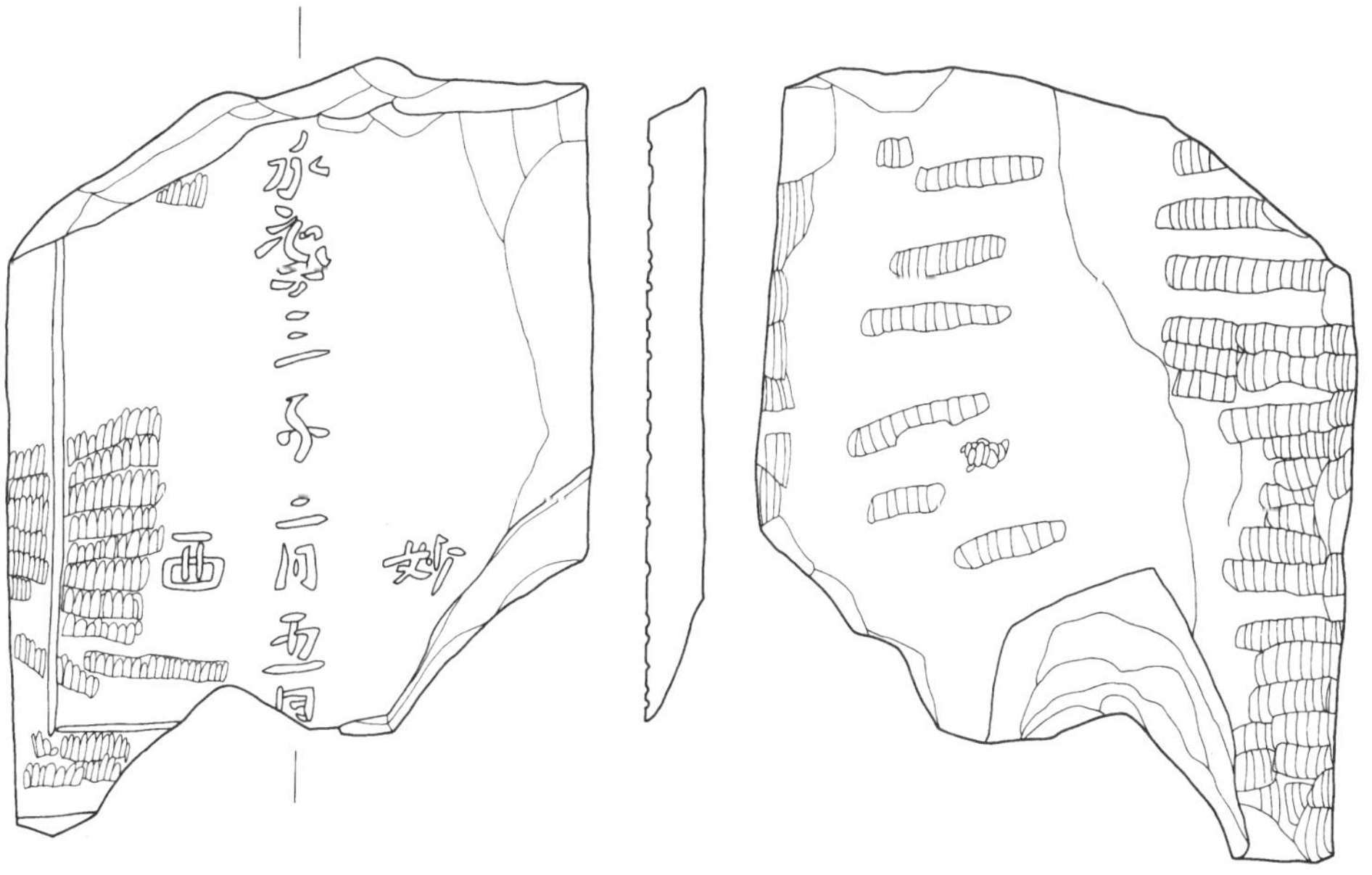

108　板碑　埼玉県東松山市上唐子字大欠出土

実測図52（縮尺1/4）

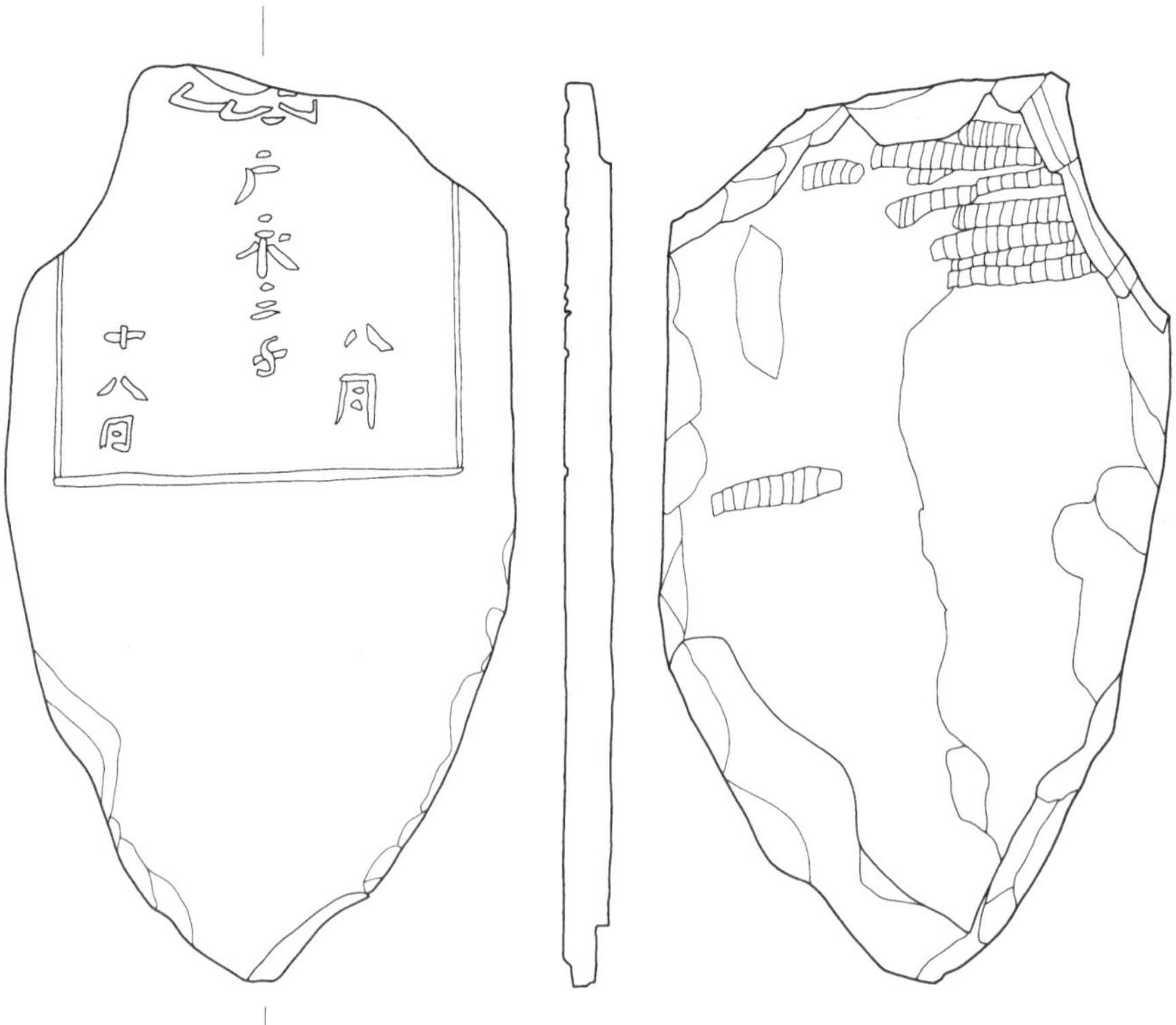

100　板碑　埼玉県東松山市上唐子字大欠出土

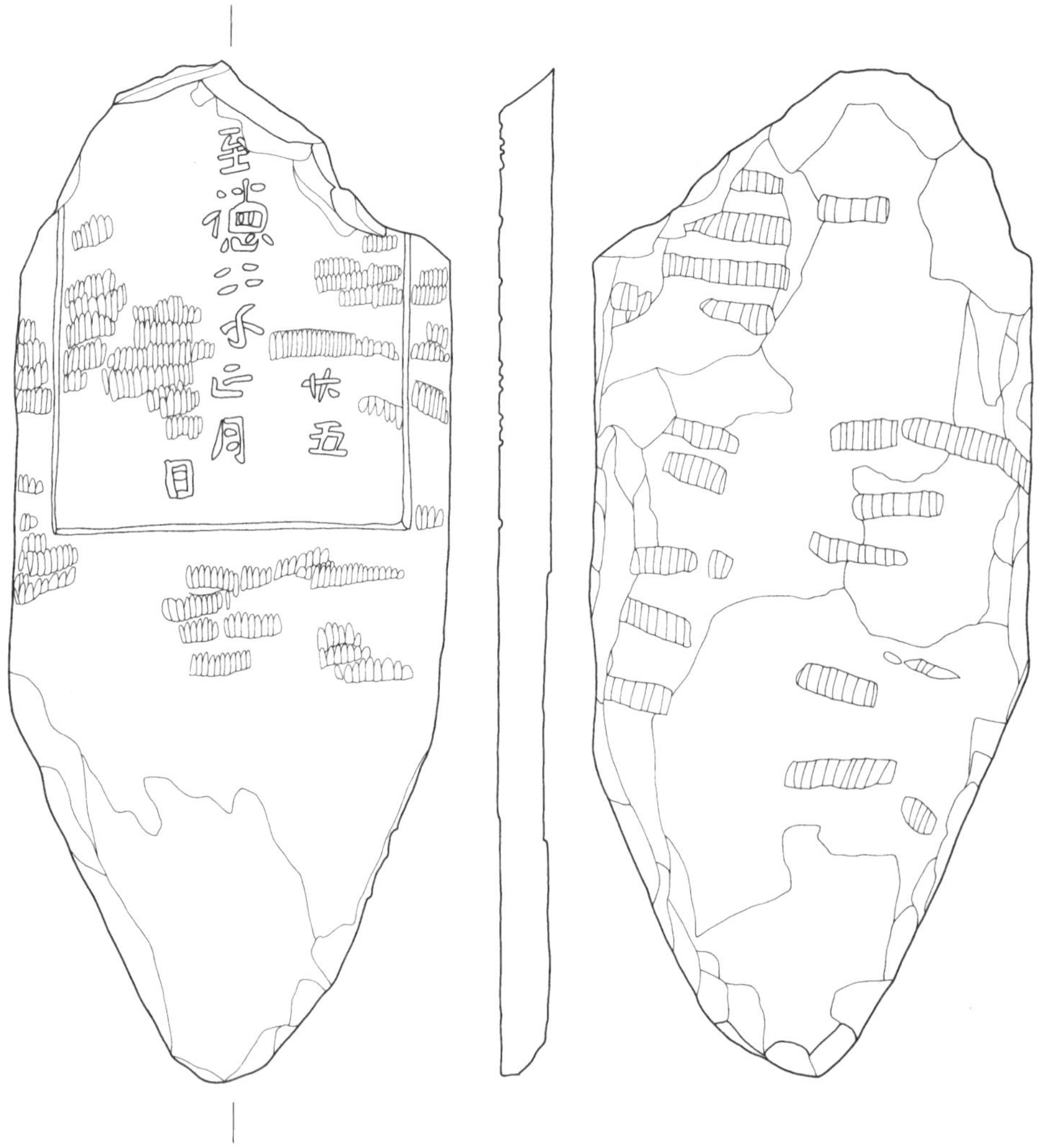

101　板碑　埼玉県東松山市上唐子字大欠出土

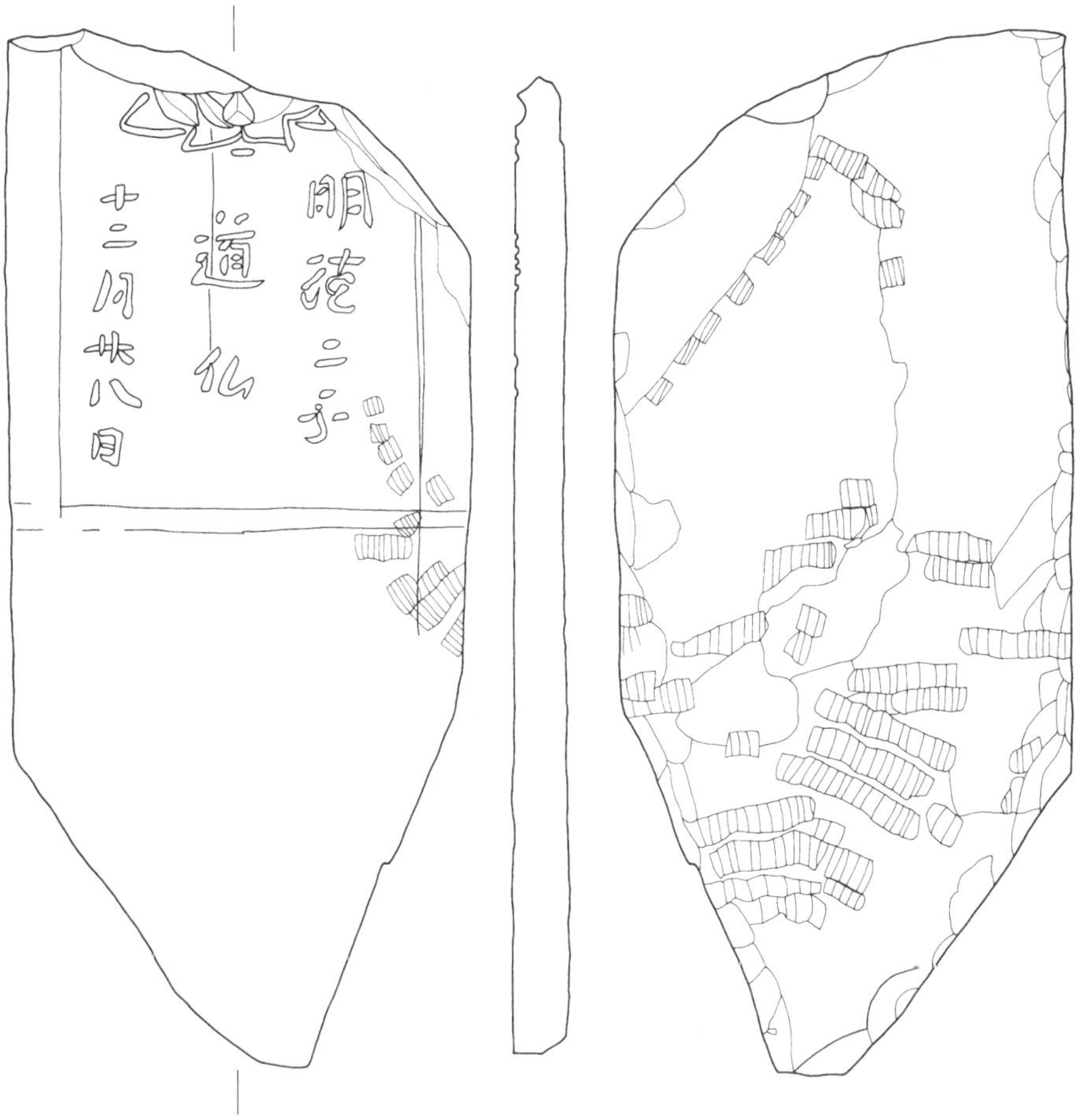

103　板碑　埼玉県東松山市上唐子字大欠出土

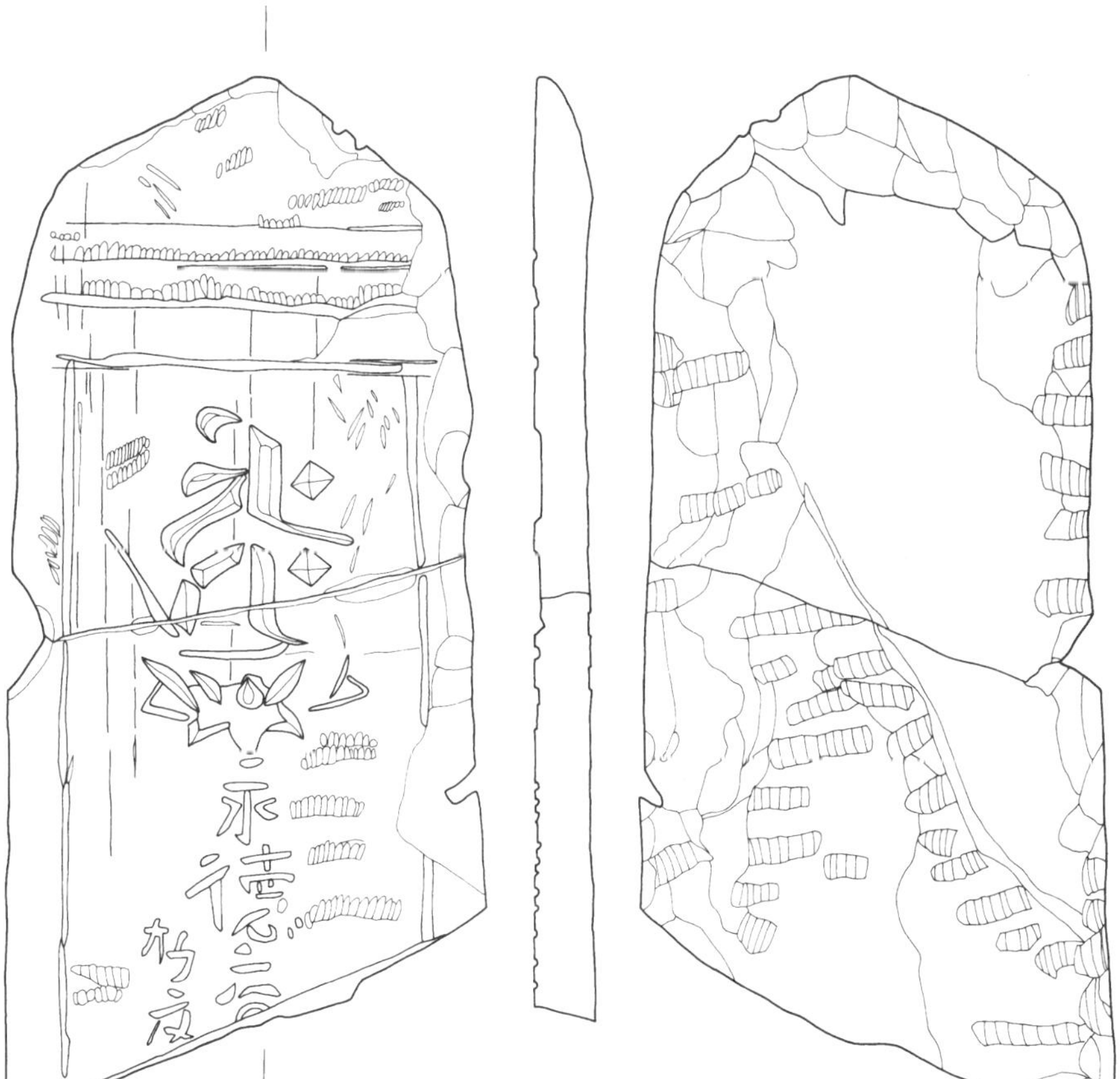

106　板碑　埼玉県東松山市上唐子字大欠出土

実測図54（縮尺1/4）

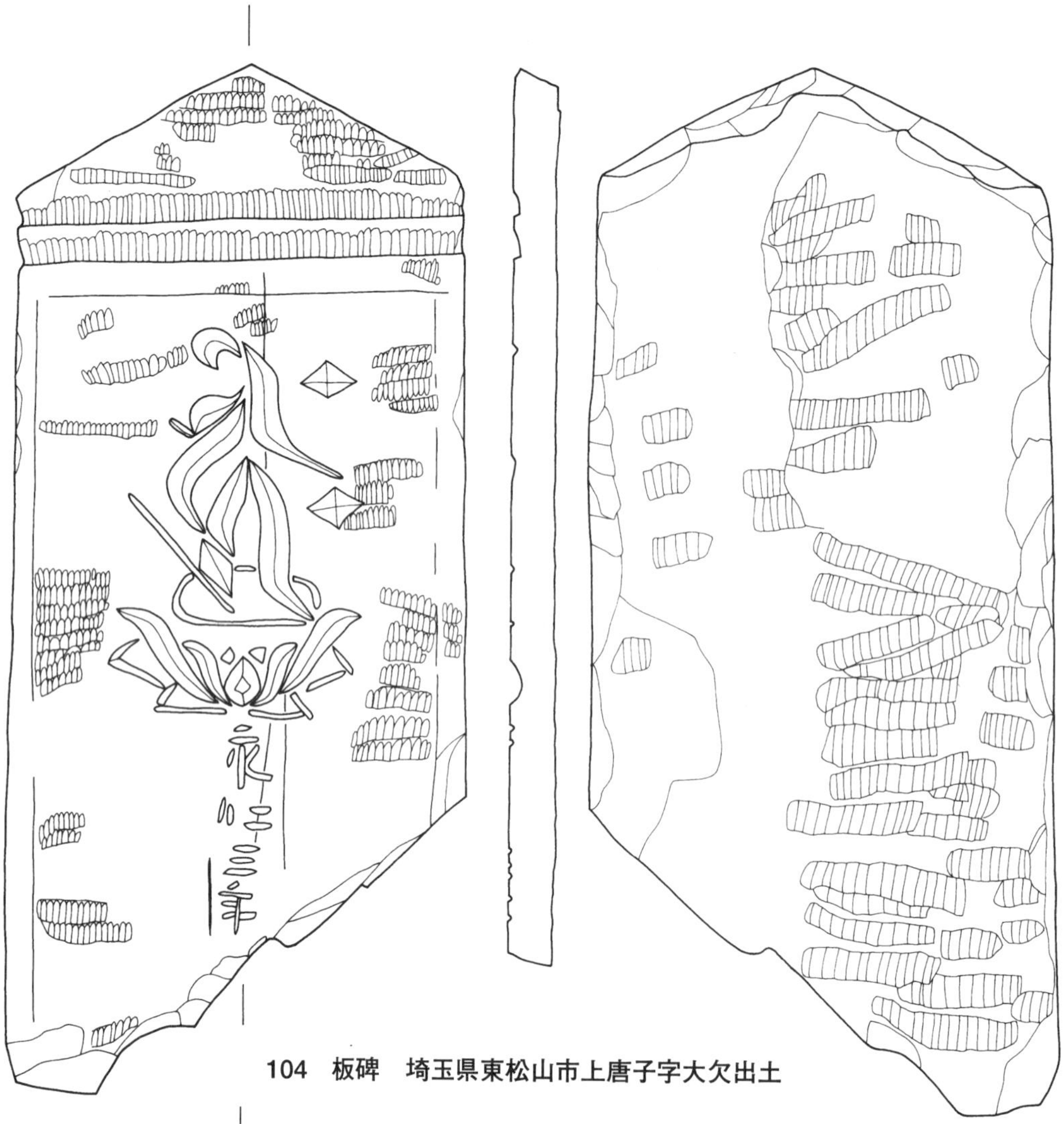

104　板碑　埼玉県東松山市上唐子字大欠出土

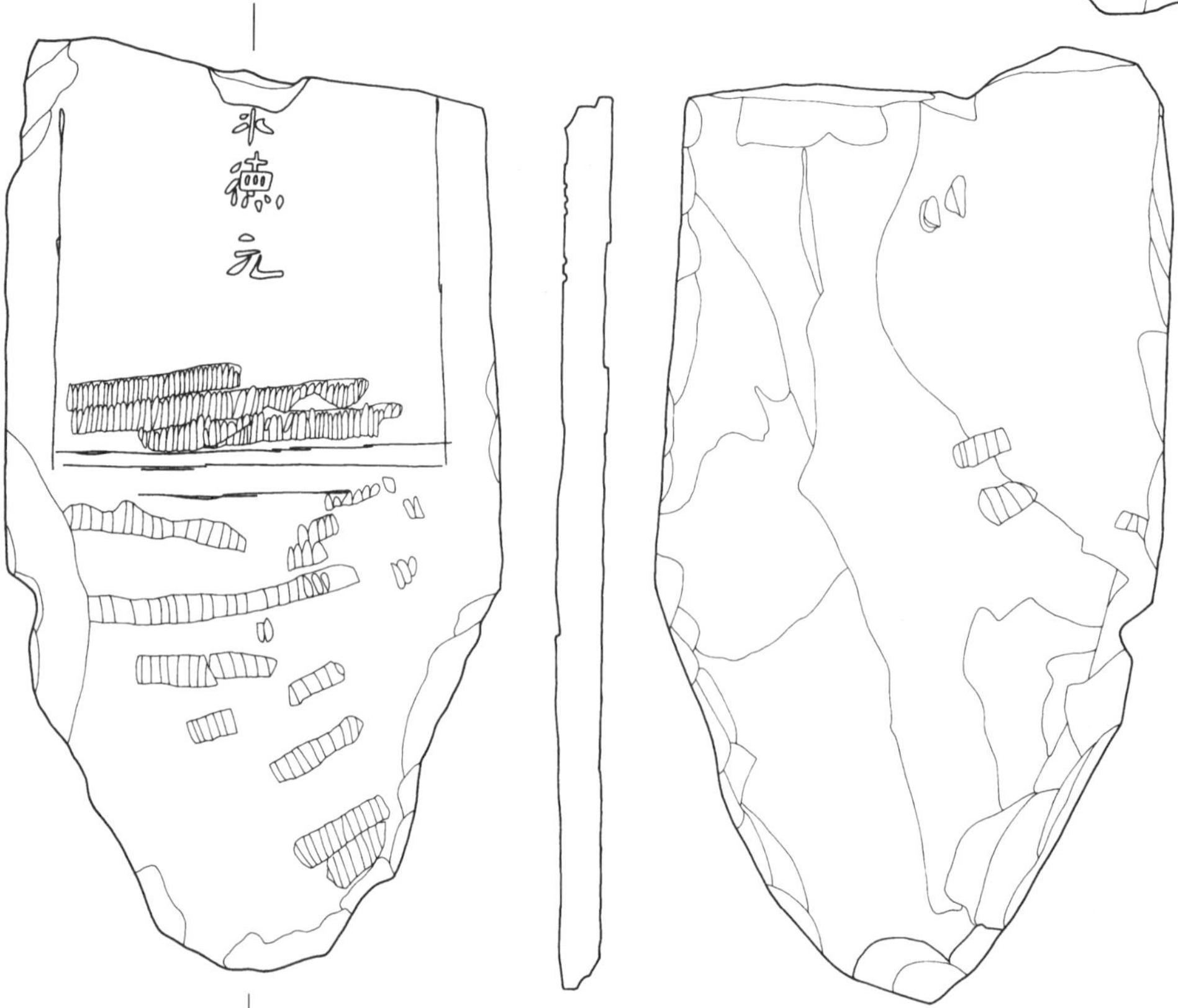

105　板碑　埼玉県東松山市上唐子字大欠出土

実測図55（縮尺1/4）

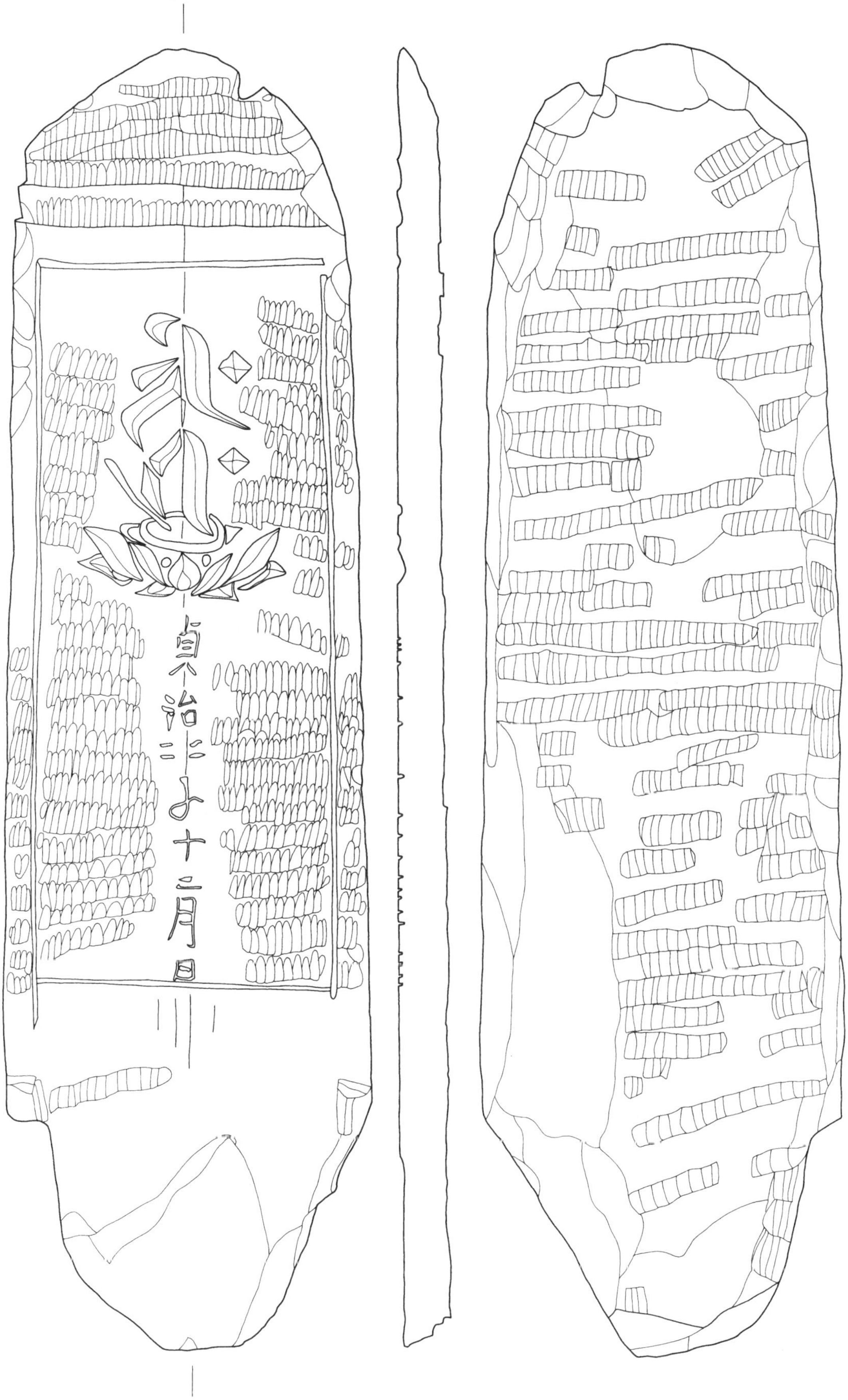

109　板碑　埼玉県東松山市上唐子字大欠出土

実測図56（縮尺1/4）

110　板碑　埼玉県東松山市上唐子字大欠出土

実測図57（縮尺1/4）

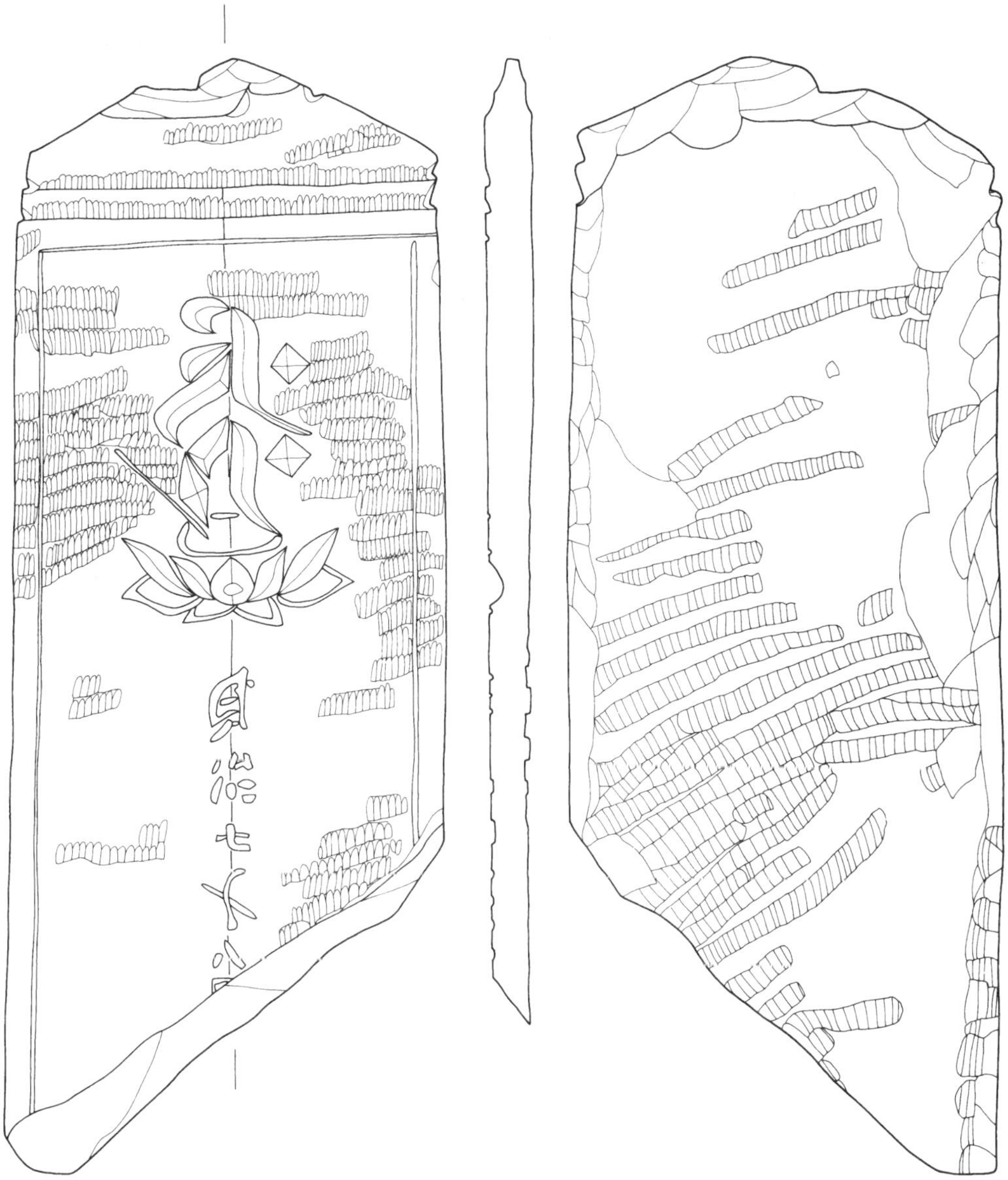

111　板碑　埼玉県東松山市上唐子字大欠出土

実測図58（縮尺1/4）

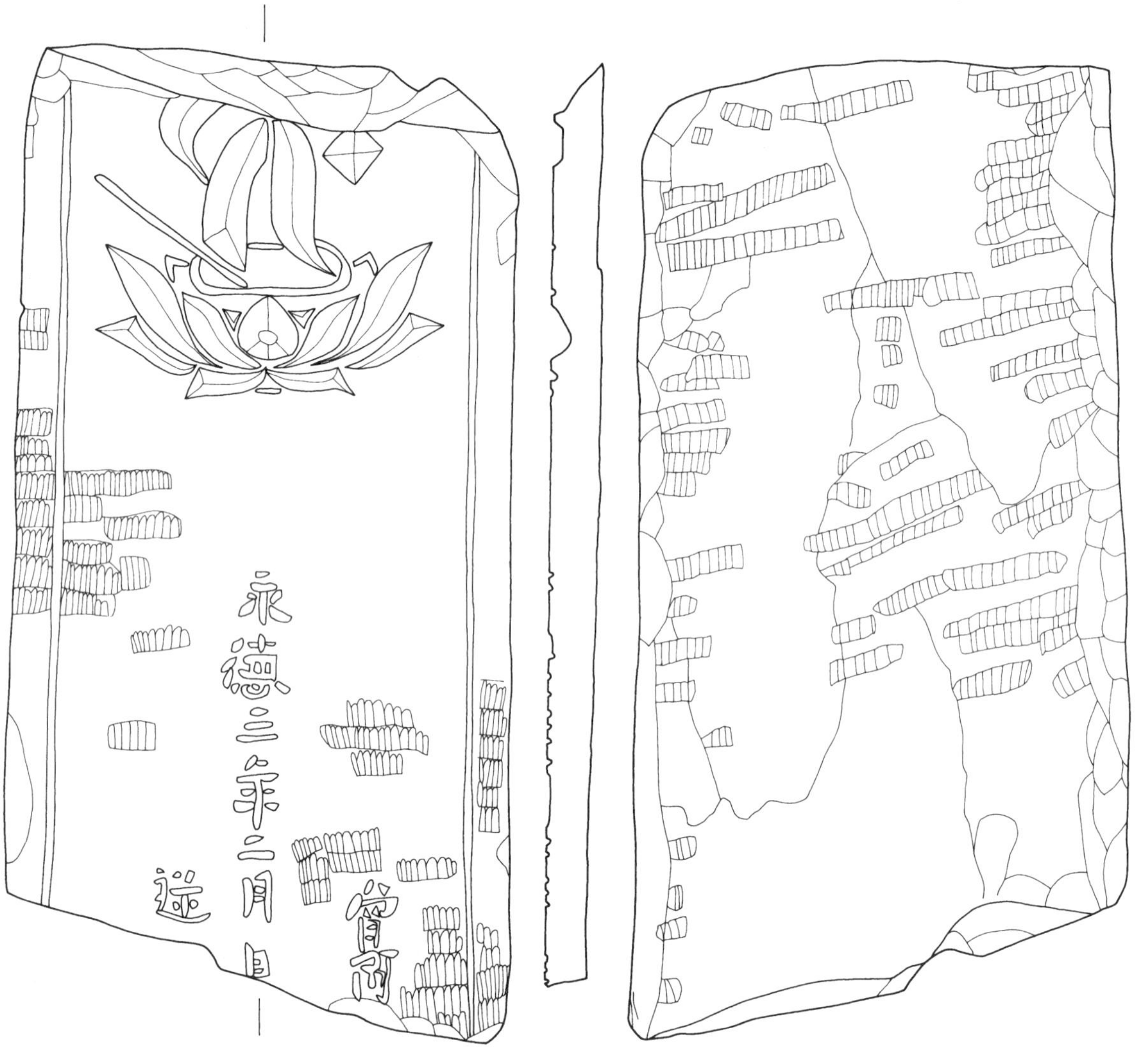

112　板碑　埼玉県東松山市上唐子字大欠出土

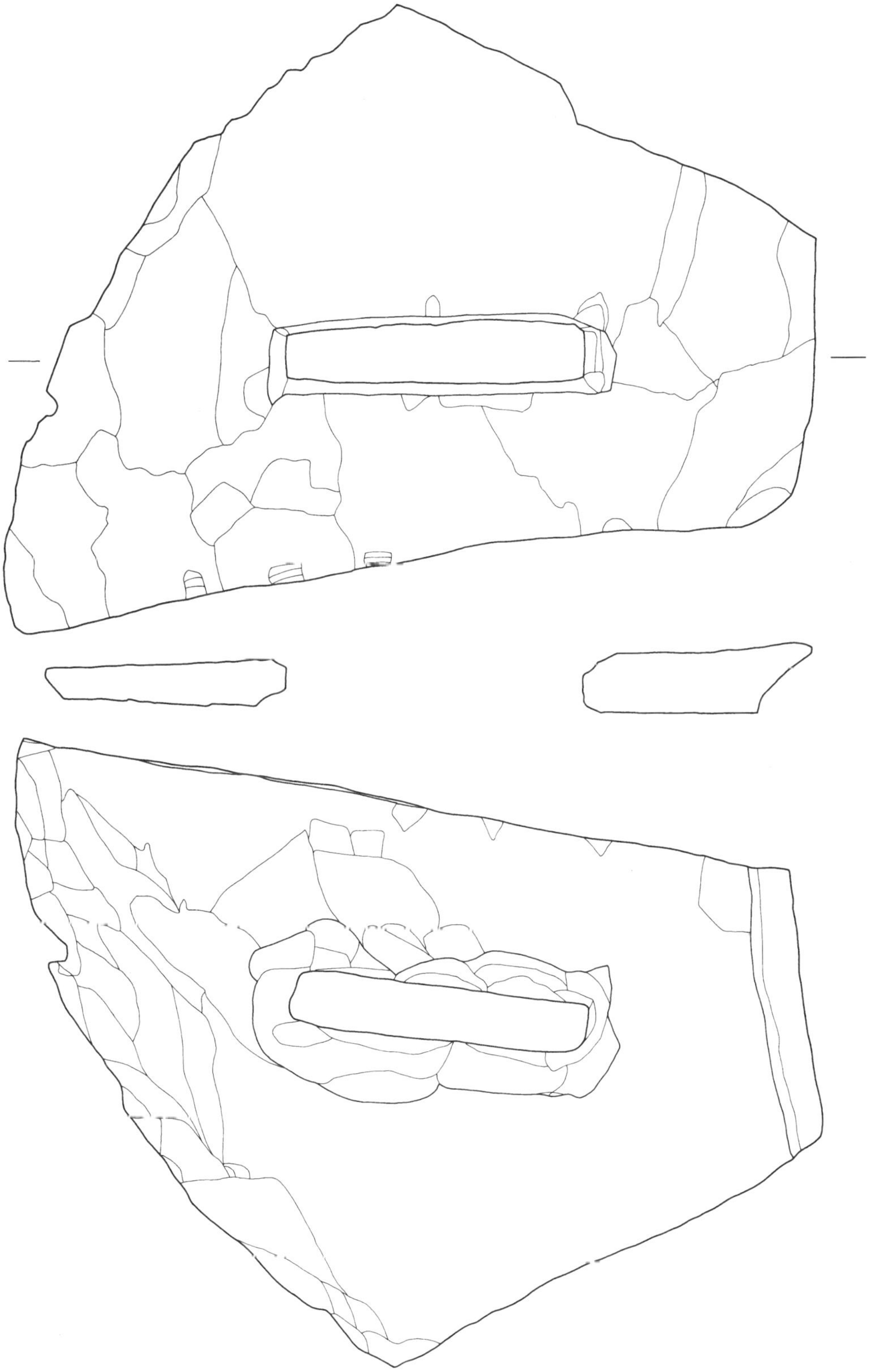

113　台石　埼玉県東松山市上唐子字大欠出土

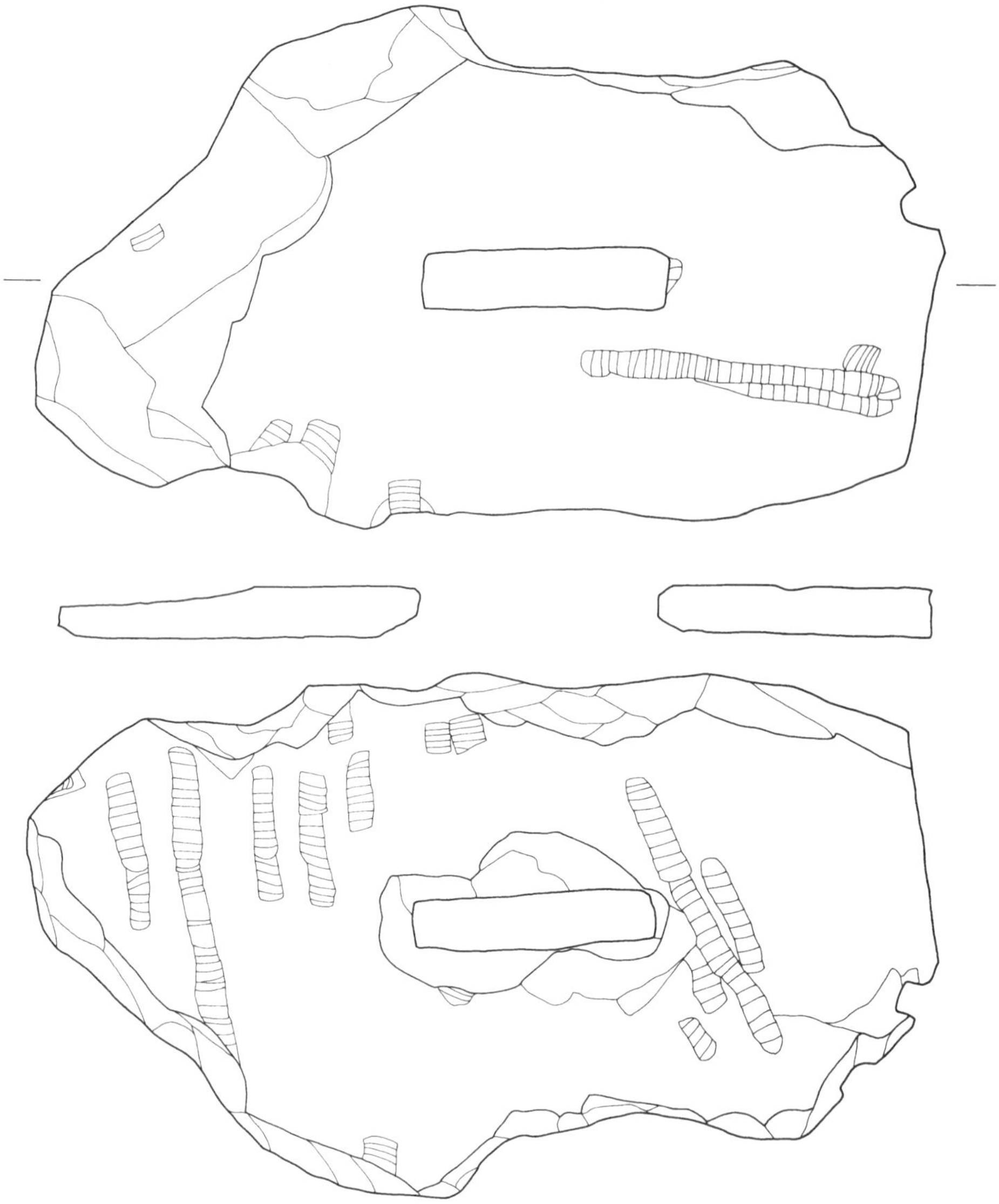

114　台石　埼玉県東松山市上唐子字大欠出土

実測図61（縮尺1/8）

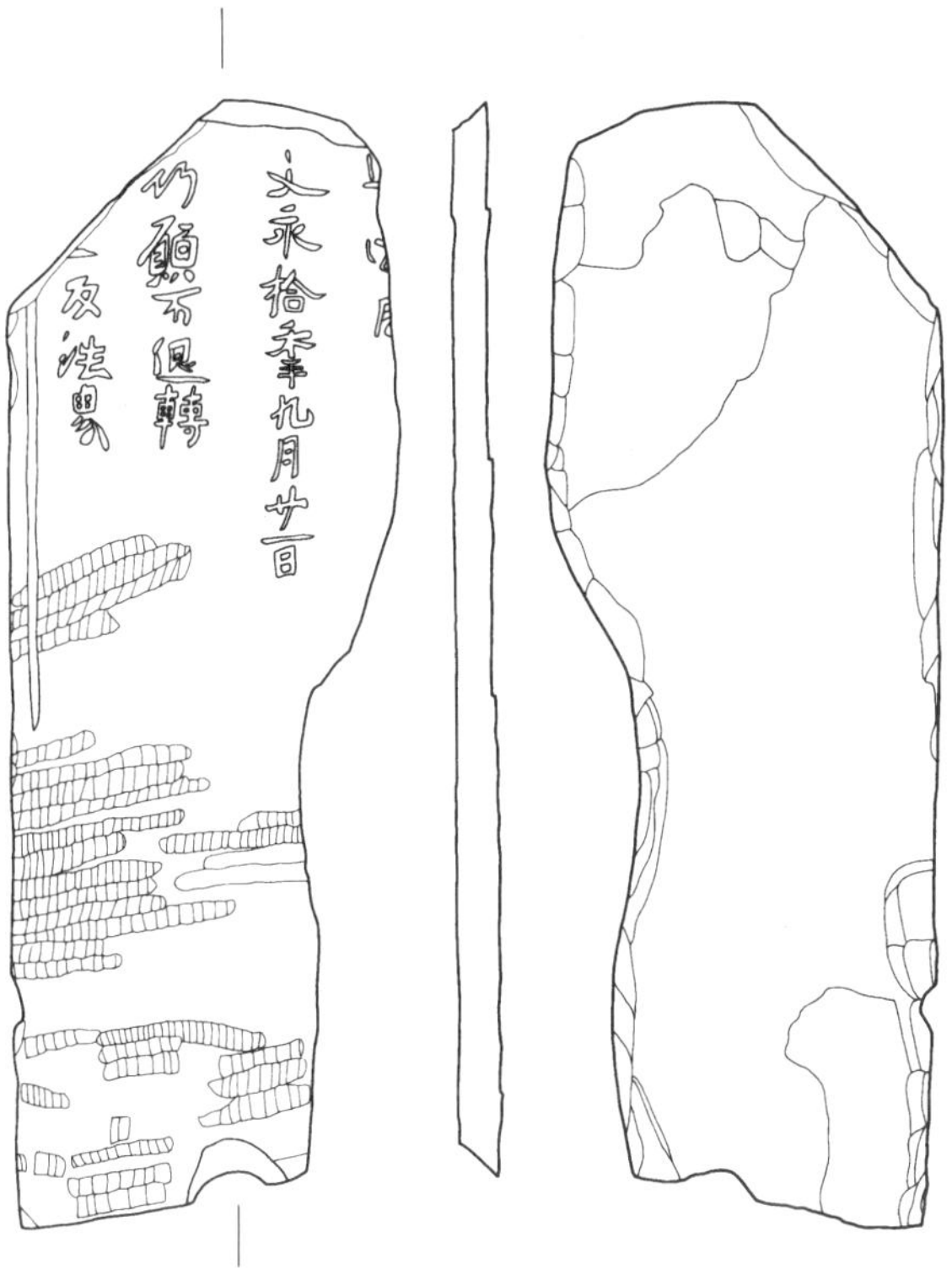

116　板碑　東京都葛飾区小菅　東京拘置所出土

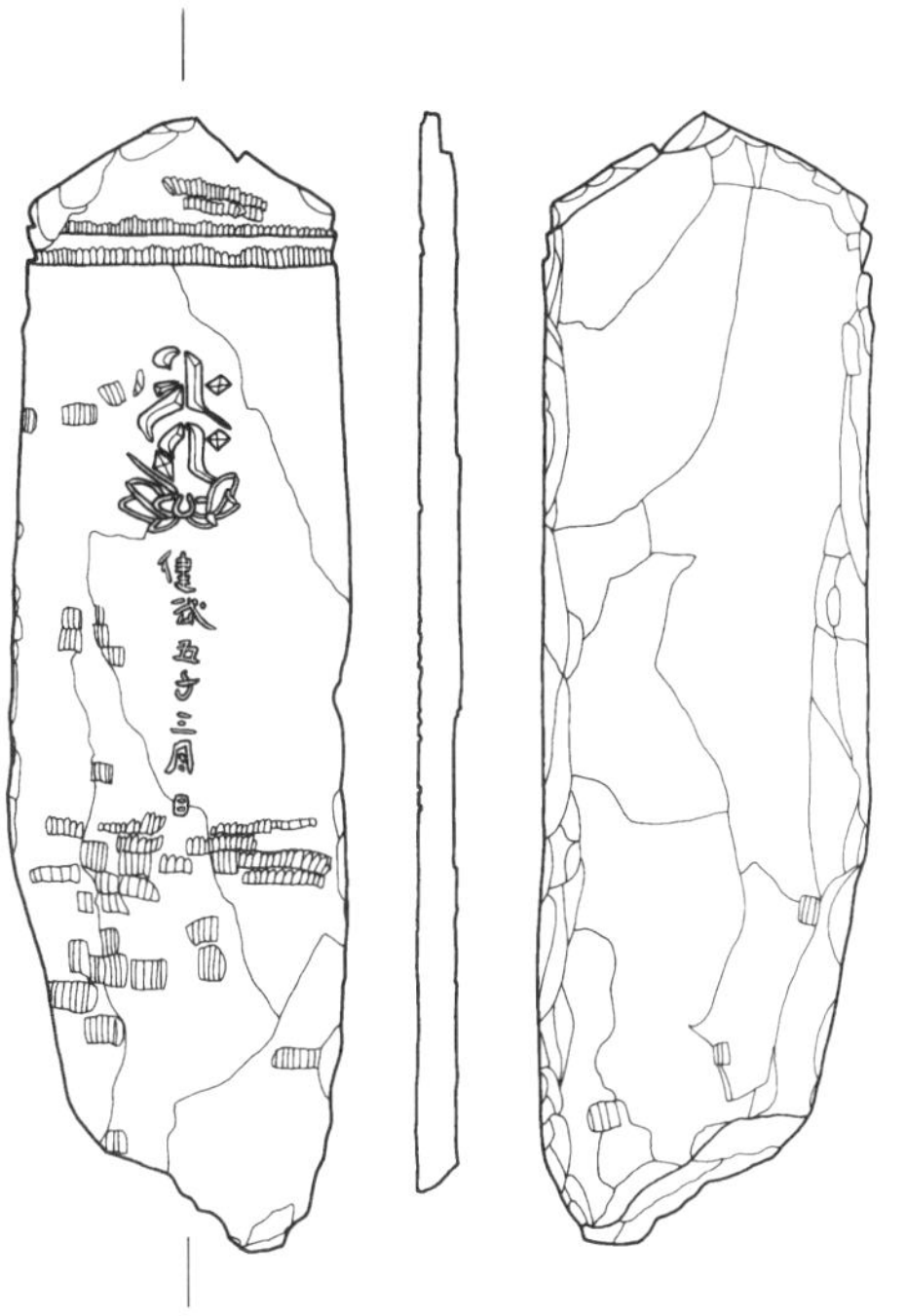

115　板碑　東京都大田区鵜の木　光明寺出土

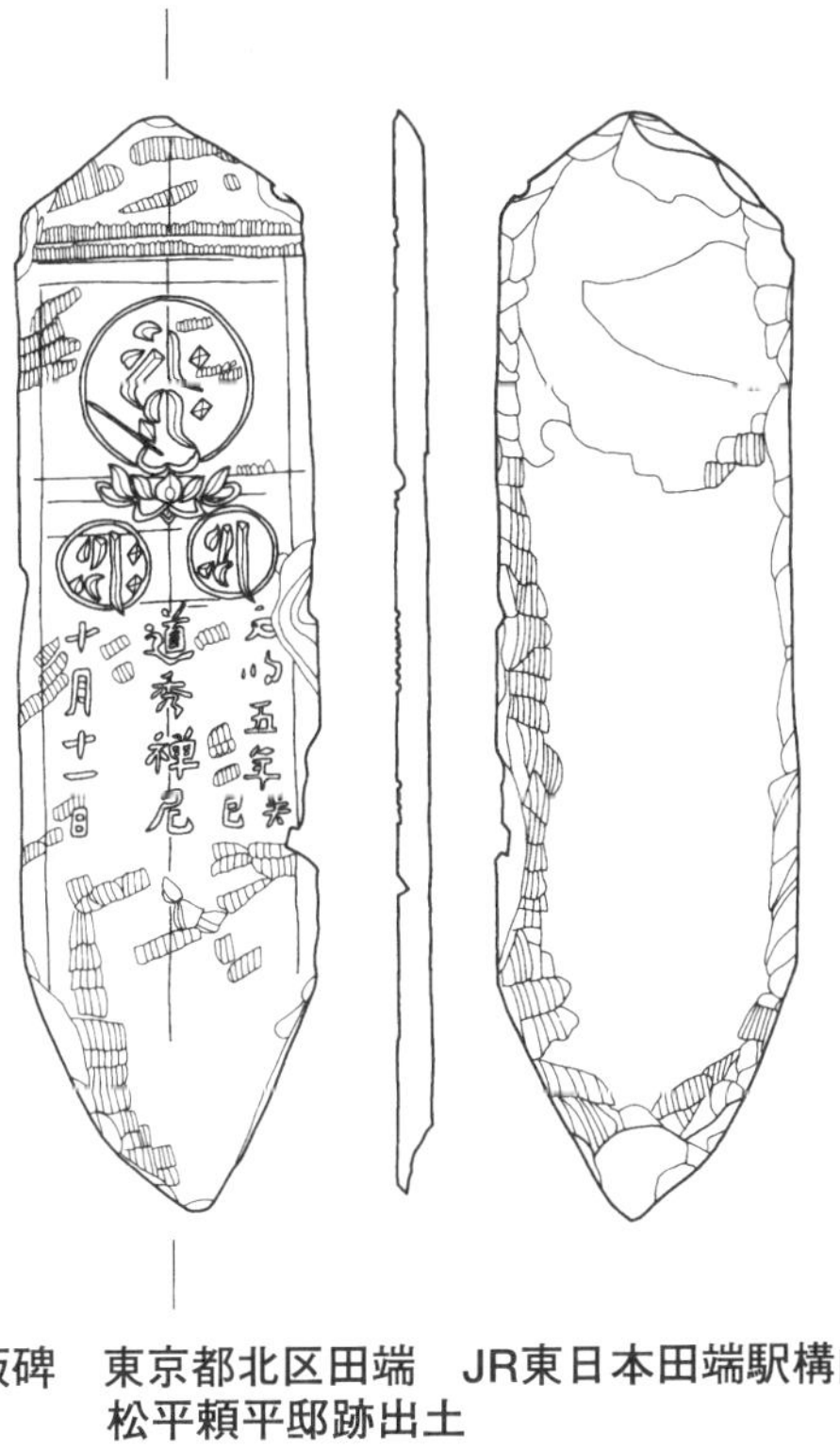

124　板碑　東京都北区田端　JR東日本田端駅構内
松平頼平邸跡出土

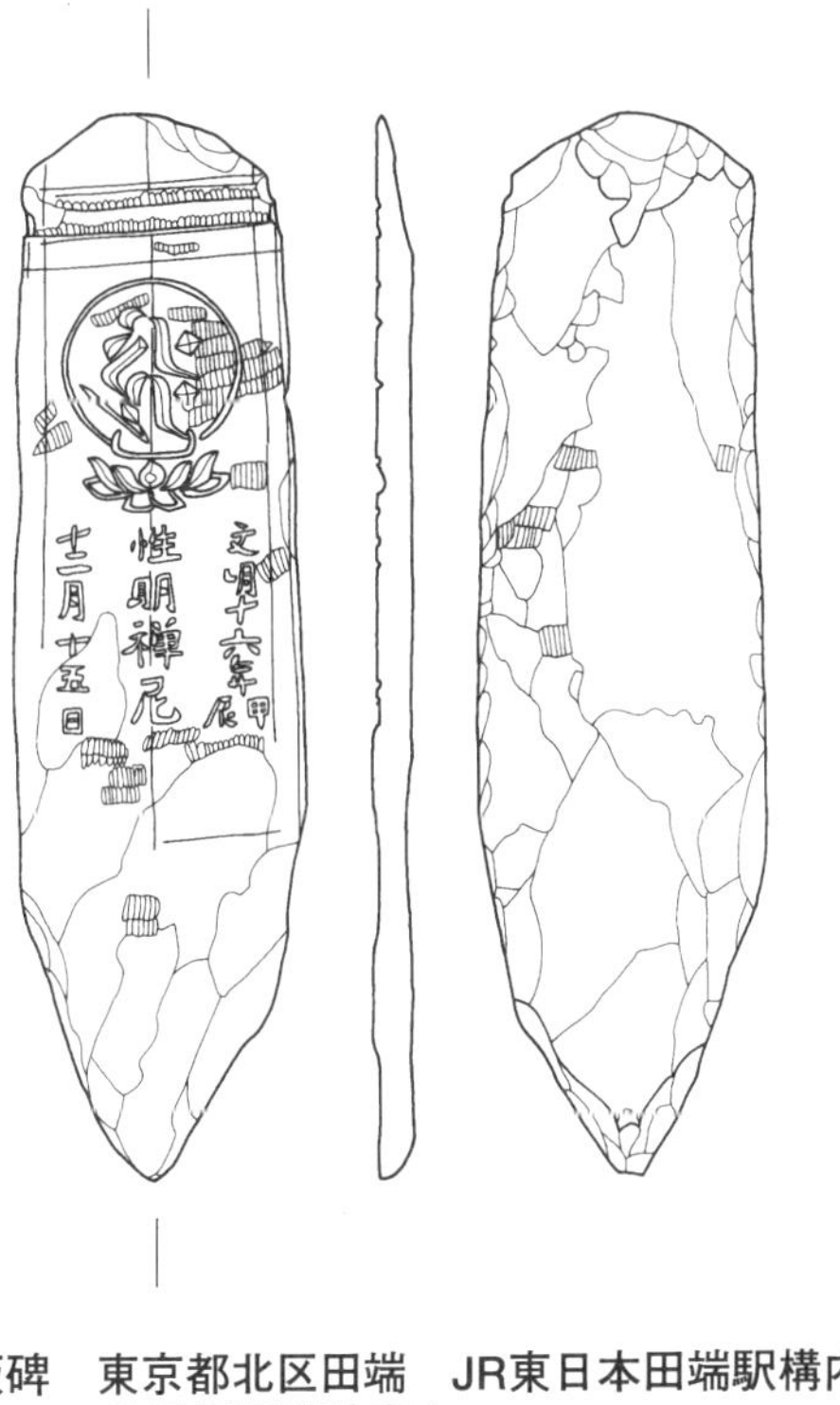

120　板碑　東京都北区田端　JR東日本田端駅構内
松平頼平邸跡出土

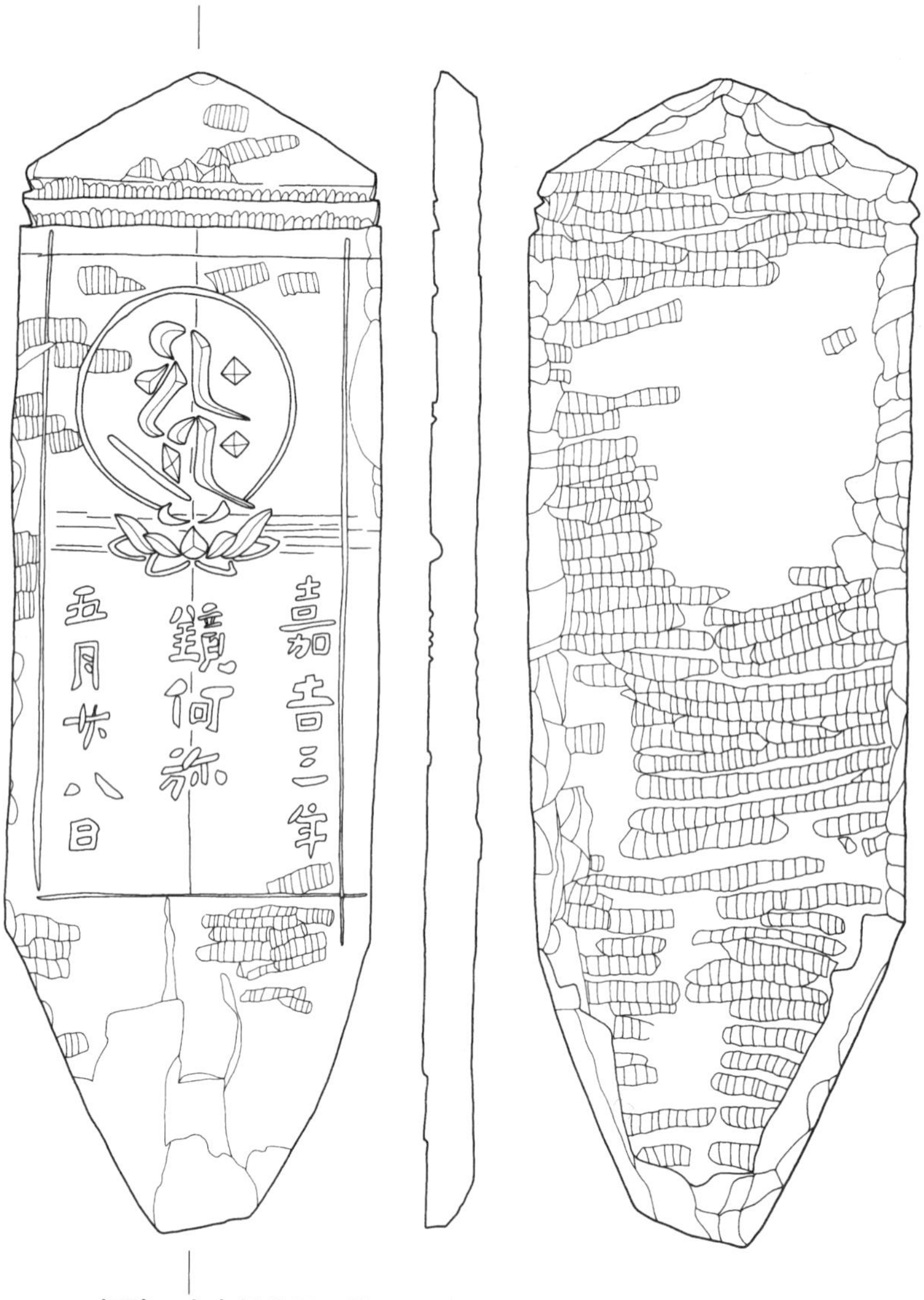

117　板碑　東京都北区田端　JR東日本田端駅構内松平頼平邸跡出土

131　板碑　東京都北区田端　JR東日本田端駅構内松平頼平邸跡出土

実測図63（縮尺1/4）

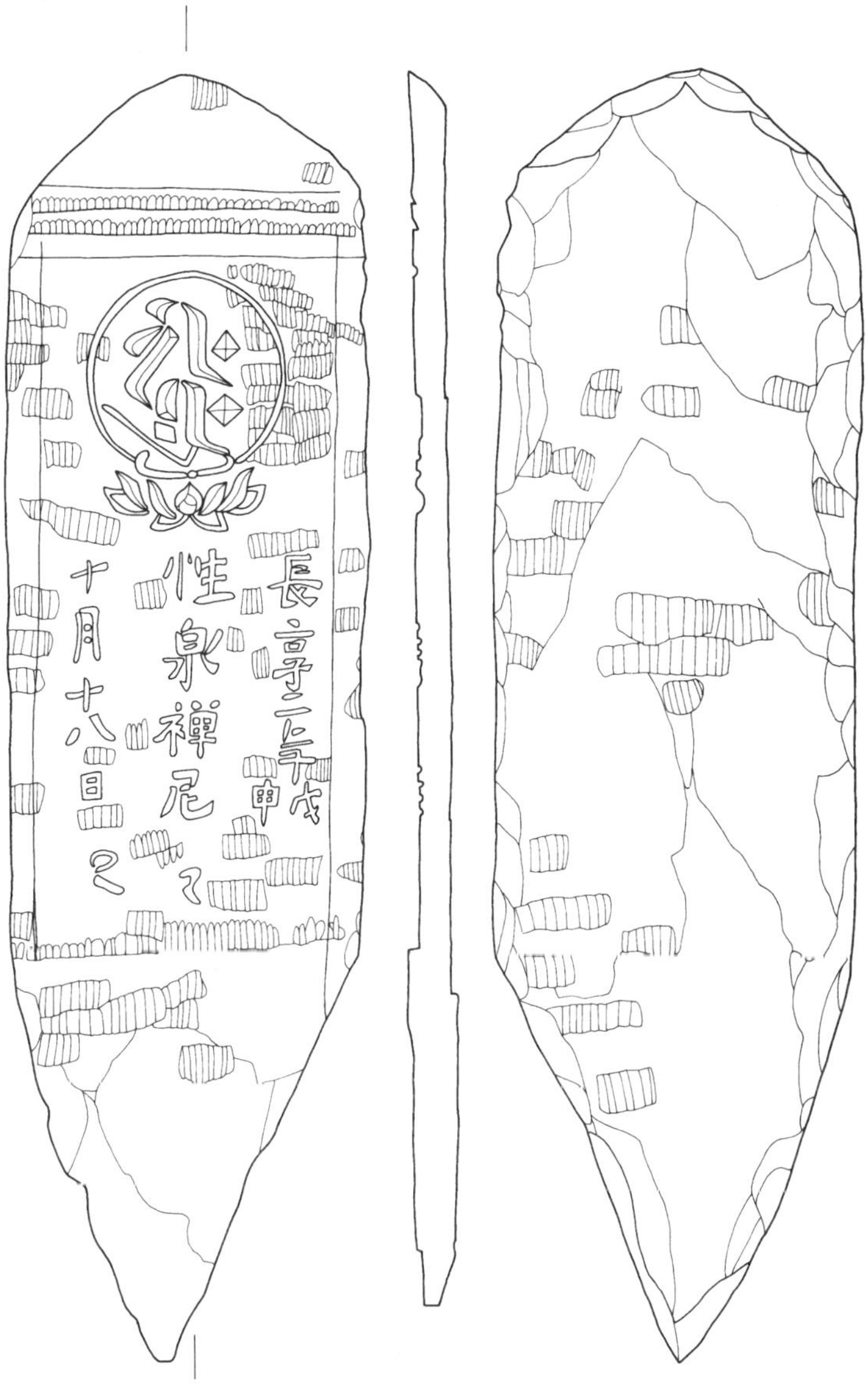

118　板碑　東京都北区田端　JR東日本田端駅構内松平頼平邸跡出土

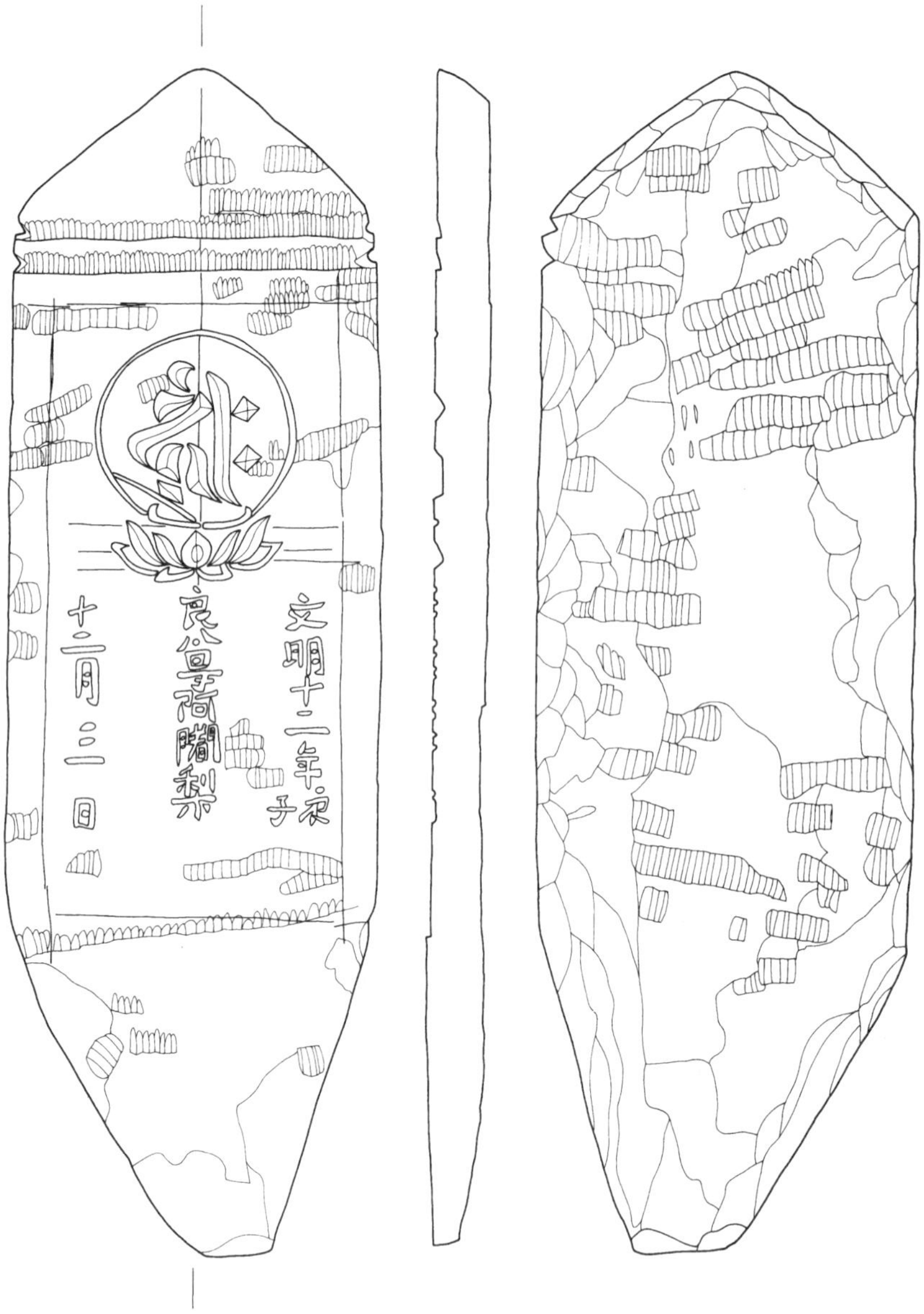

119　板碑　東京都北区田端　JR東日本田端駅構内松平頼平邸跡出土

実測図65（縮尺1/4）

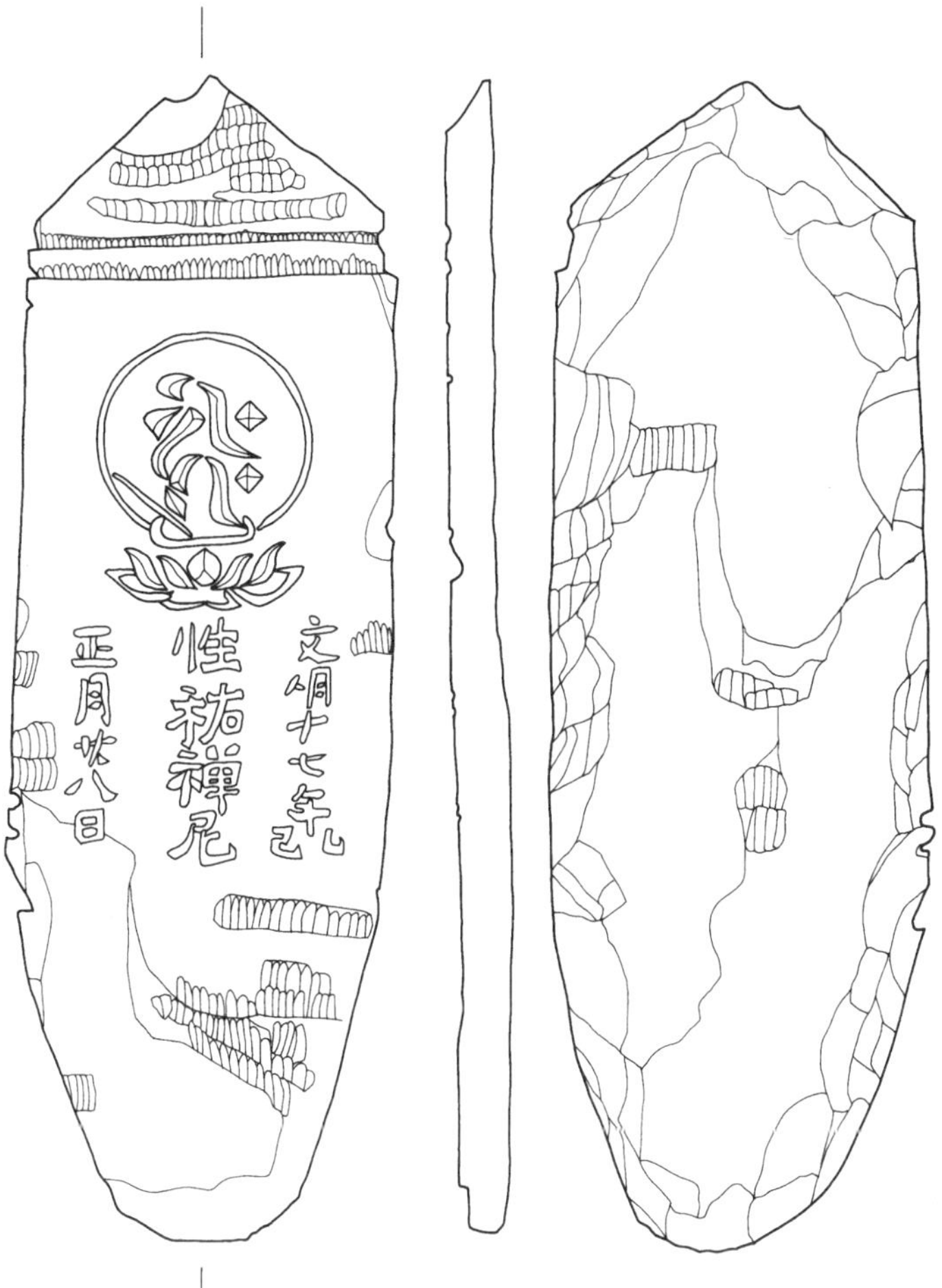

121　板碑　東京都北区田端　JR東日本田端駅構内
松平頼平邸跡出土

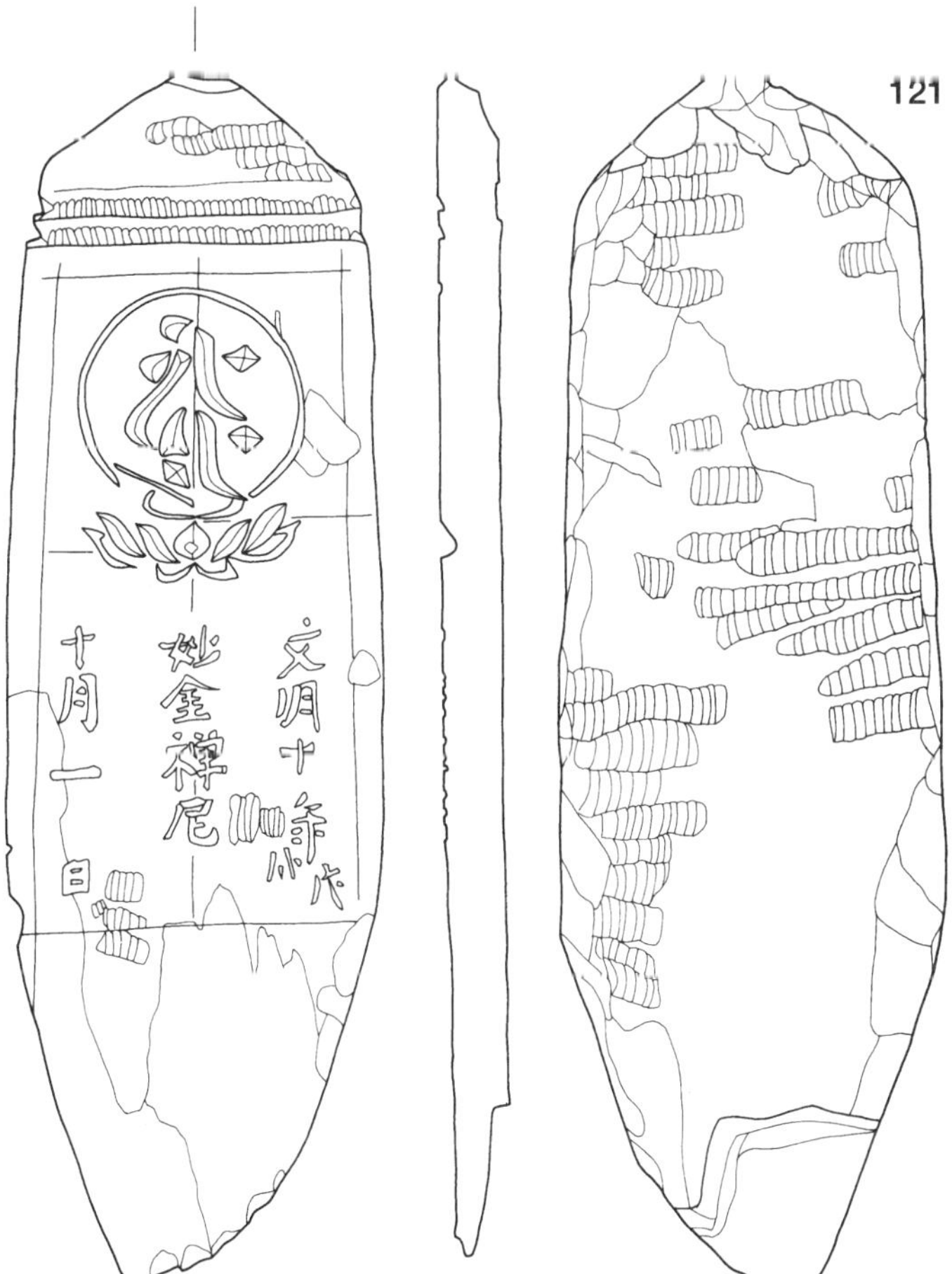

122　板碑　東京都北区田端　JR東日本田端駅構内
松平頼平邸跡出土

実測図66（縮尺1/4）

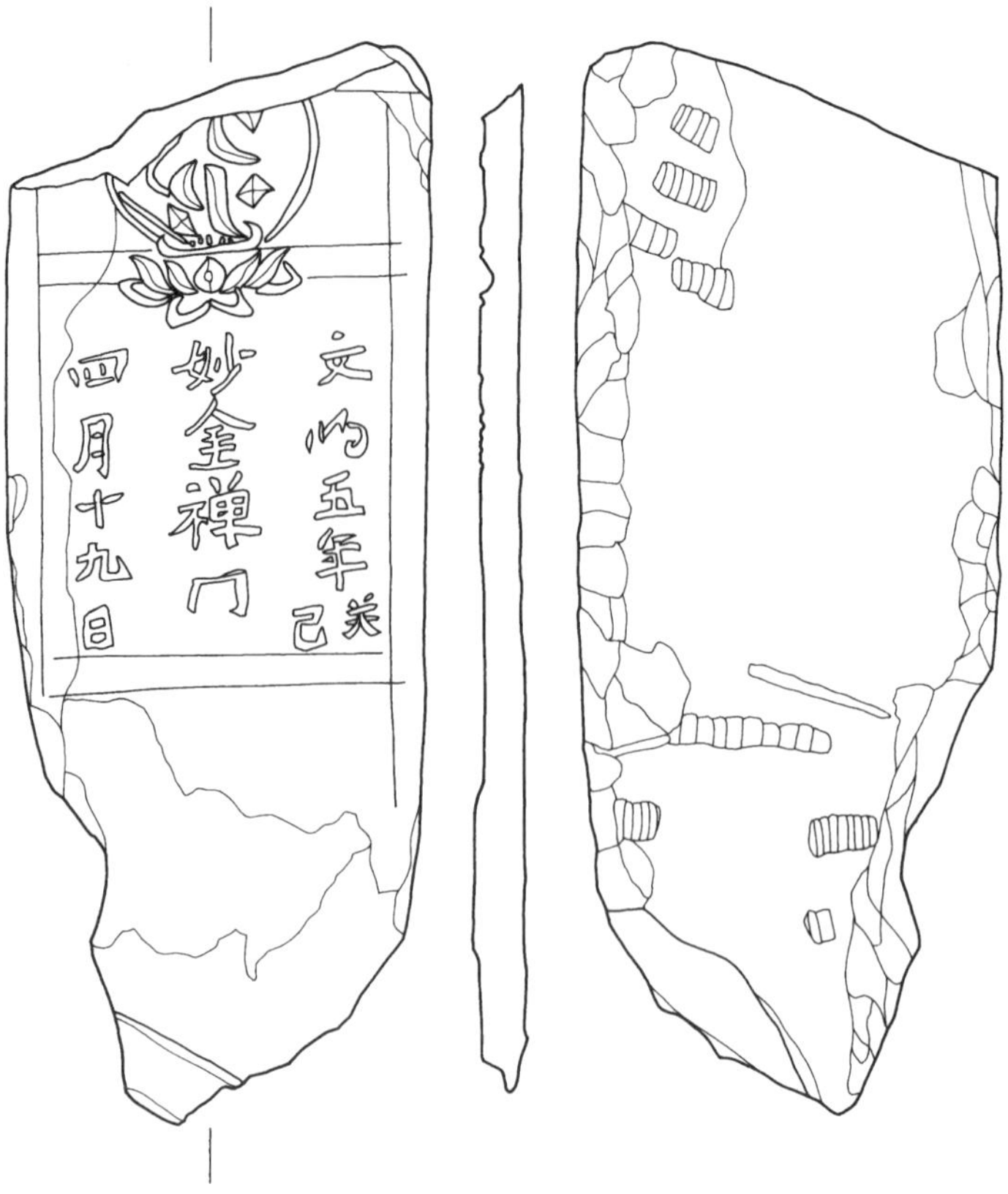

123　板碑　東京都北区田端　JR東日本田端駅構内
松平頼平邸跡出土

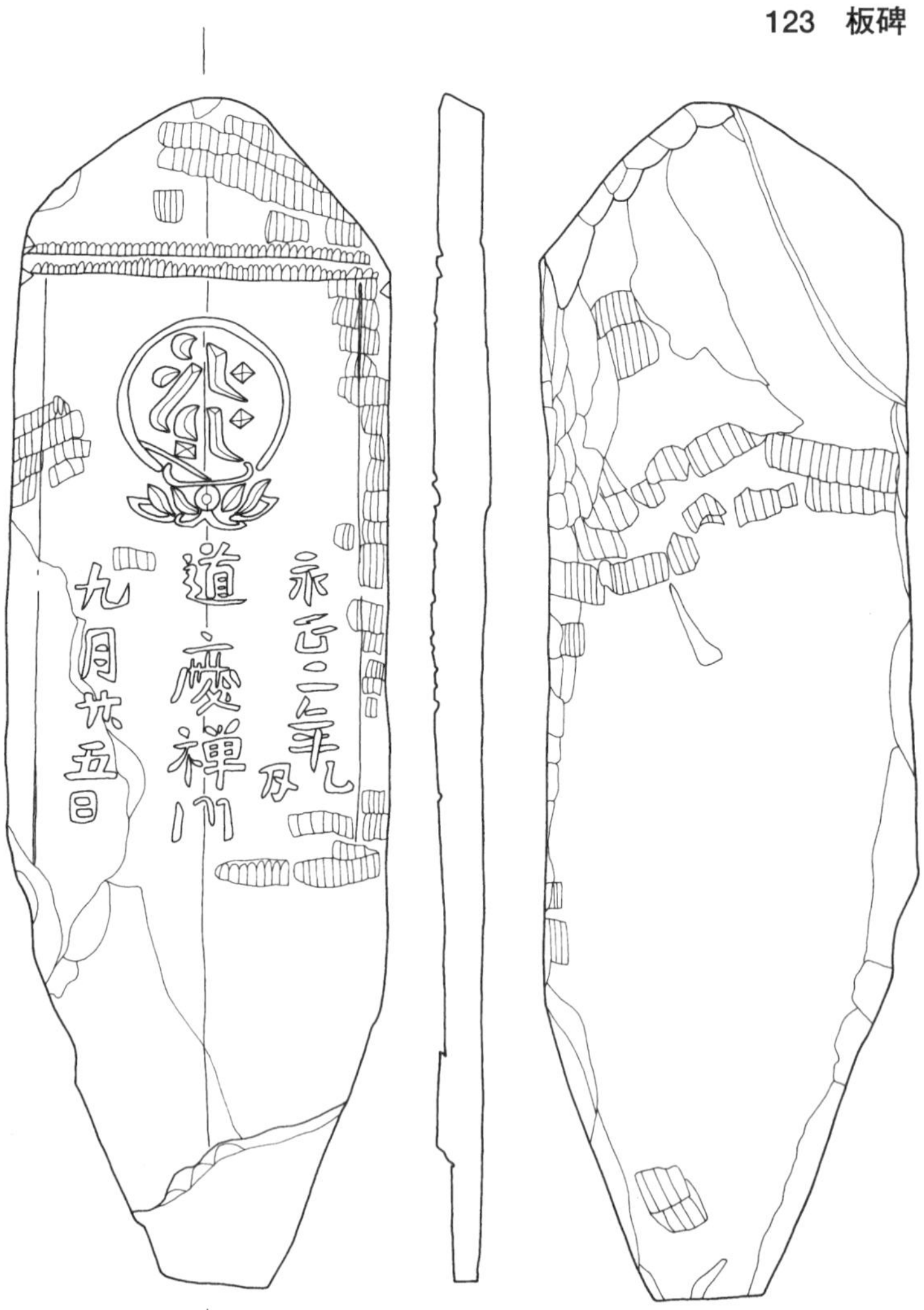

126　板碑　東京都北区田端　JR東日本田端駅構内松平頼平邸跡出土

実測図67（縮尺1/4）

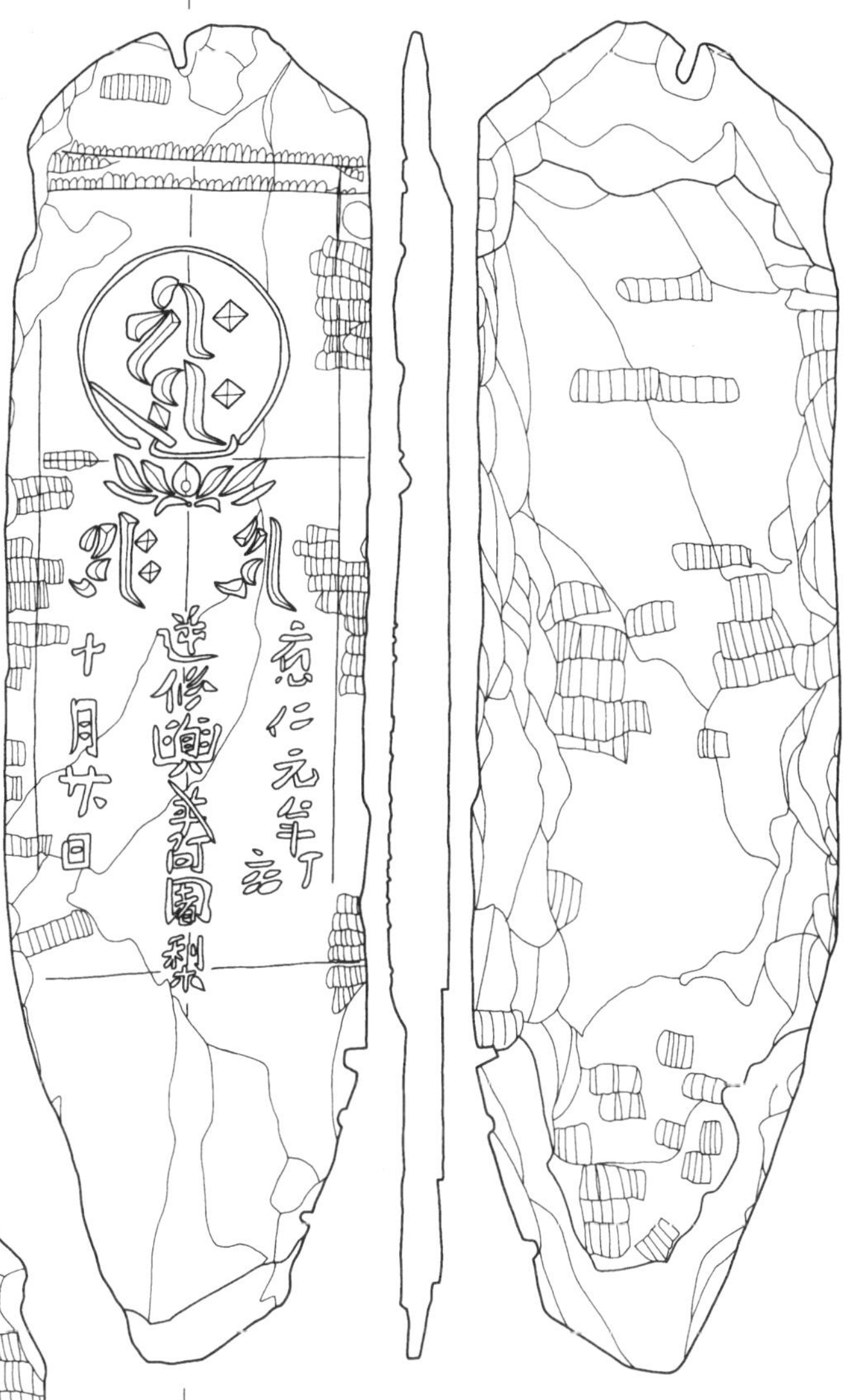

125　板碑　東京都北区田端　JR東日本田端駅構内
松平頼平邸跡出土

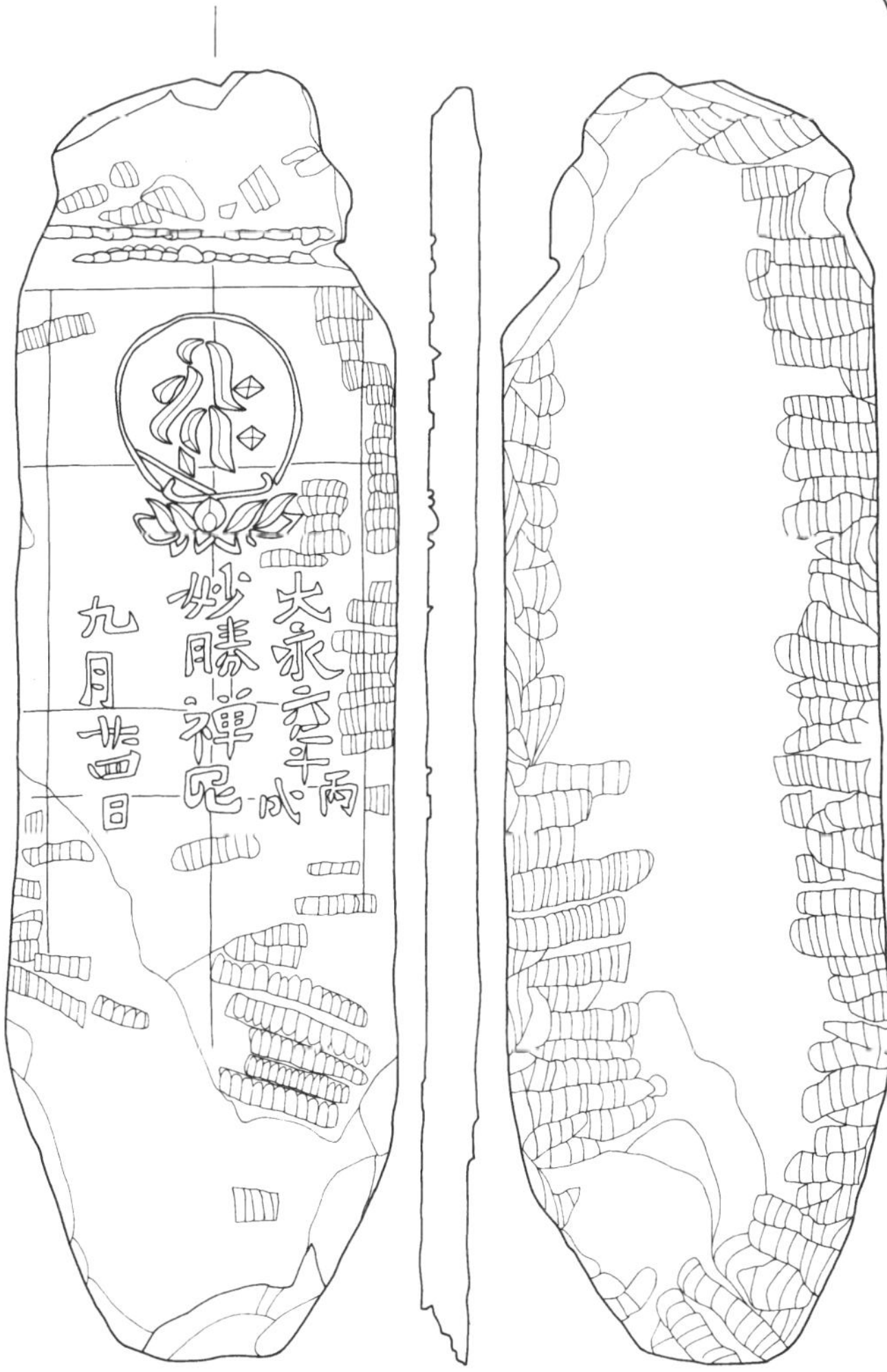

128　板碑　東京都北区田端　JR東日本田端駅構内
松平頼平邸跡出土

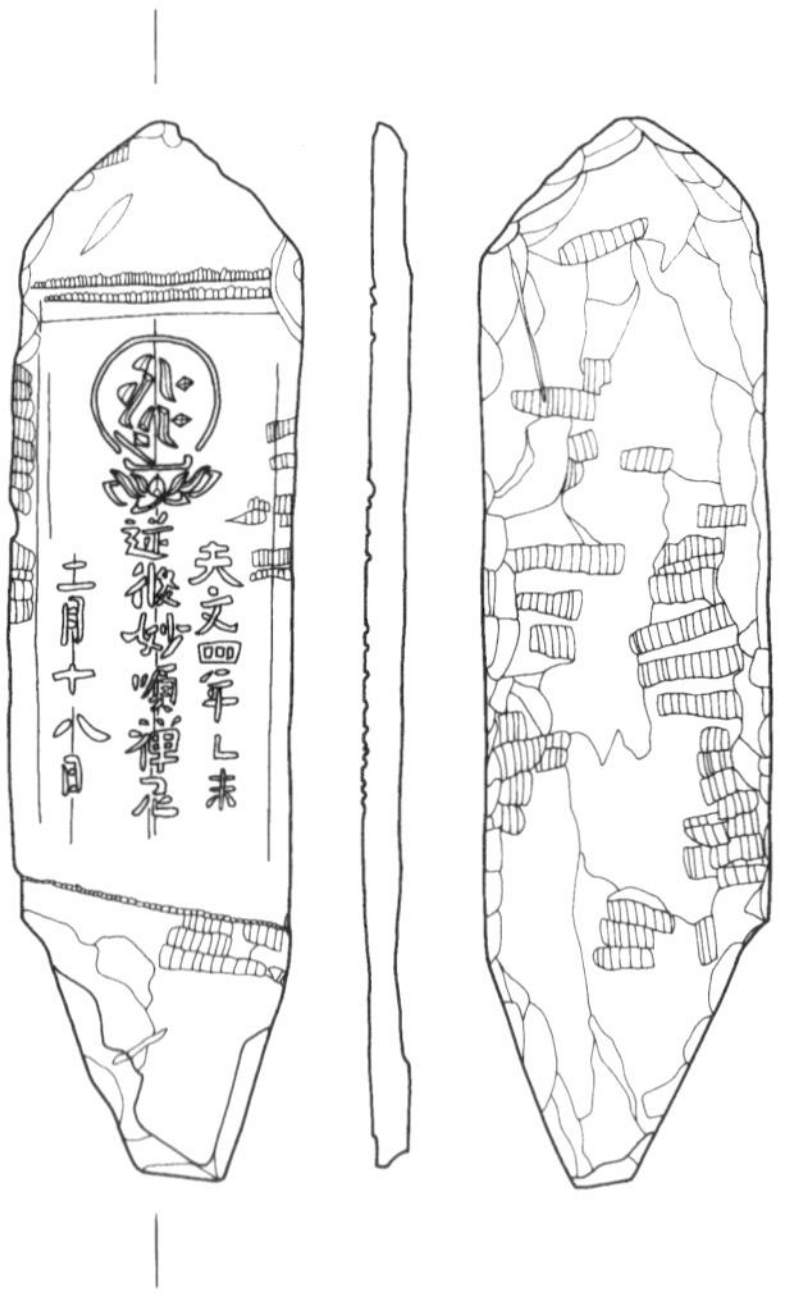

129　板碑　東京都北区田端　JR東日本田端駅構内
松平頼平邸跡出土

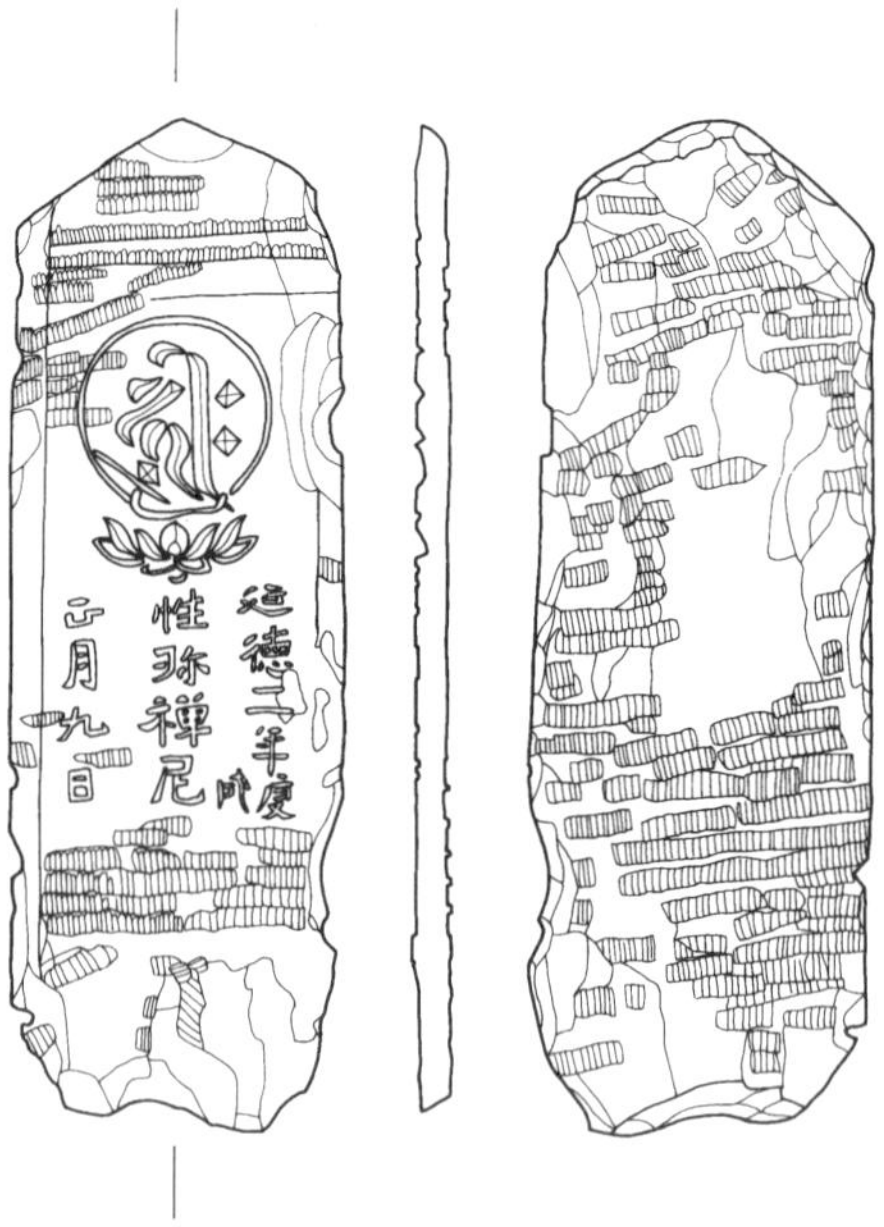

127　板碑　東京都北区田端　JR東日本田端駅構内
松平頼平邸跡出土

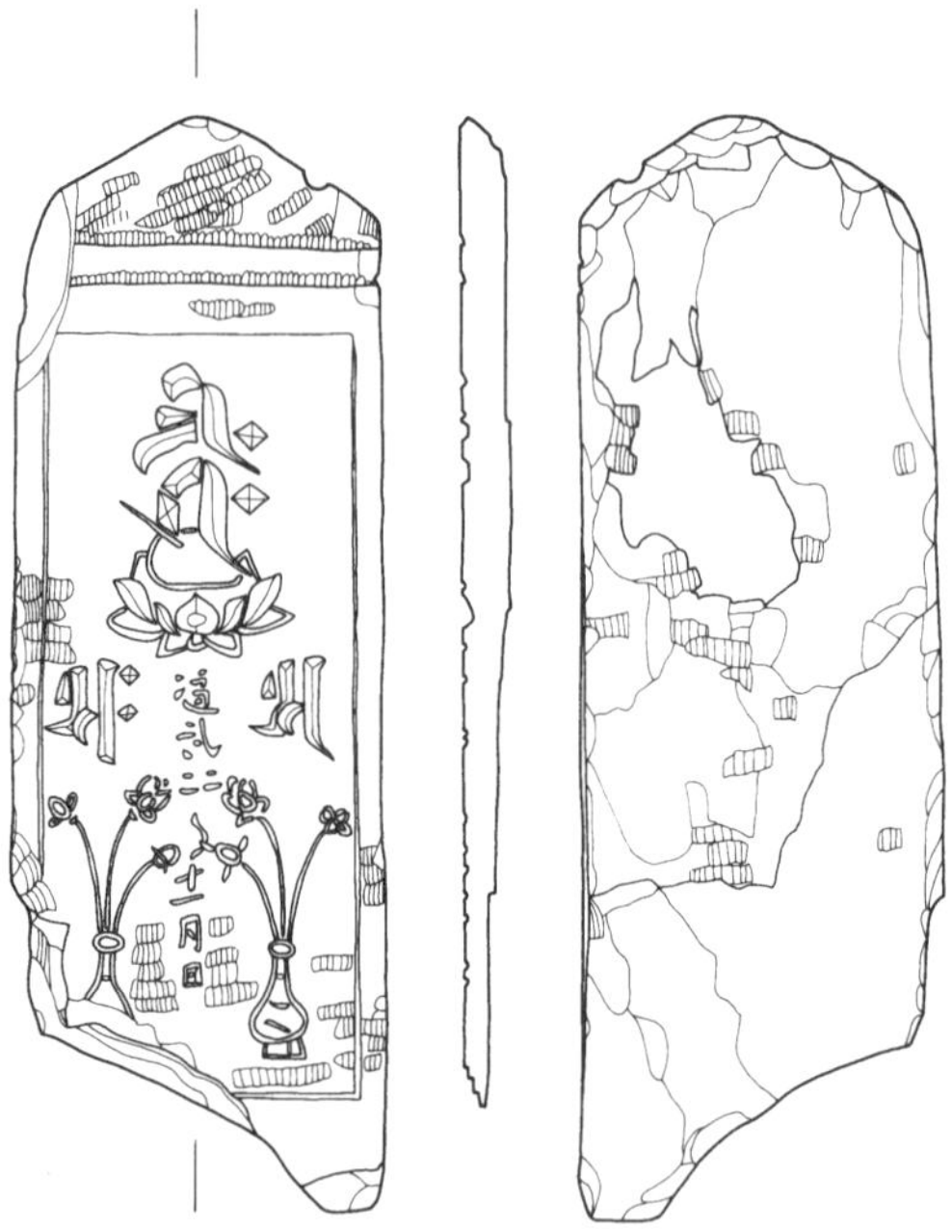

137　板碑　東京都北区田端　JR東日本田端駅構内
松平頼平邸跡出土

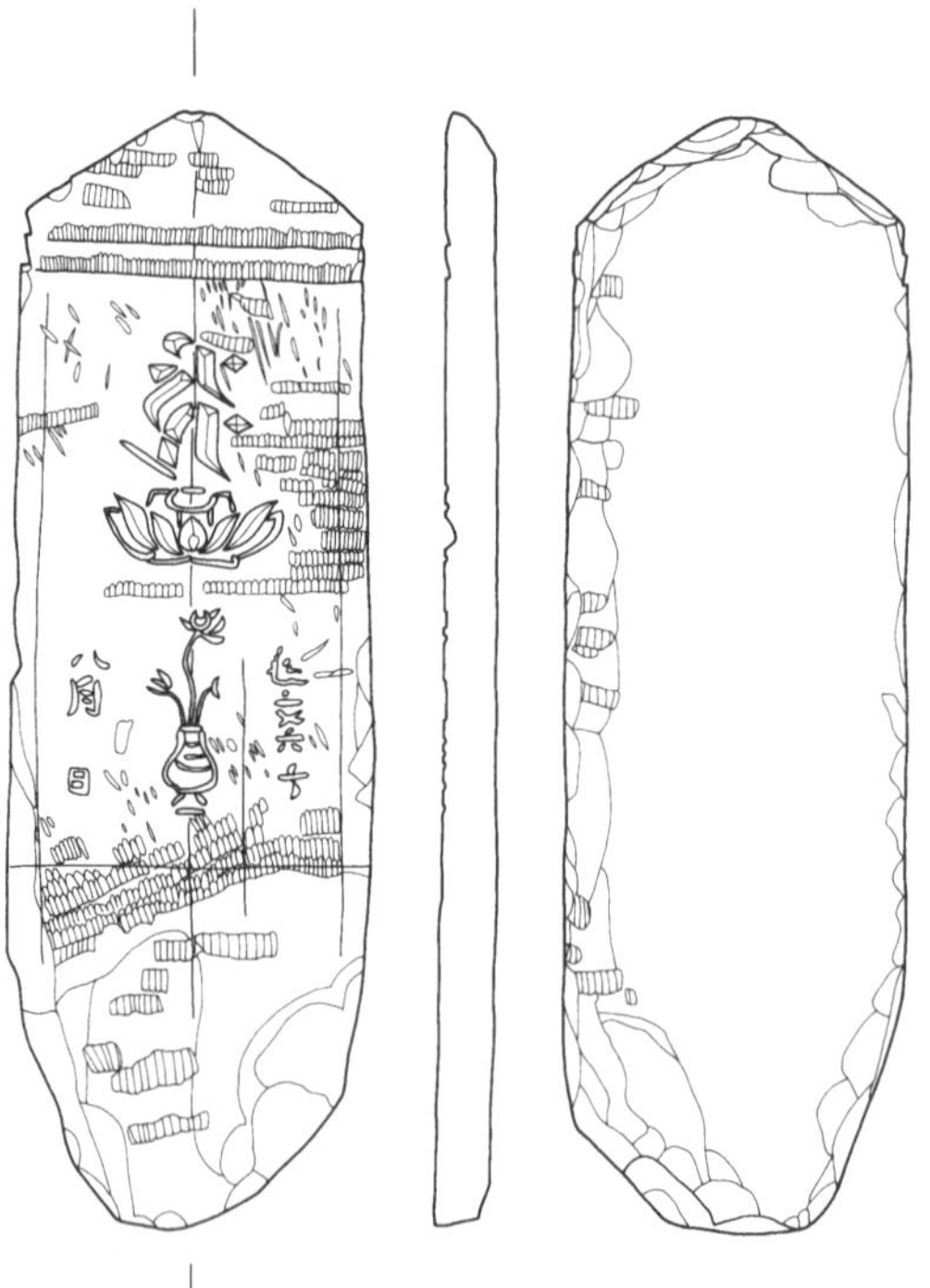

136　板碑　東京都北区田端　JR東日本田端駅構内
松平頼平邸跡出土

実測図69（縮尺1/8）

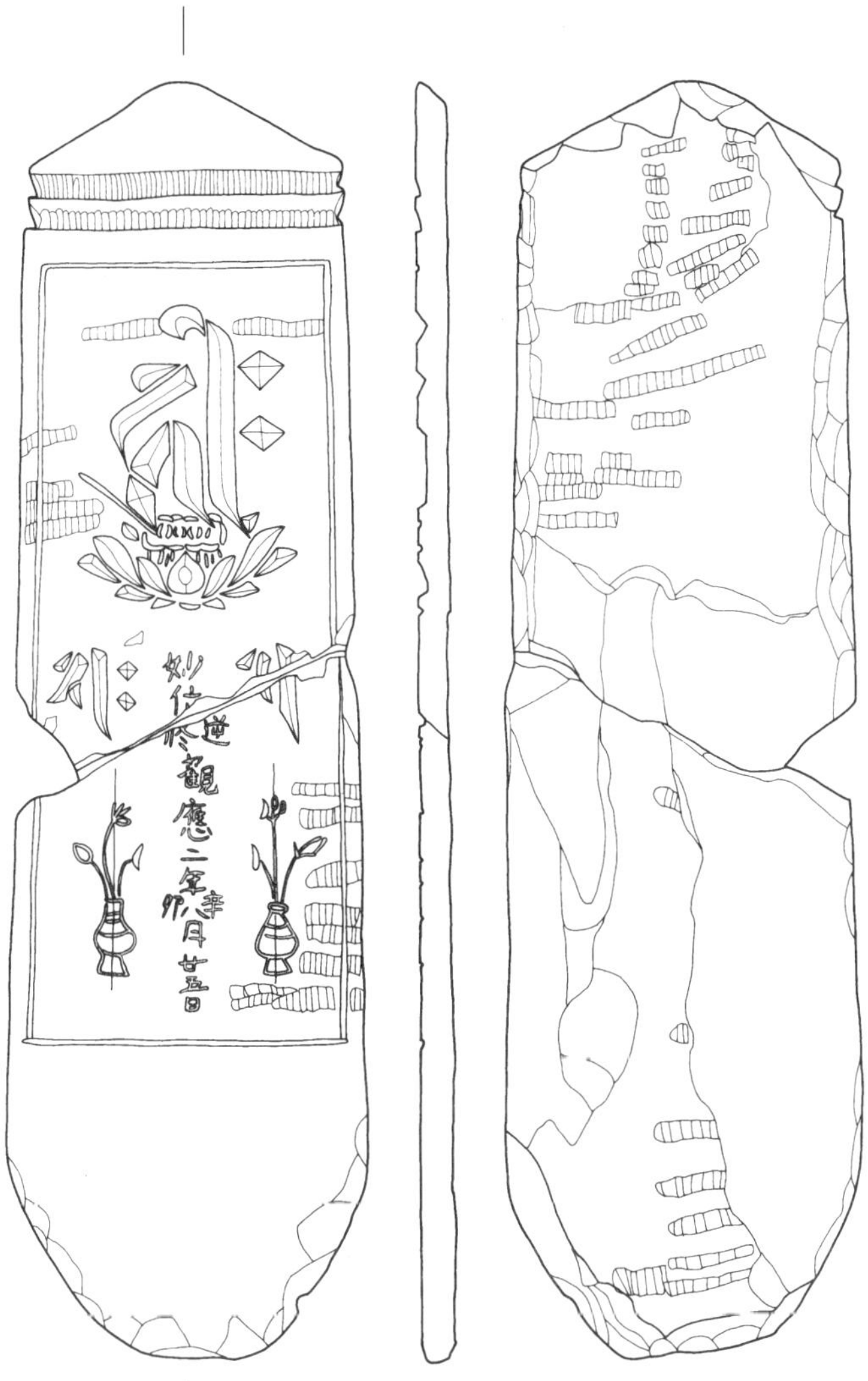

138　板碑　東京都北区田端　JR東日本田端駅構内
松平頼平邸跡出土

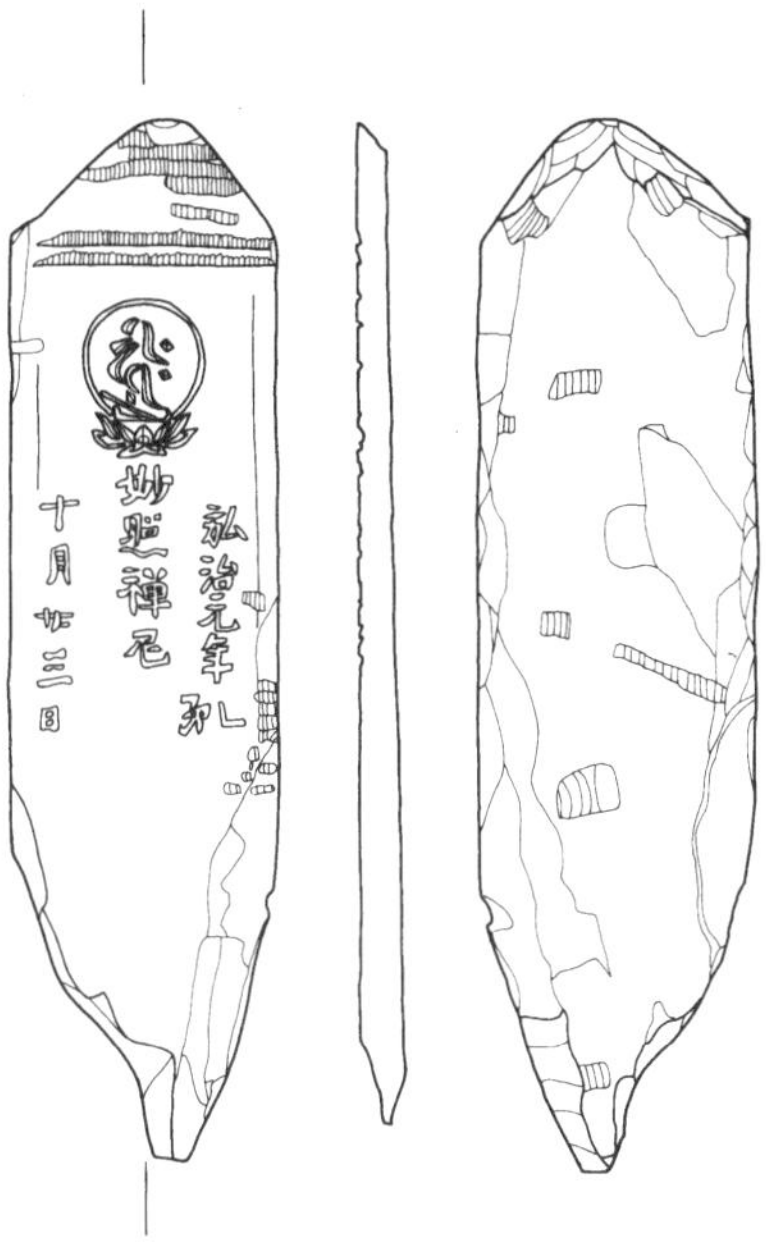

130　板碑　東京都北区田端
JR東日本田端駅構内
松平頼平邸跡出土

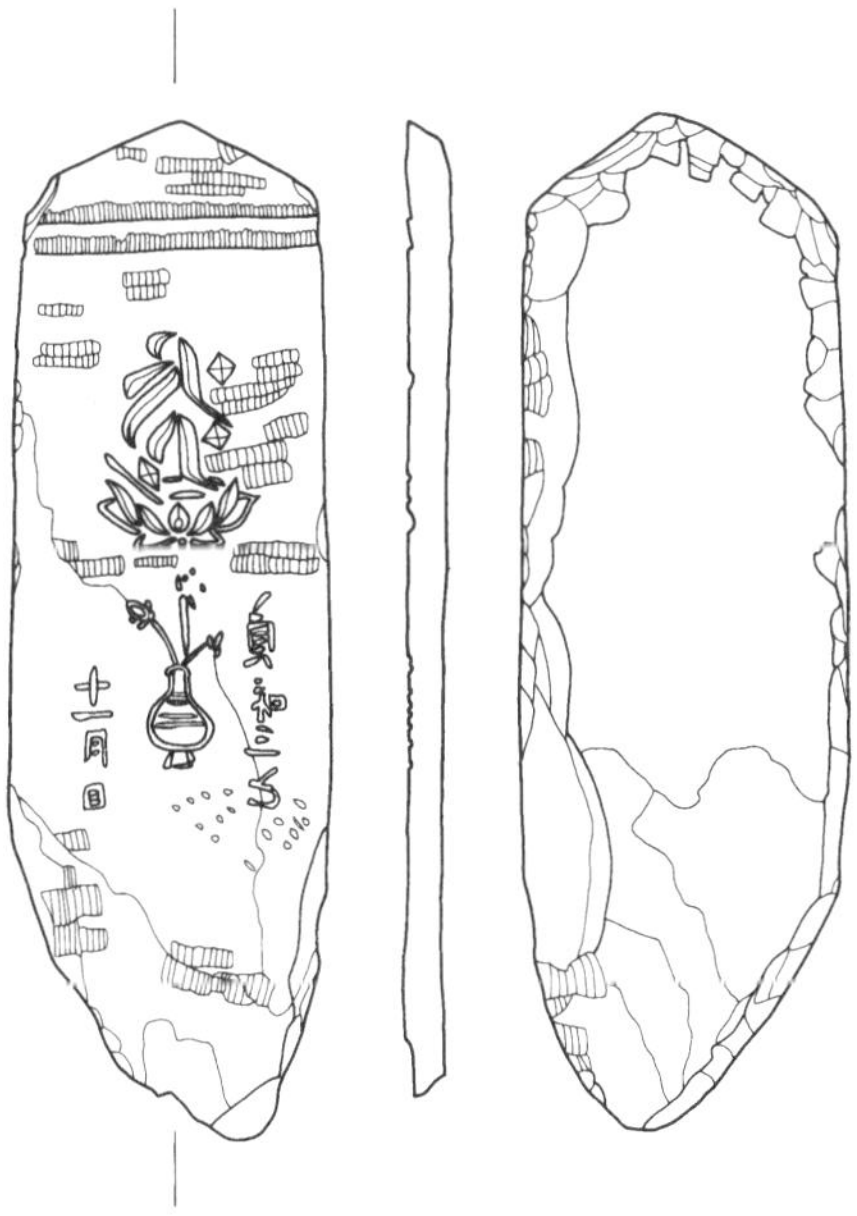

134　板碑　東京都北区田端
JR東日本田端駅構内
松平頼平邸跡出土

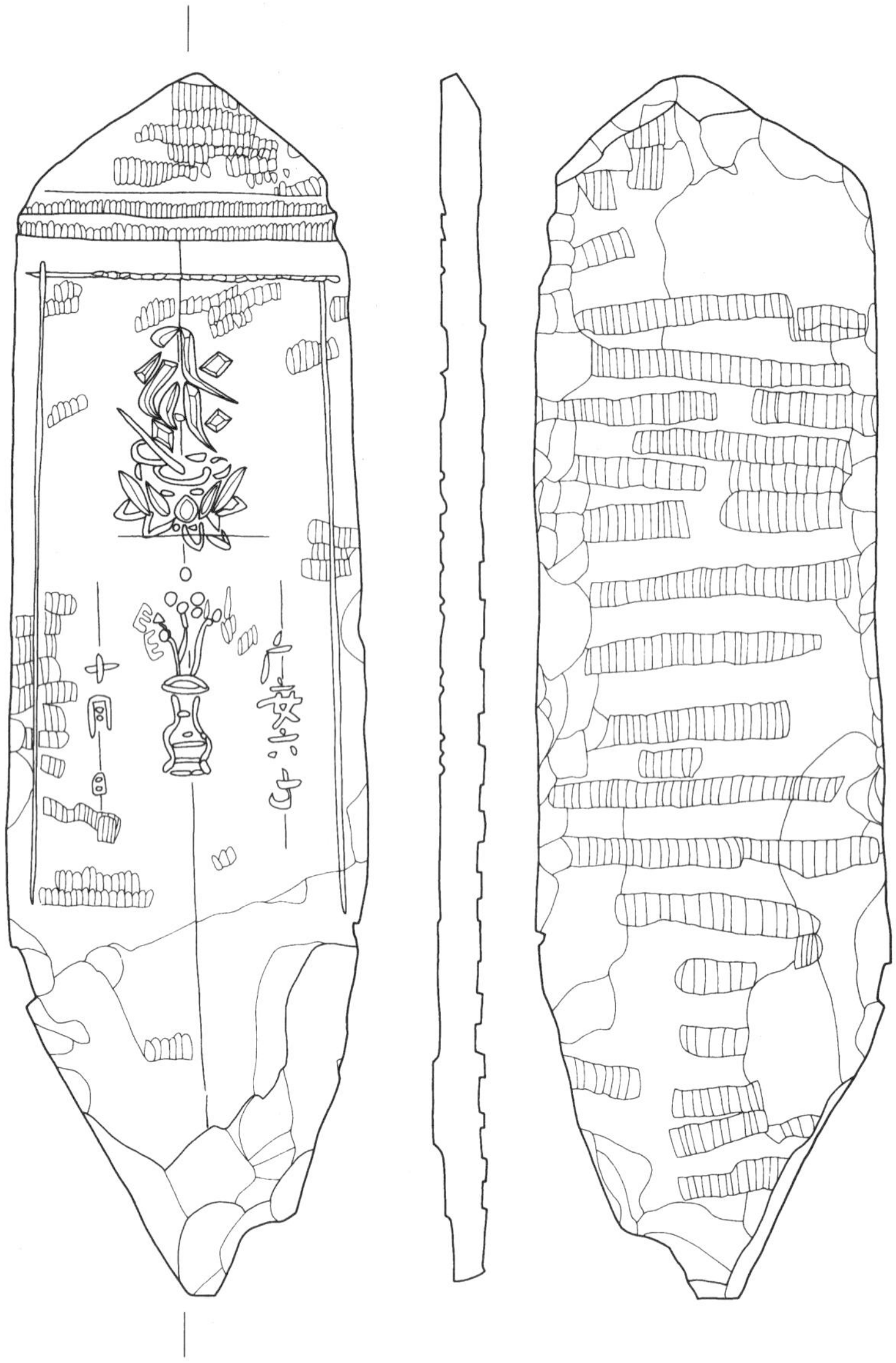

132　板碑　東京都北区田端　JR東日本田端駅構内松平頼平邸跡出土

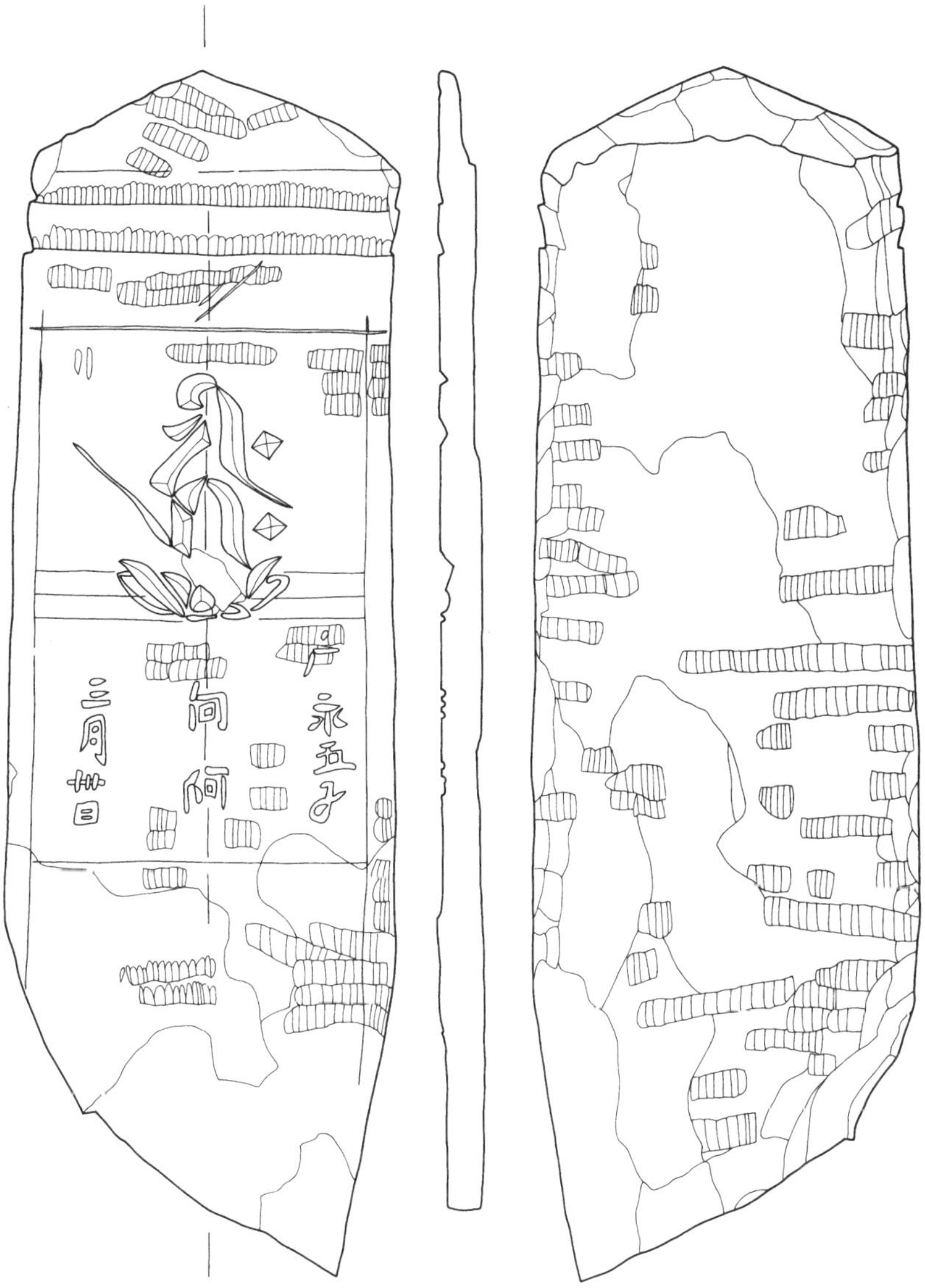

135　板碑　東京都北区田端　JR東日本田端駅構内松平頼平邸跡出土

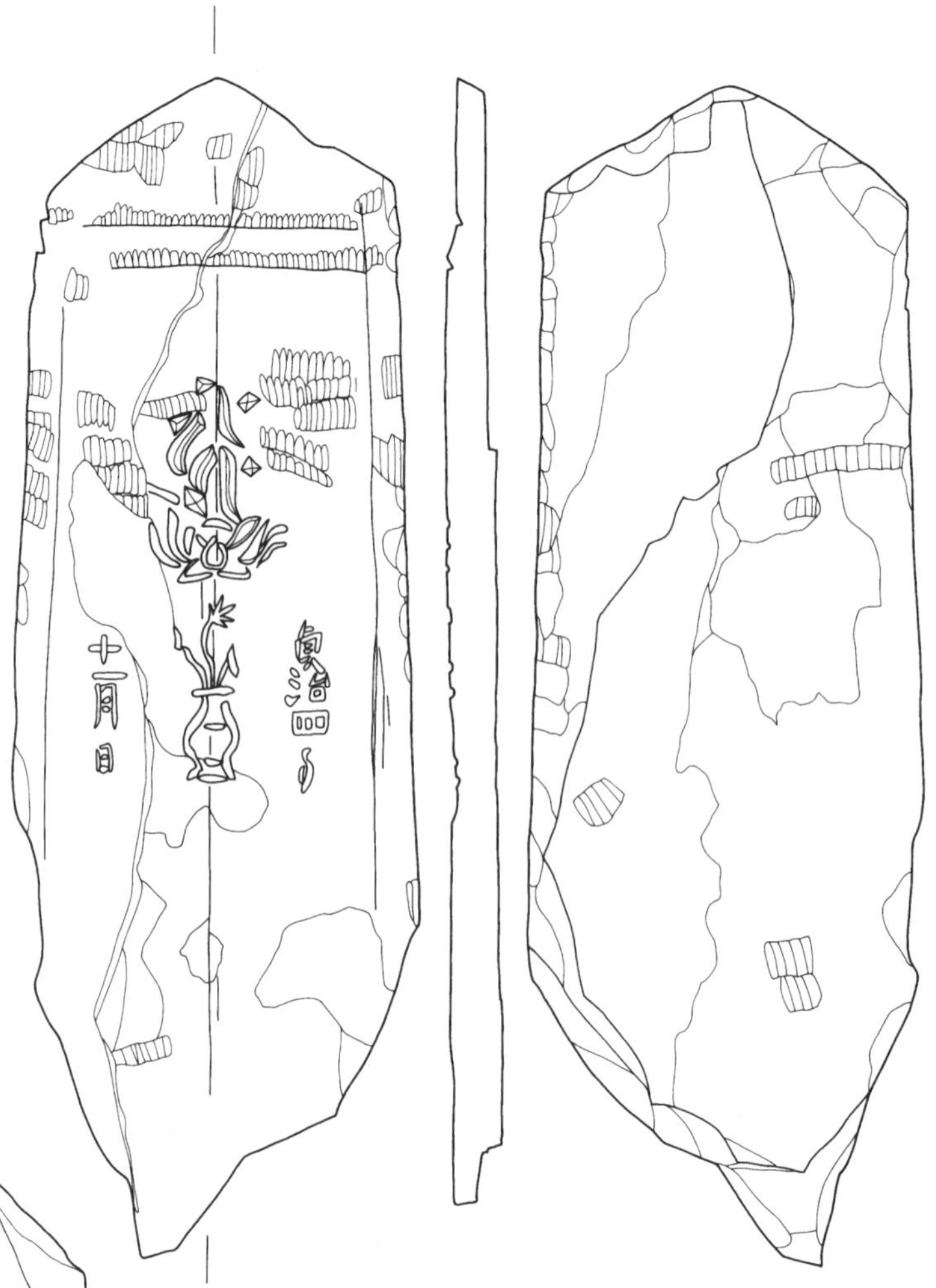

133　板碑　東京都北区田端　JR東日本田端駅構内
松平頼平邸跡出土

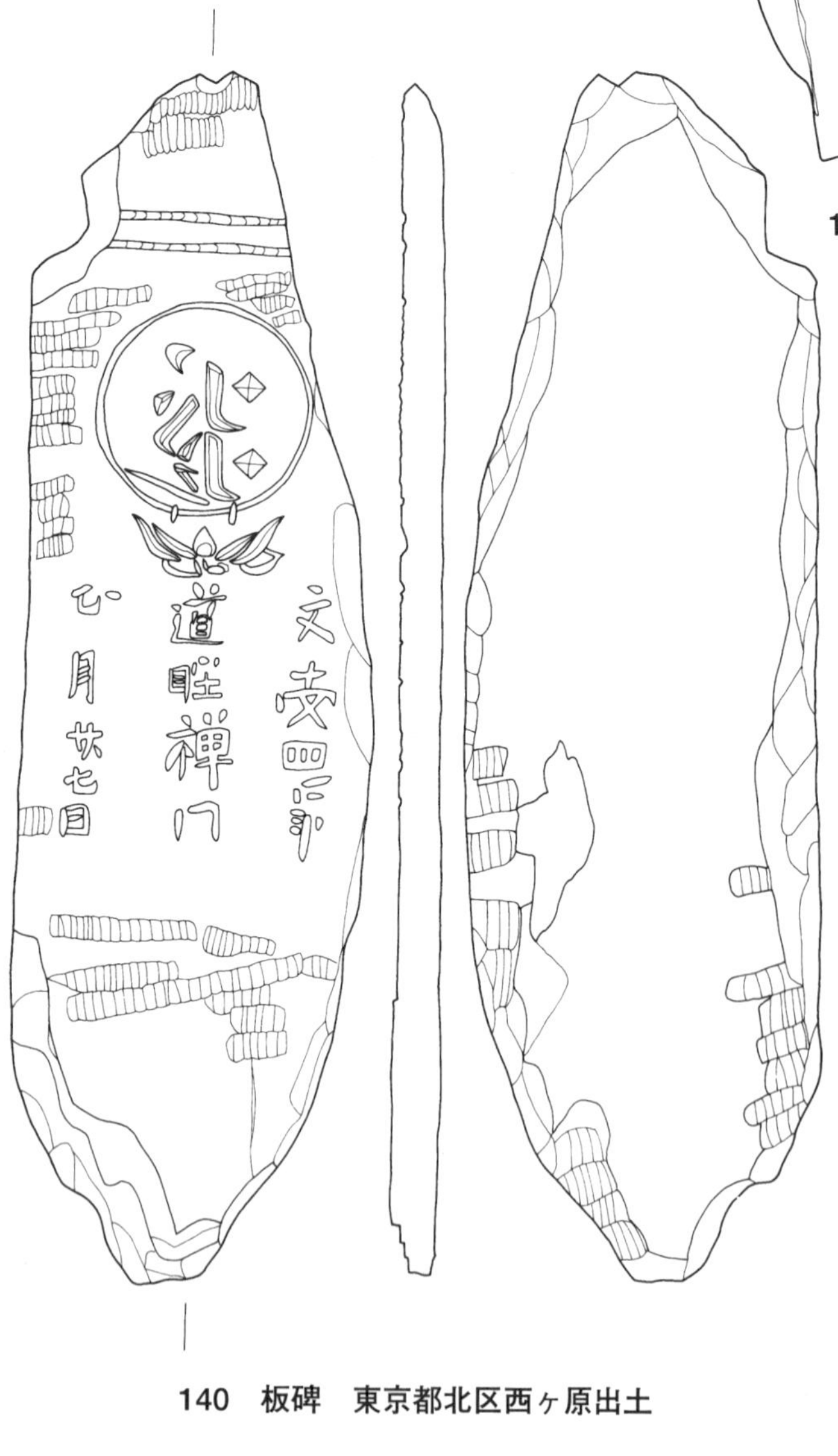

140　板碑　東京都北区西ヶ原出土

実測図73（縮尺1/4）

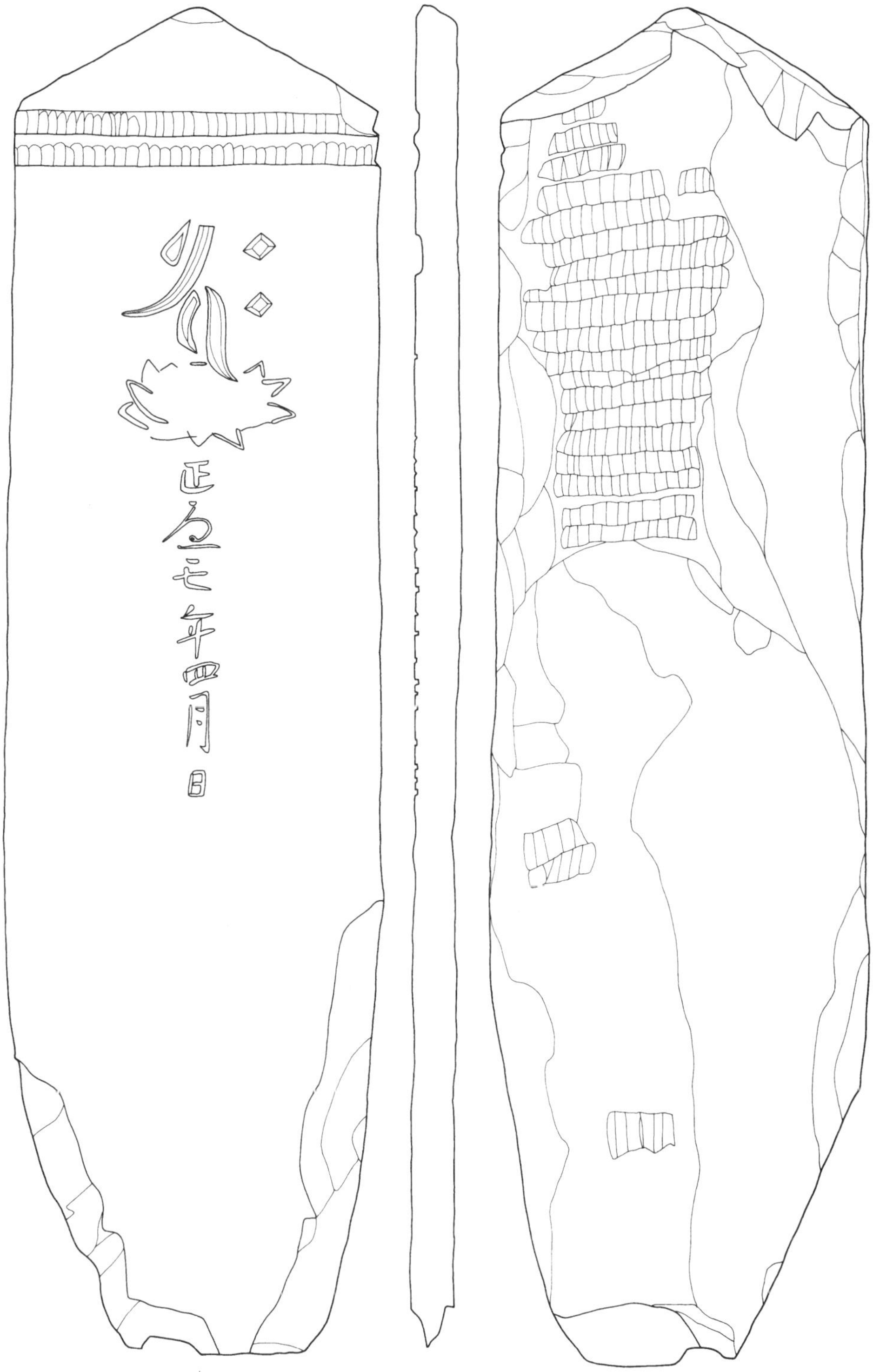

139　板碑　東京都北区田端出土

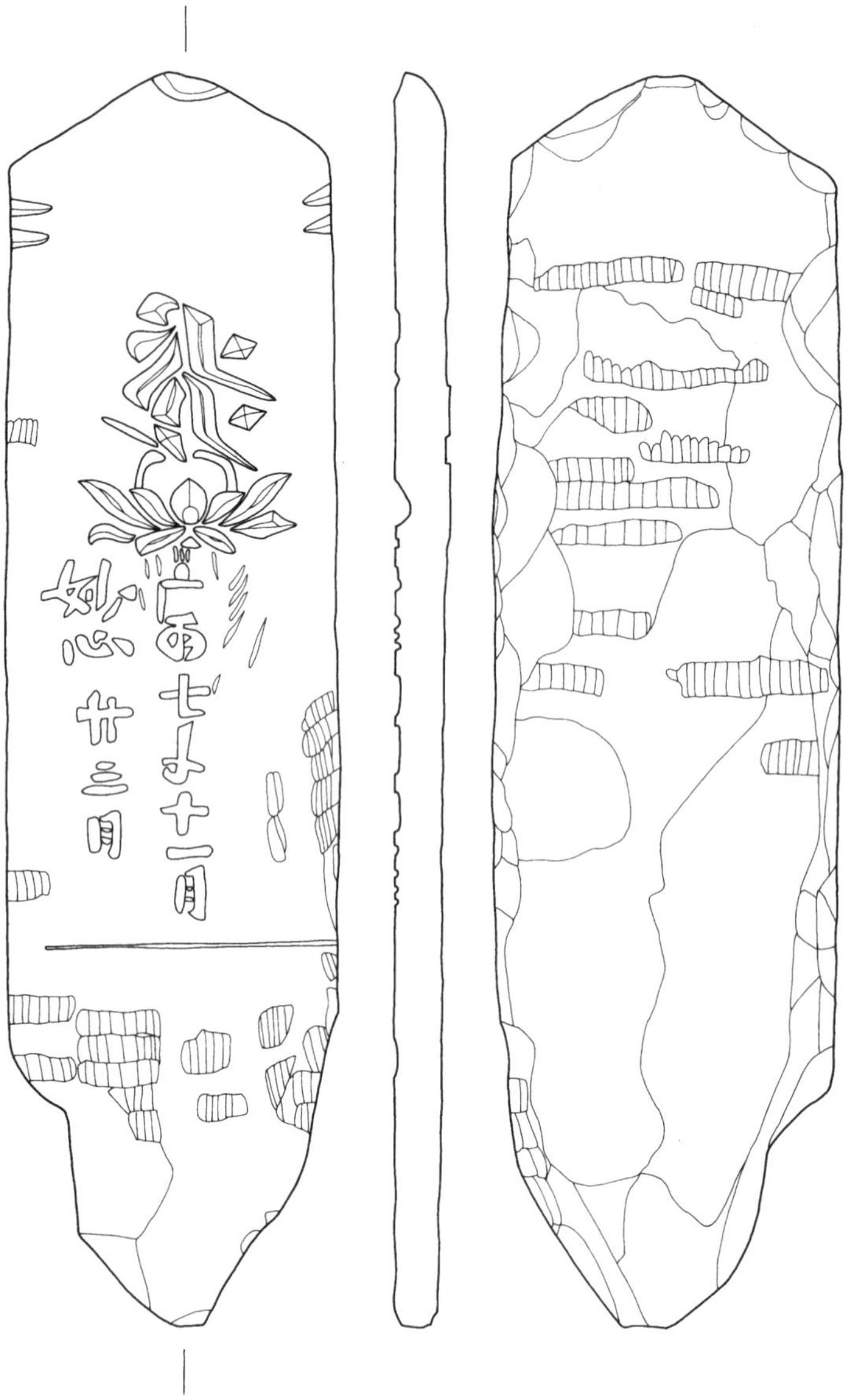

141　板碑　東京都台東区上野公園　東照宮裏山出土

実測図75（縮尺1/4）

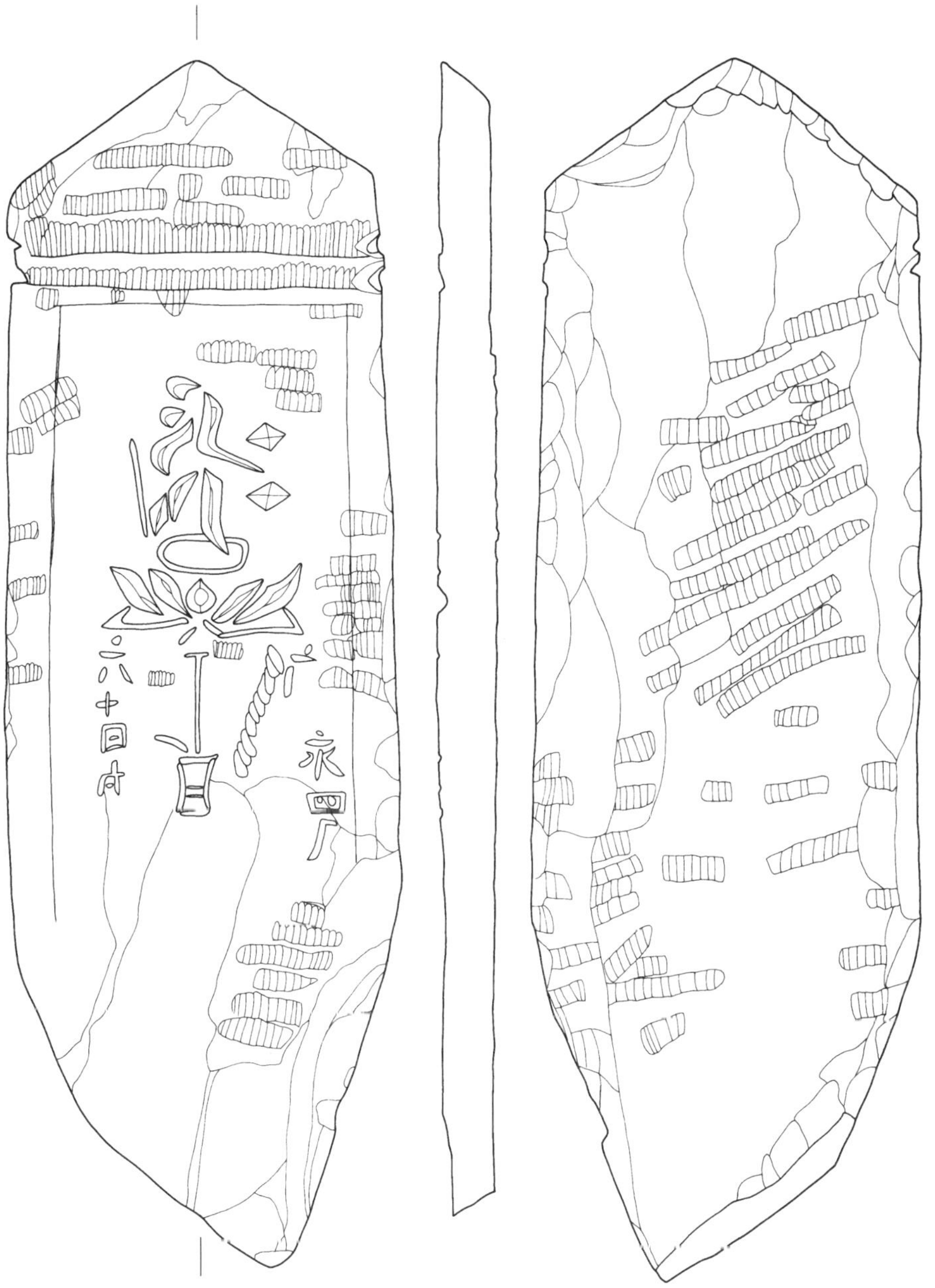

142　板碑　東京都千代田区霞が関3丁目出土

実測図76（縮尺1/4）

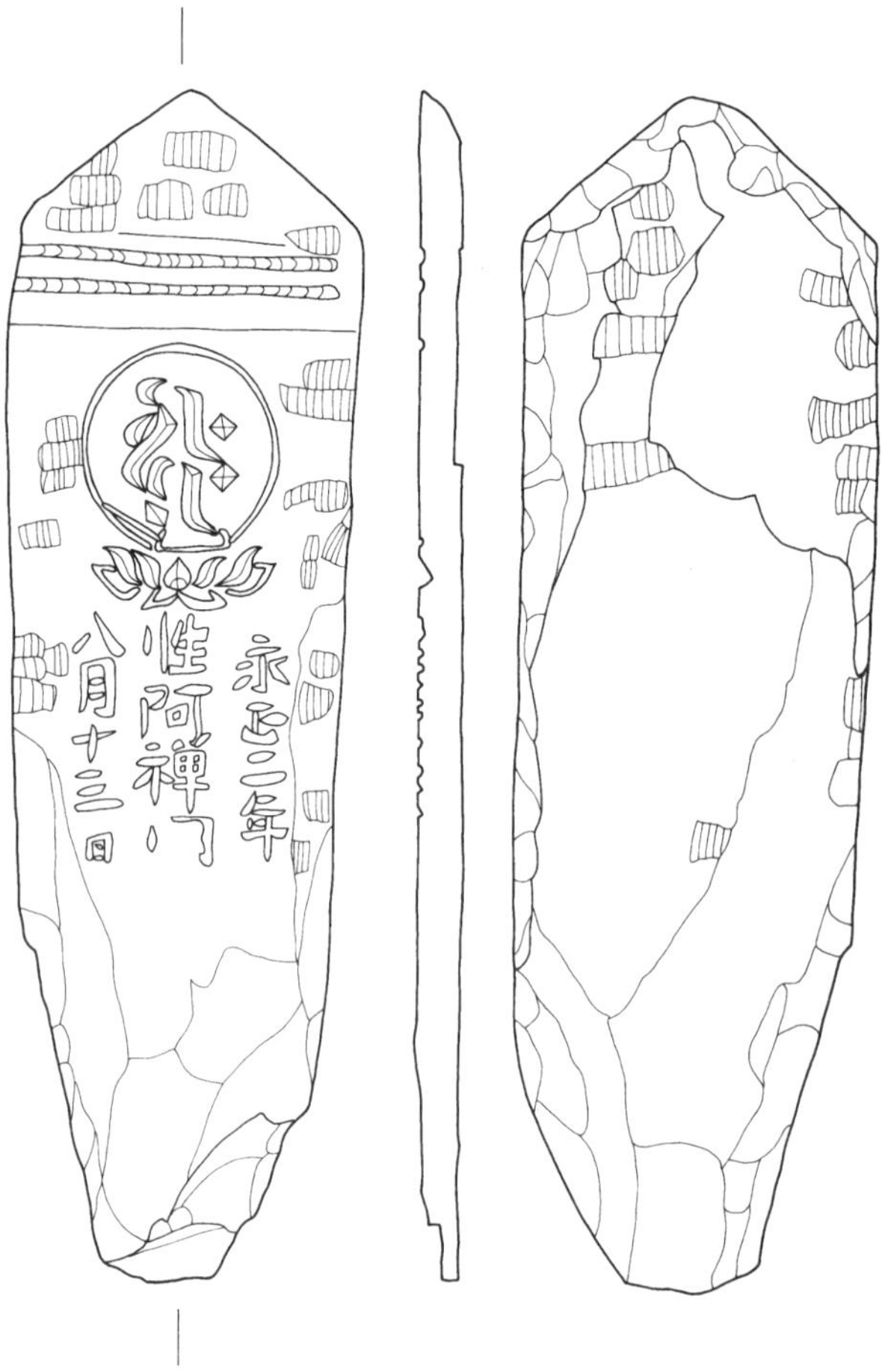

143　板碑　東京都千代田区霞が関3丁目出土

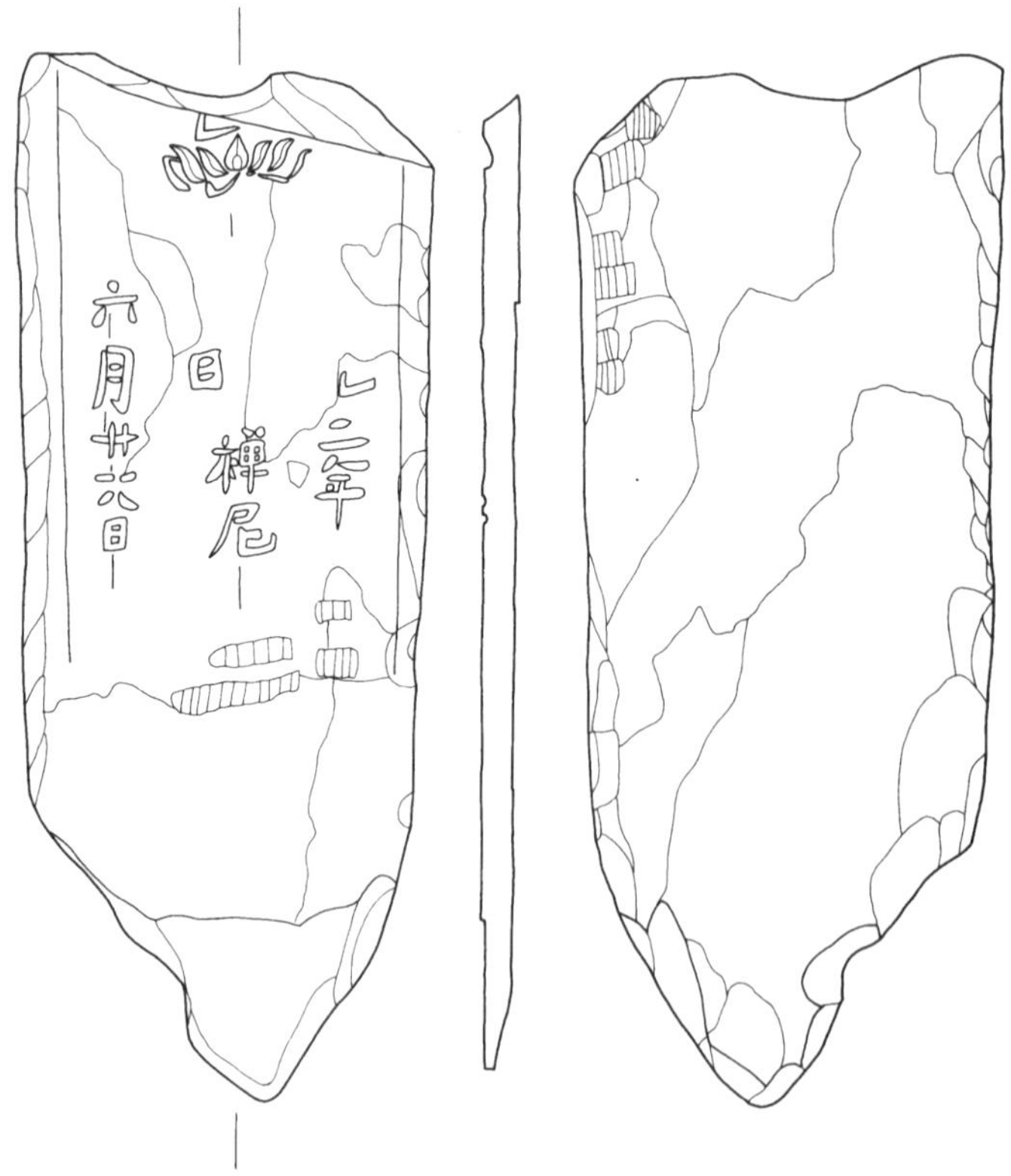

144　板碑　東京都千代田区霞が関3丁目出土

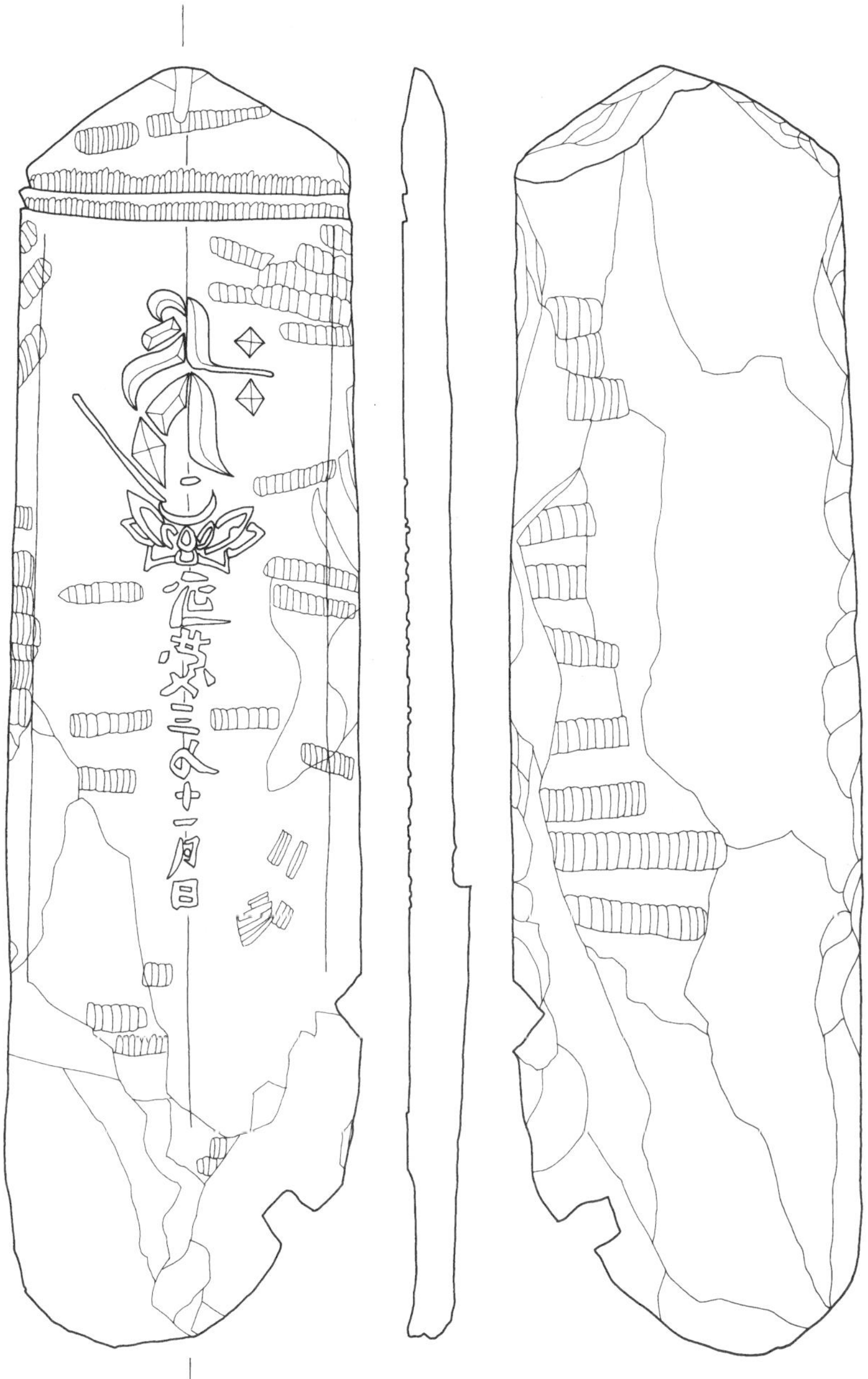

145　板碑　東京都日野市日野本町出土

実測図78（縮尺1/8）

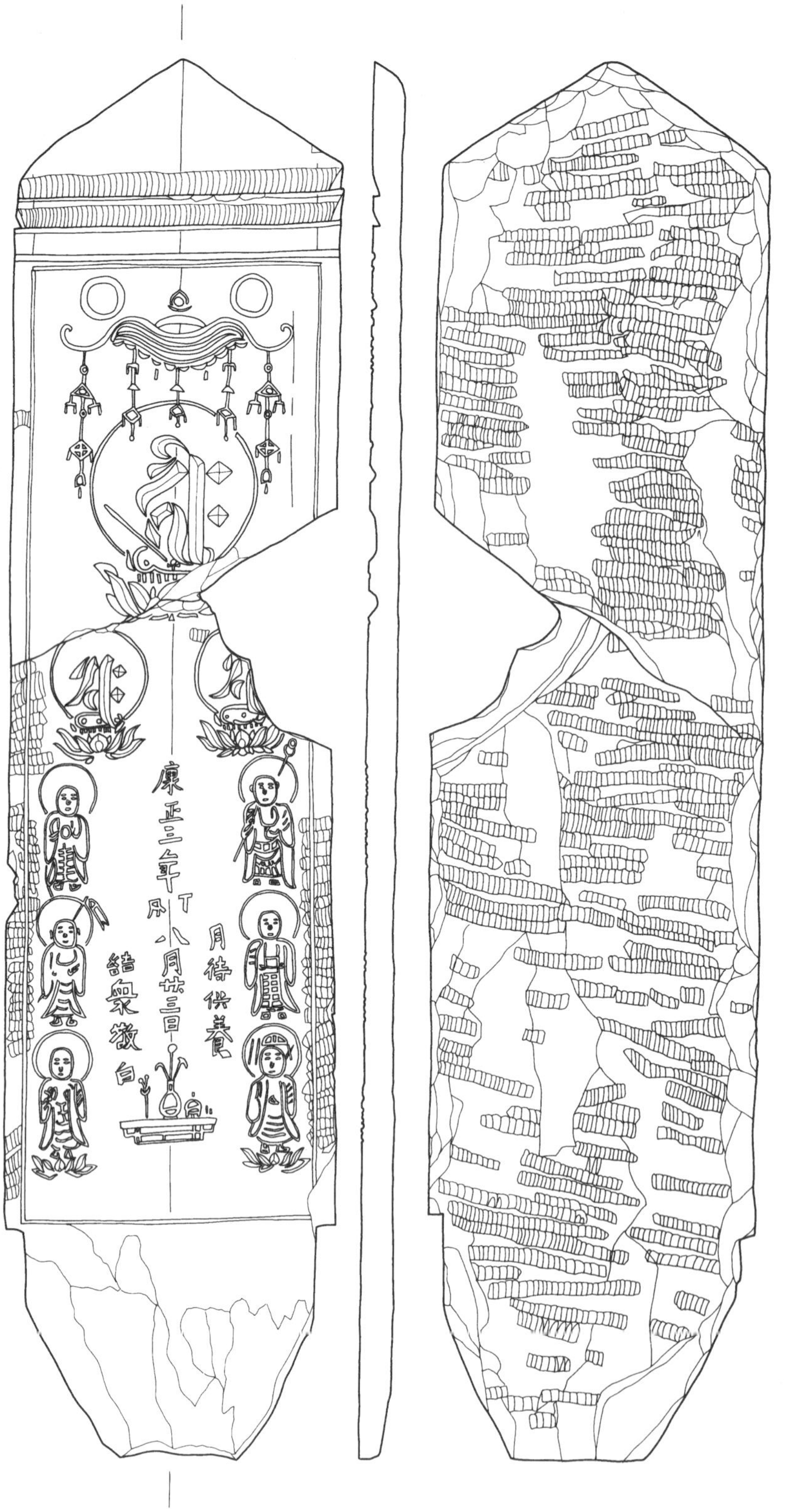

146　板碑　東京都あきる野市高尾出土

実測図79（縮尺1/8）

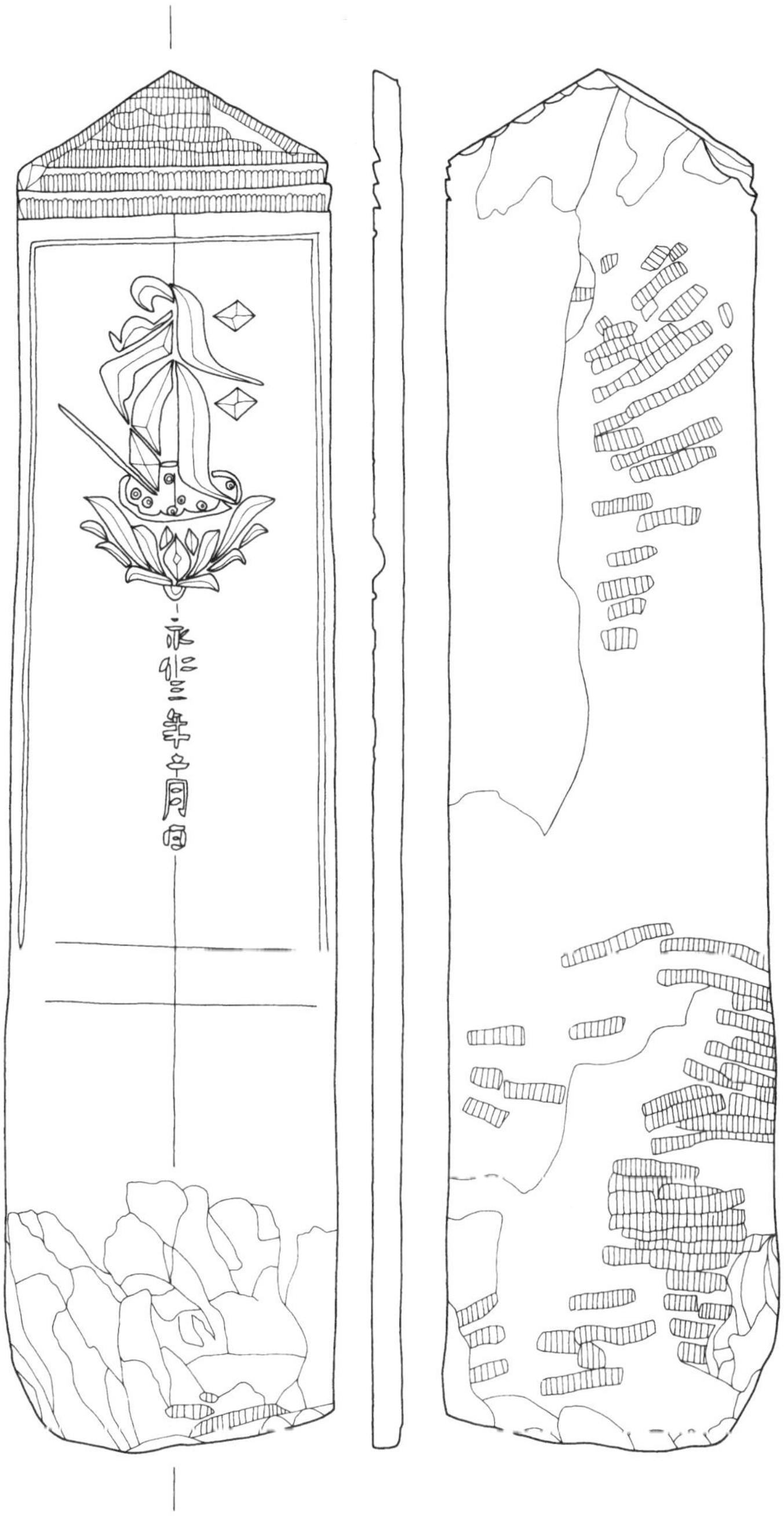

147　板碑　神奈川県横浜市保土ヶ谷区峰岡町出土

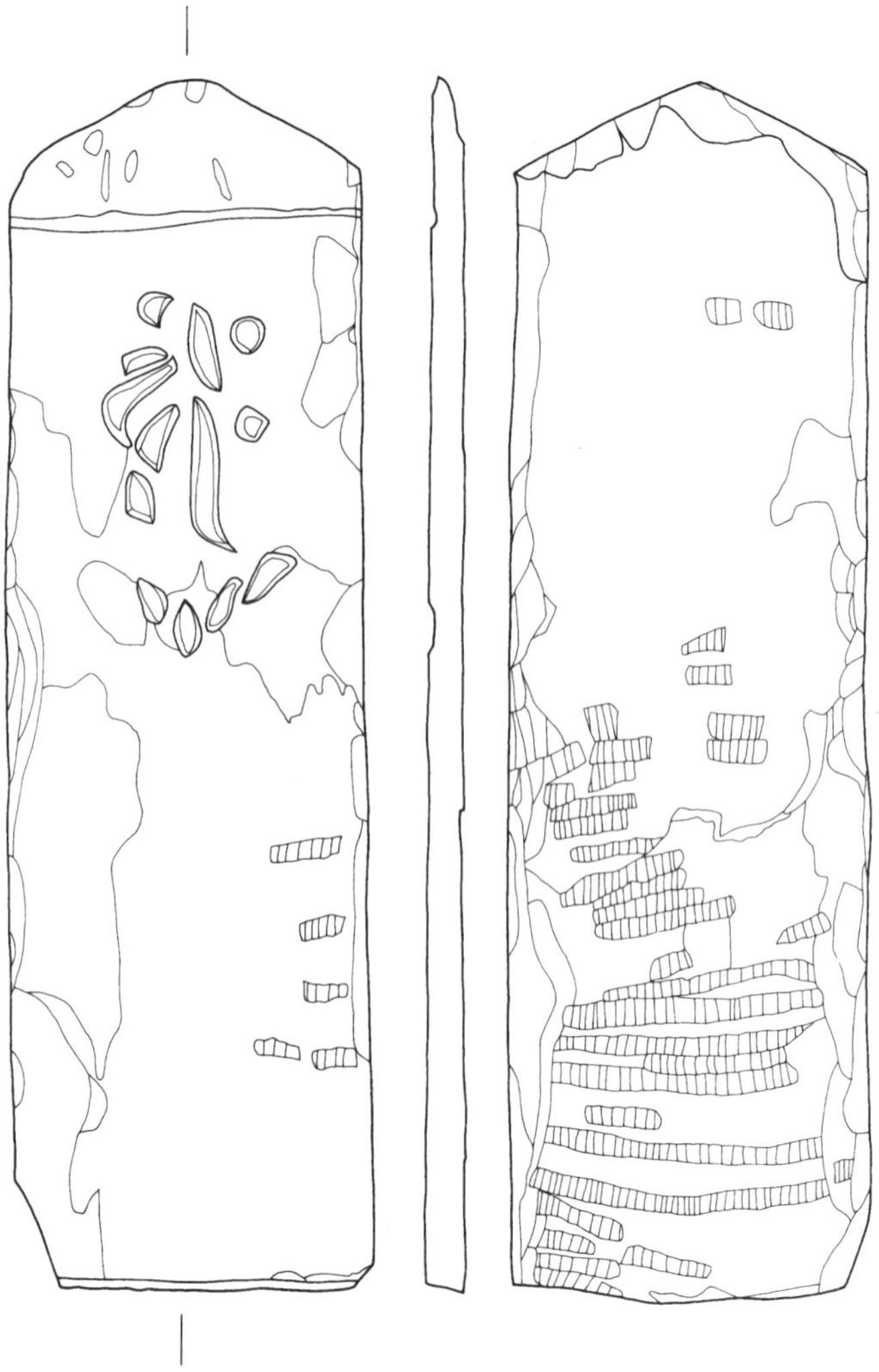

148　板碑　神奈川県横浜市保土ヶ谷区峰岡町出土

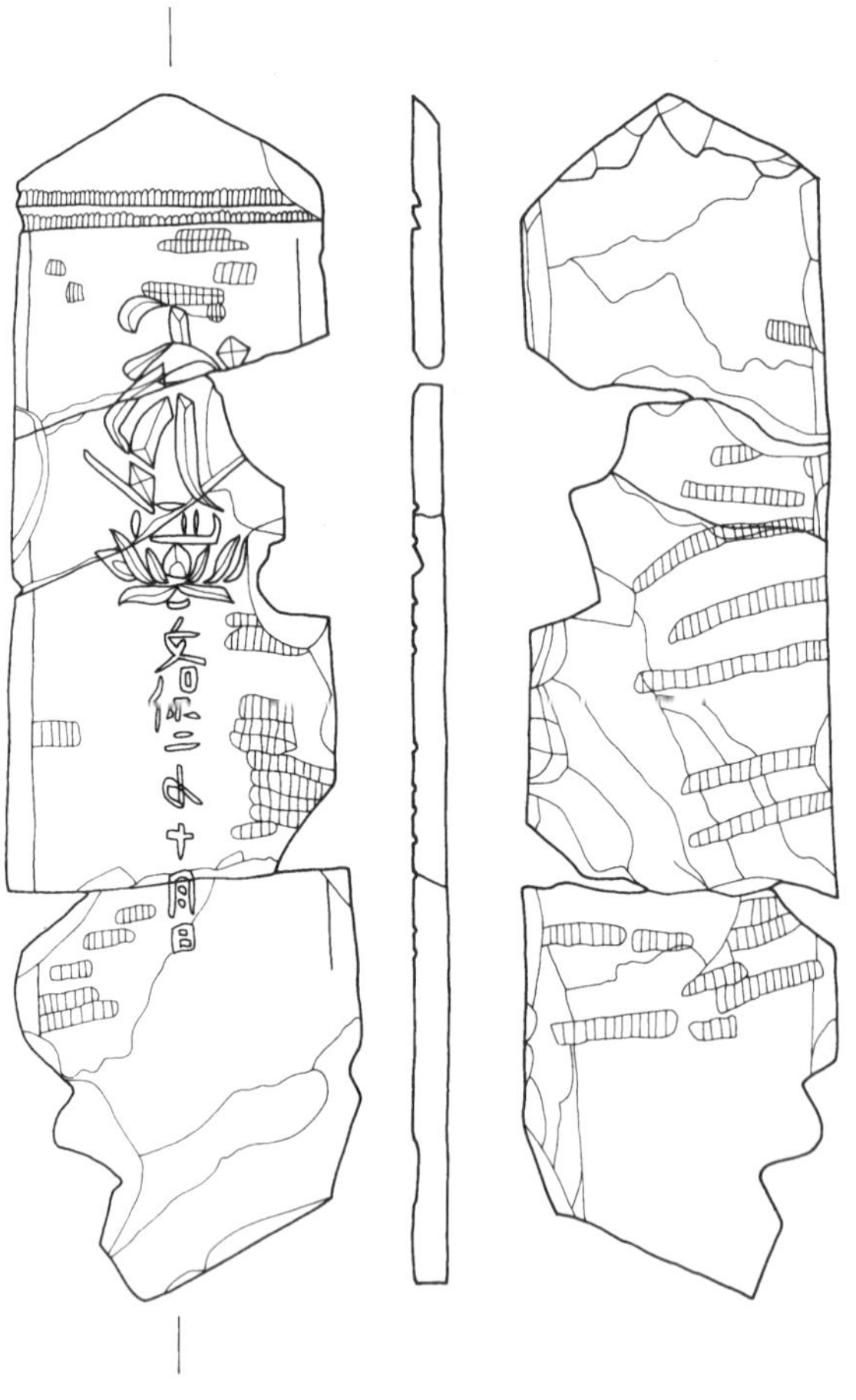

149　板碑　神奈川県横浜市保土ヶ谷区峰岡町出土

実測図81（縮尺1/8）

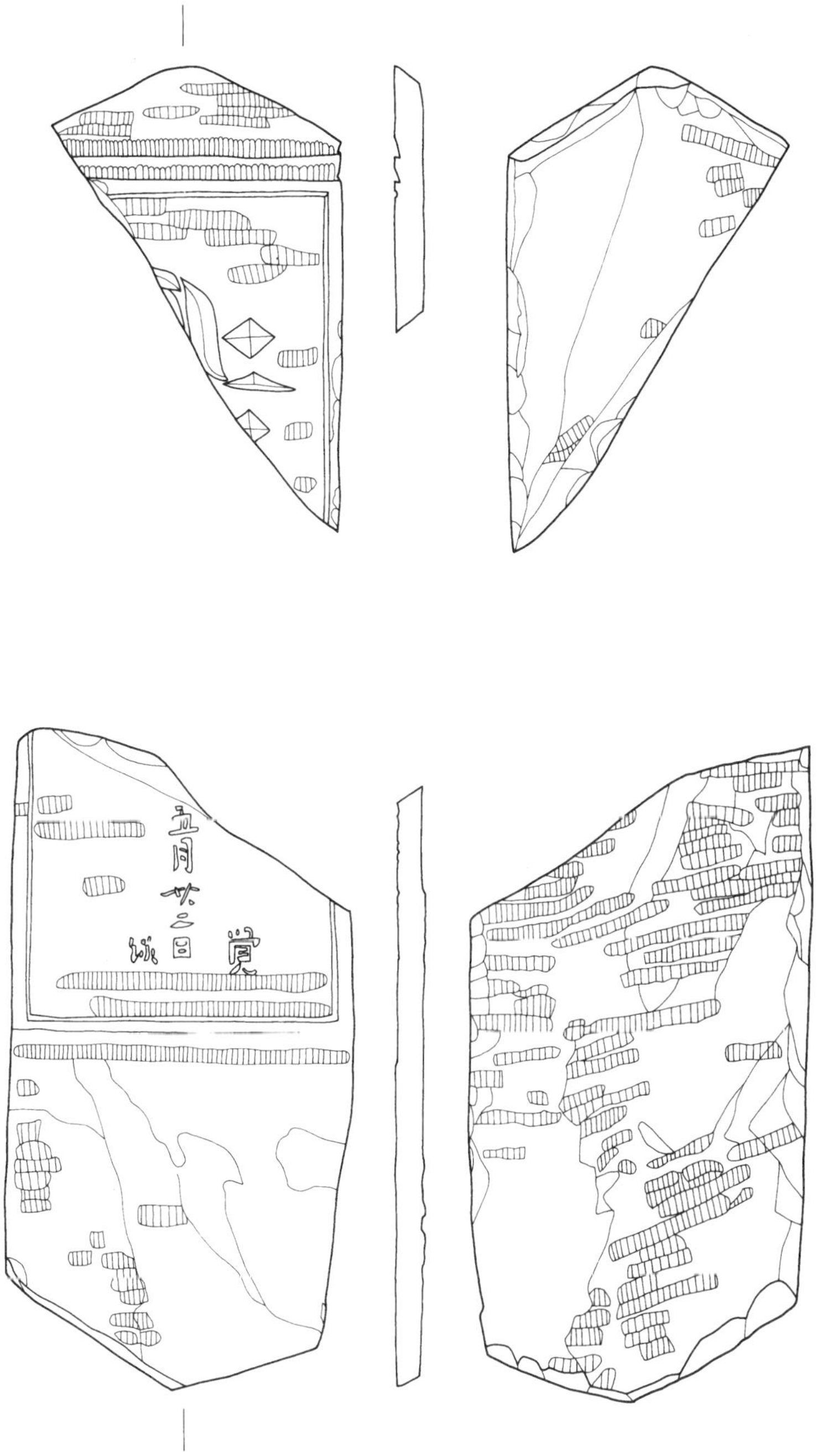

150　板碑　神奈川県横浜市緑区長津田町字道正出土

実測図82（縮尺1/8）

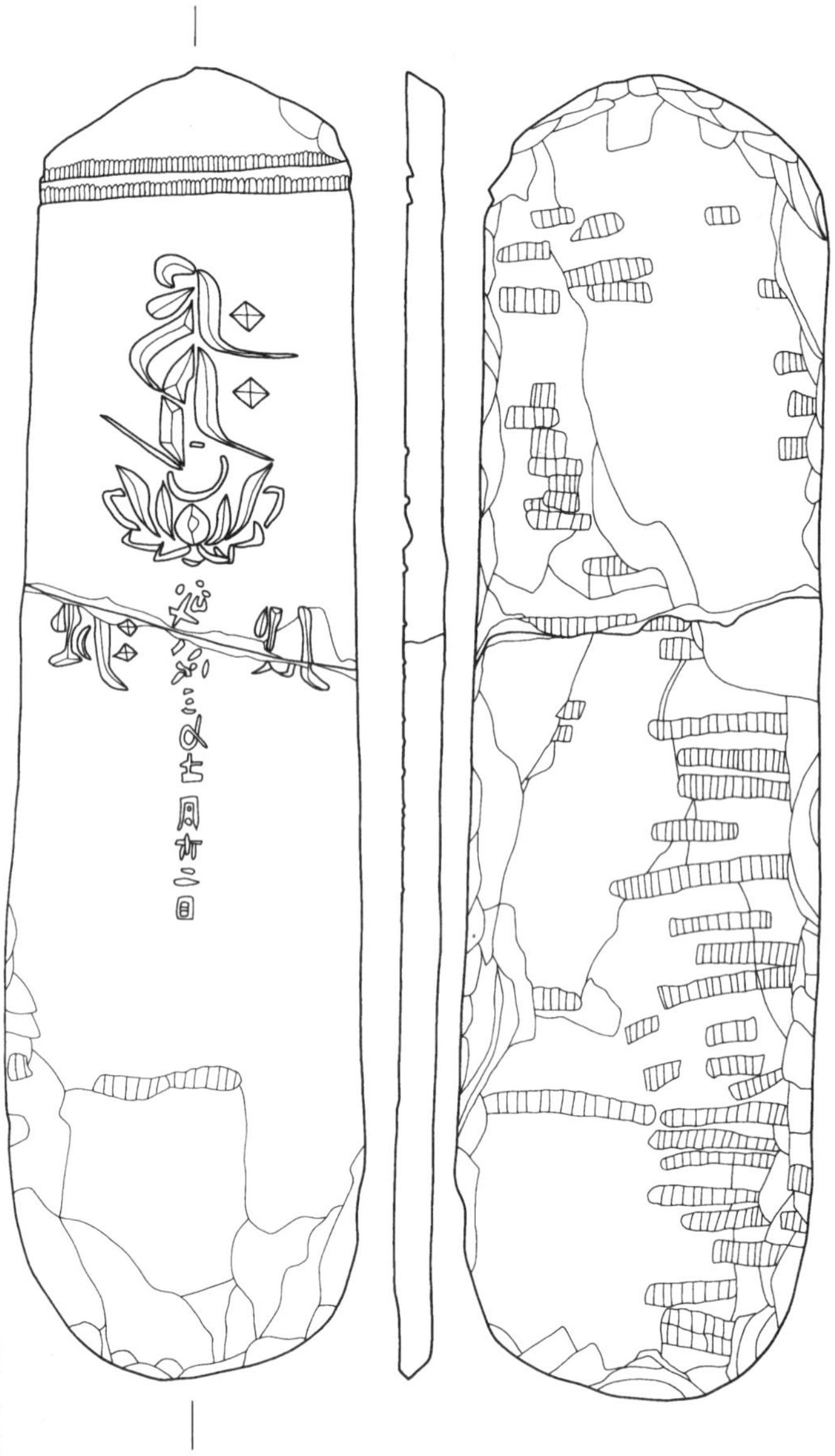

151　板碑　神奈川県横浜市緑区長津田町字道正出土

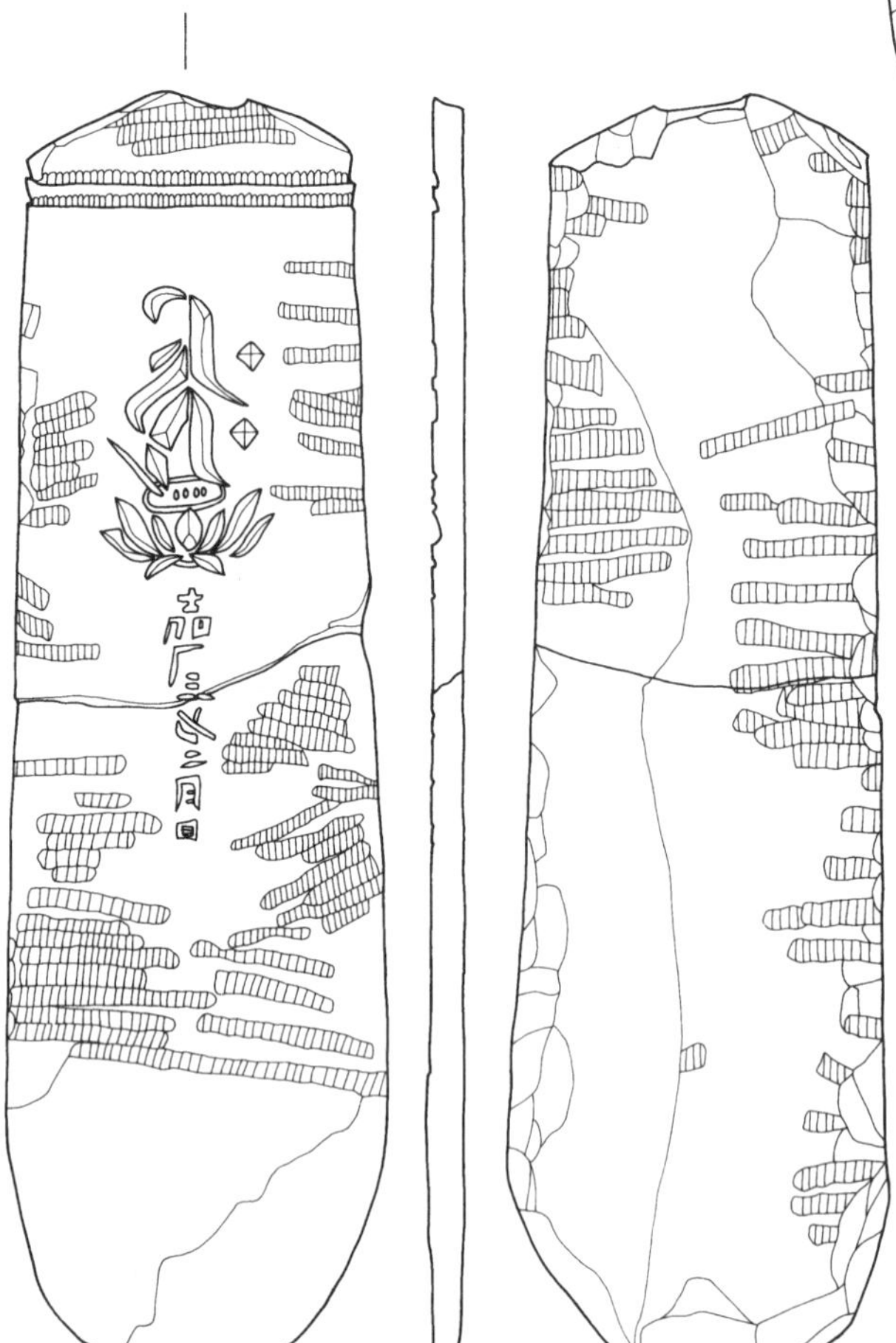

153　板碑　神奈川県横浜市緑区長津田町字道正出土

実測図83（縮尺1/8）

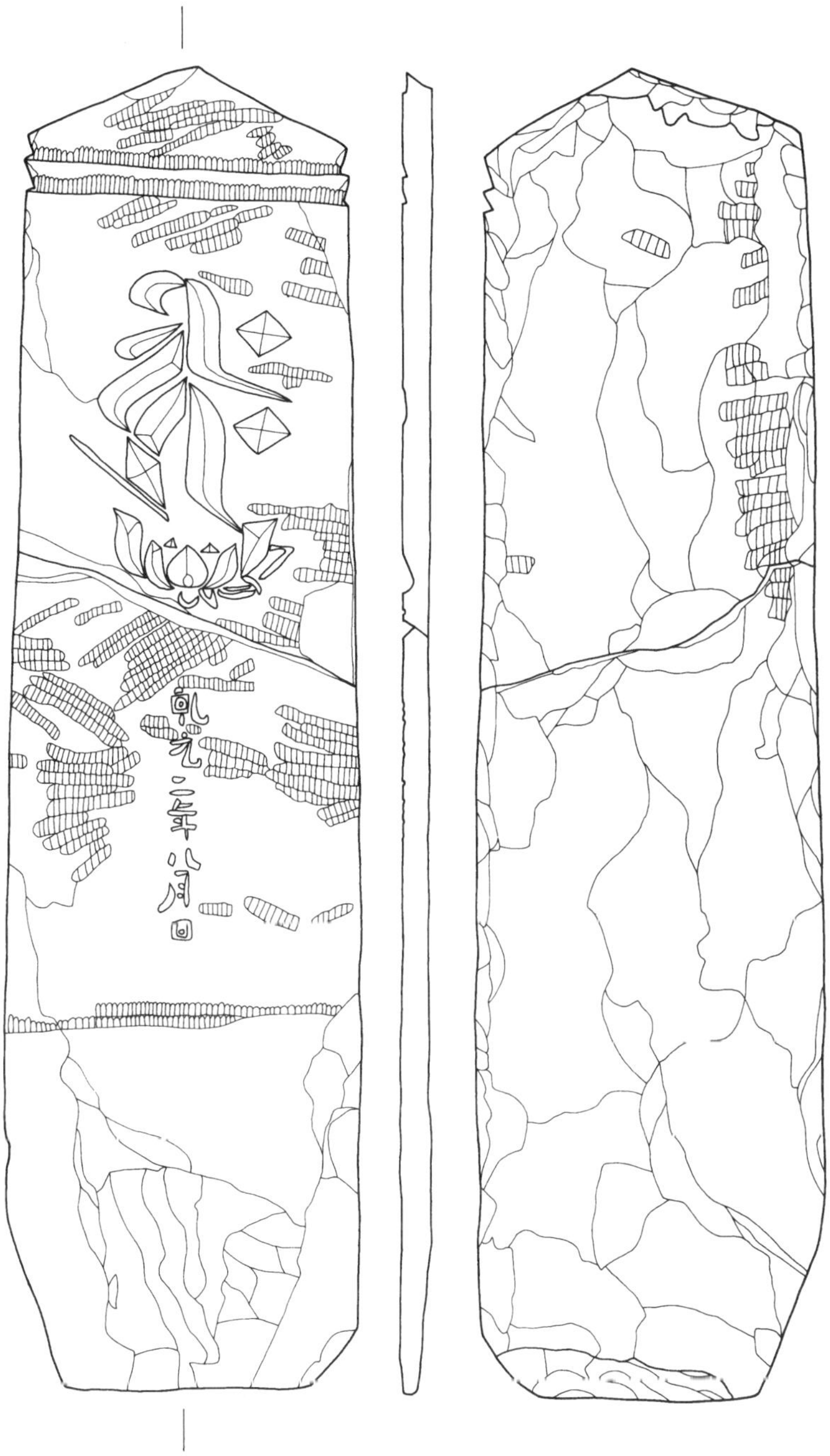

152　板碑　神奈川県横浜市緑区長津田町字道正出土

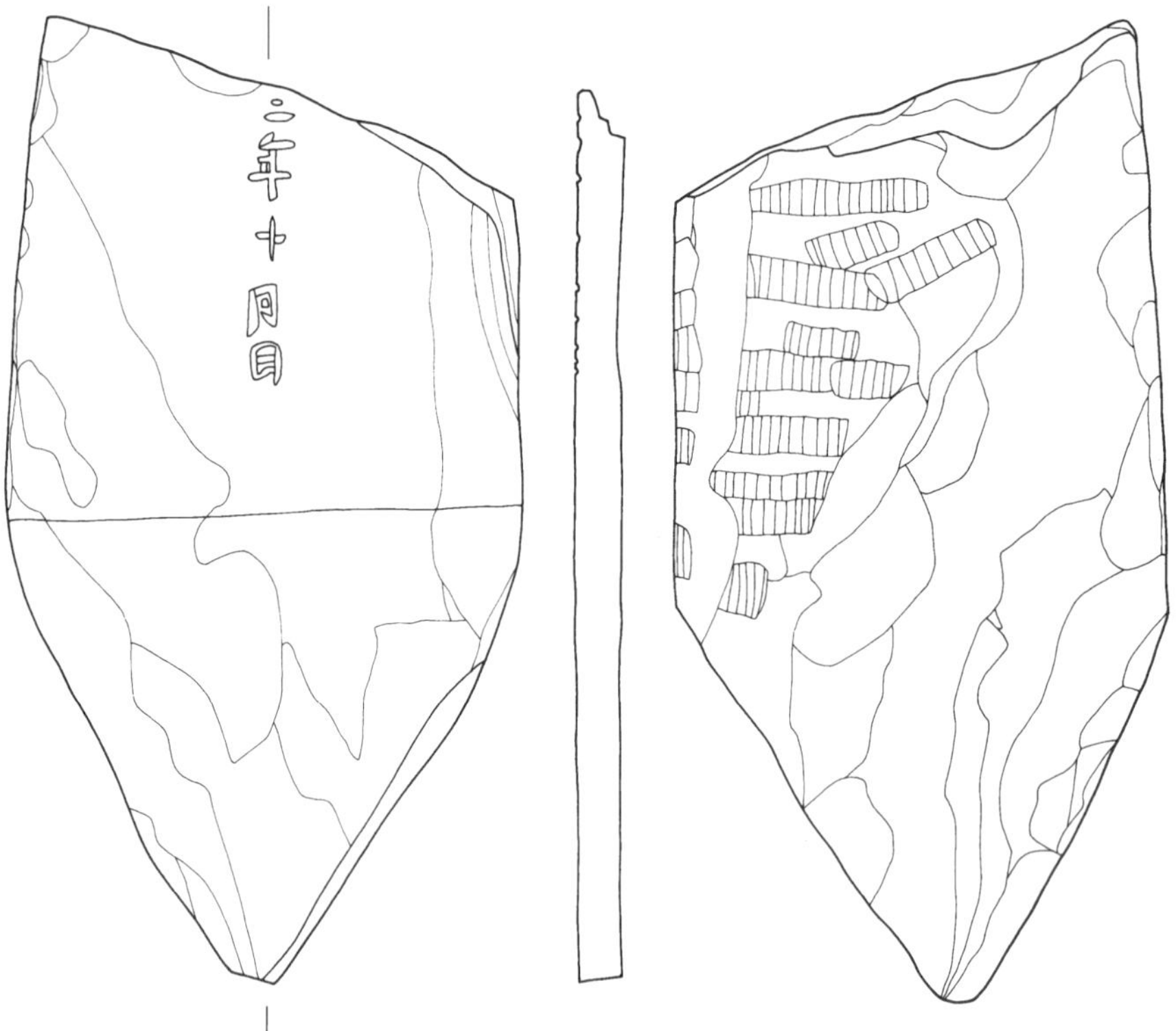

154　板碑　神奈川県横浜市緑区長津田町字道正出土

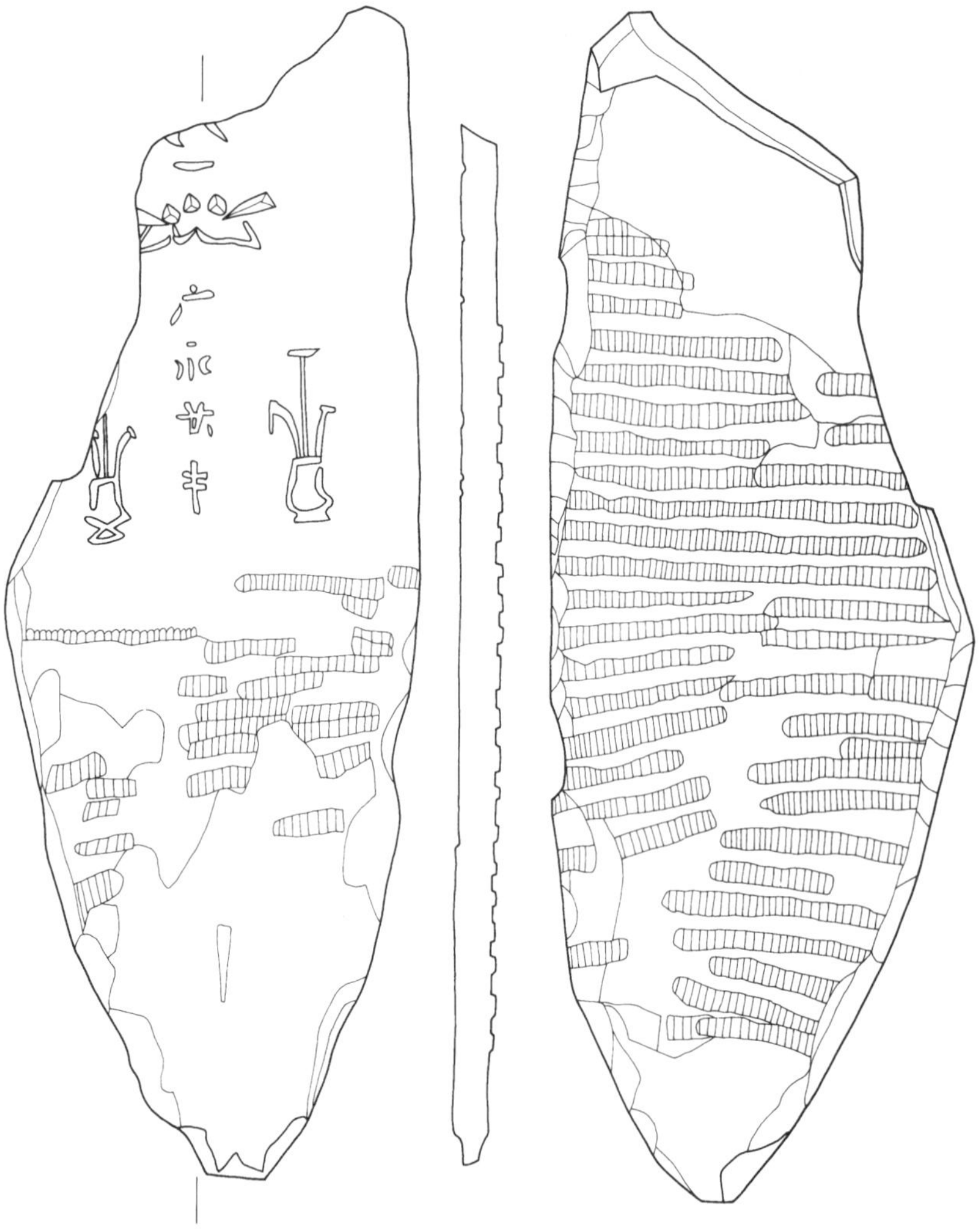

156　板碑　神奈川県綾瀬市深谷落合出土

実測図 85（縮尺 1/4）

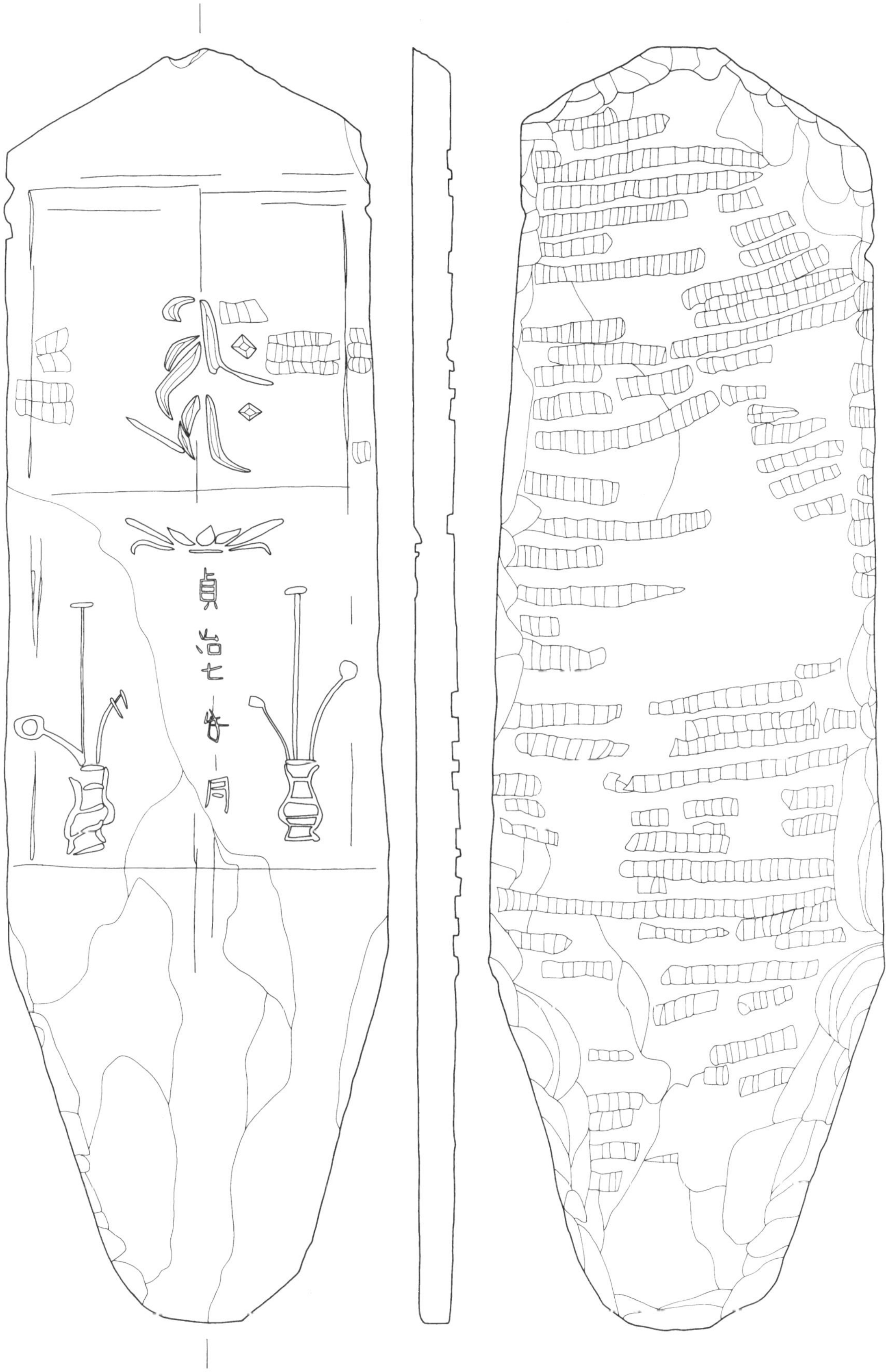

155　板碑　神奈川県綾瀬市深谷落合出土

実測図86（縮尺1/8）

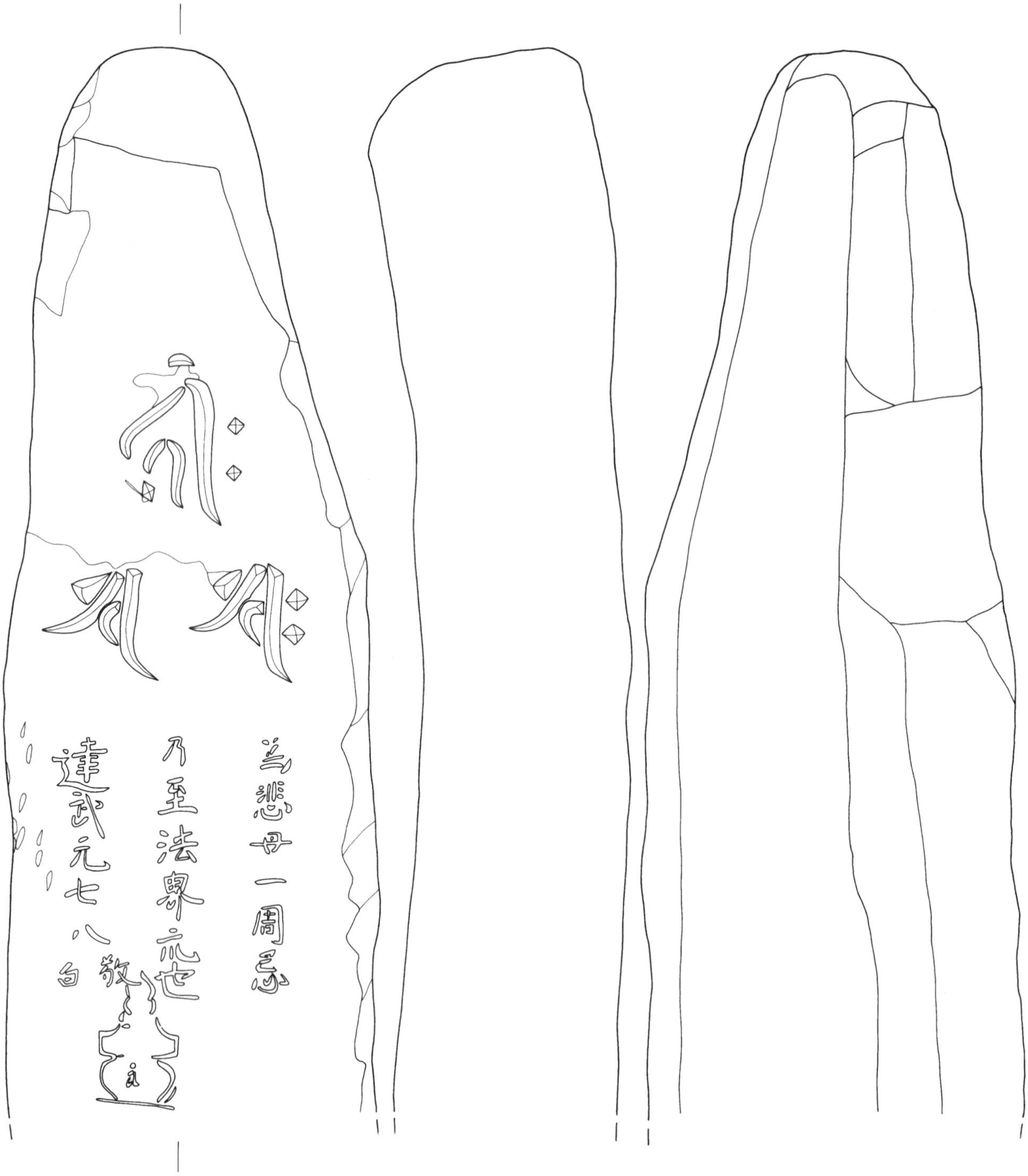

157　板碑　神奈川県小田原市城山3丁目　東海道本線線路敷地出土

実測図87（縮尺1/8）

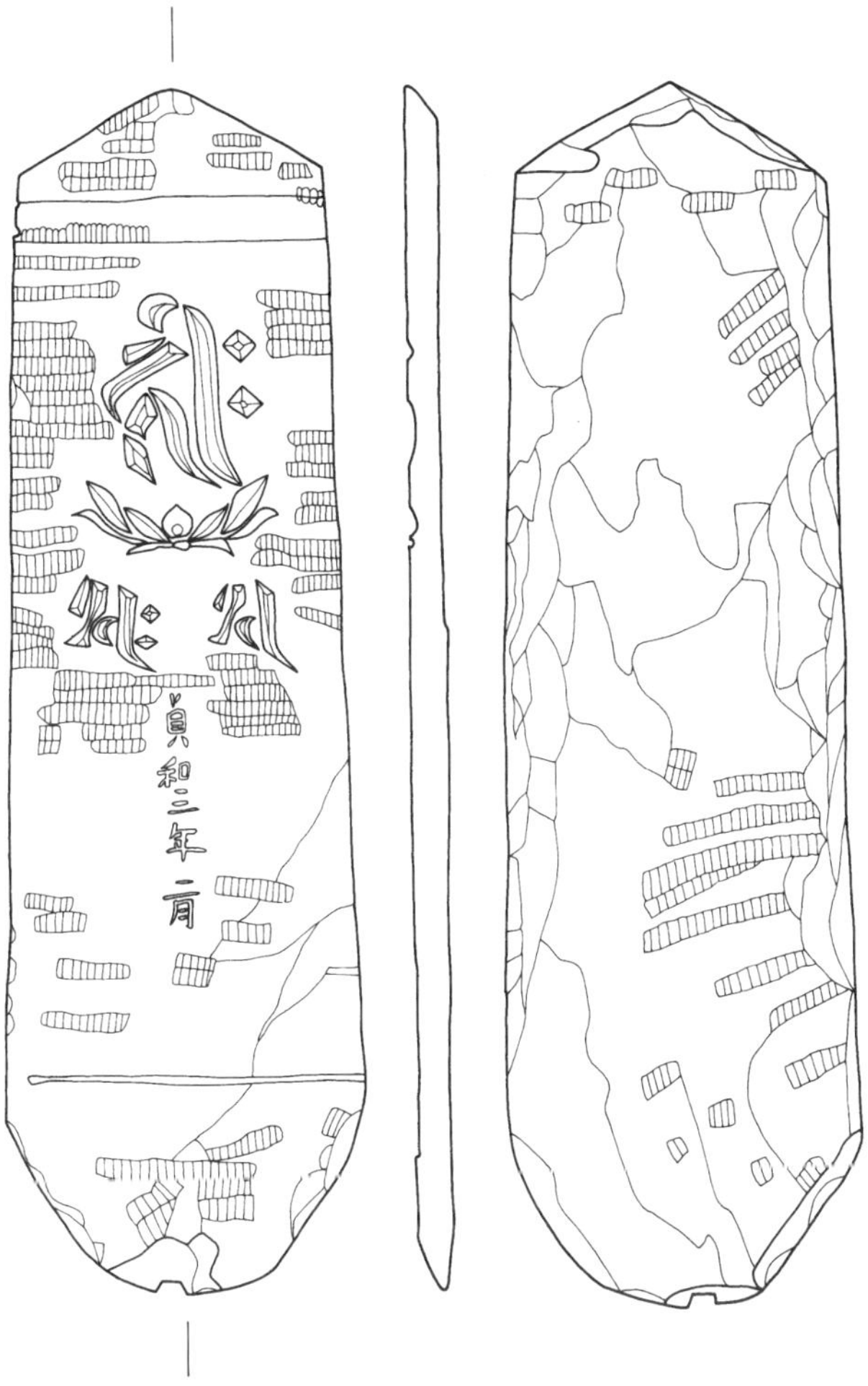

158　板碑　神奈川県大和市深見坊之窪出土

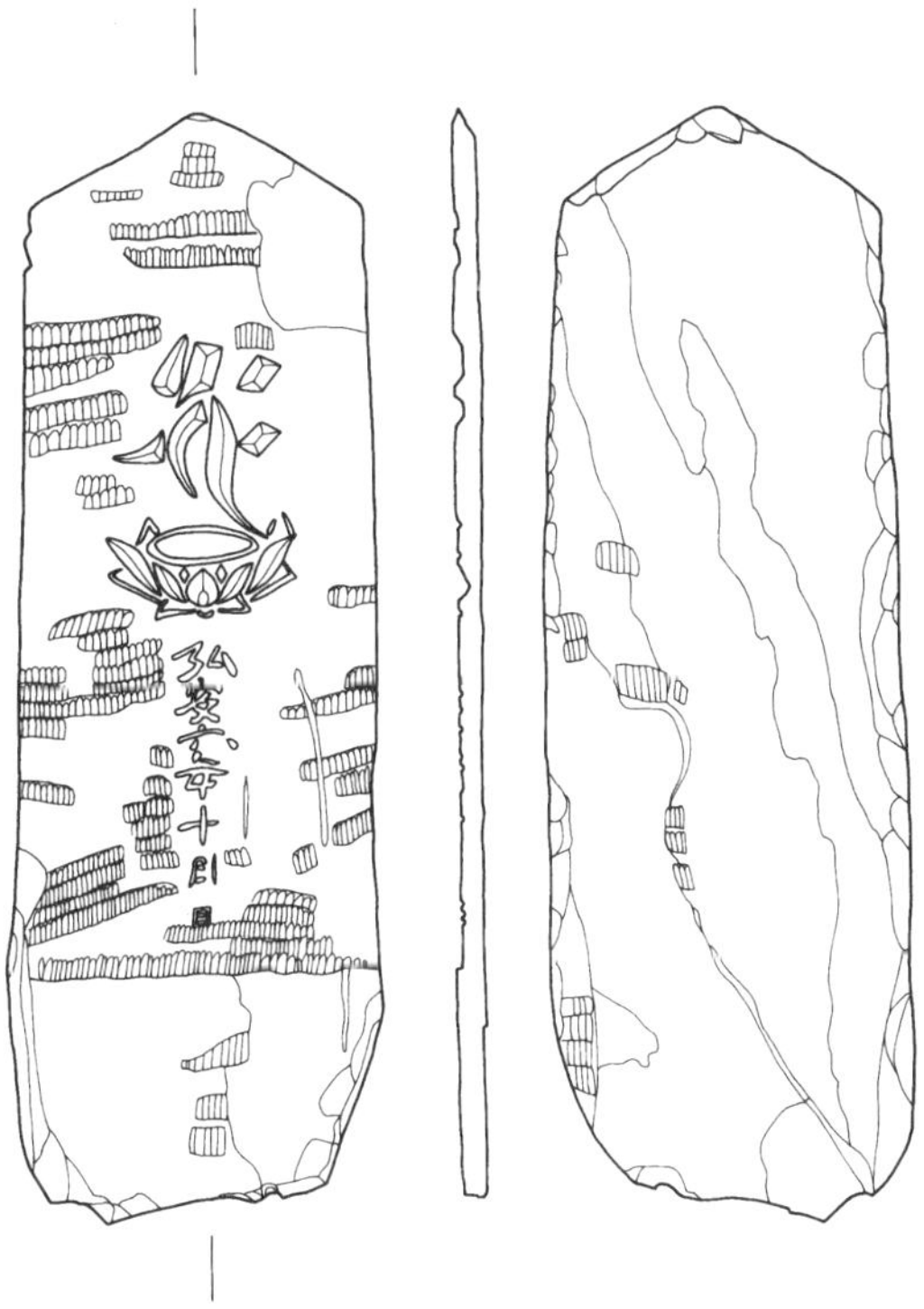

162　板碑　出土地不詳

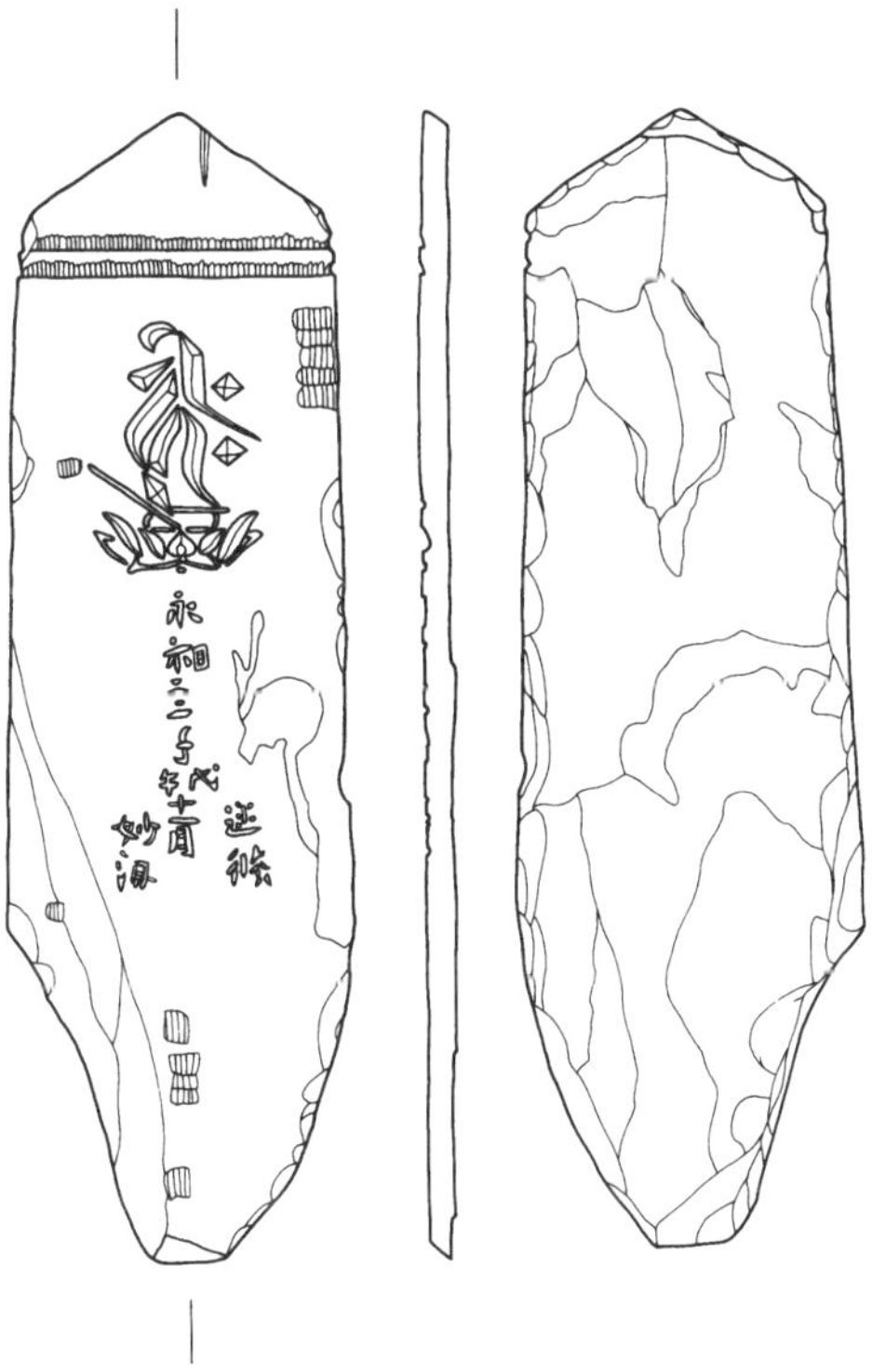

161　板碑　出土地不詳

実測図88（縮尺1/8）

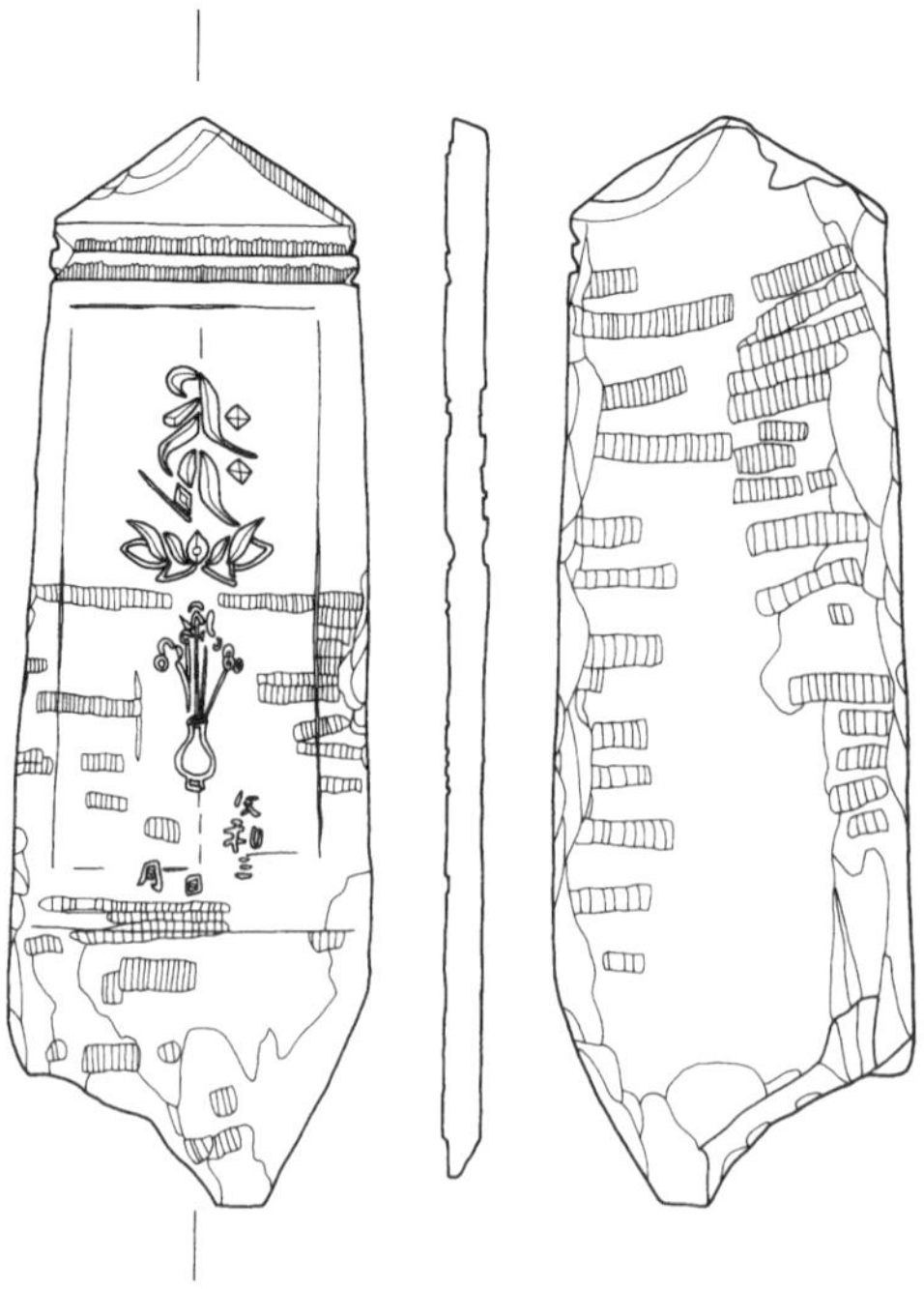

160　板碑　出土地不詳

166　板碑　出土地不詳

実測図 89（縮尺 1/4）

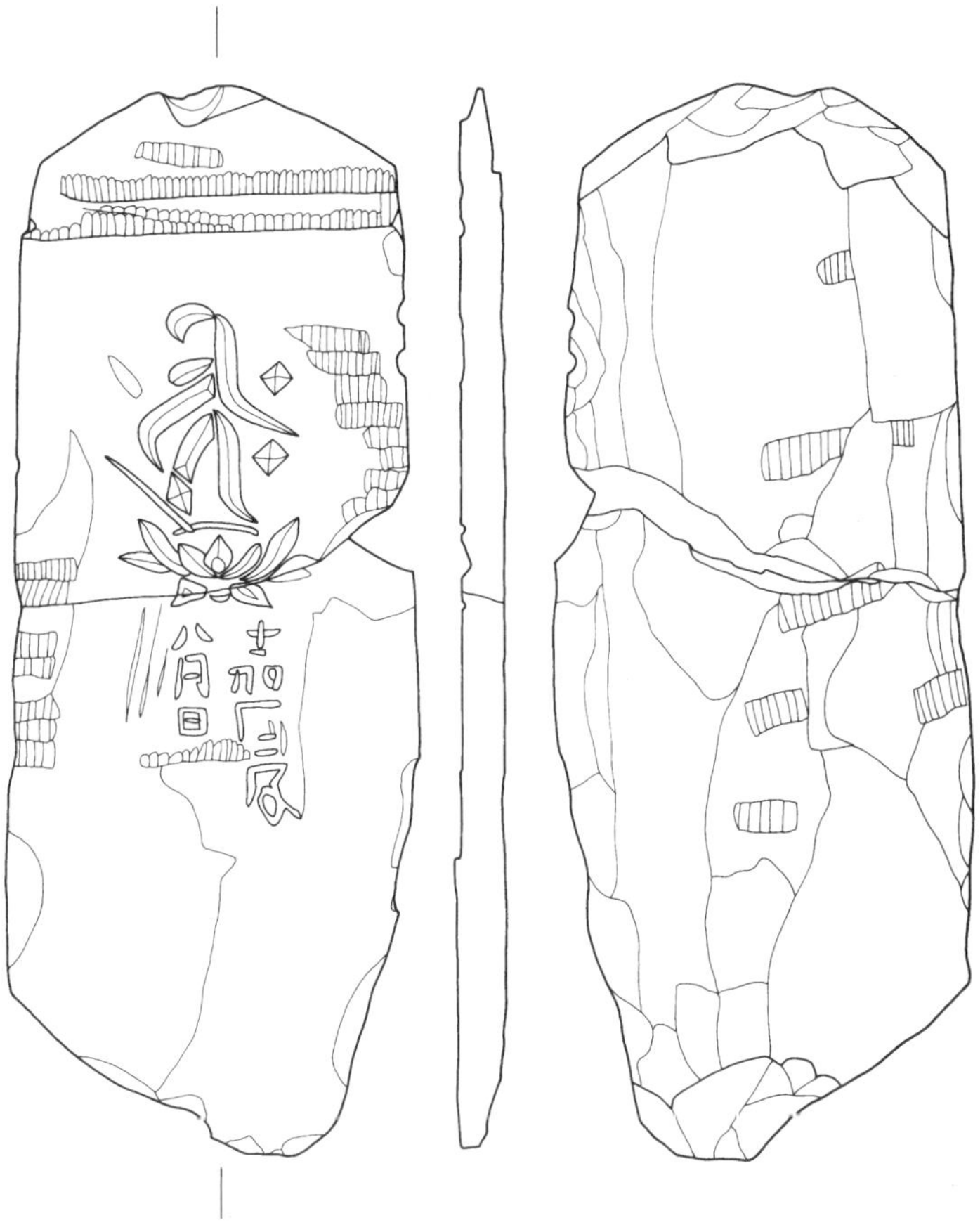

159　板碑　出土地不詳

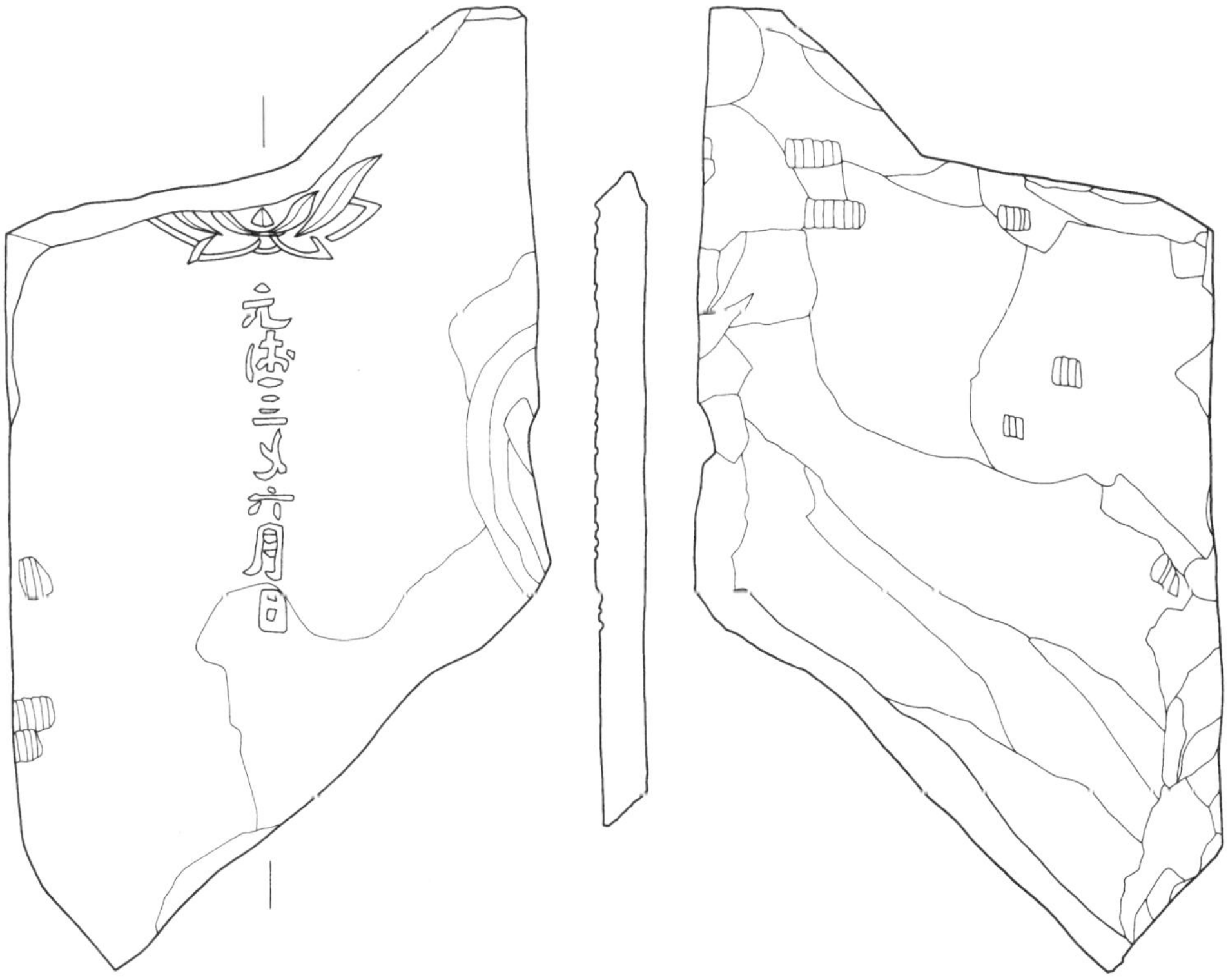

167　板碑　出土地不詳

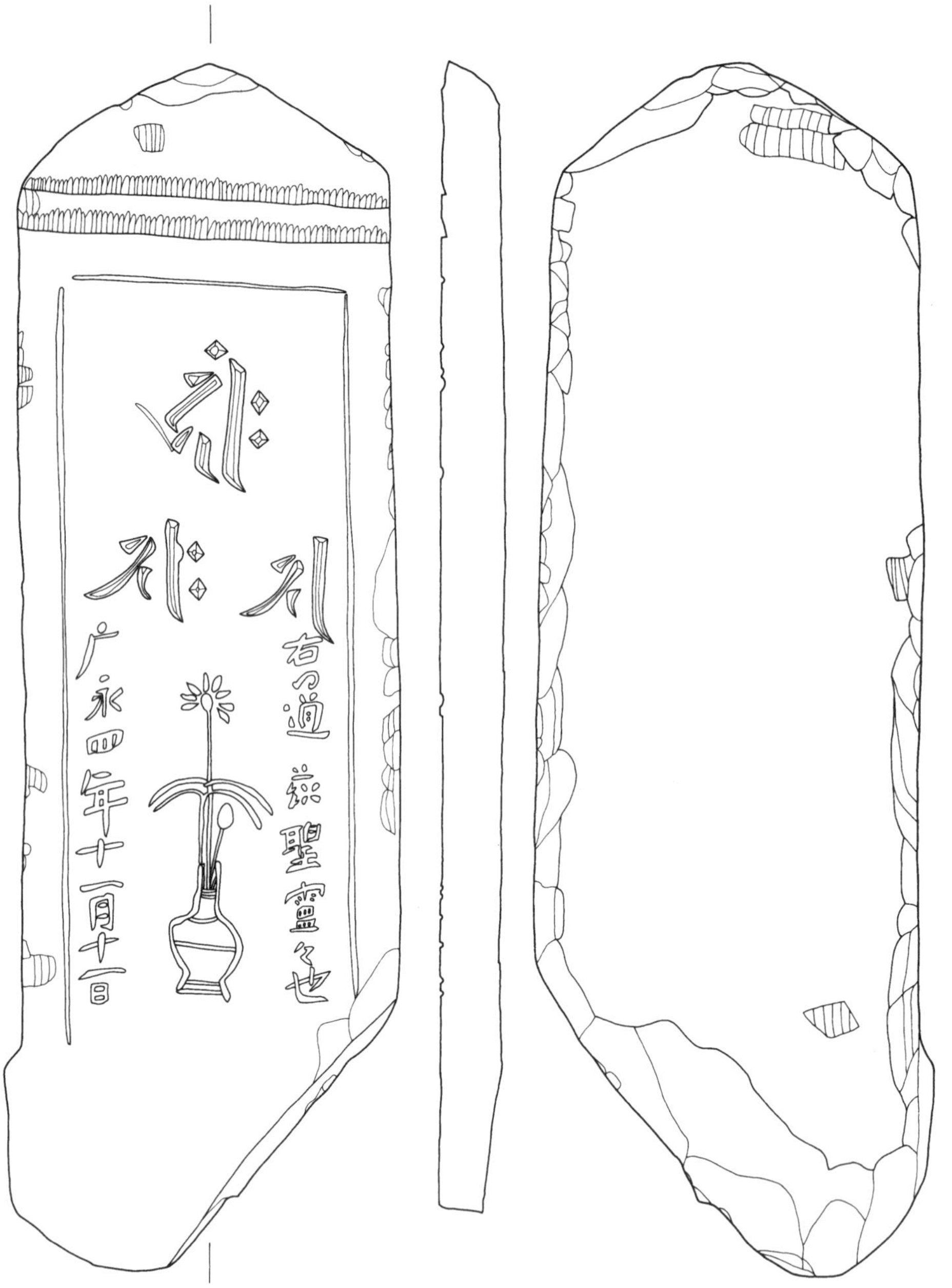

163　板碑　出土地不詳

実測図91（縮尺1/4）

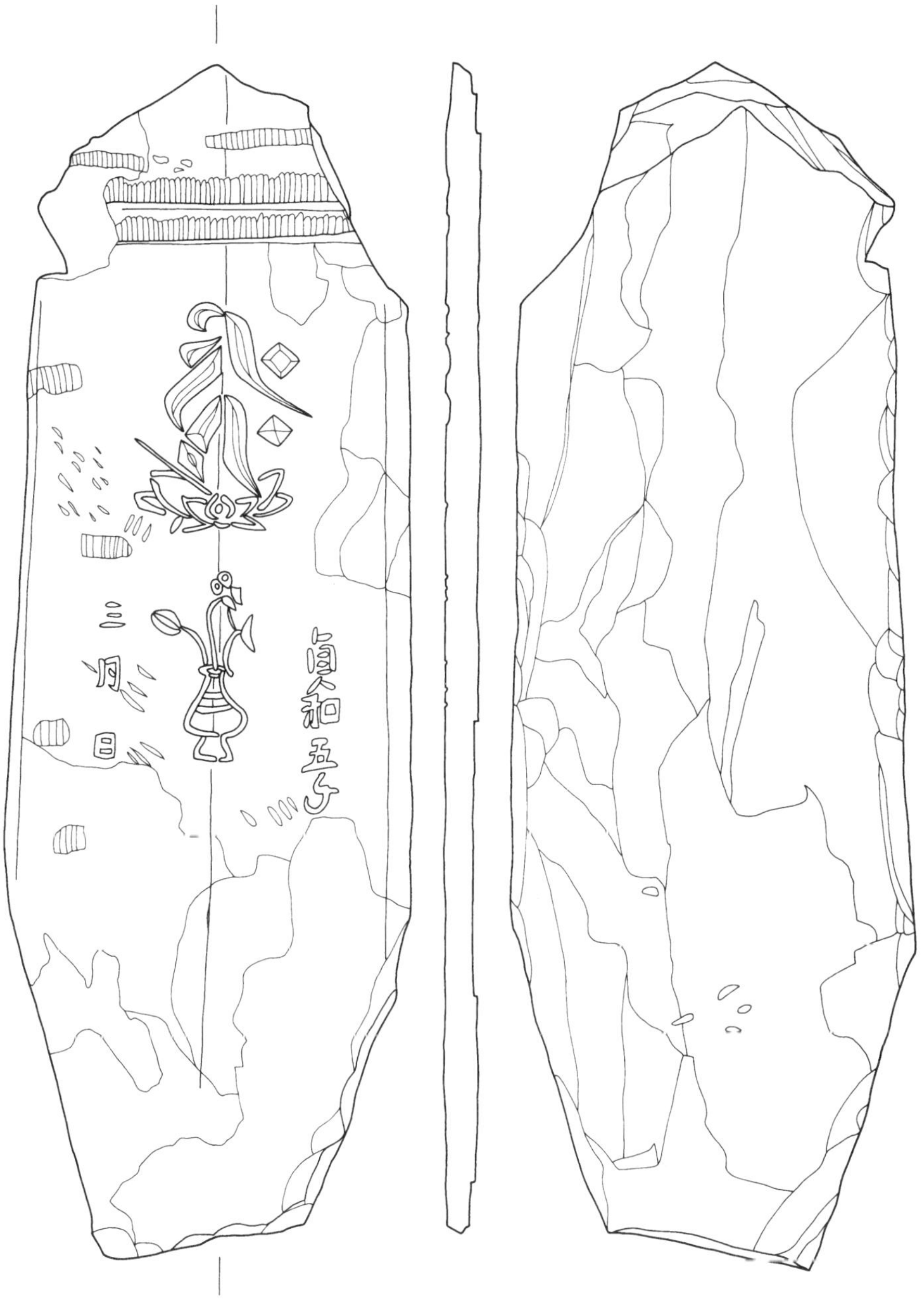

164　板碑　出土地不詳

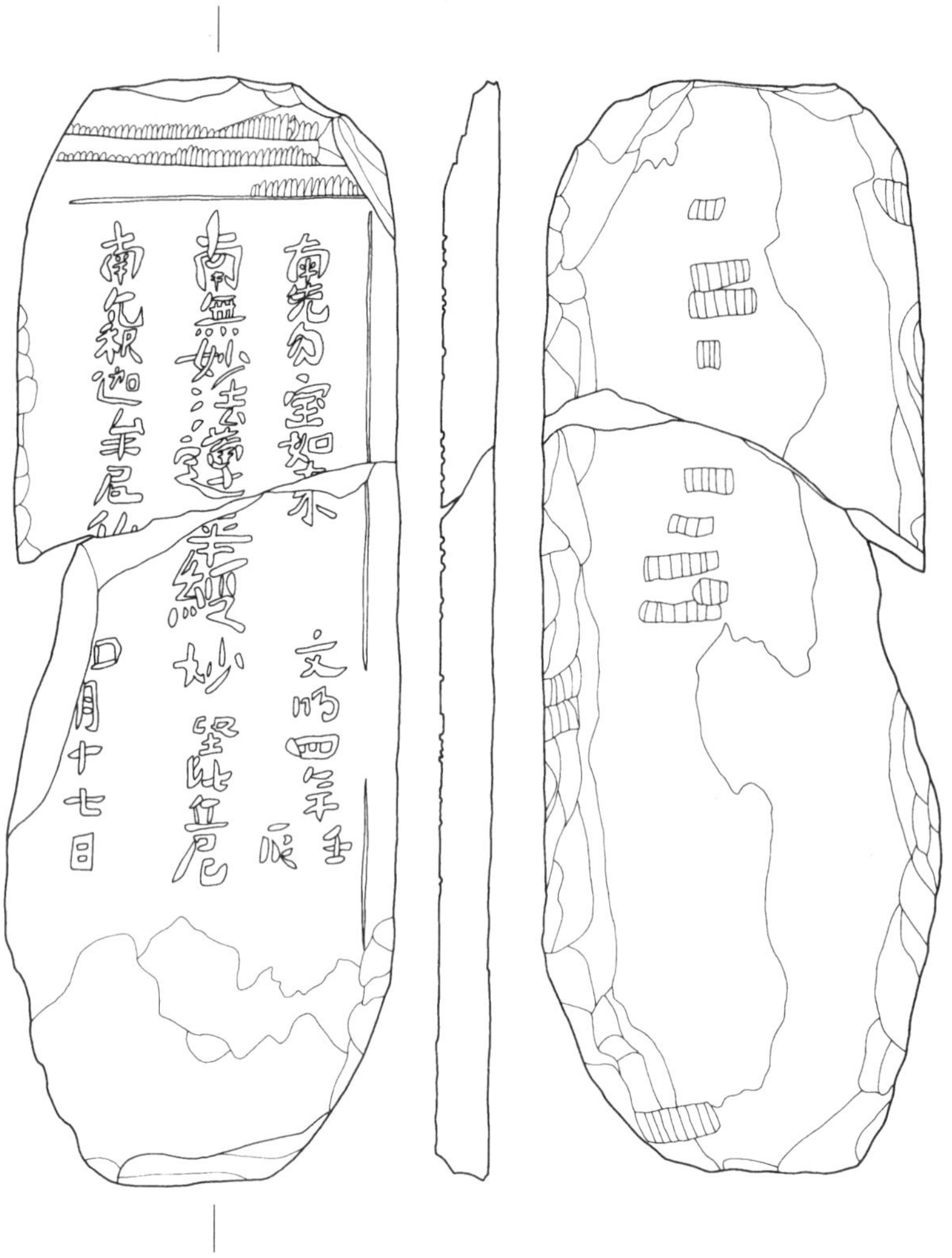

169　板碑　出土地不詳

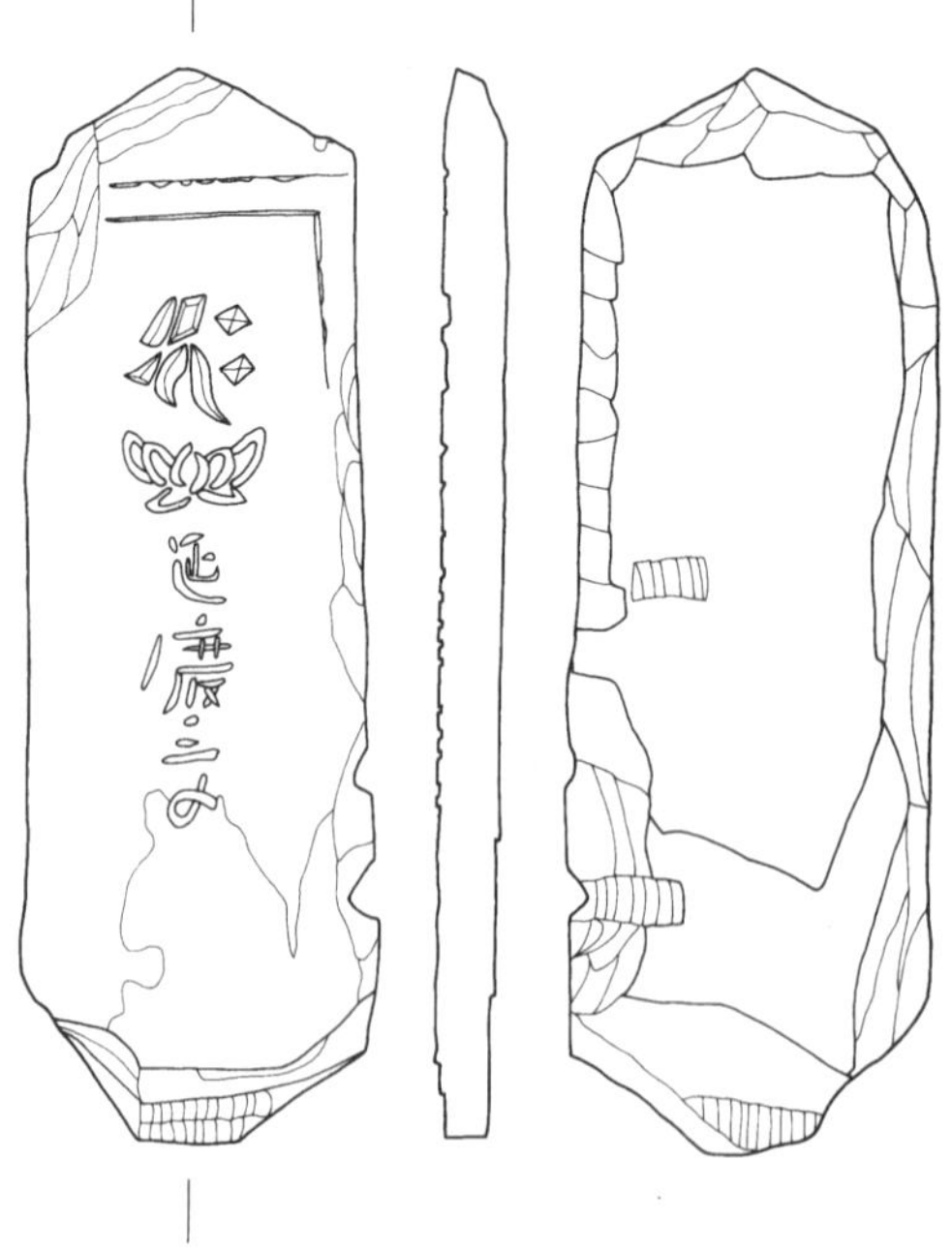

165　板碑　出土地不詳

実測図93（縮尺1/4）

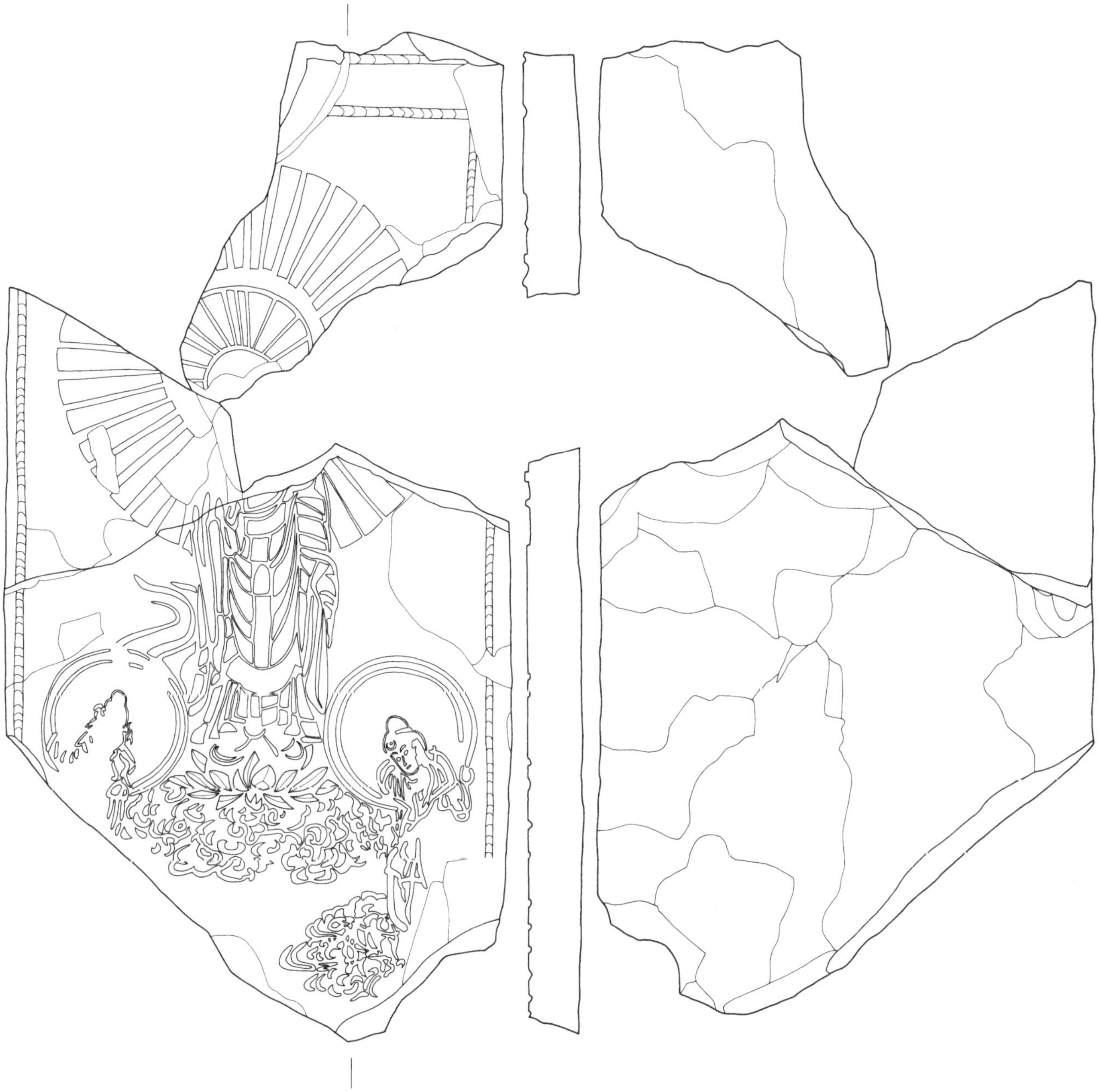

168　板碑　出土地不詳

実測図94（縮尺1/4）

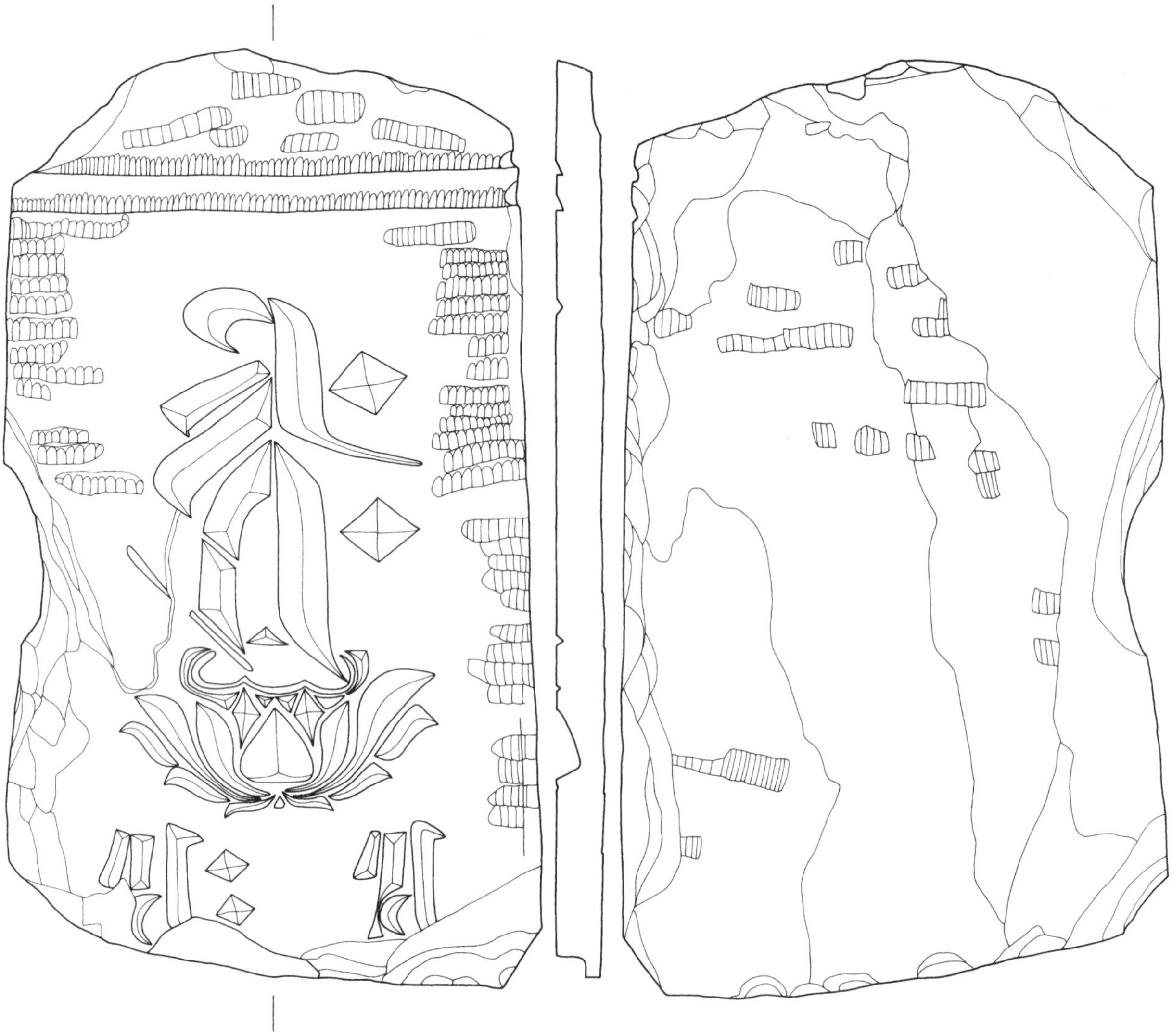

170　板碑　出土地不詳

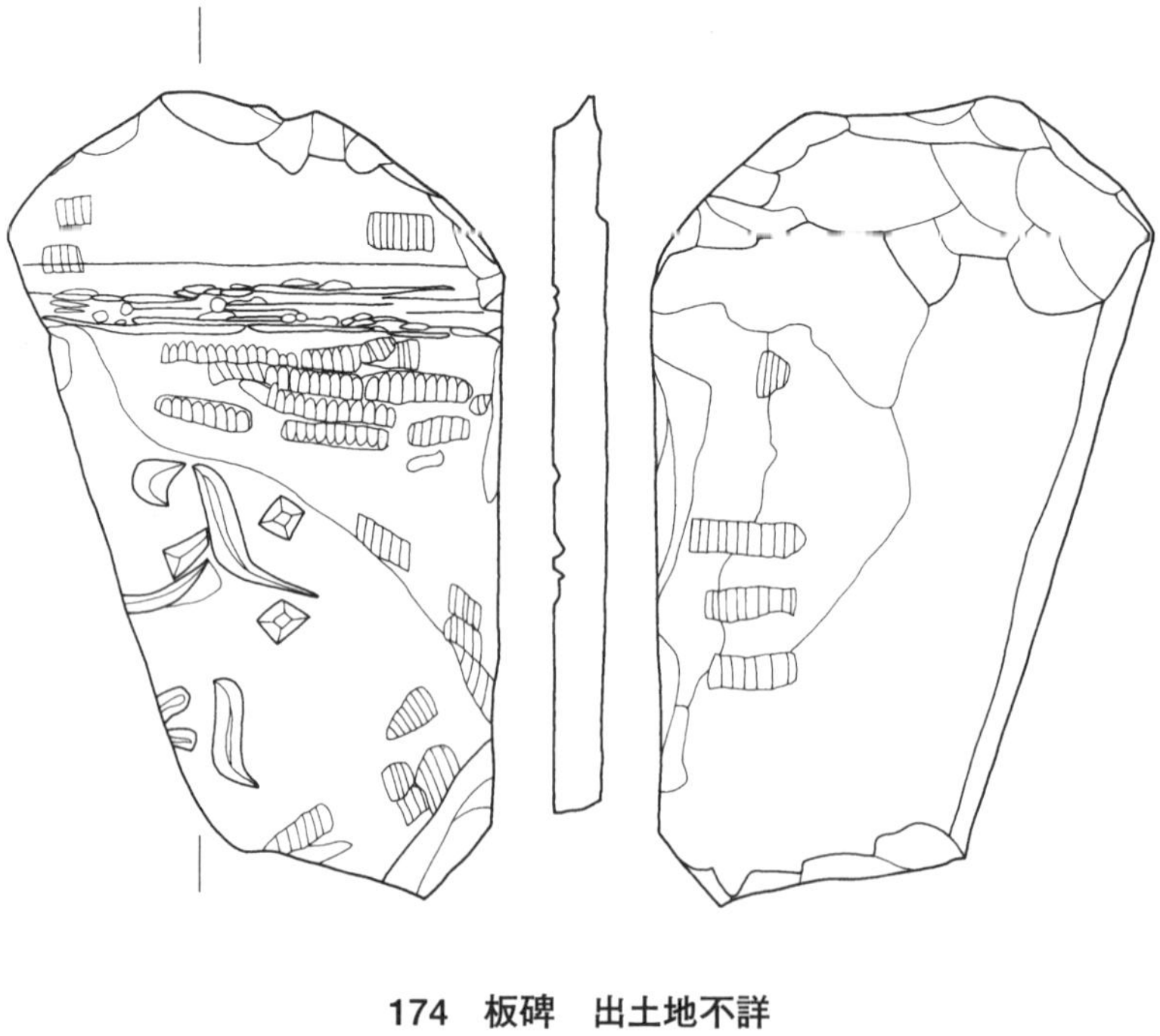

174　板碑　出土地不詳

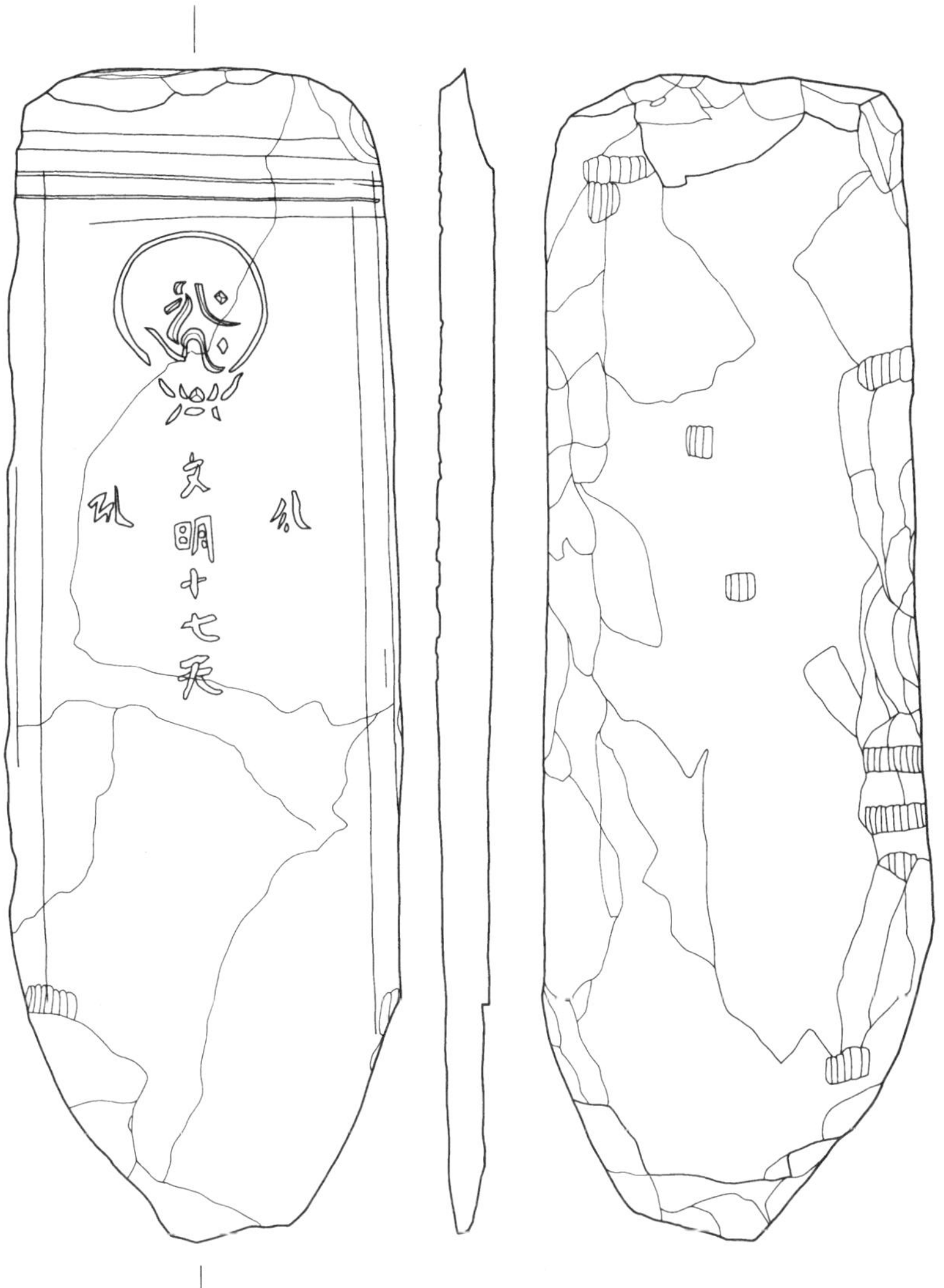

171　板碑　出土地不詳

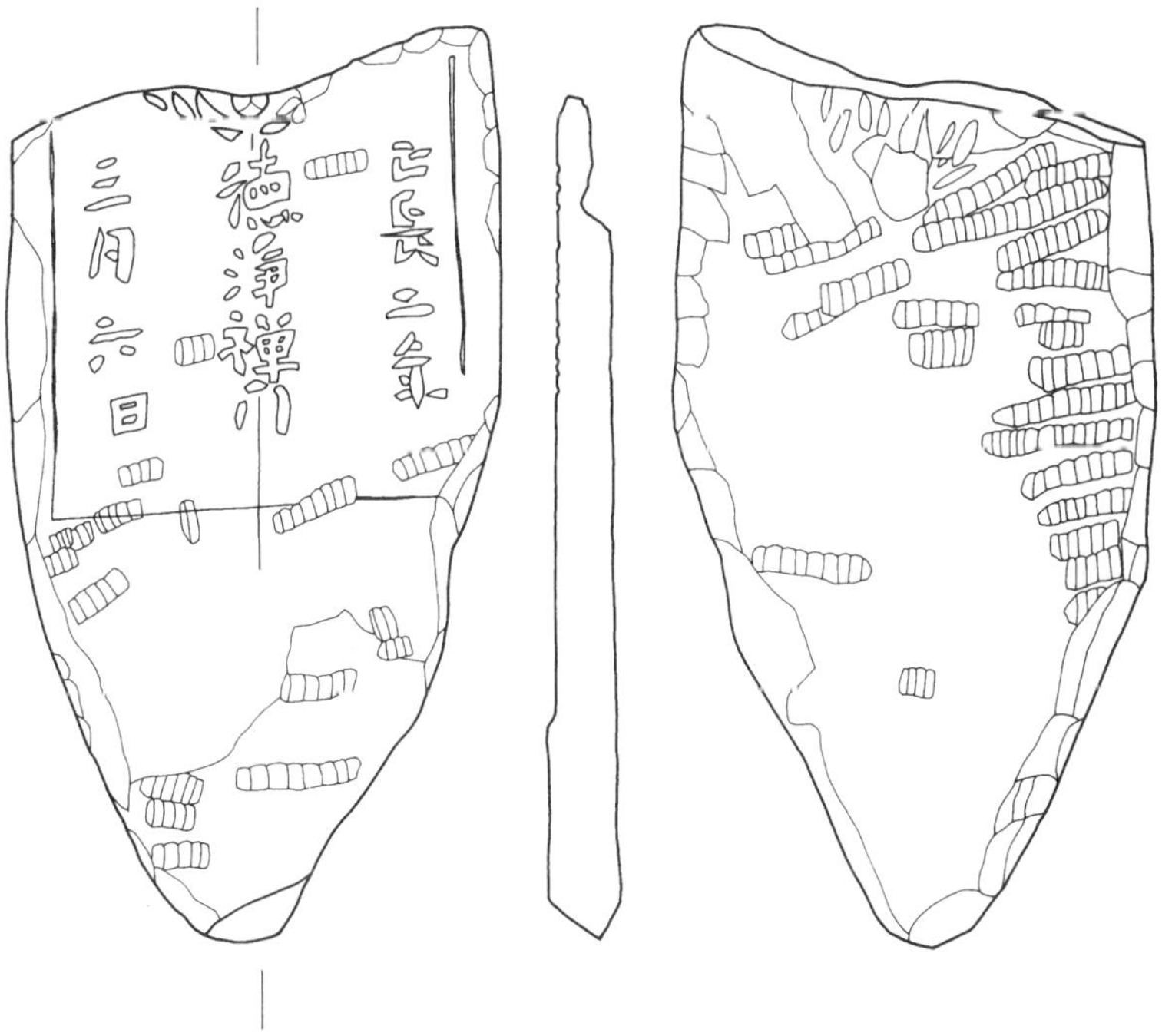

176　板碑　出土地不詳

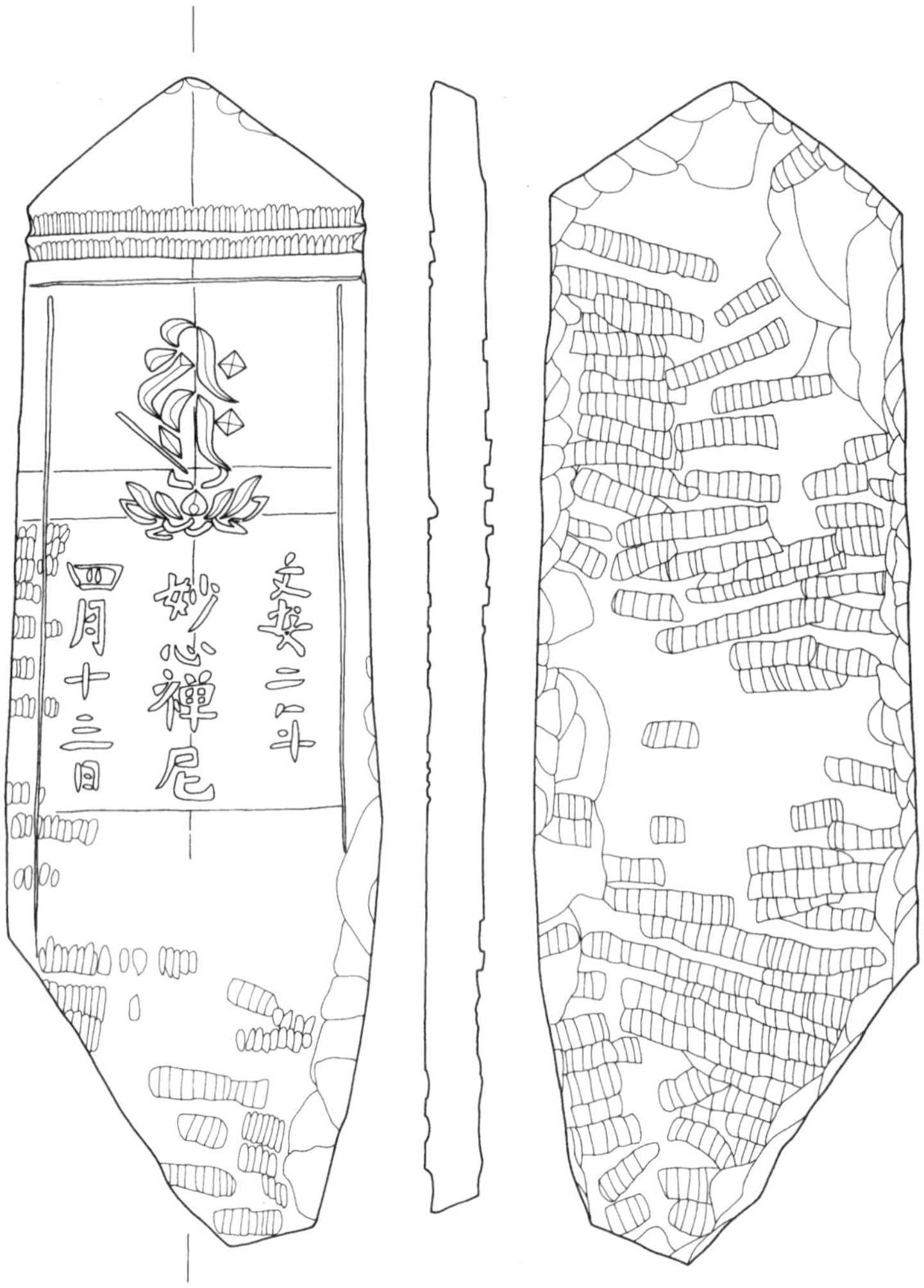

172　板碑　出土地不詳

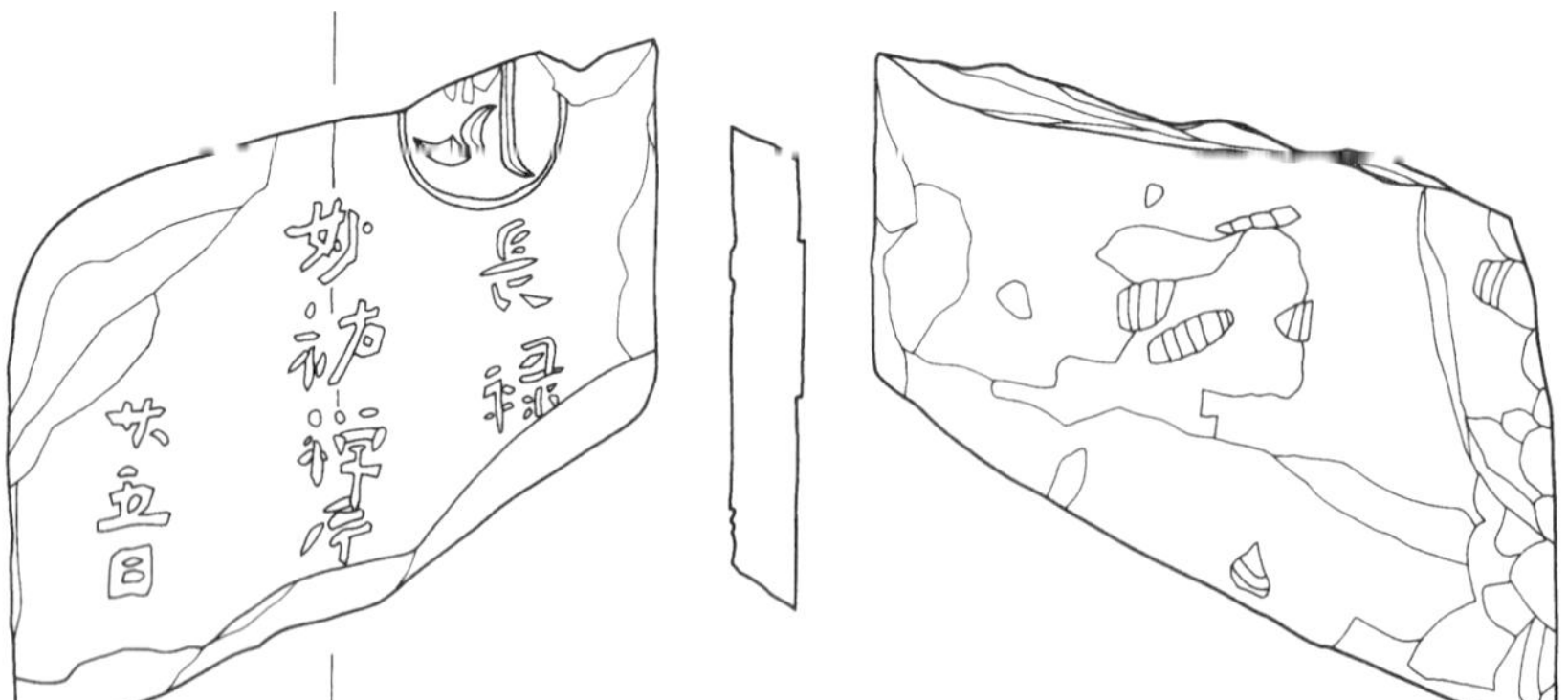

175　板碑　出土地不詳

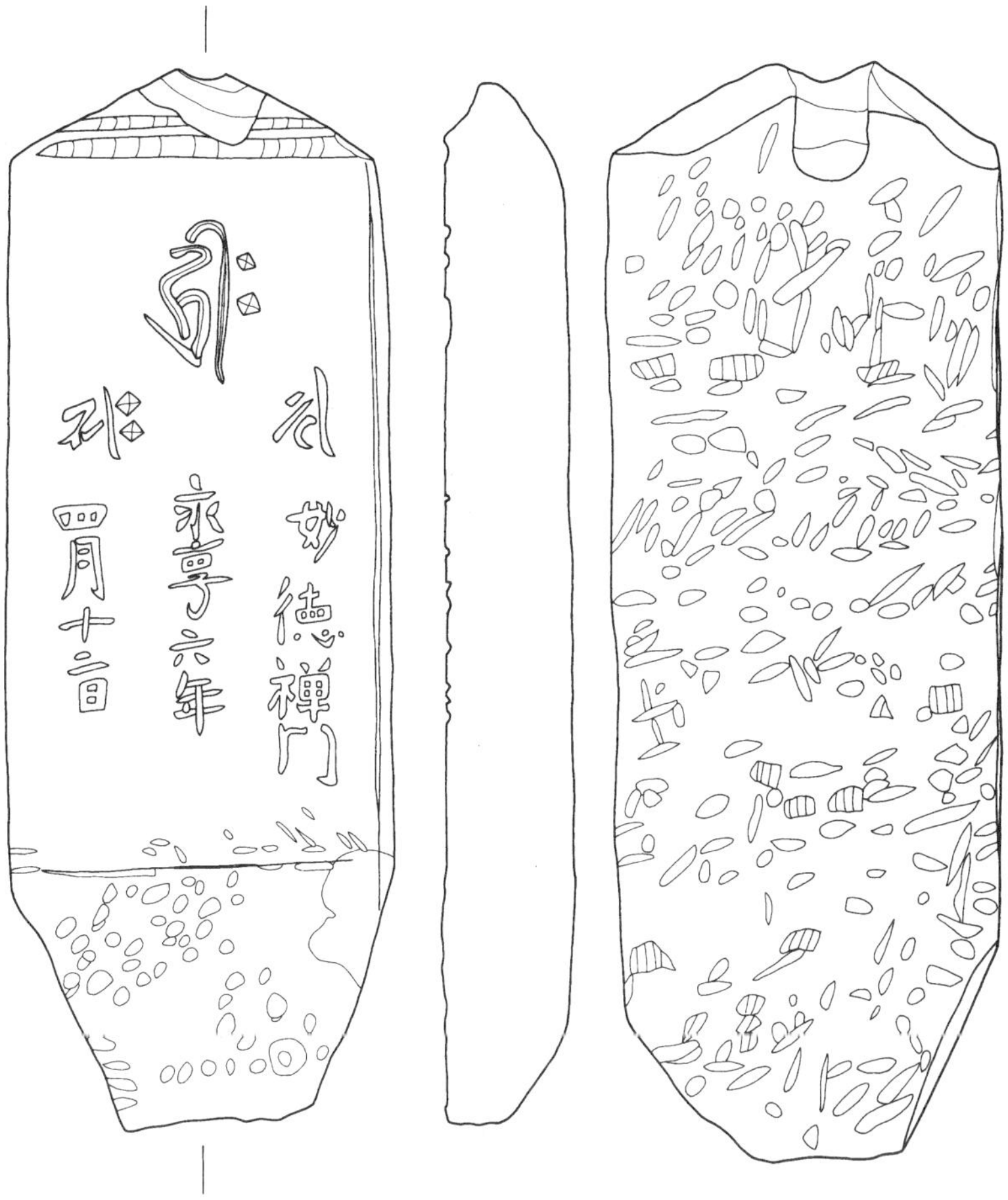

173　板碑　出土地不詳

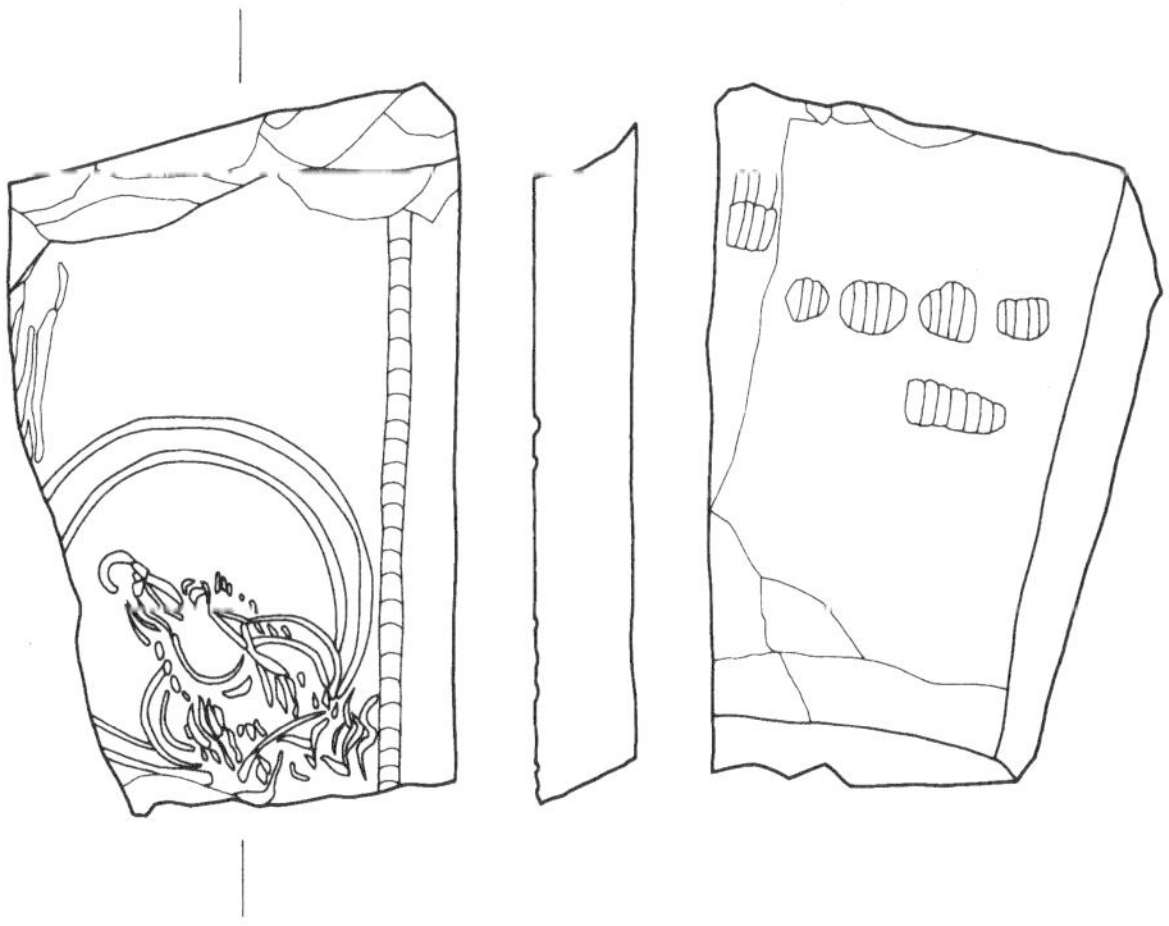

177　板碑　出土地不詳

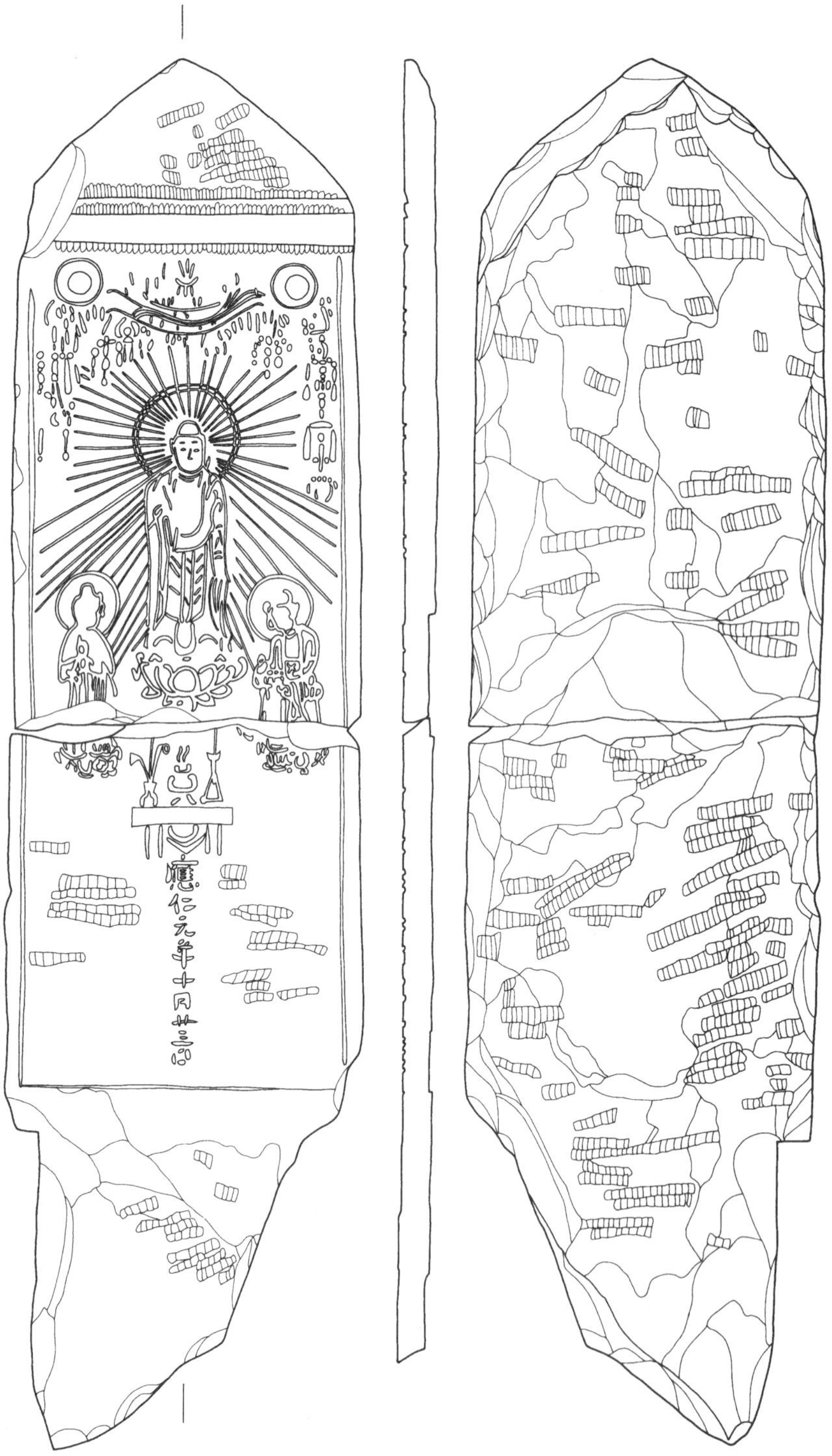

178　板碑　出土地不詳

第一章　板碑研究と東京国立博物館

はじめに

現在も路傍や墓地などでみかけることの多い板碑が地域に密着した資料であることはあらためて指摘するまでもないが、そのような性格をもつ板碑が東京国立博物館に多数所蔵されていることを知る人は、決して多くはなかろう。

ここでは、なぜ一七八枚にも及ぶ多数の板碑が東京国立博物館に所蔵されているのかということをあきらかにし、あわせて東京国立博物館における板碑研究の経緯を紹介することで、東京国立博物館における板碑コレクションの意義について考えてみたいと思う。

一、東京国立博物館における板碑の収集

東京国立博物館の板碑は、いつ、どのような方法で収集されたのであろうか。「列品台帳」の記載を手がかりに整理すると次のようになる。東京国立博物館に収蔵された年次、寄贈者など、収集の方法、括弧内に板碑出土地もしくは本書各個解説の番号の順で示した。

明治十二年（一八七九）十二月、工部大学校より引継（東京都千代田区霞が関三丁目）

明治十三年（一八八〇）八月、東京集治監より引継（東京都葛飾区小菅東京拘置所）

明治十五年（一八八二）、農商務省山林局より引継（東京都北区西ヶ原）

明治十六年（一八八三）八月、群馬県より引継（群馬県高崎市岩鼻町字久保西）

明治二十七年（一八九四）、江戸平一郎氏より寄贈（東京都大田区鵜の木光明寺）

明治三十一年（一八九八）八月、埼玉県より購入（埼玉県東松山市上唐子字大欠）

明治三十一年（一八九八）、警視庁より購入（東京都北区田端ＪＲ東日本田端駅構内松平頼平邸跡）

明治三十四年（一九〇一）七月、飯野竹之助氏より購入（埼玉県さいたま市西区佐知川）

明治三十四年（一九〇一）七月、金子義三氏より購入（埼玉県戸田市下戸田）

明治三十四年（一九〇一）十月、五日市警察署より購入（東京都あきる野市高尾）

明治三十六年（一九〇三）十一月、東京帝室博物館採集（東京都台東区上野公園東照宮裏山）

明治三十六年（一九〇三）、根岸伴七氏より寄贈（埼玉県熊谷市四方寺）

明治四十年（一九〇七）二月、岡部勝五郎氏より寄贈（神奈川県横浜市緑区長津田町字道正）

明治四十年（一九〇七）四月、内藤克二氏より寄贈（東京都北区田端）

明治四十一年（一九〇八）四月二十一日、梅原為吉氏より寄贈（神奈川県横浜市保土ヶ谷区峰岡町）

明治四十三年（一九一〇）三月、比留川茂助・比留川嘉助両氏より寄贈（神奈川県綾瀬市深谷落合）

明治四十三年（一九一〇）六月、小林力蔵氏より寄贈（茨城県境町百戸字マイゴオ）

大正二年（一九一三）三月五日、川島清五郎・前沢森右エ門・福島伊之吉三氏より寄贈（栃木県野木町野渡字仲沖）

大正二年（一九一三）十二月四日、群馬県山田郡矢場川村大字矢場字本矢場地区より寄贈（群馬県太田市矢場町）

大正三年（一九一四）五月、茨城県より引継（茨城県古河市大字立崎頼政廓跡）

大正六年（一九一七）二月二十八日、埼玉県より購入（埼玉県岩槻市尾ケ崎新田字新河岸地先綾瀬川底）

大正七年（一九一八）七月十九日、神奈川県より引継（神奈川県小田原市城山三丁目東海道本線線路敷地）

大正八年（一九一九）十二月十日、盧高朗氏より寄贈（東京都日野市日野本町）

大正九年（一九二〇）六月五日、栃木県より購入（栃木県小山市上石塚字愛宕東愛宕神社境内）

昭和二年（一九二七）十月四日、斎藤登喜司氏より寄贈（群馬県前橋市笂井町八日市）

昭和二年（一九二七）十月六日、徳川頼貞氏より寄贈（茨城県取手市白山六丁目大鹿城跡・出土地不詳多数）

昭和四年（一九二九）四月五日、加藤源四郎氏より寄贈（埼玉県川越市的場）

昭和四年（一九二九）四月三十日、埼玉県より購入（埼玉県川口市戸塚下台）

昭和六年（一九三一）四月二日、中丸安五郎氏より寄贈（神奈川県大和市深見坊ケ窪）

昭和六年（一九三一）四月六日、杉山寿男氏より購入（No.166）

昭和八年（一九三三）六月一日、武藤喜平氏より寄贈（No.167）

昭和八年（一九三三）六月一日、肥沼利三郎氏より寄贈（No.178）

昭和十一年（一九三六）六月十一日、宮田隆一郎氏より寄贈（埼玉県川越市古谷上）

昭和二十五年（一九五〇）六月二十九日、松本源吉氏より購入（宮城県名取市高館熊野堂字大門山、宮城県松島町雄島、宮城県内）

東京国立博物館における板碑の収集は早くも明治十二年（一八七九）に始まり、以後継続的に収集されているが、こうした収集を恒常的におこなうことができたのは制度的な裏付けがあったからである。その制度については以前詳しく論じたことがあるが（時枝二〇〇一）、東京国立博物館の板碑収集を理解するうえで欠かせないことなので、簡単に振り返っておこう。

明治九年（一八七六）四月十九日に太政官布告第五六号として「遺失物取扱規則」が出され、その第六条で「凡官私ノ地内ニ於テ埋蔵ノ物ヲ掘得ル者ハ、並ニ官ニ送リ、地主ト中分セシム」として埋蔵物を発見した時には発見者が役所へ届け出る義務があり、私有となることが決まった場合には地主と折半することが定められた。また、第十四条には「凡遺失物及ヒ逸走畜類ヲ得、若クハ埋蔵物ヲ掘得テ、官私ニ全ク送還セス、或ハ物主タル事ヲ証明スルニ、冒認シテ返還セサル者ハ並ニ律ニ照シテ処分ス」として、届出を怠たり、故意に隠匿した場合には、「新律綱領」によって処分するという罰則規定が設けられた。

こうした法的な整備をうけて、博物局は明治十年（一八七七）五月十四日に内務大臣にあて「各地方於テ発掘ノ古器物博物館へ保存之義ニ付伺」を出し、埋蔵物に関する積極的な提案をおこなった。

その内容は、埋蔵物については基本的に「遺失物取扱規則」によって処分するが、「処分ノ際本省へ具状為致、古ヲ徴スルニ足ルモノト認ルトキハ之ヲ輸取検閲シテ、人民ニ下付スヘキ金額ヲ博物館資本金中ヨリ支出シ、普ク充備致度」いというものであった。

つまり、処分前に発掘された埋蔵物について博物館へ詳細に報告し、学術的価値があると判断された場合には現物を博物館へ輸送する。博物館で評価をおこなったうえで、入用と認めたときには、博物館が適正額で購入するというシステムである。

そのため、「遺失物取扱規則」では「公私折半ニ処スル」ことが決められており、「本館ニ要スル物品ハ一半ヲ人民ヘ下附シ、一半ヲ大蔵省ヘ納付可致筈」ではあるが、「素ヨリ衆庶ノ知識開拡ニ供スル儀ニ付、其一半ヲ大蔵省ヘ納付不致候様仕度」いとする。大蔵省の諒解さえ得られれば、埋蔵物の評価額の半額を支払うことで、博物館の収集品に加えることができるというわけである。

博物局の提案をいれて、内務少輔前島密は明治十年六月九日に大蔵大輔松方正義にあて、埋蔵物の取り扱いについてあらたな方法を採用したい旨を伝えた。そのなかで、「各地方山林原野ノ開墾、道路溝渠之改修、或ハ寺院壊廃地等ヨリ発掘セシ物品宝貨、又ハ古墳中ヨリ得タル器什等」は、「遺失物取扱規則」にしたがって「官私折半ニ係ルモノ、或ハ私有ニ帰ルモノ等有之、其地方官於テ処分可致」ところであるが、それらの遺物は「古代ノ沿革、時勢ノ盛衰、工手ノ精粗ヲ考徴シ、人民ノ大偉業ヲ進ムルモノ」であり、「空シク野人ノ手ニ落チ、其何物タルヲ不弁、竟ニ其跡ヲ晦マスニ至リテハ遺憾之至」であると主張した。そのうえで、埋蔵物を「発掘セバ先ツ現物ヲ博物館ニ於テ検査シ、可ナルモノハ該館ヘ保護為致度」いので、「官私中分ニ係ルモノハ其価値ヲ博物局ニ於テ審定シ、一半ヲ貴省ヘ納付」することになっているが、「爾後発掘セシ埋蔵物ハ尽ク為差出、人民ヘ下附スヘキ金額而已博物館資本金之中ヲ以テ支給シ、該品ハ永ク博物館ニ保存致シ度」いと訴えたのである。

大蔵省は明治十年六月二十一日に内務省の提案に異議がない旨を回答したので、同年八月十日には太政官から布達してもらうよう右大臣岩倉具視にあてうかがったところ、同年九月六日に承認がおりた。その結果、同年九月二十七日に太政官布達甲第二十号が出され、埋蔵物を発掘した場合には内務省へ届け出て検査をうけることが義務づけられ、「古代ノ沿革ヲ徴スルモノ」については博物館で購入することが明示された。また、但し書きにおいて、まず書類による審査をおこない、重要と判断された場合には現物を博物館へ送付し、検査をうけるという手続きが示された。これによって、すべての埋蔵物についての情報が博物館に集まり、重要なものについては現物を確認することができる制度が成立したのである。それは博物館を頂点とする埋蔵物行政の基礎が固められたことを意味した。

その後、明治三十二年（一八九九）三月二十三日に民法が大幅に改訂され、第二四一条において「埋蔵物ハ特別法ノ定ムル所ニ従ヒ公告ヲナシタル後、六ケ月内ニ其所有者ノ知レサルトキハ、発見者其所有権ヲ取得ス、但他人ノ物ノ中ニ於テハ、発見シタル埋蔵物ハ、発見者及其物ノ所有者折半シテ其所有権ヲ取得ス」とされた。法文中にみえる「特別法」とは民法とあわせて法律第八七号として公布された「遺失物法」のことで、この法律によって埋蔵物の取り扱い方法が大きく変わることになった。

埋蔵物についてはおもに同法第一三条において規定され、「学術技芸若ハ考古ノ資料ニ供スヘキ埋蔵物ニシテ、其ノ所有者知レサルトキハ、其ノ所有権ハ国庫ニ帰属ス、此ノ場合ニ於テハ、国庫ハ埋蔵物ノ発見者及埋蔵物ヲ発見シタル土地ノ所有者ニ通知シ、其ノ価格ニ相当スル金額ヲ給スヘシ」とした。そのうえで、「埋蔵物ノ発見者ト埋蔵物ヲ発見シタル土地ノ所有者ト異ルトキハ、前項ノ金額ハ折半シテ之ヲ給スヘシ」とし、「金額ニ不服アル者ハ第二項ノ通知ノ日ヨリ六ケ月内ニ民事訴訟ヲ提起スルコトヲ得」ると定められた。

さらに同年四月八日には「遺失物法施行細則」が定められ、その第六条では、「遺失物取扱規則」第六条を改訂し、「官私ノ地内ニ於テ埋蔵ノ物品ヲ堀得ルモノハ之ヲ官ニ送ルヘシ、其主分明ナラサルモノハ地主ノ所有ニ帰スヘシ、若シ借地人其借地ヨリ堀得タルトキハ之ヲ地主ト中分セシム」とした。

こうして、法律の改定によって博物館を含む宮内省では「埋蔵物ヲ直接処分スル能ハサル事ニ相成」ったため、同年五月三日に宮内大臣から内務大臣にあて、「当省帝国博物館ニ於テハ将来益々右埋蔵物取調ノ必要有之、且其内学術技芸若クハ考古ノ資料ニ供スヘキモノハ該館ニ陳列候様致度一応当省ヘ報告ヲ受ケ、尚必要ノ場合ニ於テハ現品差出サシメ、且又相当代価ヲ以テ国庫ヨリ譲受ケ候様致度」い意志を伝えた。

しかし、それまでの埋蔵物行政が法的には一旦崩壊したことがあきらかであったため、五月三十一日には、東京帝国大学総長菊池大麗から帝国博物館総長九鬼隆一・諸陵頭戸田氏共にあてて、埋蔵物行政に東京帝国大学が直接関与する案が提出された。その提案は四項からなり、「(一) 古墳関係品ハ、先ツ宮内省 (諸陵寮及博物館) ニテ必要品ヲ撰取シ、其旨ヲ東京帝国大学ニ通知スルコト」、「(二) 石器時代遺物ハ、先ツ東京帝国大学ニテ必要品ヲ撰取シ、其旨ヲ帝国博物館ニ通知スルコト」、「(三) 此他ノ考古資料ハ、先ツ帝国博物館ニテ撰取シ、其ノ旨ヲ東京帝国大学ニ通知スルコト」、「(四) 地主又ハ発見人ノ意志ニ依リ、帝国博物館或ハ東京帝国大学ノ列品トスルコトアルヘシ」というものであった。

結局、この提案が部分的な修正のうえで受容され、内務大臣から各府県へ通達された。この遺失物法に対応して出された内務省令によって、石器時代の遺物は東京帝国大学、古墳出土品をはじめとする「学術技芸若ハ考古ノ資料」は宮内省という、埋蔵物の帰属が決定したのである。

つまり、埋蔵物を石器時代とそれ以後の時期に属するものに大別し、前者を東京帝国大学、後者を宮内省において取り扱うことを定めたわけであるが、石器時代の遺物を分離する方針は東京帝国大学の坪井正五郎によって押し進められたものであるという。

このように、東京国立博物館における板碑の収集は、埋蔵物行政の一環としておこなわれたものが大部分を占めており、板碑に限らず考古資料をまんべんなく収集しようとする博物館の収集方針の結果実現したものであった。板碑の各個解説をみるとわかるように、古墳から発見された板碑が少なくないことが知られるが、それはこうした制度上の制約が反映したものであり、古墳出土品が重点的に収集されるなかで、たまたま古墳から出土した板碑が東京帝室博物館にもたらされることになったからにほかならない。

明治時代後期から大正時代にかけて収蔵された板碑の数が増加したのは、考古学界において板碑への関心が強まったこともさることながら、この時期に地方の開発が進展し、それまで山林や原野であった土地を新たに開墾する事業が盛んに試みられたことが大きく影響している。また、栃木県野木町野渡字仲沖の例など、明治時代末期から大正時代初期に内務省主導でおこなわれた地方改良運動にともなう神社整理の結果、それまで神域とされていた場所が耕地などとして開発された際に発見された板碑が少なくない。東京国立博物館の板碑の収集は近代社会の大きなうねりと無関係ではなかったのである。

二、東京国立博物館における板碑の研究

それでは、東京国立博物館において、板碑はどのように研究されてきたのであろうか。簡単に振り返っておこう。

板碑の研究は、江戸時代の考証学者に遡るが、本格的に開始されるのは明治二十二年(一八八九)の白井光太郎論文以降である。白井は板碑の特徴や年代などについて整理し、板碑が中世の石塔の一種であることをあきらかにし、板碑の用語が定着することになったのである(白井一八八九)。その後、『東京人類学雑誌』『考古学雑誌』『歴史地理』などで板碑の報告が多く出されたが、そのうち『考古学雑誌』は東京帝室博物館を母体として成立した考古学会の機関誌であり、東京国立博物館収蔵の板碑の報告も掲載されている。

東京帝室博物館に在職した中島利一郎は、板碑の研究を精力的に推進し、『考古学講座』一九に「板碑」をまとめ(中島一九三〇)、概説と年表を公にしたが、年表では約二五〇〇点の板碑を集成し、概説では板碑の多様な実態をあきらかにした。中島の研究は文献を博捜して書かれたものであるが、博物館で実物をじっくりと観察した経験をうまく生かしたものでもあり、形態のみでなく幅広い視点から板碑を観察することの必要性を説いている。中島の研究は、服部清道の『板碑概説』(服部一九三三)の陰に隠れて今日取り上げられることが少ないが、『板碑概説』に大きな影響を与えたことは疑いないところであり、再評価されてよいものである。

昭和九年（一九三四）に東京帝室博物館では「建武中興六百年記念展覧会」を開催し、多数の板碑が出品されたが、そのなかに康永元年（一三四二）銘の新田義助板碑があった。それは群馬県尾島町安養寺出土のもので、銘文に『太平記』で著名な源義助の名が刻まれていたが、その真贋をめぐって論争が巻き起こされた。論争の経過はすでに縣敏夫によって詳細に論じられている（縣一九八七）が、肯定派と否定派に分かれて論争を展開し、中島は肯定派の中心として論陣を張った。論争はおもに『考古学雑誌』の誌上でおこなわれたが、それは論争の契機が博物館での展示であり、中島が直接編集に関わった『考古学雑誌』がもっともふさわしい場であると判断したからに違いない。

中島は肯定論の根拠を示すために、脇屋義助の文献学的研究を進め、そのうえで偽物であることを主張する否定派に対する積極的な反論を展開している（中島一九三四）。中島の研究方法は、板碑の観察を踏まえて、金石文史料としての情報をほかの文献史料と突き合わせて実証的に論じるというものであった。当時博物館に在職した入田整三も、金石文を文献史料との関連のなかに位置づけて活用しようとする姿勢をみせており、両者の方法はかなり近似したものであったとみられる。板碑には考古資料と文献史料との二つの側面が共存しており、中島の研究はその文献史料としての側面に注目したもので、今日の文献史学者による板碑研究を先取りしたものであったといえる。

中島の後、東京国立博物館での板碑の研究は久しく途絶えたが、昭和五十年代になって経塚研究をおもな仕事としてきた関秀夫が東京都あきる野市高尾出土の板碑について検討を加えている（関一九八三）。そこでは高尾の板碑について紹介した後、月待板碑の年表を提示し、月待供養のおこなわれた月や行事としての内容などについて考察を加えている。ここでも、議論の対象となっているのは、銘文中にみえる月待供養であり、板碑の文献史料的な側面である。しかも、その研究方法は、月待板碑の年表を作成し、そこから月待供養について考える手がかりを抽出しようとするものであり、その方法が中島の研究姿勢と通じるものであることは否めない。

このように、東京国立博物館における板碑の研究は、おもに金石学的な立場からなされてきた。それは、板碑に含まれる情報のうち、文字を媒介とした側面に主力を注いだ研究であったともいえる。確かに、板碑には通常の文献史料からは得られない文字情報が籠められており、その分析は今後も重要な分野であることに変わりはないと思うが、それでは板碑の考古資料としての側面を十分に生かしきれないことになろう。

おわりに

東京国立博物館では、入田整三の『日本金石文綱要』や関秀夫の『経塚遺文』など、多数の金石学の研究成果を世に問うてきた。通常の文献以外の文字資料と積極的に取り組んできたといえる。板碑もそうした金石学的な伝統のなかで捉えられる傾向があったことは否めない。

しかし、今後は板碑の文献史料としての側面に注目するだけでなく、考古資料としての側面も正当に評価し、研究することが必要となろう。いわば板碑を全体的に把握することが求められているわけで、観察結果を詳細に記述するとともに、文字では表せない情報を写真・拓影・実測図など視覚的な手段を用いて紹介しなければならない。板碑の銘文をより深く読み込むためには、板碑に関連するあらゆる情報を総合的に判断することが必要で、そのためには従来よりも詳細な情報を公開しなければなるまい。

本書は、その方法を模索するための一つの実験であり、今後の研究の飛躍のための基礎資料集として少しでも役立てれば幸いである。

〔引用・参考文献〕

縣　敏夫　一九八七　「板碑研究論争」『論争・学説　日本の考古学』第六巻

雄山閣出版
白井光太郎　一八八九　「板碑ニ就テ述フ」『東京人類学雑誌』第三五号
関　秀夫　一九八三　「康正三年銘の月待板碑―東京都五日市町高尾出土―」
『MUSEUM』第三八七号
時枝　務　二〇〇一　「近代国家と考古学―『埋蔵物録』の考古学史的研究―」
『東京国立博物館紀要』第三六号
中島利一郎　一九三〇　「板碑」『考古学講座』一九　雄山閣
中島利一郎　一九三四　「脇屋義助関係板碑考」『考古学雑誌』第二四巻第七号
服部清道　一九三三　『板碑概説』　鳳鳴書院
（時枝　務）

第二章　考古資料としての板碑

はじめに

考古資料は考古学の研究対象となる資料のことで、大きく遺構・遺物・出土状態の三要素に分けて考えることができるが、それらは互いに深く結び付いており、一つの要素のみを切り離して理解できる性格のものではない。

板碑は、それ自体石材を加工して製作された造形物であり、考古資料の三要素の一つである遺物であることは疑いない。しかし、そこに刻まれた文字は文献史料に通じるものであり、従来金石学の対象となってきた金石文の一つである。つまり、板碑には考古資料としての側面と、文献史料としての側面が共存しているわけで、資料論としてはその二つの側面の微妙な性格の相違を十分に踏まえて検討を進めなければならないといえる。

そもそも、考古資料としての板碑は石工の肉体労働の所産であり、そこに記された文字情報は僧侶などの知的活動の所産であるといえ、投与された労働の性質を異にしている。さらに細かいことをいえば、銘文の内容は文献史料であるが、それを刻み込む作業の結果としての銘文は、その技術やデザインを含めて、考古資料として検討されるべきものということができる。

ここでは、おもに考古学の立場から板碑の資料的特性を論じ、東京国立博物館所蔵の板碑の理解を深めるための手引きとしたい。

一、遺物としての板碑

考古学で遺物を考える際に忘れてはならないことは、遺物は製作時、使用時、廃棄時など、それぞれの段階で異なったあり方をみせるということである。板碑の場合、石材を採取し、石工が製品として加工し、さらに流通し、消費者によって供養などに使用されるのであるが、われわれがみることができるのは、最終的な姿であり、途中の状況を把握することは非常に難しい。とりわけ、廃棄された状態で発掘された場合には、製作や使用の状況を知ることが困難であり、考古学からの板碑研究の限界を思い知らされることになる。

しかし、ほんとうに製作や使用の状況を知る手がかりはないのかというと、製作時については遺物の型式や製作技術から考えることが理論的には可能であり、考古学者はそれを型式学と呼んでいる。実際、板碑のかたちには時期差と地域差がみられ、時期差が流行や製作者・消費者の好みの変化を反映する傾向が強いのに対して、地域差は石材や加工技術の差、つまり生産地による相違が顕著に現れることが多い。こうした型式差を微細に検討していけば、時間を経糸に、空間を緯糸にした、編年と分布の織物が完成するはずであるが、そのために要する労力は並大抵のものではないであろう。

その作業において注目しなければならない観察点は、板碑の形態に関するものと、製作技術に関するものに大きく分けることができる。

まず、形態に関するものとしては、板碑の全形・首部二条線・枠線・天蓋・種子・蓮座・花瓶・三具足などさまざまなものがある。

板碑の全形は、典型的な武蔵型板碑だけでなく、砂岩や花崗岩などの石材で製作されたいわゆる類型板碑、あるいは川原石をそのまま利用した自然石板碑なども問題になるので、最終的には「板碑とはなにか」を考古学の立場から考えることに通じる重要な観察点である。しかも、形態の問題は製作技術の問題と切り離すことができないので、両者の関わり方を十分に考慮しながら検討を深めなければならないであろう。頭部型式が製作技法と密接な関係にあることは三宅宗議が具体的に論じている（三宅一九九二）。

首部二条線も羽刻みと呼ばれるような明瞭なものから、光にかざしてかろうじて観察できるものまで、実にさまざまなものがある。従来、首部二条線の問題は板碑の起源論と関連させて論じられることが多かったが、一端起源論と切り離したうえで、あらためてその性格について考える必要があろう。首部二条線が時代とともにどう変化し、どんな地域色があるのか、実はまだあまりよくわかっていない。

枠線は板碑の平面のレイアウトと密接な関係にあり、その有無だけを記載するだけでは、枠線が本来果たした意味を読み取れないことがあきらかになってきた（三宅一九九八）。今回、東京国立博物館所蔵の板碑を観察してみて感じたのは、四辺が揃った枠線がいかに稀かということであり、不明瞭な枠線もきわめて多かった。なんのために枠線を設けたのか、いま一度考え直してみることが必要であろう。

天蓋は、月待などの民間信仰に関連する板碑では広く採用されているが、かならずしも一般的なものではない。しかし、形態を把握し易いところから、すでに編年研究も試みられている（上坂一九八四）。もっとも、天蓋は本来荘厳具であるが、近世には葬儀になくてはならない用具になっていたことからすれば、機能的な問題も含めて考えたいところである。花瓶や三具足についても同様である。

種子は、それ自体が呪術性を帯びたものであり、文字情報を多分に含むところから、文献史料としての性格も併せもっているとみてよい。もっとも多い種子であるキリークに二種あり、しかも時代とともに形態が変化することはよく知られているところであるが、なぜ変化したのかという要因まで追求したい。種子の模本のようなものがあり、それをもとに種子の彫刻がなされていた可能性があるので、種子の形態から石工に迫れる可能性がある。種子から本尊名を知るだけでなく、種子に関わった僧侶や石工などの動向を含めて、さまざまな情報を読み取る努力が今後求められてくるのであろう。

蓮座は多様なものがみられ、なかでも蝶型蓮座のように限定された地域に集中的に分布するものは、製品の流通範囲を絞り込む有力な手がかりとなる（渡辺一九九九）。渡辺美彦は板碑の半製品が石材採取地付近の生産地から多摩川下流域にもたらされ、そこで碑面に最終的な彫刻が施されて製品として完成したと推測し、消費地の近くに碑面の細工をもっぱらおこなう工房があったと考えている。板碑の流通経路を解明するためにも、蓮座の時期別、地域別変化の究明は早急の課題である。

ついで、問題となるのは製作技法であるが、その解明の手がかりは唯一製作時の痕跡である。具体的には打割痕・研磨痕・割付痕・銘文等彫刻・金箔などが検討対象となる。

打割痕といっても、さまざまな段階の加工痕があるわけで、石材採取時の矢穴も意外と残されており、その後成形、整形、表面調整というように各段階の痕跡が残されている可能性がある。それらを識別することは石器研究の方法に学ぶことで、ある程度達成できると信じてよい。段階ごとに工具を異にしていたようで、工具の違いを見分け、加工痕の切り合い関係を読み取れば、製作技術の復元は不可能ではないはずである。石材の採取の問題も重要な課題であるが、その解明のためには石材採掘地と周辺の発掘調査の実施がどうしても必要で、遺物としての板碑の研究だけでは究明できないであろう。とはいえ、解明の前提として、消費地から出土した板碑の石材の同定が欠かせないわけで、本書でも地質学者による石材同定の結果を掲載した。

割付痕は板碑のデザインをレイアウトした際に付けられたものと考えられ、板碑の平面空間を理解するうえで重要な手がかりとなる。実際には、浅い縦横の線であり、拓本を採れば浮き出てくるが、それでも見えない線もあり、光線をうまく利用して精緻な観察をおこなうことが必要である。菊池大樹は東北地方の板碑を事例に碑面の構成を検討し、上方に本尊を祀る聖なる空間、その下に偈文に象徴される準聖域、下方に銘文に示される俗なる空間を配置していると論じている（菊池二〇〇三）。板碑のデザインは、板碑のなかに宗教的な世界をいかに表現するかという点にあるとみられ、単なる技術上の問題に留まらないようである。逆に、レイアウトから、板碑に秘められた意味を読み解く手がかりが得られるかもしれない。

それに対して、研磨痕は観察が困難で、しかも研磨されることで失われてしまった情報が多く、対物顕微鏡をはじめ理化学的な道具を導入することでようやく問題の解決に至れるかもしれないが、克服しなければならないさまざまな問題が横たわっている。

銘文等の彫刻は、従来、書かれた内容に注目するあまり、彫法についてはあまり関心がもたれてこなかった。今回、多数の板碑を観察してみると、銘文の彫刻は意外と下手なものが多い。これがはたして専業の石工の仕事だろうかと思うような作例が枚挙に遑ないほどである。石工が消費地の付近にいて、各地で作業が進められたため、いわば村の石工の技術差が反映したものとみられないこともない。しかし、ここで注意しなければならないのは、文字を理解しているか否かで、銘文の仕上がりが異なるだろうという点である。あるいは原稿が下手ならば、いくら石工の腕がよかろうが、できあがった製品は見栄えのしないものにしかならないということである。銘文を書けたのは識字層だけで、読めたのも同様であるから、板碑をめぐるどのくらいの人々が文字を解したのかは興味のあるところである。下手な文字の背後には苦心して読み書きを身に付けた人物がいたかもしれないのである。板碑の文字は中世の人々がどれだけ文字を解したかという重要な問題とも密接に関係しているのである。

文字に金箔を漆で貼った例は、東京国立博物館所蔵の板碑のなかにも比較的多く認められた。一般に板碑の文字は金泥で書かれたといわれているが、今回観察したものは、いずれも漆で金箔を貼り付けたもので、金箔が剥げ落ちても漆が残存している例も多数みられた。一例だけ、朱を使った例がみられたが、例外的なものであった。金箔を貼るためには、金箔が入手できたとしても、漆を使用する技術をもたなければならないわけで、はたして石工がおこなったものか疑問がある。まして金箔が容易に入手できなかったとすれば、金箔を製作することも必要であり、板碑の生産に案外多種類の職人が関わっていた可能性が指摘できる。このあたりの問題は単に石材の原産地が板碑の生産地とばかりはいえない可能性を示唆する。交通の便のよい都市的な場にも注目する必要があるかもしれない。

このように、生産時の痕跡はさまざま残されているが、使用時の痕跡となると、まったく手がかりがない。東京国立博物館所蔵の板碑を観察した限りでは手がかりを見出すことができなかった。

廃棄時の痕跡については、一部故意の破壊としか考えられない痕跡を確認することができた。板碑は発掘調査でも破損した状態で発見されることが多いが、それは破壊された板碑が意外と多いことを示しているのかもしれない。生産時の痕跡を厳密に見極めることができるようになれば、自ずと廃棄時の破壊痕を識別することができることになるはずであり、観察の事例を増やし、その結果を正確に記録する方法を模索することが大切であろう。

二、発掘された板碑

東京国立博物館所蔵の板碑の多くは関東地方の遺跡から出土したものである。板碑を出土する遺跡には、城館跡・集落跡・寺院跡・墳墓跡などさまざまな例があるが、東京国立博物館所蔵の板碑の場合、偶然出土のものばかりであり、人骨や骨壺をともなった墳墓跡の場合に性格を知ることができるのみである。

墳墓にともなう板碑の典型例である宮城県名取市熊野堂字大門山の例では、板碑が造立時のあり方を示す状況で検出されており、板碑が年忌法要に際して現在の木製卒塔婆と類似した使用法で造立されていたことが推測されている（千々和一九八八）。

遺物としての板碑が遺跡とどのような関係にあるのかを如実に示すのが板碑の出土状態である。遺跡から発見される板碑は、意外にも堀や井戸内へ廃棄された例が多く、墳墓脇に転倒しているなど本来の使用状況をうかがわせる例はごく稀である。堀や井戸内に廃棄された板碑は、大部分破損しており、板碑を片付けた後に一括して廃棄したという様相を示すものが多い。城割などと同様に中世的な領主権力の否定を象徴的に示す行為が存在した可能性も否定しきれない。もっとも、城館内から発見される板碑は、屋敷墓の存在を暗示するものであり、単純な廃棄物とばかりはいえない。

このような状況を考えると、現在路傍などに立っている板碑も、近世以降に掘り出されたものが案外に多いのではないかという疑問を拭い去ることができない。地上にある板碑もりっぱな考古資料であるが、出土状態に関する情報を欠いている点では、発掘資料ほどの情報量はないといわねばならない。なかには、近世の墓石などとして再利用されたものもあり、そうしたものは転用の概念で把握することが妥当であろう。

本来の場所に本来の使用法をうかがわせるような状況で残されている場合を放置と呼ぶとすれば、放置・廃棄・転用という出土状態が板碑にはあったことになる。そして、それ以外に板碑を製作後早い段階で、宗教的な意図などの目的をもって埋めた場合、すなわち埋納の事例が存在する可能性が高い。金箔の保存状態があまりにもよい例などは、製作後まもなく埋納された可能性があろう。

板碑を遺跡・出土状態との関連で捉えるのは、考古学者の独壇場であり、今後板碑の考古学の重要な分野を占めていくであろう。しかし、重要なのは、単に発掘された板碑ばかりを取り扱うのではなく、従来から知られている資料を見直し、新たに発見された資料と突き合わせて、資料から最大限の情報を引き出す方法を練磨することであろう。

おわりに

このように、考古資料としての板碑の研究は、まず遺物としての型式学的な研究が前提であり、その成果を発掘調査の出土品に適用し、さらに出土状態を介して遺跡論と絡ませることで、実り豊かなものとなることが期待できるのである。

板碑それ自体は中世の葬送儀礼や宗教と密接に関わるものであるが、考古学的な立場から研究する際には、まず物質資料としての板碑の生産・流通・消費の全貌を解明する作業が試みられねばなるまい。宗教のような見えない存在は、考古学がもっとも不得手とする対象であり、それに迫るためにはそれを取り巻く状況が解明されていることが望ましい。そのうえで、板碑の造立が葬送儀礼のなかでどのような意味をもっていたのか、あるいは月待供養の主体である結衆の人々にとって板碑とはなんであったのかが議論されることになろう。

すでに繰り返し述べてきたように、板碑は考古資料としての側面と文献史料としての側面が共存する稀有な資料であり、まさに考古学と中世史が協業することのできる恰好の素材であるといえる。

今後は、まず板碑を記録化し、研究者共有の財産としたうえで、さまざまな研究を試みることが求められてこよう。本書はそのための素材を提供することを意図したものにほかならない。

（時枝　務）

〔引用・参考文献〕

上坂　悟　一九八四「板碑に見られる仏具」『板碑の総合研究』総論　柏書房
菊池大樹　二〇〇三「東北地方の板碑と死生観」『前近代日本の史料遺産プロジェクト研究集会報告集二〇〇一―二〇〇二』
千々和到　一九八八『板碑とその時代　てぢかな文化財　みぢかな中世』平凡社
三宅宗議　一九九二「井内石板碑の成形技法と頭部型式」『石巻の歴史』第六巻　石巻市
三宅宗議　一九九八「武蔵型板碑の銘文配置―和光市新倉午王山遺跡の板碑の場合―」『埼玉史談』第四五巻第一・二号
渡辺美彦　一九九九「多摩川下流域に見られる地方色のある『蝶型蓮座』板碑」『多摩の板碑』町田市立博物館

第三章　各個解説

一、宮城県

（一）宮城県名取市高館熊野堂字大門山（旧宮城県名取郡高館村熊野堂大門）

仙台平野南西部の高館丘陵の東端傾斜面に位置する（第1図）。北東約六〇〇《メートル》の所に熊野神社が鎮座し、その参道の両側には院坊跡が残され、大門山と谷一つ隔てた山麓には熊野神社の神宮寺である新宮寺の遺跡も確認できる。熊野神社には「名取の老女」の熊野参詣志願の伝承があり、金注連などの特異な遺物が残されており、中世に栄えた寺社であったことが知られる。しかも、南方約一二〇〇《メートル》の地点に鎮座する熊野那智神社の境内からは中世の懸仏が多数発見されており、付近一帯が中世に栄えた霊場であった可能性が高い。大門山はそうした宗教的な環境のなかにある墓域であり、昭和六十一年（一九八六）から翌年にかけて名取市教育委員会による発掘調査が実施され、板碑をともなう中世墳墓の存在が確認された（第2図）。墓地は最上部に経塚を築き、その下の傾斜面を掘削して複数の段を設け、その平坦面に集石墓を営んでいた。なお、周辺は近年宅地造成が進み、旧来の景観を留めていないが、遺跡部分は緑地として保存されている。

大門山の板碑は昭和十年（一九三五）に偶然発見され、それを調査した松本源吉の報告「陸前名取郡の古碑」（松本一九三七）が東京考古学会の機関紙『考古学』に掲載されたことで、広く知られるようになった。松本によれば、大門山の板碑は建治四年（一二七八）のものが最古で、康暦二年（一三八〇）のものが最新であるといい、十三世紀から十四世紀にかけて造立されたものであることが知られる。その後、千々和到は大門山の板碑群のなかに、同一人を供養したものが複数みられることを指摘し、一族の墓地にともなう板碑群であると考えた（千々和一九九一）。

第1図　大門山の位置（2万5千分の1）

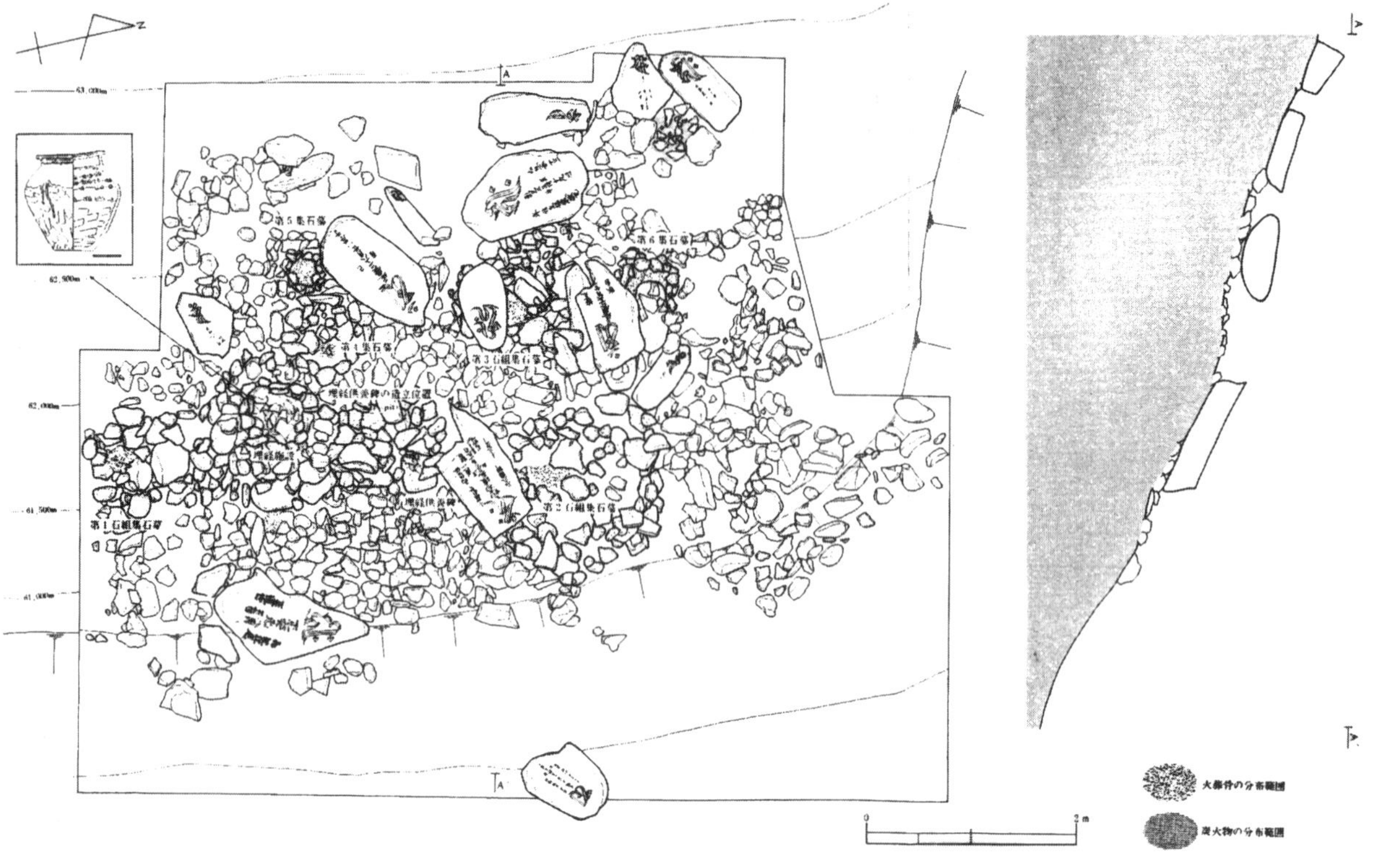

第２図　大門山遺跡の集石墓（名取市教委1988による）

１　板碑　J－三六六五八－一　（写真図版３・17、拓影１、実測図１）

昭和二十五年（一九五〇）六月二十九日に松本源吉氏から購入したものである。宮城県内出土の瓦などと一緒に購入されているところから、松本が自ら収集したコレクションの一部であると思われるが、出土地以外の情報は不明で、「陸前名取郡の古碑」にもみえないものである。板状の頁岩を加工した板碑で、現存高四三・三センチ、幅二二・四センチ、厚二・八センチを測る。正面は右方向からの打撃によって平坦な面を作り出し、その後左裏面方向からの打撃を加え、石材を成形する。なお、本稿で使用する「成形」は形式を作り出す第一次剥離の段階に対するもの、「整形」はさらに細部の加工をおこなう第二次剥離の段階に対する用語として用いている。裏面も同様で、最初左側面方向からの打撃を加え、ついで右側面を加工する。外形は細かな剥離によって整形するが、かならずしも整然とした形式を示していない。正面上部に金剛界大日如来の種子バンを表す。彫法は薬研彫に近いが、彫りが浅い。下部を折損する。大門山の板碑の石材は安山岩で、川原石を利用したものが主体を占めており、頁岩製のものは確認されていないところから、本例が大門山出土であることが確実ならばきわめて貴重な資料であるといえる。十三世紀後半から十四世紀前半に製作されたものと考えられる。

〔参考文献〕

松本源吉　一九三七　「陸前名取郡の古碑」『考古学』第八巻第二号
名取市教育委員会　一九八八　『大門山遺跡発掘調査報告書―中世における墓制・葬制の実証的基本調査―』
千々和到　一九九一　「板碑・石塔の立つ風景―板碑研究の課題―」『考古学と中世史研究』名著出版

（二）宮城県松島町雄島

雄島は松島群島のなかでももっとも陸地に近い場所にある島で、現在は浜との間に橋が架けられていて、容易に渡ることができる（第3図）。約一キロ北方には瑞巌寺が所在するが、そこは中世に円福寺が所在した場所で、同寺は蘭渓道隆をはじめとする中国人僧侶が訪れた臨済宗の拠点的寺院として知られる。円福寺は建長年間（一二四九～一二五六）に天台宗延福寺から改宗された寺院であると伝え、密教色の強い寺院から禅宗寺院へと展開したようである。瑞巌寺の参道周辺には多数の塔頭寺院が営まれており、背後の丘陵麓の傾斜面には鎌倉で「やぐら」と呼ばれる墳墓窟が開削されており、多数の板碑が確認されている。雄島の中央部には坐禅堂が営まれ、一段下がった平坦地には松吟庵があったと伝え、島全体が仏教の行場としての性格を備えていた（入間田一九八八）。雄島には「やぐら」が存在し、七〇基を越す板碑が造立されており、瑞巌寺周辺とともに松島のなかで重要な霊場となっている（宮城いしぶみ会一九八二）。佐藤正人らは昭和六十三年（一九八八）に坐禅堂の南側の発掘調査を実施し、岩盤に板碑を挿入するための溝を掘り、その前面に祭壇状遺構や納骨孔が営まれていた状況を具体的にあきらかにした（第4図、佐藤一九九一）。雄島は行場であると同時に、納骨信仰の霊場であり、それゆえに多くの板碑が造立されたと考えられる。

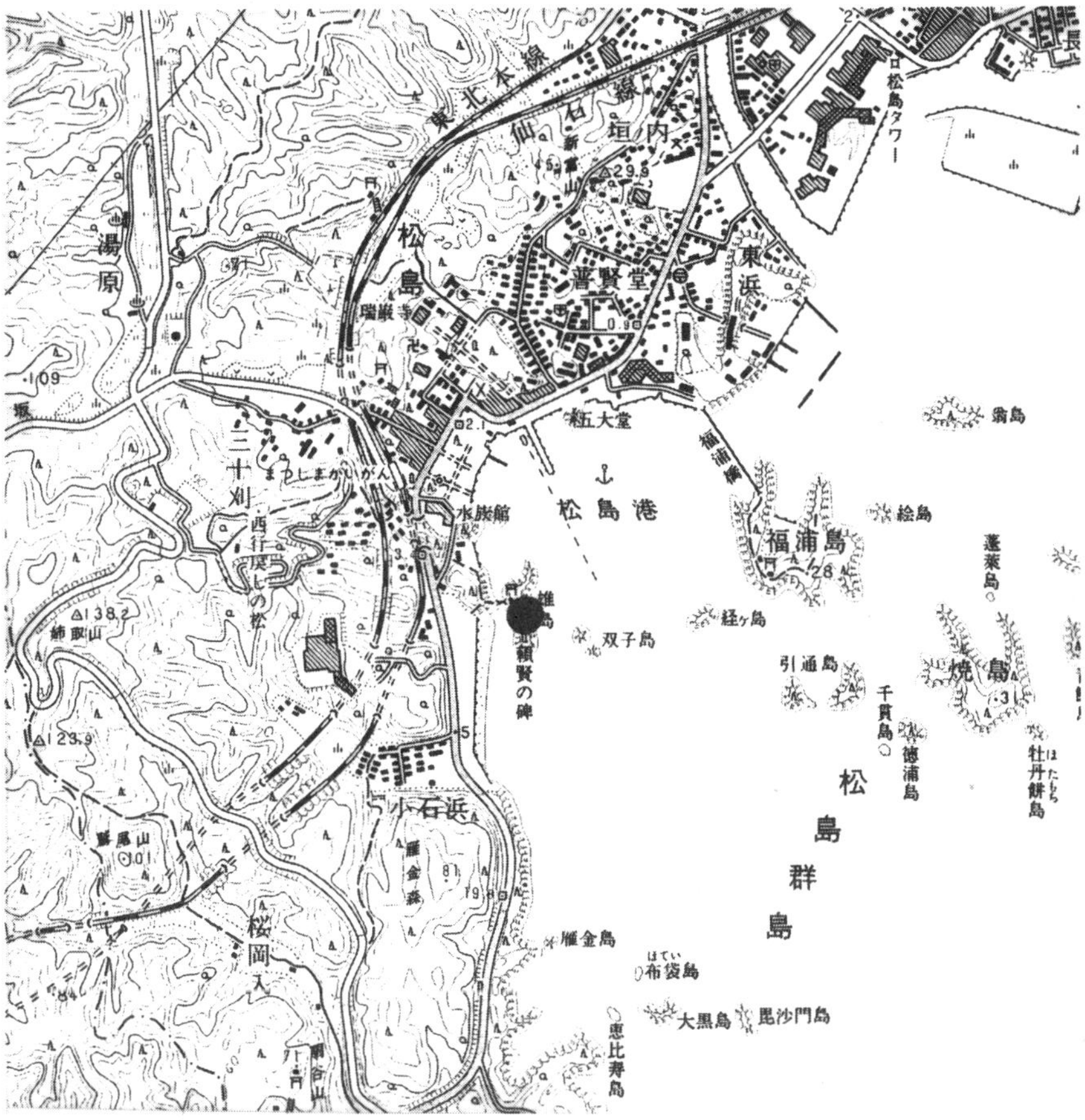

第3図　雄島の位置（2万5千分の1）

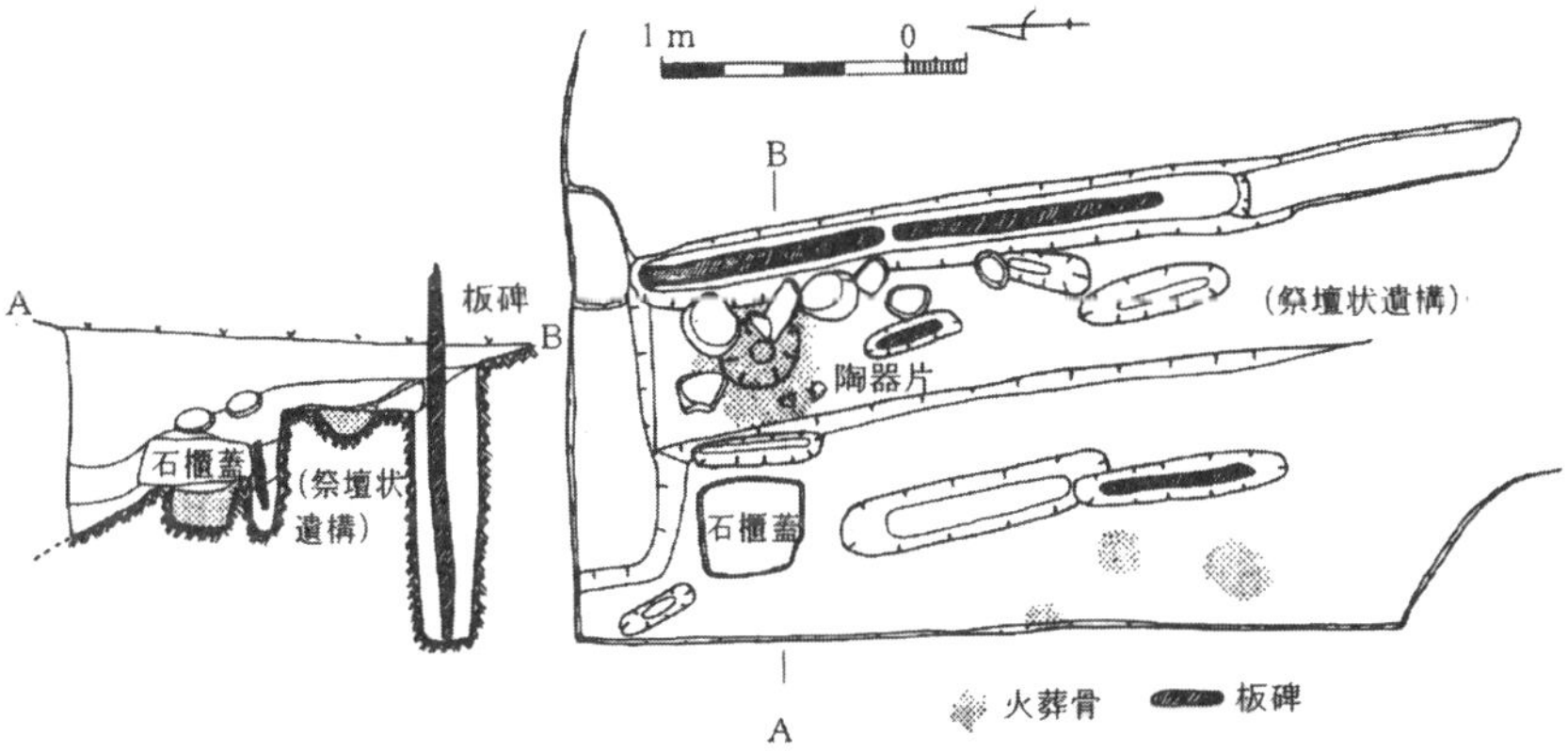

第4図　雄島の板碑と祭壇状遺構（佐藤1991）

2　板碑　J－三六六五八－二　（写真図版17、拓影1、実測図1）

昭和二十五年（一九五〇）六月二十九日に松本源吉氏から購入したものである。板状の頁岩を加工して製作した板碑で、高三二・八センチ、幅一三・五センチ、厚二・〇センチの小型のものである。正面は左側面方向からの打撃による大きな剥離ののち、右側縁下半部を中心に細かな調整をおこない、外形を整えている。裏面は左右双方からの調整を加えているため最初の大きな剥離面が正面ほど明確でない。正面上部に火天もしくは大吉祥大明菩薩の種子ラを刻む。彫法は薬研彫に近いが、彫りが浅い。全体に風化が進行している。頭部を欠損している可能性がある。十四世紀のものと考えられる。

〔参考文献〕

宮城いしぶみ会　一九八二　『松島の板碑と歴史』

入間田宣夫　一九八八　「松島の聖と名取の老女」『図説宮城県の歴史』河出書房新社

佐藤正人　一九九一　「館・板碑の語る松島」『松島町史』通史編Ⅰ

（三）宮城県内

具体的な出土地を知ることができないが、宮城県内から出土したといわれ、材質が頁岩であることもそれを証するものといえる。

3　板碑　J－三六六五八－三　（写真図版18、拓影1、実測図1）

昭和二十五年（一九五〇）六月二十九日に松本源吉氏から購入したものである。角柱状の頁岩を加工した板碑で、高二六・〇センチ、幅九・八センチ、厚六・〇センチを測る。正面は自然の剥離面をそのまま生かし、右側縁に細かな打撃を加えて外形を調整する。裏面も同様で、右側面方向から打撃を加えて平坦面を作り出すものの、大部分は自然の剥離面を生かしている。正面中央に金剛界大日如来の種子バンを大書し、その下に次のような銘文を刻む。

一切諸□

応永□

十日□

種子の彫法は薬研彫に近いが、彫りが浅い。種子は装飾的で特色ある様式をみせる。銘文の「応」の文字は略字を用いる。「一切諸」は偈文の一部である。下半部が欠損するため、銘文は下半が失われており、全文は不明である。応永年間（一三九四～一四二八）のものであることが知られる。

二、茨城県

（一）茨城県古河市大字立崎頼政廓跡（旧茨城県猿島郡古河町字頼政廓）

足尾山地に源流を発する渡良瀬川は、古河市の西北で思川と合流し、さらに南部で利根川に合流するが、その流路は時代によって変化したようで、各所に旧流路の痕跡を残す。合流点付近には河川の氾濫によって形成された低湿地が展開し、旧谷中村周辺は広大な遊水地となっており、中心部には谷中湖が形成されている。古河市の市街地は渡良瀬川の左岸に立地するが、それは近世の城下町に由来する町で、領主の居城は城下町の南端の渡良瀬川沿いに営まれていた。古河城は、周囲を水堀に囲まれた連郭式の城郭で、本丸・二の丸・三の丸のほかに立崎郭があり、そこには頼政神社が鎮座していたことから頼政廓と呼ばれた。なお、頼政神社は延宝五年（一六七七）に古河城主土井利益によって創建されたといわれ、近世に成立した神社である。古河城は大正元年（一九一二）の河川改修工事で大部分が河川敷となり、頼政廓にあった頼政神社は観音寺町に移転したが、その工事に際して同年十一月二十七日に九枚の板碑と一枚の台石のほか、青磁香炉・青磁瓶などが出土した。「埋蔵物録」によれば、同時に耳鐶・管玉・鉄鏃などが石室内から発見されているところから、古墳の墳丘を利用して中世墳墓が営まれていた可能性が高い。現在、頼政廓は総合運動公園の一部となっており（第5図）、堀はすっかり埋め立てられているが、雨後には輪郭が明瞭に浮かび上がることがある。頼政郭は近世の古河城築城に際して中世の城郭を取り込んだものと伝えられ、近くの大字駒ケ崎にある伝古河公方館とともに、中世の古河を知るうえで欠かせない遺跡となっている。

4　板碑　J－二五二六六（写真図版3・18、拓影2、実測図2）

大正三年（一九一四）五月に茨城県から東京帝室博物館に引き継がれたものである。典型的な武蔵型板碑で、現存高九二・九㌢、上部幅二四・五㌢、下部幅二四・五㌢、上部厚二・五㌢、下部厚三・〇㌢を測る。頂部は三角形を呈し、首部に二条の羽刻みをもつ。板状の石材に打撃を加えて成形した後、正面をていねいに研磨するが、基部には斜め方向の鏨の痕跡が残る。裏面には、側縁を整えた後、鏨で両側面から横方向に加撃した痕跡が明瞭にみられる。身部は長方形の枠線を設け、内部には蓮座上に阿弥陀如来の種子キリークを大書し、その下に次のような銘文を刻む。

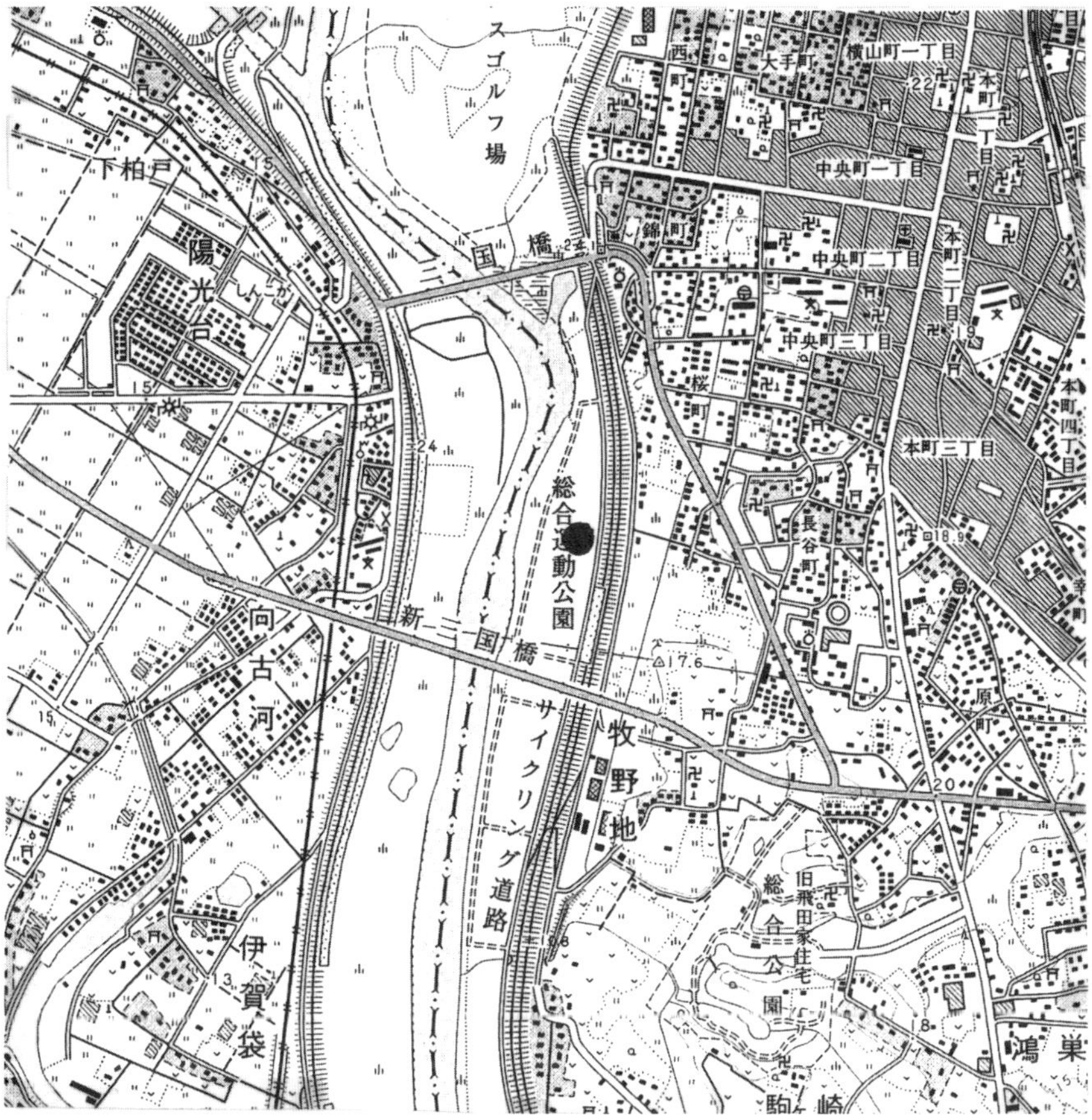

第5図　頼政廓の位置（2万5千分の1）

今此三界
皆是我有
徳治二十六
其中衆生
悉是吾子

紀年銘は徳治二年（一三〇七）十月六日を示すと考えられる。左右の偈文は『法華経』譬喩品第三に由来する著名なものである。基部を折損する。

5　板碑　J－二五二六七（写真図版3・19、拓影2、実測図2）

大正三年（一九一四）五月に茨城県から東京帝室博物館に引き継がれたものである。典型的な武蔵型板碑で、高六三・二㌢、現存上部幅一五・〇㌢、下部幅一九・五㌢、上部厚一・五㌢、下部厚一・五㌢を測る。頂部は三角形を呈し、首部に二条線を刻む。板状の石材に打撃を加えて成形した後、正面は基部を除きていねいに研磨するが、基部には横方向の鏨の痕跡が残る。裏面には、側面方向から打撃を加えて成形した後、さらに鏨で調整した痕跡がみられる。身部は長方形の枠線を設け、中心部に割付線を引いた後、蓮座上に金剛界大日如来の種子バンを大書し、その下に次のような銘文を刻む。

康永二年

七月十二日

紀年銘の康永二年（一三四三）は北朝の年号である。上部の右肩を欠失する。

6　板碑　J－二五二六八（写真図版3・19、拓影3、実測図3）

大正三年（一九一四）五月に茨城県から東京帝室博物館に引き継がれたものである。高四八・八㌢、上部幅一二・五㌢、下部幅一二・〇㌢、上部厚一・五㌢、下部厚一・五㌢を測る。頂部は三角形を呈するが、均整ではなく、首部二条線はない。板状の石材を用いるが、正面の加工はていねいさを欠き、剥離面が残る。裏面には、側面方向から打撃を加えて成形した後、さらに鏨で調整した痕跡がみられる。身部は、蓮座上に阿弥陀如来の種子キリークを大書するが、種子と蓮座の内部に金箔を漆で貼り付ける。その下に次のような銘文を刻むが、「年」の文字の一部に赤色顔料が残るところから、文字を赤色塗彩していた可能性がある。

応仁二年
□妙禅尼
八月十四日

紀年銘から応仁二年（一四六八）のものであることが知られる。

7　板碑　J－二五二六九（写真図版4・20、拓影3、実測図3）

大正三年（一九一四）五月に茨城県から東京帝室博物館に引き継がれたものである。高五一・六㌢、上部幅一四・九㌢、下部幅一五・三㌢、上部厚一・五㌢、下部厚一・八㌢を測る。頂部は三角形を呈するが、均整ではなく、首部二条線はない。板状の石材を用い、正面は小さな鏨でほぼ平坦に加工するが、鏨による凹凸は残されたままで、研磨は不十分である。裏面には、側面方向から打撃を加えて成形した後、さらに鏨で調整した痕跡がみられる。身部は、左右の側縁に沿って枠線を引くらしいが、明瞭さを欠く。内部には蓮座上に阿弥陀如来の種子キリークを大書し、その下に次のような銘文を刻む。

永徳二年
八月日

紀年銘の「徳」の文字は異体字で、「徳」と断定できないが、板碑の型式上の特色と合わせ考えると永徳二年（一三八二）のものである可能性が高い。永徳とすれば北朝年号である。

8　板碑　J－二五二七〇（写真図版20、拓影4、実測図4）

大正三年（一九一四）五月に茨城県から東京帝室博物館に引き継がれたものである。高四五・七㌢、上部幅一三・五㌢、下部幅一四・五㌢、上部厚二・〇㌢、下部厚一・七㌢を測る。頂部は三角形を呈するが、均整ではなく、首部二条線はない。板状の石材を用い、正面は研磨するが、基部には及んでいない。裏面には、側面方向から打撃を加えて成形した後、一部に鏨で調整した痕跡がみられる。身部は、線刻の蓮座上に阿弥陀如来の種子キリークを大書し、その下に次のような銘文を刻むが、「年」の文字に金箔が残存するところから、かつては銘文に金箔が貼られていた可能性が高い。

観応二年
八月日

紀年銘の観応二年（一三五一）は北朝年号である。

9　板碑　J－二五二七一（写真図版21、拓影4、実測図4）

大正三年（一九一四）五月に茨城県から東京帝室博物館に引き継がれたものである。現存高四六・二㌢、上部幅一三・九㌢、下部幅一三・九㌢、上部厚一・五㌢、下部厚一・四㌢を測る。頂部は三角形を呈するが、先端を欠き、首部二条線はない。板状の石材を用い、正面はていねいに研磨するが、基部には剥離痕を残す。裏面は側面方向から打撃を加えて成形する。身部は、蓮座上に阿弥陀如来の種子キリークを大書し、その下に次のような銘文を刻む。

文正二年
鏡善
十月十九日

紀年銘から文正二年（一四六七）のものであることが知られる。基部下端を折損する。

10　板碑　J－二五二七二（写真図版21、拓影3、実測図5）

大正三年（一九一四）五月に茨城県から東京帝室博物館に引き継がれたものである。現存高四一・三㌢、上部幅一六・〇㌢、下部幅一七・五㌢、上部厚三・〇㌢、下部厚二・八㌢を測る。頂部は三角形を呈するが、均整ではなく、首部二条線はない。板状の石材を用い、正面は両側縁から横方向に平鏨で削って平坦に加工するが、研磨はかならずしも十分ではない。裏面には、側面方向から打撃を加えて成形した後、さらに鏨で調整した痕跡がみられる。身部は、右側に枠線らしいものがみえるが、左側にはない。内部には蓮座上に阿弥陀如来の種子キリークを大書し、その下に次のような銘文を刻む。

貞治四年
十月日

紀年銘の貞治四年（一三六五）は北朝年号である。下半部を欠くが、大きな破損痕がみられ、故意に破壊した可能性が指摘できる。

11　板碑　J－二五二七三－一（写真図版22、拓影4、実測図3）

大正三年（一九一四）五月に茨城県から東京帝室博物館に引き継がれたものである。現存高二三・六㌢、上部幅二五・八㌢、下部幅二六・八㌢、上部厚二・三㌢、下部厚二・六㌢を測る。身部の破片で、上下ともに欠失する。厚みのある板状の石材を用い、正面はていねいに研磨し、裏面は側面方向から打撃を加えて成形する。上端に蓮座の一部がみえるが、本尊は欠損のため不明である。銘文は格子目に刻まれた沈線の中に一枡一字で記され、中央に紀年銘、その両脇に光明真言を配する。紀年銘は次の通りである。

康永元年□

紀年銘の康永元年（一三四二）は北朝年号である。

12　板碑　J－二五二七三－二（写真図版22、拓影5、実測図5）

大正三年（一九一四）五月に茨城県から東京帝室博物館に引き継がれたものである。現存高四二・一㌢、上部幅一五・四㌢、下部幅一六・七㌢、上部厚一・七㌢、下部厚一・五㌢を測る。頂部は三角形を呈し、首部に二条の羽刻みをもつ。板状の石材に打撃を加えて成形した後、正面はていねいに研磨する。裏面には、側面方向から打撃を加えて成形した後、さらに鏨で調整した痕跡がみられる。身部は長方形の枠線を設け、中心部に割付線を引いた後、宝珠形に沈線で囲った金剛華菩薩もしくは金剛宝菩薩の種子オンを大書し、その下に次のような銘文を刻む。

正和丙辰七月十四□
　真　□

紀年銘の正和丙辰は正和五年（一三一六）である。真□は被供養者名であろう。下半部を折損する。

13　台石　J－二五二七三－三（写真図版23、拓影5、実測図6）

大正三年（一九一四）五月に茨城県から東京帝室博物館に引き継がれたものである。現存長二五・〇センチ、幅一六・一センチ、厚一・五センチを測る。右側が三角形を呈し、中央に板碑の基部を差し込むための孔を穿つ台石で、左側を欠失するが、右側同様に三角形をなしていた可能性が高い。板状の石材に打撃を加えて成形した後、表面はていねいに研磨し、裏面は側面や孔の内側から打撃を加えて成形する。なお、表面には孔を穿つための割付線を引き、その線に沿って穿孔している。十四世紀のものであろう。

〔参考文献〕

筆者不詳　一九一三「下総古河頼政廓発掘の板碑」『考古学雑誌』第三巻第七号

（二）　茨城県取手市白山六丁目大鹿城跡（旧茨城県北相馬郡取手町取手城跡）

取手の地名は「砦」に由来すると伝えられ、その遺跡とされるのが大鹿城跡である。同城は、利根川の北岸に広がる常総台地の一画をなす独立丘を利用して営まれた城郭で、堀と土塁からなる中世城郭であるが、市街化の進行による削平のため詳細は不明な点が多い（第6図）。平将門の弟将頼の子孫である織部時平が築城し、その後永禄四年（一五六一）に小文間城主一色宮内政良によって攻略されて落城したと伝えるが、確証はない。

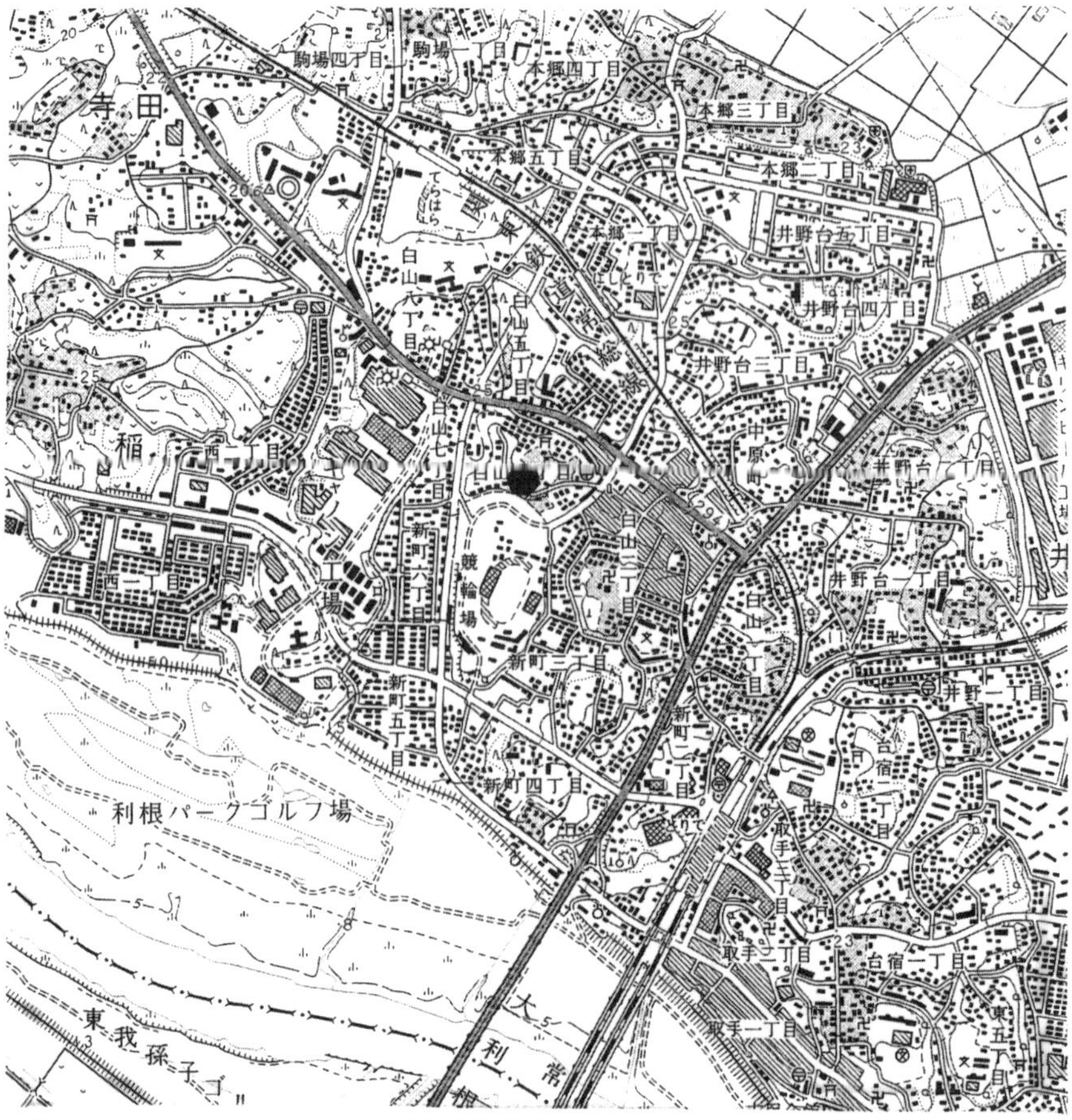

第6図　大鹿城跡の位置（2万5千分の1）

14　板碑　J－二五三三七（写真図版23、拓影5、実測図7）

昭和二年（一九二七）十月八日に徳川頼貞氏から東京帝室博物館に寄贈されたものである。現存高四六・九センチ、上部幅一六・二センチ、下部幅一五・六センチ、上部厚二・〇《センチ》、下部厚二・〇《センチ》を測る。頂部は三角形を呈するが、均整ではなく、先端を欠損する。首部二条線はない。板状の石材を用い、正面は鏨で平坦に削った後、研磨するが、削痕が残り、基部は未調整である。裏面には、側面方向から打撃を加えて成形した後、上部を鏨で調整した痕跡がみられる。身部は、蓮座上に阿弥陀如来の種子キリークを配するが、種子・蓮座とも丸彫で線が細い。その下に花瓶を線刻する。型式的な特色から十六世紀のものと推測できる。基部を折損する。

(三) 茨城県境町百戸字マイゴオ（旧茨城県猿島郡森戸村大字百戸字マイゴオ）

境町百戸は利根川左岸の平地で、千葉県との県境に当たり、近世には下総国に属した。百戸の集落から利根川までは、わずかに約七五〇《メートル》を隔てるばかりで、水運が活発であった近世には交通の要衝であった（第7図）。建保年間（一二一三〜一九）には親鸞が布教活動を展開し、百戸の長野氏を弟子とし、円鏡寺を開創した。板碑の出土地は金岡の集落に続く微高地上で、明治四十一年（一九〇八）四月七日に、利根川の堤防を築造するための採土作業に際して発見された。「埋蔵物録」によれば、そこには古墳が存在し、その東側の地表下「約二尺」の地点から六枚の板碑が出土したことが知られるので、古墳を利用した中世墓にともなうものと考えられる。

15　板碑　J－二五二一九（写真図版24、拓影6、実測図8）

明治四十三年（一九一〇）六月に小林力蔵氏から東京帝室博物館に寄贈されたものである。現存高四二・一《センチ》、上部幅一三・五《センチ》、下部幅一三・七《センチ》、上部厚一・八《センチ》、下部厚二・二《センチ》を測る。頂部は三角形を呈するが、均整ではなく、首部二条線はない。板状の石材を用い、正面は研磨するが、打割痕がわずかに残る。裏面には、側面方向から打撃を加えて成形した後、さらに鏨で調整した痕跡がみられる。身部は、蓮座上に阿弥陀如来の種子キリークを大書し、その下に次のような銘文を刻む。

永正十三年
妙祐禅尼
二月十六日

紀年銘から永正十二年（一五一六）のものであることが知られる。基部を欠く。

第7図　マイゴオ板碑出土地の位置（2万5千分の1）

16　板碑　J－二五二二〇（写真図版24、拓影6、実測図9）

明治四十三年（一九一〇）六月に小林力蔵氏から東京帝室博物館に寄贈されたものである。高五〇・六センチ、上部幅一五・九センチ、下部幅一六・五センチ、上部厚二・二センチ、下部厚一・一センチを測る。頂部は三角形を呈するが、均整ではなく、首部二条線はなく、その部分を横方向に鏨で削るのみである。板状の石材を用い、正面は平鏨で平坦に削るが、削痕を残したままでほとんど研磨せず、基部は未調整である。裏面には、側面方向から打撃を加えて成形した後、一部に鏨で調整した痕跡がみられる。身部は、蓮座上に阿弥陀如来の種子キリークを大書し、その下に次のような銘文を刻む。

永正三年
鏡善禅門
十月十三日

紀年銘から永正三年（一五〇六）のものであることが知られる。

17　板碑　J－二五二二一（写真図版25、拓影6、実測図10）

明治四十三年（一九一〇）六月に小林力蔵氏から東京帝室博物館に寄贈されたものである。高五一・五センチ、上部幅一六・三センチ、下部幅一六・五センチ、上部厚二・〇センチ、下部厚一・八センチを測る。頂部は三角形を呈するが、均整ではなく、首部二条線はない。板状の石材を用い、正面は平鏨で平坦に削るが、打割痕が残る。裏面には、側面方向から打撃を加えて成形した後、一部に鏨で調整した痕跡がみられる。身部は、蓮座上に阿弥陀如来の種子キリークを浅く彫り込むが、種子が変則的な形態を呈している。その下に次のような銘文を刻む。

延徳二（カ）年
浄妙禅尼
八月十九日

紀年銘の年次は判読しにくいが、延徳二年（一四九〇）である可能性が高い。

18　板碑　J－二五二二二（写真図版25、拓影7、実測図8）

明治四十三年（一九一〇）六月に小林力蔵氏から東京帝室博物館に寄贈されたものである。現存高三七・三センチ、上部幅一七・五センチ、下部幅一五・七センチ、上部厚一・九センチ、下部厚一・六センチを測る。板状の石材を用い、正面は研磨するが、打割痕が残り、裏面は側面方向から打撃を加えて成形する。上半部は欠損のため不明であるが、蓮座上に配した阿弥陀如来の種子キリークの下半部が残り、その下に次のような銘文を刻む。

永正四年
道阿弥禅門
十一月廿二日

紀年銘から永正四年（一五〇七）のものであることが知られる。被供養者が阿弥号をもつことが注目される。

19　板碑　J－二五二二三（写真図版26、拓影7、実測図9）

明治四十三年（一九一〇）六月に小林力蔵氏から東京帝室博物館に寄贈されたものである。現存高三七・六センチ、上部幅一六・四センチ、下部幅一六・三センチ、上部厚一・六センチ、下部厚二・三センチを測る。板状の石材を用い、正面は研磨するが、打割痕がわずかに残り、基部には横方向の鏨痕がみられる。裏面には、側面方向から打撃を加えて成形した後、さらに鏨で調整した痕跡がみられる。上半部が欠損しているため、本尊などは不明であるが、蓮座の一部が残る。その下に次のような銘文を刻む。

永享二年
鏡阿弥尼
□月廿二日

紀年銘から永享二年（一四三〇）のものであることが知られる。被供養者が阿弥号をもつことが注目される。

20　板碑　J-二五二二四（写真図版26、拓影7、実測図10）

明治四十三年（一九一〇）六月に小林力蔵氏から東京帝室博物館に寄贈されたものである。現存高四五・八センチ、上部幅一四・〇センチ、下部幅一四・五センチ、上部厚二・〇センチ、下部厚一・九センチを測る。頂部は三角形を呈するが、均整ではなく、首部二条線はなく、その部分を横方向に鏨で削るのみである。板状の石材を用い、正面は平鏨で平坦に削るが、削痕を残したままでほとんど研磨せず、基部は未調整である。裏面には、側面方向から打撃を加えて成形した後、さらに鏨で調整した痕跡がみられる。身部は、蓮座上に阿弥陀如来の種子キリークを大書するが、種子は変則的な形態をみせる。その下に次のような銘文を刻む。

永正十一年
道円禅門
十一月廿日

紀年銘から永正十一年（一五一四）のものであることが知られる。基部を折損する。

三、栃木県

（一）栃木県小山市上石塚字愛宕東愛宕神社境内（旧栃木県下都賀郡穂積村大字上石塚字愛宕一番地愛宕神社境内）

上石塚は小山市の中心部を流れる思川西岸の水田地帯のなかにある集落であるが、戦国期には上石塚郷と呼ばれ、小山荘を構成する重要な村落であった。隣接する下石塚には中世居館である石塚館跡、思川の対岸には小山氏の根拠地であった祇園城跡や鷲城跡があり、小山氏と深い関係にあった土地であることが知られる（第8図）。愛宕神社は上石塚の北西隅、辛島との境界に鎮座しており、かつては鬱蒼と茂る杜に囲まれていたという。板碑は、大正八年（一九一九）八月三日に境内にあった杉の倒木の根本を掘削した際に、古瀬戸や常滑の骨壺、凝灰岩製の五輪塔などとともに発見された。火葬骨を収納した骨壺をともなうことから、板碑は中世の火葬墓の供養塔ないし墓塔として造立されたものであることが知られる。板碑は二〇枚知られる。

21　板碑　J-二五二八三（写真図版4・27、拓影8、実測図11）

大正九年（一九二〇）六月五日に栃木県から東京帝室博物館が購入したものである。現存高六三・五センチ、上部幅一八・二センチ、下部幅一八・五センチ、上部厚二・三センチ、下部厚一・八センチを測る。典型的な武蔵型板碑で、頂部は三角形を呈し、首部に二条線を刻む。板状の石材を用い、正面は平鏨で平坦に削るが、削痕を残したままでほとんど研磨せず、基部には未調整の部分が残る。裏面には、側面方向から打撃を加えて成形した後、さらに鏨で調整した痕跡がみられる。石材は斜め方向に節理が入っており、かならずしも良質なものではない。身部は、金剛界大日如来の種子バンを大書し、その下に次のような銘文を刻む。

建治二年二月日

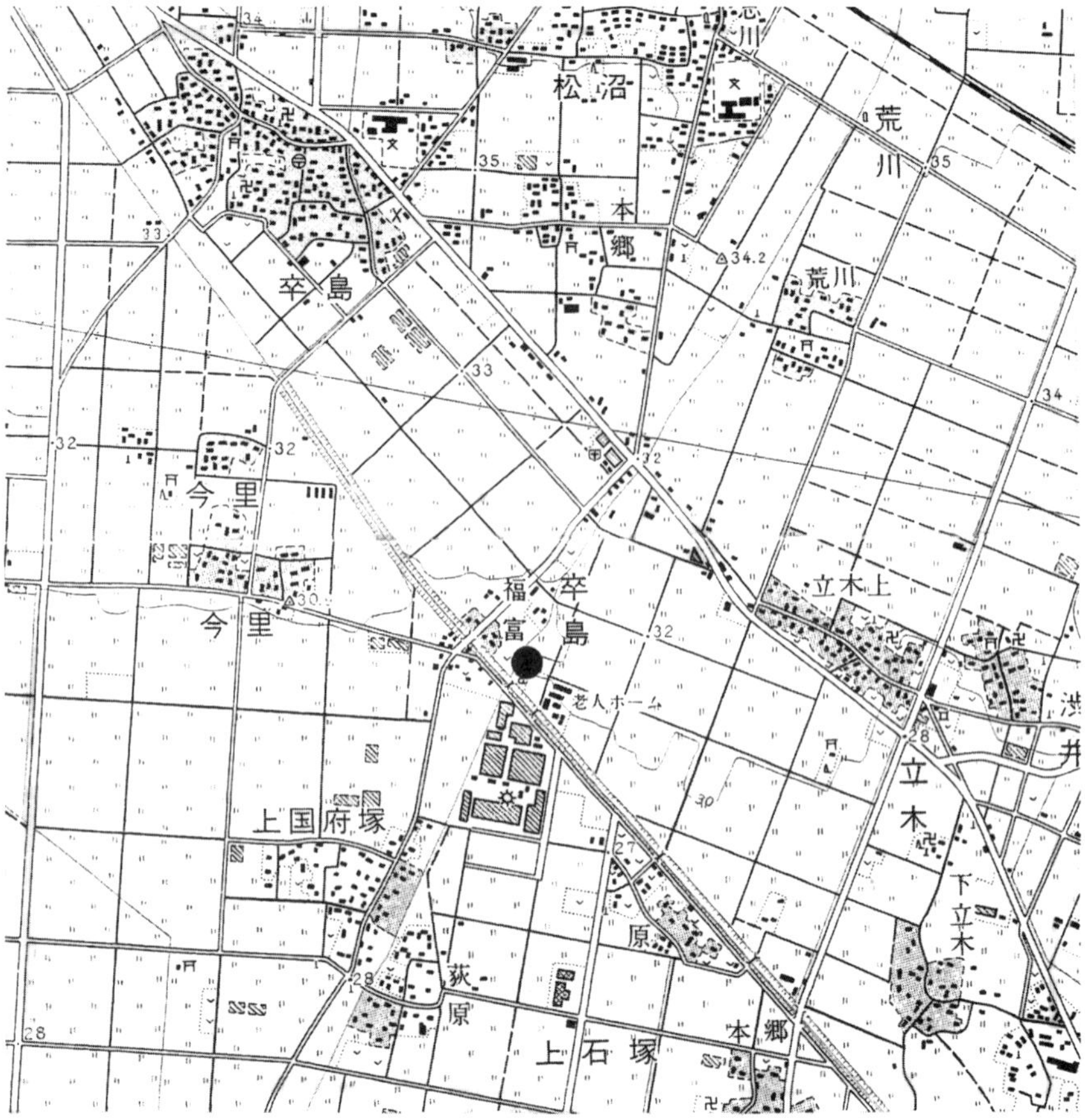

第8図　愛宕神社の位置（2万5千分の1）

紀年銘から建治二年（一二七六）のものであることが知られる。基部を折損する。

22　板碑　J－二五二八四（写真図版4・27、拓影8、実測図11）

大正九年（一九二〇）六月五日に栃木県から東京帝室博物館が購入したものである。高六〇・〇センチ、上部幅一五・九センチ、下部幅一六・九センチ、上部厚二・三センチ、下部厚一・〇センチを測る。典型的な武蔵型板碑で、頂部は三角形を呈し、首部に二条線を刻む。板状の石材を用い、正面は平鏨で平坦に削った後に研磨するが、削痕が残り、基部には未調整の部分が残る。裏面には、側面方向から打撃を加えて成形した後、一部に鏨で調整した痕跡がみられる。身部は、線刻の蓮座上に釈迦如来の種子バクを大書し、その下に次のような銘文を刻む。

正慶二年
十月日

紀年銘の正慶二年（一三三三）は北朝年号である。基部は石材の節理に沿って斜めに割れるが、当初からこの状態であった可能性が高い。

23　板碑　J－二五二八五（写真図版28、拓影8、実測図11）

大正九年（一九二〇）六月五日に栃木県から東京帝室博物館が購入したものである。高五七・四センチ、上部幅二〇・〇センチ、下部幅二一・三センチ、上部厚二・三センチ、下部厚三・〇センチを測る。頂部は三角形を呈するが、首部二条線はない。板状の石材を用い、正面は鏨で平坦に削った後に研磨するが、削痕が残り、基部には未調整の部分がみられる。裏面には、側面方向から打撃を加えて成形した後、さらに鏨で調整した痕跡がみられる。身部は、蓮座上に阿弥陀如来の種子キリークを大書し、その下に線刻の花瓶を挟んで次のような銘文を刻む。

康暦元年
八月日

紀年銘の康暦元年（一三七九）は北朝年号である。基部は石材の節理に沿って斜めに割れるが、当初からこの状態であった可能性が高い。

24　板碑　J－二五二八六（写真図版4・28、拓影9、実測図12）

大正九年（一九二〇）六月五日に栃木県から東京帝室博物館が購入したものである。高五二・八㌢、上部幅一七・五㌢、下部幅一八・五㌢、上部厚一・九㌢、下部厚二・二㌢を測る。頂部は三角形を呈するが、均整でなく、一部欠損する。首部に二条線を刻む。板状の石材を用い、正面は鑿で平坦に削った後に研磨するが、削痕が残り、基部は未調整のままである。裏面には、側面方向から打撃を加えて成形した後、一部に鑿で調整した痕跡がみられる。身部は、蓮座上に阿弥陀如来の種子キリークを大書するが、その下に銘文はない。しかし、本来銘文があるべき位置に漆で金箔を貼った痕跡が残ることから、当初は金文字の銘文が存在した可能性が高い。型式的な特色から一四世紀のものと考えられる。

25　板碑　J-二五二八七（写真図版29、拓影8、実測図11）

大正九年（一九二〇）六月五日に栃木県から東京帝室博物館が購入したものである。高五九・五㌢、上部幅一八・〇㌢、下部幅一九・〇㌢、上部厚一・八㌢、下部厚二・二㌢を測る。頂部は三角形を呈するが、均整でなく、首部 一条線はない。板状の石材を用い、正面はていねいに研磨するが、基部には横方向の鑿による削痕が歴然と残る。裏面には、側面方向から打撃を加えて成形した後、さらに鑿で調整した痕跡がみられる。身部は、蓮座上に阿弥陀如来の種子キリークを大書し、その下に中央に紀年銘、左右に光明真言を刻む。紀年銘は次の通りである。

応永四年十月

紀年銘から応永四年（一三九七）のものであることが知られる。

26　板碑　J-二五二八八（写真図版29、拓影10、実測図13）

大正九年（一九二〇）六月五日に栃木県から東京帝室博物館が購入したものである。高四三・六㌢、上部幅一五・二㌢、下部幅一六・〇㌢、上部厚一・三㌢、下部厚一・七㌢を測る。頂部は三角形を呈するが、首部二条線はない。板状の石材に打撃を加えて成形した後、正面は基部を除きていねいに研磨するが、基部は未調整の部分を多く残す。基部の付け根付近を左右から打ち欠き、基部を柄状に形作る。裏面は側面方向から打撃を加えて成形する。身部は長方形の枠線を設け、中心に割付線を引いた後、首部に横方向の割付線を引く。蓮座上に阿弥陀如来の種子キリークを配するが、丸彫で線が細い。その下に線刻の花瓶を挟んで次のような銘文を刻む。

応永十三年
八月日

紀年銘から応永十三年（一四〇六）のものであることが知られる。

27　板碑　J-二五二八九（写真図版30、拓影10、実測図14）

大正九年（一九二〇）六月五日に栃木県から東京帝室博物館が購入したものである。高四六・七㌢、上部幅一六・〇㌢、下部幅一七・五㌢、上部厚二・五㌢、下部厚一・七㌢を測る。頂部は三角形を呈するが、均整さを欠き、首部二条線はない。板状の石材に打撃を加えて成形した後、正面は基部を除きていねいに研磨するが、基部には削痕を残す。裏面は側面方向から打撃を加えて成形した後、さらに鑿で調整した痕跡がみられる。身部は長方形の枠線を設け、その内部には、蓮座上に阿弥陀如来の種子キリークを刻むが、丸彫で線が細い。その下に線刻の花瓶を挟んで次のような銘文を刻む。

応永四年
七月日

紀年銘から応永四年（一三九七）のものであることが知られる。基部下端を欠くが、破損か当初からのものか判断に苦しむ。

28　板碑　J-二五二九〇（写真図版30、拓影11、実測図15）

大正九年（一九二〇）六月五日に栃木県から東京帝室博物館が購入したものである。高四九・九センチ、上部幅一四・九センチ、下部幅一四・五センチ、上部厚一・六センチ、下部厚一・六センチを測る。頂部は三角形を呈するが、均整ではなく、首部二条線はない。板状の石材に打撃を加えて成形した後、正面は横方向から平鑿で平坦に調整するが、削痕が残り、基部などには未調整面がみられる。裏面は側面方向から打撃を加えて成形した後、さらに鑿で調整した痕跡がみられる。身部は、蓮座上に阿弥陀如来の種子キリークを刻むが、丸彫で線が細い。その下に次のような銘文を刻む。

応永廿二
二（関カ）六月日

紀年銘から応永二十二年（一四一五）のものであることが知られる。

29　板碑　J-二五二九一（写真図版31、拓影10、実測図14）

大正九年（一九二〇）六月五日に栃木県から東京帝室博物館が購入したものである。高四二・九センチ、上部幅一二・一センチ、下部幅一三・三センチ、上部厚一・二センチ、下部厚二・〇センチを測る。頂部は三角形を呈し、首部二条線はない。板状の石材に打撃を加えて成形した後、正面はていねいに研磨する。裏面は側面方向から打撃を加えて成形した後、一部に鑿で調整した痕跡がみられる。身部は、蓮座上に阿弥陀如来の種子キリークを大書し、その下に次のような銘文を刻む。

貞治三
十一月

紀年銘の貞治三年（一三六四）は北朝年号である。基部は不整形であるが、当初からの形状と考えられる。

30　板碑　J-二五二九二（写真図版31、拓影9、実測図13）

大正九年（一九二〇）六月五日に栃木県から東京帝室博物館が購入したものである。現存高四一・〇センチ、上部幅二五・四センチ、下部幅二六・二センチ、上部厚二・〇センチ、下部厚二・二センチを測る。身部のみの破片で、上下を欠失する。厚い板状の石材に打撃を加えて成形した後、正面は基部を除きていねいに研磨するが、基部には横方向の鑿による削痕を残す。裏面は側面方向から打撃を加えて成形した後、さらに鑿で念入りに調整した痕跡がみられる。両側面は平鑿で平坦に加工する。身部は、蓮座最下部しか残存せず、その上部を欠失するために本尊は不明である。その下に次のような銘文を刻む。

□明遍照十方世界
文永十年五月日
□衆生摂取不捨

紀年銘の両脇は偈文で、「光明遍照　十方世界　念仏衆生　摂取不捨」という『仏説観無量寿経』に由来する著名なものである。紀年銘から文永十年（一二七三）のものであることが知られる。

31　板碑　J-二五二九三（写真図版32、拓影11、実測図16）

大正九年（一九二〇）六月五日に栃木県から東京帝室博物館が購入したもので

ある。現存高四〇・六センチ、上部幅二〇・五センチ、下部幅二〇・八センチ、上部厚二・一センチ、下部厚二・二センチを測る。身部のみの破片で、上下を欠失する。板状の石材に打撃を加えて成形した後、正面は基部を除きていねいに研磨するが、基部は未調整である。裏面は側面方向から打撃を加えて成形する。両側面は鏨でていねいに調整する。身部は、線刻の蓮座最下部しか残存せず、その上部を欠失するために本尊は不明である。その下に次のような銘文を刻む。

貞治元年九月日

紀年銘の貞治元年（一三六二）は北朝年号である。

32　板碑　J-二五二九四（写真図版32、拓影12、実測図16）

大正九年（一九二〇）六月五日に栃木県から東京帝室博物館が購入したものである。現存高四三・八センチ、上部幅二〇・四センチ、下部幅二〇・五センチ、上部厚一・八センチ、下部厚一・五センチを測る。上半部のみの破片で、下半部を欠失する。頂部は三角形を呈し、首部に二条の羽刻みをもつ。厚い板状の石材に打撃を加えて成形した後、正面は鏨で平坦に調整するが、削痕は残したままである。裏面は側面方向から打撃を加えて成形した後、さらに鏨で調整した痕跡がみられる。身部は、枠線で囲んだ内部に、蓮座上に阿弥陀如来の種子キリークを大書し、その下に次のような銘文を刻む。右側と下部にあったであろう銘文は破損のため不明である。

二月□

型式的な特色から十三世紀のものと考えられる。

33　板碑　J-二五二九五（写真図版33、拓影12、実測図17）

大正九年（一九二〇）六月五日に栃木県から東京帝室博物館が購入したものである。現存高五三・〇センチ、上部幅一九・五センチ、下部幅二〇・〇センチ、上部厚二・二センチ、下部厚一・九センチを測る。下半部のみの破片で、上半部を欠失する。基部は三角形を呈する。板状の石材に打撃を加えて成形した後、正面は基部を除いて研磨するが、基部は未調整である。裏面は側面方向から打撃を加えて成形した後、さらに鏨で調整した痕跡がみられる。身部は、枠線で囲み、蓮座上に阿弥陀如来の種子キリークを配し、その下に花瓶を置き、右側に一条、左側に二条の次のような銘文を刻む。

（右側）
応永十二年
（左側）
了円禅尼
七月十日

紀年銘から応永十二年（一四〇五）のものであることが知られる。

34　板碑　J-二五二九六（写真図版33、拓影13、実測図15）

大正九年（一九二〇）六月五日に栃木県から東京帝室博物館が購入したものである。現存高二五・〇センチ、上部幅一九・八センチ、下部幅一九・九センチ、上部厚一・三センチ、下部厚一・四センチを測る。身部のみの破片で、上下を欠失する。板状の石材に打撃を加えて成形した後、正面はていねいに研磨する。裏面は剥離しているため調整などは不明である。身部は、蓮座上に釈迦如来の種子バクを配するが、最下部しか残存しない。その下に次のような銘文を刻む。

弘安六年□

紀年銘から弘安六年（一二八三）のものであることが知られる。

35　板碑　J－二五二九七（写真図版34、拓影13、実測図18）

大正九年（一九二〇）六月五日に栃木県から東京帝室博物館が購入したものである。現存高三六・五㌢、上部幅一六・九㌢、下部幅一五・八㌢、上部厚一・四㌢、下部厚一・八㌢を測る。下半部のみの破片で、上半部を欠失する。板状の石材に打撃を加えて成形した後、正面は基部を除き研磨するが、基部は未調整で、鑿による三角形の沈線が彫り込まれている。基部を成形する際の痕跡であろう。裏面は側面方向から打撃を加えて成形する。身部は、蓮座を含めた上半部を欠失するために本尊などは不明である。その下に線刻の花瓶を配し、両脇に次のような銘文を刻む。

明徳五年

六月六日

紀年銘から明徳五年（一三九四）のものであることが知られる。

36　板碑　J－二五二九八（写真図版34、拓影8、実測図11）

大正九年（一九二〇）六月五日に栃木県から東京帝室博物館が購入したものである。現存高四一・八㌢、上部幅二六・七㌢、下部幅二六・八㌢、上部厚二・一㌢、下部厚二・〇㌢を測る。基部のみの破片で、上部を欠失する。板状の石材に打撃を加えて成形した後、正面は基部を除き研磨したようであるが、基部は平鑿による横方向からの調整痕を歴然と残す。裏面は側面方向から打撃を加えて成形した後、さらに念入りに鑿で調整した痕跡がみられる。両側面は鑿でていねいに調整する。身部は、線刻の花瓶がみられるのみで、その上部を欠失するために本尊や銘文は不明である。型式的な特色から十三世紀のものとみられる。

37　板碑　J－二五二九九（写真図版35、拓影13、実測図17）

大正九年（一九二〇）六月五日に栃木県から東京帝室博物館が購入したものである。現存高二八・一㌢、現存幅一七・八㌢、現存厚一・四㌢を測る。身部のみの破片で、上下と右側を欠失する。板状の石材に打撃を加えて成形した後、正面は鑿で平坦に調整する。裏面は剥離しているため調整など不明である。身部は、線刻の蓮座から上部を欠失するため、本尊などは不明である。蓮座の下に次のような銘文を刻む。

弘安六年十二月□

紀年銘から弘安六年（一二八三）のものであることが知られる。

38　板碑　J－二五三〇〇（写真図版35、拓影14、実測図18）

大正九年（一九二〇）六月五日に栃木県から東京帝室博物館が購入したものである。現存高三六・六㌢、現存幅二二・三㌢、現存厚二・三㌢を測る。身部のみの破片で、上下と右側を欠失する。板状の石材に打撃を加えて成形した後、正面は基部を除き研磨するが、基部は未調整のままである。裏面は側面方向から打撃を加えて成形した後、さらに鑿で調整した痕跡がみられる。身部は、格子目状の割付線を刻み、一枡一字の原則で銘文を刻む。銘文は三行残されているが、本来は五行あったと推測され、左側二行が光明真言の一部であることから、中央に紀年銘を配し、左右に光明真言を書いたものと考えられる。紀年銘は次の通りである。

□三年二月

光明真言の梵字の崩れ方から十四世紀のものである可能性が高い。

39　板碑　J－二五三〇一（写真図版36、拓影9、実測図12）

大正九年（一九二〇）六月五日に栃木県から東京帝室博物館が購入したものである。現存高二九・六センチ、現存幅一〇・八センチ、現存厚一・九センチを測る。身部から基部にかけての破片で、上下と左側を欠失する。板状の石材に打撃を加えて成形した後、正面は基部を除き研磨するが、基部は未調整のままである。裏面は側面方向から打撃を加えて成形する。側面を鏨で平坦に調整する。身部は、格子目状の割付線を刻み、一枡一字の原則で銘文を刻む。銘文は二行残されており、光明真言の一部であることが知られる。38と類似するが別個体である。光明真言の梵字の崩れ方から十四世紀のものである可能性が高い。

40　板碑　J－二五三〇二（写真図版36、拓影11、実測図19）

大正九年（一九二〇）六月五日に栃木県から東京帝室博物館が購入したものである。現存高二八・三センチ、現存幅一四・〇センチ、現存厚一・七センチを測る。身部のみの破片で、上下と右側を欠失する。板状の石材に打撃を加えて成形した後、正面は研磨する。裏面は剥離のため調整技法など不明である。身部は、枠線を設け、その内部に蓮座と紀年銘を刻む。上部が破損しているため本尊などは不明である。蓮座には金箔が付着しており、金文字であったことが推測できる。紀年銘は次の通りである。

□
弘安二年十一月
子

紀年銘から弘安二年（一二七九）のものであることが知られる。

〔参考文献〕

小山市史編さん室　一九八〇　『小山市史』史料編・中世

（二）栃木県野木町野渡字仲沖（栃木県下都賀郡野木村大字野渡字仲沖二九九番地）

野渡は渡良瀬川と思川の合流点の東側に位置する集落で、茨城県古河市の市街地に連なる台地上に立地するが、西側は渡良瀬遊水地の低湿地になっている（第9図）。すでに紹介した古河市大字立崎頼政廓跡は渡良瀬川の下流約三キロの位置である。明治四十五年（一九一二）四月十日に、明治四十三年に村社熊野神社に合祀された無格社浅間神社の跡地を開墾していたところ、埴輪・壺とともに板碑が発見された。「埋蔵物録」によれば、板碑は「約五十坪ニシテ高サ約十八尺ノ円形ナル塚ノ東南隅一段低キ個所」から発見されたというから、円墳を利用して営まれた中世墓にともなうものであると考えられる。壺は現在行方不明のため確認できないが、「埋蔵物録」の図をみると中世陶器の形態に近似しており、骨壺であった可能性が高い。東京帝室博物館に収蔵された板碑は四枚であるが、「埋蔵物録」にはそれ以外に二枚の板碑があったことが図示されており（第10図）、少なくとも六枚の板碑が出土したことが知られる。

41　板碑　J－二五二三五（写真図版5・37、拓影15、実測図21）

大正二年（一九一三）三月五日に川島清五郎氏・前沢森右エ門氏・福島伊之吉氏から東京帝室博物館に寄贈されたものである。典型的な武蔵型板碑で、現存高九一・〇センチ、上部幅二七・八センチ、下部幅三一・二センチ、上部厚二・五センチ、下部厚二・五センチを測る。頂部は三角形を呈し、首部に二条の羽刻みをもつ。板状の石材に打撃を加えて成形した後、正面をていねいに研磨する。裏面には、側縁を整えた後、鏨で両側面から横方向に加撃した痕跡がみられる。側面は鏨で平坦に調整する。身部は長方形の枠線を設け、内部には瓔珞で飾った天蓋の下に蓮座にのる阿弥陀如来の種子キリークを大書し、その左右下方に観音菩薩の種子サと勢至菩薩の種子サクを配し、その下に次のような銘文を刻む。

十月日

弘安二年

己卯

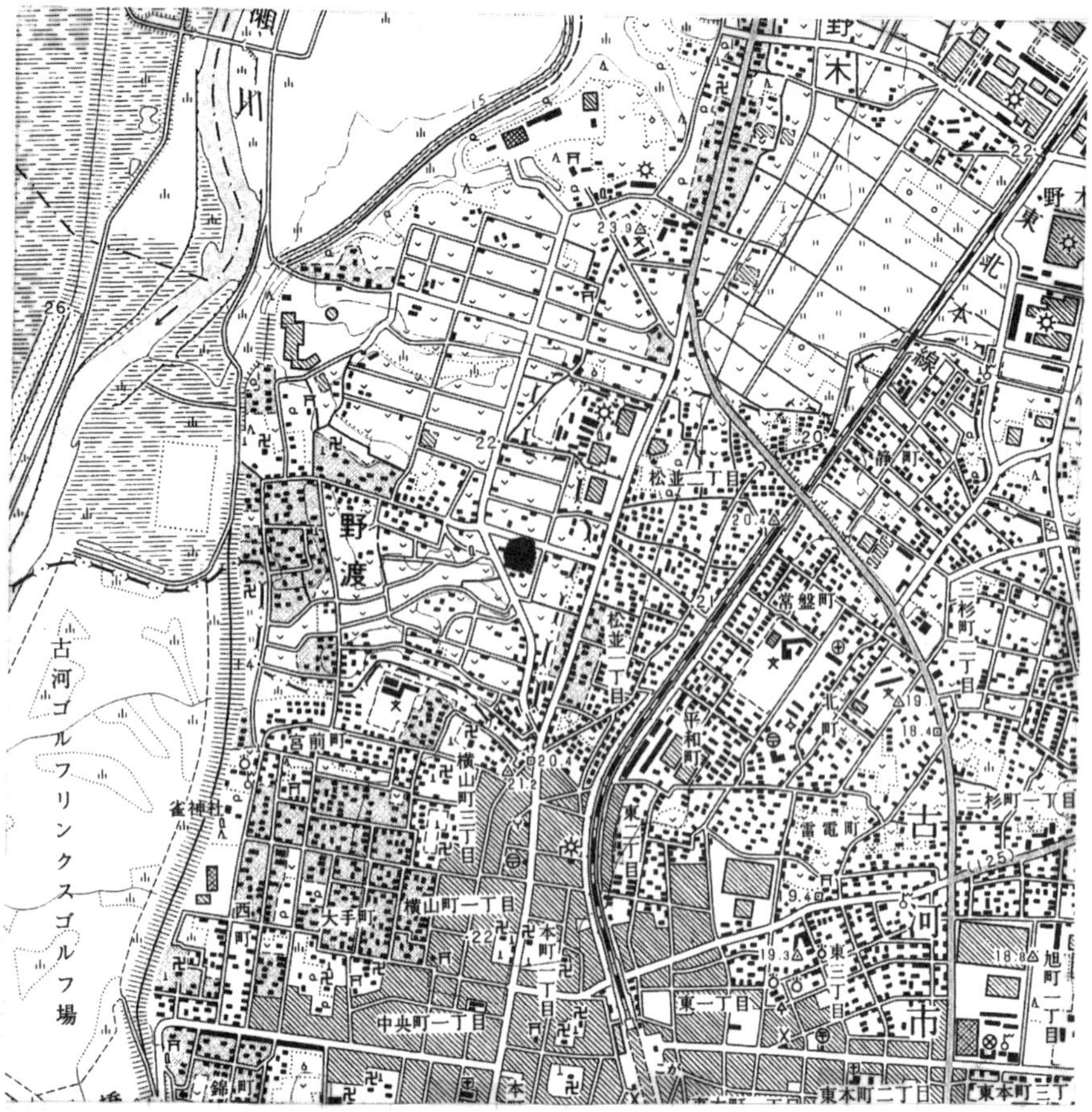

第９図　仲沖板碑出土地の位置（２万５千分の１）

紀年銘から弘安二年（一二七九）のものであることが知られる。基部を折損する。

42　板碑　Ｊ－二五二三六（写真図版５・37、拓影15、実測図21）

大正二年（一九一三）三月五日に川島清五郎氏・前沢森右エ門氏・福島伊之吉氏から東京帝室博物館に寄贈されたものである。高七〇・八センチ、上部幅一八・五センチ、下部幅二〇・〇センチ、上部厚一・六センチ、下部厚一・九センチを測る。頂部は三角形を呈し、首部に二条線をもつ。板状の石材に打撃を加えて成形した後、正面を鏨で平坦に調整し、さらに研磨するが、基部には自然面や鏨痕が残る。裏面には、側縁を整えた後、鏨で側面から横方向に加撃した痕跡がみられる。身部は長方形の枠線を設け、内部に次のような銘文を刻む。

元亨元年

南無妙法蓮華経

六月廿二日

日蓮宗特有の題目板碑で、紀年銘から元亨元年（一三二一）のものであることが知られる。基部の横方向の線は割付線であろうか。

43　板碑　Ｊ－二五二三七（写真図版５・38、拓影14、実測図20）

大正二年（一九一三）三月五日に川島清五郎氏・前沢森右エ門氏・福島伊之吉氏から東京帝室博物館に寄贈されたものである。現存高五三・八センチ、上部幅一五・〇センチ、下部幅一五・五センチ、上部厚一・五センチ、下部厚一・八センチを測る。頂部は三角形を呈するが、均整さを欠き、首部の二条線も明瞭でない。板状の石材に打撃を加えて成形した後、正面を平鏨で調整し、さらに研磨するが、基部には鏨痕

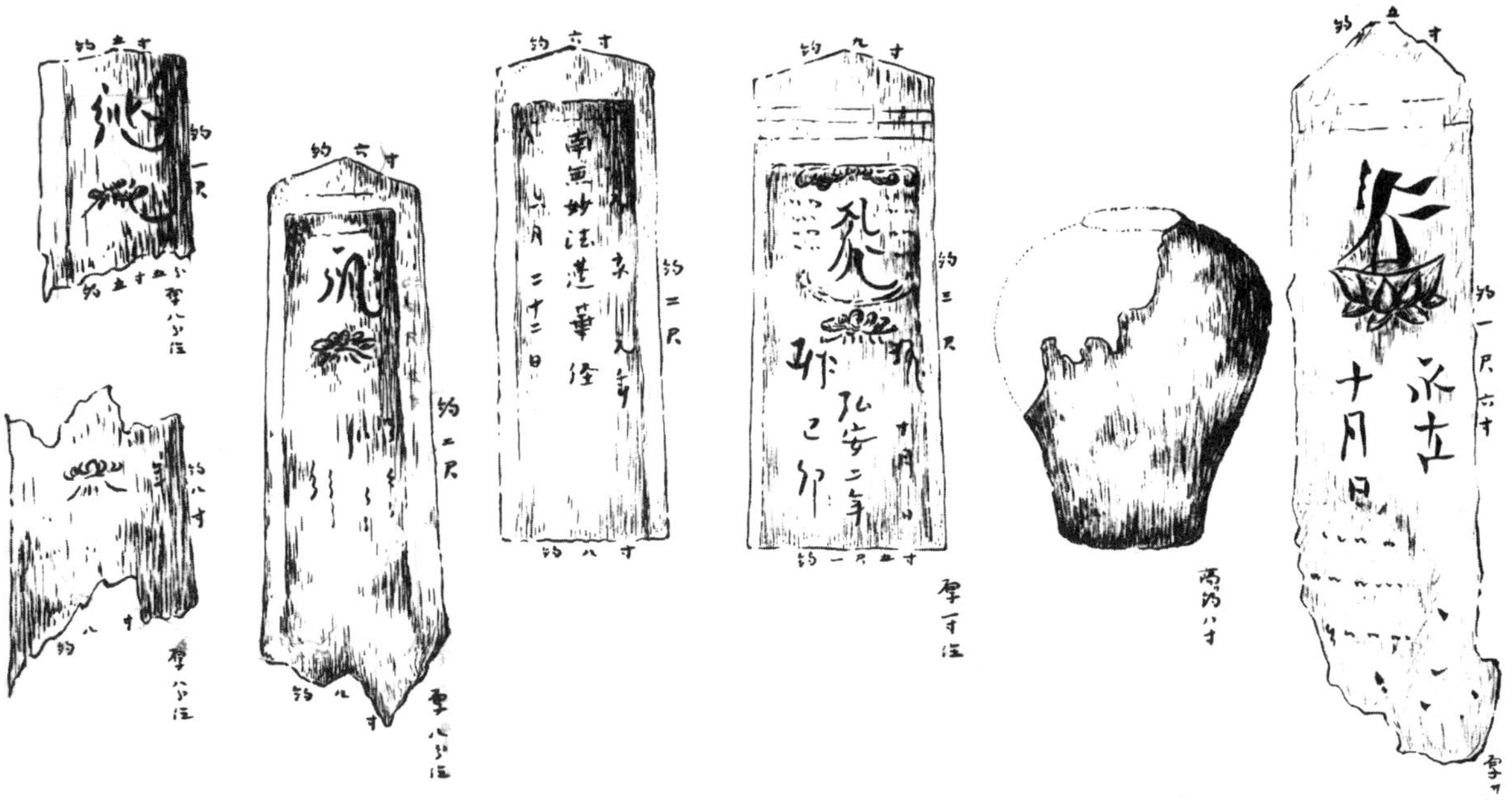

第10図　仲沖出土の板碑など（「埋蔵物録」による）

を明瞭に残す。裏面には、側縁を整えた後、鏨で横方向に加撃した痕跡がみられる。身部には、線彫の蓮座上に釈迦如来の種子バクを大書し、その下に次のような銘文を刻む。

永十年
十月日

型式から十五世紀のものとみられ、十年まで続いた元号であることから、「永」は永享の可能性が高いと判断できるので、永享十年（一四三八）のものであろう。基部を折損する。

44　板碑　J－二五二三八（写真図版5・38、拓影14、実測図19）

大正二年（一九一三）三月五日に川島清五郎氏・前沢森右エ門氏・福島伊之吉氏から東京帝室博物館に寄贈されたものである。高四八・二センチ、上部幅一四・一センチ、下部幅一五・〇センチ、上部厚一・五センチ、下部厚一・七センチを測る。頂部は三角形を呈し、首部二条線をもつ。板状の石材に打撃を加えて成形した後、正面を鏨で調整し、さらに研磨するが、基部には自然面を残す。裏面には、側縁を整えた後、鏨で横方向に加撃した痕跡がみられる。身部には、不明瞭ではあるが、長方形の枠線を設け、割付線を引いた後に、蓮座上に阿弥陀如来の種子キリークを大書し、その下に次のような銘文を刻む。

延文六年
二月日

紀年銘から延文六年（一三六一）のものであることが知られる。

〔参考文献〕

丸山瓦全　一九二六　「下野国に於ける題目の碑に就いて」『考古学雑誌』第一六巻第一〇号

四、群馬県

（一）群馬県前橋市笂井町八日市（群馬県勢多郡木瀬村大字笂井字八日市四七番地山林）

赤城山の南麓を東西に走る広瀬川低地帯は、かつての利根川の流路の痕跡であるが、現在はそこを桃木川と広瀬川が流れている。桃木川の両岸に形成された微高地には、多くの集落が営まれているが、笂井もそのひとつである（第11図）。板碑の出土地は桃木川左岸に立地する縄文時代から中世までの複合遺跡であり、板碑以外にも石皿・勾玉・古銭などさまざまな遺物が出土しているが、それらは昭和二年（一九二七）二月十八日に山林開墾中に偶然発見されたものである。発見された板碑は一枚のみである。

45　板碑　J－二五三二六（写真図版6・39、拓影15、実測図21）

昭和二年（一九二七）十月四日に斎藤登喜司氏から東京帝室博物館に寄贈されたものである。高六〇・一センチ、上部幅一七・七センチ、下部幅二〇・〇センチ、上部厚二・〇センチ、下部厚一・五センチを測る。頂部は三角形を呈するが、均整さを欠き、首部二条線はない。板状の石材に打撃を加えて成形した後、正面を平鏨で調整し、さらに研磨するが、基部には自然面を残す。基部の右側面には石材採掘時に形成された二個の矢穴が確認できる。裏面には、側縁を整えた後、鏨で両側面から横方向に加撃した痕跡がみられる。身部には、蓮座上に阿弥陀如来の種子キリークを大書するが、ほかに銘文はない。種子の梵字や蓮座の形態が崩れており、丸彫であることなどから判断して、十六世紀のものと考えられる。下半部で斜めに折れている。

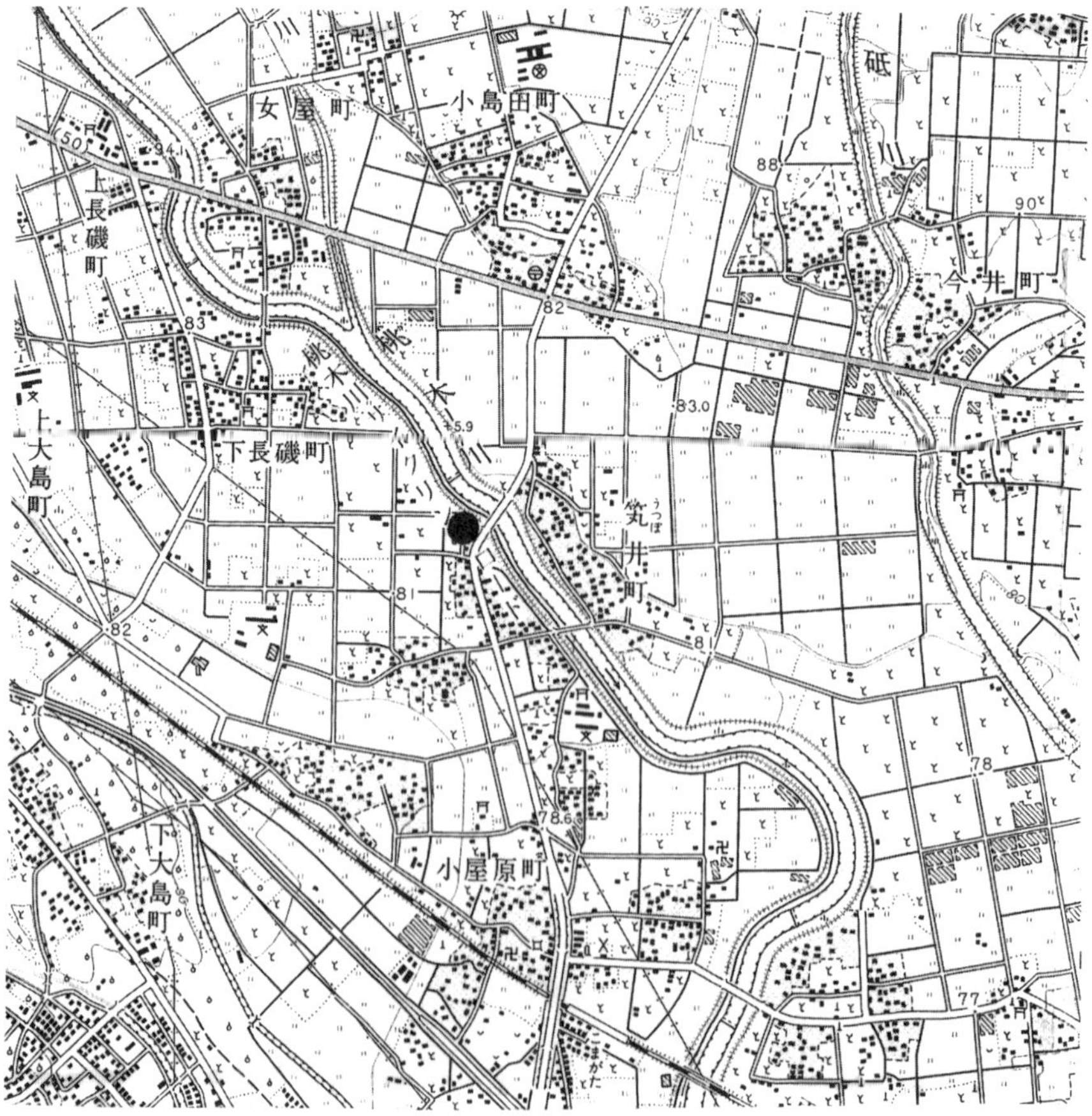

第11図　笂井町板碑出土地の位置（２万５千分の１）

（二）群馬県太田市矢場町（群馬県山田郡矢場川村大字矢場字本矢場）

太田市から栃木県足利市にかけての渡良瀬川右岸には、広大な氾濫原が広がり、多くの中小河川が流れているが、そのひとつが矢場川である。矢場川の両岸には微高地が形成されており、そこに矢場町が立地しているが、現在では水田化が進み、微高地と低地を識別することが困難なまでになっている。発見の事情は不明であるが、水田化にともなう開墾による可能性が高く、発見地にはかつて矢場薬師塚古墳が存在したことが知られている。板碑はおそらくその墳丘から出土したものであろう（第12図）。東京国立博物館に収蔵されているのは二五枚である。

46　板碑　J－二五二三九（写真図版6・39、拓影15、実測図21）

大正二年（一九一三）十二月四日に群馬県山田郡矢場川村大字矢場字本矢場地区から東京帝室博物館に寄贈されたものである。現存高六三・〇センチ、上部幅二三・六センチ、下部幅二五・〇センチ、上部厚二・三センチ、下部厚二・五センチを測る。頂部は三角形を呈し、首部に二条の羽刻みをもつ。板状の石材に打撃を加えて成形した後、正面を研磨する。裏面には、側縁を整えた後、鏨で両側面から横方向に加撃した痕跡が密にみられる。側面は鏨で平坦に調整する。身部には、長方形の枠線を設け、内部に次のような銘文を刻む。

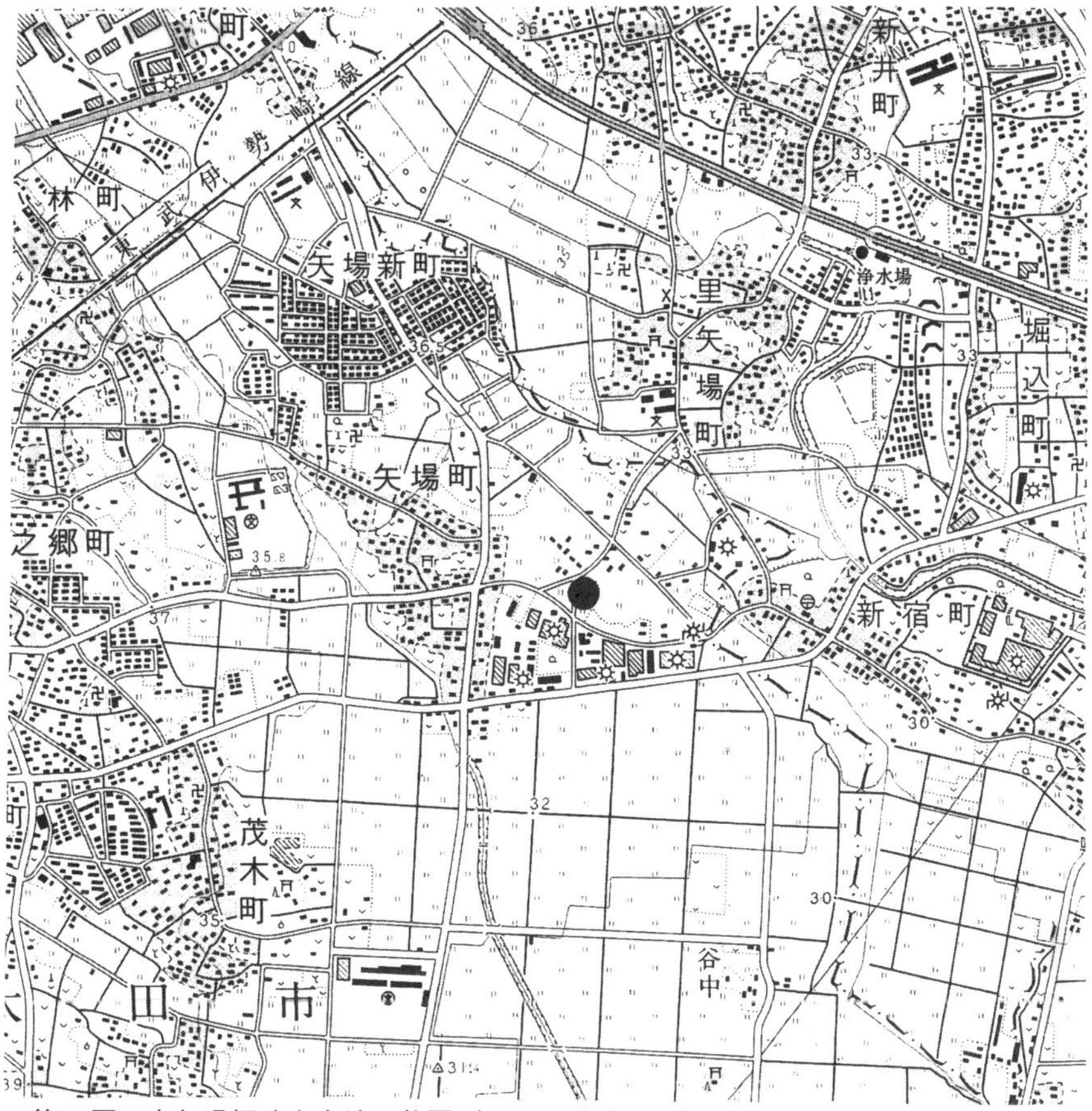

第12図　本矢場板碑出土地の位置（２万５千分の１）

南無多宝如来　康永□三年
南無妙法蓮華経　浄蓮
南無釈迦牟尼仏　卯月十五日

日蓮宗独自の題目板碑である。紀年銘は一部判読できないが、康永三年（一三四四）であろう。北朝年号である。基部を折損する。

47　板碑　J－二五二四〇（写真図版6・40、拓影24、実測図32）

大正二年（一九一三）十二月四日に群馬県山田郡矢場川村大字矢場字本矢場地区から東京帝室博物館に寄贈されたものである。高七三・七センチ、上部幅一九・八センチ、下部幅二一・二センチ、上部厚一・八センチ、下部厚一・九センチを測る。頂部は三角形を呈するが、均整さを欠き、首部に二条の羽刻みをもつ。板状の石材に打撃を加えて成形した後、正面を平鏨で平坦に調整し、さらに研磨するが、基部は剥離面を残す。裏面には、側縁を整えた後、鏨で両側面から横方向に加撃した痕跡がみられる。身部には、長方形の枠線を設け、内部に蓮座の上に阿弥陀如来の種子キリークを大書し、その下に花瓶を配し、その左右に次のような銘文を刻む。

康永二年
九月

紀年銘の康永二年（一三四三）は北朝年号である。

48　板碑　J-二五二四一（写真図版6・40、拓影24、実測図32）

大正二年（一九一三）十二月四日に群馬県山田郡矢場川村大字矢場字本矢場地区から東京帝室博物館に寄贈されたものである。現存高五六・八センチ、上部幅二二・〇センチ、下部幅二三・七センチ、上部厚二・四センチ、下部厚二・三センチを測る。頂部は三角形を呈し、首部に二条の羽刻みをもつ。羽刻みの上部に横方向の割付線がある。板状の石材に打撃を加えて成形した後、正面を鏨で平坦に調整し、さらに研磨する。裏面は側縁を打撃で整える。側面は鏨で平坦に調整する。身部には、不明瞭な沈線で長方形の枠線を設け、内部に蓮座の上に阿弥陀如来の種子キリークを大書し、その下に次のような銘文を刻む。

正安三年　月

紀年銘から正安三年（一三〇一）のものであることが知られる。基部を折損する。

49　板碑　J-二五二四二（写真図版41、拓影24、実測図32）

大正二年（一九一三）十二月四日に群馬県山田郡矢場川村大字矢場字本矢場地区から東京帝室博物館に寄贈されたものである。現存高五三・〇センチ、上部幅二一・三センチ、下部幅二二・七センチ、上部厚一・九センチ、下部厚二・二センチを測る。板状の石材に打撃を加えて成形した後、正面を平鏨で平坦に調整し、さらに研磨するが、基部は鏨痕を明瞭に残す。裏面には、側縁を整えた後、鏨で両側面から横方向に加撃した痕跡が密にみられる。上半部を欠損するため、本尊などは不明であるが、蓮座は大部分が残存する。身部には、不明瞭ではあるが、長方形の枠線を設け、蓮座の下に次のような銘文を刻む。蓮座・枠線の一部・紀年銘には金箔が貼られている。

延文二年八月日

紀年銘の延文二年（一三五七）は北朝年号である。

50　板碑　J-二五二四三（写真図版41、拓影16、実測図22）

大正二年（一九一三）十二月四日に群馬県山田郡矢場川村大字矢場字本矢場地区から東京帝室博物館に寄贈されたものである。現存高四四・六センチ、上部幅一六・八センチ、下部幅一七・一センチ、上部厚二・五センチ、下部厚一・八センチを測る。頂部は三角形を呈するが、均整さを欠き、首部に二条の羽刻みをもつ。板状の石材に打撃を加えて成形した後、正面を研磨する。裏面には、側縁を整えた後、鏨で両側面から横方向に加撃した痕跡がわずかにみられる。左側側面を鏨で平坦に調整する。身部には、蓮座の上に阿弥陀如来の種子キリークを大書し、その下に次のような銘文を刻む。

元徳三年
九月八日

紀年銘の元徳三年（一三三一）は北朝年号である。下半部を折損する。

51　板碑　J-二五二四四（写真図版7・42、拓影16、実測図23）

大正二年（一九一三）十二月四日に群馬県山田郡矢場川村大字矢場字本矢場地区から東京帝室博物館に寄贈されたものである。現存高四八・三センチ、上部幅一九・八センチ、下部幅一九・九センチ、上部厚二・〇センチ、下部厚一・九センチを測る。頂部は欠損するが、首部に二条の羽刻みをもつ。左側縁に石材を採取した際の矢穴が残る。板状の石材に打撃を加えて成形した後、正面を鏨で平坦に調整し、さらに研磨するが、基部は横方向の鏨痕を残す。裏面は打撃によって側縁を整える。身部には、長方形の枠線を設け、蓮座の上に阿弥陀如来の種子キリークを大書し、その下に花瓶を配し、その左右に次のような銘文を刻む。

貞和二年
六月三日

紀年銘の貞和二年（一三四六）は北朝年号である。基部を折損する。

52　板碑　J-二五二四五（写真図版7・42、拓影17、実測図24）

大正二年（一九一三）十二月四日に群馬県山田郡矢場川村大字矢場字本矢場地区から東京帝室博物館に寄贈されたものである。高四九・八センチ、上部幅一六・七センチ、下部幅一七・八センチ、上部厚二・三センチ、下部厚二・七センチを測る。頂部は三角形を呈するが、均整さを欠き、首部二条線をもつ。板状の石材に打撃を加えて成形した後、正面を研磨するが、基部は鏨痕を残す。裏面には、側縁を整えた後、鏨で側面から横方向に加撃した痕跡がみられる。身部には、長方形の枠線を設け、蓮座の上に阿弥陀如来の種子キリークを大書し、その下に花瓶を配し、その左右に次のような銘文を刻む。

観応二年
十一月

紀年銘の観応二年（一三五一）は北朝年号である。

53　板碑　J-二五二四六（写真図版43、拓影17、実測図25）

大正二年（一九一三）十二月四日に群馬県山田郡矢場川村大字矢場字本矢場地区から東京帝室博物館に寄贈されたものである。現存高四八・〇センチ、上部幅二〇・二センチ、下部幅二〇・八センチ、上部厚一・六センチ、下部厚二・〇センチを測る。板状の石材に打撃を加えて成形した後、正面を鏨で平坦に調整し、さらに研磨するが、基部は剥離面を残す。裏面は剥離しているため調整などは不明である。身部には、不明瞭ではあるが、長方形の枠線を設け、浮彫風の立体感をもつ蓮座を刻む。上半部が欠損するため、本尊などは不明である。蓮座の下に次のような銘文を刻む。

永仁三年七月日

紀年銘から永仁三年（一二九五）のものであることが知られる。

54　板碑　J-二五二四七（写真図版43、拓影18、実測図22）

大正二年（一九一三）十二月四日に群馬県山田郡矢場川村大字矢場字本矢場地区から東京帝室博物館に寄贈されたものである。現存高四〇・四センチ、上部幅一五・四センチ、下部幅一六・二センチ、上部厚一・七センチ、下部厚二・〇センチを測る。上部を欠損する。板状の石材に打撃を加えて成形した後、正面を鏨で平坦に調整し、さらに研磨するが、基部は鏨痕を顕著に残す。裏面には、側縁を整えた後、鏨で側面から横方向に加撃した痕跡がみられる。身部には、蓮座の上に阿弥陀如来の種子キリークを大書し、その下に次のような銘文を刻む。紀年銘には漆が付着しており、金箔が貼られていた可能性が高い。

暦応四年
七月日

紀年銘の暦応四年（一三四一）は北朝年号である。

55　板碑　J－二五二四八（写真図版44、拓影18、実測図26）

大正二年（一九一三）十二月四日に群馬県山田郡矢場川村大字矢場字本矢場地区から東京帝室博物館に寄贈されたものである。現存高四五・二センチ、上部幅一五・二センチ、下部幅一五・八センチ、上部厚一・七センチ、下部厚一・八センチを測る。頂部は三角形を呈するが、均整さを欠き、首部に二条の羽刻みをもつ。板状の石材に打撃を加えて成形した後、正面を鏨で平坦に調整し、さらに研磨する。裏面には、側縁を整えた後、鏨で側面から横方向に加撃した痕跡がみられる。身部には、蓮座の上に阿弥陀如来の種子キリークを大書し、その下に次のような銘文を刻む。紀年銘には金箔が貼られている。

文和四年十月日

紀年銘の文和四年（一三五五）は北朝年号である。基部を折損する。

56　板碑　J－二五二四九（写真図版44、拓影19、実測図27）

大正二年（一九一三）十二月四日に群馬県山田郡矢場川村大字矢場字本矢場地区から東京帝室博物館に寄贈されたものである。高四七・〇センチ、上部幅一四・五センチ、下部幅一五・八センチ、上部厚一・九センチ、下部厚一・八センチを測る。頂部は三角形を呈するが、均整さを欠き、首部二条線をもつ。板状の石材に打撃を加えて成形した後、正面を鏨で平坦に調整し、さらに研磨するが、基部には剥離面を残す。裏面には、側縁を整えた後、鏨で両側面から横方向に加撃した痕跡がみられる。身部には、蓮座の上に阿弥陀如来の種子キリークを大書し、その下に次のような銘文を刻む。

康永二年
正月十二日

紀年銘の康永二年（一三四三）は北朝年号である。

57　板碑　J－二五二五〇（写真図版45、拓影18、実測図26）

大正二年（一九一三）十二月四日に群馬県山田郡矢場川村大字矢場字本矢場地区から東京帝室博物館に寄贈されたものである。高四一・六センチ、上部幅一四・〇センチ、下部幅一五・〇センチ、上部厚一・九センチ、下部厚一・六センチを測る。頂部は三角形を呈するが、均整さを欠き、不明瞭ではあるが、首部二条線をもつ。板状の石材に打撃を加えて成形した後、正面を鏨で平坦に調整し、さらに研磨するが、基部には鏨痕を歴然と残す。裏面には、側縁を整えた後、鏨で両側面から横方向に密に加撃した痕跡がみられる。身部には、長方形の枠線を設け、内部に中央の割付線を引いた後、蓮座の上に阿弥陀如来の種子キリークを大書し、その下に花瓶を配し、その左右に次のような銘文を刻む。「五」の文字内に金箔が残存する。

永和五年
正月七日

紀年銘の永和五年（一三七九）は北朝年号である。

58　板碑　J－二五二五一（写真図版45、拓影19、実測図23）

大正二年（一九一三）十二月四日に群馬県山田郡矢場川村大字矢場字本矢場地区から東京帝室博物館に寄贈されたものである。現存高三七・四センチ、上部幅一四・七センチ、下部幅一五・二センチ、上部厚二・五センチ、下部厚二・四センチを測る。頂部は三角形を呈するが、均整さを欠き、不明瞭ではあるが、首部に一条の線を引く。板状の石材に打撃を加えて成形した後、正面を平鏨で平坦に調整し、さらに研磨する。裏面は打撃で側縁を整える。身部には、長方形の枠線を設け、内部に中央の割付線を引いた後、蓮座の上に阿弥陀如来の種子キリークを大書し、その下に花瓶を配し、その左右に次のような銘文を刻む。種子内に漆が付着するところから、金箔を貼っていた可能性が高い。

応永九年
八月一日

紀年銘から応永九年（一四〇二）のものであることが知られる。基部を折損する。

59　板碑　J-二五二五二（写真図版46、拓影20、実測図25）

大正二年（一九一三）十二月四日に群馬県山田郡矢場川村大字矢場字本矢場地区から東京帝室博物館に寄贈されたものである。高四一・八センチ、上部幅一五・三センチ、下部幅一六・五センチ、上部厚一・八センチ、下部厚一・六センチを測る。頂部は三角形を呈するが、均整さを欠き、不明瞭ではあるが、首部二条線をもつ。板状の石材に打撃を加えて成形した後、正面を研磨するが、基部には剥離痕を残す。裏面は打撃によって側縁を整える。身部には、不明瞭ではあるが、長方形の枠線を設け、内部に中央の割付線を引いた後、蓮座の上に阿弥陀如来の種子キリークを大書し、その下に花瓶を配し、その左右に次のような銘文を刻む。

永和四年
十二月七日

紀年銘の永和四年（一三七八）は北朝年号である。

60　板碑　J-二五二五三-一（写真図版46、拓影21、実測図28）

大正二年（一九一三）十二月四日に群馬県山田郡矢場川村大字矢場字本矢場地区から東京帝室博物館に寄贈されたものである。現存高五七・〇センチ、下部幅三〇・八センチ、上部厚二・九センチ、下部厚二・五センチを測る。下部の破片である。厚めの板状の石材に打撃を加えて成形した後、正面を平鑿で平坦に調整し、さらに研磨するが、基部には剥離面を残す。裏面には、側縁を整えた後、鑿で横方向に加撃した痕跡がみられる。左側面は鑿で平坦に調整する。身部には、長方形の枠線を設け、内部中央に紀年銘を刻み、その左右に光明真言を配する。紀年銘は次の通りである。

□年丁卯八月五日白敬

大きさや梵字などの彫法から十四世紀前半頃のものと判断できるので、干支から嘉暦二年（一三二七）のものと判断できる。

61　板碑　J-二五二五三-二（写真図版47、拓影20、実測図29）

大正二年（一九一三）十二月四日に群馬県山田郡矢場川村大字矢場字本矢場地区から東京帝室博物館に寄贈されたものである。現存高四一・八センチ、上部幅二七・八センチ、下部幅二八・五センチ上部厚二・五センチ、下部厚二・五センチを測る。下部の破片である。厚めの板状の石材に打撃を加えて成形した後、正面を平鑿で平坦に調整し、さらに研磨するが、基部には剥離面を残す。裏面には、側縁を整えた後、鑿で横方向に加撃した痕跡がみられる。両側面は鑿で平坦に調整する。基部下端を下方向からの打撃によって調整する。身部には、長方形の枠線を設け、内部中央に紀年銘を刻み、その左右に光明真言を配する。光明真言の梵字内に漆の付着が認められるので、かつては金箔が貼られていた可能性が高い。紀年銘は次の通りである。

嘉暦弐年八月五日

紀年銘から嘉暦二年（一三二七）のものであることが知られ、60の板碑と同時に造立されたものと推測できる。裏面には次のような追刻銘がある。

民部
□八日入滅

62　板碑　J－二五二五三－三（写真図版47、拓影21、実測図24）

大正二年（一九一三）十二月四日に群馬県山田郡矢場川村大字矢場字本矢場地区から東京帝室博物館に寄贈されたものである。現存高三三・六㌢、上部幅一六・五㌢、下部幅一七・一㌢、上部厚一・八㌢、下部厚一・八㌢を測る。頂部は三角形を呈するが、均整さを欠き、首部に二条の羽刻みをもつ。板状の石材に打撃を加えて成形した後、正面を平鑿で調整し、さらに研磨する。裏面は打撃によって側縁を整える。身部には、蓮座の上に阿弥陀如来の種子キリークを大書し、その下に次のような銘文を刻む。

延慶□
六月□

紀年銘から延慶年間（一三〇八～一一）のものであることが知られる。下半部を折損する。

63　板碑　J－二五二五三－四（写真図版48、拓影22、実測図27）

大正二年（一九一三）十二月四日に群馬県山田郡矢場川村大字矢場字本矢場地区から東京帝室博物館に寄贈されたものである。現存高三七・〇㌢、上部幅一五・九㌢、下部幅一六・七㌢、上部厚一・七㌢、下部厚二・三㌢を測る。板状の石材に打撃を加えて成形した後、正面を平鑿で平坦に調整するが、基部には自然面を残す。裏面は側縁を整えた後、鑿で横方向に加撃した痕跡が密にみられる。身部は上半部が欠損しているため、本尊などが不明であるが、蓮座の下端以下が残存しており、蓮座の下に次のような銘文を刻む。

嘉暦二年
十一月廿七日

紀年銘から嘉暦二年（一三二七）のものであることが知られる。

64　板碑　J－二五二五三－五（写真図版48、拓影23、実測図29）

大正二年（一九一三）十二月四日に群馬県山田郡矢場川村大字矢場字本矢場地区から東京帝室博物館に寄贈されたものである。現存高三七・〇㌢、下部幅一六・一㌢、上部厚一・五㌢、下部厚一・八㌢を測る。板状の石材に打撃を加えて成形した後、正面を平鑿で平坦に調整するが、基部は大きく剥離する。裏面は側縁を整えた後、鑿で横方向に加撃した痕跡が密にみられる。身部は上半部を欠損しているが、蓮座の上に阿弥陀如来の種子キリークを大書していたことが残画から知られ、その下に花瓶を配し、その左右に次のような銘文を刻む。

貞和三年
八月　日

紀年銘の貞和三年（一三四七）は北朝年号である。

65　板碑　J－二五二五三－六（写真図版49、拓影22、実測図30）

大正二年（一九一三）十二月四日に群馬県山田郡矢場川村大字矢場字本矢場地

区から東京帝室博物館に寄贈されたものである。現存高二三・二センチ、上部幅一八・六センチ、下部幅一八・二センチ、上部厚二・三センチ、下部厚二・五センチを測る。板状の石材に打撃を加えて成形した後、正面を平坦に調整し、さらに研磨するが、基部は未調整の部分を残す。裏面は側縁を整えた後、鏨で横方向に加撃した痕跡がわずかにみられる。身部は上半部を欠損しているが、長方形の枠線を設け、内部に蓮座の上に阿弥陀如来の種子キリークを大書していたことが残画から知られ、その下に次のような銘文を刻む。

康永元年
十一月

紀年銘の康永元年（一三四二）は北朝年号である。

66　板碑　J－二五二五三－七（写真図版49、拓影19、実測図28）

大正二年（一九一三）十二月四日に群馬県山田郡矢場川村大字矢場字本矢場地区から東京帝室博物館に寄贈されたものである。現存高二八・〇センチ、上部幅一五・一センチ、下部幅一五・一センチ、上部厚〇・九センチ、下部厚一・〇センチを測る。板状の石材に打撃を加えて成形した後、正面を平坦に調整し、さらに研磨する。裏面は剥離のため調整などは不明である。身部は上半部を欠損しているため、本尊などは不明であるが、長方形の枠線を設け、中心の割付線を引いた後、内部に花瓶を配し、その左右に次のような銘文を刻む。

貞治七年
□月二日

紀年銘の貞治七年（一三六八）は北朝年号である。

67　板碑　J－二五二五三－八（写真図版50、拓影19、実測図30）

大正二年（一九一三）十二月四日に群馬県山田郡矢場川村大字矢場字本矢場地区から東京帝室博物館に寄贈されたものである。現存高一八・八センチ、上部幅一六・〇センチ、下部幅一三・二センチ、上部厚一・一センチ、下部厚一・四センチを測る。身中央部の破片である。板状の石材に打撃を加えて成形した後、正面を研磨する。裏面は剥離のため調整など不明である。身部は上部、下部とも欠損しているため、本尊などは不明であるが、長方形の枠線を設け、内部に蓮座を置き、その下に次のような銘文を刻む。

建武元年
四月□

紀年銘から建武元年（一三三四）のものであることが知られる。

68　板碑　J－二五二五三－九（写真図版50、拓影22、実測図31）

大正二年（一九一三）十二月四日に群馬県山田郡矢場川村大字矢場字本矢場地区から東京帝室博物館に寄贈されたものである。現存高二二・一センチ、上部幅一六・〇センチ、下部幅一六・〇センチ、上部厚一・五センチ、下部厚二・二センチを測る。板状の石材に打撃を加えて成形した後、正面を研磨する。裏面は側縁を整えた後、鏨で横方向に加撃した痕跡がわずかにみられる。身部は上半部を欠損しているため、本尊など不明であるが、長方形の枠線を設け、内部に花瓶を配し、その左右に次のような銘文を刻む。

□文二年
□月　日

紀年銘の□文二年は延文二年（一三五七）である可能性が高い。

69　板碑　J－二五二五三－一〇（写真図版51、拓影23、実測図31）

大正二年（一九一三）十二月四日に群馬県山田郡矢場川村大字矢場字本矢場地区から東京帝室博物館に寄贈されたものである。現存高一九・〇センチ、上部幅一六・〇センチ、上部厚一・五センチ、下部厚一・四センチを測る。身中央部の破片である。板状の石材に打撃を加えて成形した後、正面を平鑿で平坦に調整し、さらに研磨する。裏面は剥離のため調整など不明である。身部は上部、下部とも欠損しているため、本尊など不明であるが、蓮座の下に次のような銘文を刻む。蓮座と紀年銘には漆の付着がみられるところから、かつては金箔を貼っていた可能性が高い。

元徳二年

七□

紀年銘から元徳二年（一三三〇）のものであることが知られる。

70　板碑　J－二五二五三－一一（写真図版51、拓影23、実測図31）

大正二年（一九一三）十二月四日に群馬県山田郡矢場川村大字矢場字本矢場地区から東京帝室博物館に寄贈されたものである。現存高一一・六センチ、上部幅一五・七センチ、上部厚一・九センチ、下部厚一・六センチを測る。身中央部の破片である。板状の石材に打撃を加えて成形した後、正面を研磨する。裏面は側面からの打撃によって調整する。身部は上部、下部とも欠損しているため、本尊などは不明であるが、蓮座の下端以下が残る。蓮座の下に次のような銘文を刻む。

元徳二年

七月□

紀年銘から元徳二年（一三三〇）のものであることが知られる。69と紀年銘を同じくすることから同時に造立された可能性が考えられる。

〔参考文献〕

群馬県史編さん委員会　一九八八　『群馬県史』資料編八（中世四）

（三）　群馬県高崎市岩鼻町字久保西（群馬県西群馬郡岩鼻町字久保西）

榛名山麓に源を発する井野川は、前橋台地を南西に流れ、岩鼻町で烏川と合流する。右岸には二段の河岸段丘が形成されており、比高差五メートルを越える段丘崖が形成されているが、板碑の出土地は合流点に程近い低段丘面である（第13図）。板碑は三枚あり、いずれも明治十三年（一八八〇）十一月に、岩鼻火薬所の開設準備工事中に、「古瓶」とともに発掘されたものである。「古瓶」の実態が不明なため、断定できないが、火葬骨を収納する骨壺であったとすれば、中世墓にともなうものである可能性が高い。対岸の八幡原町には中世の城館跡や火葬墓の存在が知られており、それらの遺跡とも深い関係にあることが予測され、井野川下流域における中世社会の実態を知るうえで欠かすことのできない資料といえよう。

71　板碑　J－二五一三九（写真図版52、拓影24、実測図32）

明治十六年（一八八三）八月に群馬県から農商務省博物館に引き継がれたものである。現存高五六・一センチ、上部幅一五・八センチ、下部幅一七・〇センチ、上部厚一・九センチ、下部厚一・八センチを測る。頂部は山形を呈するが、均整さを欠き、首部二条線はない。板状の石材に打撃を加えて成形した後、鏨で横方向に加撃した痕跡がみられる。身部には、蓮座の上に阿弥陀如来の種子キリークを大書するが、風化が著しい。種子や蓮座は彫が浅い箱彫で、その彫法などから十四世紀のものと推測される。下端を折損する。

72　板碑　J－二五一四〇（写真図版52、拓影25、実測図33）

明治十六年（一八八三）八月に群馬県から農商務省博物館に引き継がれたものである。高八八・二センチ、上部幅二七・八センチ、下部幅二七・七センチ、上部厚二・八センチ、下部厚三・二センチを測る。頂部は欠損し、首部二条線はない。板状の石材に打撃を加えて成形した後、正面を平鑿で調整し、さらに研磨する。裏面は側縁を整えた後、鑿で横方向に加撃した痕跡がみられる。基部下端には石材を採取した際の矢穴が残る。身部には、蓮座の上に阿弥陀如来の種子キリークを大書し、その下に観音菩薩の種子サ、勢至菩薩の種子サクを配し、その下に次のような銘文を刻む。

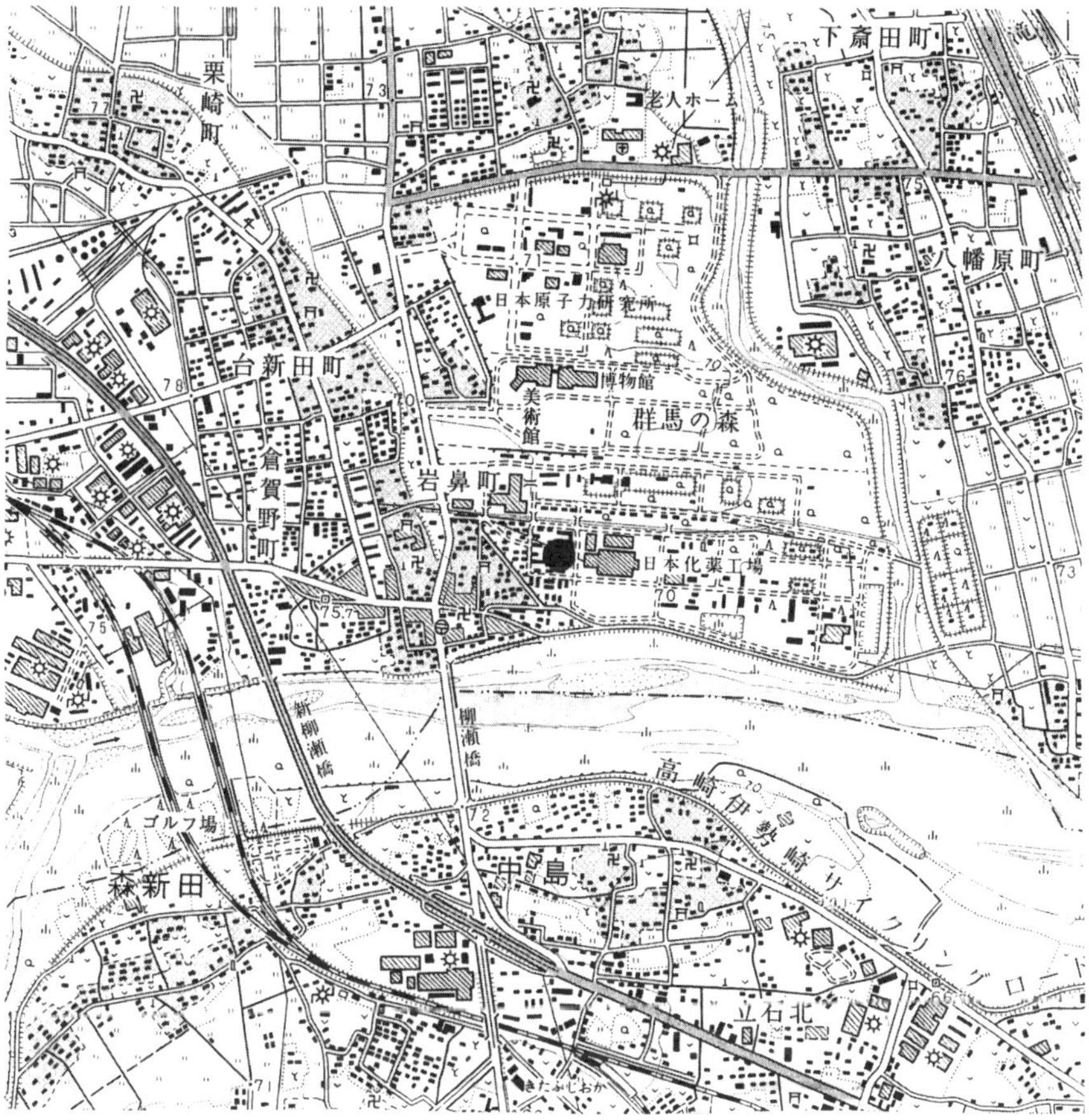

第13図　久保西板碑出土地の位置（２万５千分の１）

永徳元年月日

紀年銘の永徳元年（一三八一）は北朝年号である。

73　板碑　J－二五一四一（写真図版53、拓影24、実測図33）

明治十六年（一八八三）八月に群馬県から農商務省博物館に引き継がれたものである。現存高五四・七センチ、上部幅一七・四センチ、下部幅一八・八センチ、上部厚二・八センチ、下部厚二・七センチを測る。頂部は三角形を呈するが、右側縁が欠損しており、首部二条線はない。板状の石材に打撃を加えて成形した後、正面を平鑿で調整し、さらに研磨する。裏面は側縁を整えた後、鑿で横方向に加撃した痕跡がみられる。身部には、蓮座の上に阿弥陀如来の種子キリークを大書する。種子と蓮座はいずれも浅い箱彫で、形態と彫法などから十四世紀のものと推測できる。基部を折損する。

五、埼玉県

（一）埼玉県岩槻市尾ケ崎新田字新河岸地先綾瀬川底（埼玉県南埼玉郡新和村大字尾ケ崎新田字新河岸地先綾瀬川底）

尾ケ崎新田は綾瀬川左岸の微高地に立地し、近世初期に開拓された新田村落で、対岸には日光御成道、東側には日光御成道下道が通っている（第14図）。綾瀬川は穏やかな流れをみせるが、近世には水運が発達し、江戸に農産物を輸送するなど活発な経済活動がおこなわれていた。新河岸の地名は水揚げがおこなわれたこ

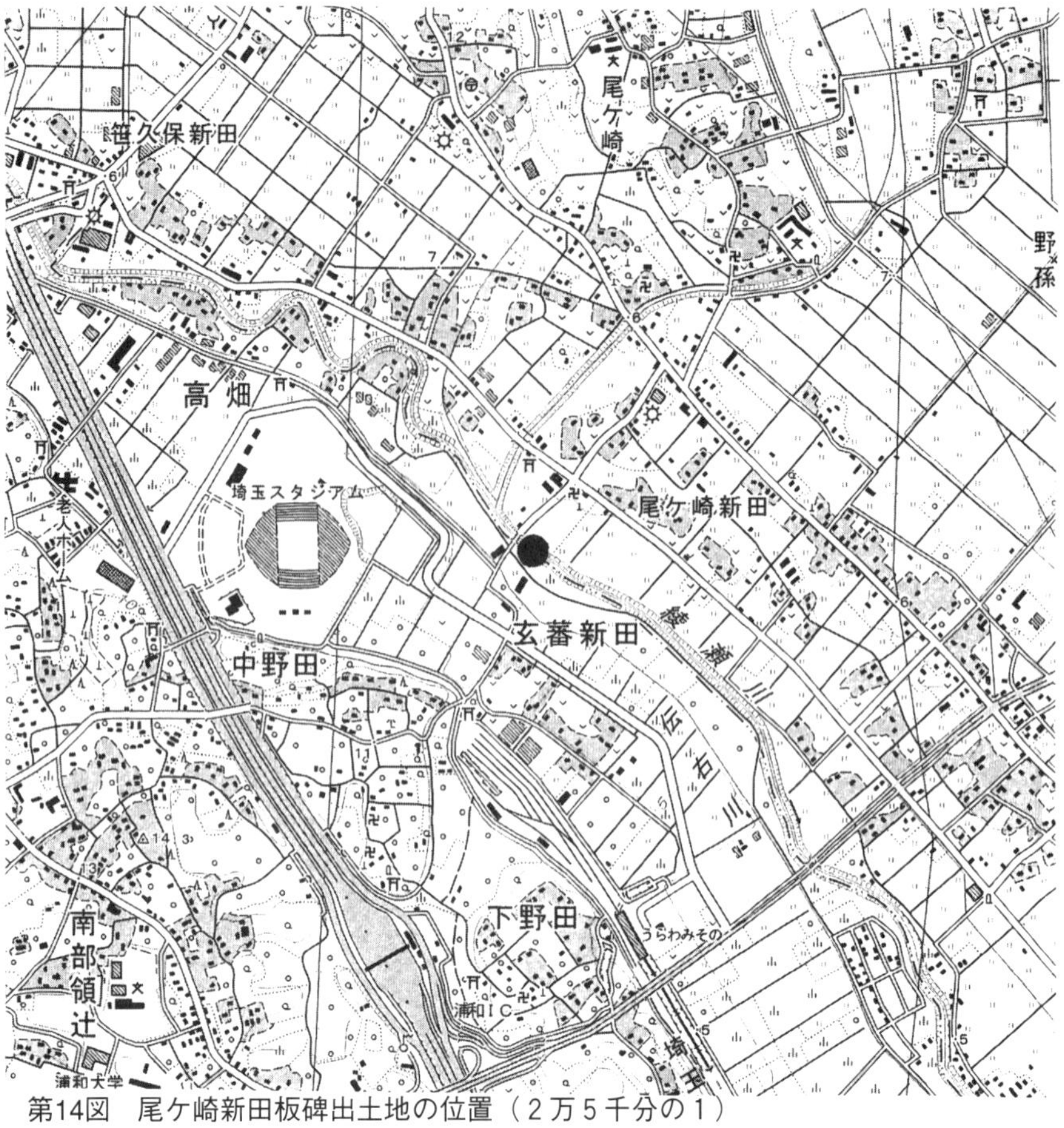

第14図　尾ケ崎新田板碑出土地の位置（２万５千分の１）

とに由来するとみられるが、岩槻や大門に拠点的な河岸があったため、中継地点的な性格が強かったと考えられる。「埋蔵物録」によれば、大正五年（一九一六）四月十二日に、綾瀬川浚渫工事で川底を掘り下げた際、板碑は「川底約二尺ノ処」から発見された。板碑は一枚のみである。その際、板碑とともに刀一口・短刀二口・雁股鏃一個が出土したが、腐蝕が著しかったために発見者に返却され、現存していない。遺跡は川底という特殊な環境下にあり、その性格については不明な点が多いが、当時地元では古戦場ではないかといわれたという。綾瀬川の流路が変化して埋没した可能性、あるいは河川交通にともなう遺跡である可能性など、さまざまなことが考えられるが、今後の調査に委ねるしかない。

74　板碑　J－二五二七四（写真図版7・53、拓影25、実測図33）

大正六年（一九一七）二月二十八日に埼玉県から東京帝室博物館が購入したものである。高一〇四・六センチ、上部幅二八・〇センチ、下部幅三〇・〇センチ、上部厚二・四センチ、下部厚二・六センチを測る。頂部は三角形を呈し、首部に二条の羽刻みをもつ。板状の石材に打撃を加えて成形した後、正面を研磨するが、基部には剥離面を残す。裏面は側縁を整えた後、鑿で両側縁から横方向に加撃した痕跡がみられる。身部には、不明瞭ではあるが、長方形の枠線を設け、脇侍の位置に割付線を引いた後、蓮座の上に阿弥陀如来の種子キリークを大書し、その下にやはり蓮座にのった観音菩薩の種子サと勢至菩薩の種子サクを配し、さらにその下に次のような銘文を刻む。

観応三
年七月日

紀年銘の観応三年（一三五二）は北朝年号である。

（二）　埼玉県さいたま市西区佐知川（埼玉県北足立郡植水村大字佐知川字粕田）

佐知川は荒川と鴨川に挟まれた台地と微高地上に立地する集落で、中世後期にはすでに開発され、長井氏が在地領主であったことが知られる（第15図）。河川が近いにもかかわらず、用水に恵まれず、かつては天水場といわれた。「埋蔵物録」によれば、板碑は明治三十三年（一九〇〇）九月一日に、飯野竹之助氏宅地内で、井戸掘り作業中に「地下約三尺ノ位置」から発見された。板碑は一枚のみである。

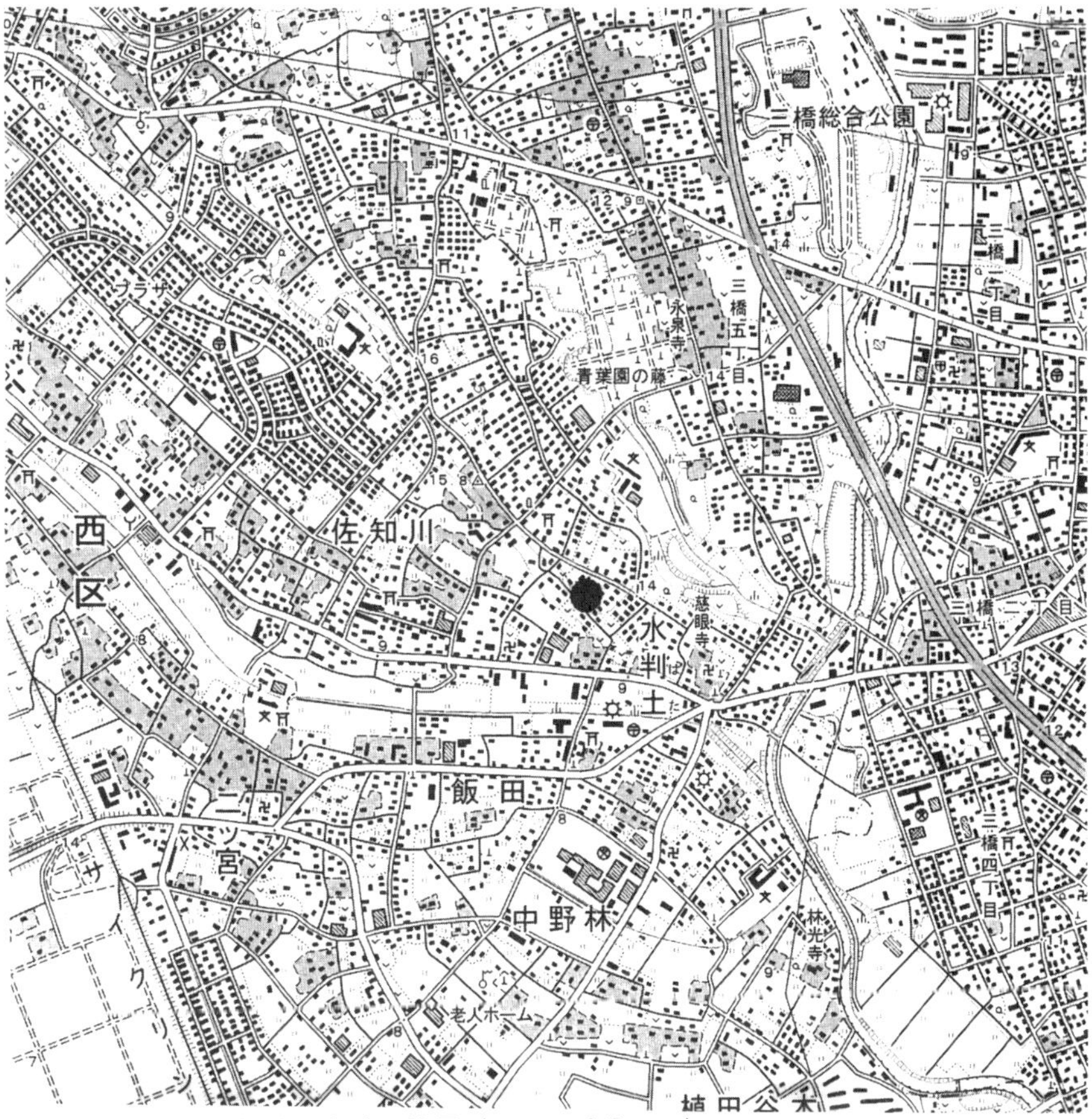

第15図　佐知川板碑出土地の位置（２万５千分の１）

75　板碑　Ｊ-二五一四九（写真図版７・54、拓影25、実測図33）

明治三十四年（一九〇一）七月に飯野竹之助氏から東京帝室博物館が購入したものである。現存高六九・二センチ、上部幅二一・三センチ、下部幅二三・八センチ、上部厚二・二センチ、下部厚二・二センチを測る。頂部は三角形を呈するが、先端部を欠き、首部に二条の羽刻みをもつ。板状の石材に打撃を加えて成形した後、正面を研磨するが、基部には剥離面を残す。裏面は側縁を整えた後、鏨で側縁から横方向に加撃した痕跡がみられる。身部には、不明瞭ではあるが、長方形の枠線を設け、中央に割付線を引いた後、蓮座の上に阿弥陀如来の種子キリークを大書し、その下に次のような銘文を刻む。

貞治四年十一月廿六日

紀年銘の貞治四年（一三六五）は北朝年号である。

（三）埼玉県川口市戸塚下台（埼玉県北足立郡戸塚村大字戸塚下台五一一二番地）

戸塚は綾瀬川と芝川に挟まれた台地上に存在する。台地には樹枝状に谷戸が形成され、集落は谷戸に沿った傾斜面に立地するが、板碑出土地周辺は低い孤立丘のような景観をみせている（第16図）。竜賀山には小宮山氏が築いたとされる城跡があるが、現在では開発のために詳細は不明になっている。板碑出土地の西方約八〇〇メートルの地点には日光御成道が通っている。「埋蔵物録」によれば、板碑は、昭和三年（一九二八）二月二十五日に、畑地の耕作中に「地下一尺五寸位」掘り下げたところで発見された。その畑地は板碑発見の数年前まで山林であったところを発見者が開墾して得たものであるという。板碑は二枚出土しているが、同時に甕と古銭も出土しており、なんらかの関連が推測される。

76　板碑　Ｊ-二五三五七（写真図版54、拓影26、実測図34）

昭和四年（一九一九）四月三十日に埼玉県から東京帝室博物館が購入したものである。現存高四一・九センチ、上部幅一六・四センチ、下部幅一七・二センチ、上部厚一・六センチ、下部厚一・二センチを測る。頂部は欠損するが、首部に二条の羽刻みをもつ。板状の石材に打撃を加えて成形した後、正面を平鏨で調整し、さらに研磨するが、基部には剥離面を残す。裏面は側縁を整えた後、鏨で両側縁から横方向に加撃した痕跡が密にみられる。身部には、蓮座の上に円相を置き、内部に阿弥陀如来の

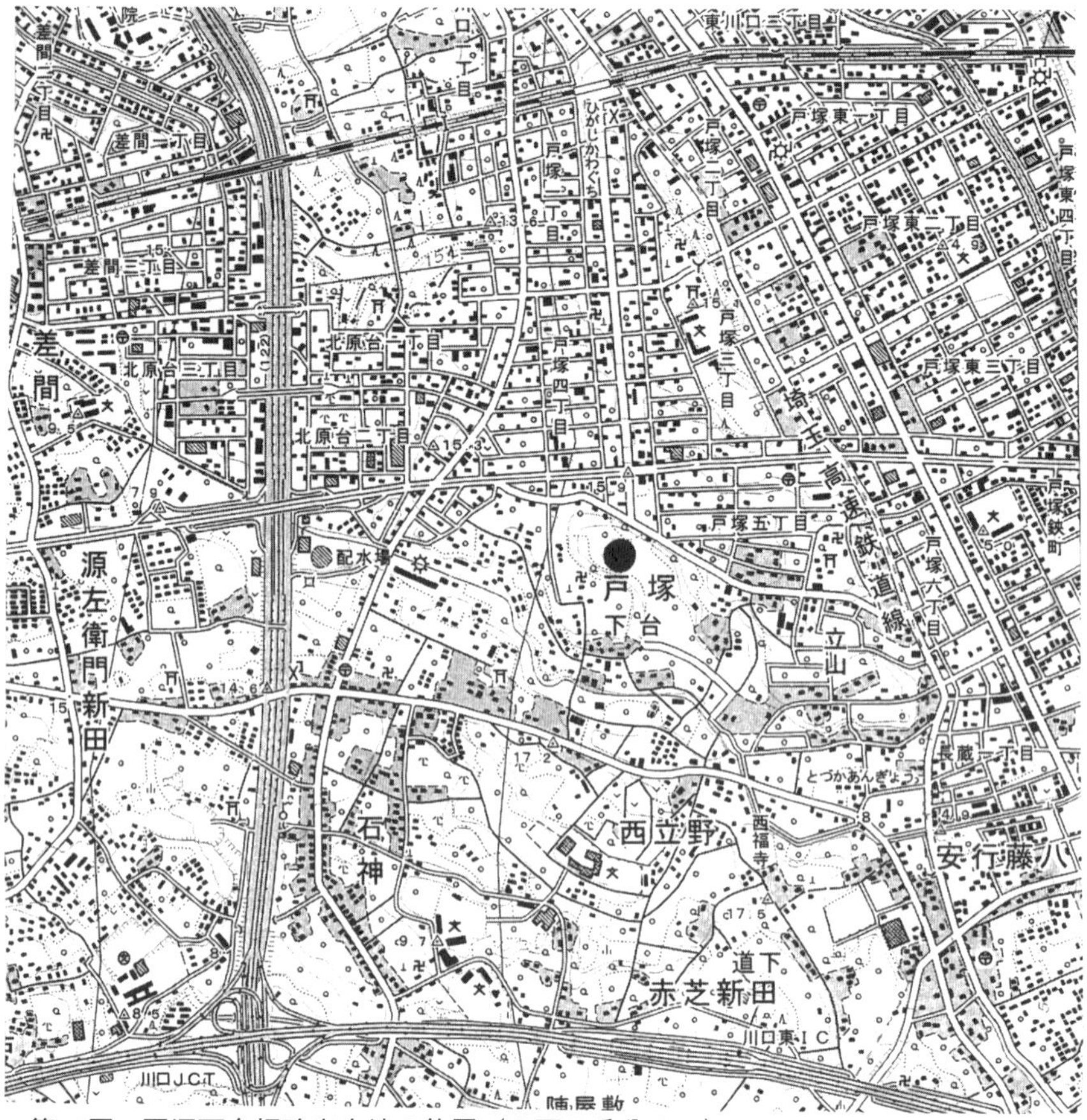

第16図　戸塚下台板碑出土地の位置（２万５千分の１）

種子キリークを大書し、その下に次のような銘文を刻む。

暦応四年八月十六日

紀年銘の暦応四年（一三四一）は北朝年号である。基部を折損する。

77　板碑　J－二五二五八（写真図版8・55、拓影26、実測図34）

昭和四年（一九二九）四月三十日に埼玉県から東京帝室博物館が購入したものである。高四四・三㌢、上部幅一三・〇㌢、下部幅一三・五㌢、上部厚一・七㌢、下部厚一・五㌢を測る。頂部は三角形を呈するが、左肩部を欠き、首部二条線をもつ。板状の石材に打撃を加えて成形した後、正面を研磨するが、基部には鏨痕を残す。裏面は打撃によって側縁を整える。身部には、中央の割付線を引いた後、蓮座の上に阿弥陀如来の種子キリークを大書し、その下に次のような銘文を刻む。

暦応二年
八月日

紀年銘の暦応二年（一三三九）は北朝年号である。「八月」の文字の右上方に文字を研磨して抹消したような痕跡が残る。

（四）埼玉県川越市古谷上（埼玉県入間郡古谷村大字古谷上字江遠島十五番地）

古谷上は入間川右岸の集落であるが、昭和戦前期の河川改修の結果、一部は左岸に飛地として残されることになった（第17図）。中世には古尾谷荘の一部であったと考えられる。古谷上の善仲寺は周囲を堀と土塁に囲まれた中世居館であり、領主古尾谷氏か家臣中氏の拠点であったと推測され、隣村の古谷本郷にある古尾谷八幡宮などとともに、この地域が中世に栄えたことを物語る。その背景には、入間川に臨む蔵根が近世に河岸として賑わったことが示すように、当地が交通の要衝であり、経済的に重要な機能をもっていたことがあると考えられる。五枚の板碑は、昭和九年（一九三四）九月十四日に、荒川上流改修工事にともなう重機による掘削中に、「地下五尺位ノ処」から発見された。江遠島は入間川と荒川の合流点に近く、河川の氾濫原であり、中世にも河原かそれに近い荒地であった可能性が高い。

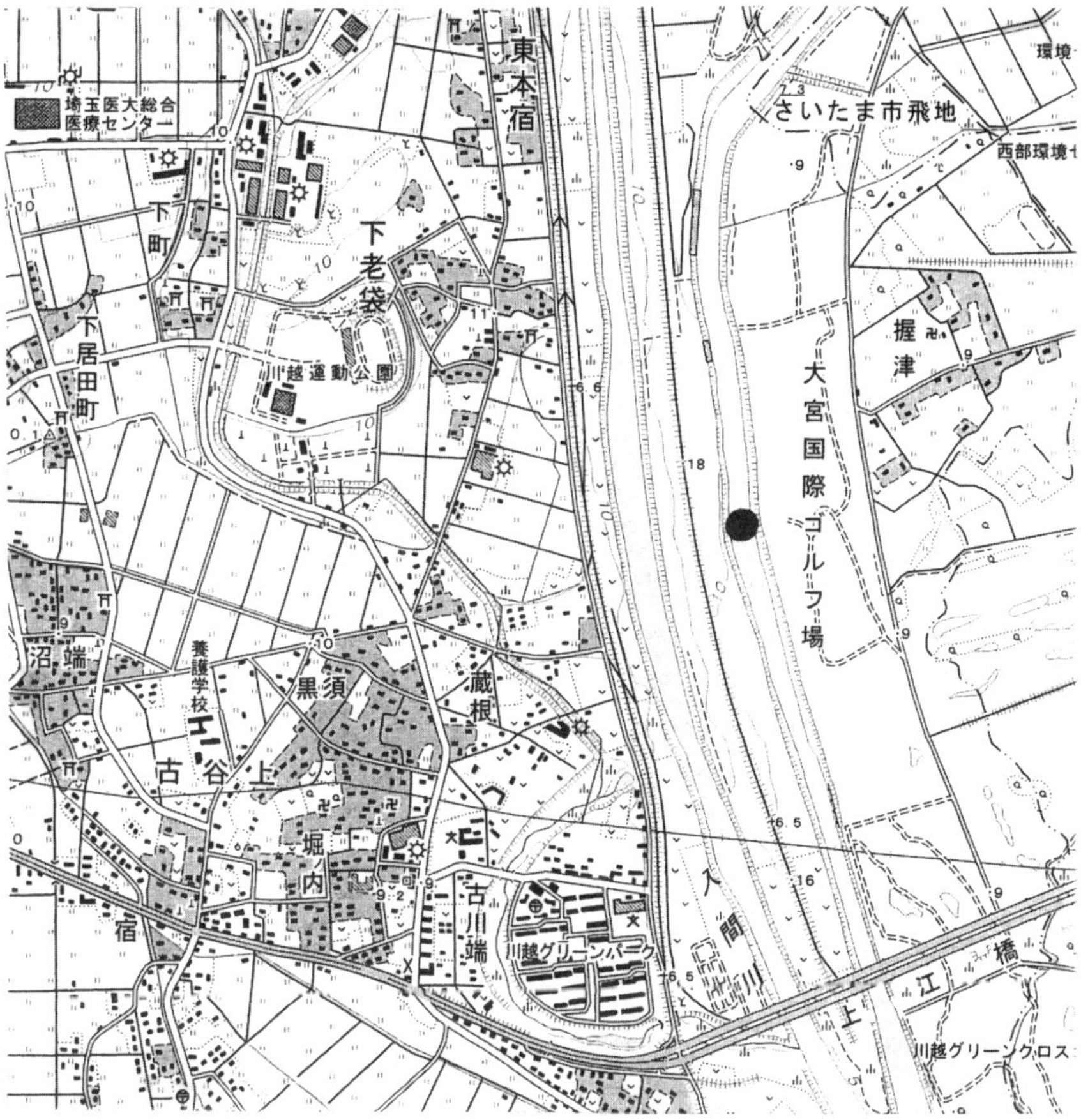

第17図　古谷上板碑出土地の位置（２万５千分の１）

78　**板碑　Ｊ－二五三七八（写真図版8・55、拓影27、実測図35）**

昭和十一年（一九三六）六月十一日に宮田隆一郎氏から東京帝室博物館に寄贈されたものである。高六四・八センチ、上部幅一八・九センチ、下部幅二一・六センチ、上部厚二・一センチ、下部厚二・〇センチを測る。頂部は三角形を呈するが、均整さを欠き、首部二条線をもつ。板状の石材に打撃を加えて成形した後、正面を平鑿で調整し、さらに研磨するが、基部には剥離面を残し、左側は突出したままである。裏面は打撃によって側縁を整える。基部左下には石材採取時の矢穴が残る。身部には、蓮座の上に阿弥陀如来の種子キリークを大書し、その下に次のような銘文を刻む。種子などは浅い薬研彫である。

観応元年　四月　二日

紀年銘の観応元年（一三五〇）は北朝年号である。

79　**板碑　Ｊ－二五三七九（写真図版56、拓影26、実測図36）**

昭和十一年（一九三六）六月十一日に宮田隆一郎氏から東京帝室博物館に寄贈されたものである。現存高四六・二ヤンチ、上部幅二〇・四センチ、下部現存幅一九・〇センチ、上部厚二・四センチ、下部厚二・三センチを測る。頂部は三角形を呈するが、右肩部を欠き、首部二条線をもつ。板状の石材に打撃を加えて成形した後、正面を平鑿で調整し、さらに研磨する。裏面は側縁を整えた後、鑿で横方向に加撃した痕跡がみられる。身部には、蓮座の上に阿弥陀如来の種子キリークを大書し、その下に次のような銘文を刻む。種子と蓮座は浅い薬研彫で表す。

正応三年□

紀年銘から正応三年（一二九〇）のものであることが知られる。下半部を折損する。

80　**板碑　Ｊ－二五三八〇（写真図版56、拓影29、実測図36）**

昭和十一年（一九三六）六月十一日に宮田隆一郎氏から東京帝室博物館に寄贈されたものである。現存高四四・九センチ、上部幅一八・三センチ、下部幅一九・五センチ、上部厚一・八センチ、下部厚一・九センチを測る。頂部は三角形を呈し、首部に二条の羽刻みをもつ。板状の石材に打撃を加えて成形した後、正面を平鑿で調整し、さらに研磨する。裏面は側縁を整えた後、鑿で両側縁から横方向に加撃した痕跡がみられる。身部には、不明瞭ではあるが枠線を設け、中央に割付線を引いた後、蓮座の上に阿弥陀如来の種子キリークを大書し、その下に次のような銘文を刻む。

永和二年四月九□

紀年銘の永和二年（一三七六）は北朝年号である。下半部を折損する。

81 板碑 J-二五三八一（写真図版8・57、拓影28、実測図37）

昭和十一年（一九三六）六月十一日に宮田隆一郎氏から東京帝室博物館に寄贈されたものである。現存高一三三・五センチ、上部幅三一・〇センチ、下部幅三四・四センチ、柄部幅二四・五センチ、上部厚四・一センチ、下部厚三・六センチ、柄部厚三・〇センチを測る。頂部は三角形を呈するが、やや均整さを欠き、首部に二条の羽刻みをもつ。厚めの板状の石材に打撃を加えて成形した後、正面を平鑿で調整し、さらに研磨する。基部に柄部を作り出す。裏面には石材採取時のものとみられる矢穴痕が縦方向に並ぶ。また、側縁を整えた後、鑿で横方向に加撃した痕跡がみられる。両側面を鑿で平坦に調整する。身部には、蓮座の上に阿弥陀如来の種子キリークを大書する。巨大な板碑であるが、十四世紀のものと推測される。

82 板碑 J-二五三八二（写真図版57、拓影29、実測図38）

昭和十一年（一九三六）六月十一日に宮田隆一郎氏から東京帝室博物館に寄贈されたものである。現存高三三・五センチ、上部幅一九・三センチ、下部幅一九・九センチ、上部厚一・八センチ、下部厚二・三センチを測る。頂部は三角形を呈するが、均整さを欠き、首部に二条の羽刻みをもつ。板状の石材に打撃を加えて成形した後、正面を平鑿で調整し、さらに研磨する。裏面は側縁を整えた後、鑿で横方向に加撃した痕跡がみられる。身部には、長方形の枠線を設け、内部に蓮座の上に阿弥陀如来の種子キリークを大書する。十四世紀のものであろう。下半部を折損する。

（五）埼玉県川越市的場（埼玉県入間郡霞関村大字的場）

的場は入間川と小畔川に挟まれた台地に立地し、戦国期には川越衆の山中内匠助の所領であったことが知られ、法城寺などに多数の板碑が伝存している（第18図）。北側約一キロのところには川越氏の拠点であった川越館跡があり、中世に重要な場所であったことが推測できるが、明確な遺跡は確認されていない。「埋蔵物録」によれば、板碑は、寄贈者の息子が昭和三年（一九二八）四月十日に山遊びに行った際に、通称豊後山で一部が表面に露出していたのを発見し、「約一坪」の範囲を「深サ三尺位」発掘し、六枚の板碑を発見したという。

83 板碑 J-二五三五〇（写真図版8・58、拓影30、実測図39）

昭和四年（一九二九）四月五日に加藤源四郎氏から東京帝室博物館に寄贈されたものである。高八七・一センチ、上部幅二一・八センチ、下部幅二五・九センチ、上部厚一・六センチ、下部厚二・五センチを測る。頂部は三角形を呈するが、均整さを欠き、首部に二条の羽刻みをもつ。板状の石材に打撃を加えて成形した後、正面を平鑿で調整し、さらに研磨するが、基部には剥離面を残す。裏面は側縁を整えた後、鑿で両側縁から横方向に加撃した痕跡がわずかにみられる。身部には、中央に割付線を引いた後、蓮座の上に阿弥陀如来の種子キリークを大書し、その下に左右に各二行ずつ四行にわたり光明真言を書き、その中央に次のような紀年銘を刻む。

元弘四年四月日

紀年銘の元弘四年（一三三四）は南朝年号である。

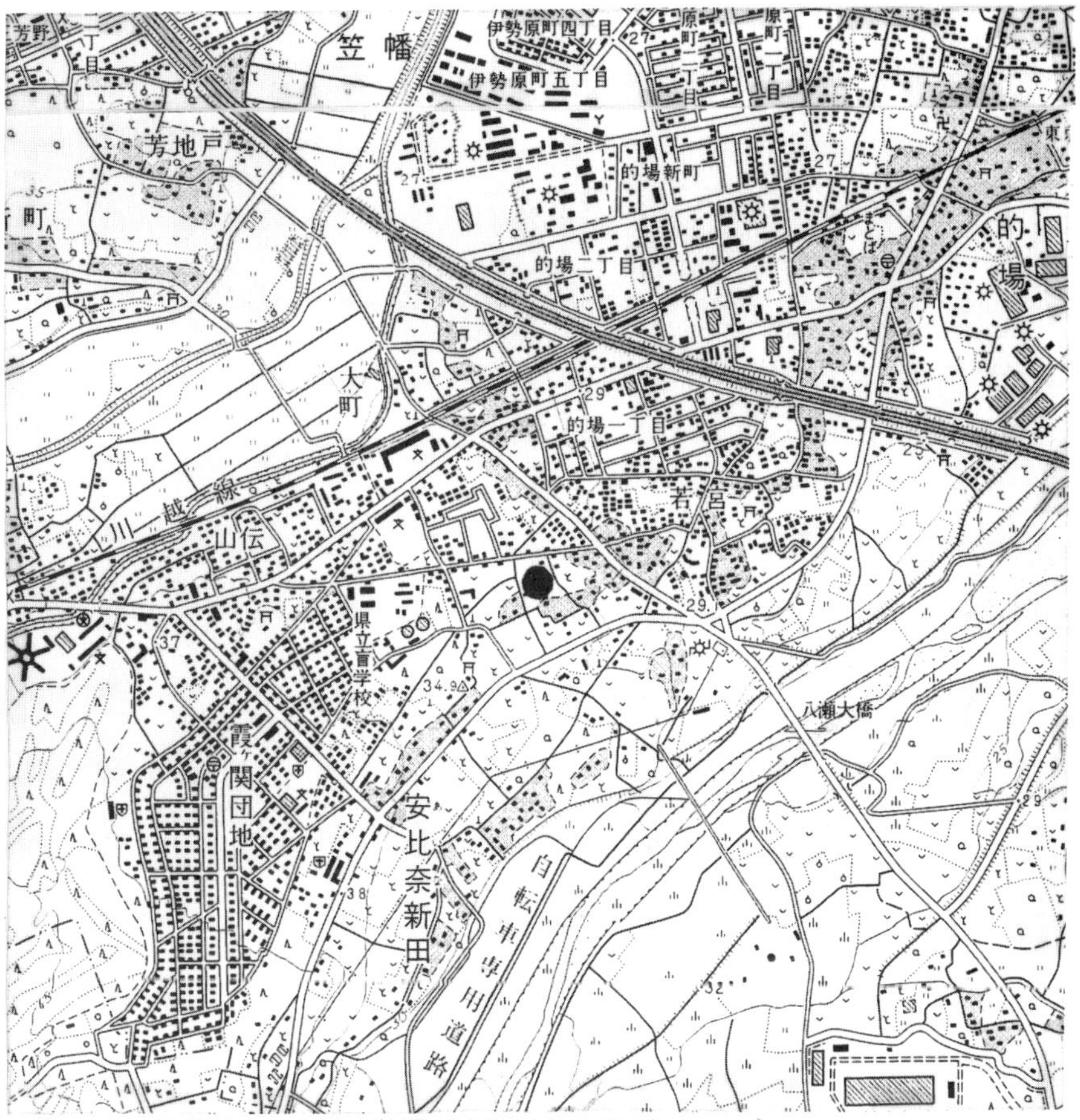

第18図　的場板碑出土地の位置（２万５千分の１）

84　板碑　J-二五三五一（写真図版9・58、拓影31、実測図40）

昭和四年（一九二九）四月五日に加藤源四郎氏から東京帝室博物館に寄贈されたものである。高七二・四センチ、上部幅二〇・九センチ、下部幅二三・四センチ、上部厚二・四センチ、下部厚二・〇センチを測る。頂部は三角形を呈し、首部に二条の羽刻みをもつ。板状の石材に打撃を加えて成形した後、正面を平鑿で調整し、さらに研磨するが、基部には鑿痕を明瞭に残す。裏面は側縁を整えた後、鑿で両側縁から横方向に加撃した痕跡がわずかにみられる。身部には、割付線を引いた後、不明瞭ではあるが長方形の枠線を設け、内部に蓮座の上に阿弥陀如来の種子キリークを大書し、その下に左右に各二行ずつ四行にわたり光明真言を書き、その中央に次のような紀年銘を刻む。

康永三年二月日

紀年銘の康永三年（一三四四）は北朝年号である。

85　板碑　J-二五三五二（写真図版59、拓影32、実測図41）

昭和四年（一九二九）四月五日に加藤源四郎氏から東京帝室博物館に寄贈されたものである。高七七・三センチ、上部幅二二・七センチ、下部幅二四・五センチ、上部厚一・八センチ、下部厚二・七センチを測る。頂部は三角形を呈するが、均整さを欠き、首部に二条の羽刻みをもつ。板状の石材に打撃を加えて成形した後、正面を平鑿で調整し、さらに研磨するが、基部には鑿痕を残す。裏面は側縁を整えた後、鑿で両側縁から横方向に加撃した痕跡がみられる。身部には、中央に割付線を引いた後、長方形の枠線を設け、内部に蓮座の上に円相で囲んだ阿弥陀如来の種子キリークを大書し、その下に次のような銘文を刻む。

道
至徳四年四月七日
十

紀年銘の至徳四年（一三八七）は北朝年号である。中程で二つに割れている。

86　板碑　J-二五三五三（写真図版59、拓影33、実測図38）

昭和四年（一九二九）四月五日に加藤源四郎氏から東京帝室博物館に寄贈され

たものである。高五五・〇センチ、上部幅一六・五センチ、下部幅一八・一センチ、上部厚二・〇センチ、下部厚二・二センチを測る。頂部は三角形を呈するが、均整さを欠き、首部二条線をもつ。板状の石材に打撃を加えて成形した後、正面を平鑿で調整し、さらに研磨するが、基部には剥離面を残す。裏面は側縁を整えた後、鑿で横方向に加撃した痕跡がみられる。身部には、蓮座の上に阿弥陀如来の種子キリークを大書し、その下に次のような銘文を刻む。

貞治三年八月廿六日

紀年銘の貞治三年（一三六四）は北朝年号である。

87　板碑　J－二五三五四（写真図版60、拓影34、実測図42）

昭和四年（一九二九）四月五日に加藤源四郎氏から東京帝室博物館に寄贈されたものである。高四九・〇センチ、上部幅一五・五センチ、下部幅一六・六センチ、上部厚一・五センチ、下部厚一・七センチを測る。頂部は三角形を呈するが、均整さを欠き、首部二条線をもつ。板状の石材に打撃を加えて成形した後、正面を平鑿で調整し、さらに研磨するが、基部には鑿痕を残す。裏面は側縁を整えた後、部分的に鑿で横方向に加撃した痕跡がみられる。身部には、不明瞭ではあるが、長方形の枠線を設け、内部に蓮座の上に阿弥陀如来の種子キリークを大書し、その下に次のような銘文を刻む。

六月
応安三年
一日

紀年銘の応安三年（一三七〇）は北朝年号である。基部右側をわずかに欠く。

88　板碑　J－二五三五五（写真図版60、拓影33、実測図42）

昭和四年（一九二九）四月五日に加藤源四郎氏から東京帝室博物館に寄贈されたものである。現存高三三・五センチ、上部幅一八・二センチ、下部幅一九・〇センチ、上部厚二・〇センチ、下部厚一・七センチを測る。頂部は三角形を呈するが、均整さを欠き、首部に二条の羽刻みをもつ。羽刻みの上端に沈線があるが、割付線であろう。板状の石材に打撃を加えて成形した後、正面を平鑿で調整し、さらに研磨する。裏面は側縁を整えた後、鑿で両側縁から横方向に加撃した痕跡がわずかにみられる。身部には、中央に割付線を引いた後、不明瞭ではあるが、長方形の枠線を設け、内部に蓮座の上に阿弥陀如来の種子キリークを大書し、その下に次のような銘文を刻む。

応□

紀年銘は下半部の折損のため確定できないが、元号は応安もしくは応永である可能性が高く、十四世紀後半から十五世紀初頭にかけてのものとみられる。下半部を折損する。

(六)　埼玉県熊谷市四方寺（埼玉県大里郡奈良村大字四方寺）

四方寺は利根川右岸の沖積地に立地する。利根川の中流域は度々流路が変わった乱流域であるが、付近一帯には条里地割がみられ、古代に開発された地域である可能性が高い（第19図）。戦国期には四方寺氏が領主であったが、居館などの遺跡は未確認で、板碑の出土地も特定できない。東京国立博物館所蔵の板碑は一枚のみである。

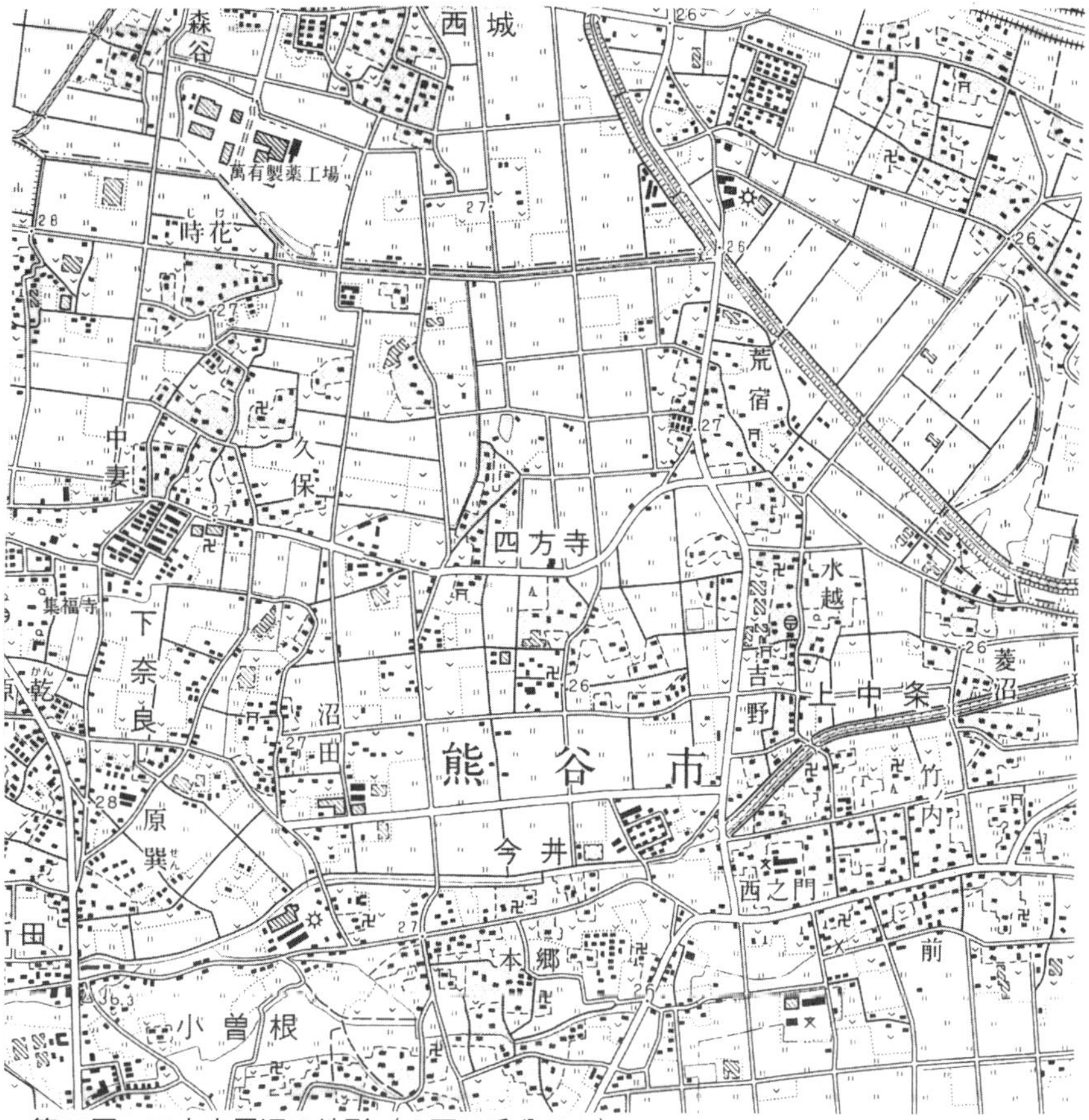

第19図　四方寺周辺の地形（２万５千分の１）

89　板碑　J－二五二〇〇（写真図版61、拓影34、実測図43）

明治三十六年（一九〇三）に根岸伴七氏から東京帝室博物館に寄贈されたものである。根岸氏は号を武香といい、坪井正五郎氏らと吉見百穴を調査した考古学者として広く知られた人物である。高五一・四センチ、上部幅一六・三センチ、下部幅一七・〇センチ、上部厚一・九センチ、下部厚一・八センチを測る。頂部は三角形を呈するが、均整さを欠き、首部に二条の羽刻みをもつ。板状の石材に打撃を加えて成形した後、正面を平鑿で調整し、さらに研磨するが、基部には剥離面のほか、石材採取時の矢穴痕を残す。裏面は側縁を整えた後、鑿で両側縁から横方向に加撃した痕跡が密にみられる。身部には、中央に割付線を引いた後、長方形の枠線を設け、内部に蓮座の上に阿弥陀如来の種子キリークを大書し、その下に花瓶を挟んで右側に二行、左側に一行、次のような銘文を刻む。

明徳五年
法善尼
正月八日

紀年銘から明徳五年（一三九四）のものであることが知られる。

（七）埼玉県戸田市下戸田（埼玉県北足立郡戸田村大字下戸田一六七九番地）

下戸田は荒川の左岸の微高地上に立地するが、現在では人家が建ち込めて、かつての地形を窺い知ることは困難である（第20図）。近世には、西側を中山道が貫通し、荒川の対岸との間に渡し舟が設けられていた。また、近くには蕨河岸があり、近世には荒川水運の物資の集散地として栄えた。隣接する上戸田には中世居館である蕨館跡がある。「埋蔵物録」によれば、板碑は、明治三十三年（一九〇〇）三月五日に、元畑地であった土地で溝渠工事をおこなった際に発見され、出土した枚数は七枚に及んだ。

90　板碑　J－二五一四二（写真図版9・61、拓影35、実測図44）

明治三十四年（一九〇一）七月に金子義三氏から東京帝室博物館が購入したものである。高五四・五センチ、上部幅一五・六センチ、下部幅一五・五センチ、上部厚二・〇センチ、下部厚一・九センチを測る。頂部は三角形を呈するが、均整さを欠き、首部二条線をもつ。板状の石材に打撃を加えて成形した後、正面を平鑿で調整し、さらに研磨するが、基部には剥離面を残す。裏面は側縁を整えた後、鑿で横方向に加撃した痕跡がみられる。身部には、割付線を引いた後、長方形の枠線を設け、内部に蓮座の上に円相で囲んだ阿弥陀如来の種子キリークを大書し、その下に次のような銘文を刻む。種子と銘文の一部に金箔が残る。

天文三年甲午
妙双禅尼
四月十三日

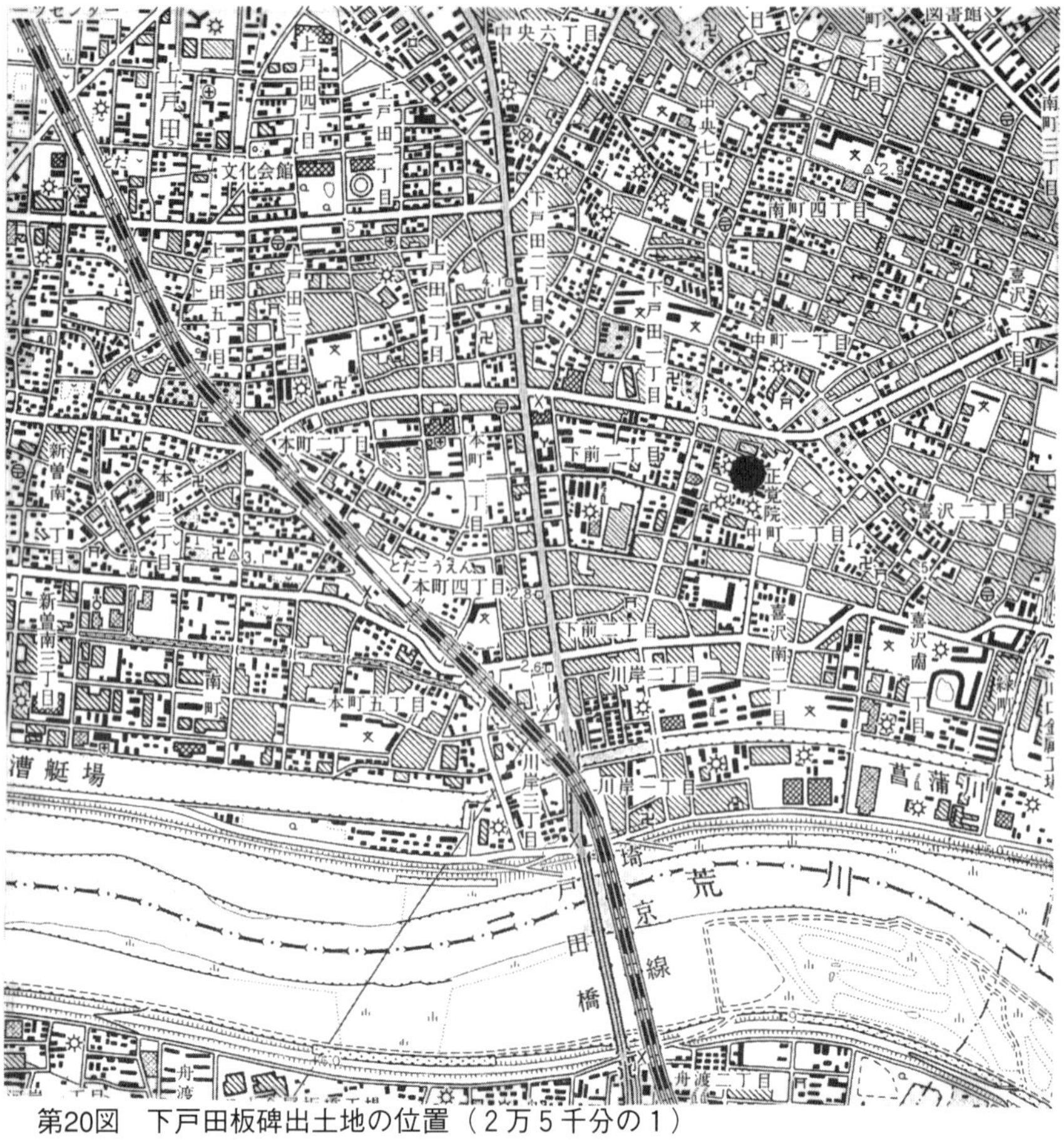

第20図　下戸田板碑出土地の位置（２万５千分の１）

紀年銘から天文三年（一五三四）のものであることが知られる。

91　板碑　J－二五一四三（写真図版62、拓影36、実測図45）

明治三十四年（一九〇一）七月に金子義三氏から東京帝室博物館が購入したものである。高五四・〇㌢、上部幅一六・九㌢、下部幅一六・六㌢、上部厚一・九㌢、下部厚一・八㌢を測る。頂部は三角形を呈するが、均整さを欠き、首部二条線をもつ。板状の石材に打撃を加えて成形した後、正面を研磨するが、基部には鏨痕を残す。裏面は側縁を整えた後、鏨で両側縁から横方向に加撃した痕跡がみられる。身部には、蓮座の上に円相で囲んだ阿弥陀如来の種子キリークを大書し、その下に次のような銘文を刻む。

永正二年乙丑
逆修道円禅門
二月十四日

紀年銘から永正二年（一五〇五）のものであることが知られる。道円禅門の逆修供養にともなう板碑である。

92　板碑　J－二五一四四（写真図版62、拓影37、実測図46）

明治三十四年（一九〇一）七月に金子義三氏から東京帝室博物館が購入したものである。高七七・一㌢、上部幅一九・四㌢、下部幅二〇・二㌢、上部厚二・八㌢、下部厚二・四㌢を測る。頂部は山形を呈するが、均整さを欠き、首部二条線に当たる部分を平鑿で平行に削る。板状の石材に打撃を加えて成形した後、正面を平鑿で調整し、さらに研磨するが、基部には剥離面を残す。裏面は側縁を整えた後、鑿で斜め方向に加撃した痕跡がみられる。身部には、線刻の蓮座の上に阿弥陀如来の種子キリークを大書し、その下に次のような銘文を刻む。

応長元年七月日

紀年銘から応長元年（一三一一）のものであることが知られる。

93　板碑　J－二五一四五（写真図版63、拓影38、実測図47）

明治三十四年（一九〇一）七月に金子義三氏から東京帝室博物館が購入したものである。高五九・三センチ、上部幅一八・六センチ、下部幅一九・四センチ、上部厚一・七センチ、下部厚二・〇センチを測る。頂部は三角形を呈するが、均整さを欠き、不明瞭な首部二条線をもつ。板状の石材に打撃を加えて成形した後、正面を平鏨で調整し、さらに研磨するが、基部には自然面を残す。裏面は側縁を整えた後、鏨で斜め方向に加撃した痕跡がみられる。身部には、割付線を引いた後、長方形の枠線を設け、内部に蓮座の上に阿弥陀如来の種子キリークを大書し、その下に次のような銘文を刻む。

永正三年丙寅

妙忍禅尼

八月三日

紀年銘から永正三年（一五〇六）のものであることが知られる。下半部で二つに割れている。

94　板碑　J－二五一四六（写真図版63、拓影36、実測図48）

明治三十四年（一九〇一）七月に金子義三から東京帝室博物館が購入したものである。現存高四五・〇センチ、現存幅二一・一センチ、上部厚二・五センチ、下部厚二・〇センチを測る。板状の石材に打撃を加えて成形した後、正面を研磨するが、基部には鏨痕を残す。裏面は剥離のため調整痕が明確でない。身部には、長方形の枠線を設け、内部に蓮座の下に次のような銘文を刻む。蓮座は下端が残るのみで、上半部が折損するため、本尊などは不明である。

光明遍照

十方世界

永享十三年

妙蓮禅尼

二月六日

□衆生

□

左右の偈文は『仏説観無量寿経』に由来する著名なものである。紀年銘から永享十三年（一四四一）のものであることが知られる。

95　板碑　J－二五一四七（写真図版64、拓影38、実測図48）

明治三十四年（一九〇一）七月に金子義三氏から東京帝室博物館が購入したものである。現存高三五・〇センチ、上部幅一五・八センチ、下部幅一七・三センチ、上部厚一・八センチ、下部厚一・七センチを測る。頂部は三角形を呈するが、均整さを欠き、首部二条線に当たる部分を平鏨で二条に削る。板状の石材に打撃を加えて成形した後、正面を鏨で調整し、さらに研磨する。裏面は側縁を整えた後、鏨で横方向に加撃した痕跡が密にみられる。身部には、長方形の枠線を設け、内部に蓮座の上に阿弥陀如来の種子キリークを大書し、その下に次のような銘文を刻む。

康暦二年

六月廿日

紀年銘の康暦二年（一三八〇）は北朝年号である。下半部を折損する。

96　板碑　J－二五一四八（写真図版64、拓影35、実測図43）

明治三十四年（一九〇一）七月に金子義三氏から東京帝室博物館が購入したものである。現存高三六・九㌢、上部幅二一・九㌢、下部幅二三・二㌢、上部厚二・一㌢、下部厚二・〇㌢を測る。頂部は三角形を呈するが、均整さを欠き、首部二条線をもつ。板状の石材に打撃を加えて成形した後、正面を鏨で調整し、さらに研磨する。裏面は側縁を整えた後、鏨で斜め方向に加撃した痕跡が密にみられる。身部には、割付線を引いた後、長方形の枠線を設け、内部に蓮座の上に阿弥陀如来の種子キリークを大書し、その下に次のような銘文を刻む。

子□

「子」は干支であろう。十四世紀のものとみられる。下半部を折損する。

（八）埼玉県東松山市上唐子字大欠（埼玉県比企郡唐子村上唐子字大欠）

関東山地に源を発する槻川と都幾川は嵐山町菅谷の南方で合流するが、その約一㌔下流の右岸に上唐子の板碑出土地が存在する（第21図）。同所は上唐子の集落が立地する台地の南端に当たり、都幾川によって侵蝕された傾斜地で、家屋などを営める環境ではない。西側約六〇〇㍍の地点には菅谷氏の居館である菅谷館跡が存在し、その西側には鎌倉街道上道が通過しており、一帯が中世には地域支配の拠点であったことが推測される。板碑出土地の性格は明確でないが、立地から墳墓にともなうもので、菅谷館跡などと関連することが予測されよう。「埋蔵物録」によれば、板碑は、明治三十一年（一八九八）四月十六日に、都幾川の堤防修復工事のための採土作業に際して、山林中腹の斜面から発見された。その数は板碑一六枚、台石二個である。

第21図　上唐子板碑出土地の位置（２万５千分の１）

97　板碑　J－二五一五一（写真図版65、拓影39、実測図49）

明治三十一年（一八九八）八月に埼玉県から東京帝室博物館が購入したものである。現存高四二・五㌢、上部幅一八・八㌢、下部幅一九・七㌢、上部厚二・一㌢、下部厚一・九㌢を測る。頂部は山形を呈し、先端を欠くが、首部に二条の羽刻みをもつ。板状の石材に打撃を加えて成形した後、正面を平鏨で調整し、さらに研磨する。裏面は打撃によって側縁を整える。身部には、割付線を引いた後、長方形の枠線を設け、内部に蓮座の上に阿弥陀如来の種子キリークを大書し、その下に次のような銘文を刻む。

七月
応永二年
十五日

紀年銘から応永二年（一三九五）のものであることが知られる。下半部を折損する。

98　板碑　Ｊ－二五一五二（写真図版65、拓影40、実測図50）

明治三十一年（一八九八）八月に埼玉県から東京帝室博物館が購入したものである。現存高五八・二《センチ》、上部幅二一・六《センチ》、下部幅二一・七《センチ》、上部厚二・二《センチ》、下部厚二・一《センチ》を測る。板状の石材に打撃を加えて成形した後、正面を平鏨で調整し、さらに研磨するが、基部には剥離面が残る。裏面は側縁を整えた後、鏨で横方向に加撃した痕跡が認められる。身部には、長方形の枠線を設け、内部に蓮座の上に阿弥陀如来の種子キリークを大書し、その下に次のような銘文を刻む。

貞治三年十月日

紀年銘の貞治三年（一三六四）は北朝年号である。上半部を折損する。

99　板碑　Ｊ－二五一五三（写真図版66、拓影39、実測図51）

明治三十一年（一八九八）八月に埼玉県から東京帝室博物館が購入したものである。現存高五五・七《センチ》、上部幅一九・五《センチ》、下部幅二〇・八《センチ》、上部厚二・八《センチ》、下部厚二・八《センチ》を測る。板状の石材に打撃を加えて成形した後、正面を研磨するが、基部には鏨痕が残る。裏面は側縁を整えた後、鏨で両側縁から横方向に加撃した痕跡がわずかに認められる。身部には、長方形の枠線を設け、内部に蓮座の上に阿弥陀如来の種子キリークを大書し、その下に次のような銘文を刻む。

二月卅日
応永七年
法善

紀年銘から応永七年（一四〇〇）のものであることが知られる。上部を折損する。

100　板碑　Ｊ－二五一五四（写真図版66、拓影40、実測図52）

明治三十一年（一八九八）八月に埼玉県から東京帝室博物館が購入したものである。現存高三五・八《センチ》、上部幅二〇・一《センチ》、下部幅二〇・七《センチ》、上部厚一・六《センチ》、下部厚一・八《センチ》を測る。板状の石材に打撃を加えて成形した後、正面を研磨する。裏面は側縁を整えた後、鏨で横方向に加撃した痕跡が認められる。身部には、長方形の枠線を設け、内部に線刻の蓮座を配し、その下に次のような銘文を刻む。上半部を折損するため本尊などは不明である。

八月
応永三年
十八日

紀年銘から応永三年（一三九六）のものであることが知られる。

101　板碑　J－二五一五五（写真図版67、拓影41、実測図52）

明治三十一年（一八九八）八月に埼玉県から東京帝室博物館が購入したものである。現存高四九・六センチ、上部幅二一・二センチ、下部幅二一・七センチ、上部厚二・七センチ、下部厚二・二センチを測る。板状の石材に打撃を加えて成形した後、正面を平鑿で調整し、さらに研磨するが、基部には剥離面が残る。裏面は側縁を整えた後、鑿で横方向に加撃した痕跡が認められる。身部には、長方形の枠線を設け、内部に次のような銘文を刻む。上半部を折損するため本尊などは不明である。

廿五
至徳四年正月
日

紀年銘の至徳四年（一三八七）は北朝年号である。

102　板碑　J－二五一五六（写真図版67、拓影42、実測図49）

明治三十一年（一八九八）八月に埼玉県から東京帝室博物館が購入したものである。現存高四八・八センチ、上部幅二一・四センチ、下部幅二三・二センチ、上部厚二・一センチ、下部厚二・六センチを測る。頂部は三角形を呈するが、先端を欠き、首部に二条の羽刻みをもつ。板状の石材に打撃を加えて成形した後、正面を平鑿で調整し、さらに研磨する。裏面は側縁を整えた後、鑿で横方向に加撃した痕跡が認められる。身部には、長方形の枠線を設け、内部に蓮座の上に阿弥陀如来の種子キリークを大書し、その下に次のような銘文を刻む。

貞治□

紀年銘から貞治年間（一三六二～六八）のものであることが知られる。下半部を折損する。

103　板碑　J－二五一五七（写真図版68、拓影41、実測図53）

明治三十一年（一八九八）八月に埼玉県から東京帝室博物館が購入したものである。現存高四四・八センチ、上部幅二〇・六センチ、下部幅二〇・〇センチ、上部厚一・八センチ、下部厚二・三センチを測る。板状の石材に打撃を加えて成形した後、正面を研磨する。裏面は側縁を整えた後、鑿で横方向に加撃した痕跡が認められる。身部には、割付線を引き、不明瞭な長方形の枠線を設け、内部に蓮座を置き、その下に次のような銘文を刻む。上半部を折損するため本尊などは不明である。

明徳二年
道仏
十二月廿八日

紀年銘の明徳二年（一三九一）は北朝年号である。

104　板碑　J－二五一五八（写真図版9・68、拓影43、実測図54）

明治三十一年（一八九八）八月に埼玉県から東京帝室博物館が購入したものである。現存高五二・〇センチ、上部幅二三・四センチ、下部幅二四・〇センチ、上部厚二・一センチ、下部厚二・一センチを測る。頂部は三角形を呈し、首部に二条の羽刻みをもつ。板状の石材に打撃を加えて成形した後、正面を平鑿で調整し、さらに研磨する。裏面は側縁を整えた後、鑿で横方向に加撃した痕跡が認められる。側面は鑿で平坦に調整する。身部には、割付線を引いた後、不明瞭な長方形の枠線を設け、内部に蓮座の上に阿弥陀如来の種子キリークを大書し、その下に次のような銘文を刻む。

永仁三年□

紀年銘から永仁三年（一二九五）のものであることが知られる。下半部を折損する。

105　板碑　Ｊ－二五一五九（写真図版69、拓影42、実測図54）

明治三十一年（一八九八）八月に埼玉県から東京帝室博物館が購入したものである。現存高四一・三㌢、上部幅二一・三㌢、下部幅二二・四㌢、上部厚二・〇㌢、下部厚二・一㌢を測る。板状の石材に打撃を加えて成形した後、正面を平鑿で調整し、さらに研磨するが、基部には鑿痕が残る。裏面は側縁を整えた後、鑿で横方向に加撃した痕跡がわずかに認められる。身部には、長方形の枠線を設け、内部に次のような銘文を刻む。上半部を折損するため本尊などは不明である。

永徳元

紀年銘の永徳元年（一三八一）は北朝年号である。

106　板碑　Ｊ－二五一六〇（写真図版69、拓影43、実測図53）

明治三十一年（一八九八）八月に埼玉県から東京帝室博物館が購入したものである。現存高四三・五㌢、上部幅一九・六㌢、下部幅二〇・四㌢、上部厚二・六㌢、下部厚二・六㌢を測る。頂部は三角形を呈するが、均整さを欠き、首部二条線をもつ。板状の石材に打撃を加えて成形した後、正面を平鑿で調整し、さらに研磨する。裏面は側縁を整えた後、鑿で横方向に加撃した痕跡が認められる。身部には、割付線を引いた後、長方形の枠線を設け、内部に蓮座の上に阿弥陀如来の種子キリークを大書し、その下に次のような銘文を刻む。

永徳二年□
□戌

紀年銘の永徳二年（一三八二）は北朝年号である。下半部を折損し、上半部も二つに割れている。

107　板碑　Ｊ－二五一六一（写真図版70、拓影46、実測図50）

明治三十一年（一八九八）八月に埼玉県から東京帝室博物館が購入したものである。現存高三三・三㌢、上部幅一五・二㌢、下部幅一五・八㌢、上部厚三・〇㌢、下部厚二・八㌢を測る。板状の石材に打撃を加えて成形した後、正面を平鑿で調整し、さらに研磨するが、基部には自然面が残り、その部分だけ独自の光沢をもつ。裏面は打撃によって側縁を整える。両側面は鑿で平坦に調整する。身部には、不明瞭ではあるが、長方形の二重の枠線を設け、内部に次のような銘文を刻む。上半部を折損するため本尊などは不明である。

三年
康永
八月日

紀年銘の康永三年（一三四四）は北朝年号である。

108　板碑　Ｊ－二五一六二（写真図版70、拓影45、実測図51）

明治三十一年（一八九八）八月に埼玉県から東京帝室博物館が購入したものである。現存高二八・〇㌢、幅二二・四㌢、上部厚二・〇㌢、下部厚二・二㌢を測る。身部の破片である。板状の石材に打撃を加えて成形した後、正面を平鑿で調整し、さらに研磨する。裏面は側縁を整えた後、鑿で横方向に加撃した痕跡が認められる。身部には、長方形の枠線を設け、内部に次のような銘文を刻む。上下を折損するため本尊などは不明である。

妙
永享三年二月五日
西

紀年銘から永享三年（一四三一）のものであることが知られる。

109　板碑　J－二五一六三（写真図版9・71、拓影44、実測図55）

明治三十一年（一八九八）八月に埼玉県から東京帝室博物館が購入したものである。高八六・二センチ、上部幅二三・三センチ、下部幅二五・一センチ、上部厚二・六センチ、下部厚三・四センチを測る。頂部は山形を呈するが、均整さを欠き、首部に二条の羽刻みをもつ。板状の石材に打撃を加えて成形した後、正面を平鑿で調整し、さらに研磨するが、基部には剥離面を残す。裏面は側縁を整えた後、鑿で両側縁から横方向に加撃した痕跡が密に認められる。基部の左側には枘を作り出すような抉り込みをもつ。両側面は鑿で平坦に調整する。身部には、中央の割付線を引いた後、長方形の枠線を設け、内部に蓮座の上に阿弥陀如来の種子キリークを大書し、その下に次のような銘文を刻む。

貞治四年十二月日

紀年銘の貞治四年（一三六五）は北朝年号である。

110　板碑　J－二五一六四（写真図版71、拓影45、実測図56）

明治三十一年（一八九八）八月に埼玉県から東京帝室博物館が購入したものである。現存高六六・八センチ、上部幅二三・五センチ、下部幅二四・五センチ、枘部幅一九・一センチ、上部厚二・二センチ、下部厚二・二センチを測る。板状の石材に打撃を加えて成形した後、正面を平鑿で調整し、さらに研磨するが、基部には鑿痕が残る。基部には枘を設ける。枘裏面は側縁を整えた後、鑿で横方向に加撃した痕跡がわずかに認められる。両側面は鑿で平坦に調整する。身部には、長方形の枠線を設け、内部に蓮座の上に阿弥陀如来の種子キリークを大書し、その下に次のような銘文を刻む。上半部を折損するが、残画からかろうじて本尊を知ることができる。

阿闍梨覚賢
建武四年丁寅八月日敬白
奉修逆修如斯

紀年銘の建武四年（一三三七）は北朝年号である。銘文から密教僧である阿闍梨覚賢の逆修供養のために造立されたものであることが知られる。上半部と枘部を折損する。

111　板碑　J－二五一六五（写真図版10・72、拓影46、実測図57）

明治三十一年（一八九八）八月に埼玉県から東京帝室博物館が購入したものである。現存高五七・四センチ、上部幅二一・八センチ、下部幅二三・二センチ、上部厚二・一センチ、下部厚二・一センチを測る。頂部は三角形を呈するが、先端を欠き、首部に二条の羽刻みをもつ。板状の石材に打撃を加えて成形した後、正面を平鑿で調整し、さらに研磨する。裏面は側縁を整えた後、鑿で両側縁から斜め方向に加撃した痕跡が密に認められる。両側面は鑿で平坦に調整する。身部には、中央の割付線を引いた後、長方形の枠線を設け、内部に蓮座の上に阿弥陀如来の種子キリークを大書し、その下に次のような銘文を刻む。

貞治七年八□

紀年銘の貞治七年（一三六八）は北朝年号である。下半部を折損する。

112　板碑　J－二五一六六（写真図版72、拓影47、実測図58）

明治三十一年（一八九八）八月に埼玉県から東京帝室博物館が購入したものである。高五一・七㌢、上部幅二七・三㌢、下部幅二八・二㌢、上部厚二・六㌢、下部厚二・二㌢を測る。身部の破片である。板状の石材に打撃を加えて成形した後、正面を平鑿で調整し、さらに研磨する。裏面は側縁を整えた後、鑿で両側縁から横方向に加撃した痕跡が認められる。両側面は鑿で平坦に調整する。身部には、長方形の枠線を設け、内部に蓮座の上に阿弥陀如来の種子キリークを大書し、その下に次のような銘文を刻む。

曽阿
永徳三年二月日
逆□

紀年銘の永徳三年（一三八三）は北朝年号である。銘文から阿号をもつ曽阿の逆修供養のために造立されたものであることが知られる。

113　台石　J－二五一六七（写真図版10・73、拓影48、実測図59）

明治三十一年（一八九八）八月に埼玉県から東京帝室博物館が購入したものである。奥行三四・〇㌢、幅五〇・九㌢、厚三・八㌢を測る。不整形の板状石材の中央部に長方形の枘穴を穿った板碑の台石である。打撃を加えて成形するが、自然の状態を最大限に活かしており、剥離面や鑿痕もそのまま残されている。表裏ともに同様であるが、表面が平坦であるのに対して、裏面は粗く、枘穴を表面方向から穿った際の剥離痕が顕著である。時期は断定できないが、十四世紀のものである可能性が高い。

114　台石　J－二五一六八（写真図版10・73、拓影49、実測図60）

明治三十一年（一八九八）八月に埼玉県から東京帝室博物館が購入したものである。奥行二五・二㌢、幅四六・五㌢、厚二・三㌢を測る。不整形の板状石材の中央部に長方形の枘穴を穿った板碑の台石である。打撃を加えて成形した後、平鑿で調整するが、自然の状態を最大限に活かしており、剥離面や鑿痕もそのまま残されている。表裏ともに同様であるが、表面が平坦であるのに対して、裏面は粗く、枘穴を表面方向から穿った際の剥離痕が顕著である。時期は断定できないが、十四世紀のものである可能性が高い。

〔参考文献〕

筆者不詳　一八九八　「武蔵国唐子村の板碑」『考古学会雑誌』第二編第七号

六、東京都

（一）東京都大田区鵜の木光明寺（東京府荏原郡調布村光明寺）

光明寺は多摩川左岸の微高地上に営まれた寺院で、境内にある上墓などに多数の板碑が存在することが江戸時代後期から知られていた（第22図）が、平成元～六年（一九八九～九四）に都道環状8号線の建設工事に関わる光明寺参道改修工事にともなう発掘調査が実施され、中世の集石墓などの存在が確認され、板碑が中世墓にともなうものであることがあきらかになった（第23図）。発掘調査で出土した板碑は一〇七七枚に及び、一遺跡から出土した板碑の枚数では全国一位であることから、この遺跡の重要性がうかがえよう。東京国立博物館所蔵のものが出土した経緯は不明である。

115　板碑　J－二五一九三（写真図版73、拓影50、実測図61）

明治二十七年（一八九四）に江戸平一郎氏から帝国博物館に寄贈されたものである。高六二・〇センチ、上部幅一七・九センチ、下部幅一八・七センチ、上部厚二・一センチ、下部厚二・三センチを測る。頂部は三角形を呈するが、一部を欠き、首部に二条の羽刻みをもつ。板状の石材に打撃を加えて成形した後、正面を平鑿で調整し、さらに研磨するが、基部には剥離面や鑿痕を残す。裏面は側縁を整えた後、鑿で横方向に加撃した痕跡がわずかに認められる。身部には、蓮座の上に阿弥陀如来の種子キリークを大書し、その下に次のような銘文を刻む。彫法は浅い薬研彫である。

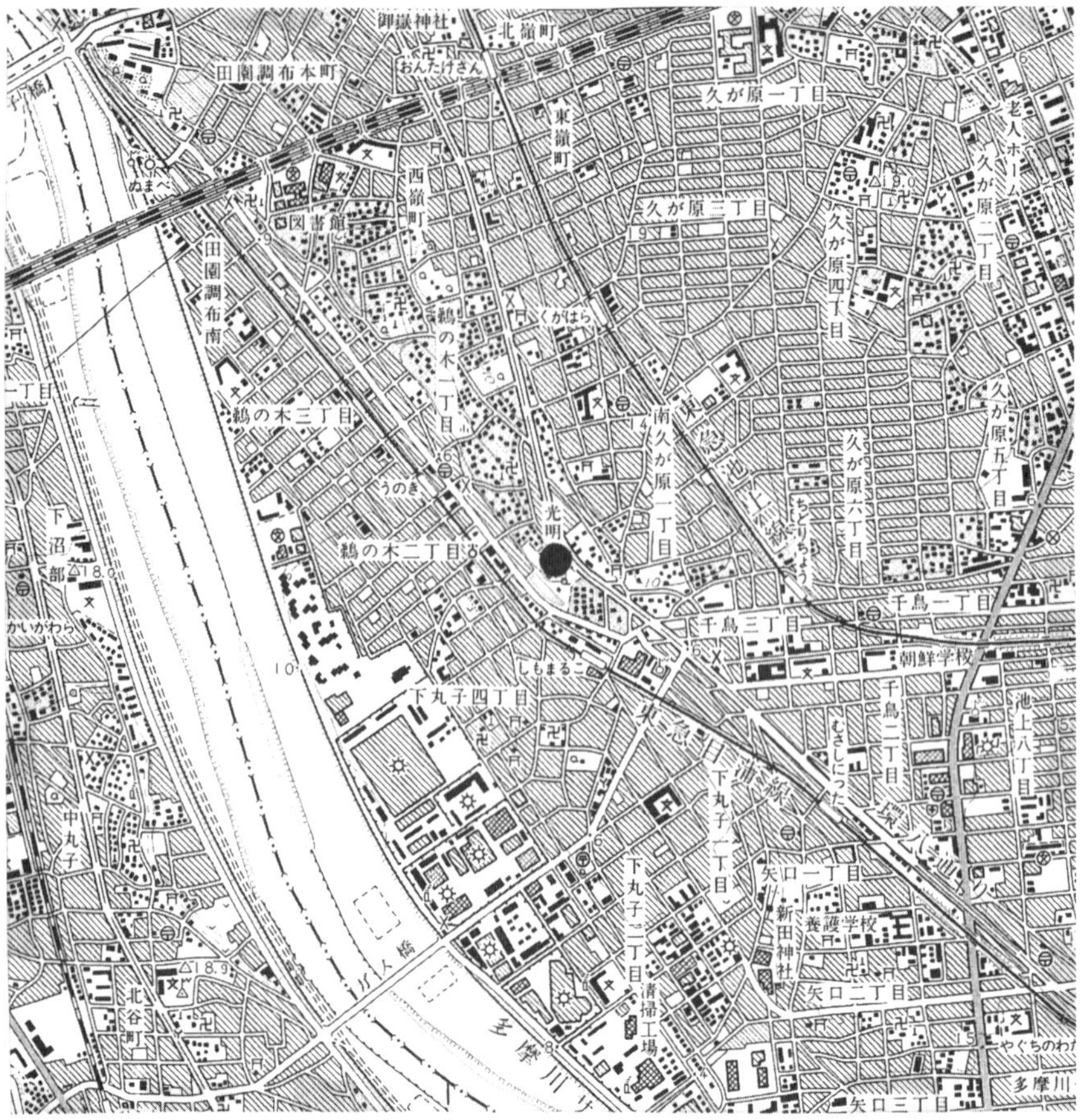

第22図　光明寺の位置（２万５千分の１）

第23図　光明寺の中世墓（環８光明寺地区遺跡調査会1997による））

建武五年三月日

紀年銘の建武五年（一三三八）は北朝年号である。

〔参考文献〕

環８光明寺地区遺跡調査会　一九九七　『東京都大田区環８光明寺地区遺跡調査報告書』

（二）東京都葛飾区小菅東京拘置所（東京府南葛飾郡小菅村小菅集治監）

小菅は綾瀬川と荒川の合流点付近の低地に立地する集落で、東京拘置所はもっとも河川に近い位置に所在する（第24図）。近世までは河川交通の要衝であったが、河川の氾濫原でもあり、居住にはかならずしも好条件ではなかったが、近くでは足立区伊興経塚などの中世遺跡の存在が知られている。板碑の発見の経緯などはあきらかでない。

116　板碑　J－二五一九一（写真図版74、拓影50、実測図61）

明治十三年（一八八〇）八月に東京集治監から内務省博物局に引き継がれたものである。高六九・一センチ、上部幅二四・五センチ、下部幅一九・八センチ、上部厚二・二センチ、下部厚二・一センチを測る。板状の石材に打撃を加えて成形した後、正面を平鑿で調整し、さらに研磨するが、基部には鑿痕を残す。裏面は打撃によって側縁を整える。身部には、次のような銘文を刻む。

□
文永拾年六月廿一日
□行願不退転
□及法界

紀年銘から文永十年（一二七三）のものであることが知られる。左側の二行は『般若理趣経』に由来する偈文の一部で、全体は「聖霊決定生極楽／上品蓮台成正覚／菩提行願不退転／引導三有及法界」というものである。上半部、右側、基部を欠損するが、上端の断面に鉄分が付着していることから、破損が古い時期のものであることが知られる。

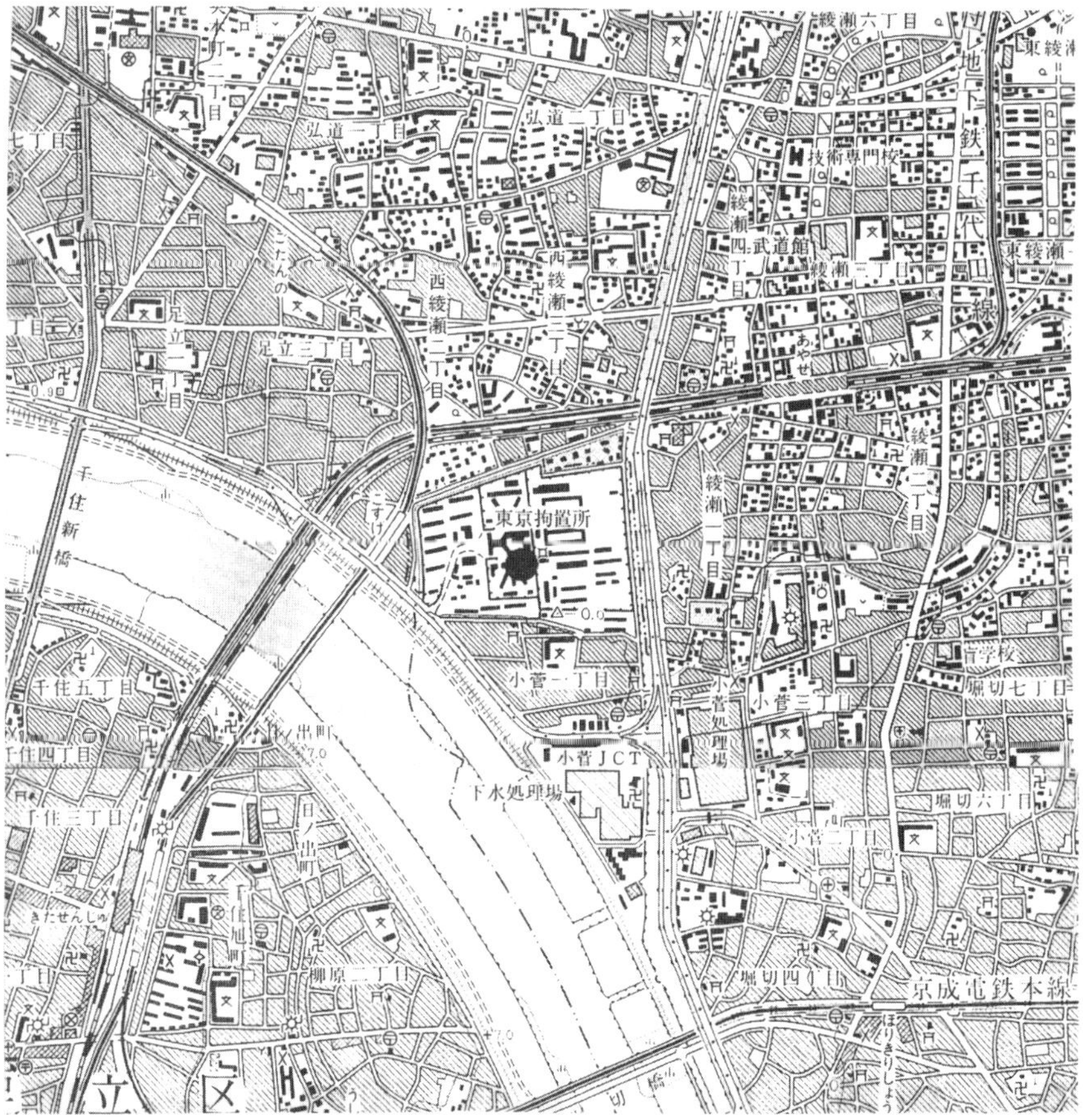

第24図　東京拘置所板碑出土地の位置（２万５千分の１）

（三）東京都北区田端ＪＲ東日本田端駅構内松平頼平邸跡（東京府北豊島郡滝野川村大字田端八〇〇番地子爵松平頼平邸内）

田端は隅田川右岸の上野台地の縁辺に立地する集落で、戦国期にはその地名が知られることから、中世集落が存在したと考えられる（第25図）。「埋蔵物録」によれば、板碑は明治三十年（一八九七）四月から十一月にかけて松平頼平邸内で発掘されたというが、出土時の情報はなく、東京帝室博物館に収蔵された二二点以外に、さらに四点あったが、文字が不鮮明であるなどの理由で松平氏に返却されている。

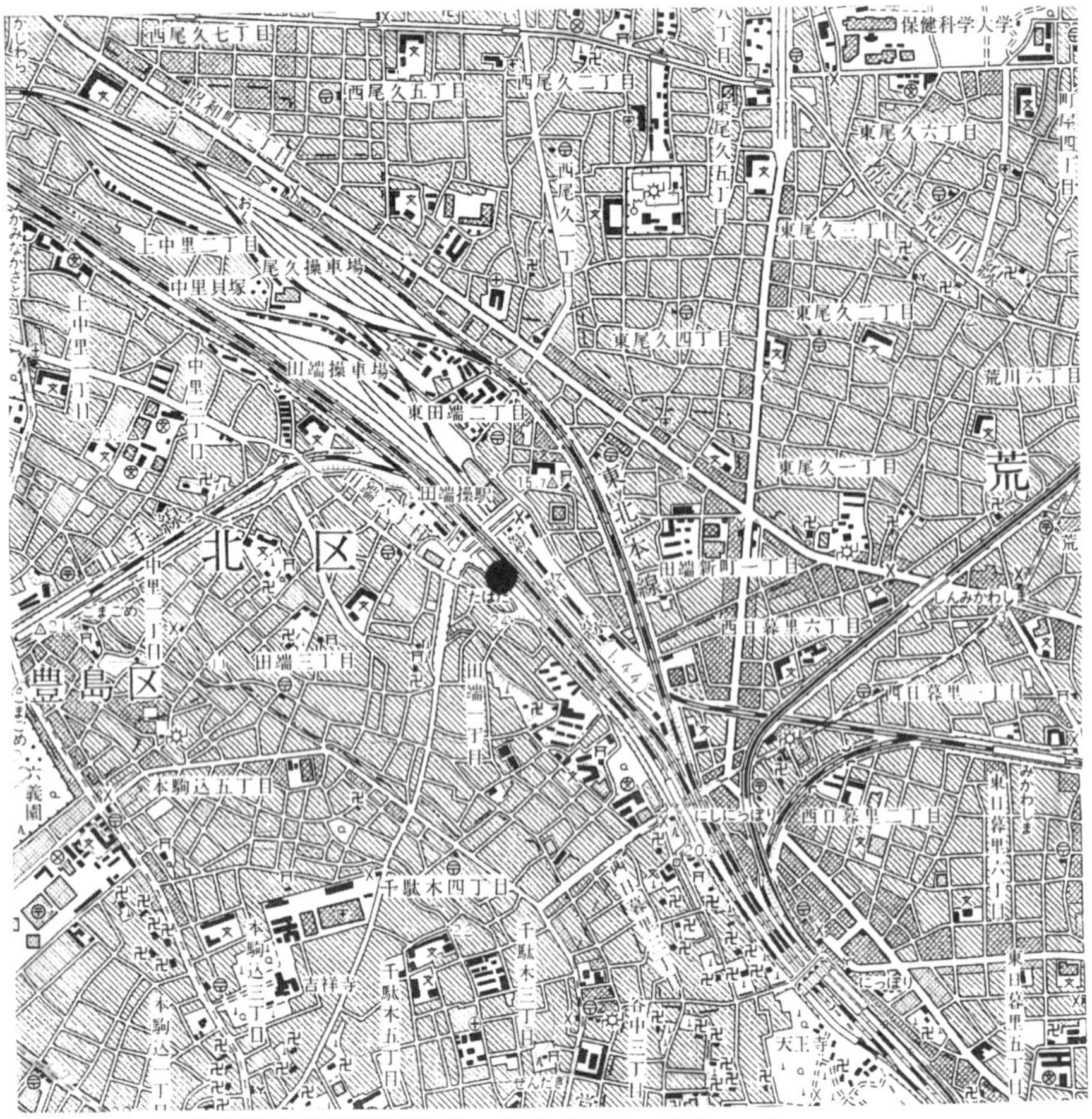

第25図　田端駅構内松平頼平邸跡の位置（２万５千分の１）

117　板碑　Ｊ－二五一六九（写真図版74、拓影51、実測図62）

明治三十一年（一八九八）に警視庁から東京帝室博物館が購入したものである。高五二・三センチ、上部幅一六・九センチ、下部幅一七・四センチ、上部厚二・三センチ、下部厚二・三センチを測る。頂部は三角形を呈し、首部に二条の羽刻みをもつ。板状の石材に打撃を加えて成形した後、正面を平鏨で調整し、さらに研磨するが、基部には剥離面や鏨痕を残す。裏面は側縁を整えた後、鏨で横方向に加撃した痕跡が密に認められる。身部には、割付線を引いた後、長方形の枠線を設け、内部に蓮座の上に円相に囲まれた阿弥陀如来の種子キリークを大書し、その下に次のような銘文を刻む。

嘉吉三年
鏡阿弥
五月廿八日

紀年銘から嘉吉三年（一四四三）のものであることが知られる。

118　板碑　Ｊ－二五一七〇（写真図版75、拓影52、実測図63）

明治三十一年（一八九八）に警視庁から東京帝室博物館が購入したものである。高五六・三センチ、上部幅一六・〇センチ、下部幅一五・八センチ、上部厚一・七センチ、下部厚一・六センチを測る。頂部は三角形を呈するが、均整さを欠き、首部に二条線をもつ。板状の石材に打撃を加えて成形した後、正面を平鏨で調整し、さらに研磨するが、基部には剥離面や鏨痕を残す。裏面は側縁を整えた後、鏨で横方向に加撃した痕跡が認められる。右側縁に石材採取時の矢穴が残る。身部には、割付線を引いた後、長方形の枠線を設け、内部に蓮座の上に円相に囲まれた阿弥陀如来の種子キリークを大書し、その下に次のような銘文を刻む。彫法は浅い薬研彫である。

長享二年戊申
性泉禅尼
十月十八日

紀年銘から長享二年（一四八八）のものであることが知られる。

119　板碑　J-二五一七一（写真図版10・75、拓影53、実測図64）

明治三十一年（一八九八）に警視庁から東京帝室博物館が購入したものである。高五六・一センチ、上部幅一八・〇センチ、下部幅一八・四センチ、上部厚二・五センチ、下部厚二・七センチを測る。頂部は三角形を呈するが、均整さを欠き、首部に二条の羽刻みをもつ。板状の石材に打撃を加えて成形した後、正面を平鑿で調整し、さらに研磨するが、基部には剥離面を残す。裏面は側縁を整えた後、鑿で横方向に加撃した痕跡が認められる。身部には、割付線を引いた後、不明瞭な長方形の枠線を設け、内部に蓮座の上に円相に囲まれた阿弥陀如来の種子キリークを大書し、その下に次のような銘文を刻む。

文明十二年庚子
良尊阿闍梨
十二月三日

紀年銘から文明十二年（一四八〇）のものであることが知られる。

120　板碑　J-二五一七二（写真図版76、拓影50、実測図61）

明治三十一年（一八九八）に警視庁から東京帝室博物館が購入したものである。高五九・八センチ、上部幅一五・五センチ、下部幅一七・〇センチ、上部厚二・〇センチ、下部厚二・二センチを測る。頂部は山形を呈するが、均整さを欠き、首部に二条線をもつ。板状の石材に打撃を加えて成形した後、正面を平鑿で調整し、さらに研磨するが、基部には剥離面を残す。裏面は側縁を整えた後、鑿で横方向に加撃した痕跡がわずかに認められる。身部には、割付線を引いた後、不明瞭な長方形の枠線を設け、内部に蓮座の上に円相に囲まれた阿弥陀如来の種子キリークを大書し、その下に次のような銘文を刻む。

文明十六年甲辰
性明禅尼
十二月十五日

紀年銘から文明十六年（一四八四）のものであることが知られる。

121　板碑　J-二五一七三（写真図版10・76、拓影54、実測図65）

明治三十一年（一八九八）に警視庁から東京帝室博物館が購入したものである。高四五・〇センチ、上部幅一四・七センチ、下部幅一五・二センチ、上部厚一・八センチ、下部厚二・二センチを測る。頂部は三角形を呈するが、均整さを欠き、首部に二条の羽刻みをもつ。板状の石材に打撃を加えて成形した後、正面を平鑿で調整し、さらに研磨するが、基部には剥離面を残す。裏面は側縁を整えた後、鑿で横方向に加撃した痕跡がわずかに認められる。身部には、割付線を引いた後、内部に蓮座の上に円相に囲まれた阿弥陀如来の種子キリークを大書し、その下に次のような銘文を刻む。

文明十七年乙巳
性祐禅尼

正月廿八日

紀年銘から文明十七年（一四八五）のものであることが知られる。

122　板碑　J－二五一七四（写真図版77、拓影54、実測図65）

明治三十一年（一八九八）に警視庁から東京帝室博物館が購入したものである。高四五・五センチ、上部幅一三・七センチ、下部幅一四・七センチ、上部厚二・二センチ、下部厚二・一センチを測る。頂部は三角形を呈するが、均整さを欠き、首部に二条の羽刻みをもつ。板状の石材に打撃を加えて成形した後、正面を研磨するが、基部には剥離面を残す。裏面は側縁を整えた後、鏨で両側縁から横方向に加撃した痕跡が認められる。身部には、割付線を引いた後、不明瞭な長方形の枠線を設け、内部に蓮座の上に円相に囲まれた阿弥陀如来の種子キリークを大書し、その下に次のような銘文を刻む。

文明十年戊戌
妙金禅尼
十月一日

紀年銘から文明十年（一四七八）のものであることが知られる。

123　板碑　J－二五一七五（写真図版77、拓影53、実測図66）

明治三十一年（一八九八）に警視庁から東京帝室博物館が購入したものである。現存高三八・八センチ、上部幅一五・七センチ、下部幅一五・七センチ、上部厚一・五センチ、下部厚二・〇センチを測る。板状の石材に打撃を加えて成形した後、正面を研磨するが、基部には剥離面を残す。裏面は側縁を整えた後、鏨で両側縁から横方向に加撃した痕跡がわずかに認められる。身部には、割付線を引いた後、不明瞭な長方形の枠線を設け、内部に蓮座の上に円相に囲まれた阿弥陀如来の種子キリークを大書し、その下に次のような銘文を刻む。

文明五年癸巳
妙金禅門
四月十九日

紀年銘から文明五年（一四七三）のものであることが知られる。上半部を折損する。

124　板碑　J－二五一七六（写真図版11・78、拓影50、実測図61）

明治三十一年（一八九八）に警視庁から東京帝室博物館が購入したものである。高六二・二センチ、上部幅一七・一センチ、下部幅一七・五センチ、上部厚一・七センチ、下部厚二・〇センチを測る。頂部は三角形を呈するが、均整さを欠き、首部二条線をもつ。板状の石材に打撃を加えて成形した後、正面を平鏨で調整し、さらに研磨するが、基部には鏨痕を歴然と残す。裏面は側縁を整えた後、鏨で側縁から加撃した痕跡が認められる。身部には、割付線を引いた後、不明瞭な長方形の枠線を設け、内部に蓮座の上に円相に囲まれた阿弥陀如来の種子キリークを大書し、その下にやはり円相に囲まれた観音菩薩の種子サ、勢至菩薩の種子サクを配し、さらに次のような銘文を刻む。

文明五年癸巳
道秀禅尼
十月十一日

紀年銘から文明五年（一四七三）のものであることが知られる。

125　板碑　J-二五一七七（写真図版78、拓影55、実測図67）

明治三十一年（一八九八）に警視庁から東京帝室博物館が購入したものである。高五五・四センチ、上部幅一四・八センチ、下部幅一五・九センチ、上部厚二・〇センチ、下部厚二・五センチを測る。頂部は山形を呈するが、均整さを欠き、首部二条線をもつ。板状の石材に打撃を加えて成形した後、正面を研磨するが、基部には剥離面を残す。裏面は側縁を整えた後、鏨で横方向に加撃した痕跡が認められる。身部には、割付線を引いた後、不明瞭な長方形の枠線を設け、内部に蓮座の上に円相に囲まれた阿弥陀如来の種子キリークを大書し、その下に観音菩薩の種子サと勢至菩薩の種子サクを配し、さらに次のような銘文を刻む。

応仁元年丁亥
興義阿闍梨
十月廿日

紀年銘から応仁元年（一四六七）のものであることが知られる。

126　板碑　J-二五一七八（写真図版79、拓影54、実測図66）

明治三十一年（一八九八）に警視庁から東京帝室博物館が購入したものである。高四九・七センチ、上部幅一六・四センチ、下部幅一六・八センチ、上部厚一・七センチ、下部厚一・七センチを測る。頂部は三角形を呈するが、均整さを欠き、首部二条線をもつ。板状の石材に打撃を加えて成形した後、正面を平鏨で調整し、さらに研磨するが、基部には剥離面を残す。裏面は側縁を整えた後、鏨で横方向に加撃した痕跡が認められる。身部には、中央の割付線を引いた後、不明瞭な長方形の枠線を設け、内部に蓮座の上に円相に囲まれた阿弥陀如来の種子キリークを大書し、その下に次のような銘文を刻む。種子・蓮座・銘文には金箔を貼る。

永正二年乙寅
道慶禅門
九月廿五日

紀年銘から永正二年（一五〇五）のものであることが知られる。

127　板碑　J-二五一七九（写真図版11・79、拓影50、実測図68）

明治三十一年（一八九八）に警視庁から東京帝室博物館が購入したものである。現存高五三・九センチ、上部幅一七・六センチ、下部幅一八・一センチ、上部厚一・六センチ、下部厚一・七センチを測る。頂部は三角形を呈するが、均整さを欠き、首部二条線をもつ。板状の石材に打撃を加えて成形した後、正面を研磨するが、基部には剥離面を残す。裏面は側縁を整えた後、鏨で両側縁から横方向に加撃した痕跡が密に認められる。身部には、割付線を引いた後、不明瞭な長方形の枠線を設け、内部に蓮座の上に円相に囲まれた阿弥陀如来の種子キリークを大書し、その下に次のような銘文を刻む。

延徳二年庚戌
性徳禅尼
正月六日

紀年銘から延徳二年（一四九〇）のものであることが知られる。基部先端を欠く可能性がある。

128　板碑　J-二五一八〇（写真図版80、拓影55、実測図67）

明治三十一年（一八九八）に警視庁から東京帝室博物館が購入したものである。高四九・四センチ、上部幅一五・一センチ、下部幅一五・八センチ、上部厚一・九センチ、下部厚一・九センチを測る。頂部は不整形で、首部二条線をもつ。板状の石材に打撃を加えて成形した後、正面を平鑿で調整し、さらに研磨するが、基部には剥離面を残す。裏面は側縁を整えた後、鑿で両側縁から横方向に加撃した痕跡が密に認められる。身部には、割付線を引いた後、不明瞭な長方形の枠線を設け、内部に蓮座の上に円相に囲まれた阿弥陀如来の種子キリークを大書し、その下に次のような銘文を刻む。

大永六年丙戌
妙勝禅尼
九月廿四日

紀年銘から大永六年（一五二六）のものであることが知られる。

129　板碑　J-二五一八一（写真図版80、拓影58、実測図68）

明治三十一年（一八九八）に警視庁から東京帝室博物館が購入したものである。高五六・七センチ、上部幅一五・五センチ、下部幅一五・七センチ、上部厚一・九センチ、下部厚二・〇センチを測る。頂部は三角形を呈するが、均整さを欠き、首部二条線をもつ。板状の石材に打撃を加えて成形した後、正面を平鑿で調整し、さらに研磨するが、基部には剥離面を残す。裏面は側縁を整えた後、鑿で両側縁から横方向に加撃した痕跡が認められる。身部には、割付線を引いた後、不明瞭な長方形の枠線を設け、内部に蓮座の上に円相に囲まれた阿弥陀如来の種子キリークを大書し、その下に次のような銘文を刻む。

天文四年乙未
逆修妙順禅尼
二月十八日

紀年銘から天文四年（一五三五）のものであることが知られる。妙順禅尼の逆修供養にともなう板碑である。

130　板碑　J-二五一八二（写真図版11・81、拓影58、実測図69）

明治三十一年（一八九八）に警視庁から東京帝室博物館が購入したものである。高五五・九センチ、上部幅一四・八センチ、下部幅一五・〇センチ、上部厚一・七センチ、下部厚一・四センチを測る。頂部は山形を呈するが、均整さを欠き、首部二条線をもつ。板状の石材に打撃を加えて成形した後、正面を研磨するが、基部には剥離面を残す。裏面は側縁を整えた後、鑿で斜め方向に加撃した痕跡がわずかに認められる。頂部の左右に石材を採取した際の矢穴が残る。身部には、不明瞭な長方形の枠線を設け、内部に蓮座の上に円相に囲まれた阿弥陀如来の種子キリークを大書し、その下に次のような銘文を刻む。彫法は丸彫に近い浅い薬研彫である。

弘治元年乙卯
妙照禅尼
十月廿三日

紀年銘から弘治元年（一五五五）のものであることが知られる。

131　板碑　J-二五一八三（写真図版81、拓影51、実測図62）

明治三十一年（一八九八）に警視庁から東京帝室博物館が購入したものである。現存高三五・四センチ、上部幅一五・八センチ、下部幅一五・八センチ、上部厚一・六センチ、下部厚一・四センチを測る。頂部は三角形を呈するが、均整さを欠き、首部に二条の羽刻みをもつ。板状の石材に打撃を加えて成形した後、正面を研磨する。裏面は側縁を整えた後、鑿で横方向に加撃した痕跡が認められる。身部には、割付線を引いた後、不明瞭な長方形の枠線を設け、内部に蓮座の上に阿弥陀如来の種子キリークを大書し、その下に次のような銘文を刻む。

応永十年
鏡賢
二月十八日

紀年銘から応永十年（一四〇三）のものであることが知られる。下半部を折損する。

132　板碑　J-二五一八四（写真図版82、拓影56、実測図70）

明治三十一年（一八九八）に警視庁から東京帝室博物館が購入したものである。高五三・七センチ、上部幅一五・五センチ、下部幅一六・八センチ、上部厚一・六センチ、下部厚二・〇センチを測る。頂部は三角形を呈するが、均整さを欠き、首部二条線をもつ。板状の石材に打撃を加えて成形した後、正面を平鏨で調整し、さらに研磨するが、基部には剥離面を残す。裏面は側縁を整えた後、鏨で横方向に加撃した痕跡が認められる。身部には、割付線を引いた後、長方形の枠線を設け、内部に蓮座の上に阿弥陀如来の種子キリークを大書し、その下に花瓶を挟んで次のような銘文を刻む。彫法は丸彫である。

応安六年
十月日

紀年銘の応安六年（一三七三）は北朝年号である。

133　板碑　J-二五一八五（写真図版82、拓影56、実測図72）

明治三十一年（一八九八）に警視庁から東京帝室博物館が購入したものである。高四七・九センチ、上部幅一五・六センチ、下部幅一七・二センチ、上部厚一・五センチ、下部厚二・一センチを測る。頂部は三角形を呈するが、均整さを欠き、首部二条線をもつ。板状の石材に打撃を加えて成形した後、正面を平鏨で調整し、さらに研磨するが、剥離面の調整は不十分なままである。裏面は側縁を整えた後、鏨で横方向に加撃した痕跡がわずかに認められる。身部には、中央の割付線を引いた後、不明瞭な長方形の枠線を設け、内部に蓮座の上に阿弥陀如来の種子キリークを大書し、その下に花瓶を挟んで次のような銘文を刻む。彫法は丸彫である。

貞治四年
十一月日

紀年銘の貞治四年（一三六五）は北朝年号である。

134　板碑　J-二五一八六（写真図版11・83、拓影58、実測図69）

明治三十一年（一八九八）に警視庁から東京帝室博物館が購入したものである。高五四・七センチ、上部幅一六・九センチ、下部幅一八・四センチ、上部厚一・三センチ、下部厚一・九センチを測る。頂部は三角形を呈するが、均整さを欠き、首部二条線をもつ。板状の石材に打撃を加えて成形した後、正面を平鏨で調整し、さらに研磨するが、基部には剥離面や鏨痕を残す。裏面は側縁を整えた後、鏨で加撃した痕跡が認められる。身部には、蓮座の上に阿弥陀如来の種子キリークを大書し、その下に花瓶を挟んで次のような銘文を刻む。

貞和三年
十一月日

紀年銘の貞和三年（一三四七）は北朝年号である。

135　板碑　J－二五一八七（写真図版83、拓影57、実測図71）

明治三十一年（一八九八）に警視庁から東京帝室博物館が購入したものである。高五五・八センチ、上部幅一七・七センチ、下部幅一八・七センチ、上部厚一・七センチ、下部厚一・六センチを測る。頂部は三角形を呈するが、均整さを欠き、首部に二条の羽刻みをもつ。板状の石材に打撃を加えて成形した後、正面を平鏨で調整し、さらに研磨するが、基部には剥離面を残す。裏面は側縁を整えた後、鏨で両側縁から横方向に加撃した痕跡が認められる。身部には、割付線を引いた後、不明瞭な長方形の枠線を設け、内部に蓮座の上に阿弥陀如来の種子キリークを大書し、その下に次のような銘文を刻む。彫法は浅い薬研彫である。

応永五年
向阿
三月卅日

紀年銘から応永五年（一三九八）のものであることが知られる。

136　板碑　J－二五一八八（写真図版84、拓影58、実測図68）

明治三十一年（一八九八）に警視庁から東京帝室博物館が購入したものである。高六四・一センチ、上部幅一九・八センチ、下部幅二〇・八センチ、上部厚二・八センチ、下部厚三・二センチを測る。頂部は三角形を呈し、首部に二条の羽刻みをもつ。板状の石材に打撃を加えて成形した後、正面を平鏨で調整し、さらに研磨するが、基部には剥離面や鏨痕を残す。裏面は側縁を整えた後、鏨で横方向に加撃した痕跡がわずかに認められる。身部には、割付線を引いた後、不明瞭な長方形の枠線を設け、内部に蓮座の上に阿弥陀如来の種子キリークを大書し、その下に花瓶を挟んで次のような銘文を刻む。

延文六年
八月日

紀年銘の延文六年（一三六一）は北朝年号である。

137　板碑　J－二五一八九（写真図版84、拓影58、実測図68）

明治三十一年（一八九八）に警視庁から東京帝室博物館が購入したものである。現存高六一・〇センチ、上部幅二〇・〇センチ、下部幅二〇・八センチ、上部厚二・五センチ、下部厚一・二センチを測る。頂部は三角形を呈するが、均整さを欠き、首部二条線をもつ。板状の石材に打撃を加えて成形した後、正面を研磨する。裏面は、側縁を整えた後、鏨で横方向に加撃した痕跡が認められる。身部には、長方形の枠線を設け、内部に蓮座の上に阿弥陀如来の種子キリークを大書し、その下に観音菩薩の種子サ、勢至菩薩の種子サクを配し、左右の花瓶に挟まれて次のような銘文を刻む。

建武四年十一月日

紀年銘の建武四年（一三三七）は北朝年号である。基部を折損する。

138　板碑　J－二五一九〇（写真図版12・85、拓影58、実測図69）

明治三十一年（一八九八）に警視庁から東京帝室博物館が購入したものである。高一〇三・四センチ、上部幅二七・一センチ、下部幅三〇・三センチ、上部厚二・五センチ、下部厚二・八センチを測る。頂部は三角形を呈するが、均整さを欠き、首部に二条の羽刻みをもつ。板状の石材に打撃を加えて成形した後、正面を平鏨で調整し、さらに研磨するが、基部には剥離面を残す。裏面は側縁を整えた後、鏨で横方向に加撃した痕跡が認められる。身部には、割付線を引いた後、長方形の枠線を設け、内部に蓮座の上に阿弥陀如来の種子キリークを大書し、その下に観音菩薩の種子サ、勢至菩薩の種子サクを配し、さらに左右の花瓶に挟まれて次のような銘文を刻む。

妙位逆（カ）修観応二年辛卯八月廿五日

紀年銘の観応二年（一三五一）は北朝年号である。中央部で上下二つに割れている。

〔参考文献〕

著者不詳　一八九八「武蔵国滝川村発見の板碑」『考古学会雑誌』第二編第六号

（四）東京都北区田端（東京府北豊島郡滝野川村田端）

田端についてはすでに記載した。この板碑の出土地点を特定することはできないが、田端駅からそう遠い地点ではなかろう。

139　板碑　J－二五二一〇（写真図版12・85、拓影59、実測図73）

明治四十年（一九〇七）四月に内藤克二氏から東京帝室博物館に寄贈されたものである。高七七・〇㌢、上部幅二一・六㌢、下部幅二二・四㌢、上部厚二・五㌢、下部厚二・五㌢を測る。頂部は三角形を呈し、首部に二条の羽刻みをもつ。板状の石材に打撃を加えて成形した後、正面を研磨するが、基部には剥離面を残す。裏面は側縁を整えた後、部分的に鏨で横方向に加撃した痕跡が密に認められる。身部には、蓮座の上に釈迦如来の種子バクを大書し、その下に次のような銘文を刻む。彫法は箱彫である。蓮座は一部剥落している。

正応二年四月日

紀年銘から正応二年（一二八九）のものであることが知られる。

（五）東京都北区西ヶ原（東京府北豊島郡西ヶ原村農商務省山林局）

西ヶ原は隅田川右岸の上野台地上に立地する集落で、西原の地名が戦国期にみ

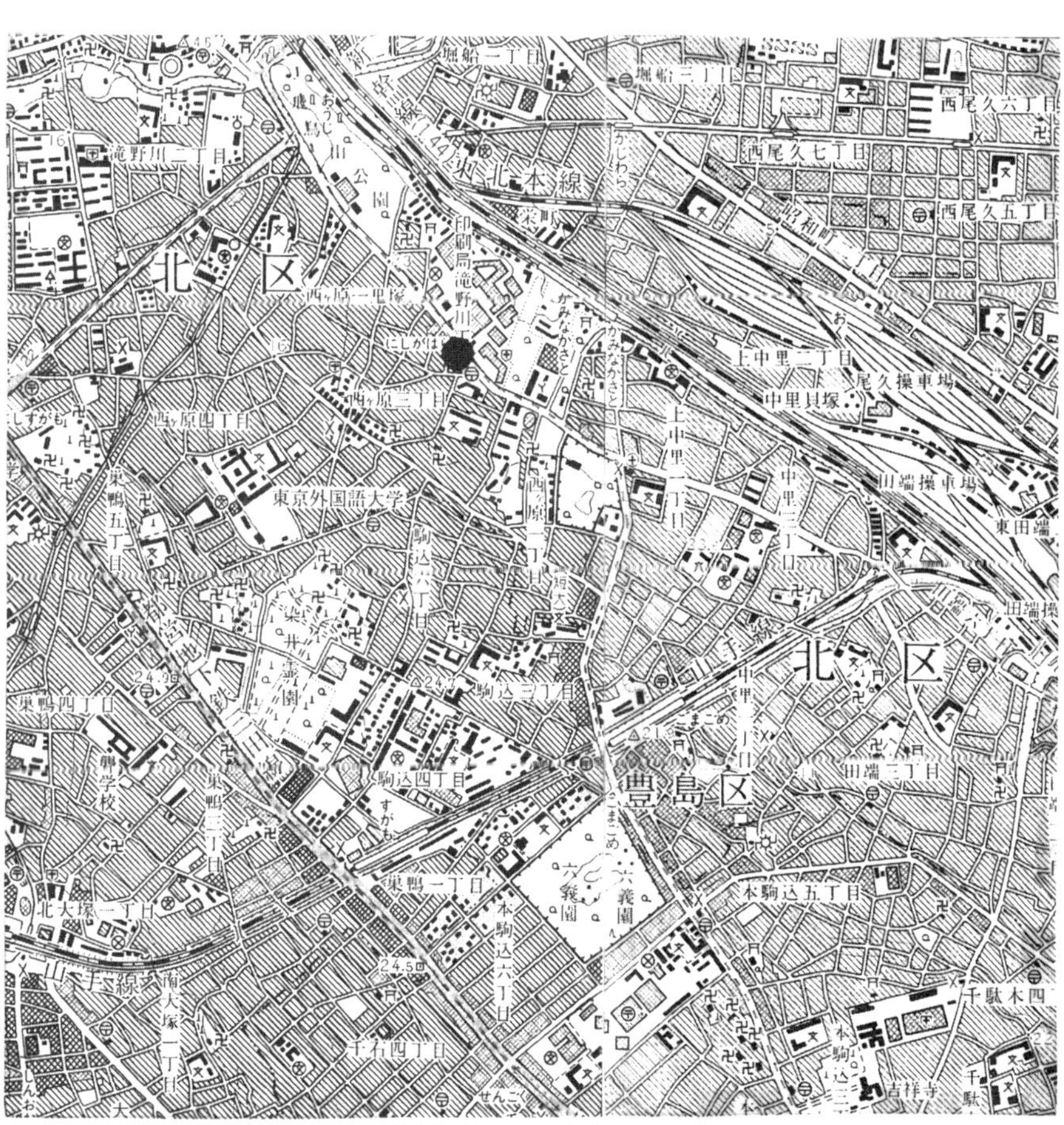

第26図　西ヶ原板碑出土地の位置（２万５千分の１）

え、中世村落が存在したと考えられる（第26図）。近世には、日光御成道が通り、一里塚が現存している。板碑は、一枚のみで、明治十五年（一八八二）に農商務省山林局の構内から出土したが、発見の経緯などは不明である。

140　板碑　J－二五一九二（写真図版86、拓影60、実測図72）

明治十五年に農商務省山林局から農商務省博物局が引き継いだものである。現存高四九・七センチ、上部幅一三・七センチ、下部幅一五・〇センチ、上部厚一・六センチ、下部厚一・七センチを測る。頂部は破損のため不明であるが、三角形を呈していた可能性が高く、首部二条線をもつ。板状の石材に打撃を加えて成形した後、正面を平鏨で調整し、さらに研磨するが、基部には剥離面や鏨痕を残す。裏面は側縁を整えた後、鏨で横方向に加撃した痕跡がわずかに認められる。身部には、蓮座の上に円相に囲まれた阿弥陀如来の種子キリークを大書し、その下に次のような銘文を刻む。彫法は丸彫である。

文安四年
道脛（カ）禅門
正月廿七日

紀年銘から文安四年（一四四七）のものであることが知られる。

（六）東京都台東区上野公園東照宮裏山（東京府東京市上野公園東照宮裏山）

上野公園は近世には寛永寺の境内であり、東照宮も境内に勧請されたものであるが、中世の状況は不明である（第27図）。戦国期には忍丘の地名がみえ、近年の上野公園内の発掘調査で中世の遺物がわずかではあるが検出されているところから、中世においてなんらかの土地利用があったものと考えられる。「埋蔵物録」などによれば、板碑は、明治三十六年（一九〇三）四月六日に露出していたところを考古学者の野中完一氏が発見したもので、野中が東京帝室博物館と深い関係にあったことから博物館による採集として処理された。一枚のみである。

第27図　東照宮裏山の位置（２万５千分の１）

141　板碑　J－二五二〇二（写真図版86、拓影60、実測図74）

明治三十六年（一九〇三）十一月に東京帝室博物館によって採集されたものとして登録された。高五四・四センチ、上部幅一四・六センチ、下部幅一五・〇センチ、上部厚二・二センチ、下部厚一・八センチを測る。頂部は三角形を呈するが、均整さを欠き、首部に両側から二条の切り込みを入れる。板状の石材に打撃を加えて成形した後、正面を平鑿で調整し、さらに研磨するが、基部には剥離面や鑿痕を残す。裏面は側縁を整えた後、鑿で横方向に加撃した痕跡が認められる。身部には、蓮座の上に阿弥陀如来の種子キリークを大書し、その下に次のような銘文を刻む。彫法は丸彫である。

応安七年十一月
妙心廿三日

紀年銘から応安七年（一三七四）のものであることが知られる。

（七）東京都千代田区霞が関三丁目（東京府東京市霞が関虎ノ門旧工部大学校構内）

虎ノ門は隅田川右岸の沖積地に位置し、近世には江戸城の南側に広がる大名屋敷の一画を占め、明治時代以降は主要官庁が密集する区域となり、現在に至っている（第28図）。霞が関の地名が奥州街道の関所に由来するとされることから、交通の要衝であったことが想定できるが、激しい開発のため旧状を窺い知ることは困難である。板碑は明治十二年（一八七九）に工部大学校構内で発見されたが、発掘時の状況などは不明である。板碑は三枚ある。

142　板碑　J－二五一九四（写真図版12・87、拓影61、実測図75）

明治十二年（一八七九）十二月に工部大学校から内務省博物局が引き継いだものである。高六一・七センチ、上部幅一九・六センチ、下部幅二〇・五センチ、上部厚二・五センチ、下部厚二・五センチを測る。頂部は三角形を呈し、首部に二条の羽刻みをもつ。板状の石材に打撃を加えて成形した後、正面を平鑿で調整し、さらに研磨するが、基部には剥離面や鑿痕を残す。裏面は側縁を整えた後、鑿で斜め方向に加撃した痕跡が認められる。身部には、不明瞭な長方形の枠線を設け、内部に蓮座の上に阿弥陀如来の種子キリークを大書し、その下に花瓶を挟んで次のような銘文を刻む。彫法は丸彫である。

応永四年
六十日戊

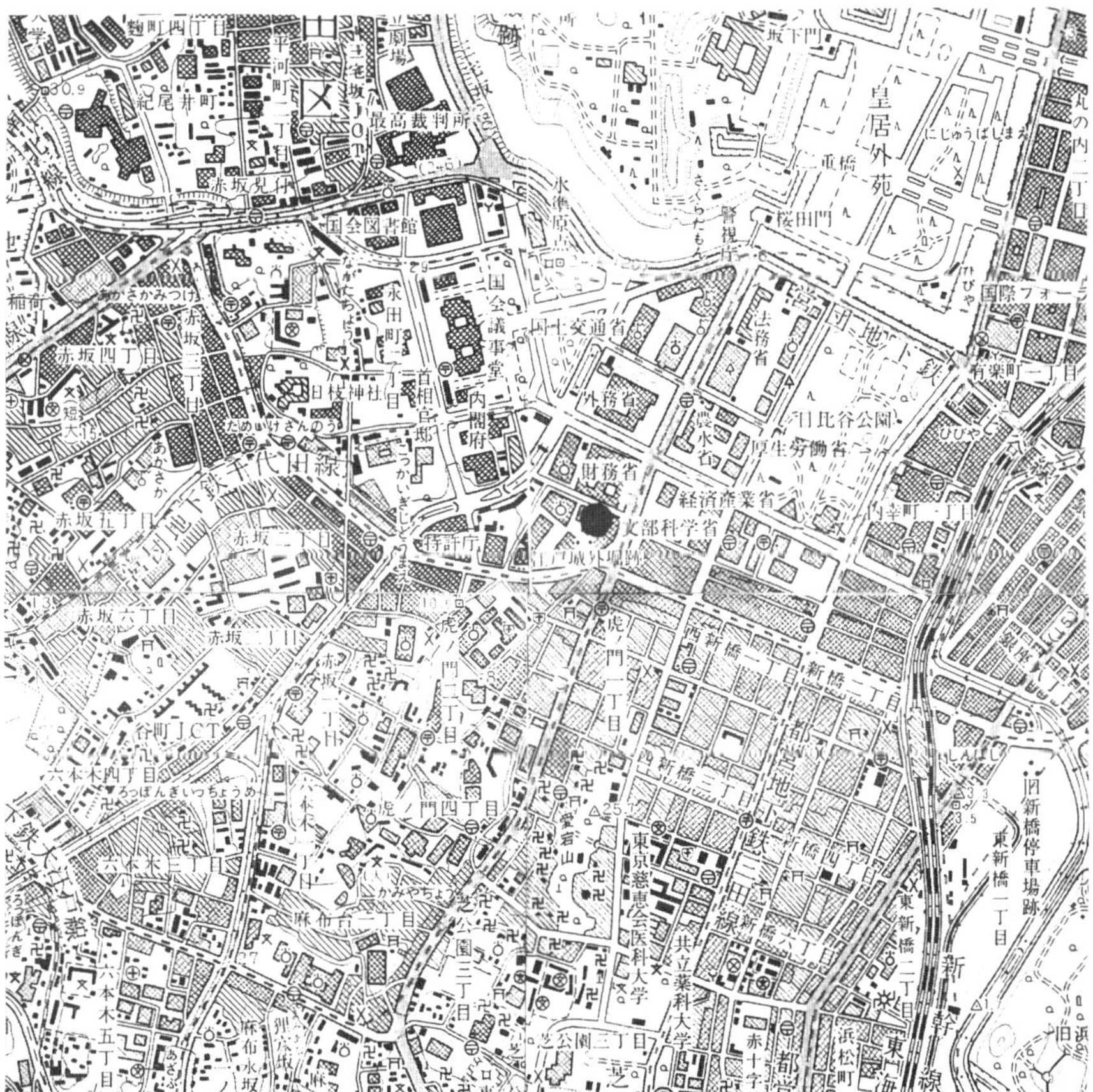

第28図　霞が関板碑出土地の位置（2万5千分の1）

紀年銘から応永四年（一三九七）のものであることが知られる。「六十日」は六月十日の略であろう。

143　板碑　Ｊ－二五一九五（写真図版12・87、拓影60、実測図76）

明治十二年（一八七九）十二月に工部大学校から内務省博物局が引き継いだものである。高四二・〇センチ、上部幅一三・〇センチ、下部幅一一・八センチ、上部厚一・五センチ、下部厚一・五センチを測る。頂部は三角形を呈するが、均整さを欠き、首部二条線をもつ。板状の石材に打撃を加えて成形した後、正面を平鑿で調整し、さらに研磨するが、基部には剥離面を残す。裏面は側縁を整えた後、鑿で横方向に加撃した痕跡が認められる。身部には、蓮座の上に円相に囲まれた阿弥陀如来の種子キリークを大書し、その下に次のような銘文を刻む。彫法は浅い薬研彫である。

永正二年
性阿禅門
八月十三日

紀年銘から永正二年（一五〇五）のものであることが知られる。法名は阿号をもつ。

144　板碑　Ｊ－二五一九六（写真図版88、拓影61、実測図76）

明治十二年（一八七九）十二月に工部大学校から内務省博物局が引き継いだものである。現存高三七・二センチ、上部幅一五・四センチ、下部幅一四・一センチ、上部厚一・二センチ、下部厚一・一センチを測る。板状の石材に打撃を加えて成形した後、正面を平鑿で調整し、さらに研磨するが、基部には剥離面を残す。裏面は側縁を整えた後、鑿で加撃した痕跡が認められる。身部には、蓮座の下に次のような銘文を刻むが、剥落が著しい。「尼」と「四」の文字に金箔の付着がみられることから、かつては銘文が金文字であったと推測できる。彫法は丸彫である。上半部が折損するため本尊などは不明である。

□□二年
□□禅尼
六月廿四日

剥落のため元号が不明であるが、蓮座の形態などから十六世紀のものであると考えられる。

（八）東京都日野市日野本町（東京府南多摩郡日野町八王子街道日野駅）

日野本町は多摩川右岸の沖積地に立地する集落で、近世には甲州街道の宿駅として栄え、街道沿いに町並みが展開している（第29図）。周辺には落川遺跡や姥町遺跡などの中世遺跡があり、居館跡や水田跡など多彩な遺跡が確認されており、板碑の出土地として頷けるものがある。しかし、残念ながら、出土地点を特定する情報がないため、それらの遺跡との関連は不明である。板碑は一枚のみである。

145　板碑　Ｊ－二五二八二（写真図版88、拓影62、実測図77）

大正八年（一九一九）十二月十日に盧高朗氏から東京帝室博物館に寄贈されたものである。高六〇・八センチ、上部幅一六・三センチ、下部幅一七・四センチ、上部厚二・一センチ、下部厚三・〇センチを測る。頂部は三角形を呈するが、均整さを欠き、首部に二条の羽刻みをもつ。板状の石材に打撃を加えて成形した後、正面を平鑿で調整し、さらに研磨するが、基部には剥離面を残す。裏面は側縁を整えた後、鑿で横方向に加撃した痕跡が認められる。基部の右側縁には石材採取時の矢穴が二箇所残る。身部には、中央の割付線を引いた後、不明瞭な長方形の枠線を設け、内部に線刻の蓮座の上に阿弥陀如来の種子キリークを大書し、その下に次のような銘文を刻む。彫法は浅い薬研彫である。

延慶三年十一月日

紀年銘から延慶三年（一三一〇）のものであることが知られる。

第29図　日野本町板碑出土地の周辺（２万５千分の１）

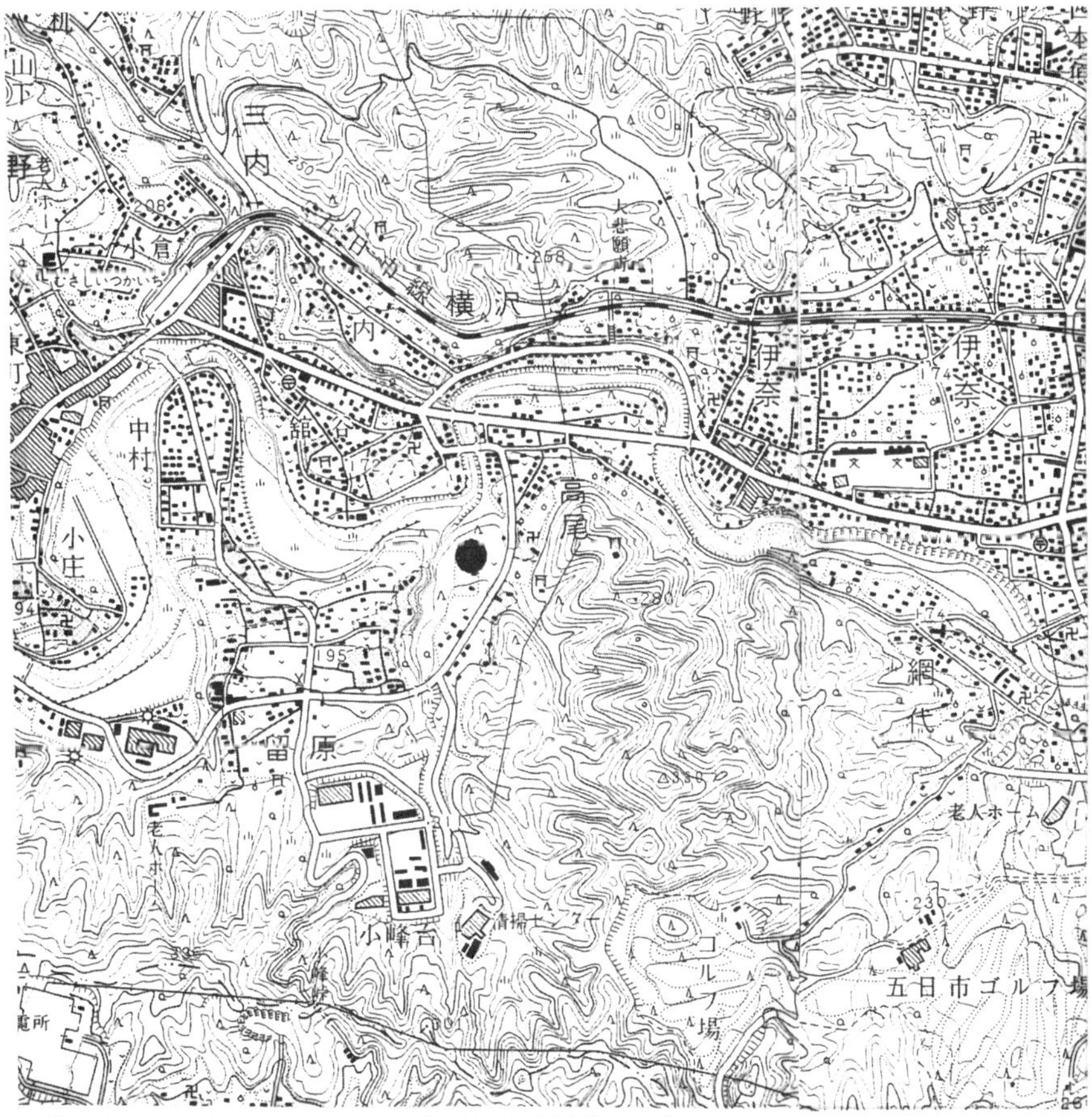

第30図　高尾板碑出土地の位置（２万５千分の１）

（九）東京都あきる野市高尾（東京府西多摩郡三ツ里村字高尾二八五番地）

高尾は秋川右岸の河岸段丘上に立地する集落で、背後に山地を控えた狭小な平坦地があり、板碑が発見された地点は集落中心部よりも一段高い河岸段丘上である（第30図）。高尾の地名は戦国期から現れるが、対岸には古刹大悲願寺があり、中世には村が形成されていた可能性が高い。発見地の西側は沼沢、東側も小河川によって侵蝕されており、北側に突き出した舌状台地のような形状を呈している。板碑は一枚のみで、明治三十四年（一九〇一）一月十八日に畑の耕作作業中に、薬師如来像一躯・土器瓶一口とともに発見され、板碑のみ東京帝室博物館に収蔵された。

146　板碑　J－二五一五〇（写真図版1・89、拓影63、実測図78）

明治三十四年（一九〇一）十月に五日市警察署から東京帝室博物館が購入したものである。高一五四・三㌢、上部幅三六・九㌢、下部幅三七・七㌢、上部厚三・〇㌢、下部厚三・四㌢を測る。典型的な武蔵型板碑で、頂部は三角形を呈し、首部に二条の羽刻みをもつ。板状の石材に打撃を加えて成形した後、正面を平鑿で調整し、さらにていねいに研磨するが、基部には剥離面を残す。裏面は側縁を整えた後、鑿で横方向に加撃した痕跡が密に認められる。身部には、中央の割付線を引いた後、長方形の枠線を設け、左右に日月を配し、瓔珞を下げた天蓋を吊る。その下に、蓮座の上に円相に囲まれた阿弥陀如来の種子キリークを大書し、両脇に円相に囲まれた観音菩薩の種子サと勢至菩薩の種子サクを配する。さらに、両脇に六地蔵を配するが、最下段の地蔵菩薩のみ蓮座にのる。中央に次のような銘文を刻み、その下に香炉・花瓶・燭台の三具足を置く。

月待供養
康正三年丁丑八月廿三日
結衆敬白

紀年銘から康正三年（一四五七）のものであることが知られる。銘文にあきらかなように月待供養にともなう板碑であり、中世の民間信仰を知る上で欠かせない資料であると同時に、版画を思わせるような六地蔵の表現などは美術的にも注目に値する。

〔参考文献〕

関　秀夫　一九八三　「康正三年銘の月待板碑―東京都五日市町高尾出土―」『MUSEUM』第三八七号

七、神奈川県

（一）神奈川県横浜市保土ヶ谷区峰岡町（神奈川県橘樹郡保土ヶ谷町峰坂一九二二番地）

峰岡町は帷子川左岸の丘陵地帯にあり、樹枝状の谷戸地形が発達しているが、現在では人家が密集して旧地形を知るのが困難になっている（第31図）。かつては、東南方向から小河川によって侵蝕され、東南に傾斜する斜面になっていたようである。「埋蔵物録」によれば、板碑は、明治四十年（一九〇七）五月二十四日に土砂採掘中に、五輪塔とともに発見され、板碑の下には「骨片二十四個」が露出していたという。おそらく中世墓にともなうものであろう。なお、同所には、かつて真言宗遍照院が管理する村堂があったと伝えられている。東京国立博物館に所蔵されている板碑は三枚ある。

147　板碑　J－二五二一一（写真図版2・90、拓影64、実測図79）

明治四十一年（一九〇八）四月二十一日に梅原為吉氏から東京帝室博物館に寄贈されたものである。高一二六・七㌢、上部幅二九・七㌢、下部幅三一・七㌢、上部厚二・三㌢、下部厚二・五㌢を測る。典型的な武蔵型板碑で、頂部は三角形を呈し、首部に二条の羽刻みをもつ。板状の石材に打撃を加えて成形した後、正面を研磨するが、基部には剥離面を残す。裏面は側縁を整えた後、鑿で横方向に加撃した痕跡が認められる。側面は鑿で平坦に調整する。身部には、割付線を引いた後、長方形の枠線を設け、内部に蓮座の上に阿弥陀如来の種子キリークを大書し、その下に次のような銘文を刻む。

永仁三年二月日

紀年銘から永仁三年（一二九五）のものであることが知られる。

148　板碑　J－二五二一二（写真図版13・90、拓影64、実測図80）

明治四十一年（一九〇八）四月二十一日に梅原為吉氏から東京帝室博物館に寄贈されたものである。現存高九五・八㌢、上部幅二九・一㌢、下部幅三〇・〇㌢、上部厚二・六㌢、下部厚二・九㌢を測る。頂部は三角形を呈するが、均整さを欠き、不明瞭な首部二条線をもつ。板状の石材に打撃を加えて成形した後、正面を研磨するが、風化がひどいため崩落した部分が認められる。裏面は側縁を整えた後、鑿で横方向に加撃した痕跡が部分的に密に認められる。側面は鑿で平坦に調整する。身部には、蓮座の上に阿弥陀如来の種子キリークを大書する。彫法は箱彫である。風化が激しいため正確な時期を特定しにくいが、種子の形態などから十四世紀のものと推測できる。基部を折損する。

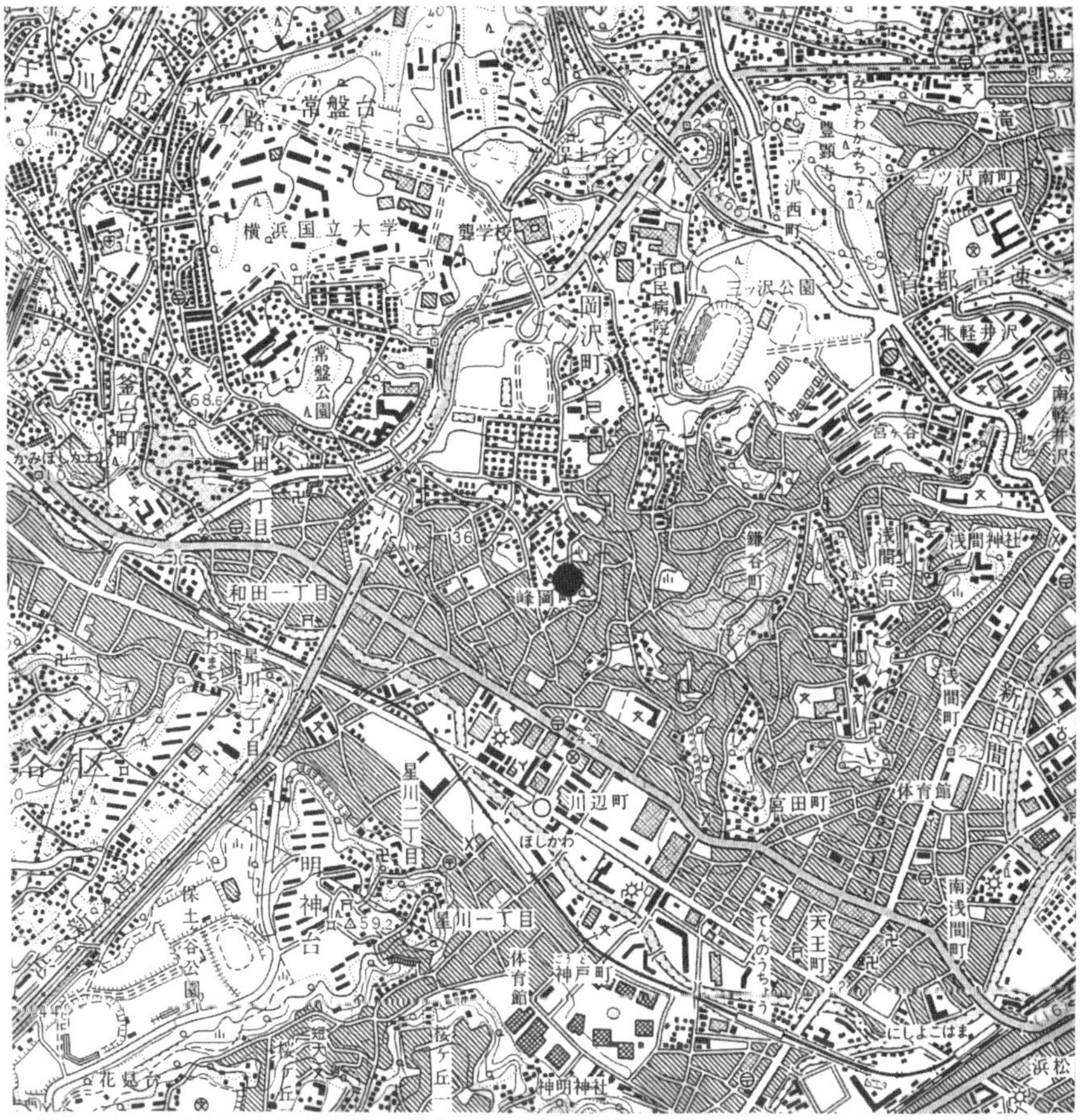

第31図　峰岡町板碑出土地の位置（2万5千分の1）

149　板碑　J－二五二一三（写真図版91、拓影64、実測図80）

明治四十一年（一九〇八）四月二十一日に梅原為吉氏から東京帝室博物館に寄贈されたものである。高八三・五㌢、上部幅二一・九㌢、下部幅二四・三㌢、上部厚一・八㌢、下部厚二・二㌢を測る。頂部は三角形を呈するが、均整さを欠き、首部二条線をもつ。板状の石材に打撃を加えて成形した後、正面を平鑿で調整し、さらに研磨するが、基部には剥離面を残す。裏面は側縁を整えた後、鑿で横方向に加撃した痕跡が認められる。身部には、不明瞭な長方形の枠線を設け、内部に蓮座の上に阿弥陀如来の種子キリークを大書し、その下に次のような銘文を刻む。

文保二年十月日

紀年銘から文保二年（一三一八）のものであることが知られる。割れて四個の破片になっている。

〔参考文献〕

筆者不詳　一九〇八「博物館の新収品」『考古界』第七篇第六号

（二）神奈川県横浜市緑区長津田町字道正（神奈川県都筑郡田奈村大字長津田字道正五六一番地）

長津田は恩田川と境川に挟まれた丘陵地帯である（第32図）。長津田の地名は戦国期に出現し、はじめ下総国古河の足利義氏の所領であったが、その後滝山城の北条氏照の支配するところとなったことが知られる。近世には矢倉沢往還の宿場となり、江戸からの大山詣の客で賑わったといい、現在も集落の中心部は街村の景観を呈している。「埋蔵物録」によれば、板碑は、明治三十九年（一九〇六）四月二十五日に、山林の樹木伐採作業にともなって根本を約二尺掘り下げたところで、人骨の入った骨壺四個とともに発見された。骨壺は土師質の焼物であったという。骨壺が出土していることから板碑は中世墓にともなうものと考えられる。東京国立博物館に所蔵されている板碑は五枚ある。

第32図　道正板碑出土地の位置（２万５千分の１）

150　板碑　J－二五二〇五（写真図版91、拓影66、実測図81）

明治四十年（一九〇七）二月に岡部勝五郎氏から東京帝室博物館に寄贈されたものである。上下二個の破片からなる。上部破片が現存高四四・〇㌢、上部幅一八・六㌢、上部厚二・六㌢、下部破片が現存高六二・七㌢、下部幅三三・八㌢、下部厚二・七㌢を測る。頂部は三角形を呈し、首部に二条の羽刻みをもつ。板状の石材に打撃を加えて成形した後、正面を平鑿で調整し、さらに研磨するが、基部には剥離面や鑿痕を残す。裏面は側縁を整えた後、鑿で横方向に加撃した痕跡が認められる。両側面は鑿で平坦に調整する。身部には、長方形の枠線を設け、内部に阿弥陀如来の種子キリークを大書し、その下に次のような銘文を刻む。中間の破片を欠くため蓮座や元号などが不明である。

覚
□五月廿二日
縁

型式や種子の残画などから十四世紀前期のものと考えられる。

151　板碑　J－二五二〇六（写真図版13・92、拓影67、実測図82）

明治四十年（一九〇七）二月に岡部勝五郎氏から東京帝室博物館に寄贈されたものである。高一一一・三㌢、上部幅二八・一㌢、下部幅三〇・七㌢、上部厚三・〇㌢、下部厚二・七㌢を測る。頂部は三角形を呈するが、均整さを欠き、首部に二条の羽刻みをもつ。板状の石材に打撃を加えて成形した後、正面を研磨するが、基部には剥離面を残す。裏面は側縁を整えた後、鑿で横方向に加撃した痕跡が認められる。身部には、蓮座の上に阿弥陀如来の種子キリークを大書し、その下に観音菩薩の種子サ、勢至菩薩の種子サクを配し、さらに次のような銘文を刻む。

延慶三年七月廿二日

紀年銘から延慶三年（一三一〇）のものであることが知られる。上下二個に割れている。

152　板碑　J－二五二〇七（写真図版13・92、拓影65、実測図83）

明治四十年（一九〇七）二月に岡部勝五郎氏から東京帝室博物館に寄贈されたものである。高一二六・五センチ、上部幅三一・四センチ、下部幅三五・三センチ、上部厚二・八センチ、下部厚二・八センチを測る。頂部は三角形を呈するが、均整さを欠き、首部に二条の羽刻みをもつ。板状の石材に打撃を加えて成形した後、正面を平鑿で調整し、さらに研磨するが、基部には剥離面を残す。裏面は側縁を整えた後、鑿で横方向に加撃した痕跡が部分的に認められる。身部には、蓮座の上に阿弥陀如来の種子キリークを大書し、その下に次のような銘文を刻む。

乾元二年八月日

紀年銘から乾元二年（一三〇三）のものであることが知られる。上下二個に割れている。

153　板碑　J－二五二〇八（写真図版13・93、拓影66、実測図82）

明治四十年（一九〇七）二月に岡部勝五郎氏から東京帝室博物館に寄贈されたものである。高九一・六センチ、上部幅二四・六センチ、下部幅二八・六センチ、上部厚二・二センチ、下部厚二・三センチを測る。頂部は三角形を呈するが、先端を欠き、首部に二条の羽刻みをもつ。板状の石材に打撃を加えて成形した後、正面を平鑿で調整し、さらに研磨するが、基部には剥離面を残す。裏面は側縁を整えた後、鑿で両側縁から横方向に加撃した痕跡が認められる。身部には、蓮座の上に阿弥陀如来の種子キリークを大書し、その下に次のような銘文を刻む。彫法は浅い薬研彫である。

嘉暦三年二月日

紀年銘から嘉暦三年（一三二八）のものであることが知られる。上下二個に割れている。

154　板碑　J－二五二〇九（写真図版93、拓影68、実測図84）

明治四十年（一九〇七）二月に岡部勝五郎氏から東京帝室博物館に寄贈されたものである。現存高三八・〇センチ、上部幅一九・六センチ、下部幅二〇・一センチ、上部厚一・九センチ、下部厚一・八センチを測る。板状の石材に打撃を加えて成形した後、正面を研磨するが、基部には剥離面を残す。裏面は側縁を整えた後、鑿で横方向に加撃した痕跡が認められる。両側面は鑿で平坦に調整する。身部には次のような銘文を刻む。上半部を折損するため本尊などが不明である。

□二年十月日

十四世紀のものであろう。

（三）神奈川県綾瀬市深谷落合（神奈川県高座郡綾瀬村深谷字落合一一四二・一一四三番地）

深谷は蓼川と小支谷に挟まれた狭小な舌状台地に立地するが、落合はその先端部に近いところである（第33図）。中世には渋谷荘落合郷に属し、付近には落合氏の居館跡があるというが、遺跡は明確でない。「埋蔵物録」によれば、板碑は二枚あり、いずれも、明治四十一年（一九〇八）十一月二日から翌明治四十二年五月四日までの期間に、山林の開墾にともなって、真鍮製簪一本・鏃一本・骨壺二個・五輪塔残欠などとともに発見された。板碑は骨壺が出土していることから中世墓にともなうものと考えられる。

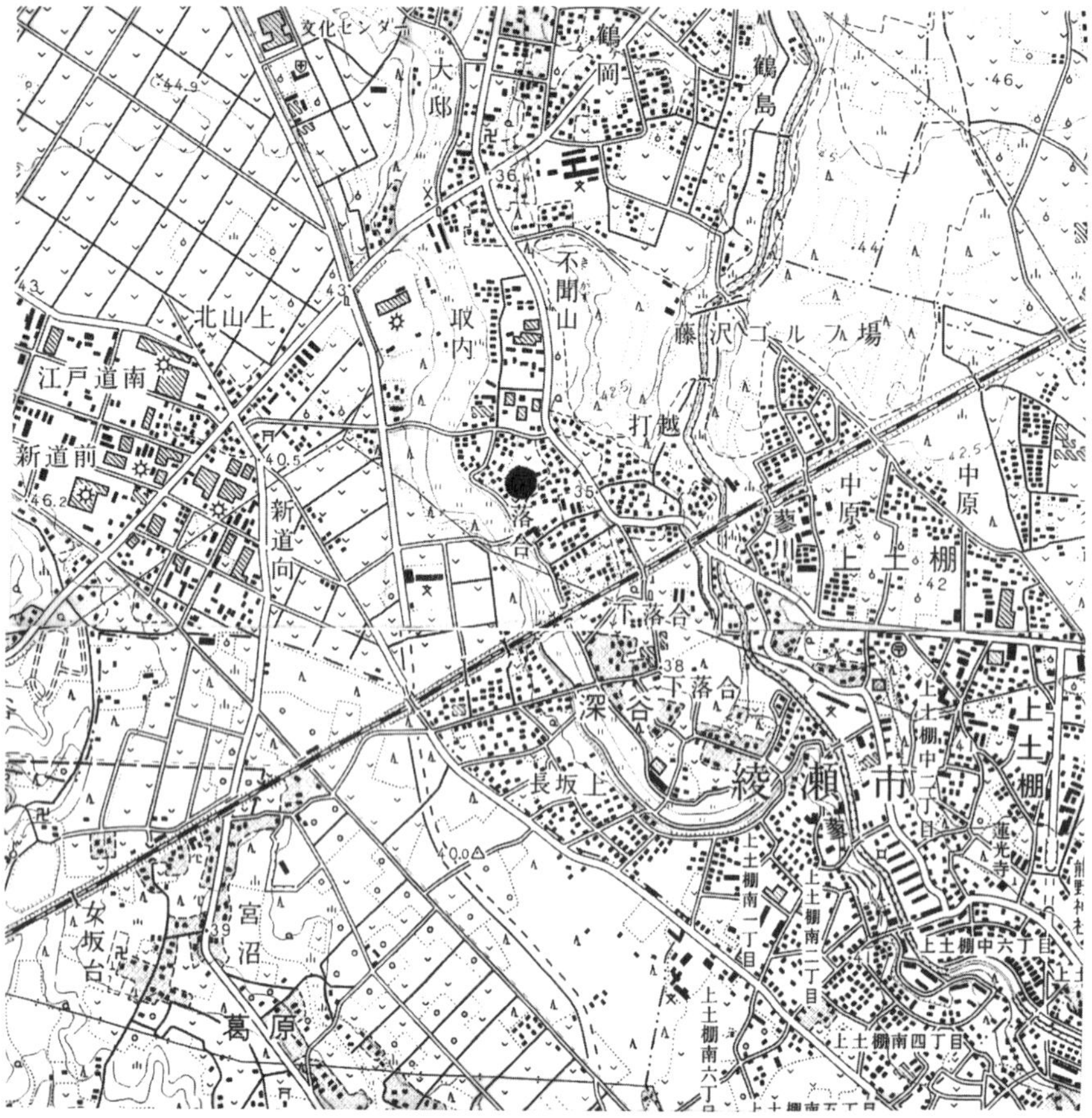

第33図　落合板碑出土地の位置（２万５千分の１）

155　板碑　J－二五二二六（写真図版14・94、拓影69、実測図85）

明治四十三年（一九一〇）三月に比留川茂助・比留川嘉助両氏から東京帝室博物館に寄贈されたものである。高八三・〇センチ、上部幅二四・八センチ、下部幅二六・一センチ、上部厚二・五センチ、下部厚二・五センチを測る。頂部は三角形を呈するが、均整さを欠き、首部に二条の切り込みと沈線をもつ。板状の石材に打撃を加えて成形した後、正面を研磨するが、基部には剥離面を残す。裏面は側縁を整えた後、鑿で横方向に加撃した痕跡が密に認められる。身部には、割付線を引いた後、不明瞭な長方形の枠線を設け、内部に蓮座の上に阿弥陀如来の種子キリークを大書し、その下に左右の花瓶に挟まれて次のような銘文を刻む。

貞治七年　月

紀年銘の貞治七年（一三六八）は北朝年号である。

156　板碑　J－二五二二五（写真図版94、拓影68、実測図84）

明治四十三年（一九一〇）三月に比留川茂助・比留川嘉助両氏から東京帝室博物館に寄贈されたものである。現存高五一・六センチ、幅一九・二センチ、上部厚一・五センチ、下部厚一・七センチを測る。板状の石材に打撃を加えて成形した後、正面を研磨するが、基部には鑿痕を残す。裏面は側縁を整えた後、鑿で両側縁から横方向に加撃した痕跡が密に認められる。身部には、蓮座の上に種子を大書し、その下に左右の花瓶に挟まれて次のような銘文を刻む。本尊は残画から阿弥陀如来の種子キリークとみられる。

応永廿年

紀年銘から応永二十年（一四一三）のものであることが知られる。上半部を折損する。

（四）神奈川県小田原市城山三丁目東海道本線線路敷地（神奈川県足柄下郡小田原町緑四丁目九六〇番地）

小田原は酒匂川と早川に挟まれた海岸平野に立地する城下町で、中心部に小田原城が営まれているが、板碑の出土地点は天守閣跡の北西の山林である（第34図）。「埋蔵物録」によれば、板碑は、一枚のみで、大正六年（一九一七）三月十六日に、線路敷設工事中に「地下十尺」の場所に「自然石及土砂ト共ニ埋没」していたのが発見されたという。あまりにも深すぎるように思うが、崖の斜面に埋没した状態で出土したものとみられる。同年の三月五日には五輪塔や宝篋印塔が発見されており、同地には複数の種類の石塔が存在したことが知られ、在地領主の墓地である可能性が高い。

157　板碑　J－二五二八一（写真図版95、拓影70、実測図86）

大正七年（一九一八）七月十九日に神奈川県から東京帝室博物館が引き継いだものである。現在東京国立博物館構内の表慶館の前に建っており、基部が土中に埋められているため、全長は不明である。地上高一四二・八センチ、上部幅三三・〇センチ、下部幅五四・〇センチ、上部厚四〇・二センチ、下部厚四五・五センチを測る。いわゆる自然石板碑で、加工は最小限に留められている。頂部や側面に打撃を加えて整形した後、正面の凹凸を鏨で調整し、さらに研磨する。裏面はほとんど加工していない。身部には、阿弥陀如来の種子キリーク、観音菩薩の種子サ、勢至菩薩の種子サクの三尊を配し、その下に次のような銘文を刻み、基部には五輪塔を陰刻している。

為悲母一周忌
乃至法界衆也
建武元七八敬白

紀年銘の建武元年（一三三四）は南朝年号である。銘文から母の一周忌供養のた

第34図　城山板碑出土地の位置（2万5千分の1）

めに造立されたことが知られる。「元七八」は元年七月八日の略である。

〔参考文献〕

小田原市　一九九五　『小田原市史』史料編（原始古代中世一）

（五）神奈川県大和市深見坊ケ窪（神奈川県高座郡大和村深見坊ケ窪二二七一番地）

坊ケ窪は境川右岸に立地する集落で、東側には境川によって開析された谷底平野があり、水田として利用されている（第35図）。深見は、『和名類従抄』にみえる深見郷に比定され、式内社の深見神社が鎮座している。南北朝期には深見郷として再編成され、戦国期には後北条氏の家臣西原氏の治めるところとなり、村内を滝山城へ通じる滝山道が貫通する。「埋蔵物録」によれば、板碑は一枚で、昭和四年（一九二九）三月十七日に紅葉を庭に移植するため掘削中、地下「約二尺」のところから、五輪塔とともに発見された。

158　板碑　J－二五三六〇（写真図版14・95、拓影70、実測図87）

昭和六年（一九三一）四月二日に中丸安五郎氏から東京帝室博物館に寄贈されたものである。高八九・四センチ、上部幅二四・三センチ、下部幅二七・二センチ、上部厚二・四センチ、下部厚二・二センチを測る。頂部は三角形を呈し、首部に二箇所の小さな切り込みを入れ、不明瞭な二条線をもつ。板状の石材に打撃を加えて成形した後、正面を平鑿で調整し、さらに研磨するが、基部には剥離面と鑿痕を残す。裏面は側縁を整えた後、鑿で横方向に加撃した痕跡がわずかに認められる。基部下端には石材を採取した際の矢穴が残る。身部には、蓮座の上に阿弥陀如来の種子キリークを大書し、その下に観音菩薩の種子サ、勢至菩薩の種子サクを配し、さらに次のような銘文を刻む。彫法は丸彫である。なお、基部上端には横方向の二条の沈線を引くが、枠線が省略されたものであろう。

貞和三年二月

紀年銘の貞和三年（一三四七）は北朝年号である。

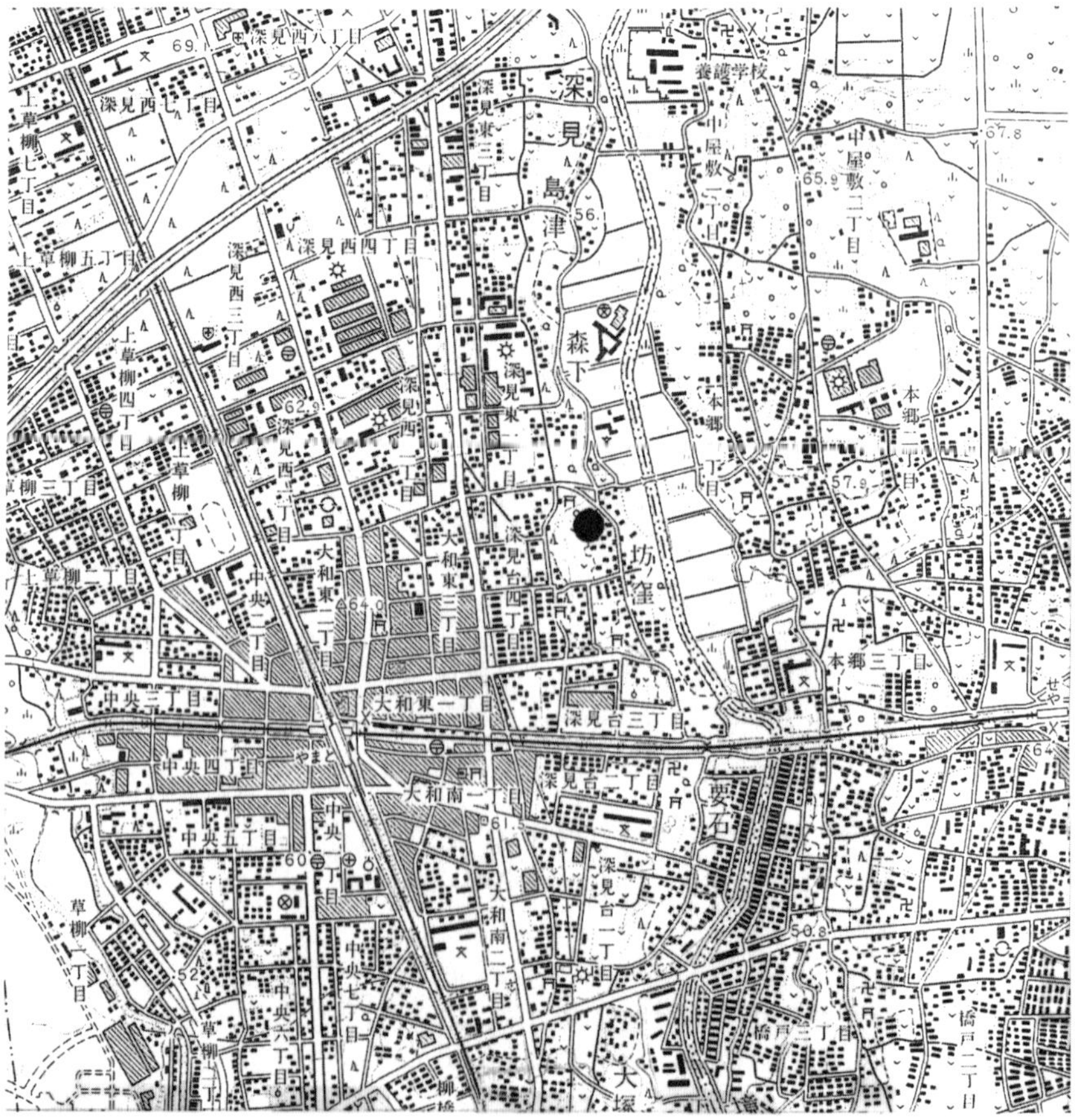

第35図　坊ケ窪板碑出土地の位置（２万５千分の１）

八、出土地不詳

以下は個人コレクションなどとして収集されたために出土地が不明なものである。

159　板碑　J－二五三三六（写真図版96、拓影71、実測図89）

昭和二年（一九二七）十月六日に徳川頼貞氏から東京帝室博物館に寄贈されたものである。高四〇・三センチ、上部幅一五・〇センチ、下部幅一五・八センチ、上部厚一・三センチ、下部厚一・七センチを測る。頂部は三角形を呈するが、均整さを欠き、首部二条線をもつ。板状の石材に打撃を加えて成形した後、正面を平鏨で調整し、さらに研磨するが、基部は未調整である。裏面は側縁を整えた後、鏨で横方向に加撃した痕跡がわずかに認められる。身部には、蓮座の上に阿弥陀如来の種子キリークを大書し、その下に次のような銘文を刻む。

嘉暦二年

八月日

紀年銘から嘉暦二年（一三二七）のものであることが知られる。上下二つに割れている。

160　板碑　J－二五三三九（写真図版96、拓影72、実測図88）

昭和二年（一九二七）十月六日に徳川頼貞氏から東京帝室博物館に寄贈されたものである。高六〇・二センチ、上部幅一七・八センチ、下部幅二〇・五センチ、上部厚二・三センチ、下部厚一・九センチを測る。頂部は三角形を呈し、首部に二条の羽刻みをもつ。板状の石材に打撃を加えて成形した後、正面を平鏨で調整し、さらに研磨するが、基部には剥離面や鏨痕を残す。裏面は側縁を整えた後、鏨で両側縁から横方向に加撃した痕跡が認められる。身部には、中央の割付線を引いた後、不明瞭な長方形の枠線を設け、内部に蓮座の上に阿弥陀如来の種子キリークを大書し、その下に花瓶を置き、さらに次のような銘文を刻む。

文和三

日

八月

紀年銘の文和三年（一三五四）は北朝年号である。

161　板碑　J－二五三四〇（写真図版97、拓影72、実測図87）

昭和二年（一九二七）十月六日に徳川頼貞氏から東京帝室博物館に寄贈されたものである。高六五・七センチ、上部幅一九・〇センチ、下部幅二〇・六センチ、上部厚一・五センチ、下部厚一・四センチを測る。頂部は三角形を呈するが、均整さを欠き、首部に二条の羽刻みをもつ。板状の石材に打撃を加えて成形した後、正面を研磨するが、基部は剥離面や鏨痕を残す。裏面は側縁を打撃によって整える。身部には、蓮座の上に阿弥陀如来の種子キリークを大書し、その下に次のような銘文を刻む。

逆修

永和四年戊午十一月

妙海

紀年銘の永和四年（一三七八）は北朝年号である。

162　板碑　J－二五三四一（写真図版14・97、拓影72、実測図87）

昭和二年（一九二七）十月六日に徳川頼貞氏から東京帝室博物館に寄贈された

ものである。高六五・七㌢、上部幅二〇・六㌢、下部幅二二・四㌢、上部厚一・五㌢、下部厚一・四㌢を測る。頂部は三角形を呈するが、均整さを欠き、首部に二条の切り込みを入れ、鑿で二条の窪みをつける。板状の石材に打撃を加えて成形した後、正面を平鑿で調整し、さらに研磨するが、基部は剥離面や鑿痕を残す。裏面は側縁を整えた後、鑿で両側縁から横方向に加撃した痕跡が認められる。基部と身部の間に段差を設ける。身部には、蓮座の上に釈迦如来の種子バクを大書し、その下に次のような銘文を刻む。

弘安六年十月日

紀年銘から弘安六年（一二八三）のものであることが知られる。

163 板碑 J－二五三四二（写真図版14・98、拓影73、実測図90）

昭和二年（一九二七）十月六日に徳川頼貞氏から東京帝室博物館に寄贈されたものである。高六二・五㌢、上部幅一九・九㌢、下部幅二〇・五㌢、上部厚二・九㌢、下部厚三・五㌢を測る。頂部は三角形を呈するが、均整さを欠き、首部二条線をもつ。厚めの板状の石材に打撃を加えて成形した後、正面を研磨するが、基部には石材の突出部を残す。裏面は側縁を整えた後、鑿で横方向に加撃した痕跡がわずかに認められる。身部には、長方形の枠線を設け、内部に阿弥陀三尊の種子であるキリーク・サ・サクを大書し、その下に花瓶を挟んで次のような銘文を刻む。

右者道茲聖霊々也
応永四年十一月十一日

紀年銘から応永四年（一三九七）のものであることが知られる。

164 板碑 J－二五三四三（写真図版98、拓影74、実測図91）

昭和二年（一九二七）十月六日に徳川頼貞氏から東京帝室博物館に寄贈されたものである。高六一・三㌢、上部幅一九・七㌢、下部幅二一・二㌢、上部厚一・六㌢、下部厚一・六㌢を測る。頂部は三角形を呈するが、均整さを欠き、首部二条線をもつ。首部二条線脇の沈線は割付線である。板状の石材に打撃を加えて成形した後、正面を研磨するが、基部には剥離面を残す。裏面は打撃によって側縁を整える。身部には、割付線を引いた後、不明瞭な長方形の枠線を設け、内部に線刻の蓮座の上に阿弥陀如来の種子キリークを大書し、その下に花瓶を挟んで次のような銘文を刻む。彫法は丸彫である。

貞和五年
三月日

紀年銘の貞和五年（一三四九）は北朝年号である。

165 板碑 J－二五三四四（写真図版15・99、拓影73、実測図92）

昭和二年（一九二七）十月六日に徳川頼貞氏から東京帝室博物館に寄贈されたものである。高二九・四㌢、上部幅九・四㌢、下部幅一〇・二㌢、上部厚一・六㌢、下部厚一・七㌢を測る。きわめて小型の板碑である。頂部は三角形を呈するが、均整さを欠き、首部に一条の不明瞭な沈線をもつ。首部二条線の退化したものであろう。板状の石材に打撃を加えて成形した後、正面を研磨するが、右側面の打撃痕は残されたままである。裏面は側縁を整えた後、鑿で横方向に加撃した痕跡がわずかに認められる。基部にはあたかも裁断されたかのような加工痕が残るが、工具や技法は不明である。身部には、不完全な長方形の枠線を設け、内部に線刻の蓮座の上に釈迦如来の種子バクを大書し、その下に次のような銘文を刻む。彫法はきわめて浅い薬研彫で、種子・蓮座・銘文の文字内に漆の付着が認められることから、当初は金箔を貼っていたものと推測される。

延慶三年

紀年銘から延慶三年（一三一〇）のものであることが知られる。

166　板碑　J－二五三六一（写真図版15・99、拓影72、実測図88）

昭和六年（一九三一）四月六日に杉山寿男氏から東京帝室博物館が購入したものである。高九九・三㌢、上部幅二六・七㌢、下部幅三〇・三㌢、上部厚二・四㌢、下部厚二・九㌢を測る。頂部は三角形を呈し、首部に二条の羽刻みをもつ。板状の石材に打撃を加えて成形した後、正面を研磨するが、基部には鑿痕が残る。身部と基部の境界は平鑿で横方向に削って段差を設ける。裏面は打撃によって側縁を整える。両側面は鑿で平坦に調整する。身部には、蓮座の上に大きな光背を背負った阿弥陀如来立像の画像を描き、その下に次のような銘文を刻む。彫法は丸彫である。なお、表面に苔の付着が認められることから、屋外に立っていた時期があったことが推測される。

元亨四年
甲子正月十二日

紀年銘から元亨四年（一三二四）のものであることが知られる。

167　板碑　J－二五三六九（写真図版100、拓影77、実測図89）

昭和八年（一九三三）六月一日に武藤喜平氏から東京帝室博物館に寄贈されたものである。現存高四〇・〇㌢、上部幅二二・五㌢、下部幅二二・八㌢、上部厚二・〇㌢、下部厚二・〇㌢を測る。身部の破片である。板状の石材に打撃を加えて成形した後、正面を研磨する。裏面は側縁を整えた後、鑿で横方向に加撃した痕跡がわずかに認められる。身部は蓮座の下に次のような銘文を刻む。上半部を折損するため本尊などは不明である。

元徳三年六月日

紀年銘の元徳三年（一三三一）は北朝年号である。表裏面とも鉄分が付着しており、低湿な場所に埋もれていたことが推測される。

168　板碑　J－二五三三一（写真図版15・100、拓影75、実測図93）

昭和二年（一九二七）十月六日に徳川頼貞氏から東京帝室博物館に寄贈されたものである。現存高六〇・二㌢、上部幅三一・三㌢、上部厚二・九㌢、下部厚二・八㌢を測る。身部の破片である。板状の石材に打撃を加えて成形した後、正面を研磨する。裏面は打撃によって側縁を整える。身部は阿弥陀三尊来迎図を描く。雲の描写など巧みな表現をみせる。十四世紀のものであろう。三個の破片に割れており、上下とも折損する。

169　板碑　J－一五三三二（写真図版101、拓影76、実測図92）

昭和二年（一九二七）十月六日に徳川頼貞氏から東京帝室博物館に寄贈されたものである。高四六・八㌢、上部幅一六・七㌢、下部幅一七・四㌢、上部厚二・四㌢、下部厚二・二㌢を測る。頂部は山形を呈するが、先端を欠き、首部二条線をもつ。板状の石材に打撃を加えて成形した後、正面を研磨するが、基部には剥離面が残る。裏面は側縁を整えた後、鑿で横方向に加撃した痕跡がわずかに認められる。身部には、題目などの銘文を刻む。

南無多宝如来　　文明四年壬辰

南無妙法蓮華経　　妙堅比丘尼
南無釈迦牟尼仏　　四月十七日

紀年銘から文明四年（一四七二）のものであることが知られる。日蓮宗独自の題目板碑である。中程で半分に割れる。

170　板碑　J－二五三三三（写真図版15・101、拓影77、実測図94）

昭和二年（一九二七）十月六日に徳川頼貞氏から東京帝室博物館に寄贈されたものである。現存高五一・五センチ、上部幅二九・六センチ、下部幅三〇・八センチ、上部厚二・四センチ、下部厚二・五センチを測る。頂部は三角形を呈するが、均整さを欠き、首部二条線をもつ。板状の石材に打撃を加えて成形した後、正面を平鑿で調整し、さらに研磨する。裏面は側縁を整えた後、鑿で横方向に加撃した痕跡がわずかに認められる。両側面は鑿で平坦に調整する。身部には、蓮座の上に阿弥陀如来の種子キリークを大書し、その下に観音菩薩の種子サ、勢至菩薩の種子サクを配する。蓮座などの型式的な特色から十四世紀前期のものと考えられる。なお、本板碑は「列品台帳」では出土地不詳となっているが、裏面に次のような朱書が認められ、千葉県松戸市馬橋万願寺境内から出土したことが判明する。万願寺は臨済宗の寺院であるが、千葉氏を檀越とする大日寺の後身であるとされ、古くは真言宗であったと推測される。今回は混乱を避けるため「列品台帳」の記載に従ったが、さらに検討を重ね、将来的に訂正することが望ましい。

下総国東葛飾郡
馬橋法王山内ヨリ
長全誌

171　板碑　J－二五三三四（写真図版102、拓影78、実測図95）

昭和二年（一九二七）十月六日に徳川頼貞氏から東京帝室博物館に寄贈されたものである。高五一・八センチ、上部幅一六・五センチ、下部幅一七・六センチ、上部厚二・三センチ、下部厚二・〇センチを測る。頂部は山形を呈するが、先端を欠き、不明瞭な首部二条線をもつ。板状の石材に打撃を加えて成形した後、正面を研磨するが、基部には剥離面を残す。裏面は側縁を整えた後、鑿で横方向に加撃した痕跡がわずかに認められる。身部には、不明瞭な長方形の枠線を設け、内部に蓮座の上に円相に囲まれた阿弥陀如来の種子キリークを大書し、その下に次のような銘文を刻む。彫法は丸彫である。

文明十七天

紀年銘から文明十七年（一四八五）のものであることが知られる。

172　板碑　J－二五三三五（写真図版16・102、拓影71、実測図96）

昭和二年（一九二七）十月六日に徳川頼貞氏から東京帝室博物館に寄贈されたものである。高四八・四センチ、上部幅一四・九センチ、下部幅一五・八センチ、上部厚二・三センチ、下部厚二・三センチを測る。頂部は三角形を呈し、首部に二条の羽刻みをもつ。板状の石材に打撃を加えて成形した後、正面を研磨するが、基部には鑿痕を残す。裏面は側縁を整えた後、鑿で横方向に加撃した痕跡が密に認められる。身部には、割付線を引いた後、長方形の枠線を設け、内部に蓮座の上に阿弥陀如来の種子キリークを大書し、その下に次のような銘文を刻む。種子と銘文の文字には漆の付着が認められ、当初は金箔を貼っていたものと推測される。

文安二年
妙心禅尼

四月十五日

紀年銘から文安二年（一四四五）のものであることが知られる。

173　板碑　J－二五三三八（写真図版16・103、拓影76、実測図97）

昭和二年（一九二七）十月六日に徳川頼貞氏から東京帝室博物館に寄贈されたものである。高四三・〇㌢、上部幅一五・三㌢、下部幅一五・九㌢、上部厚五・〇㌢、下部厚五・〇㌢を測る。頂部は三角形を呈するが、先端を欠き、首部二条線をもつ。塊状の砂岩に打撃を加えて成形した後、正面を研磨するが、基部には鏨痕を残す。裏面は断面が舟底形になるように成形し、鏨の痕跡が歴然と残る。側面は鏨で平坦に調整する。身部には、不明瞭な長方形の枠線を設け、内部に阿弥陀如来の種子キリークを大書し、その下に観音菩薩の種子サ、勢至菩薩の種子サクを配し、さらに次のような銘文を刻む。彫法は丸彫である。

妙徳禅門
永享六年
四月十二日

紀年銘から永享六年（一四三四）のものであることが知られる。同様な型式の砂岩製板碑は東京都多摩地方に多く分布しており、本板碑も同地方で出土した可能性が高い。

174　板碑　J－二五三四五（写真図版103、拓影73、実測図94）

昭和二年（一九二七）十月六日に徳川頼貞氏から東京帝室博物館に寄贈されたものである。現存高二八・〇㌢、上部幅一七・八㌢、上部厚一・八㌢、下部厚一・八㌢を測る。板碑頂部の破片である。頂部は山形を呈するが、先端を欠き、不明瞭な首部二条線をもつ。板状の石材に打撃を加えて成形した後、正面を平鏨で調整し、さらに研磨する。裏面は側縁を整えた後、鏨で横方向に加撃した痕跡がわずかに認められる。身部には阿弥陀如来の種子キリークを大書する。彫法は丸彫である。種子の形態に著しい崩れが認められるところから十五世紀のものである可能性が高い。下半部と右側を折損する。

175　板碑　J－二五三四六（写真図版104、拓影75、実測図96）

昭和二年（一九二七）十月六日に徳川頼貞氏から東京帝室博物館に寄贈されたものである。現存高一九・〇㌢、幅一八・八㌢、厚一・八㌢を測る。身部の破片である。板状の石材に打撃を加えて成形した後、正面を研磨する。裏面は側縁を整えた後、鏨で横方向に加撃した痕跡がわずかに認められる。身部には、右上に円相に囲まれた観音菩薩の種子サを書き、その下に次のような銘文を刻む。本尊は欠失するが、脇侍が観音菩薩であることから阿弥陀如来で、阿弥陀三尊の種子が書かれていたことが推測できる。

長禄□
妙祐禅尼
□廿五日

紀年銘から長禄年間（一四五七～六〇）のものであることが知られる。上下を折損する。

176　板碑　J－二五三四七（写真図版104、拓影74、実測図95）

昭和二年（一九二七）十月六日に徳川頼貞氏から東京帝室博物館に寄贈されたものである。現存高三一・四㌢、上部幅一七・三㌢、下部幅一七・二㌢、上部厚一・七㌢、下部厚二・〇㌢を測る。下半部の破片である。板状の石材に打撃を加えて成形した後、正面を平鑿で調整し、さらに研磨するが、基部には剥離面や鑿痕を残す。裏面は側縁を整えた後、鑿で横方向に加撃した痕跡が認められる。身部には、長方形の枠線を設け、内部に蓮座の下に次のような銘文を刻む。本尊は上半部が折損するため不明である。

正長二年
徳浄禅門
三月六日

紀年銘から正長二年（一四二九）のものであることが知られる。裏面上端部に打撃を加えて破壊した痕跡がみられる。板碑を故意に破壊したことが推測できる。

177　板碑　J－二五三四八（写真図版16・105、拓影78、実測図97）

昭和二年（一九二七）十月六日に徳川頼貞氏から東京帝室博物館に寄贈されたものである。現存高一九・四㌢、幅一二・六㌢、厚二・八㌢を測る。身部の破片である。板状の石材に打撃を加えて成形した後、正面を研磨する。裏面は側縁を整えた後、鑿で横方向に加撃した痕跡がわずかに認められる。身部には、枠線を設け、内部に観音菩薩の画像を描く。168の板碑と同巧品で、石材の石質もよく似ているが、同一個体ではない。おそらく168の板碑とほぼ同様な阿弥陀三尊来迎図が描かれていたのであろう。十四世紀のものであろう。

178　板碑　J－二五三六八（写真図版16・105、拓影79、実測図98）

昭和八年（一九三三）六月一日に肥沼利三郎氏から東京帝室博物館に寄贈されたものである。現存高一四五・四㌢、上部幅三六・九㌢、下部幅三九・一㌢、柄幅二八・九㌢、上部厚三・〇㌢、下部厚二・六㌢を測る。頂部は三角形を呈するが、均整さを欠き、首部二条線をもつ。板状の石材に打撃を加えて成形した後、

正面を研磨するが、基部には剥離面や鑿痕を残す。裏面は側縁を整えた後、鑿で両側縁から横方向に加撃した痕跡が認められる。基部に柄を設ける。身部には、長方形の枠線を設け、内部には、左右に日月を配し、瓔珞を下げた天蓋を吊る。その下に、光明を放つ光背を背負った阿弥陀如来立像、両脇に侍る観音菩薩と勢至菩薩の画像を描き、前机の上に燭台・香炉・花瓶の三具足を置く。香炉から煙が立ち昇っている情景も表現されている。さらに下方には次のような銘文を刻む。

応仁元年十月廿三日

紀年銘から応仁元年（一四六七）のものであることが知られる。二十三日に造立されていることから月待の一種である二十三夜待に関係する板碑であることが推測できる。柄の下端を欠損する。

（時枝　務）

第四章　東京国立博物館所蔵板碑の石材調査報告

一、はじめに

東京国立博物館が所蔵する一七八点の板碑について、主に肉眼による岩石名の判定と、石材としての特徴を観察した。観察結果は表にまとめた。その結果、使用された石材は、粘板岩二点、シルト岩一点、砂岩一点、安山岩一点以外の一七三点はすべて緑泥片岩であった[1]。粘板岩（No.1・2）およびシルト岩は宮城県の板碑、安山岩は神奈川県小田原市の板碑（No.157）であり、砂岩は出土地不詳の板碑（No.173）であった。

二、地域による緑泥片岩の相違

一七三点の板碑が緑泥片岩製であったわけだが、細かく観察していくと、それらは必ずしも同じではなく、地点や地域による違いのあることが明らかになった。以下にその違いについて述べる。観察にあたっては、特に色・粒度・点紋の有無・錆びた鉄鉱物（おそらく黄鉄鉱）、黒い鉱物（おそらく磁鉄鉱）、白い鉱物（おそらく斜長石）について重点的に観察した[2]。

栃木県古河市のもの一〇点（No.4～13）は、暗緑色で細粒、錆びた鉄鉱物が明瞭であるものが多い。

茨城県取手市のもの一点（No.14）は、緑色で粗粒、点紋が明瞭である。

茨城県境町のもの六点（No.15～20）は、粗粒なものが多く、見ためが美しくないものが多い。

栃木県小山市のもの二〇点（No.21～40）は、緑色で粗粒から中粒のものが多く、点紋の認められるものも多い。

栃木県野木町のもの四点（No.41～44）は、緑色および暗緑色で細粒、錆びた鉄鉱物、黒い鉱物、白い鉱物の認められないものが多い。

群馬県前橋市のもの一点（No.45）は、緑色で細粒、錆びた鉄鉱物の多いものである。

群馬県太田市のもの二五点（No.46～70）は、暗緑色のものが少なく、緑および黄緑を帯びたものが多い。粒度では中粒のものが多い。錆びた鉄鉱物、黒い鉱物、白い鉱物が明らかなものは少なく、表面に光沢をもつものが多い。

群馬県高崎市のもの三点（No.71～73）は緑色で中粒～粗粒、光沢をもつものがほとんどである。

埼玉県岩槻市のもの一点（No.74）は、暗緑色でやや粗粒、白い鉱物が点在し、均質な感じのものである。

埼玉県さいたま市のもの一点（No.75）は、暗緑色で細～中粒、小さな鉄鉱物の集中した部分の認められるものである。暗緑色の筋が明瞭である。

埼玉県川口市のもの二点（No.76・77）は、暗緑色で中粒、磨かれた面は粒状に見えるものである。

埼玉県川越市のもの一一点（No.78～88）は、一点の黄緑色を除いて緑から暗緑色、細粒から中粒のものが大半である。大体のものに錆びた鉄鉱物か黒い鉱物が認められ、白い鉱物が認められるものも六点存在する。

埼玉県熊谷市のもの一点（No.89）は、緑色で粗粒、白い鉱物が密に分布し、暗緑色の平行な筋が認められるものである。

埼玉県戸田市のもの七点（No.90～96）は、緑色～暗緑色で、細粒から中粒である。錆びた鉄鉱物および黒い鉱物がほとんど認められず、白い鉱物が認められるものが多い。

埼玉県東松山市のもの一八点（No.97～114）は、緑色で中粒のものが多い。点紋の認められるものはなく、白い鉱物が認められるものが多い。一部に錆びた鉄鉱物か黒い鉱物が認められる。

東京都大田区のもの一点（No.115）は緑色～暗緑色で、細粒のものである。

東京都葛飾区のもの一点（No.116）は、暗緑色で細粒、ほんの少しの錆びた鉄鉱物と少しの白い鉱物が認められ、細い暗緑色の筋が多く認められる。

東京都北区のもの二四点（No.117～140）は、緑色と暗緑色で大半であるが、他に黄緑色が三点・淡緑色が一点認められる。大半が細粒～中粒に入り、粗粒と判定されたものは二点のみである。錆びた鉄鉱物もしくは黒い鉱物が認められるものが半分強あるが、白い鉱物が認められるものは一部に限られる。

東京都台東区のもの一点（No.141）は、暗緑色で粗粒、錆びた鉄鉱物が少しと多くの白い鉱物が認められるものである。

東京都千代田区のもの三点（No.142～144）は、緑色で中粒、錆びた鉄鉱物もしくは黒い鉱物が認められるものである。

東京都日野市のもの一点（No.145）は、暗緑色で細粒のものである。

東京都あきる野市のもの一点（No.146）は、暗緑色で細粒、全面に黒い鉱物が認められるものである。

神奈川県横浜市のもの八点（No.147～154）は、緑色および暗緑色で中粒および細粒のものがほとんどである。点紋・錆びた鉄鉱物および黒い鉱物・白い鉱物が認められないものが大半である。一点ある粗粒なもの（No.151）には、点紋・錆びた鉄鉱物および黒い鉱物・白い鉱物が認められる。

神奈川県綾瀬市のもの二点（No.155・156）は、共に細粒ではあるが、暗緑色と黄緑色であり、他の要素も異なるものである。

神奈川県大和市のもの一点（No.158）は、緑および暗緑色で粗粒である。点紋・大粒の錆びた鉄鉱物・白い鉱物が認められる。

出土地不詳のもの二〇点（No.159～178）は、一点が固結度の高くない砂岩、一九点が緑泥片岩である。

三、まとめ

今回の板碑、特に緑泥片岩製板碑の石材調査から明らかになった点と、今後の課題について以下に記す。

板碑が出土した地点あるいは地域が同じ場合、類似した特徴をもつ緑泥片岩である傾向の強いことが明らかとなった。つまり、出土した地点あるいは地域が異なると、同じ緑泥片岩であっても異なる特徴をもつ石材である場合が多いのである。

今回調査を行った板碑の出土地点は、当時の利根川水系に属する渡良瀬川に近い太田市・古河市、思川に近い小山市・野木町、利根川本流の下流部に比較的近い境町、利根川中流に位置する前橋市、烏川に近い高崎市、当時の入間川水系に位置する川越市・戸田市・東松山市・北区、利根川の分流の一つである古隅田川・入間川合流点より下流に位置する台東区・千代田区、当時の荒川に近い熊谷市・岩槻市、以上の水系とは離れた日野市・五日市町（現あきる野市）・横浜市・綾瀬市、出土地不詳、およびその他である。当時の利根川水系と入間川水系に近い地点のものが調査対象資料の大半を占めている。当時の荒川に直接関係すると推定されるものは、熊谷市および岩槻市の二資料のみであることを挙げておきたい。

当時の流れをもとに、利根川水系と入間川水系に属する地域から出土した板碑の緑泥片岩を比較してみると、以下のような傾向が見られる。

①点紋の顕著なものは利根川水系の地域に多く、入間川水系の地域に少ない。
②粗粒のものは利根川水系の地域に多く、入間川水系の地域に少ない。
③黄緑色を帯びたものは利根川水系の地域に多く、入間川水系の地域に少ない。
④暗緑色を帯びたものは入間川水系に多く、利根川水系に少ない。

さらに、当時の水系を考慮して緑泥片岩の分布地を推定すると、南は入間川水系に属する都幾川・槻川上流地帯、荒川中流域の長瀞近辺、利根川水系に属する神流川中流域の三波川を含む鬼石付近・鏑川支流の鮎川・雄川などである。

今回の石材に関する調査で明らかになったこととして、板碑の出土した地点や地域が属する当時の水系が異なると、同じ緑泥片岩と言っても違いが存在する傾向が見られることである。その違いに、水系を考慮した緑泥片岩の分布地を重ね合わせたときに何が言えるだろうか。石材を採取した場所（石材産地）と運搬経路の違いを意味していると言えるのではないだろうか。運搬経路は当時の水系（川の流れ）に大きく支配されていたと考えられる。従来考えられてきた、長瀞付近の緑泥片岩が荒川を使って関東一円に運ばれた、という図式だけでは説明できない可能性が高くなったと言えよう。荒川だけではなく、利根川水系および入間川水系を加えた石材産地と石材の移動を考慮する必要があるのではないだろうか。

これらの問題を解決するためには、今回の調査点数では不十分である。

①さらに多くの地域の、多くの板碑の石材調査、
②石材産地間における石材としての緑泥片岩の比較、
③板碑と産地試料の厳密な比較

を今後実施する必要がある。

さらに、現在の水系や川の流路ではなく、当時の水系や川の流路の復元を行うことは、流通を復元する上で欠かすことのできない作業である。今回は検討できなかったが、時期による、使用される緑泥片岩の特徴の違いの有無を調査する事も重要であると考える。今後に残された課題は多いと言えよう。

註

（1）緑泥石という鉱物を多く含む結晶片岩を緑泥石片岩という。緑泥石片岩は緑色を呈し、緑色片岩の中に含まれる岩石である。本報告で用いる「緑泥片岩」の名称は、地質学で言う緑泥石片岩より広い意味をもつ緑色片岩とほぼ同義に用いている。ほぼ同義というのは、岩石を構成している鉱物を、肉眼だけではきちんと判定できないことと、暗緑色であるものは、緑泥石など緑色を呈する鉱物以外の鉱物が多く含まれ、緑色片岩の範疇外である可能性があるからである。緑色片岩もしくは緑色片岩に近い結晶片岩の意味で緑泥片岩の名称を用いている。

（2）色・粒度・量などは板碑を一枚一枚観察したときの印象であり、絶対的な基準をもとに判定してはいない。また、全ての板碑を並べ観察した結果でもない。従って、観察結果の安定性と客観性にはやや欠ける部分が存在している。観察結果の安定性と客観性をいかに保つか今後の課題である。

〔参考文献〕

秋池　武　一九九九　「関東地方点紋緑泥片岩の分布と利用について」『群馬県立歴史博物館紀要』第二〇号　一九～四〇頁　群馬県立歴史博物館
有元修一・村井武文　一九八七　「板碑の分布と荒川の役割」『荒川　人文Ⅰ　荒川総合調査報告書2』三三五～三四六頁　埼玉県
柴田　徹　二〇〇三　「1．川のうつりかわり」『特別展　川の道　江戸川』四三～四五頁　松戸市立博物館

（考古石材研究所　柴田　徹）

所在地	番号	列品番号	西暦	材質	色	粒度	点紋	錆びた鉄鉱物	黒い鉱物	白い鉱物	備考
宮城県名取市高館熊野堂字大門山	1	J—三六六五八—一	十三世紀後半~十四世紀前半	粘板岩							
宮城県松島町雄島	2	J—三六六五八—二	十四世紀	粘板岩							
宮城県内	3	J—三六六五八—三	一三九四~一四二八	シルト岩							
茨城県古河市大字立崎頼政廓跡	4	J—二五二六六	一三〇七	緑泥片岩	暗緑~緑	やや粗粒		少し			白い鉱物が層状に存在
	5	J—二五二六七	一三四三	緑泥片岩	緑	細粒			一面に分布	点在	
	6	J—二五二六八	一四六八	緑泥片岩	緑	細粒		点在	点在		
	7	J—二五二六九	一三八二	緑泥片岩	暗緑	細粒		一部に点在	点在	点在	
	8	J—二五二七〇	一三五一	緑泥片岩	暗緑~緑	中粒		点在			
	9	J—二五二七一	一四六七	緑泥片岩	暗緑	細粒				少し	裏に大きな錆びた鉄鉱物が多い
	10	J—二五二七二	一三六五	緑泥片岩	暗緑	中粒		点在		点在	裏に大きな錆びた鉄鉱物が多い
	11	J—二五二七三—一	一三四二	緑泥片岩	緑	細粒					
	12	J—二五二七三—二	一三一六	緑泥片岩	暗緑	細粒		点在			
	13	J—二五二七三—三	十四世紀	緑泥片岩	暗緑	粗粒		点在			白雲母が多い/白雲母片岩
茨城県取手市白山六丁目大鹿城跡	14	J—二五三三七	十六世紀	緑泥片岩	緑	粗粒	白い点紋一面	少し			点紋もしくは白い斜長石が多い
茨城県境町百戸字マイゴオ	15	J—二五二一九	一五一六	緑泥片岩	暗緑	細粒					白雲母の筋
	16	J—二五二二〇	一五〇六	緑泥片岩	暗緑	粗粒		5㎜前後多い		多い	
	17	J—二五二二一	一四九〇	緑泥片岩	緑	細粒					

茨城県境町百戸字マイゴオ	18	J—二五二二二	一五〇七	緑泥片岩	暗緑	粗粒			点在		
	19	J—二五二二三	一四三〇	緑泥片岩	黄緑	細粒	黒い点紋一面	少し	点在		
	20	J—二五二二四	一五一四	緑泥片岩	緑	粗粒	白い点紋一面	多い		大～中・一面に分布	
栃木県小山市上石塚字愛宕東愛宕神社境内	21	J—二五二八三	一二七六	緑泥片岩	緑	中粒			点在		黒い鉱物の凸点在／裏面に錆びた鉄鉱物
	22	J—二五二八四	一三三三	緑泥片岩	暗緑	中～粗粒					暗緑の柱状鉱物が一面に
	23	J—二五二八五	一三七九	緑泥片岩	暗緑	細粒		非常に多い・大きい			
	24	J—二五二八六	十四世紀	緑泥片岩	暗緑	細粒		一部非常に多い			
	25	J—二五二八七	一三九七	緑泥片岩	緑	粗粒	白い点紋一面				
	26	J—二五二八八	一四〇六	緑泥片岩	暗緑	細粒			一部に点在		微少・灰緑の粒が密に分布
	27	J—二五二八九	一三九七	緑泥片岩	暗緑	中粒	白い点紋点在				微少・灰緑の粒が密に分布
	28	J—二五二九〇	一四一五	緑泥片岩	緑	中粒					
	29	J—二五二九一	一三六四	緑泥片岩	緑	中粒		少し点在			裏面に錆びた鉄鉱物が多い
	30	J—二五二九二	一二七三	緑泥片岩	緑	細粒				小・一面に	
	31	J—二五二九三	一三六二	緑泥片岩	黄緑	粗粒	白と暗緑の点紋一面			一面に	平行な筋
	32	J—二五二九四	十三世紀	緑泥片岩	緑	細粒	白い点紋一面	点在		一面に	
	33	J—二五二九五	一四〇五	緑泥片岩	暗緑	中粒			多い	一面に密に	裏面：暗緑、白い鉱物が一面に
	34	J—二五二九六	一二八三	緑泥片岩	黄緑	細粒					
	35	J—二五二九七	一三九四	緑泥片岩	暗緑	粗粒				一面に分布	裏面に錆びた大きな鉄鉱物
	36	J—二五二九八	十三世紀	緑泥片岩	緑	細粒		一部に少し			

栃木県小山市上石塚字愛宕東愛宕神社境内	37	J—一二五二九九	一二八三	緑泥片岩	緑	中粒					暗緑の筋が顕著
	38	J—一二五三〇〇	十四世紀	緑泥片岩	緑	細粒			多い		一部に暗緑色の鉱物が点在
	39	J—一二五三〇一	十四世紀	緑泥片岩	緑	細粒			多い		一部に暗緑色の鉱物が点在
	40	J—一二五三〇二	一二七九	緑泥片岩	緑	粗粒	点紋明瞭				
栃木県野木町野渡字仲沖	41	J—一二五二三五	一二七九	緑泥片岩	緑	中粒	暗緑色の点紋一面				
	42	J—一二五二三六	一三二一	緑泥片岩	暗緑	細粒				少し	裏面中粒・緑・一部に白い点紋
	43	J—一二五二三七	一四三八	緑泥片岩	緑	細粒					白っぽい光沢／暗緑の細い平行な筋
	44	J—一二五二三八	一三六一	緑泥片岩	暗緑	細粒					
群馬県前橋市笂井町八日市	45	J—一二五三二六	十六世紀	緑泥片岩	緑	細粒		多い			裏面一部粗粒・一部細粒
群馬県太田市矢場町	46	J—一二五二三九	一三四四	緑泥片岩	緑	中粒	黒い点紋密に一面				裏面白い点紋一面に
	47	J—一二五二四〇	一三四三	緑泥片岩	黄緑	中粒					黄緑部分と暗緑部分が入り乱れている
	48	J—一二五二四一	一三〇一	緑泥片岩	緑～暗緑	細粒			点在		均質
	49	J—一二五二四二	一三五七	緑泥片岩	緑～暗緑	細粒			点在（大きい）		裏面粗粒、白い点紋が一面に
	50	J—一二五二四三	一三三一	緑泥片岩	緑	細粒～中粒					
	51	J—一二五二四四	一三四六	緑泥片岩	黄緑と緑	細粒					一部黄色に反射
	52	J—一二五二四五	一三五一	緑泥片岩	黄緑と緑	中粒	一部に白い点紋		点在		一部黄色に反射、裏面：石英脈・石英の大きな結晶
	53	J—一二五二四六	一二九五	緑泥片岩	暗緑	細粒					裏面の一部粗粒で白い点紋
	54	J—一二五二四七	一三四一	緑泥片岩	緑～暗緑	中粒		少し			
	55	J—一二五二四八	一三五五	緑泥片岩	緑	粗粒	緑色の点紋一面			点在	点紋の間は光沢

群馬県太田市矢場町	56	J—二五二四九	一三四三	緑泥片岩	黄緑	中粒				白っぽい光沢著しい／面不均質
	57	J—二五二五〇	一三七九	緑泥片岩	暗緑	中粒				
	58	J—二五二五一	一四〇二	緑泥片岩	暗緑	細粒				裏面中粒・光沢・筋明瞭
	59	J—二五二五二	一三七八	緑泥片岩	黄緑と緑	中粒				一部黄緑で光沢
	60	J—二五二五三—一	一三一七	緑泥片岩	緑	中粒				裏面錆びた鉄鉱物が点在／表面の色不均質
	61	J—二五二五三—二	一三一七	緑泥片岩	緑	細粒				裏面黄緑で光沢の部分あり
	62	J—二五二五三—三	一三〇八～一三一一	緑泥片岩	緑	中粒				裏面黄緑で光沢の部分あり
	63	J—二五二五三—四	一三一七	緑泥片岩	緑	細粒				裏面中粒・光沢
	64	J—二五二五三—五	一三四七	緑泥片岩	緑	中粒			点在		裏面黄緑・黒い鉱物点在・錆びた鉄鉱物少し
	65	J—二五二五三—六	一三四二	緑泥片岩	黄緑	粗粒	暗緑色の点紋一面				光沢強い
	66	J—二五二五三—七	一三六八	緑泥片岩	黄緑	中粒					光沢あり
	67	J—二五二五三—八	一三三四	緑泥片岩	緑	粗粒					光沢あり
	68	J—二五二五三—九	一三五七	緑泥片岩	黄緑	中粒					黄緑部分光沢・緑部分光沢無し
	69	J—二五二五三—一〇	一三三〇	緑泥片岩	緑	中粒					
	70	J—二五二五三—一一	一三三〇	緑泥片岩	緑	粗粒					光沢あり・裏面に錆びた鉄鉱物の小粒子／暗緑の筋
群馬県高崎市岩鼻町字久保西	71	J—二五一三九	十四世紀	緑泥片岩	緑	中粒					光沢あり・裏面に錆びた鉄鉱物の小粒子
	72	J—二五一四〇	一三八一	緑泥片岩	緑	中粒					暗緑の小さな粒状物が一面に
	73	J—二五一四一	十四世紀	緑泥片岩	緑	粗粒	暗緑色の点紋一面	少し		一面に分布	少し白い点紋・裏面に錆びた鉄鉱物
埼玉県岩槻市尾ケ崎新田字新河岸地先綾瀬川底	74	J—二五二七四	一三五二	緑泥片岩	暗緑	中～粗粒				点在	均質・表面粒状感

埼玉県さいたま市西区佐知川	75	J―二五一四九	一三六五	緑泥片岩	暗緑	細～中粒			小・一部に密	顕著ではない	暗緑の筋が顕著
埼玉県川口市戸塚下台	76	J―二五三五七	一三四一	緑泥片岩	暗緑	中粒					磨いた面は粒状に見える
	77	J―二五二五八	一三三九	緑泥片岩	暗緑	中粒					磨いた面は粒状に見える
埼玉県川越市古谷上	78	J―二五三七八	一三五〇	緑泥片岩	暗緑	細粒				小・一面に	
	79	J―二五三七九	一二九〇	緑泥片岩	緑	中粒			小・一面	小・一面に	
	80	J―二五三八〇	一三七六	緑泥片岩	緑	細粒			小・一部で一面		黒い粒子一部で点在
	81	J―二五三八一	十四世紀	緑泥片岩	暗緑	細粒		大きいの少し		暗緑部分に点在	きめ細かく美しい
	82	J―二五三八二	十四世紀	緑泥片岩	緑	中粒		点在	小・一面		裏面大粒の鉄錆
埼玉県川越市的場	83	J―二五三五〇	一三三四	緑泥片岩	暗緑	細粒		点在			光沢少しあり
	84	J―二五三五一	一三四四	緑泥片岩	暗緑と緑	中粒		点在		一面に	
	85	J―二五三五二	一三三四	緑泥片岩	暗緑	細粒		2cm前後・点在		一部に密に	
	86	J―二五三五三	一三六四	緑泥片岩	暗緑と緑	中粒		点在		小さい・集中部分有り	
	87	J―二五三五四	一三七〇	緑泥片岩	明るい黄緑	細粒			小・一面		
	88	J―二五三五五	十四世紀後半～十五世紀初頭	緑泥片岩	暗緑	粗粒			大・一面		
埼玉県熊谷市四方寺	89	J―二五二〇〇	一三九四	緑泥片岩	緑	粗粒				密に分布	暗緑の細長い筋平行に
埼玉県戸田市下戸田	90	J―二五一四二	一五三四	緑泥片岩	暗緑	細粒				点在	
	91	J―二五一四三	一五〇五	緑泥片岩	緑	中～粗粒				点在	暗緑の細長い筋密に
	92	J―二五一四四	一三一一	緑泥片岩	暗緑	細粒					
	93	J―二五一四五	一五〇六	緑泥片岩	暗緑～緑	細粒			点在	一面に	

埼玉県戸田市下戸田	94	J—二五一四六	一四四一	緑泥片岩	緑	中粒				小・一面	
	95	J—二五一四七	一三八〇	緑泥片岩	緑	中粒				一面に	
	96	J—二五一四八	十四世紀	緑泥片岩	緑～暗緑	細粒					淡緑の小粒子が一面に
埼玉県東松山市上唐子字大欠	97	J—二五一五一	一三九五	緑泥片岩	やや灰緑	中粒					光沢顕著・裏面緑・黒い粒子が点在
	98	J—二五一五二	一三六四	緑泥片岩	緑	細粒				一部に点在	
	99	J—二五一五三	一四〇〇	緑泥片岩	緑	中粒			少し	一面に	裏面黒い鉱物が点在
	100	J—二五一五四	一三九六	緑泥片岩	緑	中粒			小・一面	点在	
	101	J—二五一五五	一三八七	緑泥片岩	暗緑	中粒		少し		小・点在	裏面大きな錆びた鉄鉱物が点在
	102	J—二五一五六	一三六二～一三六八	緑泥片岩	緑	中粒				小・一面	裏面微少な黒い粒子が点在
	103	J—二五一五七	一三九一	緑泥片岩	緑	中粒			少し	小・点在	
	104	J—二五一五八	一二九五	緑泥片岩	緑	中粒			小・少し	一面に	
	105	J—二五一五九	一三八一	緑泥片岩	緑～暗緑	細粒			少し	点在	裏面錆びた鉄鉱物が点在
	106	J—二五一六〇	一三八二	緑泥片岩	暗緑	中粒		顕著			
	107	J—二五一六一	一三四四	緑泥片岩	緑	細粒		点在			
	108	J—二五一六二	一四三一	緑泥片岩	緑	細粒					細い暗緑の平行な筋
	109	J—二五一六三	一三六五	緑泥片岩	緑	粗粒				一面に	暗緑の粒状の出っぱりが一面に／点紋？
	110	J—二五一六四	一三三七	緑泥片岩	緑	細粒					
	111	J—二五一六五	一三六八	緑泥片岩	緑	中粒			少し点在	点在	暗緑の縞・裏面に錆びた鉄鉱物集中部分あり
	112	J—二五一六六	一三八三	緑泥片岩	緑～暗緑	中～粗粒				やや大・一面	

113	埼玉県東松山市上唐子字大欠	J—二五一六七	十四世紀	緑泥片岩	暗緑〜緑	細粒		点在	点在		
114		J—二五一六八	十四世紀	緑泥片岩	暗緑	細粒〜中粒			少し点在	小・一部に	
115	東京都大田区鵜の木光明寺	J—二五一九三	一三三八	緑泥片岩	暗緑〜緑	細粒				小、点在	
116	東京都葛飾区小菅東京拘置所	J—二五一九一	一二七三	緑泥片岩	暗緑	細粒		ほんの少し		少し	細い暗緑の筋が多い
117	東京都北区田端JR東日本田端駅構内松平頼平邸跡	J—二五一六九	一四四三	緑泥片岩	黄緑	中粒					細かい筋が明瞭
118		J—二五一七〇	一四八八	緑泥片岩	暗緑	細粒		大きめ点在			
119		J—二五一七一	一四八〇	緑泥片岩	緑	細粒					
120		J—二五一七二	一四八四	緑泥片岩	緑	細粒	一部に白い点紋点在			少し	
121		J—二五一七三	一四八五	緑泥片岩	暗緑	細粒〜中粒		一部に集中		点在	
122		J—二五一七四	一四七八	緑泥片岩	緑	細粒			小・一面		
123		J—二五一七五	一四七三	緑泥片岩	緑	細粒		多く分布			
124		J—二五一七六	一四七三	緑泥片岩	黄緑	細粒			多い		
125		J—二五一七七	一四六七	緑泥片岩	暗緑〜緑	細粒		少し	多い		
126		J—二五一七八	一五〇五	緑泥片岩	緑	細粒		少し			裏面錆びた鉄鉱物が大きく多い
127		J—二五一七九	一四九〇	緑泥片岩	緑	細粒			小・点在		
128		J—二五一八〇	一五二四	緑泥片岩	黄緑	中粒					裏面に白い鉱物が点在
129		J—二五一八一	一五三五	緑泥片岩	緑	粗粒	暗緑の点紋一面		微少・一面	一面に	白い粒点紋とすべきか
130		J—二五一八二	一五五五	緑泥片岩	淡緑	中粒				一面に	
131		J—二五一八三	一四〇三	緑泥片岩	暗緑	中粒					

東京都北区田端JR東日本田端駅構内松平頼平邸跡	132	J―二五一八四	一三七三	緑泥片岩	暗緑	中粒					
	133	J―二五一八五	一三六五	緑泥片岩	暗緑	中粒		少し			
	134	J―二五一八六	一三七四	緑泥片岩	緑	中粒					
	135	J―二五一八七	一三九八	緑泥片岩	暗緑〜緑	中粒					裏に錆びた鉄鉱物が点在
	136	J―二五一八八	一三六一	緑泥片岩	緑	中粒		大〜小、多い	点在		
	137	J―二五一八九	一三三九	緑泥片岩	暗緑と緑	細粒					
	138	J―二五一九〇	一三五一	緑泥片岩	緑	中粒	暗緑の点紋一面	大・少し、小・一面		下・少し、上・多い	
東京都北区田端	139	J―二五二一〇	一二八九	緑泥片岩	緑	細粒		少し	小、一面に		
東京都北区西ヶ原	140	J―二五一九二	一四四七	緑泥片岩	暗緑〜緑	粗粒				点在	縦方向の配列が顕著
東京都台東区上野公園東照宮裏山	141	J―二五二〇二	一三七四	緑泥片岩	暗緑	粗粒		少し		一面に	裏面：大きな錆びた鉄鉱物
東京都千代田区霞が関三丁目	142	J―二五一九四	一三九七	緑泥片岩	緑	中粒			一面に		
	143	J―二五一九五	一五〇五	緑泥片岩	緑	中粒			多い		裏に錆びた鉄鉱物少し
	144	J―二五一九六	十六世紀	緑泥片岩	緑	細粒		一面に多い			
東京都日野市日野本町	145	J―二五二八二	一三一〇	緑泥片岩	暗緑	細粒					
東京都あきる野市高尾	146	J―二五一五〇	一四五七	緑泥片岩	暗緑	細粒			全面に		
神奈川県横浜市保土ヶ谷区峰岡町	147	J―二五二一一	一二九五	緑泥片岩	暗緑	中粒					暗緑の細い平行な筋たくさん、筋の間は光沢
	148	J―二五二一二	十四世紀	緑泥片岩	緑	中粒					暗緑の細い筋が明瞭
	149	J―二五二一三	一三一八	緑泥片岩	緑	中粒					
神奈川県横浜市緑区長津田町字道正	150	J―二五二〇五	十四世紀前期	緑泥片岩	緑	中粒					

神奈川県横浜市緑区長津田町字道正	151	J―一二五二〇六	一三一〇	緑泥片岩	緑	粗粒	多い	少し	少し	多い	
	152	J―一二五二〇七	一三〇三	緑泥片岩	暗緑	細粒		大きさ色々、点在			
	153	J―一二五二〇八	一三二八	緑泥片岩	緑	中粒			点在	多い	
	154	J―一二五二〇九	十四世紀	緑泥片岩	青緑	細粒					暗緑の細い平行な筋がたくさん
神奈川県綾瀬市深谷落合	155	J―一二五二二六	一三六八	緑泥片岩	暗緑	細粒		一部に多く集中		一部に密集(粒小さい)	太い暗緑の縞
	156	J―一二五二二五	一四一三	緑泥片岩	黄緑	細粒			多い		裏面に白い粒が多い
神奈川県小田原市城山三丁目東海道本線線路敷地	157	J―一二五二八一	一三三四	安山岩							平らな節理面をもつ
神奈川県大和市深見坊ケ窪	158	J―一二五三六〇	一三四七	緑泥片岩	暗緑と緑	粗粒	あり	大・点在、集中部有り		全面に	筋が明瞭・色不均質
出土地不詳	159	J―一二五三三六	一三二七	緑泥片岩	暗緑	細粒					
	160	J―一二五三三九	一三五四	緑泥片岩	緑～暗緑	中粒				小・多い	
	161	J―一二五三四〇	一三七八	緑泥片岩	緑～暗緑	粗粒				一面に	白い斜長石点紋？
	162	J―一二五三四一	一二八三	緑泥片岩	緑～暗緑	中～粗粒	一面に			点在	
	163	J―一二五三四二	一三九七	緑泥片岩	淡緑	中粒					暗緑の平行な筋がたくさん
	164	J―一二五三四三	一三四九	緑泥片岩	暗緑	細粒					
	165	J―一二五三四四	一三一〇	緑泥片岩	緑	細粒				少し	
	166	J―一二五三六一	一三二四	緑泥片岩	暗緑	粗粒			点在		
	167	J―一二五三六九	一三三一	緑泥片岩	暗緑	細粒				小・密に	
	168	J―一二五三三一	十四世紀	緑泥片岩	暗緑	中粒	あり			一部に多い	
	169	J―一二五三三二	一四七二	緑泥片岩	黄緑	細粒					光沢

出土地不詳	170	J—二五三三三	十四世紀前期	緑泥片岩	緑	細粒		集合した部分あり	小粒の集合点在		
	171	J—二五三三四	一四八五	緑泥片岩	緑～暗緑	中粒					
	172	J—二五三三五	一四四五	緑泥片岩	淡緑	粗粒	あり			一面に	光沢強く、色まだら
	173	J—二五三三八	一四三四	砂岩							固結度あまり高くない
	174	J—二五三四五	十五世紀	緑泥片岩	淡緑	細粒					平行な筋が明瞭
	175	J—二五三四六	一四五七～一四六〇	緑泥片岩	緑	細粒					
	176	J—二五三四七	一四二九	緑泥片岩	暗緑	粗粒		点在			
	177	J—二五三四八	十四世紀	緑泥片岩	暗緑	中粒				点在	
	178	J—二五三六八	一四六七	緑泥片岩	暗緑	粗粒	暗緑色の大きな点紋一面		一面に		何列もの暗緑の細長い凸部が連続

おわりに

東京国立博物館が所蔵する一七八点の板碑について述べてきたわけであるが、最後に簡単にまとめておきたい。

今回は、今までほとんど一般の目にふれることのなかった板碑について、資料の史料化をめざして、それぞれについて写真・拓影・実測図を掲げ、製作技法も含めた解説を行った。今後は、この結果に基づいてさらに研究を進めていきたい。

また、今回、考古石材研究所の柴田徹氏に依頼して、石材の調査を行った。その結果については第四章の柴田氏の報告にくわしい。この石材調査の結果からは、当時の流通に関する問題についてのいくつかの指摘がなされている。今回の石材調査は肉眼観察が主体であったが、主たる石材である緑泥片岩にも違いが見られ、産地が異なることが予想された。今後、石材産地の調査を行って、個々の板碑の石材の産地が明らかになれば、その製作や流通の問題に大きな示唆を与えることになろう。

板碑は中世史研究の素材として大きな可能性を秘めた資料と言うことが出来よう。今後の研究の進展のためにも、学際的研究が望まれるゆえんである。この報告が、少しでも皆様のお役に立てば幸いである。

最後に、本書の作成に当たり、多大なご協力をいただいた関係各位に厚く御礼申し上げます。

（望月幹夫）

東京国立博物館所蔵板碑一覧表

番号	所在地	列品番号	銘文	西暦	計測値（㎝）高	上幅	下幅	上厚	下厚	写真図版	拓影図版	実測図版
1	宮城県名取市高館熊野堂字大門山	J—三六六五八—一		十三世紀後半～十四世紀前半	(43.3)	22.4		2.8		3・17	1	1
2	宮城県松島町雄島	J—三六六五八—二		十四世紀	32.8	13.5		2.0		17	1	1
3	宮城県内	J—三六六五八—三	一切諸□ 応永□ 十日□	一三九四～一四二八	26.0	9.8		6.0		18	1	1
4	茨城県古河市大字立崎頼政廓跡	J—二五二六六	今此三界 皆是我有 徳治二十六 其中衆生 悉是吾子	一三〇七	(92.9)	24.5	24.5	2.5	3.5	3・18	2	2
5		J—二五二六七	康永二年 七月十二日	一三四三	63.2	(15.0)	19.5	1.5	1.5	3・19	2	2
6		J—二五二六八	応仁二年 □妙禅尼 八月十四日	一四六八	48.8	12.5	12.0	1.5	1.5	3・19	3	3
7		J—二五二六九	永徳二年 八月日	一三八二	51.6	14.9	15.3	1.5	1.8	4・20	3	3
8		J—二五二七〇	観応二年 八月日	一三五一	45.7	13.5	14.5	2.0	1.7	20	4	4
9		J—二五二七一	文正二年 鏡善 十月十九日	一四六七	(46.2)	13.9	13.9	1.5	1.4	21	4	4
10		J—二五二七二	貞治四年 十月日	一三六五	(41.3)	16.0	17.5	3.0	2.8	21	3	5
11		J—二五二七三—一	康永元年□	一三四二	(23.6)	25.8	26.8	2.3	2.6	22	4	3

※計測値の（ ）で括ったものは現存の寸法を示す。
図版の項目はそれぞれの図版番号を示す。

茨城県古河市大字立崎頼政廓跡	12	J—二五二七三—二	真 正和丙辰七月十四□ □	一三一六	(42.1)	15.4	16.7	1.7	1.5	22	5	5
	13	J—二五二七三—三		十四世紀	(25.0)	16.1		1.5		23	5	6
茨城県取手市白山六丁目大鹿城跡	14	J—二五三三七		十六世紀	(46.9)	16.2	15.6	2.0	2.0	23	5	7
茨城県境町百戸字マイゴオ	15	J—二五二一九	永正十三年 妙祐禅尼 二月十六日	一五一六	(42.1)	13.5	13.7	1.8	2.2	24	6	8
	16	J—二五二二〇	永正三年 鏡善禅門 十月十三日	一五〇六	50.6	15.9	16.5	2.2	1.1	24	6	9
	17	J—二五二二一	延徳二（カ）年 浄妙禅尼 八月十九日	一四九〇	51.5	16.3	16.5	2.0	1.8	25	6	10
	18	J—二五二二二	永正四年 道阿弥禅門 十一月廿二日	一五〇七	(37.3)	17.5	15.7	1.9	1.6	25	7	8
	19	J—二五二二三	永享二年 鏡阿弥尼 □月廿二日	一四三〇	(37.6)	16.4	16.3	1.6	2.3	26	7	9
	20	J—二五二二四	永正十一年 道円禅門 十一月廿日	一五一四	(45.8)	14.0	14.5	2.0	1.9	26	7	10
栃木県小山市上石塚字愛宕東愛宕神社境内	21	J—二五二八三	建治二年二月日	一二七六	(63.5)	18.2	18.5	2.3	1.8	4·27	8	11
	22	J—二五二八四	正慶二年 十月日	一三三三	60.0	15.9	16.9	2.3	1.0	4·27	8	11
	23	J—二五二八五	康暦元年 八月日	一三七九	57.4	20.0	21.3	2.3	3.0	28	8	11

栃木県小山市上石塚字愛宕東愛宕神社境内

24	J—二五二八六		十四世紀	52.8	17.5	18.5	1.9	2.2	4・28	9	12
25	J—二五二八七	応永四年十月	一三九七	59.5	18.0	19.0	1.8	2.2	29	8	11
26	J—二五二八八	応永十三年 八月日	一四〇六	43.6	15.2	16.0	1.3	1.7	29	10	13
27	J—二五二八九	応永四年 七月日	一三九七	46.7	16.0	17.5	2.5	1.7	30	10	14
28	J—二五二九〇	応永廿二 二(閏カ)六月日	一四一五	49.9	14.9	14.5	1.6	1.6	30	11	15
29	J—二五二九一	貞治三 十一月	一三六四	42.9	12.1	13.3	1.2	2.0	31	10	14
30	J—二五二九二	凵明遍照十方世界 文永十年五月日 凵衆生摂取不捨	一二七三	(41.0)	25.4	26.2	2.0	2.2	31	9	13
31	J—二五二九三	貞治元年九月日	一三六二	(40.6)	20.5	20.8	2.1	2.2	32	11	16
32	J—二五二九四	二月冂	十三世紀	(43.8)	20.4	20.5	1.8	1.5	32	12	16
33	J—二五二九五	(右側) 応永十二年 (左側) 了円禅尼 七月十日	一四〇五	(53.0)	19.5	20.0	2.2	1.9	33	12	17
34	J—二五二九六	弘安六年冂	一二八三	(25.0)	19.8	19.9	1.3	1.4	33	13	15
35	J—二五二九七	明徳五年 六月六日	一三九四	(36.5)	16.9	15.8	1.4	1.8	34	13	18
36	J—二五二九八		十三世紀	(41.8)	26.7	26.8	2.1	2.0	34	8	11
37	J—二五二九九	弘安六年十二月冂	一二八三	(28.1)	(17.8)		(1.4)		35	13	17
38	J—二五三〇〇	凵三年二月	十四世紀	(36.6)	(22.3)		(2.3)		35	14	18
39	J—二五三〇一		十四世紀	(29.6)	(10.8)		(1.9)		36	9	12

40	栃木県小山市上石塚字愛宕東愛宕神社境内	J—二五三〇二	□ 弘安二年十一月 子	一二七九	(28.3)	(14.0)		(1.7)		36	11	19
41	栃木県野木町野渡字仲沖	J—二五二三五	十月日 弘安二年 己卯	一二七九	(91.0)	27.8	31.2	2.5	2.5	5·37	15	21
42		J—二五二三六	元亨元年 南無妙法蓮華経 六月廿二日	一三二一	70.8	18.5	20.0	1.6	1.9	5·37	15	21
43		J—二五二三七	永十年 十月日	一四三八	(53.8)	15.0	15.5	1.5	1.8	5·38	14	20
44		J—二五二三八	延文六年 二月日	一三六一	48.2	14.1	15.0	1.5	1.7	5·38	14	19
45	群馬県前橋市笂井町八日市	J—二五三二六		十六世紀	60.1	17.7	20.0	2.0	1.5	6·39	15	21
46	群馬県太田市矢場町	J—二五二三九	南無多宝如来　康永□三年 浄蓮 南無妙法蓮華経 南無釈迦牟尼仏　卯月十五日	一三四四	(63.0)	23.6	25.0	2.3	2.5	6·39	15	21
47		J—二五二四〇	康永二年 九月	一三四三	73.7	19.8	21.2	1.8	1.9	6·40	24	32
48		J—二五二四一	正安三年　月	一三〇一	(56.8)	22.0	23.7	2.4	2.3	6·40	24	32
49		J—二五二四二	延文二年八月日	一三五七	(53.0)	21.3	22.7	1.9	2.2	41	24	32
50		J—二五二四三	元徳三年 九月八日	一三三一	(44.6)	16.8	17.1	2.5	1.8	41	16	22
51		J—二五二四四	貞和二年 六月三日	一三四六	(48.3)	19.8	19.9	2.0	1.9·	7·42	16	23
52		J—二五二四五	観応二年 十一月	一三五一	49.8	16.7	17.8	2.3	2.7	7·42	17	24
53		J—二五二四六	永仁三年七月日	一二九五	(48.0)	20.2	20.8	1.6	2.0	43	17	25
54		J—二五二四七	暦応四年 七月日	一三四一	(40.4)	15.4	16.2	1.7	2.0	43	18	22

No.	所在地	番号	銘文	年代								
55	群馬県太田市矢場町	J―一二五二四八	文和四年十月日	一三五五	(45.2)	15.2	15.8	1.7	1.8	44	18	26
56		J―一二五二四九	康永二年 正月十二日	一三四三	47.0	14.5	15.8	1.9	1.8	44	19	27
57		J―一二五二五〇	永和五年 正月七日	一三七九	41.6	14.0	15.0	1.9	1.6	45	18	26
58		J―一二五二五一	応永九年 八月一日	一四〇二	(37.4)	14.7	15.2	2.5	2.4	45	19	23
59		J―一二五二五二	永和四年 十二月七日	一三七八	41.8	15.3	16.5	1.8	1.6	46	20	25
60		J―一二五二五三―一	⊔年丁卯八月五日白敬	一三二七	(57.0)		30.8	2.9	2.5	46	21	28
61		J―一二五二五三―二	嘉暦弐年丁卯大才八月五日 (裏面) 民部 ⊔八日入滅	一三二七	(41.8)	27.8	28.5	2.5	2.5	47	20	29
62		J―一二五二五三―三	延慶⊓ 六月⊓	一三〇八～一三一一	(33.6)	16.5	17.1	1.8	1.8	47	21	24
63		J―一二五二五三―四	嘉暦二年 十一月廿七日	一三二七	(37.0)	15.9	16.7	1.7	2.3	48	22	27
64		J―一二五二五三―五	貞和三年 八月 日	一三四七	(37.0)		16.1	1.5	1.8	48	23	29
65		J―一二五二五三―六	康永元年 十一月	一三四二	(33.2)	18.6	18.2	2.3	2.5	49	22	30
66		J―一二五二五三―七	貞治七年 ⊔月二日	一三六八	(28.0)	15.1	15.1	0.9	1.0	49	19	28
67		J―一二五二五三―八	建武元年 四月⊓	一三三四	(18.8)	16.0	13.2	1.1	1.4	50	19	30
68		J―一二五二五三―九	⊔文二年 ⊔月 日	一三五七	(22.1)	16.0	16.0	1.5	2.2	50	22	31
69		J―一二五二五三―一〇	元徳二年 七⊓	一三三〇	(19.0)	16.0		1.5	1.4	51	23	31
70		J―一二五二五三―一一	元徳二年 七月⊓	一三三〇	(11.6)	15.7		1.9	1.6	51	23	31
71	群馬県高崎市岩鼻町字久保西	J―一二五一三九		十四世紀	(56.1)	15.8	17.0	1.9	1.8	52	24	32
72		J―一二五一四〇	永徳元年月日	一三八一	88.2	27.8	27.7	2.8	3.2	52	25	33

群馬県高崎市岩鼻町字久保西	73	J―一二五一四一		十四世紀	(54.7)	17.4	18.8	2.8	2.7	53	24	33
埼玉県岩槻市尾ケ崎新田字新河岸地先綾瀬川底	74	J―一二五二七四	観応三年七月日	一三五二	104.6	28.0	30.0	2.4	2.6	7·53	25	33
埼玉県さいたま市西区佐知川	75	J―一二五一四九	貞治四年十一月廿六日	一三六五	(69.2)	21.3	23.8	2.2	2.2	7·54	25	33
埼玉県川口市戸塚下台	76	J―一二五三五七	暦応四年八月十六日	一三四一	(42.9)	16.4	17.2	1.6	1.3	54	26	34
埼玉県川口市戸塚下台	77	J―一二五二五八	暦応二年八月日	一三三九	44.3	13.0	13.5	1.7	1.5	8·55	26	34
埼玉県川越市古谷上	78	J―一二五三七八	四月 観応元年 二日	一三五〇	64.8	18.9	21.6	2.1	2.0	8·55	27	35
埼玉県川越市古谷上	79	J―一二五三七九	正応三年□	一二九〇	(46.2)	20.4	(19.0)	2.4	2.3	56	26	36
埼玉県川越市古谷上	80	J―一二五三八〇	永和二年四月九□	一三七六	(44.9)	18.3	19.5	1.8	1.9	56	29	36
埼玉県川越市古谷上	81	J―一二五三八一		十四世紀	(133.5)	31.0	34.4	4.1	3.6	8·57	28	37
埼玉県川越市古谷上	82	J―一二五三八二		十四世紀	(33.5)	19.3	19.9	1.8	2.3	57	29	38
埼玉県川越市的場	83	J―一二五三五〇	元弘四年四月日	一三三四	87.2	21.8	25.9	1.6	2.5	8·58	30	39
埼玉県川越市的場	84	J―一二五三五一	康永三年二月日	一三四四	72.4	20.9	23.4	2.4	2.0	9·58	31	40
埼玉県川越市的場	85	J―一二五三五二	道 至徳四年四月七日 十	一三八七	77.3	22.7	24.5	1.8	2.7	59	32	41
埼玉県川越市的場	86	J―一二五三五三	貞治三年八月廿六日	一三六四	55.0	16.5	18.1	2.0	2.2	59	33	38
埼玉県川越市的場	87	J―一二五三五四	六月 応安三年 一日	一三七〇	49.0	15.5	16.6	1.5	1.7	60	34	42
埼玉県川越市的場	88	J―一二五三五五	応□	十四世紀後半～十五世紀初頭	(33.5)	18.2	19.0	2.0	1.7	60	33	42

89	埼玉県熊谷市四方寺	J—二五二〇〇	明徳五年 法善尼 正月八日	一三九四	51.4	16.3	17.0	1.9	1.8	61	34	43
90	埼玉県戸田市下戸田	J—二五一四二	天文三年甲午 妙双禅尼 四月十三日	一五三四	54.5	15.6	15.5	2.0	1.9	9·61	35	44
91		J—二五一四三	永正二年乙丑 逆修道円禅門 二月十四日	一五〇五	54.0	16.9	16.6	1.9	1.8	62	36	45
92		J—二五一四四	応長元年七月日	一三一一	77.1	19.4	20.2	2.8	2.4	62	37	46
93		J—二五一四五	永正三年丙寅 妙忍禅尼 八月三日	一五〇六	59.3	18.6	19.4	1.7	2.0	63	38	47
94		J—二五一四六	光明遍照 十方世界 永享十三年 妙蓮禅尼 二月六日 □衆生 □	一四四一	(45.0)	(21.1)		2.5	2.0	63	36	48
95		J—二五一四七	康暦二年 六月廿日	一三八〇	(35.0)	15.8	17.3	1.8	1.7	64	38	48
96		J—二五一四八	子□	十四世紀	(36.9)	22.9	23.2	2.1	2.0	64	35	43
97	埼玉県東松山市上唐子字大欠	J—二五一五一	七月 応永二年 十五日	一三九五	(42.5)	18.8	19.7	2.1	1.9	65	39	49
98		J—二五一五二	貞治三年十月日	一三六四	(58.2)	21.6	21.7	2.2	2.1	65	40	50

埼玉県東松山市上唐子字大欠

99	J—二五一五三	二月卅日 応永七年 法善	一四〇〇	(55.7)	19.5	20.8	2.8	2.8	66	39	51
100	J—二五一五四	八月 応永三年 十八日	一三九六	(35.8)	20.1	20.7	1.6	1.8	66	40	52
101	J—二五一五五	廿五 至徳四年正月 日	一三八七	(49.6)	21.2	21.7	2.7	2.2	67	41	52
102	J—二五一五六	貞治□	一三六二〜一三六八	(48.8)	22.4	23.2	2.1	2.6	67	42	49
103	J—二五一五七	明徳二年 道仏 十二月廿八日	一三九一	(44.8)	20.6	20.0	1.8	2.3	68	41	53
104	J—二五一五八	永仁三年□	一二九五	(52.0)	23.4	24.0	2.1	2.1	9·68	43	54
105	J—二五一五九	永徳元	一三八一	(41.3)	21.3	22.4	2.0	2.1	69	42	54
106	J—二五一六〇	永徳二年□ □戌	一三八二	(43.5)	19.6	20.4	2.6	2.6	69	43	53
107	J—二五一六一	三年 康永 八月日	一三四四	(33.3)	15.2	15.8	3.0	2.8	70	46	50
108	J—二五一六二	妙 永享三年二月五日 西	一四三一	(28.0)	22.4		2.0	2.2	70	45	51
109	J—二五一六三	貞治四年十二月日	一三六五	86.2	23.3	25.1	2.6	3.4	9·71	44	55
110	J—二五一六四	阿闍梨覚賢 建武四年丁寅八月日白敬 奉修逆修如斯	一三三七	(66.8)	23.5	24.5	2.2	2.2	71	45	56

埼玉県東松山市上唐子字大欠	111	J―二五一六五	貞治七年八□	一三六八	(57.4)	22.8	23.2	2.5	2.1	10·72	46	57
	112	J―二五一六六	曽阿 永徳三年二月日 逆□	一三八三	(51.7)	27.3	28.2	2.6	2.2	72	47	58
	113	J―二五一六七		十四世紀	34.0	50.9		厚3.8		10·73	48	59
	114	J―二五一六八		十四世紀	25.2	46.5		2.3		10·73	49	60
東京都大田区鵜の木光明寺	115	J―二五一九三	建武五年三月日	一三三八	62.0	17.9	18.7	2.1	2.3	73	50	61
東京都葛飾区小菅東京拘置所	116	J―二五一九一	□ 文永拾年六月廿一日 □行願不退転 □及法界	一二七三	69.1	24.5	19.8	2.2	2.1	74	50	61
東京都北区田端JR東日本田端駅構内松平頼平邸跡	117	J―二五一六九	嘉吉三年 鏡阿弥 五月廿八日	一四四二	52.3	16.9	17.4	2.3	2.3	74	51	62
	118	J―二五一七〇	長享二年戊申 性泉禅尼 十月十八日	一四八八	56.3	16.0	15.8	1.7	1.6	75	52	63
	119	J―二五一七一	文明十二年庚子 良尊阿闍梨 十二月三日	一四八〇	56.1	18.0	18.4	2.5	2.7	10·75	53	64
	120	J―二五一七二	文明十六年甲辰 性明禅尼 十二月十五日	一四八四	59.8	15.5	17.0	2.0	2.2	76	50	61
	121	J―二五一七三	文明十七年乙巳 性祐禅尼 正月廿八日	一四八五	45.0	14.7	15.2	1.8	2.2	10·76	54	65

東京都北区田端JR東日本田端駅構内松平頼平邸跡	122	J—二五一七四	文明十年戊戌 妙金禅尼 十月一日	一四七八	45.5	13.7	14.7	2.2	2.1	77	54	65
	123	J—二五一七五	文明五年癸巳 妙金禅門 四月十九日	一四七三	(38.8)	15.7	15.7	1.5	2.0	77	53	66
	124	J—二五一七六	文明五年癸巳 道秀禅尼 十月十一日	一四七三	62.2	17.1	17.5	1.7	2.0	11·78	50	61
	125	J—二五一七七	応仁元年丁亥 興義阿闍梨 十月廿日	一四六七	55.4	14.8	15.9	2.0	2.5	78	55	67
	126	J—二五一七八	永正二年乙寅 道慶禅門 九月廿五日	一五〇五	49.7	16.4	16.8	1.7	1.7	79	54	66
	127	J—二五一七九	延徳二年庚戌 性徳禅尼 正月六日	一四九〇	(53.9)	17.6	18.1	1.6	1.7	11·79	50	68
	128	J—二五一八〇	大永六年丙戌 妙勝禅尼 九月廿四日	一五二四	49.4	15.1	15.8	1.9	1.9	80	55	67
	129	J—二五一八一	天文四年乙未 逆修妙順禅尼 二月十八日	一五三五	56.7	15.5	15.7	1.9	2.0	80	58	68
	130	J—二五一八二	弘治元年乙卯 妙照禅尼 十月廿三日	一五五五	55.9	14.8	15.0	1.7	1.4	11·81	58	69

東京都北区田端JR東日本田端駅構内松平頼平邸跡	131	J―二五一八三	応永十年 鏡賢 二月十八日	一四〇三	(35.4)	15.8	15.8	1.6	1.4	81	51	62
	132	J―二五一八四	応安六年 十月日	一三七三	53.7	15.5	16.8	1.6	2.0	82	56	70
	133	J―二五一八五	貞治四年 十一月日	一三六五	47.9	15.6	17.2	1.5	2.1	82	56	72
	134	J―二五一八六	貞和三年 十一月日	一三七四	54.7	16.9	18.4	2.3	1.9	11・83	58	69
	135	J―二五一八七	応永五年 向阿 三月卅日	一三九八	55.8	17.7	18.7	1.7	1.6	83	57	71
	136	J―二五一八八	延文六年 八月日	一三六一	64.1	19.8	20.8	2.8	3.2	84	58	68
	137	J―二五一八九	建武四年十一月日	一三三七	(61.0)	20.0	20.8	2.5	1.2	84	58	68
	138	J―二五一九〇	妙位(カ)逆修観応二年辛卯八月廿五日	一三五一	103.4	27.1	30.3	2.5	2.8	12・85	58	69
東京都北区田端	139	J―二五二一〇	正応二年四月日	一二八九	77.0	21.6	22.4	2.5	2.5	12・85	59	73
東京都北区西ヶ原	140	J―二五一九二	文安四年 道脛(カ)禅門 正月廿七日	一四四七	(49.7)	(13.7)	15.0	1.6	1.7	86	60	72
東京都台東区上野公園東照宮裏山	141	J―二五二〇二	応安七年十一月 妙心廿三日	一三七四	54.4	14.6	15.0	2.2	1.8	86	60	74
東京都千代田区霞ヶ関三丁目	142	J―二五一九四	応永四年 六十日戌	一三九七	61.7	19.6	20.5	2.5	2.5	12・87	61	75
	143	J―二五一九五	永正二年 性阿禅門 八月十三日	一五〇五	42.0	13.0	11.8	1.5	1.5	12・87	60	76
	144	J―二五一九六	□□二年 □□禅尼 六月廿四日	十六世紀	(37.2)	15.4	14.1	1.2	1.1	88	61	76

東京都日野市日野本町	145	J—二五二八二	延慶三年十一月日	一三一〇	60.8	16.3	17.4	2.1	3.0	88	62	77
東京都あきる野市高尾	146	J—二五一五〇	月待供養 康正三年丁丑八月廿三日 結衆敬白	一四五七	154.3	36.9	37.7	3.0	3.4	1・89	63	78
神奈川県横浜市保土ケ谷区峰岡町	147	J—二五二一一	永仁三年二月日	一二九五	126.7	29.7	31.7	2.3	2.5	2・90	64	79
	148	J—二五二一二		十四世紀	(95.8)	29.1	30.0	2.6	2.9	13・90	64	80
	149	J—二五二一三	文保二年十月日	一三一八	83.5	21.9	24.3	1.8	2.2	91	64	80
神奈川県横浜市緑区長津田町字道正	150	J—二五二〇五	覚 □五月廿二日 縁	十四世紀前期	上部(44.0) 下部(62.7)	18.6	33.8	2.6	2.7	91	66	81
	151	J—二五二〇六	延慶三年七月廿二日	一三一〇	111.3	28.1	30.7	3.0	2.7	13・92	67	82
	152	J—二五二〇七	乾元二年八月日	一三〇三	126.5	32.4	35.3	2.8	2.8	13・92	65	83
	153	J—二五二〇八	嘉暦三年二月日	一三二八	91.6	24.6	28.6	2.2	2.3	13・93	66	82
	154	J—二五二〇九	□二年十月日	十四世紀	(38.0)	19.6	20.1	1.9	1.8	93	68	84
神奈川県綾瀬市深谷落合	155	J—二五二二六	貞治七年　月	一三六八	83.0	24.8	26.1	2.5	2.5	14・94	69	85
	156	J—二五二二五	応永廿年	一四一三	(51.6)	19.2		1.5	1.7	94	68	84
神奈川県小田原市城山三丁目東海道本線線路敷地	157	J—二五二八一	為悲母一周忌 乃至法界衆也 建武元七八 敬白	一三三四	(142.8)	33.0	54.0	40.2	45.5	95	70	86
神奈川県大和市深見坊ケ窪	158	J—二五三六〇	貞和三年二月	一三四七	89.4	24.3	27.2	2.4	2.2	14・95	70	87
出土地不詳	159	J—二五三三六	嘉暦二年 八月日	一三二七	40.3	15.0	15.8	1.3	1.7	96	71	89

出土地不詳											
160	J—二五三三九	文和三 八月 日	一三五四	60.2	17.8	20.5	2.3	1.9	96	72	88
161	J—二五三四〇	逆修 永和四年戊午十一月 妙海	一三七八	65.7	19.0	20.6	1.5	1.4	97	72	87
162	J—二五三四一	弘安六年十月日	一二八三	65.7	20.6	22.4	1.5	1.4	14·97	72	87
163	J—二五三四二	右者道兹聖霊々也 応永四年十一月十一日	一三九七	62.5	19.9	20.5	2.9	3.5	14·98	73	90
164	J—二五三四三	貞和五年 三月日	一三四九	61.3	19.7	21.2	1.6	1.6	98	74	91
165	J—二五三四四	延慶三年	一三一〇	29.4	9.4	10.2	1.6	1.7	15·99	73	92
166	J—二五三六一	元亨四年 甲子正月十二日	一三二四	99.3	26.7	30.3	2.4	2.9	15·99	72	88
167	J—二五三六九	元徳三年六月日	一三三一	(40.0)	22.5	(22.8)	2.0	2.0	100	77	89
168	J—二五三三一		十四世紀	(60.2)	32.3		2.9	2.8	15·100	75	93
169	J—二五三三二	南無多宝如来 文明四年壬辰 南無妙法蓮華経 妙堅比丘尼 南無釈迦牟尼仏 四月十七日	一四七二	46.8	16.7	17.4	2.4	2.2	101	76	92
170	J—二五三三三	(裏面) 下総国東葛飾郡 馬橋法王山内ヨリ 長全誌	十四世紀前期	(51.5)	29.6	30.8	2.4	2.5	15·101	77	94
171	J—二五三三四	文明十七天	一四八五	51.8	16.5	17.6	2.3	2.0	102	78	95
172	J—二五三三五	文安二年 妙心禅尼 四月十五日	一四四五	48.4	14.9	15.8	2.3	2.3	16·102	71	96

出土地不詳

173	J—二五三三八	妙徳禅門 永亨六年 四月十二日	一四三四	43.0	15.3	15.9	5.0	5.0	16·103	76	97
174	J—二五三四五		十五世紀	(28.0)	(17.8)		1.8	1.8	103	73	94
175	J—二五三四六	長禄□ 妙祐禅尼 □廿五日	一四五七〜一四六〇	(19.0)	18.8		1.8		104	75	96
176	J—二五三四七	正長二年 徳浄禅門 三月六日	一四二九	(31.4)	17.0	17.2	1.7	2.0	104	74	95
177	J—二五三四八		十四世紀	(19.4)	12.6		2.8		16·105	78	97
178	J—二五三六八	応仁元年十月廿三日	一四六七	(145.4)	36.9	39.1	3.0	2.6	16·105	79	98

平成16年7月15日　初版発行　《検印省略》

東京国立博物館所蔵《とうきょうこくりつはくぶつかんしょぞう》　板碑集成《いたびしゅうせい》

編　者　東京国立博物館
発行者　宮田哲男
発行所　㈱雄山閣
〒102-0071　東京都千代田区富士見２－６－９
電話03-3262-3231㈹　FAX　03-3262-6938
振替：00130-5-1685
http://www.yuzankaku.co.jp

組　版　創生社
印刷・製本　東洋経済印刷株式会社

Printed in Japan 2004
ISBN 4-639-01847-9 C3021